主　编　张中印　陈崇羔

副主编　周冰峰　颜志立　叶振生　曾志将

编著者　（按姓氏拼音顺序排列）　陈大福　陈崇羔　方兵兵
方文富　房　柱　高　敦　洪德兴　侯宝敏　黄少康
黄文诚　黎翰熹　李金福　梁诗魁　吕文彦　宋心仿
孙士尧　田学军　王丽华　王习合　王运兵　武存坡
胥保华　颜志立　杨多福　叶振生　尹居禄　曾志将
詹连生　张中印　赵兰枝　周冰峰

主审者　匡邦郁

审稿者　金德锐　沈基楷　徐祖荫

张中印　陈崇羔　主编

中国实用养蜂学

THE PRACTICAL APICULTURE SCIENCE IN CHINA

河 南 科 学 技 术 出 版 社
Henan Science and Technology Publishing House

图书在版编目（CIP）数据

中国实用养蜂学/张中印，陈崇羔主编．—郑州：河南科学技术出版社，2003.10
ISBN 7-5349-2685-8

Ⅰ．中…　Ⅱ．①张…②陈…　Ⅲ．养蜂-技术-中国
Ⅳ．S89

中国版本图书馆 CIP 数据核字（2002）第 078624 号

责任编辑　周本庆　朱云香　责任校对　王艳红　李　华　申卫娟　徐小刚

河南科学技术出版社出版发行
（郑州市经五路 66 号）
邮政编码：450002　　电话：（0371）5737028
河南第一新华印刷厂印刷
全国新华书店经销
开本：787mm×1 092mm　1/16　印张：55.5　字数：1 282 千字
2003 年 10 月第 1 版　　2003 年 10 月第 1 次印刷
印数：1—3 000

ISBN 7-5349-2685-8/S·646　　定价：120.00 元

1. 自然蜂巢（引自《蜜蜂分类与进化》）

2. 采蜜的工蜂（李东荣　摄）

3. 中华蜜蜂蜂王（张中印　摄）

彩图 1　中华蜜蜂

1. 高产蜂王浆的本地意蜂王（洪德兴　摄）

2. 采蜜的工蜂（张中印　摄）

彩图 2　西方蜜蜂（一）

1. 澳大利亚意蜂王（王加聪　摄）

2. 美国意蜂王（王加聪　摄）

3. 卡尼鄂拉蜂蜂王（王加聪　摄）

4. 高加索蜂蜂王（王加聪　摄）

彩图 2　西方蜜蜂（二）

1. 树栖大蜜蜂群落（引自《中国蜜蜂学》）

2. 采蜜的大蜜蜂（房柱　提供）

3. 大蜜蜂巢脾（引自《蜜蜂分类与进化》）

4. 家养的大蜜蜂（引自《蜜蜂分类与进化》）

彩图 3　大蜜蜂

1. 蜂群（匡邦郁　摄）

2. 巢脾（匡邦郁　摄）

3. 采蜜的工蜂（房柱　提供）

彩图4　黑小蜜蜂

彩图 5　江浙定地蜂场（洪德兴　摄）

彩图 6　转地蜂场（张中印　摄）

彩图7　越夏蜂场（叶振生　摄）

彩图8　多箱体养蜂（黄文诚　摄）

彩图9　日本转地蜂场（房柱　提供）

彩图 10　蜂帽和起刮刀（张中印　摄）

彩图 11　摇蜜机（叶振生　摄）

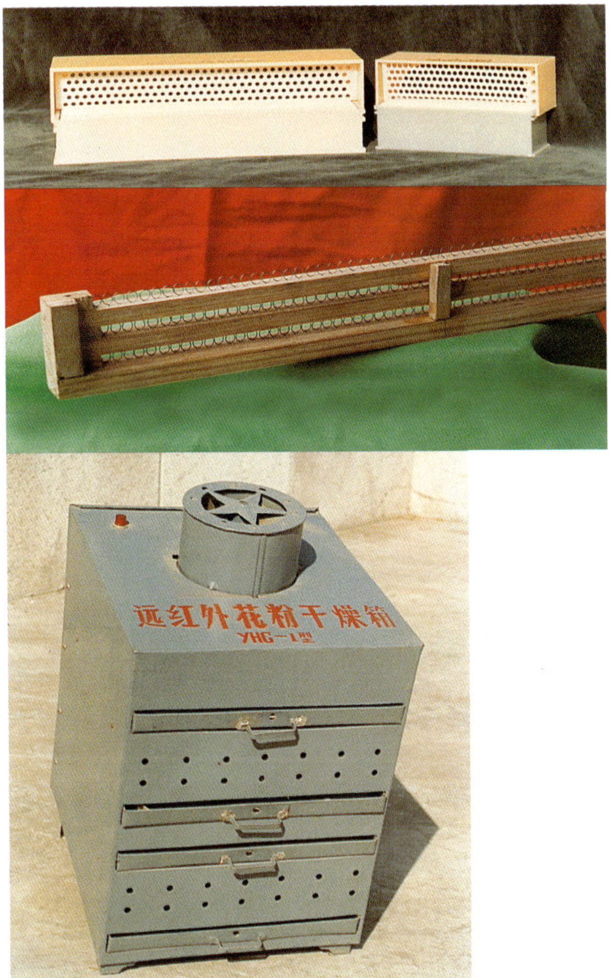

彩图 12　蜂花粉生产工具（叶振生、张中印　摄）

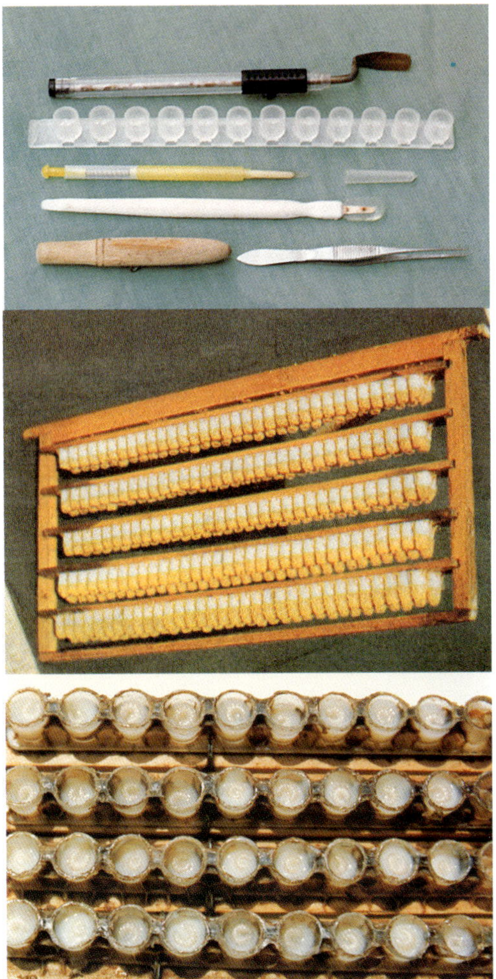

彩图 13　王浆生产工具(张中印、龚一飞、叶振生　摄)

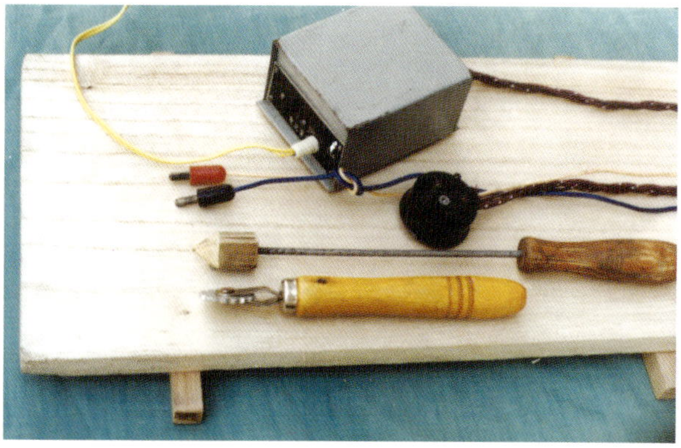

彩图 14　上础工具（张中印　摄）

彩图 15　电动真空吸浆器（方文富　提供）

彩图 16　电子取毒器（叶振生　摄）

彩图 17　电动巢础生产工具（叶振生　摄）

彩图 18　副盖式集胶器（叶振生　摄）

彩图 19　整装待运的笼蜂（黄文诚　摄）

彩图 20　油菜花（引自《中国蜂业》）

彩图 21　荞麦花（引自《中药植物原色图鉴》）

彩图 22　向日葵（引自《中国蜂业》）

彩图 23　芝麻花（（引自《中国蜂业》）

彩图 24 棉花花（梁诗魁 摄）

彩图 25 紫云英花（任再金 摄）

彩图 26 党参花（引自《中药植物原色图鉴》）

彩图 27 紫花苜蓿花（任再金 摄）

彩图 28　老瓜头花（任再金　摄）

彩图 29　白车轴草花（任再金　摄）

彩图 30　密花香薷花（任再金　摄）

彩图 31　野坝子花（引自《中国蜂业》）

彩图 32　枇杷花（任再金　摄）

彩图 33　荔枝花（引自《养蜂学》——台湾）

彩图 34　柑橘花（任再金　摄）

彩图35　龙眼花（引自《中国蜂业》、《养蜂学》——台湾）

彩图 36　枣树花（张中印　摄）

彩图 37　苕子花（任再金　摄）

彩图 38　黄花草木犀花（任再金　摄）

彩图 39 橡胶树（任再金 摄）

彩图 40 荆条花（任再金 摄）

彩图 41 鹅掌柴花（引自《中国蜂业》）

彩图42　大叶桉花（引自《中国蜜蜂学》）

彩图43　柃花（任再金　摄）

彩图44　乌桕花（任再金　摄）

彩图 45　糠椴花（任再金　摄）

彩图 46　刺槐花（引自《中国蜜蜂学》）

彩图 47　胡枝子花（任再金　摄）

彩图 48　白刺花（任再金　摄）

彩图 49　曼陀罗花（引自《花卉资源原色图谱》）

彩图 50　博落回花（引自《中药植物原色图鉴》）

彩图 51　雷公藤花（引自《中药植物原色图鉴》）

彩图 52　乌头花（引自《花卉资源原色图谱》）

彩图 53 钩吻花（引自《中国高等植物图鉴》）

彩图 54 藜芦花（引自《中药植物原色图鉴》）

彩图 55 苦皮藤花（梁诗魁 摄）

彩图 56 白头翁花（引自《中药植物原色图鉴》）

1. 示病脾

2. 示拉丝

图 57 美洲幼虫腐臭病（引自《PRINCIPALI AVVERSITA DEGLI ALVEARI》）

1. 示病脾

1. 示囊袋病尸

图 58 中蜂囊状幼虫病（引自《PRINCIPALI AVVERSITA DEGLI ALVEARI》）

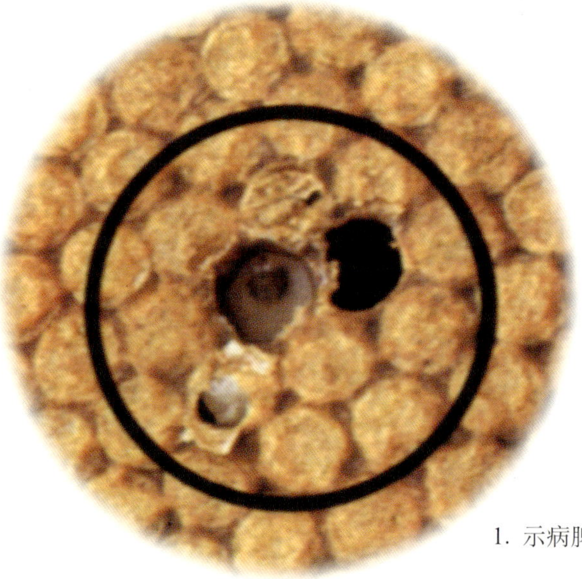

1. 示病脾

2. 示病尸

彩图59　白垩病（引自《PRINCIPALI AVVERSITA DEGLI ALVEARI》）

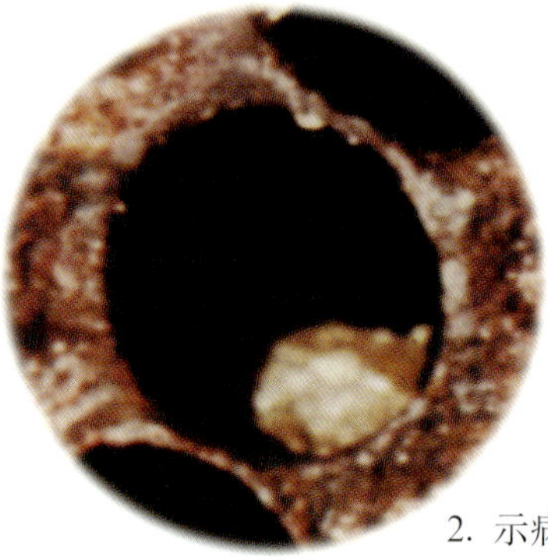

2. 示病尸

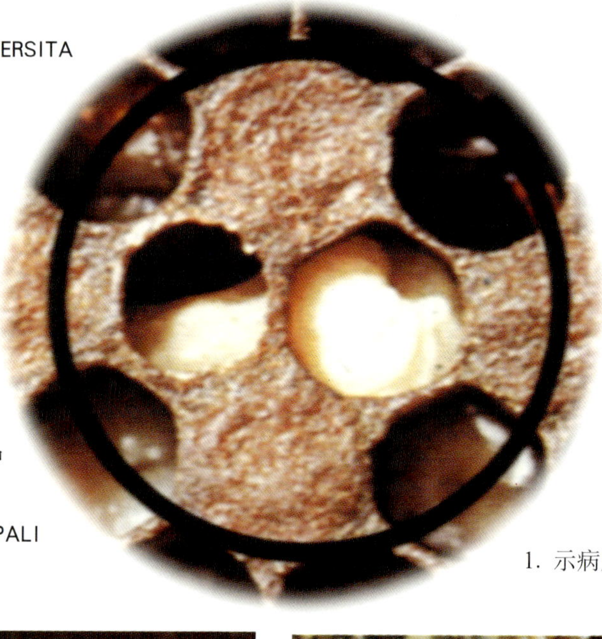

1. 示病脾

彩图60　欧洲幼虫腐臭病（引自《PRINCIPALI AVVERSITA DEGLI ALVEARI》）

1. 被害脾

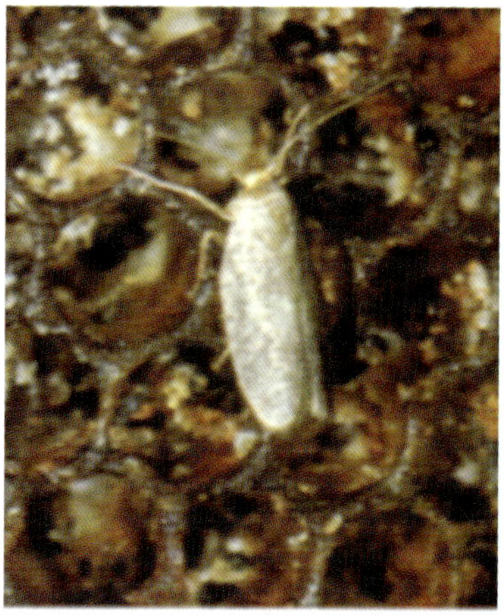

2. 成虫

彩图61　大蜡螟（引自《PRINCIPALI AVVERSITA DEGLI ALVEARI》）

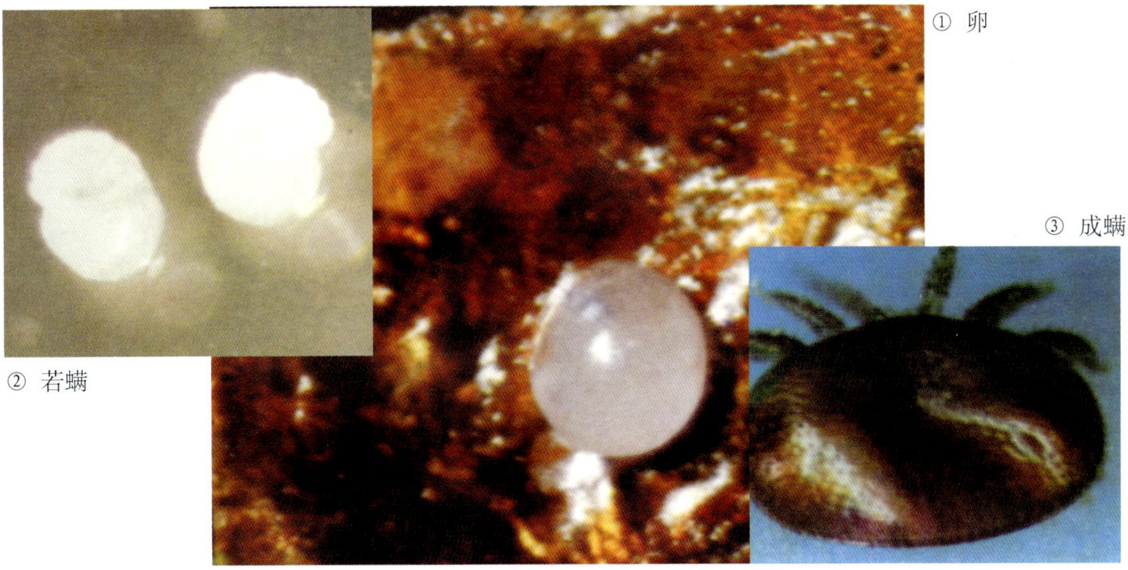

① 卵

② 若螨

③ 成螨

1. 大蜂螨（魏华珍　提供）

① 卵

2. 小蜂螨（魏华珍　提供）

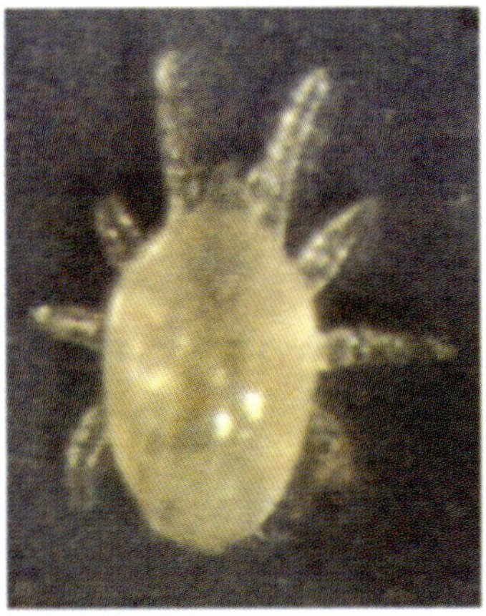

② 若螨

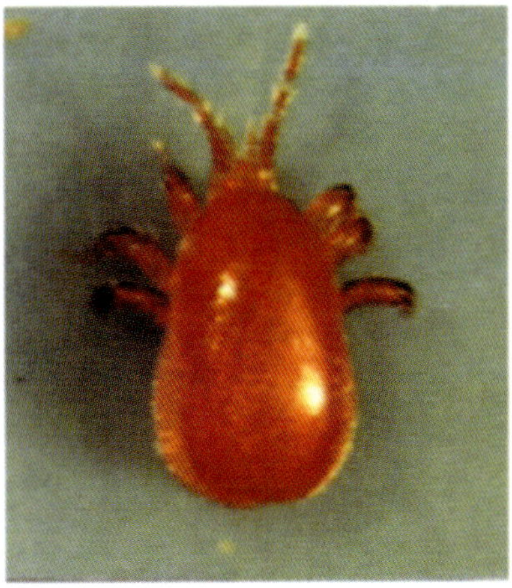

③ 成螨

3. 被害蜜蜂（张中印　摄）

图62　蜂螨（张中印　摄）

1. 崖索猎蜜

2. 喜接蜜雨

3. 满载而归

彩图 63 悬崖割蜜（引自《科学博览》）

1. 鲜雄蜂蛹（叶振生　提供）

2. 煎蛹（引自〈蜜蜂杂志〉）

彩图 64　雄蜂蛹

彩图 65　蜂蜜醋（张中印　摄）

彩图66　刺槐蜂蜜(张中印　摄)

彩图 67　蜂蜜草莓（引自《中国蜂业》）

彩图68　蜜蜂为温室油桃授粉（张中印　摄）

彩图69　蜜蜂为棚室草莓授粉（房柱　提供）

序

蜜蜂是人类的朋友。养蜂业向大自然索取财富，而又数百倍地回报大自然，是一项有益于农业生态的生物工程；养蜂利国利民，是有百利而无一害的“甜蜜的事业”。

蜜蜂产品作为纯天然的保健食品和广谱抗病良药，深受市场欢迎和消费者青睐。近年来，国内外掀起一浪高过一浪的蜜蜂医疗保健热潮，小小蜜蜂为人类的健康做出了巨大的贡献。公元前 16 世纪至公元前 11 世纪殷商甲骨文中就有“蜜”字的记载，说明养蜂是我国的传统养殖业，已有3 000多年的历史。我国疆域辽阔，有四季不断的蜜源和粉源，为养蜂业增收增效提供了充足的物质保证。养蜂是现代农业的一个组成部分，经济发达的国家，利用蜜蜂为农作物、果树授粉所增产的价值是养蜂所获蜂产品价值的百倍以上；蜜蜂授粉还为增加植物的多样性和改善生态环境发挥着重要作用。所以，蜜蜂素被誉为“农业之翼”、“农民致富的好帮手”、“人类健康之友”，许多国家都把养蜂业列为可持续发展农业的一部分。新中国成立以来，特别是改革开放的20 多年里，在党和各级人民政府的关怀下，中国养蜂业得到飞速发展，取得了辉煌的成就。

我国是养蜂大国，养蜂的历史悠久，技术日臻成熟。据统计，2001 年我国养蜂业从业人员约25 万人，养蜂650 万群，产蜜18 万 t，产蜂王浆 3 000t 左右，花粉约 2 000t，蜂蜡 3 000t，蜂胶 300t；出口蜂蜜约 11 万 t，蜂王浆（含冻干粉）1 098t；国内销售蜂蜜 7 万 t，蜂王浆1 800t。养蜂年产值约 16 亿元，年出口创汇约 1.21 亿美元。我国养蜂业总产量和出口量已连续 5 年居世界首位。在养蜂生产和蜂群管理方面，蜂王浆、蜂花粉的生产技术和生产工具都很先进，其单产亦居世界之冠。在新形势下，随着养蜂技术的提高，与之相关的蜂产品加工业、蜂产品经济贸易、蜜蜂医疗保健、蜜蜂授粉业也都蓬勃发展，其成就举世公认。20 世纪 80 年代以来，我国蜂业界的国际交往日益频繁，中国的养蜂专家、学者多次应邀参加世界学术交流、科研和经济贸易合作。从此，中国养蜂业在世界养蜂业中占有重要地位。

在成绩面前我们也应清醒地看到，我国养蜂业还有许多问题有待解决。例如，我国养蜂技术水平、蜂产品质量和产量在不同的经营者之间差异很大，先进技术有待推广；蜜蜂授粉技术和蜜蜂医疗保健知识有待普及与提高；蜂产品市场有待规范；与发达国家相比，养蜂规模小和养蜂机械化程度低；对蜜蜂的基础研究还不够深入，蜜蜂高产、优质、抗病品种的选育和蜂产品的深加工还需要进一步加强；生产与消费不协调，我国蜂产品生产总量世界第一，但人均蜂产品消费量不到发达国家的1/10。为此，由我国一批奋战在养蜂事业第一线的专家组成的写作队伍，撰写了具有中国当代水平的《中国实用养蜂学》一书，为养蜂生产、蜂产品加工与经营、蜜蜂医疗保健、蜜蜂授粉等各方面提供较为全面完整的资料。本书的出版，必将产生显著的经济效益和社会效益。我有幸先睹此书，受益匪浅。

本书结构严谨，层次分明，构思大胆，融科学性、系统性、实用性和技术的先进性为一体，体现了其在生产和经济活动中的价值，将对普及和提高养蜂技术，发展我国养蜂事业，全面赶超国际先进水平产生积极的影响。我对本书的出版表示热烈的祝贺，对众人团结协作精神和付出的辛勤劳动表示敬意，特此写序。

中国养蜂学会理事长 张复兴

2002年4月

前 言

中国是世界养蜂古国，也是世界养蜂大国。据史料记载，早在东汉后期（公元2世纪），我国就已进入蜜蜂的饲养阶段，当时家庭养蜂相当普遍，像姜岐那样“遂以畜蜂、豕为事，教授者满天下”的养蜂家，正是那时杰出的代表。到了元朝（公元12世纪）我国养蜂理论就已居世界领先地位。当时著名的养蜂家刘基在其《郁离子·灵丘丈人》中，仅用147字就扼要系统地概括了整个蜂群管理法的原则，比齐从（J. Dzierzon，1845年）所发表的13条养蜂原则还要早500多年。截至清朝末年（19世纪末），我国中华蜜蜂饲养数就达20万群，而且有15%的地方志中均有养蜂记载。1910年引进西方蜜蜂和活框饲养技术，使我国养蜂业向前迈进了一大步，尤其是新中国成立后更是进展神速，蜂群饲养数从建国初期的50万群左右，发展到今天的650多万群，各种蜂产品的产量均居世界第一位，国际市场上90%以上的蜂王浆都产自中国。《中国实用养蜂学》一书，是对我国养蜂经验和相关学科技术的总结与发展。

本书特点，除保留养蜂生产中业已成熟的技术并进行规范和提高外，用了一定篇幅介绍本书作者们潜心研究的结果和国内外蜂业界专家、学者的新技术成果，大胆提出新观点，全面展示蜂业新技术。本书写作本着普及与提高相结合的原则，在技术上精益求精，争取把最新技术和信息传递给读者；在文字上力求简明准确。希望《中国实用养蜂学》的出版能对我国养蜂业现代化做出贡献。

我们编写组30多人，在领导与蜂业界同仁的关怀和支持下，经过4年多的努力，终于完成本书的编写工作，并得以出版发行。全书分上、中、下3编，共18章。上编“养蜂生产”，中编“蜂产品加工与经营”，下编“蜜蜂与农业、医学及其他”。3编在形式上循序渐进，相辅相成，前后贯通，浑然一体。

全书由张中印、陈崇羔统稿，匡邦郁教授主审。

本书在成书过程中，得到中国农业科学院蜜蜂研究所、福建农林大学蜂学学院、河南职业技术师范学院、贵州省农业厅畜牧局、《中国养蜂》杂志编辑部、湖北省扬子江蜂业公司和河南科学技术出版社等单位的大力支持，得到中国农业科学院蜜蜂研究所所长、中国养蜂学会理事长、亚洲蜂联副主席张复兴教授的指导并为本书作序，得到河南职业技术师范学院副院长王清连教授及陆希宣、陈由庠、卢宪斋先生的指导和帮助，在此一并致谢！

由于作者水平有限，加上蜂业科学技术的不断发展，书中难免存在错误和疏漏，敬祈读者批评指正。

编著者

2002年6月

目 录

上编 养蜂生产

中编　蜂产品加工与经营

上编

养蜂生产

第一章　蜜　　蜂

本章是养好蜜蜂和进行蜜蜂科学研究的基础知识。阐述了蜜蜂的形态结构与生理功能、蜜蜂的生物学特性、蜜蜂赖以生存的生态环境知识，以及蜜蜂的起源、进化和蜜蜂属各种的品质特点，蜜蜂各种及其亚种、改良种在我国的应用价值。对蜜蜂总科中与植物授粉有重要经济价值的蜂类也作了介绍，以满足现代农业发展的需要。

第一节　蜜蜂的形态结构与生理功能

一、外部形态与生理功能

蜜蜂是营社会性群体生活的昆虫。蜂群是其生活和繁殖的单位，由蜂王、工蜂、雄蜂3种不同职能的个体组成（图1-1）。蜜蜂成虫的构造与一般昆虫相似，但蜂体器官因适应特殊的生活方式（群居，专食花粉和花蜜等）而有所分化，三型蜂之间的形态和某些器官也有显著差异。

蜜蜂成虫的体躯分头、胸、腹3部分，由多个体节构成（图1-2）。蜜蜂的体表是一层几丁质外骨骼，构成体形，支撑和保护内脏器官。外骨骼表面密被绒毛，有保温护体作用。绒毛有些是空心的，是感觉器官；有些呈羽状分枝，能黏附花粉粒（图1-3）。

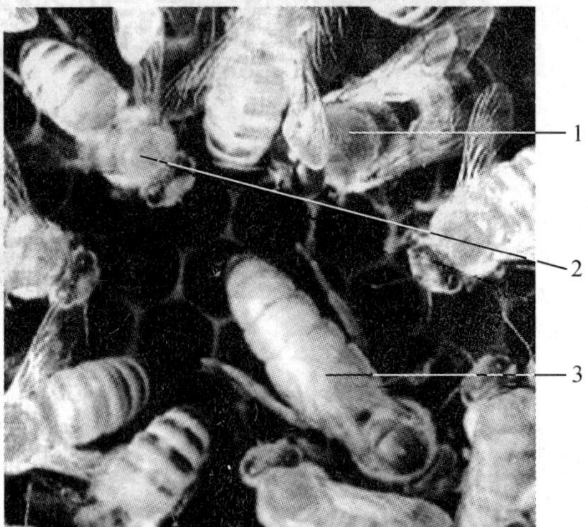

图1-1　三型蜂（仿杨冠煌）
1. 雄蜂　2. 工蜂　3. 蜂王

（一）头部

蜜蜂的头部是感觉和摄食的中心，表面着生眼、触角和口器，里面有腺体、脑和神经节等。

头和胸由一细而富有弹性的膜质颈相连。三型蜂的头部形态各不相同：蜂王的头部呈心脏形，工蜂的头部呈倒三角形，雄蜂的头部因复眼大且突出而呈圆形。

1. 眼 蜜蜂的眼有复眼和单眼两种（图1－4）。复眼1对，位于头部两侧，暗褐色，有光泽；复眼由许多正六边形的小眼面组成，相邻小眼面之间着生短绒毛。蜂王和工蜂的复眼呈肾形，雄蜂的复眼呈半球形。单眼3个，呈倒三角形排列在两复眼之间与头顶上方。单眼协同复眼起视觉作用。

2. 触角 触角1对，着生于颜面中央触角窝，膝状，由柄、梗、鞭3节组成（图1－5）。蜂王和工蜂的鞭节有10节，雄蜂的有11节；触角基部插入触角窝的膜质区，可自由活动。每一触角内有2条神经，连接脑与鞭节上的感觉器。

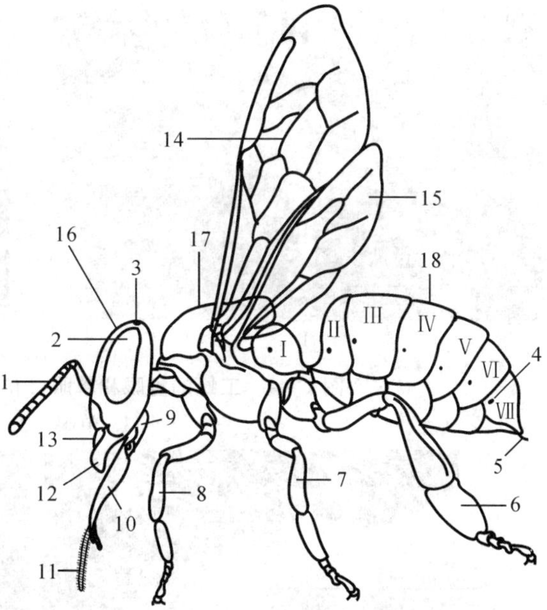

图1－2 工蜂的形态（仿 Snodgrass R. E.，1993）

1. 触角 2. 复眼 3. 单眼 4. 气门 5. 螫针 6. 后足 7. 中足 8. 前足 9. 下唇 10. 下颚 11. 中唇舌 12. 上颚 13. 上唇 14. 前翅 15. 后翅 16. 头部 17. 胸部 18. 腹部

除基部两小节外的其他鞭节上密生毛形、锥形、板形、钟形、坛形等感觉器，是蜜蜂最主要的感觉器官。

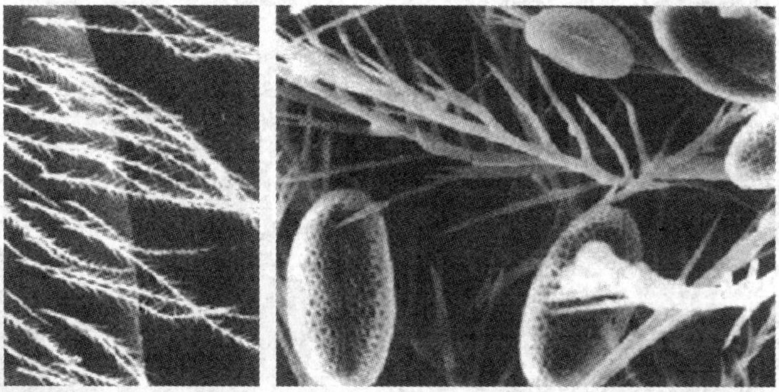

1 2

图1－3 蜜蜂头胸部绒毛（仿 Snodgrass R. E.，1993）

1. 呈羽毛分叉的绒毛 2. 黏附在绒毛间的花粉粒

毛形、锥形感觉器起触觉作用；板形、钟形、坛形感觉器起嗅觉作用。

3. 口器 蜜蜂的口器由上颚、特化的下颚和下唇等组成，是适于吸吮花蜜和嚼食花粉等的嚼吸式口器（图1－6A）。

（1）上唇和上颚：上唇1片，方形，位于颜面唇基下；上唇前后开合，可阻止口中食物从前方漏出。唇基内壁突出，形成柔软的内唇，富有味觉器。上颚1对，附着于头后上唇下方两侧，可左右开合，是蜜蜂咀嚼花粉等的器官。

图 1-4 工蜂的复眼和单眼（仿 Snodgrass R. E.，1993）

1. 单眼 2. 复眼

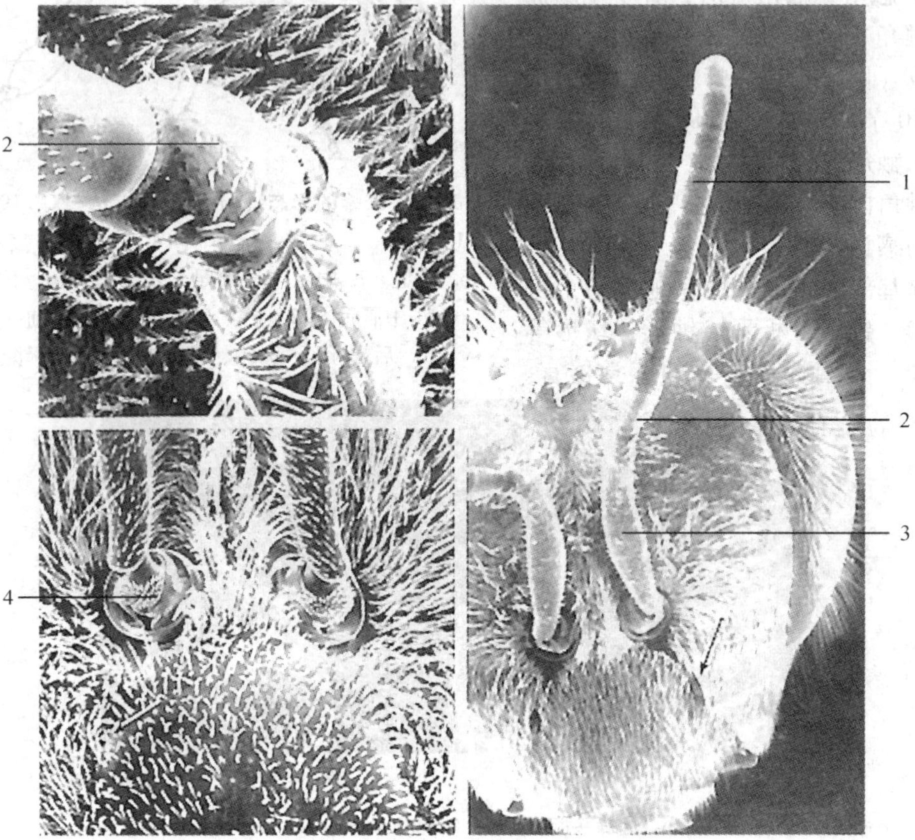

图 1-5 触角（仿 Snodgrass R. E.，1993）

1. 鞭节 2. 梗节 3. 柄节 4. 触角窝

蜂王的上颚基部粗壮而端部尖锐（图 1-6D），主要用于羽化时咬开茧衣和巢房盖。

工蜂的上颚呈靴状，两端大，中间小，端部内表面有一峡沟，与基部的上颚腺开口相通（图 1-6B）。工蜂的上颚主要用于咀嚼花粉、筑巢、清巢、御敌以及支撑和抱持向外伸长或折叠的喙等。

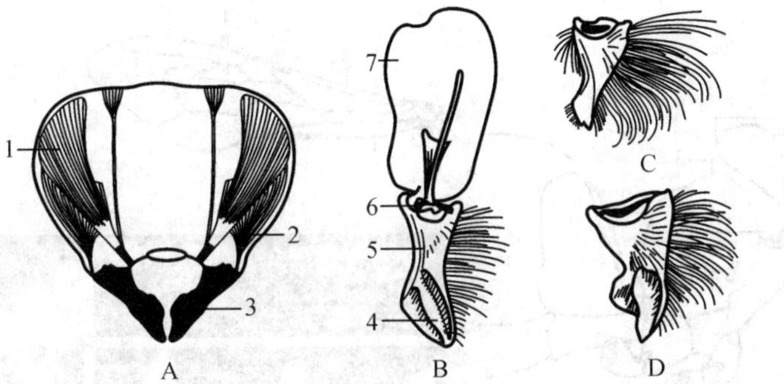

图1－6 上颚（仿 Snodgrass R. E.，1993）

A. 上颚及其肌肉 B. 工蜂上颚 C. 雄蜂上颚 D. 蜂王上颚

1. 上颚闭肌 2. 上颚开肌 3. 上颚 4. 上颚峡 5. 上颚沟 6. 上颚腺孔 7. 上颚腺

雄蜂的上颚较小，上宽下窄，因不工作而退化（图1－6C）。

（2）喙：喙是由下颚和下唇的活动部分临时组合形成的一条管子，用于吸食液体食物，在喙管内有一细长、扁平、多节、密毛且可抽动的舌，舌端有唇瓣（图1－7）。

（二）胸部

胸部是蜜蜂运动的中心。蜜蜂成虫胸部由前胸、中胸、后胸和并胸腹节组成，并胸腹节由第一腹节延伸至胸部构成，其后部突窄连着腹柄而与腹部相连。胸部4节紧密结合，每节都由背板、腹板和两侧的侧板合围而成。中胸和后胸的背板两侧各具1对膜质翅，依次称前翅和后翅。前、中、后胸腹板两侧分别着生前足、中足、后足各1对。胸部骨板内壁着生发达的肌肉，支持着足、翅的运动（图1－8）。意蜂（意大利蜜蜂，简称“意蜂”）王的胸厚为4.7～5.0mm。

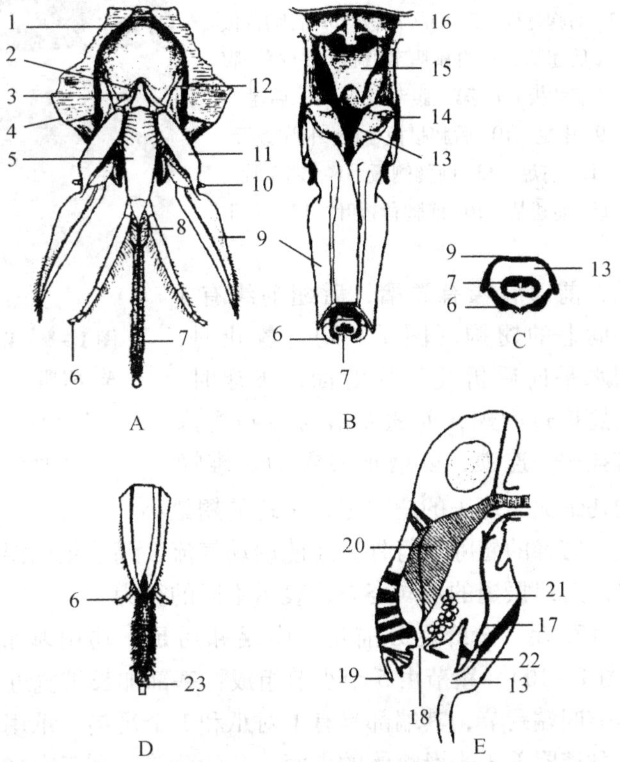

图1－7 口喙（仿 Snodgrass R. E.，1993）

A. 口喙及其肌肉 B. 喙基前面观 C. 喙中部横切面 D. 口喙端部 E. 头部纵切面

1. 喙窝 2. 后颏 3. 喙基片 4. 上颚 5. 前颏 6. 下唇须 7. 中唇舌 8. 侧唇舌 9. 外颚叶 10. 下颚须 11. 下颚茎节 12. 下颚轴节 13. 食物道 14. 内颚叶 15. 舌 16. 内唇 17. 唾管 18. 口 19. 上唇 20. 食窦 21. 王浆腺 22. 唾窦 23. 中舌瓣

1. 翅 蜜蜂的翅膜质透明，前翅大于后翅。翅上有翅脉，是翅的支架；翅上有翅

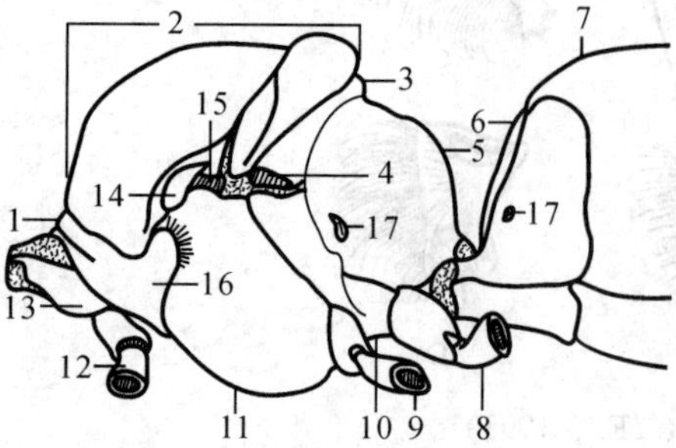

图 1－8　工蜂胸部（仿 Snodgrass R. E.，1993）

1. 前胸背板　2. 中胸背板　3. 后胸背板　4. 后翅基　5. 并胸腹节背板　6. 第二腹节背板　7. 第三腹节背板　8. 后足　9. 中足　10. 后胸腹板　11. 中胸腹板　12. 前足　13. 前胸侧板　14. 翅基片　15. 前翅基　16. 前胸背板叶　17. 气门

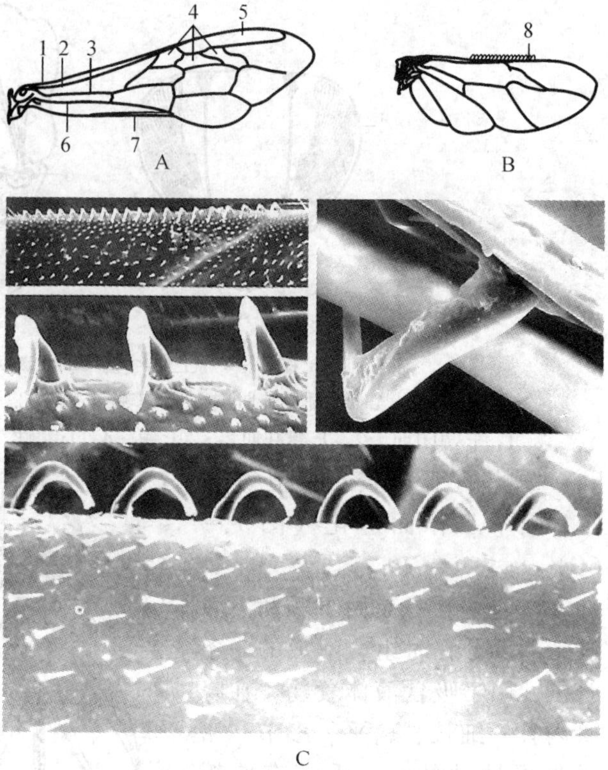

图 1－9　蜜蜂翅（仿 Snodgrass R. E.，1993）

A. 前翅　B. 后翅　C. 示翅钩及前、后翅连锁

1. 前缘脉　2. 经脉　3. 中脉　4. 亚缘室　5. 前缘室　6. 臀脉　7. 翅褶　8. 翅钩

毛；前翅后缘有卷褶，后翅前缘有 1 列向上的翅钩（图 1－9）。静止时，翅水平向后折叠于体背面；飞翔时，前翅掠过后翅，前翅卷褶与后翅翅钩搭挂——连锁，以增加飞翔力。雄蜂的翅最大，蜂王的翅次之，工蜂的翅最小。

蜜蜂的翅除飞行外，还能扇动气流，调节巢内温度和湿度；还能振动发声，传递信息。工蜂振翅的不同姿态，表示不同的行为。

2. 足　蜜蜂足分前足、中足和后足，均由基节、转节、股节、胫节和跗节组成（图 1－10）。跗节由 5 个小节组成：基部加长扩宽近长方形的分节称基跗节；近端部的分节叫端跗节，其端部具有 1 对爪和 1 个足垫，爪用以抓牢粗糙物体的表面，足垫能分泌黏液附着于光滑物体的表面。足的分节有利于蜜蜂的灵活运动。

工蜂足的构造高度特化，它既是运动器官，又适宜采集和携带花粉等。

（1）前足：工蜂的前足短而灵活，基跗节基部内侧有 1 个圆形凹槽，周生 1 列短毛，共同与胫节端部 1 个可活动的距组成净角器（图 1－11）。蜜蜂用前足将触角扣入净角器内，通过拉刷，将触角上黏附的花粉粒或其他杂质清理干净。基跗节内侧密生的硬毛，称跗刷，可清扫头、眼、口器上的花粉和其他尘粒。

（2）中足：中足基跗节的跗刷用来清洁胸部，胫节端部有 1 个长距，用于清洁翅与气门以及将后足花粉篮中的花粉团铲落在巢房内。

（3）后足：后足最大。胫节端部宽扁，外表面光滑而略凹陷，周边着生向内弯曲

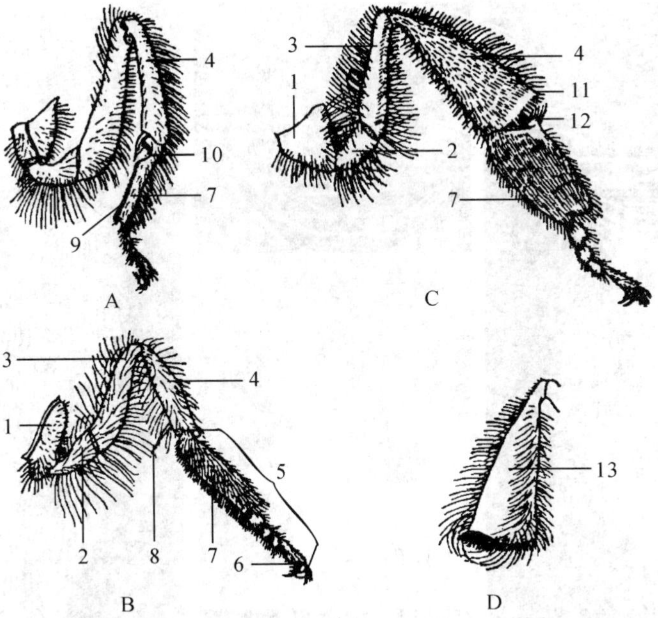

图 1-10 工蜂足的一般构造（仿 Snodgrass R. E.，1993）

A. 前足 B. 中足 C. 后足（内侧） D. 后足胫节（示花粉篮）

1. 基节 2. 转节 3. 股节 4. 胫节 5. 跗节 6. 前跗节 7. 基跗节
8. 胫距 9. 跗刷 10. 净角器 11. 花粉耙 12. 耳状突 13. 花粉篮

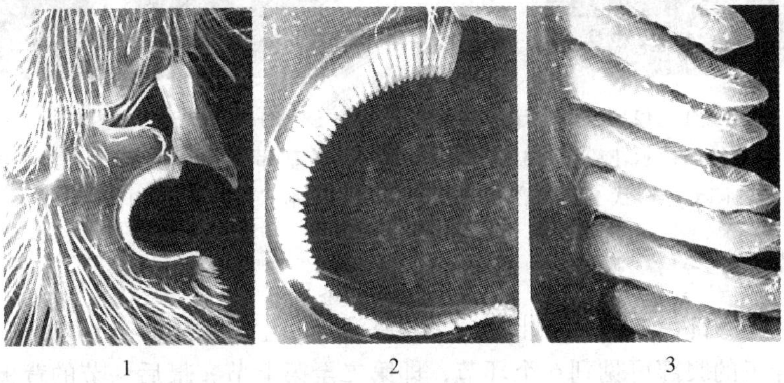

图 1-11 工蜂前足的净角器（仿 Snodgrass R. E.，1993）

1. 胫节端部的刚毛和基跗节的凹槽组成净角器 2. 3. 凹槽及其刚毛

的长刚毛，相对环抱，下部偏中央处独生 1 支长刚毛，形成一个可携带花粉的装置——花粉篮（图 1-12）。工蜂采集到的花粉在此堆集成团，中央刚毛和花粉篮周围的刚毛，起固定花粉团的作用。胫节端部有 1 列硬刺，称花粉耙，基跗节基部边缘有一横向的扁状突起部分，称耳状突。花粉耙和耳状突可协作将收集来的花粉形成花粉团并装入花粉篮内。基跗节内侧具有 9～10 排整齐横列的硬毛，称花粉梳，用于梳刮附着在身体上的花粉等。意蜂等西方蜜蜂的花粉篮还用于携带蜂胶。

蜂王和雄蜂足的采集构造均退化。

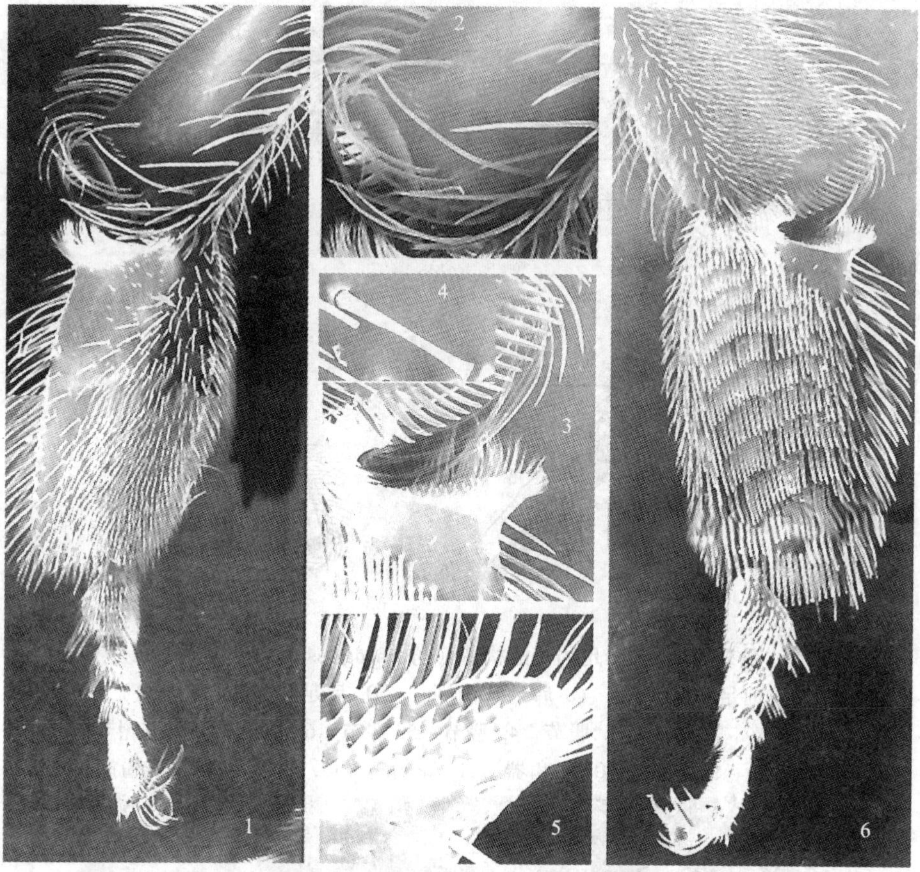

图1-12　工蜂后足的携粉构造（仿 Snodgrass R. E.，1993）

1. 2. 胫节外侧，示花粉篮　3. 胫节端部和基跗节基部：示花粉耙和耳状突　4. 胫节端部内侧毛的形状　5. 局部放大的耳状突　6. 胫节和基跗节内侧：示花粉梳等

（三）腹部

蜜蜂成虫的腹部由1组环节组成，是内脏活动和生殖的中心（图1-13）。

工蜂和蜂王的腹部可见到6个环节，即第二至第七节，最后一节的背板和腹板形成躯体圆锥形的尖端。雄蜂的腹部可见7个环节，腹末端圆形。每一可见的腹节都是由1片大的背板和1片较小的腹板组成，其间由侧膜相连；腹节之间由前向后套叠在一起，前后相邻腹节由节间膜连接起来，这样，腹部可以自由伸缩、弯曲。在蜜蜂腹节背板的两侧各具成对的气门。

1. 螫针　螫针是蜜蜂的自卫器官（图1-14）。工蜂的螫针由产卵器特化而成，通常包藏于腹末第七节背板下的螫针腔内，由可外露的螫针杆和一个大的基部结构组成。

（1）螫针杆由3个部分组成：上面中背部分由1对内产卵瓣演变成1根腹面具沟的刺针（中针），下面由成对的腹产卵瓣演变为2根上表面具槽、端部具齿的感针，嵌于中针之下，可滑动自如，并与中针闭合成一通道与毒囊、毒腺相连。

（2）螫针基部的构造：是由螫针球、碱性腺（副腺）、酸性腺（毒腺）、毒囊、1

对弯曲臂和与其相关联的3对形状各异的骨片组成。毒囊接受毒腺的分泌液，并有管道通往螫针球。当工蜂螫针刺入敌机体后，靠感针端部的小齿牢固地附着在机体上，刺针与感针上下滑动，使针越刺越深，最后，螫针、毒囊等一起同蜂体断离，留在敌机体上。附在螫针和毒囊上的肌肉，在交感神经的作用下，还会有节奏地收缩，使螫针继续深刺射毒，直到把毒液全部排出为止。失掉螫针的工蜂，不久便死亡。

蜂王的螫针也是由产卵器特化而成，略弯曲、稍粗壮、少逆齿，毒囊、毒腺不如工蜂发达，它只在与其他蜂王搏斗时才使用。雄蜂没有螫针。

2. 蜡镜 在工蜂的第四至第七腹板的前部，即被前一节套叠的部分，各具1对光滑、透明、卵圆形的蜡镜，是承接蜡液凝固成蜡鳞的地方。

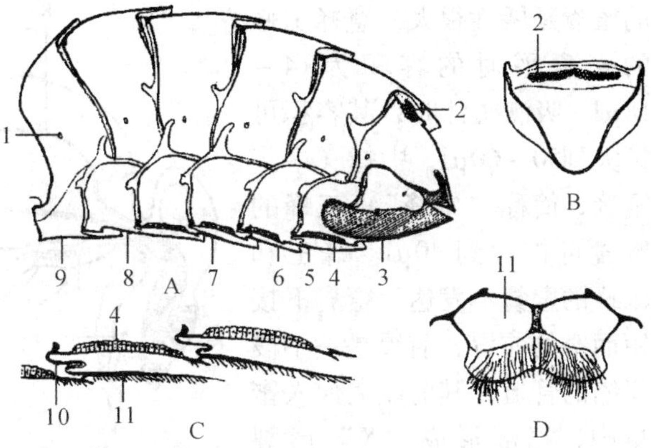

图1-13 工蜂腹段（仿 Snodgrass R. E.，1993）

A. 工蜂腹段侧面观 B. 第七腹节背板：示臭腺 C. 腹板纵切面：示蜡腺 D. 腹板外表面：示蜡镜 1. 气门 2. 臭腺 3. 第七腹板 4. 蜡腺 5~9. 第六至第二腹板 10. 节间膜 11. 蜡镜

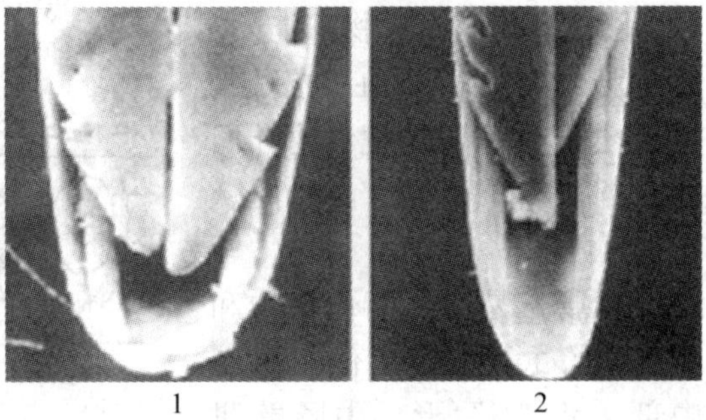

图1-14 蜜蜂螫针端部（仿 Snodgrass R. E.，1993）

1. 蜂王螫针端部腹面观 2. 工蜂螫针端部腹面观

二、内部结构与生理功能

蜜蜂的内部器官位于体腔内，体腔内充满着流动的血液（血淋巴），故又称为血腔。蜜蜂的消化道位于体腔的中央，从口到肛门前后贯通；血液循环系统的中心——背血管（心脏和一段动脉），位于腹腔背面的中央。中枢神经系统由头部的脑和位于腹腔腹面中央的腹神经索组成。呼吸系统开口于胸部和腹部的两侧。除此以外，蜜蜂的内部构造还包括生殖系统、腺系统、排泄器官等（图1-15）。

蜜蜂腹部的消化道与背血管、腹神经索之间分别由背隔、腹隔隔开，这样将腹腔分隔成3个腔，即背血窦、围脏窦和腹血窦（图1-16），以便血液分流循环。

（一）消化系统

蜜蜂成虫的消化系统可分为前肠、中肠和后肠3部分，中肠和后肠分界处着生的马氏管为排泄器官，后肠又由小肠和直肠组成，直肠壁上着生有直肠腺（图1-17）。

1. 前肠 由口、咽、食道、蜜囊和前胃组成。口后为咽，咽膨大为食窦，适宜吮吸和还吐液体食物。咽后连接细长的食道，食道是一条肌肉壁的管子，通过颈和胸部与腹部前端的蜜囊连接，是食物进入蜜囊的通道。蜜囊是暂时贮藏花蜜和水的器官，工蜂的蜜囊延展性很大，意蜂工蜂的蜜囊平时的容积为14～18μl，吸满蜜汁时，其容积可扩大到50～60μl，中蜂（中华蜜蜂，简称“中蜂”）工蜂的蜜囊可扩大到40μl。蜂王和雄蜂的蜜囊不发达。蜜囊下接短而窄的前胃，前胃是一小段紧缩的管道，其前端突伸入蜜囊中，端部形成“X”形裂口，由4个三角形唇瓣控制开合；其后端形成一个长漏斗形活动瓣膜的前胃瓣，伸入中肠，有阻止食物回流的作用。前胃是食物进入中肠的调节器：当唇瓣紧闭时，食物不能进入中肠而暂时贮藏在蜜囊中，并能通过蜜囊的收缩把食物吐回食窦；当唇瓣开放时，食物便从蜜囊进入中肠。

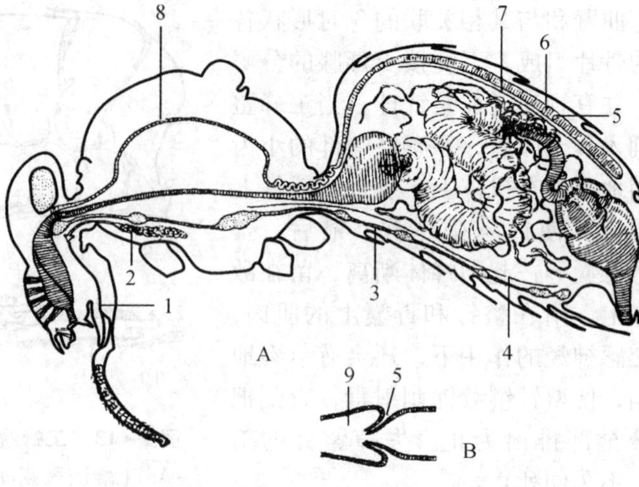

图1－15　工蜂内部器官（仿 Snodgrass R. E.，1993）
A. 工蜂纵切面：示内部器官　B. 心脏纵切面：示心门
1. 唾管　2. 胸唾腺　3. 腹神经索　4. 腹隔　5. 心门　6. 心脏　7. 背隔　8. 背血管　9. 心室

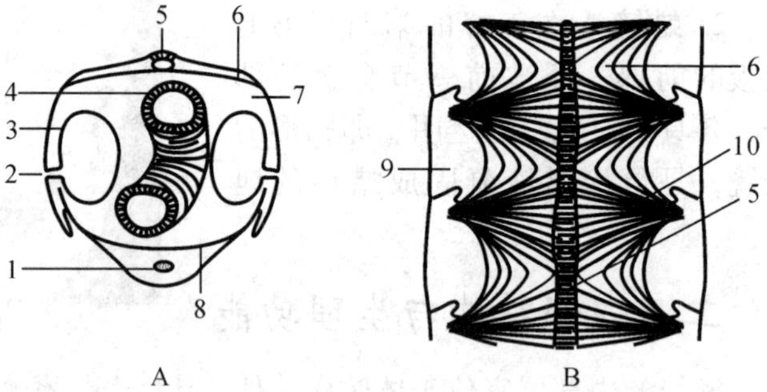

图1－16　蜜蜂体腔（仿 Snodgrass R. E.，1993）
A. 腹节横切面　B. 背隔和心脏
1. 神经索　2. 气门　3. 气囊　4. 中肠　5. 心脏　6. 背隔　7. 体腔　8. 腹隔　9. 背板　10. 肌肉

2. 中肠　是蜜蜂消化食物和吸收养分的主要器官，位于腹腔前中部，呈“S”形。中肠壁肌肉发达呈环形皱褶，肠壁内有腺细胞分泌酶和消化液，内表面还有一层由中肠上皮细胞分泌物形成的胶状膜——围食膜。蜜蜂中肠的结构有利于食物的消化、分解、吸收，其养分由肠壁吸收后直接进入周围的血液中。

蜜蜂幼虫的中肠呈一盲囊，与后肠不通，直到幼虫期结束才与后肠相通。

蜜蜂的中肠后端紧缩，其开口于后肠。

3. 后肠　由小肠和直肠组成。小肠是弯曲、狭长的管子，在中肠未被消化的食物，经小肠继续消化和吸收后进入直肠；直肠是具有发达肌肉层的囊袋，能扩大容积，凡没有被消化吸收的废物都经过直肠吸收水分后排出体外。在直肠基部环生6条隆起的直肠腺，其分泌物能防止粪便腐败，同时，能吸收粪便中过多的水分。

（二）排泄系统

蜜蜂的排泄系统由马氏管、直肠及部分脂肪体组成，其排泄物主要是食物残渣和代

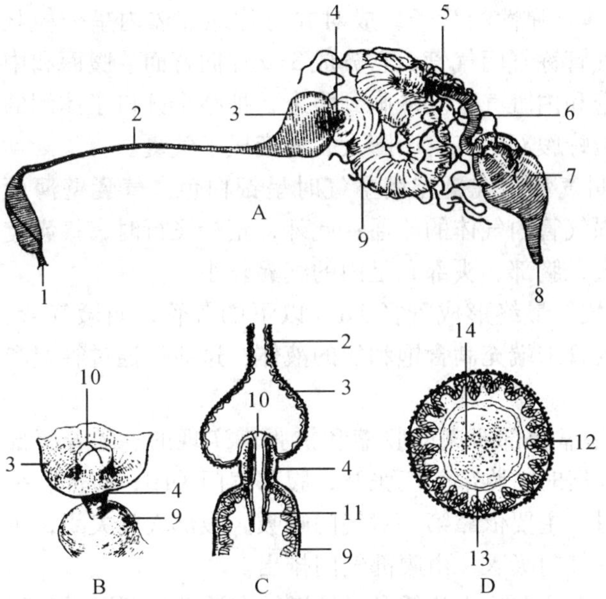

图 1－17　工蜂消化系统（仿 Snodgrass R. E., 1993）

A. 消化道　B. 蜜囊内部：示前胃瓣
C. 蜜囊前胃和中肠的纵切面　D. 中肠横切面
1. 口　2. 食管　3. 蜜囊　4. 前胃　5. 马氏管　6. 小肠
7. 直肠　8. 肛门　9. 中肠　10. 前胃瓣　11. 贲门瓣
12. 中肠上皮细胞　13. 围食膜　14. 中肠内食物

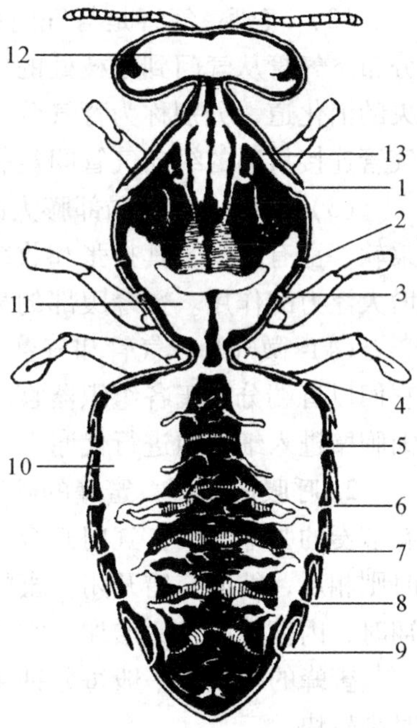

图 1－18　蜜蜂呼吸系统（仿 Snodgrass R. E., 1993）

1～9. 第一至第九对气门　10. 腹部气囊　11. 胸部气囊　12. 头部气囊　13. 气管

谢废物——尿酸、尿酸盐类等。

中肠和小肠连接处着生有 100 多条细长的盲管，称马氏管。这些盲管彼此相互交错盘曲，深入到腹腔的各个部位，浸浴在血液中。在管壁上着生螺旋状的条纹肌纤维，借这些纤维肌的收缩，促使马氏管扭动，以便与更多的血液接触，扩大吸收面积。马氏管从血液中吸收尿酸和尿酸盐类等，并将其送入后肠，混入粪便而排出体外。

蜜蜂的代谢废物有一部分贮藏在脂肪体内，这些废物并不影响蜜蜂的正常生活。

（三）呼吸系统

蜜蜂的呼吸是将空气中的氧气经由不同直径的管道，直接送到需要氧气的器官和组织，其呼吸系统是由气门、气管、微气管、气囊等组成（图 1－18）。

1. 呼吸器官的构造

（1）气门：气门是气管通向体外的开口，在身体的两侧，一般昆虫有 10 对，胸 2 腹 8。蜜蜂成虫第一腹节并于胸部，所以，蜜蜂胸部有 3 对气门，腹部有 7 对气门。第一对气门最大，在前胸和中胸之间，隐藏在前胸背板的侧叶下面，并由密生的长毛保护；第二对气门在中胸和后胸侧板上角之间，被侧板遮盖；第三对气门位于并胸腹节的侧板上；第四至第九对气门位于腹部前六节背板下缘；最后一对气门隐藏在螫针基部。除第三对气门外，其他气门都有控制空气漏出和在气管中流动的装置。

（2）气管：气管是与气门相连的具有弹性的管子，成对并对称地在体内呈分枝状分布。气管从气门到分枝处的一短段气管称气门气管，它分成3支伸向背面、腹面和中央的消化道，分别称为背气管、腹气管和内脏气管。从胸到腹末，把整个开口于体侧的气管连接贯通的纵向气管叫气管干。蜜蜂腹部的气管干膨大，演变成了气囊。

（3）气囊：气管局部膨大的部分叫气囊，气囊充满空气时呈银白色。气囊壁薄而柔软，富有弹性，其扩张和收缩可增强气管内气体的流通；此外，蜜蜂飞行时，气囊有增大浮力的作用。蜜蜂腹部的气囊较大，胸部、头部和足内的气囊较小。

（4）微气管：气管和气囊不断分枝，最终形成管径1μm以下的气管，叫微气管，它们以盲端分布于各组织器官间。微气管末端充满含饱和氧的液体，这些氧通过管壁和细胞壁进入细胞内进行代谢。

2. 呼吸的实现　蜜蜂的呼吸运动是靠腹部肌肉的收缩和扩张来实现的。随着腹部有节奏的张缩运动，气门开合：腹部伸展时，胸部气门张开，腹部气门关闭；腹部收缩时则相反，彼此交错开闭。蜜蜂静止时，主要依靠第一对气门呼吸，腹部气门关闭；飞翔时，因糖等的代谢增加，空气由第一气门吸入，由腹部气门排出。

蜜蜂的呼吸，一般每分钟40～150次，在静止和低温时较慢，在活动、高温或激怒时则较快。

蜜蜂在任何时候都需要充足、新鲜、洁净的空气；在运输、室内越冬、生产花粉或关闭巢门期间，空气不足或高温会造成蜜蜂呼吸困难及体力消耗，甚至死亡。

（四）循环系统

蜜蜂的循环系统是开放式的，背血管是其主要器官（图1－19）。背血管由前部的动脉和后部的心脏组成，前端开口于头部脑下，后端封闭。心脏是血液循环的搏动器官，由5个心室组成，每个心室两侧都有1对心门，是血液进入心脏的入口，其边缘向内折入，形成心门瓣，以防止血液倒流。心脏下面与腹部背板两侧的肌肉相连。动脉是引导血液向前流动的简单血管，从心脏的第一心室向前延伸入头部，开口于脑下。动脉进入并胸腹节后，形成一系列短促的弯曲，与结缔组织鞘紧束在一起。

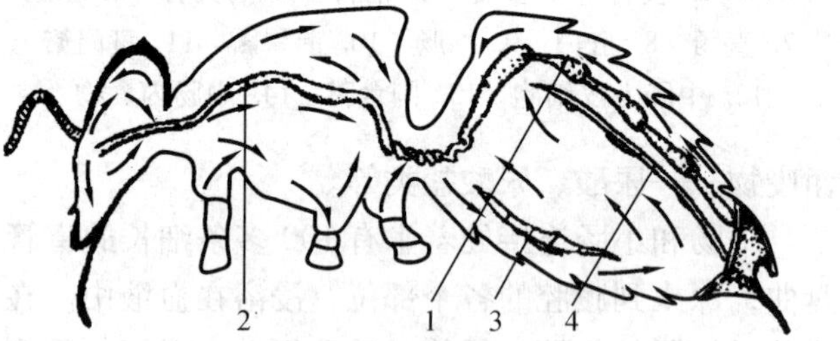

图1－19　蜜蜂血液循环路径

1. 心室　2. 动脉　3. 腹隔　4. 背隔

心脏扩张，背血窦中的血液经心门吸入心室，借心脏的搏动，将血液推入动脉，从头部的血管口喷出后向两侧和后方回流；血液流入胸部时，由于腹隔的波状运动，大部分血液流入腹血窦，其中一部分进入足内，背血窦中的一部分血液进入翅；血液经过腹隔的空隙进入围脏窦，借背隔的空隙和运动，回流入背血窦，经心门进入心室再循环。循环过程中，血液将营养物等输送到各组织器官，并把机体的代谢物带走；然后，血液在围脏窦接纳胃肠道扩散的营养物质，同时，携带的代谢物经由马氏管吸收后送入后肠。

蜜蜂的血液，也称血淋巴，为蜜蜂的细胞外体液，无色或淡黄色，由血浆和血细胞组成。其功能有：输送营养物质，运走代谢废物；以其压力协助蜜蜂卵孵化、幼虫蜕皮、蛹的羽化；为各器官的运动、伸缩提供必要的压力；吞噬细菌和其他微生物，以及死亡细胞和组织残片；凝血作用和运送激素。蜜蜂的血液无红细胞，故没有输氧的功能。

（五）神经系统

蜜蜂的神经系统由中枢神经、交感神经、周缘神经和遍及全身的感觉器官组成，其功能是协调蜜蜂躯体的各组织器官，使之适应环境条件。蜜蜂的神经系统很发达，工蜂大脑的重量占其体重的1/174，能很好地进行辨识方向、筑巢、育儿、舞蹈通讯、采酿食料、协调群体等复杂的行为。

1. 中枢神经系统　蜜蜂的中枢神经系统由脑和腹神经索组成，支配全身的感觉器官，统一协调活动（图1－20）。

（1）脑：蜜蜂的脑位于食管背面，又称食管上神经节，可分为前脑、中脑和后脑。

①前脑：前脑最大，由前脑叶和视叶组成。前脑叶分出神经通往单眼，视叶分出神经通往复眼，故前脑是支配视觉的中心。

②中脑：中脑位于前脑下，成对的中脑叶有神经通向触角，是支配触角的中心。

③后脑：后脑发出的神经到额及上唇。

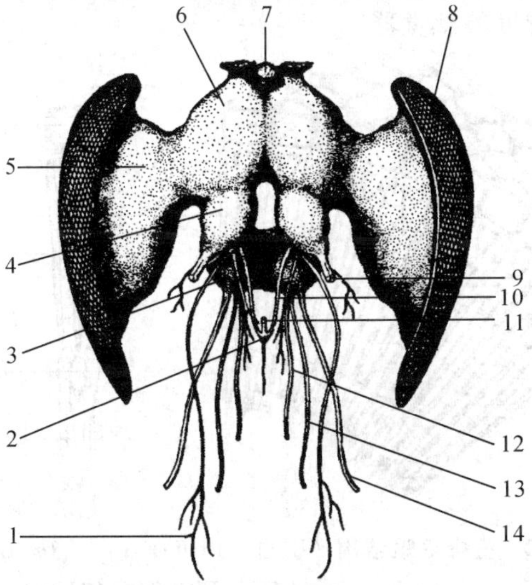

图1－20　工蜂头部主要神经节（仿 Snodgrass R. E.，1993）

1. 上颚神经　2. 额神经节　3. 食管下神经节　4. 中脑　5. 视叶　6. 前脑　7. 单眼　8. 复眼　9. 触角神经　10. 额神经索　11. 回神经　12. 下唇神经　13. 下颚神经　14. 上颚神经

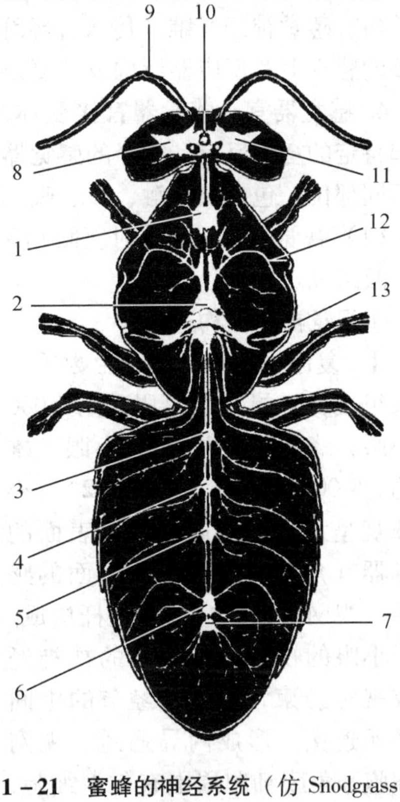

图1－21　蜜蜂的神经系统（仿 Snodgrass R. E.，1993）

1～7. 第一至第七神经节　8. 视叶　9. 触角神经　10. 单眼　11. 脑　12. 前翅神经　13. 后翅神经

三型蜂中，工蜂的脑最发达，雄蜂的次之，蜂王的最小；雄蜂的视叶最发达，利于婚飞。

（2）腹神经索：蜜蜂的腹神经索位于消化道的腹面，由一系列的神经节和纵横相连的神经构成，通过围咽神经与脑相连。腹神经索前端的第一个神经节，位于头内食管腹面，叫食管下神经节，发出神经分别通至口器各部和颈部肌肉等处。位于胸部和腹部的神经节由2根神经索相连，每一神经节的侧面各发出2～3根神经，通到本节的有关器官。蜜蜂胸部可看到2个发达的神经节，腹部可见5个，最后一个神经节为复合神经节，其神经通到本节及其后体节、生殖器官、后肠等（图1－21）。

2. 交感神经　蜜蜂的交感神经是支配内脏器官正常活动的神经，又叫内脏神经。其组成是由位于前肠背面和侧面的小型神经节及其发出的神经组成，处于脑前食管背面的额神经节通过1对额神经索与后脑叶连接，并向后通过脑下，沿前肠背中线伸出回神经，回神经再连通到后头神经节和蜜囊神经节，后头神经节发出神经到心侧体和咽侧体。交感神经调节有关消化、循环、内分泌腺、呼吸系统等的活动，是内脏正常新陈代谢的反射中心。

3. 周缘神经　周缘神经也叫外周神经，是指除中枢神经和神经节以外的分布于全身的所有感觉神经纤维（传入神经纤维）和运动神经纤维（传出神经纤维），以及它们连接的感觉器和反应器所构成的复杂的传导网络。

4. 感觉器官　感觉器官接受体内外的信息，通过神经系统或内分泌系统的协作，引起特定的行为反应。蜜蜂的感觉器官是由外胚层形成的不同感觉器组成，分布于体躯的不同部位，包括视、触、听、嗅、味、温湿度等感觉器。

（1）视觉器官：由1对复眼和3个单眼组成。

①视觉器官的构造：

Ⅰ. 复眼：蜜蜂的复眼由数千个小眼组成，工蜂每个复眼约有5 000个小眼，蜂王约有4 000个小眼，雄蜂约有8 000个小眼（图1－22）。小眼外观呈六角形小眼面，由表面的集光器（角膜和晶锥）和下面的感光器（视网膜细胞）以及视杆构成。每个小眼的视杆束与下连的视神经形成视神经束，并与神经节的中间神经元连接，形成内导通道。视网膜细胞和角膜细胞周围有色素细胞，使相邻的小眼隔离。所有小眼在纵向上都相对地微向内倾斜，因而无两个方向一致的小眼。

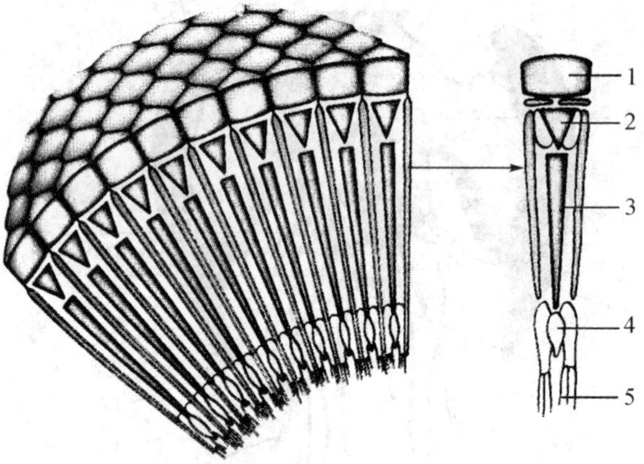

图1－22　蜜蜂复眼结构（引自《BIOLOGY》－*The Unity and Diversity of Life*，EIGHTH EDITION）
1. 小眼横切面　2. 晶锥　3. 视杆　4. 底膜　5. 神经

Ⅱ. 单眼：蜜蜂的单眼与小眼结构相似。屈光器为一双凸角膜，下面为一层角膜细胞，其下的感光器为一群圆柱形视觉细胞组成的视网膜，外围具有色素细胞（图1－

23）。

②视觉的形成：视觉是物体影像刺激视网膜所产生的感觉。蜜蜂的视觉包括形状视觉、颜色视觉、单眼视觉、偏振光视觉。

Ⅰ. 形状视觉：蜜蜂的形状视觉是由复眼感知的，每个小眼只接受射入本小眼以内的光点，其他斜射光均被色素细胞吸收，各小眼光点并列镶嵌成像，整个复眼或复眼的一部分视网膜上呈现出由许多像点镶嵌组成的外界物体的模糊物像，视觉中枢接受来自视网膜的神经冲动后加工处理、简单复制这些冲动，从而使蜜蜂产生视觉（图 1－24）。

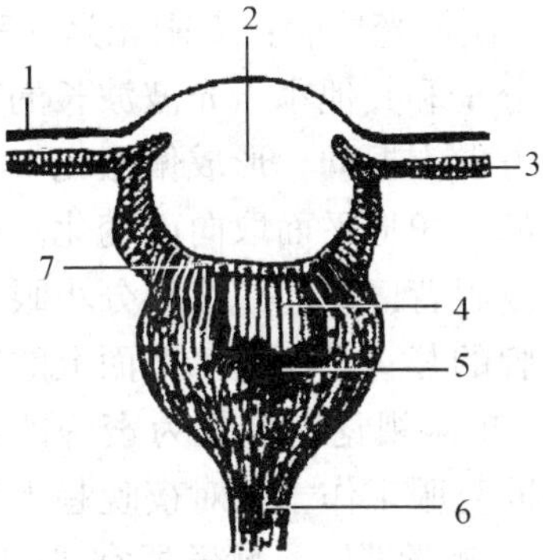

图 1－23　蜜蜂单眼解剖图（仿 Snodgrass R. E.，1956）

1. 表皮　2. 角膜　3. 皮细胞　4. 视杆　5. 色素细胞　6. 神经　7. 角膜细胞

蜜蜂的复眼不能调焦，不能把目光对准

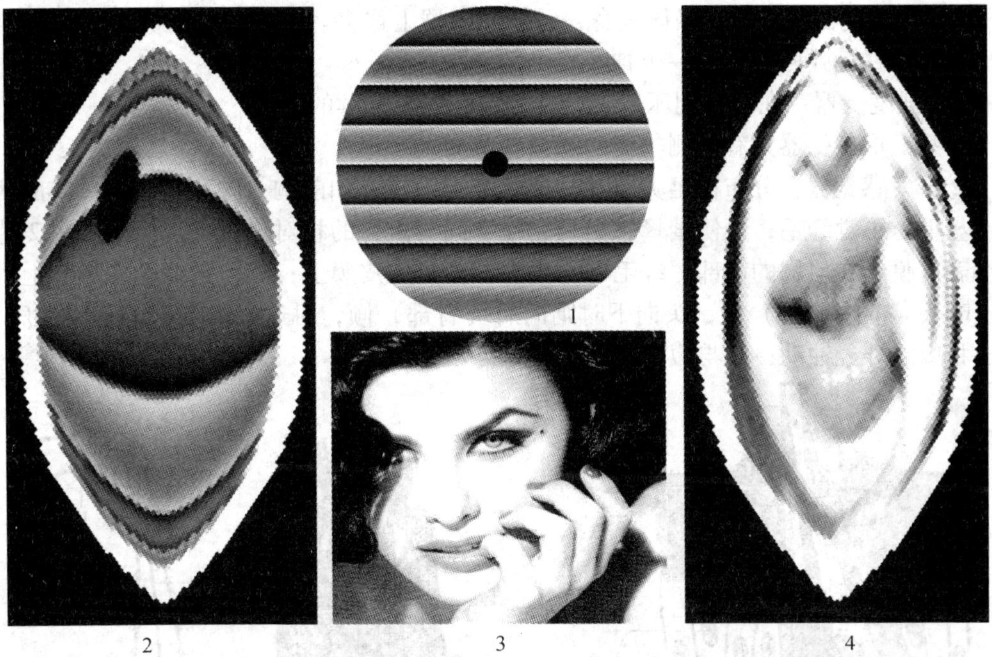

图 1－24　蜜蜂眼中的人和物（引自 www. pbs. org/wgbh/nova/bees）

1. 3. 人眼中的物像　2. 4. 蜜蜂眼中的物像

它所看到的物体，只能看到大约 1m 远的物体；蜜蜂复眼对快速活动的物体可以看清楚，巢门口活动的物体往往是其攻击的对象。

Ⅱ. 颜色的感知：蜜蜂复眼的色觉范围是 300～650nm，它对紫外线（365nm）、蓝光（440nm）和绿光（540nm）最敏感，并常以颜色作为食物信号之一。对红色是色盲，对红色的花瓣辨识为深灰色，常与黑色相混淆；讨厌黑色与毛茸茸的东西。在实际应用中，箱前部涂以黄、绿、蓝、紫、白或贴以彩纸，以防蜜蜂迷巢；夜晚用红光照明以处理蜂群。

Ⅲ. 偏振光导航：太阳光是一种向一切方向上振动的光波，太阳光穿过大气层时，被气体分子和其他小于光波波长的微粒子所散射，使光波在天空的每一点上倾向于按一个特定方向上振动，形成偏振光。天空中的偏振光随着太阳、观察者和被观察的那一点所形成的三角形平面取向而变化。蜜蜂复眼中的每一个小眼都是由 8 长 1 短的视细胞组成，其复眼背区中的一小部分小眼，能够利用天空中紫外偏振光进行定向和导航，并通过在巢脾的竖直平面或水平面上的舞蹈，将蜂箱、食物源和太阳三者联系起来。

Ⅳ. 单眼视觉：单眼为蜜蜂的第二视觉系统，它对光强度敏感，决定蜜蜂早出晚归，协同复眼工作，并对夜晚趋光性起重要作用。

（2）触觉器官：触觉器官是蜜蜂辨别接触和压力刺激的神经结构。蜜蜂体表由几丁质表皮覆盖，通过表皮上的各种感觉器与外界环境接触，以获取信息。

①毛形感受器：蜜蜂体表的许多刚毛是毛形感觉器，是最简单的感受器官，司触觉。毛原细胞形成刚毛，由一圈薄的皮膜与表皮相连，刚毛基部连着神经细胞，由下面的轴突连接中央的神经系统（图 1－25）。毛形感受器有状态受器和强度受器两种。

Ⅰ. 状态受器：分布在蜂体全身，触角和口器上最多。在毛受到压力时，一个神经发出冲动；在毛弹回时，另一个神经发出冲动。

Ⅱ. 强度受器：在毛受到压迫时，它发出一连串连续的冲动。

有些毛形感受器具有检测气流的能力。

②重力感觉器：分布在足关节和其他关节上。在头和前胸、胸和腹之间关节的两侧有 4 丛重力感觉纤毛，可使蜜蜂感受到它在空间与重力的相对位置：蜜蜂的头由 2 片三角形表皮膜连在前胸的前部，纤毛即着生在三角形表皮膜上；如果蜜蜂爬在巢脾上，头向上时头向前（胸部）倾，头向下时则向后（背部）倾，对这些纤毛产生不同的压力，形成相应的神经冲动；胸与腹之间与此相似。

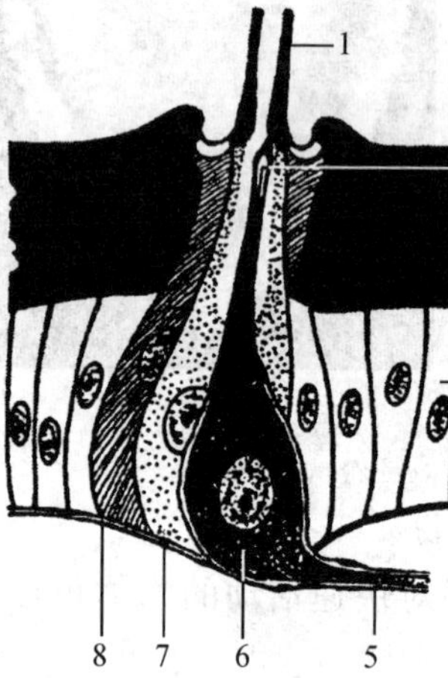

图 1－25　毛形感受器（仿 Snodgrass R. E.，1956）

1. 毛杆　2. 感橛鞘　3. 表皮　4. 表皮细胞　5. 神经　6. 感觉细胞　7. 毛原细胞　8. 膜原细胞

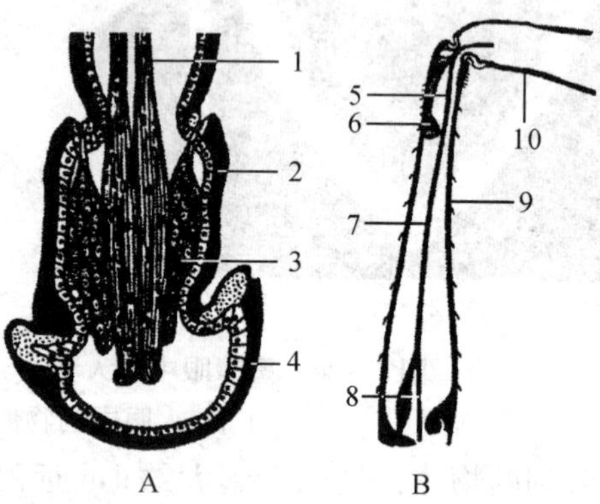

图 1－26　汪氏器和膝下器（仿 Snodgrass R. E.，1956）

A. 汪氏器　B. 膝下器

1. 汪氏器神经　2. 梗节　3. 汪氏器感觉细胞　4. 柄节　5. 感觉神经　6. 膝下感觉器　7. 神经　8. 远端感觉器　9. 胫节　10. 股节

③钟形感觉器：分布在工蜂和雄蜂的触角鞭节及各跗肢基部。蜜蜂的翅基有1 500个，每一个足上有400～600个，螯针、口器和触角基部也有分布。其作用是检测对表皮的压力。其形态结构与毛形感觉器相似，但没有感觉毛，是体壁稍凹陷的空心锥体，其上端在表皮上由一小圆形皮膜封住，有神经通到中央神经系统。

（3）听觉器官：是生物体感知声波信息的器官。

①膝下器：位于蜜蜂3对足的胫关节处（图1－26），包括48～62个感觉细胞，是接受由物体传递声波的感觉器，其接受声波的频率范围为1 000～3 000Hz，最大振幅为2 500Hz。

蜂王振翅带动胸部肌肉的振动而发声，声波通过巢脾的传递并被蜂群内工蜂膝下器接收，产生停止活动的反应。蜜蜂集体振翅发声以示对敌人的警告。

②毛感觉器：位于复眼和后头间，是接受由空气传递声波的感觉器官。声波振动使毛倾斜产生振动脉冲，从而使毛具感官作用。

蜜蜂舞蹈所产生的音波也可能参与通讯活动。

研究蜜蜂发出的声波及其传递、接收范围、蜂群反应等，可利用电子模仿，以利于蜂群的管理、采集等。

（4）嗅觉、味觉、二氧化碳等感觉器官：感知外界某些物质气体分子的器官，分布于触角除基部两小节外的其他鞭节上（图1－27）。嗅觉器官受到发散于空气中有气味物质的微粒的刺激，通过神经传入脑而引起嗅觉。例如：工蜂和雄蜂嗅到蜂王物质时向蜂王处结团、聚集等。

①板形感觉器：呈一稍凸的卵圆形外膜的感觉器官。外膜盖在一个坛形腔上，外缘与体壁相连，直径12～14μm，外膜边缘厚1～2μm，中央减薄至0.5μm。膜上有0.01～0.1μm的小孔5 000个左右，气体分子可以进入，并使下端的神经感知。板形感受器是蜜蜂最主要的嗅觉器官，雄蜂的板形感觉器最多。

②坛形感觉器：分布于工蜂和雄蜂触角鞭节上，对二氧化碳有感知。

③腔锥形感觉器：表面稍凸起，陷入体壁所构成的穴中，上有小孔，底部有神经束，可检测相对湿度以及温度和二氧化碳浓度。

④锥形感觉器：分布于工蜂的触角鞭节上，是一突出体壁的毛形圆锥体复合感觉细胞，既司味觉，也司嗅觉。蜜蜂利用触觉和嗅觉的功能，能在黑暗的巢中形象地嗅到外物。

（5）味觉器官：锥形感觉器是蜜蜂的主要味觉器官，它突出于表皮，表面有小孔，下端有3～4根神经；分布于口器、触角和前足跗节上。

蜜蜂对低于2%的糖溶液无反应，对高浓度的糖液反应大。蜜蜂能区分糖、醋酸、盐和奎宁的不同味道，对酸和咸的感觉大体与人相近，但对苦味感觉迟钝。国外有人在白糖中加入苦味剂，作为蜜蜂的专用饲料。蜜蜂触角上的味觉器比口器上的味觉器灵敏度高，前足味觉器检测糖浓度的最低阈值为17%。

（六）生殖系统

蜂王和雄蜂的生殖器官发育完全，工蜂的生殖器官几乎完全退化，正常情况下不能

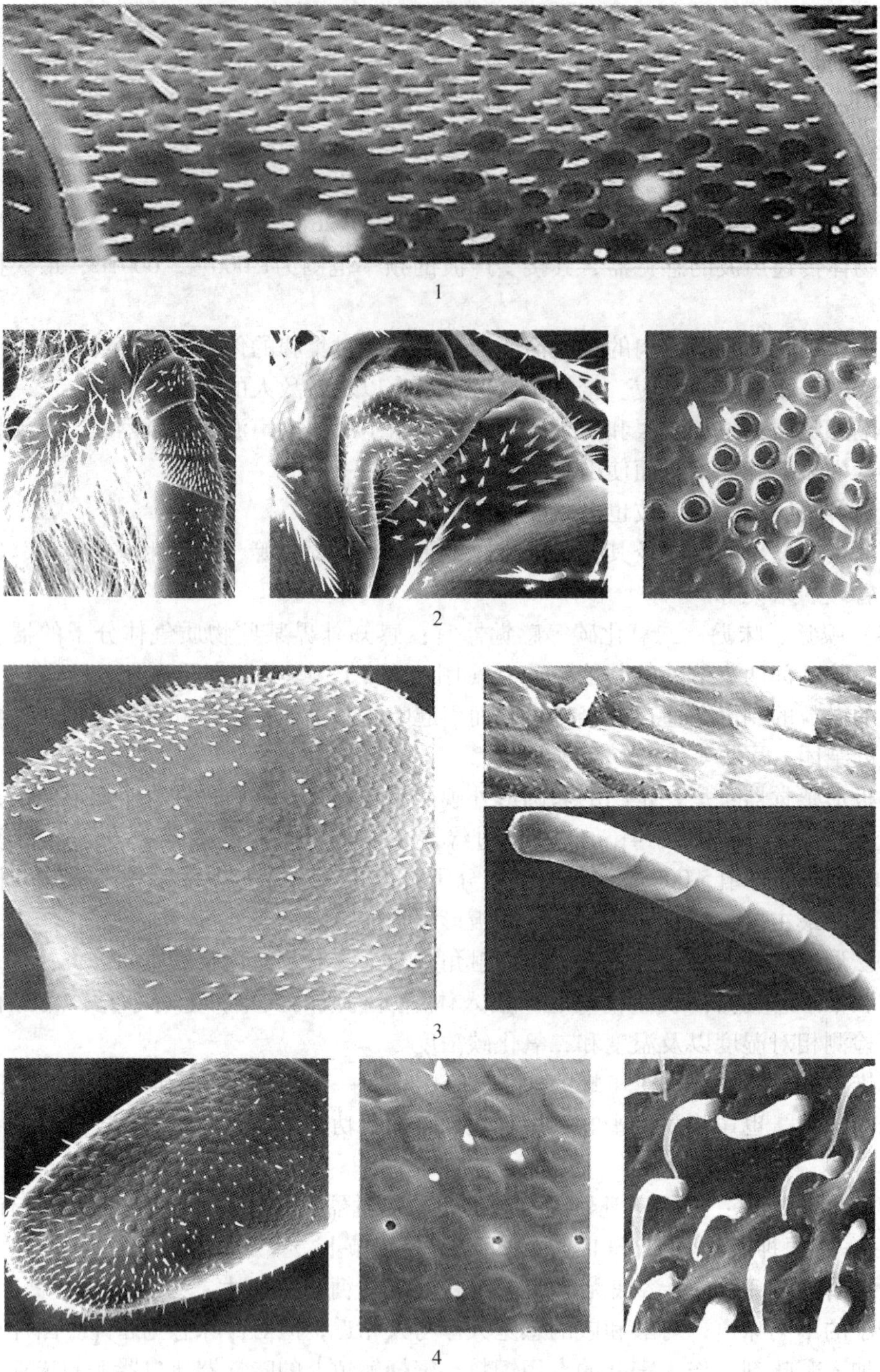

图 1-27　蜜蜂触角上的感觉器（仿 www. pbs. org/wgbh/nova/bees）

1. 工蜂触角鞭节上的毛形和钟形感觉器　2. 雄蜂触角梗节端部的腔锥形感觉器

3. 4. 雄蜂触角端部的坛形、板形、锥形感觉器

产卵。

1. 生殖器官

(1) 雌蜂生殖器官：由卵巢、侧输卵管、中输卵管、附性腺和外生殖器等组成(图1－28)。

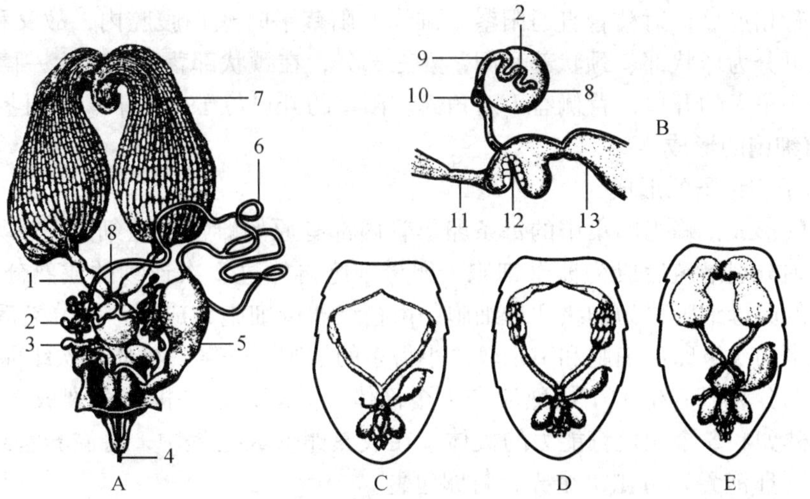

图1－28 雌性蜜蜂生殖系统（仿 Winston M. L., 1987）

A. 产卵蜂王生殖系统 B. 蜂王受精器官 C. 正常工蜂生殖器官
D. 产卵工蜂生殖器官 E. 处女王生殖器官
1. 侧输卵管 2. 受精囊腺 3. 附性腺 4. 螫针 5. 毒囊 6. 毒腺 7. 卵巢 8. 受精囊
9. 受精囊管 10. 受精囊管阀瓣 11. 中输卵管 12. 阴道瓣状褶 13. 阴道

蜂王腹腔两侧有1对梨形卵巢，每个卵巢由150条左右的卵巢管紧密聚集而形成。卵巢管由一连串的卵室和滋养细胞室相间组成，卵在卵室内发育，成熟的卵从卵巢基部进入侧输卵管。两条侧输卵管再会合为中输卵管，中输卵管的后端膨大为阴道。阴道口位于螫针基部下方，两侧各有1个侧交配囊的开口。阴道背面有1个圆球状的受精囊，是蜂王接受和贮藏精子的地方，由受精囊管与阴道相通。在受精囊上还有1对受精囊腺，会合后与受精囊管的顶端相通。

工蜂的生殖器官已显著退化，卵巢仅存3～8条卵巢管，受精囊仅存痕迹，其他器官也已退化，失去正常的产卵功能。

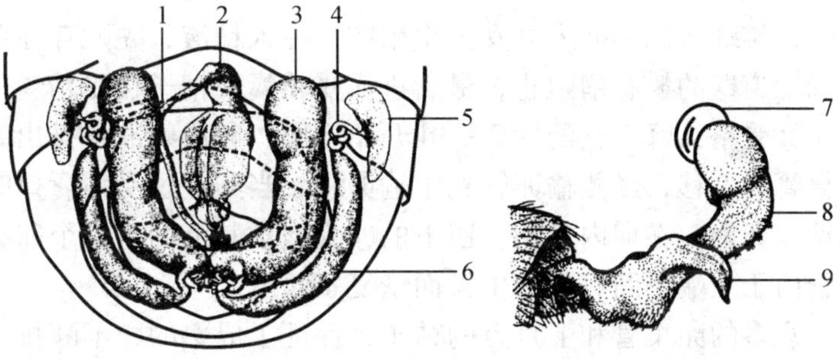

图1－29 雄性生殖系统（仿 Winston M. L., 1987）

A. 腹腔中的雄蜂生殖器官 B. 外翻的阳茎
1. 射精管 2.8. 阳茎 3. 附腺 4. 输精管 5. 睾丸
6. 贮精囊 7. 精液 9. 角囊

(2) 雄蜂生殖器官：由1对睾丸、2条输精管、1对贮精囊、1对黏液腺、1条射精管和阳茎组成（图1－29）。

睾丸是位于腹腔两

侧的一对扁平的扇状体，内有许多精小管，为精子产生和成熟的地方。睾丸后部连接一短段细小扭曲的输精管通入长管状的贮精囊，贮精囊和膨大的黏液腺并列，并以其窄小的后端通入黏液腺的基部。左右成对的黏液腺在基部连在一起，中间有一个共同开口与细长的射精管相连接，射精管直通阳茎。雄蜂的阳茎平时藏在腹腔内，故又称内阳具；外翻的阳茎可分为球状部、颈状部和阳茎囊三部分，在颈状部背壁上着生一穗状突，阳茎囊末端是一稍大的开口，背侧有 1 对角囊。阳茎的开口位于肛门下、两阳茎瓣之间。

2. 生殖细胞的形成

（1）卵子和精子的形成：

①卵子的形成：蜂王卵巢中的每条卵巢管内都有原始雌性生殖细胞——卵原细胞，它们在卵室内分裂增殖后成为卵母细胞，卵母细胞再经过 2 次连续的成熟分裂（第一次成熟分裂的卵母细胞称为初级卵母细胞，由初级卵母细胞完成第一次分裂后，产生 1 个染色体减半的次级卵母细胞和 1 个较之小得多的细胞——第一极体。次级卵母细胞再经第二次成熟分裂，产生 1 个成熟卵和 1 个极体；同时，第一极体分裂成 2 个极体），变成 1 个成熟卵和 3 个无发育能力的极体。在成熟卵形成过程中，将滋养室细胞吸收，并由卵室壁（卵泡囊）分泌 1 个壳，将卵包裹。

雌性蜜蜂的细胞染色体数目是 32（$2n$）个，卵母细胞经过第一次的减数分裂和第二次的有丝分裂后，所形成的卵子的每个核内都有 16 个染色体。

②精子的形成：雄蜂睾丸中的精管内产生原始雄性生殖细胞——精原细胞，它们在精管内分裂增殖后成为圆形的精母细胞，精母细胞经过 2 次连续的成熟分裂（第一次成熟分裂的精母细胞称为初级精母细胞，由初级精母细胞完成第一次分裂后，形成 2 个次级精母细胞，次级精母细胞再经第二次成熟分裂，产生 4 个精细胞），最后产生 4 个具长尾的圆柱形的精子，精子通过输精管进入贮精囊。

雄蜂的细胞染色体数目是 16（$1n$）个，两次成熟分裂都是有丝分裂，因此，所形成精子的每个核内也是 16 个染色体。

（2）授精和受精：

①授精：雄蜂出房后 12d 性成熟。性成熟的处女王和性成熟的雄蜂在空中交配。交配时，雄蜂将阳茎插入处女王生殖腔，注入精液，先贮存在侧输卵管内，后借肌肉的收缩和阴道壁的瓣状褶阻止，最后进入受精囊，精子在受精囊一直保持其活力。

②受精：蜂王交配后 2～3d 开始产卵。卵成熟准备排出时，卵囊泡下端裂开，卵从卵巢管向下移，经侧输卵管到中输卵管，当卵经过受精囊口时，若释放精子，精子由卵孔钻入卵内，在卵内受精。留下的卵囊泡被其上的下一个卵囊泡吸收并被占其位置，卵巢管由于上端不断有新卵生长而恢复了长度。

众多的卵巢管和上百万的精子，保证了成熟的卵不断排入阴道并受精。

（七）分泌腺

具有分泌功能的上皮细胞构成的组织称为腺上皮，以腺上皮为主所组成的器官叫腺体。腺体包括外分泌腺和内分泌腺。

1. 内分泌腺　内分泌腺无腺管，其分泌物称激素，被腺体周围的毛细血管壁吸收，通过血液循环送到身体各处，以调节机体的生长发育、蜕皮、物质代谢和组织器官的活动。

（1）前胸腺：位于幼虫前胸和中胸之间、第一对气门后面的很小的叶片状结构。前胸腺分泌蜕皮激素，控制幼虫的蜕皮。

（2）咽侧体：是位于脑下食管壁上的小球形实体细胞，它分泌保幼激素，控制幼虫期保持幼虫状态，并影响雌性蜜蜂的级型分化。

（3）心侧体：是附着于蜜蜂背血管壁上的一团松散细胞，贮存脑神经分泌物，其分泌的激素进入血液，影响体液、生殖等。

（4）脑神经分泌细胞群：位于脑顶中心间脑内，由神经纤维与心侧体和咽侧体相联。其分泌物又叫促激素，有调节激素分泌的功能。

2. 外分泌腺　外分泌腺有腺管，分泌物通过导管排出体外（图 1 －30）。

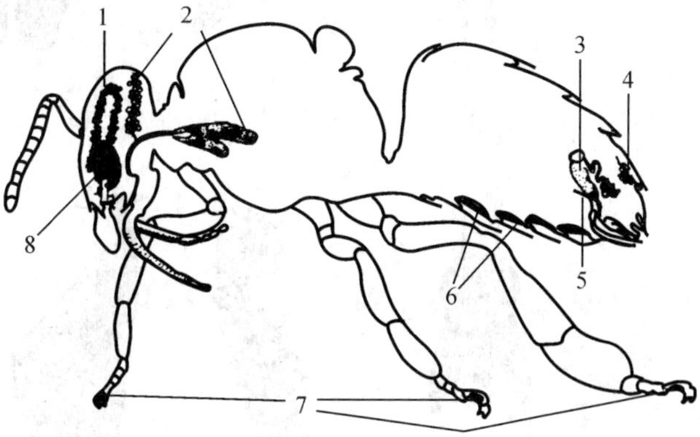

图 1 －30　工蜂的腺系统（仿 Winston M. L.，1991）
1. 王浆腺　2. 唾腺　3. 毒腺　4. 臭腺　5. 副腺　6. 蜡腺　7. 跗节腺　8. 上颚腺

（1）舌腺：位于头内两侧，为 1 对葡萄状的腺体，其两条中轴导管分别开口于口底部的口片侧角上。工蜂的舌腺很发达，能分泌用来饲喂工蜂和雄蜂幼龄幼虫、蜂王的食物——蜂王浆（或称蜂乳），所以，舌腺又称王浆腺、营养腺（图 1 －31）。

（2）唾液腺：由头唾腺和胸唾腺组成。头唾腺 1 对，在头内后部脑的上面，为两串扁平的梨状体，是在蛹期由普通唾管演变而来；胸唾腺 1 对，位于胸部，是两串管状体，由幼虫期的丝腺发展而来。

两对腺体的 4 根导管通入一条总管，开口于唾液泵，唾液腺分泌的唾液经此泵和舌下表面的槽管导至舌尖，唾液中的转化酶能促使蔗糖水解和溶解糖粒。

（3）蜡腺：蜡腺 4 对，是由体壁的上皮细胞演变而成，位于第四至第七腹板的蜡镜下。在第四至第七节被前一腹节覆盖的腹板上，各有 1 对光滑透明、卵圆形的蜡镜，工蜂蜡腺分泌的蜡液通过蜡镜的微孔渗出，在蜡镜上凝固成片的蜡鳞，作筑巢的原料。工蜂泌蜡期过后，蜡腺退化。蜂王和雄蜂无蜡腺。

（4）毒腺：位于螫针的基部，由碱性腺和酸性腺共同组成。酸性腺是一根长而薄、末梢有分支的蟠曲小管，末端扩张形成小囊泡；蟠曲小管的内壁着生的内分泌细胞、鳞状上皮细胞及导管形成细胞，是产生蜂毒有效成分的地方，所以，酸性腺多称为毒腺。碱性腺短而厚，轻微蟠曲，开口于螫针基部的球腔，内壁由上皮细胞组成，产生的乙酸异戊酯、乙酸正丁酯等物质，类似熟香蕉的气味，当从螫针基部排出后立即挥发，由空气传递，向蜂群报警，很快激起蜜蜂的螫刺反应。因此，碱性腺又叫副腺，其分泌物称

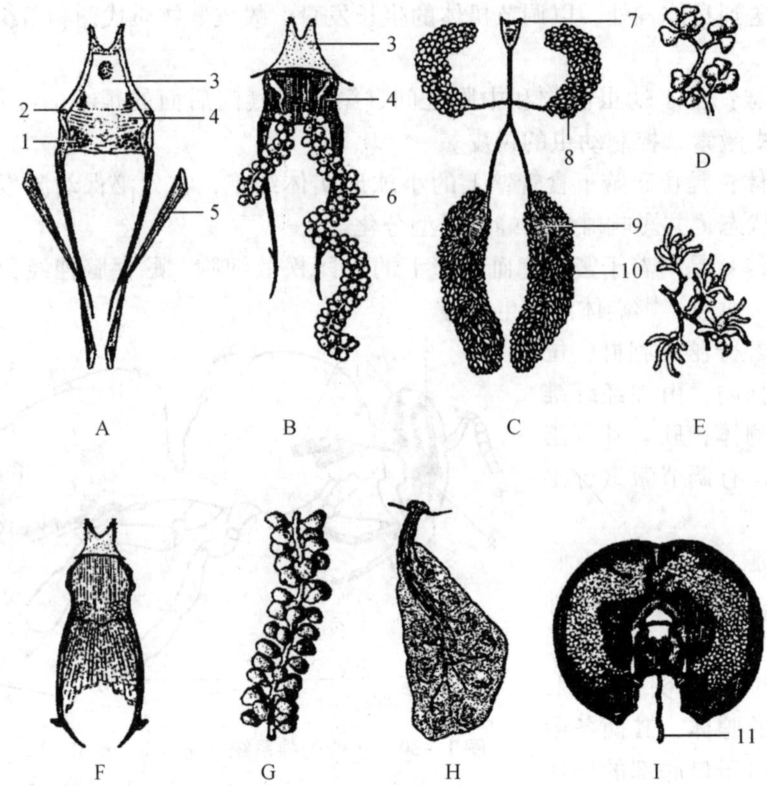

图 1－31　蜜蜂头胸部的腺体（仿 Snodgrass R. E.，1956）

A. 口片表面：示王浆腺开口　B. 口片后面观：示王浆腺　C. 唾腺　D. 局部头唾腺　E. 局部胸唾腺　F. 雄蜂口片　G. 局部王浆腺　H. 王浆腺小体　I. 工蜂头部后面观：示头唾腺在头内的位置

1. 味觉器官　2. 王浆腺管开口　3. 舌唾叶　4. 口片　5. 肌肉　6. 王浆腺

7. 唾窦　8. 头唾腺　9. 贮液囊　10. 胸唾腺　11. 唾管

告警信息素。毒囊也位于螫针基部，以接受毒腺分泌物——蜂毒，并有管道通入螫针球。

当工蜂螫刺时，贮于毒囊中的毒液由螫针排出，作用于其他生物体产生反应；而分泌出的告警信息素激起其他蜜蜂的攻击行为。

雄蜂无毒腺，蜂王的毒腺和毒囊较退化。

（5）上颚腺：上颚腺是位于头内上颚上面的一对囊状腺体，开口于上颚基部两侧（图 1－6）。其分泌物为信息素（昆虫外分泌腺向体外分泌多种微量化学物质，通过个体间的接触或空气传播，作用于同种的其他个体，引起特定的行为或生理反应，这种物质就叫信息素或外激素）。

①蜂王上颚腺：蜂王上颚腺的分泌物叫蜂王物质或口授信息素，主要成分是反式9－氧代－2－癸烯酸（简式9－ODA）、反式9－羟基－2－癸烯酸（简式9－HDA）、对－羟基苯甲酸甲酯（简式 HOB）和4－氢氧－3－甲氧苯基乙醇（简式 HVA）。一方面，工蜂通过饲喂蜂王获得这种物质，并经过工蜂间的相互饲喂在蜂群中传递，抑制工蜂的卵巢发

育，阻止工蜂建造王台，保持蜂群的稳定团结和积极的工作状态；另一方面，通过空气传播，婚飞的处女王招引雄蜂的竞争，分蜂的蜜蜂聚集在蜂王的周围，并形成稳定的蜂团。蜂王上颚腺分泌量的多少还直接影响着工蜂对蜂王哺育积极性的高低。

②工蜂上颚腺：工蜂上颚腺分泌的王浆酸参与王浆的形成，主要成分是 10 - 羟基 - α - 癸烯酸（简式 10 - HDA），也是口授信息素，它能促进蜂王卵巢发育和代谢作用。工蜂上颚腺分泌的 2 - 庚酮是一种告警信息素的主要成分，当工蜂用上颚咬住“敌人”或在巢门口守卫时，都会释放告警信息素，以引导其他工蜂前去进攻或驱避其他入侵的昆虫。另外，工蜂上颚腺还能分泌一些软化蜡质或溶解蜂胶的物质。

③雄蜂上颚腺：雄蜂的上颚腺已退化成小囊袋，其分泌物能吸引雄蜂飞到利于蜂王交尾的地方形成聚集区。

（6）臭腺：又叫纳氏腺（图 1 - 32），是位于工蜂第七腹节背板内部的一个似大细胞带的腺体，腺细胞的分泌物通过微小的导管排入背板基部的囊内，主要成分为萜烯衍生物（如氧合单萜、牻牛儿醇）等芳香物质。工蜂举腹发臭，露出纳氏腺，散发芳香味，并使劲振翅使气味加速扩散，且发出尖锐响声。处女王婚飞、幼蜂“闹巢”、工蜂新址认巢等，工蜂都会在巢门口翘腹振翅释放信息素；在适合的蜜源、水源和分蜂时，工蜂会在飞往目标途中和目标处散发信息素，以示引导。因此，臭腺的分泌物又叫引导信息素。

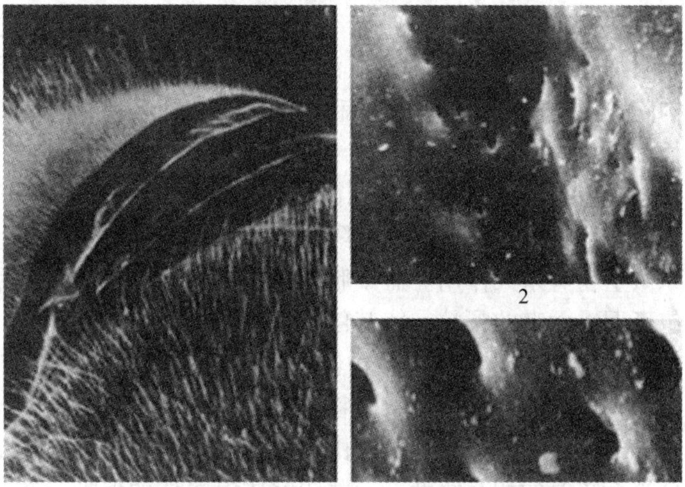

1　　2　　3

图 1 - 32　臭腺（仿 Snodgrass R. E.，1993）

1. 第六、第七腹节背板间：示暴露的臭腺　2、3. 放大的臭腺微孔

（7）跗节腺：蜂王跗节腺分泌示踪信息素，并通过足垫把这种信息素涂布在蜂巢表面，以表明蜂王的存在。工蜂跗节腺分泌的示踪信息素，是通过足垫把它遗留在花朵或食物点上，以告示其他蜜蜂该花已采过或留下食物信息。

（8）蜂王腹板腺（伦纳 - 鲍曼腺）：位于蜂王第三至第五腹板边缘外的一组单细胞腺，分泌一种标示蜂王的信息素，具有吸引工蜂、抑制工蜂卵巢发育和稳定蜂群的作用。

上颚腺、臭腺、跗节腺、蜂王腹板腺以及螫针基部的副腺都是信息素腺，分泌的信息素在蜂群中起着制约和联络作用。在生产实践中，用合成的性外激素可以提高蜂王的婚飞交配率；用合成的蜂王信息素稳定和扩大蜂群，招引蜜蜂，刺激工蜂更加积极地工作；用合成的引导、示踪信息素为农作物授粉；用合成的告警信息素来驱避蜜蜂或其他入侵者。

（八）免疫系统

蜜蜂的免疫包括体壁、体液和诱导免疫等。

1. 体壁免疫　与外界相通的器官有表皮、消化道内壁和气管壁等。蜜蜂体表是覆盖的几丁质外壳，并密被绒毛，可有效地防止水分的蒸发以及外来水分、化学离子、病原体、农药等的侵袭，体表上存在的酚类、酶类及不饱和脂肪酸能够杀伤病原微生物，但损伤的体表能被微生物或被能够产生几丁质酶的微生物侵袭。蜜蜂消化道的前肠和后肠有几丁质的内膜，对食入的病原微生物和毒素有屏障作用；中肠是靠肠壁的完整性、围食膜和中肠良好的生化环境（如来自食物中的抗菌物质、肠道内固有的微生物区系及肠壁细胞分泌的消化酶、血淋巴产生的抗菌物质等）等来抵御病原微生物的侵袭。结构完整、功能正常的气管壁和干燥的气管内环境，可有效地防止病原微生物的侵入和生长繁殖。

2. 体液免疫　血浆对病原微生物产生的毒素有稀释作用。血浆中的凝血因子能促进伤口愈合，对病原微生物有隔离作用，血浆中的溶菌酶、氧化酶系和植物血凝素等对病原微生物有杀灭作用。血细胞能吞噬微生物、组织碎片和侵入体内的其他微生物，并能包裹无法吞噬的颗粒，使其停止发育而死亡。

3. 诱导免疫　病原微生物侵入机体后会刺激血淋巴产生免疫蛋白、免疫多肽和蜜蜂素等，进一步杀灭病原微生物。

总之，蜜蜂的免疫系统是由许多器官组织共同组成的，在体壁、体液、神经系统、内分泌系统等的相互协助下，共同完成对机体的保护。在养蜂生产实践中，研究蜜蜂的生物学特性，保持蜂巢内外的良好环境，饲喂优质的蜜蜂饲料，提高蜜蜂的免疫力，有助于蜂群健康。

三、蜜蜂卵、幼虫、蛹的外部形态

见本章第二节“三、蜜蜂的个体生长发育”。

第二节　蜜蜂生物学

一、蜜蜂的群体

（一）蜂群的组成

蜜蜂是社会性昆虫，蜂群是蜜蜂的社会性群体，为蜜蜂自然生活和蜂场饲养管理的基本单位。一个蜂群通常由1只蜂王、千百只雄蜂和数千只乃至数万只工蜂组成。

1. 蜂王　蜂王又称母蜂，是由受精卵发育而成的生殖器官发育完全的雌蜂，具二倍染色体，在蜂群中专司产卵，是蜜蜂品种种性的载体，并起到团结蜂群的作用。中蜂蜂王体长18～22mm，重约250mg；意蜂蜂王体长20～25mm，体重约300mg。蜂王体重是工蜂的2～3倍。蜂王头呈心脏形，长圆锥形腹部，上颚锋利，喙短，色泽鲜艳。产卵蜂王行动稳重，由工蜂围侍其周，不断用触角拍打蜂王，并伺机饲喂之。

2. 工蜂 工蜂是由受精卵发育而来的生殖器官发育不完全的雌性蜂，具二倍染色体，有执行巢内外工作的器官。工蜂是蜂群中个体最小的，而数量占蜂群中的绝大多数，在繁殖旺季，一个具有优良种王的强群可拥有5万～6万只工蜂，它们担负着蜂群内外的主要工作，正常情况下不产卵。意蜂工蜂初生重约110mg，成年蜂平均体重100mg，体长12～14mm；中蜂工蜂初生重约85mg，成年蜂平均体重约80mg，体长11～13mm。

3. 雄蜂 雄蜂是由未受精卵发育而成的蜜蜂，具单倍染色体，雄蜂头近圆形，身体粗壮，体毛多而长，色深，翅大覆盖整个体表。雄蜂在蜂群中的职能是平衡性比关系和寻求与处女王交配。它是季节性蜜蜂，只有蜂群需要时才出现。意蜂成年雄蜂平均体重为212mg，体长17mm，翅展32mm。

（二）三型蜂之间的关系

1. 相互依存关系 蜂王是一群之母，一群蜂中的所有个体都是蜂王的儿女，没有蜂王，蜂群即会灭亡；但蜂王不能哺育蜂儿，也不采集食料，脱离工蜂，蜂王就无法生存；工蜂承担着巢内外的一切工作，但它们不能传宗接代；没有雄蜂，处女蜂王就不能交配，就不能产受精卵，蜂群就不能继续繁殖，但雄蜂除和处女王交配外，不能自食其力，如果脱离了蜂群，它很快就会死亡。所以说，三型蜂是一个统一的有机整体，彼此相互依存才能完成群体生活。

2. 血缘关系 雄蜂是由蜂王孤雌生殖而来，蜂群中所有的雄蜂都是亲兄弟，是由未受精卵发育来的，它们继承了蜂王的遗传特性。由于蜂王在婚飞时与几只雄蜂交配，所以，蜂群中的工蜂既有同母同父姐妹，也有同母异父的姐妹，它们分别继承了蜂王与各自父亲的遗传特性。

在蜂群中，工蜂和雄蜂的不同血缘关系决定了其种的特性。

（三）蜂群之间的关系

蜂群与蜂群之间都是一个互相独立的整体，彼此之间互不往来，但存在着食物的竞争，如蜜源缺乏季节，盗蜂即是一例。另外，还存在着种间竞争，在蜜源缺少季节，中蜂和意蜂不能同场饲养，中蜂场和意蜂场也不能相距太近，否则，意蜂会盗垮中蜂。

在不同蜂群的蜂王、工蜂之间有严格的群体界线，如果蜂王或工蜂错投他群就会遭到围攻或阻挠（满载而归或老练的工蜂能避开守卫蜂检查），而雄蜂没有危及蜂群安全的能力，故不受群体限制。

二、蜜蜂的生活

蜜蜂是营社会性群体生活的昆虫，其生活的基本条件要具有蜂巢、食粮与适宜的环境等。

（一）蜂巢

1. 蜂巢的概念　蜂巢是蜜蜂繁衍生息、贮藏食粮的场所，由工蜂泌蜡筑造的1片或多片与地面垂直、间隔并列的巢脾构成，巢脾上布满巢房。蜂巢有自然蜂巢和人工蜂巢。

（1）自然蜂巢：由处于野生状态的蜜蜂筑造的蜂巢。

①大蜜蜂和小蜜蜂露天营造单脾蜂巢。大蜜蜂常在突出的岩石、树枝等下方筑巢，脾面长近2m、宽近1m，上部厚达100～200mm用以贮蜜，下部厚约35mm用以育虫，工蜂房和雄蜂房的大小和形状相同。小蜜蜂的巢常筑在灌木和小树枝下面，似手掌大小（图1－33），它有3种大小不同的巢房：最小的用于培育工蜂，较大的用于培育雄蜂，它们位于巢脾下部，厚约20mm；最大的一组在上部用于贮藏花粉和蜂蜜，厚约60mm，使巢脾上部形成一个小平台，满载而归的采集蜂在其上跳舞向同伴报告信息。

图1－33　小蜜蜂的巢（仿 Free J. B.，1987）

②野生的东方蜜蜂和西方蜜蜂常在树洞、岩洞、土穴等黑暗地方筑巢（图1－34），通常由10余片互相平行、彼此保持一定距离的巢脾组成，巢脾两面布满正六边形的巢房，每一个巢脾的上缘都附着在洞穴的顶部，蜂巢的形状随洞穴形状，一般呈半椭圆球形。中蜂育虫区脾距（蜂路）约9mm，育虫区脾厚23mm，贮蜜区厚27mm；西方蜜蜂育虫区蜂路为10～12mm，育虫区厚约25mm，贮蜜区厚29mm。在自然状态下，单片巢脾的中下部为育虫区，上方及两侧为贮粉区，贮粉区以外至边缘为贮蜜区。从整个蜂巢看，中下部为培育蜂子区，外层为饲料区。

（2）人工蜂巢：人工饲养的东方蜜蜂和西方蜜蜂，生活在人们特制的蜂箱内，巢脾筑在活动巢框里，巢脾大小规格一致。其他特点同野生的东方和西方蜜蜂。

2. 巢脾与巢房

（1）巢脾的筑造：巢脾一般是由12～18日龄的工蜂分泌蜡鳞筑造而成。从事造脾的工蜂，吸饱蜂蜜后连成串串蜂链，安静地悬挂在造脾施工点或附近，数小时后，蜡液

图 1-34 西方蜜蜂野生蜂巢（仿 Free J. B.，1987）

外泌到蜡镜并凝固成蜡鳞（片），蜜蜂用后足基跗节的刺戳取蜡鳞，经前足送至上颚，充分咀嚼并混入上颚腺的分泌物后，在前足、中足和上颚的协同操作下，把已成海绵状的蜡块固定在巢脾上，使用 1 块蜡鳞大约需要 4min。蜜蜂在筑巢时，把自身调整到地球引力的方向，以便能感觉出自身对垂直面的微小误差并作出调整，从而使一串串蜂链有控制巢脾相互平行的能力。因此，工蜂在适宜的条件下在一定的时间内能造成相当规则精美的蜂巢。

自然蜂巢，是从顶端附着物部位开始筑造，然后向下延伸。东方、西方蜜蜂筑巢，都是先筑造中心的巢脾，再向两侧对称扩展。人工蜂巢，蜜蜂密集在人工巢础上造脾。

蜜蜂造 1 个工蜂房需要蜡鳞 50 片，1 个雄蜂房则需要 120 片。蜜蜂分泌 1kg 蜂蜡，则含 400 万片蜡鳞，需消耗 4.7kg 以上的蜂蜜、0.890kg 的花粉。因此，蜜蜂筑巢要有充足的饲料、适量的泌蜡工蜂以及一定的温度等条件。

（2）巢房的结构、类型、分布及封盖巢房的区别：

①巢房的结构：蜜蜂筑造的工蜂房和雄蜂房，从脾面看呈正六边形，整个巢房为一个正六棱柱体，房底由 3 个菱形面组成，每个菱形的锐角约 70°，钝角约 109°，每相邻两个菱形面的夹角为 120°，每个巢房朝房口斜向上倾斜 9°～14°；每个巢房的房底即是背面另外 3 个巢房各个房底的 1/3，其房壁是同一面相邻巢房的公用面，房壁中间薄，底部和端部厚。脾两面的巢房有规则地排列，这样的结构能最有效地利用空间，最省材料，更坚固（图 1-35）。

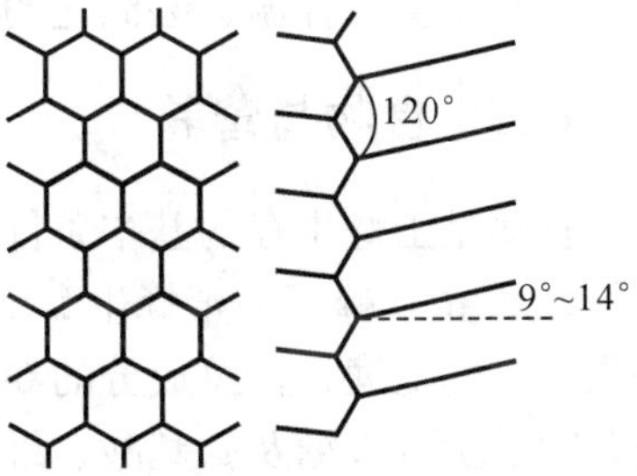

图 1-35 巢房的正面（左）和纵切面（右）

②巢房的类型：东方和西方蜜蜂的巢房分为工蜂房、雄蜂房、王台和过渡型巢房。

Ⅰ. 工蜂房：用于培养工蜂和贮藏蜂粮，位于巢脾中下部。中蜂工蜂房内径 4.2～

4. 4mm，深 11. 5mm；意蜂工蜂房内径 5. 2 ~ 5. 4mm，深 12mm。一个标准巢框的巢脾，约有中蜂房7 400个，意蜂工蜂房6 800个。

Ⅱ. 雄蜂房：在巢脾边缘稍大一点的巢房，用来培育雄蜂和贮藏蜂蜜。由工蜂在巢脾下部筑造，也可由工蜂把被撕裂的不规则的工蜂房改造而成。中蜂雄蜂房内径 5. 0 ~ 6. 5mm，深约 12. 5mm；意蜂雄蜂房内径 6. 3 ~ 7. 0mm，深约 15. 5mm。

Ⅲ. 过渡型巢房：在工蜂房和雄蜂房之间及巢脾边缘，形状不定，有加固巢脾和贮藏食料的作用。

Ⅳ. 王台：在蜂群培育蜂王时筑造，专门培育蜂王。正常情况下，蜂群在巢脾下缘或两侧边缘筑造数个不等的王台，先造成口朝下的杯状台基，待蜂王产下卵后，随着幼虫的生长，工蜂逐渐将台基加高直至封盖，封盖后形似花生，表面有凹凸皱纹，这种王台叫自然王台。当蜂群突然失王或伤残，工蜂会将有小幼虫的工蜂房改造成口斜向下的王台，叫急造王台，前者数量多，后者 1 ~ 3 个。中蜂王台内径 6 ~ 9mm，意蜂王台内径8 ~ 10mm。

③蜂子、花粉、蜂蜜在蜂巢中的分布：在一张巢脾上，卵、虫或封盖子位于巢脾的中下部，叫子圈；花粉房位于子圈的外围，叫粉圈；在粉圈外部贮藏蜂蜜，叫蜜圈。就整个蜂巢而言，中间的巢脾子圈最大，两侧巢脾的子圈依次渐小，整个育虫区位于蜂巢的中央，花粉及蜂蜜依次在外围，这样的分布排列方式，有利于蜜蜂育儿，也方便了人们进行蜂产品生产。

④封盖巢房的区别：在一张巢脾上，封盖子一般位于巢脾的中下部，巢房呈黄褐色，形状规则，轮廓清晰；封盖蜜则位于巢脾的上部至两角向下发展，色浅，巢房轮廓不清晰，具波浪纹。中蜂雄蜂房封盖呈尖笠状，中间有透气孔；意蜂雄蜂房封盖突出，似馒头状。

（3）蜂巢的更新：新脾色泽鲜艳，房壁薄，容量大。随着每次蜜蜂的羽化，其房壁就会增加 1 层茧衣以及房底留下的幼虫的蜕皮，随着育虫代数的增加，巢房容积越来越小，颜色也越来越深，最后成为黑色，由这种巢房育出的蜜蜂个体小。因此，1 张巢脾通常使用 2 ~ 3 年就要更换，中蜂爱咬脾就是巢脾需要更新的表现。但是，褐色巢脾有助于早春蜜蜂保温，装满花粉的褐色巢脾导热系数仅为 1. 4。

（二）食物与营养

食物是蜜蜂生存的基本条件之一。自然情况下，食物是指蜂蜜和花粉。

1. 蜂蜜　蜂蜜为蜜蜂生命活动提供能量。蜂蜜中含有 180 余种物质，其主要成分是果糖、葡萄糖，占总成分的 64% ~79%；其次是水分，含量为 17%；另外还有蔗糖、麦芽糖、少量多糖及氨基酸、维生素、矿物质、酶类、芳香物质、色素、激素和有机酸等。

一只蜜蜂在飞行中，每小时消耗 10mg 蜂蜜；据报道，在我国 1 群蜂 1 年约需 69kg 蜂蜜。其中，夏季 43kg，冬季 20kg，北方越冬期需 25kg；培育 1kg 蜜蜂约需蜂蜜 1. 14kg；生产 1kg 蜂蜡约需蜂蜜 4. 7kg。

2. 花粉　花粉是蜜蜂食物中蛋白质、脂肪、维生素、矿物质的主要来源。花粉中含有8%～40%的蛋白质、30%的糖类、20%的脂肪以及多种维生素、矿物质、酶与辅酶类、甾醇类、色素等。

一只蜜蜂从卵到羽化约需145mg花粉。刚羽化的蜜蜂必须吃花粉才能继续生长发育，并利用花粉在体内进行物质的转化，Haydak计算出成年蜜蜂一生约需花粉120mg；培育1kg蜜蜂约需花粉894g，1群蜂1年能采集30kg花粉，并消耗掉其中的25kg。

3. 水分 蜜蜂自身组织、新陈代谢、调食喂幼虫等都需要水，蜜蜂利用采水、食物及食物吸水、卵壳吸水以及代谢水等途径来获得水分，而通过排粪、气孔蒸发、空气流动来排除水。在活动期，一群蜂日需水量约200g，一个强群日采水可达400g。

蜜蜂由于食物不足，在冬季会饿死，在繁殖期，蜂子生长发育不良，羽化的幼蜂不健康，严重者在其发育期死亡，造成子脾“花子”现象，这是蜜蜂营养代谢疾病的一种。有时候，虽然巢内蜜、粉充足，但由于蜂少子多，或由于巢温失调造成蜜蜂离脾，从而使蜂子得不到足够的蜂王浆等食物，也会造成蜂子营养缺乏。

蜜蜂除以上水、蜂蜜、花粉等物质外，它们还需要一个适宜的环境条件，如新鲜空气、阳光、湿度等，详见本章第三节。

（三）温度与蜜蜂

1. 蜜蜂与温度的关系

（1）个体温度：蜜蜂属于变温动物，其个体体温接近气温，随所处环境温度的变化而发生相应的改变。不同种的蜜蜂个体和处于不同生态型的蜜蜂个体，对温度的反应也有差异。例如，工蜂个体安全活动的最低临界温度，中蜂为10℃，意蜂为13℃；意蜂工蜂在11℃时翅肌开始麻木，但在早春，伊犁黑蜂在外界气温8℃时却能采回冰凌花的花粉；工蜂飞翔最适气温为15～25℃，蜂王和雄蜂最适飞翔气温在20℃以上；成年蜂生活最适气温是18～25℃。

实验表明，当气温为35～43℃时，蜜蜂的体温与外界温度相近；当气温较低时，蜂体温度比气温高2～18℃；当气温较高时，蜂体温度比气温低2～5℃；气温在21～32℃时，蜜蜂的体重减轻最少。

根据成年蜜蜂在不同温度下的行为反应，可把温度对蜜蜂的影响划分为5个温区：一是50℃以上为致死高温区，在这一温区，蜜蜂表现异常急躁，继而昏迷死亡。二是40～50℃为亚致死高温区，在此温区，不适宜的高温使蜜蜂新陈代谢失调，如果长时间处于此温区，则会导致蜜蜂寿命缩短。三是15～35℃为适宜温区，在此温区，蜜蜂能够正常进行采集活动。其中18～25℃最适宜，蜜蜂消耗饲料最省，寿命最长。四是0～10℃为亚致死低温区，蜜蜂停止飞翔，肌肉僵硬，如果在短时间内温度回升，蜜蜂仍可恢复活力，如果时间太长，有冻死的危险。五是0℃以下为致死低温区，开始时蜜蜂的新陈代谢加强，当产生的热量不足以补偿损失的热量时，蜜蜂的一切活动很快停止，气温降到-6℃时，蜜蜂体液冻结而死亡。

温度还影响着植物的开花泌蜜，间接影响蜜蜂采集活动。

蜂子发育的最适巢温是34.4℃。处于35℃以上或34℃以下的蜂子，其生长发育将受到影响：有的死亡，造成子脾“花子”现象；虽然有的能羽化出房，但是其体质差、寿命短，这是巢温失调引起的蜜蜂生理性疾病。长期食物不足或蜂、子比例和巢温失调都会使蜂群衰弱不堪。

（2）群体（蜂巢）温度：由于蜜蜂的社会性群居生活，蜂群对环境的适应能力较强，其蜂巢温度相对比较稳定。具有一定群势和充足饲料的蜂群，在 -40℃低温下能够安全越冬，在最高气温 46～47℃的条件下还可以生存。但是，在恶劣环境下生活的蜜蜂要付出很多。工蜂在 28℃时出巢门口扇风降温，30℃时出勤减少，40℃时出勤几乎停止，或只外出采水。蜂群正常活动会产生一定的热量，可使巢温升高 8℃左右，视群势强弱等因素而有较大幅度的变动，所以蜂群适宜生活的温度要比育子适温低些。

蜂群在繁殖期，育虫区的温度要求在 34～35℃；在越冬断子期，蜂团外围的温度在 6～10℃，蜂团中心的温度在 14～24℃。

2. 蜜蜂对温度的调节 蜂群具有调节巢内温度的能力，尽管外界气温时高时低，巢内始终保持一个相对稳定的温度。断子期，巢温随外界气温而变动，一般在 6～32℃。繁殖期，蜂巢中心的温度稳定在 32～35℃，强群则保持在 34～35℃。当气温较低时，同一巢脾上，蜂子分布区外围的温度较低，有时只有 30℃，而蜂巢外侧没有蜂子的部分，温度在 20℃上下。当天气暖和时，巢脾上的温度比较均匀。蜂子对巢温的变化极敏感，当温度在 34℃以下或 35℃以上时，蜂子的发育就会推迟或提早，甚至死亡，羽化的蜜蜂也不健康。

（1）能量来源：蜂群获得热源有两个途径：一是太阳辐射能，二是蜜蜂新陈代谢产生的化学能。蜂箱吸收地面反射的热能和通过箱盖吸收太阳的热能，糖饲料是蜜蜂能主动利用和调节温度必不可少的能量来源，是蜜蜂产生化学能的基础，蜜蜂的生命活动也产生能量。

（2）调节方式：蜜蜂常以疏散、静止、扇风、采水、离巢等方式降低巢温，以密集、缩小巢门、加快新陈代谢等方式升高巢温。蜂群在整个生活周期内，都是以蜂团的方式度过的，冷时蜂团收缩，热时蜂团疏散，这在野生的半球形蜂巢中更为明显。

①当巢温过高时：附着在子脾上的蜜蜂自动散开，减少附脾蜂数，一部分蜜蜂甚至离开巢脾，附在箱底或箱壁上停止活动，减少热量产生和散发。若巢温继续升高，蜜蜂就振翅扇风，加强巢内空气流通。若经扇风后效果不明显，部分蜜蜂便外出采水，并把采回的水滴沾在封盖子的房盖及巢框的板条上，或将水滴沾挂在未封盖幼虫房的房壁上部，或不断屈伸沾有水滴的喙，以促进水分蒸发，降低巢温；同时，蜜蜂通过气管系统蒸发的水分也明显增加，体温下降，也有助于降低巢温；有时，一部分蜜蜂爬出巢外，连接成片，悬挂在箱前，巢内蜂数减少，使巢温下降。

长时间高温会使蜂王产卵量下降，减轻工蜂负担；蜂群通过分蜂降低蜂巢内蜜蜂密度，扩大生活空间。另外，蜜蜂的几丁质体壁和体表密生的绒毛，有护体保温和防止体内水分过度蒸发的作用。蜜蜂在耐受不了长期高温的情况下会飞逃，例如，大蜜蜂因气温和蜜源等因素在平原和山区有来回迁居的习性。

②当外界气温降低时：蜜蜂就离开边脾和空脾，密集在子脾上，同时加快新陈代谢以保持子脾温度。秋天气温下降后，蜜蜂还用蜂胶和蜂蜡封闭巢箱裂缝和缩小巢门，以利保温。冬季来临，当外界气温接近 6～8℃时，蜂群就结成蜂团。越冬蜂团外紧内松，

内部的蜜蜂比较松散，将6个足和上颚相互紧钩在一起，它们产生热量，并把热量向蜂团外层传输。蜂团外层由3～4层蜜蜂组成，它们相互紧靠，其体壳和周身绒毛不易散热，从而形成保温“外壳”。当组成“外壳”的蜜蜂不能从蜂团中心获取足够的热量时，将逐渐死去，并被其他蜜蜂替代而形成新的保温“外壳”。一般蜂团表面的温度保持在8～10℃，中心温度14～24℃。当蜂团外围的气温降到8℃以下时，蜂团就逐渐收缩，减少散热的表面积；当气温升到8℃以上时，蜂团就逐渐扩展。越冬蜂团一般是由蜂箱下部、前部缓慢上升与后移来消耗蜂蜜的；到了冬末，蜂团就上升到蜂箱的上部或后部。对于越冬蜂团，上部和后部总是有蜜的，可确保产热源的供应。

处于野生的东、西方蜜蜂，其巢是由多片平行且呈半圆形的巢脾组成的半球形蜂巢。蜜蜂还把育虫区巧妙地安排在蜂巢中心位置，形成一个半球状的繁殖区，在繁殖区外围贮藏着蜂粮，最外层是蜂蜜，这样有助于蜂群维持育虫区恒定的温、湿度。

（3）蜂群调节温度的能力：与群势的强弱呈正相关。试验表明，由500只蜜蜂组成的小群，仅在气温高于33℃或低于18℃时才调节温度，当气温在18～33℃时不进行调节。蜂数在5 000只以上的正常蜂群，可以调节0～40℃范围内的温度，将温度相应提高25℃或降低4℃。蜂数达15 000～25 000只的蜂群，在整个生活周期，即使气温变化幅度很大，也能将巢温维持在34～35℃的水平上。

3. 养蜂生产对蜂群温度的影响 蜜蜂活动和蜂群育虫都要有一定的温度范围，超过一定的限度，它就无能为力了。野生蜜蜂穴居于土洞、石缝、树洞中以抗寒冷和炎热，这是它生存的选择，这样的穴居条件具有炎热晒不着晒不透、严寒风刮不着冻不透之功效。而且，在没有外来病虫侵袭的情况下，很少发生疾病。

在养蜂生产实践中，高温会缩短成年蜜蜂的寿命，影响采集活动，增加饲料消耗，甚至使巢脾坠毁，给蜂群造成灾难性的后果。而长期低温，同样会增加饲料消耗，影响生产和繁殖。因此，蜂场周围的气温应尽可能适合蜜蜂生活的需要。

（1）促使蜂巢温度升高与降低的原因：光照（太阳直射）、蜂群关巢门运输、生产花粉、外界气温、外界蜜源植物开花、饲喂和群内有无蜂子等。另外，不同地区，气温随着纬度的增高而降低；同一地区，气温随着海拔高度每升高100m而降低0.6℃。

（2）蜂群管理中提高和降低蜂巢温度的几个措施：蜂箱要规范标准，保证蜂群具有一定的群势、合理的蜂脾比例和蜂箱内具有一定的空间，正确排列巢脾位置。

早春繁殖和秋末繁殖适龄越冬蜂时，寒冷的冬季应使蜜蜂密集，繁殖的蜂群放在背风向阳处，视蜂群强弱和管理方法进行保温处置，重视蜂群的饲喂。在运输蜂群时视路程远近、蜂群群势，可开门和夜间运蜂；蜂群越夏，生产期处于高温季节，应根据蜜源、生产选择巢门朝向，并给蜂群遮阴通风，经常清扫蜂场并洒水，注意给蜂群供水，适当控制蜂王产卵量，选择合适的生产工具；即将进入越冬的蜂群，要安置在背阴处，远离有零星蜜源的地方。

三、蜜蜂的个体生长发育

蜜蜂个体生长发育包括由卵发育到成虫的整个过程，即胚前发育、胚胎发育和胚后发育3个阶段。

胚前发育期是指雌雄两性生殖细胞分别在亲体内形成以及完成授精和受精的过程（见本章第一节“生殖细胞的形成”），胚胎发育期是指从受精卵内的合子或未受精卵的卵核开始卵裂到发育成幼虫的过程，胚后发育是指从幼虫孵化后到羽化为成虫和性成熟的整个过程。为论述方便，我们把胚胎发育和胚后发育从形态上划分为卵、幼虫、蛹、成虫4个阶段，成年蜜蜂的一生也在此论述。

（一）发育过程

1. 卵期　从蜂王产卵开始到卵孵化，这一时期称为卵期，约持续3d。

蜜蜂卵呈香蕉状，乳白色，略透明；两端钝圆，一端稍粗是头部，朝向房口；另一端稍细是腹末，表面有黏液，黏着于巢房底部（图1－36）。

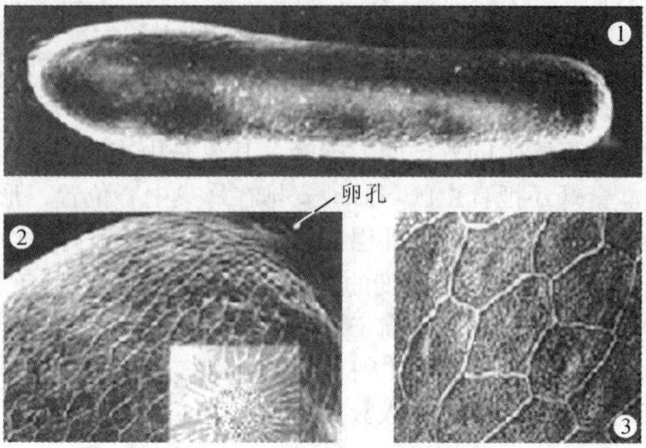

图1－36　蜜蜂卵（仿 Snodgrass R. E.，1993）

1. 卵　2. 卵的一端，示卵孔　3. 卵壳表面

卵内包含1个卵细胞，产出后即开始发育，经过卵裂形成胚胎，在3d的发育期内，胚胎分化为头区和体区。这一时期形成蜜蜂的主要器官。第三天后，胚胎充分发育成幼虫，此时，由于胚胎肌的收缩，引起卵的屈伸运动，导致卵膜裂开，卵内体液流出，覆在卵的表面，溶解大部分卵膜，幼虫孵出。

2. 幼虫期　从卵孵化到第五次脱皮结束止。初孵化的幼虫淡青色，不具足，平卧房底，并被哺育蜂饲喂的饲料所包围，以后，哺育蜂对幼虫的哺育约每分钟进行1次。幼虫初呈新月形，渐成“C”形，呈蠕虫状，体表有横环纹分节，有1个小头和13个分节的体躯；随着不断生长，幼虫越来越呈小环状，白色晶亮，长大后则伸向巢房口发展（图1－37）。

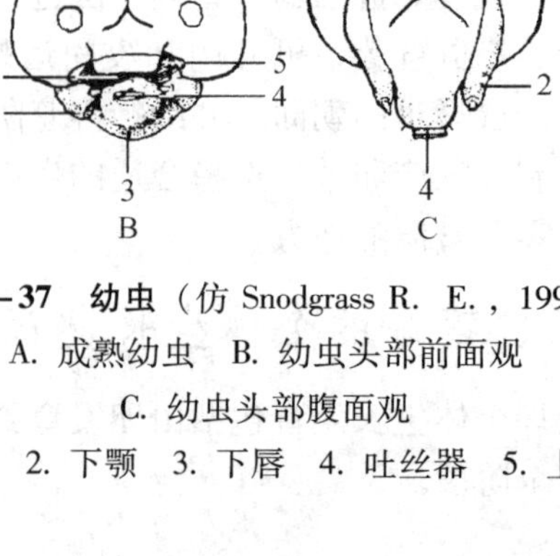

图1－37　幼虫（仿 Snodgrass R. E.，1993）

A. 成熟幼虫　B. 幼虫头部前面观

C. 幼虫头部腹面观

1. 舌　2. 下颚　3. 下唇　4. 吐丝器　5. 上颚

蜜蜂幼虫期需经5个龄期，每个龄期脱1次皮。幼虫前4d每天脱1次皮，每脱1次皮幼虫就长大1次，发育到后期，虫体几乎充满整个巢房。幼虫孵化后5～6d，工蜂将巢房封盖，停止饲喂，幼虫继续食用剩余饲料，封盖后3d停止取食，并由蜷曲逐渐伸直，头朝向巢房口，将积粪一次排在房底（在幼虫期结束时，马氏管和中肠才与后肠相通），然后吐丝结茧，经过1d的预蛹期，幼虫在茧内脱

第五次皮，并在蜕皮内进入蛹期发育。

蜜蜂在整个幼虫期除继续长大外，同时进行器官组织的分化。

3. 蛹期 从幼虫脱掉第五次皮始到蛹壳裂开止。蜜蜂蛹期不取食，但幼虫期形成的组织和器官在继续分化和改造，逐渐形成成虫的各种器官（图1－38）。

4. 成虫 当成虫在蛹壳内完全形成时，蛹壳裂开，咬开巢房盖羽化出房。刚羽化的蜜蜂外骨骼较软，体色淡，由其他工蜂喂食。它依靠吸食蜂蜜和水分增大体液压力，使躯体膨胀，翅展平直，外骨骼逐渐变硬，绒毛竖起，经过数天的再发育，体内各器官发育成熟。

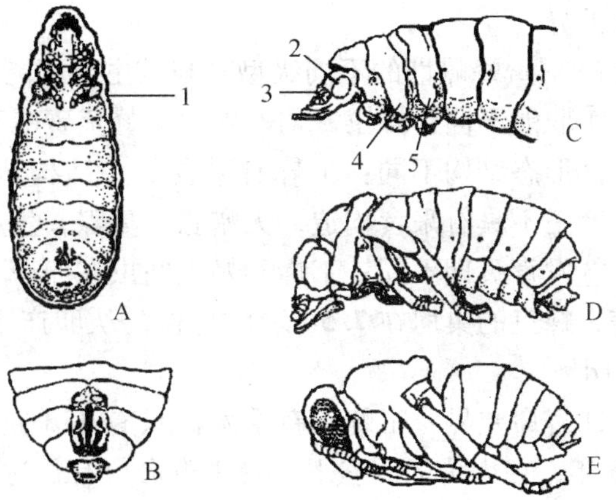

图1－38 蛹的发育（仿 Snodgrass R. E.，1993）

A. 幼蛹 B. 幼蛹腹部末端 C. 幼蛹侧面观 D. 较成熟的蛹 E. 成熟蛹

1. 幼虫表皮 2. 复眼 3. 触角 4. 前翅 5. 后翅

（二）发育历期

在蜜蜂的王国里，不同种和同一群蜂中三型蜂之间的发育历期都不相同，并且会受到食物和气候等的影响。养蜂者必须熟悉蜜蜂的发育日程，以便准确地推断群势、预测分蜂等，为饲养管理和生产提供依据（表1－1）。

表1－1 中蜂和意蜂发育历期 （单位：d）

型别	蜂种	卵期	未封盖幼虫期	封盖期
蜂王	中蜂	3	5	8
	意蜂	3	5	8
工蜂	中蜂	3	6	11
	意蜂	3	6	12
雄蜂	中蜂	3	7	13
	意蜂	3	7	14

（三）性别决定和级型分化

1. 性别决定 蜂王在工蜂房和王台基内产下受精卵，它是由含有16个染色体的卵核和含有16个染色体的精子结合而形成的含有32个染色体的合子，经过生长发育，将发育成为雌性蜂；由雌性蜜蜂产的未受精卵，其核中只有16个染色体，只能发育成雄蜂。

2. 级型分化 蜂群中工蜂和蜂王这两种雌性蜂，在形态结构、职能和行为等方面存在差异。

（1）蜜蜂雌性的不同级型，与其主要职能分工有关，主要表现在以下几个方面。

①职能不同：蜂王专司产卵，工蜂负责哺育、提供食物、保温等。

②形态结构不同：工蜂有采食的特殊构造，具有蜡腺、臭腺，生殖器官退化，体小；蜂王不具有采食构造，无蜡腺、臭腺，生殖器官发达，体大。

③发育日期不同：工蜂和蜂王幼虫在卵产下3d末孵化，工蜂幼虫的巢房在8d之后封盖，蜂王的巢房在7.5d之后封盖；从卵产下到成虫羽化，蜂王只需16d，而工蜂却需21d。

④寿命差异：工蜂在春季寿命只有35d左右，冬季可达180d；而蜂王的寿命长达3~5年，在人为的因素下，蜂王寿命也有长达10年以上的。

（2）蜜蜂级型分化原因：一般认为蜜蜂级型产生的原因是由于营养不同。从蜜蜂受精卵孵化出来的所有幼虫在身体结构上都相同，用3.5日龄以下的小幼虫都可以培育成蜂王，而用3.5日龄以上的幼虫不能培育成蜂王。工蜂和蜂王幼虫在最初的3d内都受到哺育蜂的密集饲喂，且食物成分基本相同。3d后，在工蜂房的幼虫被改为间断饲喂，且每次只供给少量的蜂粮和蜂蜜的混合食物，直到封盖。而王台中的蜂王幼虫一直被哺育蜂喂给充足的蜂王浆，王台封盖后，还有大量剩余食物。蜂王浆中有较多的泛酸、生蝶呤、新蝶呤和较高浓度的糖等，有些物质在贮藏过程中会丧失。

关于蜜蜂的级型分化还有其他假说，有待进一步探讨。

(四) 成年蜜蜂的一生

成年蜜蜂的一生是指从羽化到死亡这一虫期的蜜蜂的活动。

1. 工蜂　初出房的工蜂灰白色，身体柔弱，几小时后，身体逐渐硬挺起来。3日龄以内的幼蜂由其他工蜂喂食，能担负保温、孵卵、清理巢房工作。4~5日龄幼蜂调制花粉喂大幼虫，并开始离巢在蜂箱附近作短时间的认巢飞翔，同时进行首次排泄。6~12日龄工蜂，王浆腺发育成熟，分泌的蜂王浆用以饲喂蜂王和3日龄以内的小幼虫。12~18日龄，王浆腺萎缩，蜡腺发达，主要担负筑巢、清理巢箱、夯实花粉、酿蜜、使用蜂胶、调节巢内温湿度等工作。一部分工蜂在巢内的最后一项工作是在巢门口“站岗”守卫蜂巢，一些老蜂也参与守卫工作（图1-39）。蜜蜂进行巢外工作一般是从17日龄以后开始，主要进行花粉、花蜜、蜂胶、水的采集。工蜂采集飞行的最适气

图1-39　守卫蜂（仿 Norman E. G.，1993）

温是 15～25℃。

在活动季节，蜂群昼夜工作，蜂王不停地产卵，工蜂不停地哺育幼虫；外界主要蜜源植物流蜜，夜晚可听到蜜蜂酿蜜扇风的嗡嗡声彻夜不停。蜜蜂也有休息的时候，休息的蜜蜂身体下伏，上颚下垂到休息处的表面，一对触角下垂静止不动，体温与环境温度相同；休息的蜜蜂多处于蜂巢外围，不活动，对光线不敏感，似睡眠状。

习惯上，根据工蜂的外观和所担负的工作将它们分为幼、青、壮、老 4 个时期：分泌王浆前的工蜂称为幼年蜂，担负巢内主要工作的工蜂称为青年蜂。幼年蜂和青年蜂都是从事巢内工作，故合称为内勤蜂。壮年蜂指从事采集工作的工蜂。老年蜂是采集后期、身上绒毛因磨损呈现出油光秃黑的工蜂。壮年蜂和老年蜂从事的都是巢外工作，所以又合称为外勤蜂。

在正常情况下，蜂群的内、外勤工作各占约一半的工蜂，它们按照日龄从事生理上最适宜的工作。如果蜂群需要，这种按生理分工也会改变：如越过冬的工蜂，照常能分泌王浆哺育幼虫；一个由相同日龄的工蜂组成的小群，也能进行正常的蜂群活动；大流蜜期，5～6 日龄的工蜂可提前参加外勤工作。

一年中不同时期、不同饲养条件下，工蜂的寿命差异比较大：据报道，3 月份的新蜂寿命平均 35d 左右，6 月份为 28d，在越冬期 150～180d 或更长。造成工蜂寿命差异的主要因素是培育幼虫的劳动强度、工蜂的采集强度、温度以及花粉的消耗等。这里应注意的是，在正常情况下，强群的工蜂无论在任何季节都比弱群的工蜂寿命长。就是说在相同季节和环境条件下，饲料和蜂群的群势是影响蜜蜂寿命的关键。

2. 蜂王

（1）蜂王的产生：在自然情况下，蜂群产生蜂王方法有三种。

①自然分蜂：在群强子旺、蜜粉充足时，工蜂在巢脾边缘或下缘建造王台，培育蜂王，准备分蜂。这种台叫分蜂王台，其特点是台数多，台内幼虫日龄不一致。

②自然交替：蜂王伤残或生理上已衰老，工蜂便在巢脾的下缘或中间筑造 1～3 个王台，培育蜂王。这种台叫交替台，台中幼虫日龄一致，老蜂王在新蜂王产卵不久死亡。

③急迫改造：当蜂群突然失王后，约过 1d，工蜂就将有小幼虫或卵的工蜂房改造成王台，培育新蜂王。这种台叫改造王台，其特点是台数多，位置多在脾面上、王台口斜向下。

第一种产生蜂王的方法，随之而来的是蜂群将发生自然分蜂；第二和第三种方法产生蜂王，蜂群不会发生分蜂。除以上自然产生蜂王的方法外，根据以上规律，在蜂群大、温度稳定、蜜源丰富的条件下即可进行人工育王。

（2）蜂王的羽化与争斗：新蜂王在羽化前的 2～3d，工蜂就将王台端部的蜂蜡咬去，使茧露出；蜂王出台时在台内用上颚顺王台口将茧咬开一环形裂缝，并从裂缝向工蜂求食，然后爬出来。刚羽化的蜂王色淡且柔软，形似产卵王，几天后，形体收缩，仅比工蜂稍大，畏光，容易受惊并能迅速隐匿在拥挤的工蜂中间。在连续找处女王不见时，可调入 1 框卵虫脾，若出现改造王台，即表示失王。

健全的蜂王，出台后十分活泼，巡视各脾，寻找并破坏其他王台。它首先攻击成熟王台，破坏王台时，若没有受到工蜂的阻挠，蜂王就用上颚在王台侧面咬个孔，把腹部插入王台内，用螫针把新成熟的蜂王刺死，接下来，工蜂便扩大孔口，把王蛹拖弃。处女王一个个找到封盖的王台，在王台侧壁咬个孔，最后由工蜂完成除掉王蛹的任务。如果一前一后或同时出房，将会听到它们之一发出“吱吱吱”的挑战声，接着另一只处女王也发出“吱吱吱”的应战声；两只处女王之间就会发生一场争斗，只有最强壮的处女王能活下来。

（3）婚飞：处女王出房后5~6日龄性发育成熟，处女王与雄蜂交配行为是在空中进行的，婚飞前通常作几次认巢飞翔。处女王与雄蜂交配发生在5~13日龄，8~9日龄是其交配的高峰期。

认巢飞翔和婚飞一般在气温20℃以上、无风或微风的晴暖天气的14~16时进行。婚飞的当天，一簇工蜂兴奋地围绕在处女王周围，进而一些工蜂趋向巢门，在巢门和处女王之间排列成行，另一些工蜂聚集在巢门口，高翘腹部分泌气味物质以引导蜂王。这时，蜂群的正常采集工作几乎停止，当处女王出现在巢口时，工蜂用前足和头驱使处女王起飞；若处女王犹豫返巢，工蜂则加以阻拦并继续逼迫，直到起飞为止，有一小批工蜂也同时起飞，似为处女王护航。

通常，处女王在第一次婚飞时与飞在最前边的雄蜂交配，1次婚飞可连续和多个雄蜂交配，并可重复婚飞交配，直到精液贮满精囊为止。天气越好、适龄雄蜂越多，越有利于交配。初生重越重的处女王交配越早，产卵也越早。处女王与雄蜂交配多在2km以外15~30m的高空，在蜜蜂交尾场地附近，肉眼可看到彗星状的雄蜂急速旋转、移动追逐处女王（图1-40）。在天气不好的日子婚飞，处女王受精量少，产卵后常提早被交替。处女王交配返巢后，螫针腔拖着一白色线状物，认为是雄蜂的黏液腺排出物堵塞螫针腔所致，俗称交尾标志。

图1-40　追赶笼中蜂王的一簇雄蜂（仿 Norman E. G.，1993）

蜂王的受精囊贮藏上百万个精子，供其一生使用。蜂王交配产卵后终生不再交配，除自然分蜂和蜂群迁居外终生不飞出蜂巢。

（4）产卵：处女王交配后，哺育蜂环护其周，并不时地向蜂王饲喂蜂王浆，搬走蜂王的排泄物；随着卵巢的发育，蜂王体重上升，腹部逐渐膨大伸长，行动日趋稳健，在交配2~3d开始产卵。蜂王在巢脾上爬行，每到一个巢房便把头伸进去，以探测巢房大小和环境，然后把头缩回，如果这个巢房是已被工蜂清理好准备接受产卵的空房，蜂王就将头朝下，把腹部插入这个巢房，几秒钟后产完1粒卵，最后把腹部抽回，继续在巢脾上爬行，寻找适合产卵的巢房。

正常情况下，蜂王在每一个巢房产1粒卵，在工蜂房和王台中产受精卵，在雄蜂房中产不受精卵。在缺少产卵房时，蜂王会在产过卵的巢房内重复产卵，但条件改变，这个现象即消失，否则，该蜂王应淘汰。蜂王产卵，一般从蜜蜂密集的巢脾中央开始，然后以螺旋形的顺序向四周扩大，逐渐扩展到左右脾。在巢脾上，产卵范围常呈椭圆形，习惯称之为“产卵圈”，而且中央的产卵圈最大，左右巢脾的依次渐小。从整个蜂巢看，整个产卵区呈一椭圆球体，这有利于育儿保温。

在蜜源充足时，1只优良的意大利蜂王1昼夜可产卵1 500～2 000粒，中华蜂王可产900粒，这些卵的总重量相当于蜂王本身的重量。蜂王的产卵力还与种性、亲代性能、个体生理条件以及蜂群内外环境有关。

（5）职能：蜂王除专司产卵外，在蜂群中它还承担着另外的重要角色：蜂王是品种种性的载体，它对蜂群中个体的形态、生物学特性、生产性能、抗逆能力等都有直接的影响；蜂王起到控制群体的作用，它是通过释放蜂王物质和产生足够数量的卵来维持蜂群正常的生活秩序。没有蜂王的蜂群，工蜂骚动不安，采集力下降，最终会导致群体死亡。据报道，在卡尼鄂拉蜂中约有1%的未受精卵发育成雌蜂；而海角蜜蜂，未受精卵约有70%能发育成雌性蜂；没有蜂王的海角蜜蜂的蜂群能存活几个月。

（6）寿命：蜂王的寿命自然情况下一般3～5年，其产卵最盛期是头1～1.5年，1.5年后，产卵量逐渐下降。在养蜂生产中，常使用1～2年的蜂王，中蜂蜂王衰老更快，应年年更换。

3. 雄蜂

（1）雄蜂的产生：雄蜂是季节性蜜蜂，正常情况下，雄蜂出现在春末和夏季的分蜂季节，其数量每群蜂中数百只不等，它们是由蜂王产的未受精卵或产卵工蜂、未交配的处女王产的卵发育而来。蜂群培育雄蜂的数量与蜂种、蜂王生理状态、群体大小、季节、蜂巢内雄蜂房的数量有关。初羽化的雄蜂，在前5d由工蜂喂食，以后则自己取食；8～12日龄性成熟，有效交配时间为12～35日龄。雄蜂性成熟的时间、个体大小与花粉饲料有关，其产生精子数与幼虫期前3日的饲料和哺育蜂的日龄有关。

（2）职能：雄蜂在蜂群中的职能一是与处女王交配，二是平衡蜂群中的性比关系。众多的雄蜂可以保证给处女王充分授精和利于种内竞争（选择）。雄蜂在飞行前会细心整理触角、眼睛及身体各部，并大量取食蜂蜜，在午后14～16时大量出巢活动，其要求的气候条件、时间与处女蜂王婚飞相吻合。雄蜂的飞行距离多在3km内。雄蜂与处女王交配后立即瘫痪死亡；约有96%的雄蜂婚飞回巢，回巢的雄蜂约12%会进入他群。由于雄蜂不具有偷盗和斗杀特性，也不会给蜂群带来威胁，因此，很少受工蜂的阻拦，其结果有利于避免近亲繁殖。

雄蜂个大食量大，又不具采集能力，但屠杀雄蜂不是好方法。除养王场外，一般采用优质巢脾和优良种王控制雄蜂的数量。

（3）寿命：雄蜂的寿命最长为3～4个月，平均寿命20d以上。在花蜜逐渐稀少、蜂王已交配的正常蜂群，工蜂不让雄蜂吃贮蜜，并把它们逐到边脾或箱底，甚至拖出巢外饿死。在夏季食物稀少时，工蜂会从雄蜂房拉出雄蜂幼虫扔到巢外。但在无王群、有处女王的蜂群或蜂王衰老伤残的蜂群，蜂群会保留雄蜂。

四、蜂群的生长与繁殖

蜜蜂在四季环境条件（气候、蜜源、粉源等）影响下，蜂群中蜜蜂数量的消长和生活规律的变化（包括蜂群的周年生活和群体繁殖）很大。在温带地区，四季气候分明，蜜蜂生活受气候和蜜源条件变化的影响比较明显。

（一）蜂群的周年生活

在同一地区，每个蜂群受气候和蜜源的影响，每年都有相似的周期性规律，但受气候和蜜源的变化，它也相应地有所变化。根据蜂群在一年中的数量、质量和活动情况，把其周年生活分为繁殖期和断子期。

1. 繁殖阶段　蜂群处于积极的活动状态，蜂王产卵，子蜂齐全，巢温稳定在32～35℃。全期持续时间南长北短，可分为4个阶段。

（1）春季蜂群发展阶段：随着冬天结束，蜂王产卵开始到蜂群群势达到鼎盛时止，它包括群势下降、恢复、上升和积累工作蜂4个阶段。

①下降阶段：早春气温上升，蜜蜂进行第一次排泄飞行后（或放王或室内越冬蜂群摆在蜂场上以后），蜜蜂新陈代谢活动增强，蜂巢中心温度升到32～35℃，蜂王开始产卵，饲料消耗增加；蜂王产卵量逐渐提高，3d后蜂群内出现幼虫，9d后出现封盖子。这一阶段，老蜂在不断死亡，蜂群势继续下降；20d后，新蜂逐渐出房，直到新蜂出房数与老蜂死亡数相等时止，蜂群势最弱。

②恢复阶段：新蜂出房数超过老蜂死亡数越来越多，蜂群势逐渐得到恢复，新蜂完全代替了老蜂，群势恢复到开始繁殖时的群势。这一阶段，群内出现整张的卵虫脾或蛹脾；工蜂质量也发生了质的变化，越过冬的老蜂哺育蜂子的能力正常情况下只哺育1只新蜂，而新羽化的工蜂能哺育近4只，且寿命长，为蜂群的快速发展创造了条件。

③上升阶段：随着气候变暖、天气稳定、蜜蜂哺育能力的增强，蜂王的产卵力迅速提高，每天出房的新蜂大大超过死亡的老蜂，群势上升快，直到群势达到8框足蜂。

④积累工作蜂阶段：蜂群从8框蜂发展到16～24框蜂止。这一阶段，前期蜂王的产卵量继续提高，达到每昼夜1 500粒卵（中蜂王900粒卵）左右，群势、蜂子总数继续增长，但每千克蜜蜂哺育蜂子的强度降低，蜜蜂的平均寿命延长，在蜂群达到16～24框蜂时，达到鼎盛时期，同时蜂群群势停止增长。

蜂群从产卵到恢复阶段结束，这一过程需30～40d。这一阶段所需时间的长短主要取决于越冬蜂群的群势、质量及管理，越冬蜂群越强、秋季培育的越冬蜂健康，翌年春季，这一阶段所需的时间就越短；优质的越冬饲料、适当的保温和安定的环境能延长蜜蜂的寿命；在繁殖期，丰富优质的饲料、良好的管理技术都会缩短蜜蜂恢复期的时间。蜂群上升阶段所需时间的长短主要取决于群势，在繁殖时一个有8框以上蜂的强群，更新越冬蜂后几乎不经过这一阶段而直接进入积累工作蜂阶段。

在这一阶段，积累了大量的后备蜜蜂，为蜂群生产、分蜂等打下了基础。

（2）自然分蜂阶段：当蜂群达到鼎盛时期，蜂群中积累了大量的蜜蜂，此时，如果没有适当强度的工作，蜂群就进入了自然分蜂阶段。蜂群多在当年第一个主要蜜源结束后才达到鼎盛时期，自然分蜂多发生在春末和夏季。

（3）生产阶段：在蜜蜂活动季节，外界如有蜜源植物开花且天气良好，工蜂就会去采集花蜜和花粉。在很多情况下，蜜蜂采集的花蜜数量只够蜂群的自身繁殖需要，但在主要蜜源植物开花流蜜时，1 个强群 1d 就可采到数千克花蜜，同时可进行王浆、花粉、造脾等的生产。生产期一般南方长于北方，转地饲养的蜂群在 3 ~ 10 月有 8 个月的生产时间，在河南生产期为 4 ~ 8 月。这一阶段，蜜源丰富，三型蜂共存，每千克蜂哺育蜂子的强度大大降低。

蜂群进入主要采蜜阶段，其采蜜量的多少主要取决于群势、蜂群内部状态、气候及管理方法。表 1 – 2 是美国 C. L. 法勒测定的群势与采蜜量的关系。

表 1 – 2　不同群势蜂群的采蜜量

蜂群中蜜蜂的重量/kg	1.5	2	3	4	5	6
每千克蜂的采蜜量/kg	2.97	3.51	4.01	4.28	4.46	4.55
每千克蜂的采蜜量/%	100	118	135	144	150	153

一般要求意蜂采蜜群应达到 14 框足蜂，群势强、群内哺育负担轻、没有分蜂热的蜂群，产蜜量大。因此，在主要流蜜前应培养强群，进入流蜜期集中力量进行生产。若主要流蜜期短（如刺槐流蜜期 7d 左右），在流蜜期前宜采取措施（如断子等），集中力量进行生产；若流蜜期长，应边繁殖边生产，以便有充足的后备力量采集后期蜜源。在主要采蜜时期，蜜蜂因采蜜、酿蜜容易衰老，死亡率高，据测定，此时期工蜂的平均寿命 20d 左右；采蜜期过后，群势下降较快，应抓紧时间繁殖，恢复群势。

（4）蜂群秋季更新阶段：在秋季，一年的最后一个主要蜜源流蜜结束后，老年蜂逐渐被新哺育出来的蜜蜂更替，这些幼龄蜜蜂经过充分的排泄飞行，但没有参加哺育、采集、酿蜜等活动，它们的腺体保持了初期的发育状态，到翌年春天，仍具有哺育能力，这些工蜂叫适龄越冬蜂。这一时期，外界蜜源逐渐稀绝，气温降低，蜂王产卵逐渐减少，群势下降，工蜂开始驱逐雄蜂。蜂群秋季的更新，在人工饲养下约 20d。

由于适龄越冬蜂是翌年蜂群繁殖、生产的基础，因此，应尽可能多地培育健康的适龄越冬蜂。

2. 断子阶段　当外界蜜源断绝，天气长时间处于低温或高温状态，蜂王停止产卵，群势不断下降，蜜蜂处于半冬眠或静止状态，这是蜂群周年生活最困难时期。

（1）蜂群越冬期：在秋末冬初，蜂王停止产卵，直到翌年春天。当气温下降到 6 ~ 8℃时，蜂群就结成稳定的蜂团，蜂王在蜂团的中央，全群的蜜蜂聚集其周围，形成一个球形体；蜂团表面温度保持 6 ~ 8℃，其中心温度处于变化中。越冬蜂团在气温低时比较紧密，温度高时比较松散，其位置多在对着巢门的巢脾上，有利于呼吸新鲜空气。太阳照射时，蜂团便向有热源的地方移动（如蜂团向蜂巢前方移动或闸板两旁的蜜蜂向闸板靠拢等）。结团的蜜蜂除取食蜂蜜和适当活动以提高巢温外，不再进行其他活动，连排泄也停止了。随着饲料的消耗，蜂团在巢脾上以先上而后的顺序移动，若贮蜜吃光或在移动时形成两个蜂团，就可能饿死。

越冬期南短北长，如在河南越冬期约3.5个月，浙江约2个月，而在我国海南没有越冬期，蜂群安全越冬须有新王、群强、食足。

（2）蜂群度夏期：在江浙及以南地区，夏季气温高，蜜源稀少，蜂王停产，群内断子，巢温接近外界气温，蜜蜂只进行采水降温活动，这一时期约持续2个月。在南方夏季有蜜源的地方，蜂群无明显的度夏期。度夏的蜜蜂代谢比越冬的蜜蜂强，所以在南方度夏难于越冬。

一般地区只出现越冬或越夏期。因气候和蜜源的关系，在南方个别地方的蜂群一年中既有越冬期又有越夏期，结果，这些地方全年就出现了2个繁殖期，分别在越冬和越夏之后，从而使生产期缩短。

实践证明，强群在断子期，抗逆力强，蜜蜂死亡少，饲料消耗省，能保存实力，繁殖期恢复发展快，能充分利用早春和秋季蜜源。强群培养的工蜂体壮、舌长、蜜囊大、寿命长、采集力强，而且巢内工作负担相对较少，一旦遇到流蜜期就能夺取高产，并有利于取成熟蜜；强群还能多取蜂蜡和取得王浆高产，管理省工。所以，必须因时、因地制宜，饲养强群，夺取养蜂高产（图1-41）。

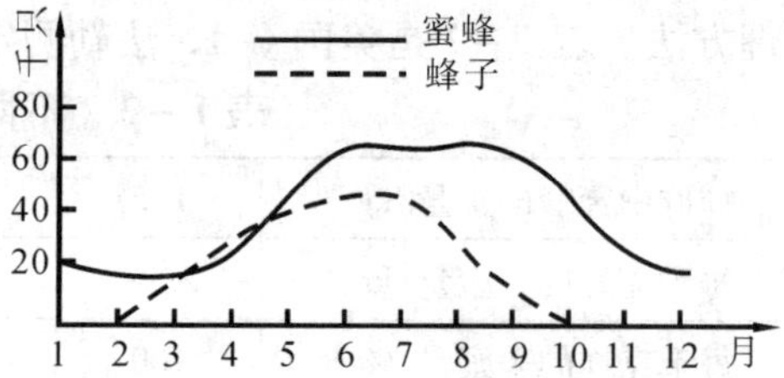

图1-41 一年中蜂群的蜜蜂和蜂子数量变化模式图（仿黄文诚，1993）

（二）蜂群的繁殖——自然分蜂

蜂群中的老蜂王连同大半数的工蜂结群离去，另筑新巢；原群留下的蜜蜂和所有蜂子，待新王出房后，又形成一群，这个过程就叫自然分蜂，是蜂群的繁殖方式，是蜜蜂的社会化生活的本能表现，又叫分群。

1. 分蜂因素 自然分蜂是由蜂群的哺育蜂过剩、蜜源、蜂种、巢内拥挤等多个内外因素共同促成的。

（1）哺育蜂过剩：当蜂群群强子旺时，蜜蜂数量多，哺育幼虫和巢外负担相对较轻，蜂王分泌的蜂王物质分配给每个蜜蜂的数量相对较少，尤其是衰老、伤残蜂王，分泌的蜂王物质更少，由此促成工蜂筑造王台并迫使蜂王向台基内产卵，为分蜂作准备。

（2）蜂种：不同蜂种，分蜂性有强有弱，中蜂比意蜂爱分蜂。同种蜜蜂不同蜂群其分蜂性有差异。

（3）巢内拥挤：蜜蜂相对蜂巢来说多而拥挤，蜂王产卵面积大，既无产卵余地，蜂巢也无扩大造脾余地。

（4）蜜粉源丰富：蜜源植物是蜜蜂的饲料基地，是蜜蜂生活的基础之一。外界有丰富的蜜粉源，蜜蜂才发生分蜂。一般情况下，自然分蜂多发生在春夏季蜜源丰富、群强子旺时期。我国南方地区，秋末也发生分蜂，海南省的中蜂四季都能分蜂，河南省蜂群自然分蜂多发生在 5 月和 8 月。

蜂群是否进行自然分蜂，是上述因素综合作用的结果，如果改善了蜂巢的内部环境、气温突然下降、人工分蜂、人工换王，自然分蜂即可终止。

2. 分蜂征兆 在蜂群发生自然分蜂前，一般是先造雄蜂房，大量培育雄蜂（当然，蜂群为平衡其性比关系或巢脾因素也会培育雄蜂，但并不发生分蜂；蜂巢拥挤，新王也产雄蜂卵等），然后在巢脾下缘或边缘筑造多个王台，工蜂迫使蜂王在台基内产卵，并将台基加高培育成蜂王，这是分蜂的一个可靠征兆。在王台封盖后 2～5d 发生分蜂，在这期间，工蜂出勤明显减少，许多工蜂巢内外工作懈怠，聚集在巢内空处、巢脾上角或巢门口；同时，工蜂对蜂王减少饲喂量，蜂王产卵量明显下降，蜂王腹部缩小，蜂群酝酿分蜂的这些懈怠现象叫“分蜂热”。在分蜂当天，工蜂不进行采集活动，而在巢门口形成蜂胡子——小蜂团，这预示着分蜂即将发生。

3. 分蜂过程 在晴暖无风或微风之日，一天当中，8～16 时都可能发生分蜂，但多数发生在 11～15 时。久雨初晴，易在当天的早些时间发生。

在分蜂群飞出之前，侦察蜂找到新巢穴返巢后，即时表演舞蹈，发出分蜂信号。随着舞蹈蜂这些分蜂积极分子的增多，蜂群全群骚动，准备飞出的蜜蜂饱食蜂蜜，匆忙飞出巢门，先是少数工蜂在巢前作低空盘旋，接着出巢蜂越来越多，蜂王在一部分工蜂的引导下爬出巢门飞向空中，而后，大队蜜蜂如决堤之水，蜂拥而出。它们在蜂场上空盘旋，跳着浩大的分蜂群舞，发出的嗡嗡声响彻整个蜂场，形成蜂群繁殖的大合唱。不一会，分出的蜜蜂便在附近的树杈或其他适合聚集的地方形成分蜂团。

通常分蜂团静止 2～3h。蜂团表面紧密，内部松散，下方内陷一个缺口，以利于通气。在蜂团表面，侦察蜂按各自发现的新巢穴方向和距离表演舞蹈，新巢穴条件越好，舞蹈蜂跳舞越积极，有时它们会动员其他蜜蜂前往察看一番，以得到更多的蜜蜂认同。之后，蜂群结队随侦察蜂前往，在低空缓慢前进，途中每只蜜蜂转着圈向前飞，惟恐掉队，整个分蜂群形成一朵生命的“蜂云”在向前滚动，用俗语“空中蜂队如车轮”来形容非常确切。蜜蜂飞抵新巢穴，一部分工蜂高翘腹部，发出示踪信息素招引同伴，随着蜂王的进入，蜜蜂便像雨点一样降落在巢门前，涌进巢门。进入新巢后，工蜂即开始泌蜡造脾，守卫巢门，有的工蜂认巢飞行并第一次采回蜂群生活所需要的食粮。新的团体生活从此开始，日后即使冻饿而死，也不重返原巢。

蜜蜂新巢多选择远离原群、避风有阳光的地方。当分蜂群结团后，如果蜂王不在其中，蜜蜂就骚动不安，不久便飞回原巢或飞投蜂王栖息的地方，再次结团。分蜂进行中的蜜蜂，因吸饱蜂蜜比较温顺。

蜜蜂发生自然分蜂的次数，西方和东方蜜蜂一般 1 次，但分蜂也可能进行 2 次或更多次。第一次分出后，第一只处女王羽化出房，并巡回各脾，破坏其他成熟王台。此时，如幼蜂陆续出房，群势较强，工蜂就严守各个王台以免被破坏，当第二个处女王快出房时，工蜂即催促第一个处女王出巢，进行第二次分蜂。第二次分蜂也有出现分蜂团返巢的现象，但不久再次飞出。也有因天气不好，第二次分出群可能有数只处女王。

4. 自然分蜂的利弊 自然分蜂是蜂群自然繁殖的方式，以此，蜂群种族得以繁荣和延续，通过分蜂，缓和了矛盾，使蜂群正常快速发展。但人们饲养强群的目的是为了获得更好的养蜂效益，分蜂削弱了群势，分蜂热使蜜蜂的工作几乎停止，分出的蜂群有时会丢失，即使不丢失，也要费工费时进行收捕。因此，饲养蜜蜂应有效地控制自然分蜂，扩大蜂场规模以人工分群为主。

五、蜜蜂的语言与信息传递

蜜蜂的社会性生活方式，要求其社会成员间进行有效的信息传递。它们通过感觉器官、神经系统接受外界和体内各种理化刺激，按固定程序机械性地产生一系列行为反应，使整个蜂群中的蜜蜂内外协调，共同完成繁殖、分蜂、抗御敌害与严寒，使蜜蜂种群得以生存和繁荣。

（一）本能与反射

1. 本能　蜜蜂的本能是在长期自然选择中建立起来的适应性反应，一般受内分泌素的调节。如蜂王产卵、工蜂筑巢、采酿蜂蜜与蜂粮、饲喂幼虫、适时封盖等都是本能表现。

2. 反射　生物受刺激而发生的反应，是一种最简单的神经活动。它分为条件反射和无条件反射。无条件反射是一种适应性反应，如遇敌螫刺、闻烟吸蜜。条件反射是蜜蜂个体在生活中产生的，如用浸花糖浆喂蜂，蜜蜂就喜欢采访有这种香味的花朵。

本能与无条件反射都是蜜蜂族系在长期自然选择过程中所习得的适应性反应，永不消失。条件反射是蜜蜂个体在生活中产生的，得之易失之也快。

（二）信息素

信息素又叫外激素，是蜜蜂外分泌腺体向体外分泌的多种化学通讯物质（图1－42、图1－43），这些物质借助蜜蜂的接触、饲料传递或空气传播，作用于同种的其他个体，引起特定的行为或生理反应。

图1－42　在巢门前释放信息素的工蜂（仿 Free J. B.，1987）

1. 蜜蜂信息素的种类、来源、成分与功能　蜜蜂的信息素在蜂群的社会生活中起

图 1－43 在巢门前释放报警激素的工蜂（仿 Free J. B.，1987）

着重要的联络和制约作用，其种类较多，除本章第一节“（七）分泌腺”介绍的以外，较重要的还有以下几种。

（1）蜂子信息素：由蜜蜂幼虫和蛹分泌散布的信息素，主要成分是脂肪族酯和1，2－二油酸－3－棕榈酸甘油酯，其分泌量、成分随着幼虫日龄的增长和蜕皮阶段不同而变化，在封盖过程中分泌量最大。

工蜂和雄蜂子信息素的主要作用是作为雄、雌虫区别的信号，抑制工蜂卵巢发育，刺激工蜂的采集活动。甲基软脂酸酯、甲基亚油酸酯、甲基亚麻酸酯和甲基油酸酯诱导工蜂对成熟幼虫的封盖。甲基亚油酸酯、甲基亚麻酸酯和甲基油酸酯也存在于蜂王蛹的外皮，作为工蜂识别王台的物质，甲基硬脂酸酯能提高王台接受率，甲基亚油酸酯能增加工蜂往王台内饲喂蜂王浆的量，甲基软脂酸酯有助于幼虫重量的增加。

（2）蜂蜡信息素：含氧化合物，是有 8～10 个碳的醇类。新脾散发出的挥发物会刺激采集蜂的囤集行为。

2. 信息素的制备与应用前景 纳氏信息素多是半萜类化合物，可以从香精油中分离、提炼和制备。我国学者孟宪佐成功地合成了 9－ODA 等蜜蜂信息素，国外已把人工合成的信息素应用于农业生产。

蜜蜂信息素的应用前景广阔，人工合成的纳氏信息素可以吸引蜜蜂为农作物授粉，收捕分蜂群，纳氏信息素中的牻牛儿醇对大蜂螨有很强的驱逐作用。主要蜜源流蜜期，在蜂群中释放人工合成的 9－ODA 能控制分蜂，增加产量，据报道，可提高中蜂蜜产量 17.8%、意蜂蜜产量 21.7%。利用幼虫信息素提高王台接受率，提高蜂王浆产量与质量，同时也可提高蜂蜜和花粉的产量。高浓度的 2－庚酮能有效地驱逐蜜蜂。另外，蜜蜂的信息素还应用于蜂群的安全运输管理。

（三）蜂舞

蜂舞是蜜蜂用不同形式、不同频率的“摆腹”动作来传递信息的一种方式，类似人的“哑语”或“旗语”。K. R. von 弗里希描述的西方蜜蜂与食物有关的舞蹈有圆舞、“8”字形舞、新月舞等。

1. 西方蜜蜂的舞蹈

（1）与食物有关的舞蹈：

①圆舞：在圆舞中，蜜蜂在巢脾上同一位置用快而短的步伐作范围狭小的圆圈跑步，经常改变方向，忽儿冲向左边绕圈，忽儿冲向右边绕圈，走完2个圆弧，并且十分用力地重复着（图1－44－1）。跳舞时间持续几秒钟至1min，然后停下来或在脾的其他地方开始舞蹈，最后舞蹈蜂急速地爬出巢门飞走。这种舞蹈激发了其他蜜蜂，随着该舞蹈蜂舞蹈移动，一部分蜜蜂用触角伸向它或向它接近，其中的一部分蜜蜂飞出蜂巢采集。

圆舞表示了蜜源距离蜂巢100m以内，但不表示方向。当蜜源距离蜂巢越来越远时，蜜蜂由跳圆舞逐渐过渡到“8”字形舞。

②“8”字形舞：又称摆尾舞（图1－44－2）。当蜜源距离蜂巢100m以上时，蜜蜂表演摆尾舞：舞蹈蜂在一边跑一狭小的半圆，然后急转弯呈直线向开始点跑去，再转向另一边跑1个半圆，随后它又照直跑去，沿着开始走的那条直线小径直至最初起点。这样，在整个舞蹈过程中，划出1个整圆，在其跑直线部分时，它用身体向两旁极力摆动，所以，这种舞蹈又称为“摆尾舞”。

蜜蜂摆尾舞中直跑部分所占用的时间和以250Hz低频率发出的短音数量与已知食物来源的距离有高度的相关性（表1－3），并且，蜂舞的形状，尤其是摆尾舞中直跑部分的方向和地球引力线的夹角与太阳方位、蜂巢、蜜源三点所形成的夹角一致。因此，摆尾舞指出了食物的距离和准确的方向。

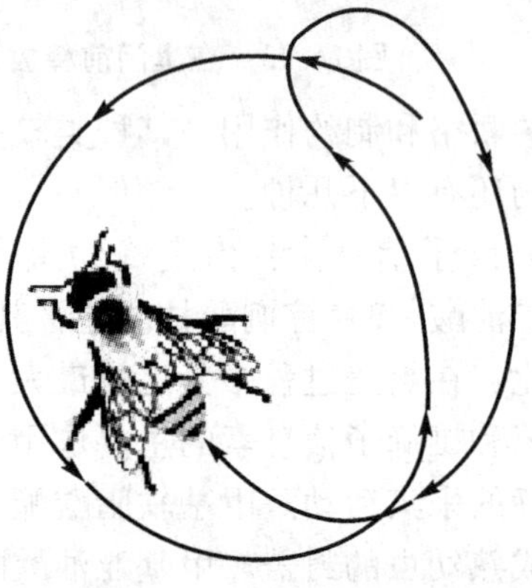

1

2

图1－44　蜜蜂的舞蹈

1. 圆舞　2. 摆尾舞

表1－3　蜜蜂跳摆尾舞直跑次数与距离的关系

距离/m	每15s直跑次数
100	9～10
600	7
1 000	4
6 000	2

③新月舞：又称镰刀舞。当蜜源距离蜂巢10～100m时，蜜蜂用这种过渡型蜂

舞传递信息。蜜源的位置由新月形弯曲部分的中点和新月形两端连线的中点所形成的一条想像直线所指示，当蜜源距离增加时，舞蹈蜂摆尾的次数相应增加，同时新月形两端逐渐向对方移近，直到直线距离近至100m时，新月舞便转变为典型的摆尾舞。

在食物信息传递中，还有花的香味、采集蜂飞往蜜源途中所散发的气味以及花色、形状等。花的香味黏着在蜜蜂躯体表面和食物中，蜂巢中潜在的采集蜂有足够的机会闻到这种香味或尝到花蜜的味道，有香味的食物比无香味的食物能赢来多1倍的蜜蜂。采花粉信息的传递与花蜜相同。

食物越丰富、适口（甜度与气味）、距离越近、蜂巢贮蜜相对较少，舞蹈蜂就越多，跳舞就越积极。

（2）其他类型的舞蹈：

①分蜂舞：又叫“呼呼舞”。分蜂群在飞出之前，侦察蜂振动腹部作“之”字形爬行于蜂群中，同时振翅发出“呼呼声”。跳呼呼舞的蜜蜂，开始时只有一两只，约1min后即扩大到几十只，继而跳呼呼舞的蜜蜂越来越多，直到整个蜂群都骚动起来，蜂拥而出。分出群在附近树枝或房檐下结团后，侦察蜂便开始在分蜂团表面跳摆尾舞并进行比舞，跳舞最活跃的蜜蜂能激起其他蜜蜂去察看营巢地点，归来后又通过舞蹈争取更多的蜜蜂认可，随后，侦察蜂又跳起呼呼舞，促使分蜂团飞向新巢。

②警报舞：当采集蜂在野外遇到杀虫剂等有害物质或受到捕食等惊扰时，返巢后会在巢脾上沿着“Z”字线奔跑，腹部剧烈地左右颤动。随着警报舞的出现，蜜蜂的飞行活动几乎完全停止，当毒素扩散时，会有更多的蜜蜂舞蹈，以阻止工蜂外出。

③清洁舞：当蜜蜂绒毛粘有尘土、毛发等外来物质，会急速跺动它的几只足，把身体有节奏地向左右摆动和迅速地提高放下，并用中足来清理翅基周围。最靠近它的蜜蜂，便用触角拍打跳舞者，并用上颚作剪切状动作，开始为跳舞者清理，承担起了“清洁员”的工作。

④“欢乐”舞（背腹颤动）：舞蹈者把前足放在另一只蜜蜂身体上某一部分，然后用它的腹部上下振动五六次，同时向前后略微摇荡，最后向前走，重复上述的动作。有时蜜蜂也在王台上跳欢乐舞，以示蜂王的诞生或蜂巢内舒适的生活环境。

⑤按摩舞：当巢脾上某只蜜蜂把头奇怪地低下时，它旁边的1只或几只蜜蜂就立即用触角和前足开始对它进行检查，扯扯它的中足和后足，多数用触角、上颚和前足从下面触摸它身体的侧面，有时拉“病”蜂的上颚和舌，有时舔“病”蜂的身体，几分钟后，工作停止。这种现象多发生在早春和冬天。

⑥“擦洗”舞：黄昏时候，在蜂箱前壁，一部分蜜蜂头朝巢门，用第二、第三对足“站着”，头和前足向下垂，身体前后冲动、摇荡，似在洗衣板上洗衣的动作，同时用前足的跗节以短而快的动作刮蜂箱的表面，它们的上颚以快速的剪切动作从表面滑过，好像要把它打扫干净，而不久该处即被清理干净。

2. 东方蜜蜂的舞蹈 东方蜜蜂的工蜂也表演圆舞、摆尾舞，其作用也表示食物来源。

1957年，德国M. 林道尔在印度观察到印度蜜蜂常以同一方向作圆形爬行4～5次，然后再转至另一方向。食物点在距蜂箱2m左右时表演不指示方向的圆舞，在2～5m

时，跳新月舞，逐渐过渡到摆尾舞。东方蜜蜂和西方蜜蜂的摆尾舞所指示的方向相同，但腹部摆动奔跑的同一频率所指的距离不同：西方蜜蜂在15s内摆尾奔跑10次时指示的距离是100m，而东方蜜蜂指示的距离为20m；西方蜜蜂在15s内摆尾奔跑8次，指示的距离是200m，而东方蜜蜂指示的距离仅为80m。

印度蜜蜂对较近的距离表示准确，而对较远距离表示不够准确。这与它们的飞行能力有关。

3. 大蜜蜂和小蜜蜂的舞蹈

（1）小蜜蜂的舞蹈：小蜜蜂在灌木的树枝上造一小片蜂巢，用蜡包裹枝条，在与树枝相连的巢脾上部较宽，形成一个平台，小蜜蜂在这个与地面平行的平台上表演舞蹈：在蜂巢距食物来源5m以内表演圆舞，5m以上表演摆尾舞。

（2）大蜜蜂的舞蹈：大蜜蜂在高大树枝或岩壁下造一大片巢脾，它们也在与地面垂直的巢脾上舞蹈：在蜂巢与食物来源3m以内时表演圆舞，3m以上表演摆尾舞。

蜜蜂属的蜜蜂，均以圆舞、摆尾舞指示食物的方位和距离，但蜜蜂种间的这种行为存在差异；同时，它们还通过声波、花香味等传递食物信息。

（四）蜂声

蜂声是蜜蜂的有声语言，如前述蜜蜂跳分蜂舞时的“呼呼”声，似分蜂出发的动员令，发出数分钟后，蜜蜂便倾巢而出进行自然分蜂。蜜蜂跳摆尾舞时发出的低频率的短音，表明食物距蜂巢的远近。

当蜂群第二次分蜂时，处女王达不到破坏即将出房王台的目的时，就会体贴巢脾振动翅基，发出一种“吥……吥……”的声音，在王台中已羽化的幼王立即发出一种“哔……哔……”的示威声。在这种声音的震撼下，工蜂瞬即像发呆一样，寂静无声；过后，工蜂一方面守护发出“哔哔”声的王台，另一方面催促发出“吥吥”声的处女王离巢分蜂。

蜜蜂敌对性围王时，会发出一种频率很高、连续刺耳的“吱吱……”声，工蜂闻之，有的就会从脾的四面八方高速向发声处爬行集中，使蜂球越结越大，直到把蜂王囚死。

当蜜蜂遇到胡蜂等敌害进攻蜂群，守卫蜂就立即发出“嗤嗤”声，箱内工蜂听到此声，即拥出巢门，加强守卫。而中蜂受到惊扰或胡蜂进攻，会集体振翅，发出“唰唰”的示威声。

研究蜜蜂的语言、信息传递及行为特点，可有效地训练蜜蜂为特种植物授粉，模拟蜂声或激素气味可安全介绍蜂王（台），稳定蜂群，促进工蜂积极地工作。

六、蜜蜂的采集活动

蜜蜂生活所需要的营养物质，都是蜜蜂从外界采集物中获得的。蜜蜂出外采集主要有花蜜、花粉、水和树胶等。

（一）蜜蜂的飞翔力、定向力、飞行特点

1. 工蜂的飞翔力 晴暖无风的天气，意蜂载重飞行的时速为 20～24km，出巢蜂由于寻找蜜源，飞行速度反而较慢（1923 年，Park 报道为 10.9～29.0km/h），最高时速达 40km；在逆风条件下飞行受阻，常贴地面艰难飞行，风速达 24km/h 时，蜜蜂就不能持久工作。出巢前，1 只蜂大约要吃 2mg 蜂蜜，其所产生的能量能维持飞行 4～5km，蜜蜂的有效活动范围在离巢 2.5km 内，若附近蜜源稀少，其采集半径能扩展到 3～4km；蜜蜂在平地采集飞行的高度为 8m 左右，在顺山坡向上采集飞行的高度可达 1km，并可绕过障碍物。中蜂的采集范围半径约为 1km。

2. 工蜂的飞行特点 一般情况下，蜜蜂在最近的植物上进行采集。当远处（在其飞行范围内）有更大吸引力的植物的花蜜、花粉的情况下，有些蜜蜂也会舍近求远，去采集吸引力更大的植物的花蜜和花粉（如桃与油菜），但离蜂箱越远，去采集的蜜蜂就会越少。一天中，蜜蜂飞行的时间与植物流蜜时间相吻合。每次飞行，工蜂不是按同一条路线飞向蜜源场地。一般情况下，意蜂安全飞行采集温度不低于 14℃，中蜂不低于 12℃，但在早春，外界气温 11℃时，工蜂也出外采粉。

3. 蜜蜂的定向能力 蜜蜂在活动中是以地面的标志物、太阳的位置和偏振光、地磁以及花香花色等来定向的。蜜蜂在黑暗的蜂巢里，是利用其发达的重力感觉器与地磁力来完成筑巢的定位。蜜蜂在来往飞行中，充分利用了视觉、嗅觉的功能，依靠地形、地物与太阳位置、偏振光来定位。而在近处则主要靠颜色和气味来寻找巢门位置和食物点，蜜蜂最易区分蓝、黄、绿、紫等颜色。蜂场附近的高压线也影响蜜蜂的定向。

在一个狭小的场地住着众多的蜜蜂，在没有明显标志物时，蜜蜂也会迷巢（见第四章第十二节“蜜蜂的迷巢与偏集”）。

（二）花蜜的采集与酿造

1. 花蜜的采集 花蜜是植物蜜腺分泌出来的一种甜液，蜜腺一般在花朵里面，但也有一些物种的蜜腺在花叶上或植物的叶脉、茎秆等处，它是植物招引蜜蜂和其他昆虫为其异花授粉必不可少的“报酬”。

蜜蜂飞到食物点附近时，利用视觉和嗅觉找到花蜜和花粉的来源，蜜蜂在飞行中把两只后足极度分开，在腹部的两边自由自在地垂着，如果花朵大小能容纳它时，采集蜂便降落到花里面（像桐树花），但如果花朵小（如荆条花、枣树花），它就降落在能够承担它体重的任何其他方便的部位或在空中飞翔中进行采蜜。降落后便把喙从颏下静止的位置提向前方，并插入到花朵中积聚了花蜜的部位，在喙达到的范围内把花蜜吮吸干净。花蜜吮净后或没有花蜜，蜜蜂会很快转移到另一朵花上，蜜蜂能嗅出以前的采访者仍留在花朵上未消失的气味并避开它，以此来提高采集效率。

蜜蜂采集花蜜是一项十分辛苦的工作。蜜蜂采集 1 囊花蜜可能要采访几百朵花（Ribbands，1949），蜜蜂采访 1 100～1 446 朵花（Limnanthes）才能取得一次满载花蜜。在流蜜中，1 只蜜蜂平均日采集 10 次，每次载蜜量平均为其体重的 1/2（意蜂约为 40mg）；采集 1kg 刺槐蜂蜜需采访 150 万～200 万朵刺槐花。据报道，酿制 1kg 蜂蜜，

蜜蜂要来回飞行36万~45万km，相当于绕地球8~11周。蜜蜂出勤，不一定都是好天，若遇狂风暴雨，更是艰苦，很多蜜蜂遇难是常有的事。

每一个蜂群，在流蜜期中能够投入到采集活动的工蜂数量是与该群群势、工蜂日龄构成以及蜂巢内哺育蜂子工作的负担有关。群势强、青壮年蜂多、巢内负担轻，则投入到采集活动的工蜂数量就多。如一个6kg重的蜂群，在流蜜期投入到采集活动的工蜂约为总数的1/2；而一个2kg的蜂群，投入到采集活动的工蜂所占蜂群比例约为1/3.4；若巢内没有蜂子可哺育，则5日龄以后的工蜂即投入到采集工作中去。在刺槐、油菜、椴树等主要蜜源开花盛期，1个意蜂采蜜群1d采蜜量可达5kg以上，中蜂群势和个体都比意蜂小，因此，采集力不如意蜂。

满载花蜜的采集蜂回巢后，如果外界蜜源流蜜量不大，它就来回走动，把花蜜分给1至数只内勤蜂；如果花蜜来源丰富，这只采集蜂就会跳舞，并把花蜜献给附近的几只蜜蜂尝尝，以报告信息。不久，它把大部分花蜜交给一只内勤蜂，在它们交接过程中，外勤蜂把上颚分开，把一滴花蜜吐到它的喙的上面，内勤蜂把喙全部伸展，并从采集蜂的上颚中间吸取花蜜。两只蜜蜂不断用触角互相轻轻敲打对方的触角，同时，内勤蜂还会用前足敲打采集蜂的双“颊”。

采集蜂把花蜜卸载完后，有时立即飞向田野，但更多的时候，它先是用前足猛夹它的喙，清理触角和眼睛，并吸食少量食物，再飞向田野。

2. 花蜜的酿制　花蜜酿造成蜂蜜，一是要经过糖类的化学转变，二是要把多余的水分除去的物理过程。

花蜜被蜜蜂吸进蜜囊的同时即混入了上颚腺的分泌物——转化酶，蔗糖的转化即从此开始。采集蜂归巢后，吐蜜汁分给1至数只内勤蜂；内勤蜂接受蜜汁后，找个空地方，头向上，保持一定姿态，张开上颚，整个喙进行抽缩，然后，端部弯褶部分稍稍展开，就有一滴蜜汁呈现在口前腔；随着整个喙的重复抽缩，喙的端部也跟着反复开合，其开张角度也逐渐增大，所吐出蜜珠也逐渐增大，至蜜珠增大到一定限度后，为下颌所拉引，蜜珠下方形成凹面，这时喙的端部继续展开，直至蜜珠形状消失，反复收合至休止位置，再继续重复动作，整个过程约需20min。工蜂对蜜的酿作，就像牛、羊反刍般地进行着。

这个过程完成后，酿蜜蜂爬进巢房，腹面朝上，准备吐存这些蜜汁。如果这个巢房是空的，它爬进巢房直至上颚触及房底的上角为止，吐蜜汁入内（此时蜜汁的含糖量约60%），然后，转动头部，用口器当刷子，把蜜汁涂抹到整个巢房上，以扩大蒸发面。如果巢房内已有贮蜜，则将上颚浸入，直接注添而已。当巢内进蜜迅速、蜜汁稀薄时，内勤蜂一面不停地酿作，一面加速进行贮存，它们把蜜汁分成小滴，分别挂在好几个巢房的房顶上，这些巢房有时是小幼虫或卵的巢房，被“吊起风干”的小滴花蜜，以后再收集起来。反复进行酿制和翻倒，蜜汁不断转化和浓缩，直至蜂蜜完全成熟为止。蜂蜜成熟后，逐渐转移至边脾，泌蜡封存。

花蜜中的水分，在酿制过程中还通过扇风来排除。若听到通夜嗡嗡之声大作，说明正是蜜蜂紧张酿蜜浓缩蜜汁之时。当然，水分的排除大部分是在白天进行的。

蜂蜜成熟时间，受花蜜浓度、蜂群群势、气候、日采花蜜量、可供贮存用的巢房数量和空气流动等因素影响，一般历时 5～7d。由此可知，采蜜不易，酿蜜更难，有人谓“百炼成蜜”，此语并非夸张。

（三）花粉的采集与蜂粮的制作

花粉是植物的雄性配子，由雄蕊花药产生。饲喂幼虫和幼蜂所需要的蛋白质、脂肪、矿物质、维生素等，几乎完全来自花粉。

工蜂采集花粉在形态结构上是高度特化的，采集花粉时，6 只足、口器和全身绒毛都参与工作。Casteel（1912）描述蜜蜂采集甜玉米花粉的过程：蜜蜂飞落在穗状雄花上，沿着穗状花序爬行，紧紧抱着下垂的花药，它们用舌和上颚咬花药，结果使花粉黏着在口器上，并且被湿润透；也有大量的花粉附着在多毛的足和身体上。蜜蜂爬过几穗花后，就开始从头部、身体和前部器官把花粉梳下来，并把它传递给那对后足。这个过程可在花上停落时完成，更多的是在飞翔中进行。蜜蜂用前足刷集附着在口器和头部的花粉，用第二对足刷集胸部和腹部所黏附的花粉，并接受第一对足传来的花粉。在从前足接受花粉时，同一边的那只中足伸向前方，或者被屈曲着的前足抓着，或当前足向下方和后方伸展时在其上摩擦，这时大部分花粉便聚集到第二对足宽阔的跗节的内面，然后，中足再将收集到的花粉传到后足的花粉梳上，两后足提到腹部下面，通过花粉梳交互送到相对的花粉耙上刮集，依次集中在花粉篮的下沿部分，最后经后足基跗节的屈伸运动，由耳状突把花粉推挤到左右两后足的花粉篮里，堆积成团，并被胫节隆起边缘的反曲毛和中间的花粉干（刚毛）固定住。如果所带花粉团很大，这些毛便被推向外并部分地被埋在花粉里面，使花粉团突出到胫节边缘之外（图 1－45）。

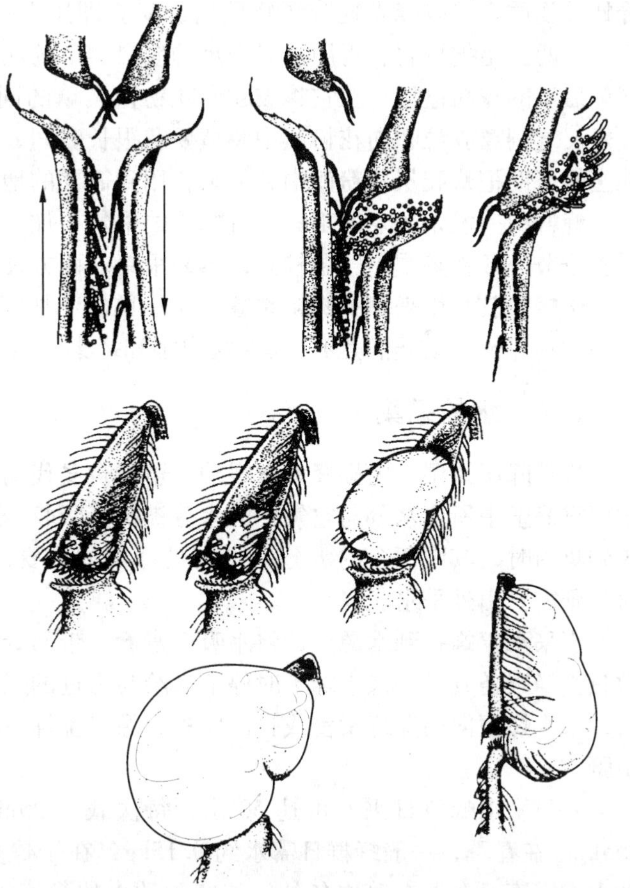

图 1－45　花粉团的形成（仿 Winston M. L.，1987）

带粉蜂归巢后，找到靠近育虫圈的空巢房，先用两前足抓住巢房的一个边，将腹部和两后足伸入巢房，然后，以中足基跗节的距（也称“花粉铲”），把花粉铲落房内，接着两后足自行清除残余的花粉，花粉卸落后，带粉蜂便离开巢房。不久内勤蜂把头伸进房内，把花粉嚼碎夯实，并吐蜜湿润。这样贮藏的花粉称为“蜂粮”，其中已加入蜂蜜、花蜜和唾液，随着蜂粮中自然夹带的乳酸菌的作用，可防止蜂粮腐败。巢房中蜂粮贮存至7成左右，蜜蜂再加1层蜜，最后封蜡盖，以长期保存。

有人统计，蜜蜂外出采集，若粉、蜜皆有，则有17%二者都采，58%单采花蜜，25%单采花粉。蜜蜂采粉，每次访花的数目、经历时间、每日次数、平均载粉量及采粉蜂数量，取决于花的种类、天气和蜂群内需求状况等。据观察，每次采粉约访梨花84朵、蒲公英100朵；一次满载须采集10min，每日采粉6~8次，最多47次，平均10次；每次采粉量12~29mg。根据河南省西平县武氏蜂场的生产记录，在油菜花期，一个有2万只蜜蜂的蜂群，日采鲜花粉量可达到2 300g，也即群日采粉55 000蜂次以上。1群蜂1年能采集30kg以上花粉。

尽管采集蜂认真刷集身上黏附的花粉，但其体表仍会残留大量花粉粒。据统计，蜂体残留花粉粒达1万~2.5万粒，这个数量超过其他任何昆虫。

（四）树胶的采集与使用

蜜蜂从植物嫩芽或松柏植物的破伤部分采集树脂或树胶，并混入上颚腺的分泌物和蜂蜡等物质。采胶蜂发现胶源物质后，就立即用上颚咬下一块胶粒，经上颚揉捏一阵后，用两前足把持着，再用一只中足伸向口器下的两前足，然后用这只中足把胶粒送到同侧后足的花粉篮里，在它将胶粒向花粉篮装填的同时，又伸出前足去采取新的胶粒。蜜蜂反复剥离胶粒和向花粉篮中装填要花很长时间，最后，当它满载蜂胶归巢时，由其他蜜蜂帮助把蜂胶从花粉篮中卸下来，用到需要的地方。

蜂群中一般是较老的工蜂进行蜂胶的采集、加工和使用蜂胶，采胶蜂也较少。蜜蜂采胶季节一般在夏季，气温较高，容易采集。西方蜜蜂喜好采胶，东方蜜蜂不采胶。

蜜蜂采胶是用来填补蜂箱裂缝、缩小巢门、加固巢框、涂抹巢房（巢房上光）、包封小动物尸体（防止腐烂）、抑制病虫害和蜂巢内微生物的生长。

（五）水的采集

蜂巢降温调湿、内勤蜂调食喂幼、蜜蜂自身代谢都需要水。越冬期，蜂群所需水分主要靠蜂蜜中所含水分与空气中的水分被蜂蜜吸收、蜜蜂呼吸获取。在有大量花蜜被采集到巢内时，其中所含的水分即可满足蜂群的需要，但在早春流蜜前和夏天干旱燥热时，则需要出外采水。

当采水工蜂找到水源后，将水吸入蜜囊，带回蜂巢，爬上巢脾后便开始舞蹈，并有数只蜜蜂跟随其后，采水蜂不时停下来给与附近的工蜂一口水，在把载回的水全部卸下后，采水蜂便向内勤蜂索食或自己取食，像采蜜蜂一样整理舌、触角、眼睛，然后飞向田野。

一只采水蜂每日采水可达50次，每次载水25mg，400只采水蜂，日采水量可达0.5kg。在春季，一般蜂群日需水约0.15kg；在干燥炎热的夏季，日采水约1kg，采来的水像雾滴般布置在箱内各处，如卵和幼虫的巢房以及脾面上，有些内勤工蜂把喙伸展，像酿蜜一样把一滴水拉成一小片膜，随其蒸发而降低温度和调节湿度。当温度超过

38℃时，蜜蜂降低巢温所花的时间比采蜜、粉所花的时间更多，这时，蜂巢温度在水分被利用后的3h可下降8～9℃。若无水供应，24h内蜂群就会死亡。在早春，蜜蜂采水归来后，把水交给“贮水蜂”暂且贮存，但贮水数小时后，贮水蜂即将蜜与水混合，有时它们也会把稀释后的蜜汁贮藏在育虫区的周围。

蜜蜂的生长发育，还需要矿物质、维生素等。这些物质主要来源于花蜜、花粉、水（如麦饭石水），在自然情况下能够满足蜂群的需要，但在用人工饲料喂蜜蜂时需要考虑这些物质的含量。

六、蜜蜂的其他行为

除以上介绍的蜜蜂的采集等行为外，蜜蜂还有互相饲喂、工蜂产卵、闹巢——试飞、蜂盗、围王、迁徙、扇风、清洁、攻击等行为。蜜蜂的行为受其发育阶段、内分泌激素、体内刺激物、遗传、蜂群状态等内因和光、热、食物、声音、接触、化学品等外因的影响和控制，都有社会性、阶段性、机动性、多样性的特点，这些将在其他各章节中叙述。

第三节 蜜蜂生态学

蜜蜂生态学，是研究蜜蜂与其所处环境相互关系的学科。从生态学角度去研究蜂群的生活和行为，必定会使养蜂者更加全面和深刻地了解蜜蜂与环境的关系，这对于指导养蜂者更好地管理蜂群具有重要的意义。

一、蜜蜂与环境

一般说来，环境因素可分为生物因素与非生物因素两大类。生物因素主要包括食物、天敌及病原生物等。非生物因素主要包括光、温度、湿度、风、降雨等。

（一）生物因素

1. 食物 蜜蜂和其他动物一样，必须利用食物作为生命过程中所需物质和能量的来源。是否能得到所需的食物，关系到蜜蜂能否在这样的环境中生存；食物是否适合蜜蜂生理要求，又关系到蜜蜂在这样的环境中存在的数量。因此食物是最重要的环境因素之一。

蜜蜂的食物主要是花蜜和花粉。

在蜜源和粉源充足的季节，工蜂会根据花蜜和花粉的成分和数量来选择采集更适合蜜蜂生长发育的食物。在食物缺乏的季节，即使有些食物（如甘露蜜）对蜜蜂不利，工蜂也会冒着生命危险去采集。

2. 天敌 蜜蜂的天敌种类很多，其中包括胡蜂、蜂狼、蜂鸟及熊等。蜜蜂天敌对养蜂业有一定的危害，但从生态学观点分析，天敌至少有以下几个方面的作用：

（1）天敌是能流中的一个重要环节：在食物关系中，由花蜜→蜜蜂→胡蜂→鸟类组成的营养关系，称为食物链。由许多食物链便组成了纵横交错的食物网。天敌是食物网中的一个能流环节，其作用不可忽视。

（2）天敌可以调节蜜蜂种群的大小：对于某些饲养益处不大、而对人类有威胁的蜂种（例如非洲化蜜蜂），应控制其种群的发展。人为的方法往往效果不佳，若利用其天敌来调节控制其种群大小，往往可以收到事半功倍的结果。

（3）天敌是蜜蜂种群进化的动力：一个物种要得以进化，就必须有外界的压力作用。蜜蜂天敌对蜜蜂的捕食压力是蜜蜂进化过程中的选择因素。例如，由于中蜂多饲养在山区，山区的胡蜂很多，捕食压力远比饲养在平原地区的意蜂大。因此在胡蜂猖獗的夏秋季节，中蜂习惯在清晨和黄昏进行采集，这样就大大减少了胡蜂危害。

对蜜蜂的天敌，不一定要全部消灭。笔者认为，解决这个问题不妨借用害虫科学管理方法，即首先确定允许危害范围、捕食者的最大密度，然后用一些合理措施把天敌控制在这一规定密度之内，以便促进蜜蜂进化。另外，当某一蜂种退化，并危及人类时，可以及时恢复这一蜂种的天敌，以控制这一蜂种的泛滥。这样的做法虽然对养蜂业的眼前利益有部分损失，但从长远角度来看，其利益将远远超过暂时的损失。

蜜蜂对天敌的反应，往往可以见到回避、恐吓、行螫保卫及飞逃等几种行为。

3. 病原生物　由于这部分内容在本书中的“蜜蜂病敌害的防治”章节中有详述，在此不再赘述。

（二）非生物因素

1. 光　光对蜜蜂的影响主要决定于光的性质、强度和光周期。

（1）光的性质：光是一种电磁波。因为光的波长不同，可以分出各种不同性质的光。人眼能够感觉到光波长范围在400～750nm，而蜜蜂的感光区在310～650nm。蜜蜂能够见到人眼不能感觉到的紫外光，而对波长较长的红光则感觉不到，因此蜜蜂对红光为色盲。这一发现可以告诉人们，在红光室研究蜜蜂的行为，对蜜蜂的生活习性并未打扰，使研究环境更加接近自然状态。

（2）光的强度：光照强度因纬度、海拔及地形等不同而有所差异，光照强度主要影响蜜蜂的活动和行为。在养蜂生产中也经常被考虑，比如早春，把蜂群放在向阳处，而在夏季，蜂群应放在较阴凉处。蜜蜂夜间有趋光性，白天适当的光照强度能刺激工蜂勤奋地工作。

（3）光的周期：光周期的变化是指在一昼夜中光照和黑暗的交替现象。光周期对蜜蜂的影响，目前研究很少。据资料介绍，蜂群分蜂周期与四季光照周期长短有密切的关系，如河南省的蜂群，自然分蜂季节在5月和8月。

2. 温度　蜜蜂属变温动物，自身无稳定的体温，其体温随外界温度的高低而有所改变，并且会产生相应的生理反应。

蜜蜂个体对温度调节适应性较差。另外，不同蜂种的个体对温度的反应也有所差异。比如中蜂的个体飞行安全临界温度为10℃，意蜂个体的临界温度为13℃。意蜂个体在13℃以下呈现出冻僵状态；在气温达40℃以上时，蜜蜂几乎停止田野采蜜粉工作，只是采水而已。

蜂群对温度有一定的调控能力。实验证明：当蜂群中的蜜蜂数量达 1.5 万只以上，群内有蜂子时，不管外界气温冷还是热，蜂群总能把巢内中心温度控制在 34.4 ~ 34.8℃。

3. 湿度 在一个健康的蜂群内，蜜蜂能维持适宜的湿度。据报道：若群内有蜂子，巢内相对湿度在 40% ~50%，而这段区间的相对湿度，最有利于蜂子的发育。有时可以观察到群内的湿度在短时间里有升降变化，但对蜂子发育影响不大。

4. 降水 降水可以改变湿度，从而影响蜜源植物的生长和流蜜。例如在云南野坝子花期，丰年里，一般雨季早（4 ~5 月），年降水量在 800mm 以上，降水集中在 6 ~9 月；若降水推迟，年降水量在 600mm 以下，一般为野坝子蜜歉收年。

另外，降水对蜜蜂本身也有较大影响。一般说来，流蜜期间长久干燥，下一场雨，有刺激蜜蜂采集作用。晴天突然下一阵暴雨，对蜜蜂的安全出勤威胁很大。连绵的梅雨，加上气温低，蜂群易患欧洲幼虫病、孢子虫病及下痢等疾病。

5. 风 风是最普遍的大气运动形式。风主要影响蜜蜂的活动。为了避免蜜蜂在大于 3 级风力的天气出巢所造成的损失，应把蜂群放在离蜜源较近的地方，并使蜜蜂逆风而去，顺风满载而归。

另外，风会造成蜂群偏集和影响蜜源植物流蜜的多少。

6. 气候因素 由光、温度、湿度、降水和风等非生物因素组成气候因素。气候因素是各种非生物因素的联合作用。在养蜂生产中，利用气候生态图可以帮助我们了解每个季节蜜源泌蜜和蜜蜂采集活动的可能性，它是某地区养蜂条件综合描述的一种有效方法。

二、蜜蜂种群动态分析

蜜蜂种群动态分析，是蜜蜂生态学内容的重要组成部分。通过对蜜蜂种群动态分析，可以更清楚地了解蜜蜂种群组成特点及发展规律，以便为蜂业生产提供理论依据。

（一）蜜蜂种群的结构待征

蜜蜂种群的结构特征主要可以分为年龄组配和性比两个方面。

1. 年龄组配 年龄组配是指在蜜蜂种群内，各年龄组个体（包括蜂子）的百分比。为了调查某一种群内的年龄组配，蜂子数量可以用 5cm ×5cm 网格快速测算，成年蜂数量则可用称量法来测定。利用蜜蜂种群内年龄组配指标值，可以预测蜜蜂种群正常发展趋势。

2. 性比 蜜蜂性比值是指一群蜂内，雌性蜂（工蜂 + 蜂王）与雄性蜂（雄蜂）的比例。蜜蜂性比值随季节改变而有所不同，并且在同一季节内，不同蜂群的性比差异也颇大。

关于蜜蜂性比值对蜂群生产力的影响，传统观点认为：为了蜂群高产，必须长年割雄蜂蛹。这种传统饲养方法，很费时间和精力。近年来研究表明，只要蜂群内有优质蜂王存在，蜜蜂可以根据蜂群内外的条件，自行调控蜂群内的性比值，不会出现雄蜂泛滥的现象。同时，也发现群内有一定的雄蜂存在，工蜂的采集积极性更高，不割雄蜂蛹的蜂群产蜜量比割雄蜂蛹的蜂群高 9.37% ~ 14.04%。并且是否割雄蜂蛹对蜂群的产浆量、繁殖力及分蜂性影响不大。由此提出，在蜂群的饲养过程中，除断子治螨及选雄蜂育王等特殊情况，养蜂者不必定期割雄蜂蛹，以保持群内的蜜蜂性比值的动态平衡，来提高工蜂育虫和采集的积极性。

（二）蜜蜂种群竞争

蜜蜂种群竞争可以分为蜜蜂种群内竞争和蜜蜂种群间竞争两大类。

1. 蜜蜂种群内竞争　蜜蜂种群内的竞争现象较为少见，原因主要是蜜蜂种群是一个高度协调的整体，虽然有时也可以见到在分蜂或采集时，侦察蜂之间有竞争行为，但竞争是以“和解”的形式来解决的。从这一点来看，这种竞争行为属于分摊性竞争。

2. 蜜蜂种群间竞争　又可分蜜蜂种间竞争和蜜蜂种内种群间竞争。

（1）蜜蜂种间竞争：一般说来，在某一地区内，动物的种类越丰富，种间竞争也越剧烈。在复杂的种间竞争中，两个生态位相似的物种发生激烈的竞争，最后的结果必然导致形成占有不同的空间（地理分布隔离），吃不同的食物（食物上分化），或其他生态生活习性上的分隔（如活动时间不尽相同），以求共存。

蜜蜂的种间竞争，在长期的自然进化过程中，已形成栖息地差异、吻长差异、活动时间差异等几种生态位分隔现象。

另外在蜜蜂的种间竞争中，处女蜂王分泌的性外激素招引雄蜂的竞争现象，也逐渐被人们所关注。据李位三调查，在饲养意蜂的地区，中蜂处女王分泌的性外激素，不但能吸引中蜂的雄蜂，而且会吸引意蜂的雄蜂。由于意蜂的雄蜂数量多，意蜂的雄蜂会干扰中蜂的雄蜂与处女蜂王交配，致使中蜂处女王交尾成功率仅为 16% 左右，这也是在平原地区中蜂的数量和分布范围急剧下降的原因之一。

（2）蜜蜂种内种群间竞争：蜜蜂种内种群间竞争较为明显，其中采集的区域性，可能是最好的说明。另外种群之间发生的盗蜂，也表现了蜜蜂种内种群间竞争的特殊性。这种竞争的结果，可以引起弱群毁灭，强群得到更多的食物。显然，蜜蜂种内种群间的竞争属于“争夺性”竞争。

三、蜜蜂与植物的协同进化与相互适应

植物和蜂类的协同进化历史大约有 100 万年。在这漫长的协同进化过程中，蜜蜂与植物之间逐渐形成了一系列协同关系。

（一）植物对蜜蜂的适应性反应

1. 植物开花时间、颜色及气味的适应　在自然界内，能为植物传粉的动物较多，其中包括蜂类（主要是蜜蜂）、蝙蝠、蛾类及蜂鸟等。这些授粉动物依据生态位差异而达到共存，比如有极少数植物在夜间开花流蜜，使习惯晚上活动的蝙蝠、蛾类在生态位上与白天授粉的动物发生差异。而白天开花的植物，有些植物开的花颜色呈非常鲜艳的纯红色，并且无气味，这正好符合对红色特别敏感而嗅觉不灵的蜂鸟授粉。多数植物开的花颜色虽不鲜艳，但能发出诱人的芳香味，这却适合嗅觉灵敏的蜜蜂采集。

2. 花蜜中氨基酸含量的适应 贝克详细分析了不同授粉类型的植物所分泌的花蜜中的氨基酸含量。从表 1－4 可知，由蝇类授粉的植物分泌的花蜜氨基酸水平最高，蝶类次之，鸟媒、蜂类相对较少。以上结果可以这样理解，一种动物要生存，除了要获得能量物质——糖类外，还必须得到一定数量的蛋白质。蝇类、蝶类由于以其他方式获得蛋白质的能力小，因此对花蜜中氨基酸含量依赖性强。鸟类可以取食昆虫等方式得到蛋白质，故对花蜜中氨基酸含量依赖性较小。蜜蜂可以通过采集花粉来得到所需的蛋白质，所以蜂媒花分泌的花蜜中氨基酸含量也很小。植物是否可以通过控制花蜜中氨基酸含量来选择为自已授粉的动物，这是一个值得深思的问题。

表 1－4 不同种类花蜜的氨基酸含量（以组氨酸水平表示）

花的类型	品种数目	组氨酸含量/（μg/g）
蝇媒	8	9.25
蝶媒	41	6.68
鸟媒	49	5.22
蜂媒	95	4.76

3. 植物流蜜多少的适应 各种植物流蜜量是不同的，这一现象也是植物对授粉动物的适应。试想，一只近 100mg 的西方蜜蜂（工蜂）在花上爬行时每分钟消耗 0.33J 热量，而一只 300mg 的蜂鸟消耗热量高达 46.7J，相当于蜜蜂消耗热量的 140 倍。因此，由蜂鸟授粉的植物，必须分泌足够量的花蜜，以便补充蜂鸟多消耗的能量，否则蜂鸟决不会光临这种植物。而由蜜蜂来授粉的植物分泌的花蜜量可以相对少些，这样蜂媒植物可以通过流蜜量来限制蜂鸟为之授粉。人们自然会问：蜜蜂是否可以随意去采集流蜜量大的鸟媒花呢？答案是否定的。事实上，鸟媒花的蜜腺上方特化成筒状，使蜜蜂口器吸不到花蜜。

另外，若在同一地区、同一时间内有几种蜂媒植物同时开花流蜜，那么，蜜蜂只会采集那些流蜜量大且符合蜜蜂营养要求的植物，流蜜量小的植物将会被忘记。为了避免这种竞争，植物本能地通过以下几种方式来解决这个难题。

（1）在同一季节里，每种植物的流蜜期各不相同。

（2）如果几种植物在同一地区、同一天流蜜，各种植物流蜜时间也不相同。比如，一种在早上进行大流蜜，另一种在下午进行大流蜜。

（3）在同一天内，几种植物同时开花，其中一种是蜜源，另一种是粉源，这是营养互补的现象。

4. 植物开花习性的适应 这里所要讨论的是植物流蜜受温度的影响而对蜜蜂所产生的适应性反应。

对变温动物蜜蜂来说，温度对其新陈代谢影响甚大，毫无疑问，在温度较低时，蜜蜂必须消耗较多的能量——靠花蜜来维持一定的体温。因此，在较低的温度下，授粉植物开花流蜜必须比在较高的温度下提供较多的热量报酬——花蜜，其途径要么这些植物生长开花时间较集中，要么植物开的花必须挤在一起，只有这两种可能性来补充蜜蜂在低温下多消耗的能量物质。

以上两种现象，在自然界也是常见的。如在早春时，由于气温较低，在同一地区，植物开花多数是一大丛一大丛或几十种植物同时开花，因此人们常用百花盛开来形容春天。又如，在愈靠近北方的地区，植物开花更为集中，且流蜜量大。这些巧妙的适应结果，都是植物在协同进化过程中对授粉动物的适应性反应。

（二）蜜蜂对植物的适应性反应

1. 蜜蜂个体结构对植物的适应　蜜蜂周身长满了羽状分叉绒毛，既利于蜜蜂收集蛋白质饲料——花粉，又利于植物授粉。蜜蜂的口器属于有长吻的嚼吸式口器，且上颚发达，有利于吸取植物深花管内的花蜜。后足最发达，胫节两边有长毛，相对环抱，近端部较宽大，形成“花粉篮”，第一跗节（或称基跗节）也扩大，内侧有毛列，两者用于采集和运装花粉。工蜂的消化道，可以观察到前肠中的嗉囊部分特化为蜜囊。这些形态结构的特化，都是蜜蜂适应植物的反映。

2. 蜜蜂采集专一性的适应　据格兰特统计，蜜蜂采集花粉的纯度可达99%。原因是蜜蜂喜欢固定在某一特定小区域内采集某一特定植物的花粉，同时具有驱逐其他蜜蜂进入此区内采集的特性。这样必然造成植物种群的隔离，致使植物新种容易形成。事实上也是蜂媒植物新种的形成要比杂媒植物快得多。

四、影响蜜蜂分布的因素

蜜蜂是适应性极强的昆虫，它分布很广，但各处的蜜蜂品种未必相同，在东北及华北等平原地区，主要以西方蜜蜂为主，而在华南及福建等省的山区，则以中蜂为主。

蜜蜂品种的地区差异，原因很复杂，从自然状况来分析，可以概括地描述为由蜜蜂的遗传特性和阻止蜜蜂散布的各种障碍及生存的条件所决定。

虽然影响蜜蜂品种分布因素极为复杂，但从蜜蜂种群本身来分析，可以把这些因素人为地分为内在因素和外在因素两大类。

（一）内在因素

这种因素是由蜜蜂的遗传性决定，在自然条件下，这种因素作用比较明显。

影响蜜蜂品种分布的内在因素主要有以下几方面：分蜂性、盗蜂性、飞翔能力、采集能力及个体和种群抗逆力等。

1. 分蜂性　分蜂是蜜蜂种群繁殖的方式。每一蜂种分蜂性强弱不一，一般说来东方蜜蜂的分蜂性比西方蜜蜂强。倘若没有人为及其他动物的干扰，东方蜜蜂可能在小面积内扩散较快，分布较广。另外，非洲蜜蜂具有极强的分蜂性及性情凶暴，据有关报道，在引种后1~2年内，很快地占领了引种地——圣保罗州，扩大了自己的分布区域。

2. 盗蜂性　盗性强弱对蜜蜂品种分布的影响，可以从小区域内看出。如果在同一个蜂场，同时饲养中蜂和意蜂，在蜜粉源十分充足时，似乎很少出现异常现象。倘若在外界蜜粉源缺少的情况下，就经常可以发现盗蜂现象。由于意蜂的盗性比中蜂强，因此易攻破中蜂种群的守卫圈，进入箱内把巢内的蜂蜜和花粉抢入盗群内，由此导致中蜂种群内无粮食，迫使其飞逃或全群毁灭。而意蜂则可以占领较大的空间和足够的食物，从而为种群的扩大分布提供了充分的条件。因此，盗蜂在一定的区域内对蜜蜂品种的分布有一定的影响。

3. 飞翔能力 飞翔能力强，在单位时间里飞的路程远，则给该品种种群的扩散提供了一个有利条件。

4. 采集能力及个体和种群抗逆力 蜜蜂的采集能力及个体和种群的抗逆力的强弱，在不同的程度上影响了各品种的分布。众所周知，中蜂善于利用零散蜜源同时抗寒力比西方蜜蜂强，因此适合饲养在四季都有少量蜜源植物开花和较冷的山区。西方蜂种虽然采集力强但种群的抗寒力不强，难以利用零散蜜源，而适宜平原大宗蜜源和追花夺蜜的饲养方式。由此可知，采集力、个体及种群的抗逆力等生物学特性，能使蜜蜂品种分布形成一定的区域。

（二）外在因素

外在的因素主要包括：气候因素、地理形状、生物障碍及人为的因素。

1. 气候因素 气候对蜜蜂分布的影响主要取决于蜜蜂的品种及品种对气候的适应能力。比如中蜂起源于东南亚热带地区，并适应中国的山区气候。把它引种到欧洲时，不能适合引种地寒冷的气候，因此引种多次均遭到失败。另外，蜜蜂种群虽然具有一定的温湿度调节能力，但是极低或极高的温度都会使蜜蜂死亡，所以在特别寒冷的两极至今还没有蜜蜂的踪迹。风对蜜蜂分布的影响，主要是采集活动，在风力大于6级的区域，蜜蜂是难以生存的。

2. 地理形状 每只工蜂飞行1km需要消耗约0.5mg的蜂蜜，1只蜜蜂一般只能贮存2～4mg的蜂蜜，因此，它们所贮存蜂蜜仅能维持飞翔4～8km。但实际上一个蜜蜂种群连续飞翔的能力有限，因为蜂王消耗的能量更大。这样，遇到了海洋、大湖泊、沙漠及连绵的高山时，就会阻碍蜜蜂种群的自然扩散，从而影响蜜蜂品种的分布范围。在养蜂育种工作中，为了防止不同的蜜蜂品系的混合杂交，就可把育种用的蜂场设在岛屿上。

3. 生物障碍 这里所说的生物障碍，是由植物或其他动物所致的对蜜蜂品种扩散的限制。

蜜蜂是植食性昆虫，它们靠蜜粉源植物来生存。当蜜源植物泌蜜散粉时蜜蜂吸取植物的蜜汁和花粉。如果在某一地区，蜜源种类非常单一，或花期全部集中在某一段时间，蜜蜂种群在流蜜期内进行突击采集。如果不够整年饲料消耗，又不进行人工饲喂，蜜蜂种群是不能栖居在这样的地区的。

物种间的生存竞争必然导致在竞争区内物种的改变。比如在欧洲蜜蜂运往大洋洲后，原产地的无刺小蜂，立即受到欧洲蜜蜂排挤。这样欧洲蜜蜂的分布面积扩大了，而无刺小蜂的分布范围则缩小了。

另外，捕食动物对蜜蜂分布影响的也是可想而知的，在胡蜂泛滥成灾的地区，蜜蜂的蜂群是无法生存的。

4. 人为因素 蜜蜂作为一种家养的经济昆虫，人类对它的分布起着重要的作用。

据报道，除亚、欧、非三大洲原先就存在蜜蜂外，其他几个洲并没有蜜蜂，现在这些洲饲养的蜜蜂，都是在约10世纪中叶以来，随着人类迁入新大陆相继引入的。

区域的划分也影响了蜜蜂的分布。比如在黑龙江为了保护东北黑蜂的资源，规定其他品系的蜜蜂不允许进入其育种地区。

人们总是希望自己所饲养的蜜蜂品种生产性能好，这样原来生产性能较低的蜜蜂品种必然被另一个生产性能较好的蜜蜂品种所代替。如在原来东方蜜蜂的饲养地（阿富汗及日本），由于认为西方蜜蜂的生产性能好，近年来这些国家西方蜜蜂几乎代替了东方蜜蜂。在我国由于西方蜜蜂的引进，蜜蜂品种分布也发生改变，许多地区西方蜜蜂的品系几乎代替了中蜂。

由于环境的不断绿化，原来无蜜粉地区广布蜜源植物，使得蜜蜂增加了生活基地。此外，交通的高速发展，邮寄蜂王和生产笼蜂，使蜜蜂品种分布更为广泛。

第四节　蜜蜂的分类与蜂种资源

一、蜜蜂的分类地位

蜜蜂在分类学上属于节肢动物门（Arthropoda）、昆虫纲（Insecta）、膜翅目（Hymenoptera）、细腰亚目（Apocrita）、针尾部（Aculeata）、蜜蜂总科（Apoidea）、蜜蜂科（Apidae）、蜜蜂亚科（Apinae）、蜜蜂属（*Apis*）。

蜜蜂属由下列7个独立种构成：

西方蜜蜂　*Apis mellifera* Linnaeus，1758
小蜜蜂　*Apis florea* Fabricius，1787
大蜜蜂　*Apis dorsata* Fabricius，1793
东方蜜蜂　*Apis cerana* Fabricius，1793
黑小蜜蜂　*Apis andreniformis* Smith，1858
黑大蜜蜂　*Apis laboriosa* Smith，1871
沙巴蜂　*Apis koschevnikovi* Buttel－Reepeen，1906

我国学者匡邦郁把绿努蜂（*Apis nuleunsis* Tinger *et* Koeniger 1988）、苏拉威西蜂（*Apis nigrocineta* Smith）也列为蜜蜂属中独立的种。由于资料所限，本节仅讨论上述7种蜜蜂的有关知识。

蜜蜂属的主要形态特征：身体具几丁质外骨骼，体表密被绒毛，有些绒毛呈羽毛状分支。体躯分头部、胸部、腹部3个体段，胸部与腹部由呈细柄状的腹柄连接。胸足3对。工蜂后足胫节端部宽大，外侧凹陷，与胫节周边的长体毛和近中部的1根刚毛组成花粉篮；花粉篮与前足、中足的特殊构造和体毛构成适于采集和携带花粉的器官。具膜质翅2对，前翅大于后翅；前翅有1个前缘室，3个亚前缘室，前缘室顶端等宽、圆形，长几乎达翅角，第二亚缘室上部比下部窄。嚼吸式口器，舌长尖，下唇须前2节延长成鞘状，盔节长矛状，适于吮吸花蜜。三型蜂分化明显，雌蜂分化为能产卵的蜂王和不交配的工蜂，产卵器由腹产卵瓣等特化而来。

蜜蜂属的生物学特性：蜜蜂群体营社会性生活，群体中的个体分工明确，有专司生殖的蜂王、雄蜂和专司哺育及劳动的工蜂；工蜂能泌蜡筑巢，巢脾自上而下纵向发展，其两面均具六棱柱体巢房，且共用底、共用边，同一侧巢房共用面、共用边；工蜂采集花蜜、花粉，酿制并贮藏蜂蜜、蜂粮。在长期的生活演化过程中，它们与虫媒花植物形成了相互适应和相互依存的密切关系。

二、蜜蜂的起源与进化

蜜蜂的起源与进化是一个仍在争议的问题，世界各地发现的大量蜜蜂化石以及生物地理学、被子植物起源学说、大陆漂移学说、分子遗传学、现代分子生物技术的发展，为解决这一问题提供了物质基础、理论依据和技术保障。

（一）蜜蜂起源与进化机制

多倍性起源，是蜜蜂总科中包括蜜蜂属在内约65%的已知种起源与进化的基本机制。在蜜蜂属中，小蜜蜂和黑小蜜蜂表现出最多的原始特征，只有16条染色体；东方蜜蜂和西方蜜蜂有更高的社会组织性，有32条染色体。可以推断，在远古的某个时期，通过染色体加倍，东、西方蜜蜂与其祖先分离，形成两个独立新种。此外，人为传播也是推动蜜蜂新亚种形成、进化的一个重要因素，人们将蜜蜂带到世界各地，通过自然地理分离，最后发生变异，形成新种。

（二）蜜蜂的起源中心

一些学者认为，印度及其毗邻地区（有的统称东南亚）是蜜蜂（honeybee）起源和早期进化中心。其依据，一是被子植物起源学说和大陆漂移学说；二是蜜蜂属在该地区的自然地理分布表现出极大的多样性，即该属较原始的小蜜蜂、黑小蜜蜂、大蜜蜂、黑大蜜蜂、东方蜜蜂均在该地区自然分布。Mel'nichenko（1984）认为，蜜蜂起源于印度，然后扩展到格鲁吉亚、亚美尼亚、阿塞拜疆，再从那里传入欧洲和埃及，随着欧洲的殖民活动，它们被传入西半球和太平洋地区。日本、菲律宾、印度、马来西亚及我国台湾地区原属亚洲大陆，故有土著东方蜜蜂和其他蜜蜂。

上述推论缺乏蜜蜂化石依据。我国学者根据在山东莱阳盆地发现的早白垩世北泊子古蜜蜂（*Palaeapis beiboziensis* Hong，1984）和山旺地区发现的中新世中新蜜蜂（*Apis miocenica* Hong，1983）的真正蜜蜂化石，并且这些化石早于世界其他地区所发现的化石，以及现有的古地理、地史和古生态等资料，推论蜜蜂起源于我国华北古陆比较合理。

（三）蜜蜂社会生活的演化

根据对世界各地所发现的蜂类化石研究，蜜蜂总科约出现在5 000万年前，蜜蜂科约出现在3 000万~4 000万年前，原始蜜蜂属约出现在2 000万~5 000万年前，真正的蜜蜂属则出现在1.5万年前。

在蜜蜂总科里，大多数种类都是独居的，只有5%的种类属于社会性生活。现在的蜜蜂属，首先是由独居蜂类进化到初级社会性蜂类，再进化到今天较完善的社会性蜜蜂属。

独居性蜜蜂类的特点是表现在培育后代的方式：它们采用整体饲育法培育后代，即在每一个巢房里，先放置一定数量的食物，然后产1粒卵，再将巢房封闭，以后，母蜂便不再和子代发生关系。独居蜂为子代预先准备好食物的行为，比一般的昆虫有很大的进步。

蜜蜂总科隧蜂科的一个种——*Halictus quadricinuus*，其巢藏于土中，每巢有16～20个巢房，母蜂用食物来哺育幼虫，最后把巢房封闭，并且守护蜂巢，直到幼虫羽化为止。母蜂与子代有了接触机会，这较独居蜂类又进化了一步。

隧蜂科的另一个种——*Halictus malachurus*，其越过冬的母蜂，在春季营巢产卵，哺育后代。子代在夏季羽化后，其身体较亲代小，体表花纹也与亲代有差异；这一时期，子代虽然是雌性蜂，但无生殖能力，其职能是工作，称为工蜂，它们与母蜂生活在一起，共同筑巢、采食、育虫。在秋季，这个群体则培育出发育完全的新雌蜂和雄蜂，并进行交配。到了冬季，雄蜂和工蜂相继死亡，只剩下受过精的雌蜂——母蜂越冬。在翌年春天，母蜂又营巢产卵，重复类似的生活史。这个种群，工蜂已有明确的分工，而母蜂除产卵外，还兼筑巢和哺育幼虫的工作，这是一种初级的社会性生活。

在温带地区，蜜蜂科熊蜂属里的蜂类，春天由越过冬的母蜂单一筑巢，并产卵哺育下一代。随着第一批工蜂羽化出房和工蜂越来越多，则母蜂专司产卵，采集食物和哺育幼虫的工作便由工蜂承担。秋季，产在较大巢房里的卵孵化后，工蜂喂给较丰富的食物，以后便发育成母蜂，并与雄蜂交配，在冬季仅剩下受精的母蜂越冬。这些蜂类，工蜂专司筑巢、采集和哺育幼虫，母蜂在后期专司产卵，个体间有了更进一步的分工。在热带地区，有多种熊蜂具有常年的社会性生活，并以分群的方法来增殖群体。

蜜蜂属里7个独立的蜜蜂种，在其各自的种群里，蜂王、工蜂和雄蜂在形态结构上各有显著的特化，适于不同的专职分工；而又以群体的方式生活、繁殖、抗御敌害、度过寒冬等。三型蜂中的任一个体，都不能脱离群体而独立生存，它们共同组成蜂群的统一有机整体。

由独居蜂类进化到初级社会性，再进化到现在较完善的社会性的蜜蜂属，是由蜜蜂的遗传性、变异性和生存适应性在长期自然选择的作用下发展的结果。

（四）蜜蜂属的进化

蜜蜂属7个种中，有6种（即小蜜蜂、黑小蜜蜂、大蜜蜂、黑大蜜蜂、东方蜜蜂、沙巴蜂）至今在东南亚仍有繁盛的野生种群。根据其生物学特性、形态结构、蜂毒成分中氨基酸顺序、蜜蜂属6种蜜蜂工蜂的酯酶同工酶酶谱来论证其类缘亲疏和进化系统，7种蜜蜂中，2种大蜜蜂和2种小蜜蜂在进化上仍属于较原始的类型，而小蜜蜂比大蜜蜂更原始；沙巴蜂、东方蜜蜂、西方蜜蜂则进化到比较高级的类型，以西方蜜蜂最高级。

1. 生物学特性

（1）营巢方式与分布：2种大蜜蜂和2种小蜜蜂生活在单一裸露的巢脾上，整群蜜蜂攀附其上。这种营巢生活方式安全性差，且要付出很大的能量代价。据我国学者报道，在云南大理地区，发现小灌木丛里有2、3复脾的小蜜蜂的蜂巢；在广西百色地区、云南西双版纳地区发现大蜜蜂择地洞口营巢。但由于受低温和其他自然条件的制约，这

4 种蜜蜂仅分布于具有优越自然环境条件的东南亚热带或近热带地区。在我国云南西双版纳地区共同生活着 2 种大蜜蜂和 2 种小蜜蜂，以及东方蜜蜂的指名亚种（中华蜜蜂）和印度亚种（印度蜜蜂），引进的意大利蜂在该地区也表现出优越的生产性能。

沙巴蜂、东方蜜蜂和西方蜜蜂，在自然条件下，都是找洞穴营巢，蜂巢由多片巢脾组成，巢脾间隔着蜂路，自上而下并列在一起。此种穴居的特点，有利于保温、御敌、避风雨、防日晒，使它们在地理分布上处于优势。所以，在自然条件下，东方蜜蜂广布于东南亚各国及中国、日本、朝鲜等地；西方蜜蜂自然分布于西亚、欧洲和非洲。

大蜜蜂和小蜜蜂生活在裸露的单一巢脾上，但也有少数复脾穴居的现象。东、西方蜜蜂穴居复脾，但有时飞出去的分蜂群也会在裸露团集处造脾营巢；开箱检查蜂群，蜂王照常产卵，蜂群生活如常。

以上现象证明，穴居复脾源于裸露的单脾，营巢方式直接影响着其分布范围。4 种大、小蜜蜂乃属于较原始的类型，东、西方蜜蜂原先也是生活在裸露的巢脾上，穴居是其进一步适应环境的结果。

大蜜蜂的雄蜂房与工蜂房无明显差别，而东、西方蜜蜂和 2 种小蜜蜂却分化出三型巢房，这也表明大蜜蜂处于低级类型。

（2）信息传递方式：蜜蜂是以舞蹈等来传递信息的。大、小蜜蜂工蜂间的信息传递方式，不如东、西方蜜蜂先进。与东、西方蜜蜂相比，小蜜蜂在舞蹈上并不能把太阳的方向转变为重力方向，它只能在巢顶平台上舞蹈，直指食物源方向作摆腹奔跑。因此，在蜜蜂属中其舞蹈是最古老的。与蜜蜂属相近的无刺蜂属（*Trigona*）中，则没有发现以舞蹈来传递信息的现象。

（3）形态、生物学习性：东方蜜蜂和西方蜜蜂，在形态、生物学习性上基本相似，且彼此间受同一种性外激素的影响，在人为的条件下，它们相互间可照顾对方的蜂王和哺育对方的后代，并经常生活在一起。但彼此间不能杂交，存在着种间的生殖隔离。

大蜜蜂体大、绒毛长，其个体抵御寒冷的方式与熊蜂属的蜂类相似。在冬季，虽然 2 种大蜜蜂和 2 种小蜜蜂也停止飞行、断子越冬，但由于其裸露单脾蜂巢的生活方式，以及个体生理等原因，其越冬期要求短，由此决定了其生存环境要优越，也就是说，其群体越冬性能不如东、西方蜜蜂。

东方蜜蜂和大、小蜜蜂，常因病、敌害和缺蜜而有举群迁徙习性，在遇胡蜂等敌害攻击时，常整齐划一地闪动身体，发出阵阵恐吓声，而西方蜜蜂则失却这两个特性。与东方蜜蜂比较，西方蜜蜂中三型蜂的分化较东方蜜蜂显著，这表现在蜂群失王后，东方蜜蜂会更快地出现工蜂产卵现象；另外，西方蜜蜂群体内三型蜂的个体发育期差距也较东方蜜蜂长。西方蜜蜂清巢力强，扇风抽湿的方式比东方蜜蜂优越，采集蜂胶、生产能力也比东方蜜蜂强。因此，西方蜜蜂在整个蜜蜂属的进化上处于较高阶段，而东方蜜蜂则较接近于祖型。

2. 形态结构 从不同蜂种雄蜂后足基跗节的特征分析，小蜜蜂呈分叉掌状，大蜜蜂呈板瓦状，东方蜜蜂呈厚三棱形，西方蜜蜂呈薄三棱形且夹面绒毛层高度特化，表明它们在交配时抱对的方式由抱握到夹持的演化过程。

3. 蜂毒成分中氨基酸差异 通过对 2 种大蜜蜂、2 种小蜜蜂和东、西方蜜蜂的蜂毒成分进行氨基酸顺序分析，发现小蜜蜂与东、西方蜜蜂之间存在着5个氨基酸的差异，大蜜蜂与东、西方蜜蜂之间存在着3个氨基酸的差异，而东、西方蜜蜂蜂毒的氨基酸则完全相同，这些说明大、小蜜蜂比东、西方蜜蜂原始，而小蜜蜂则比大蜜蜂更原始。

4. 蜜蜂属6种蜜蜂工蜂的酯酶同工酶差异 我国学者李绍文等（1986）通过酯酶同工酶分析表明，6种蜜蜂各有其特有的酶谱，这些酶在种内几乎没有差别，而在种间有显著的差异。虽然这6个种的酯酶酶谱各不相同，但它们的主带区域比较接近。根据酯酶同工酶酶谱的异同程度，从生化角度上证明了2种大蜜蜂、2种小蜜蜂和东、西方蜜蜂是6个不同的物种，并反映出了彼此间的亲缘关系（图1－46）。

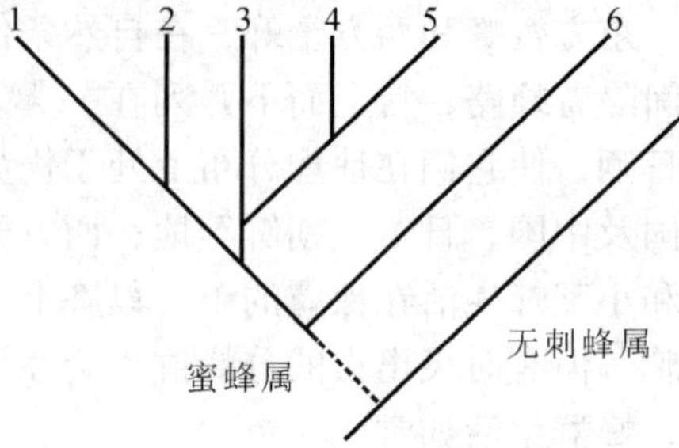

图1－46 蜜蜂属6个种的亲缘关系（酶谱）

（仿 Li S W etc，1986）

蜜蜂属 *Apis* 无刺蜂属 *Trigona*

1. 西方蜜蜂 *mellifera* 2. 东方蜜蜂 *cerana* 3. 小蜜蜂 *florea* 4. 大蜜蜂 *dorsata* 5. 黑大蜜蜂 *laboriosa* 6. 黑小蜜蜂 *andreniformis*

综上所述，蜜蜂属的进化顺序是：小蜜蜂→大蜜蜂→东方蜜蜂→西方蜜蜂。

三、蜜蜂总科重要科、属概述

人们对蜜蜂的利用，以往主要集中在蜜蜂属的各个种和亚种。随着现代农林牧业生产的发展，特别是设施农业的飞速发展，对授粉蜂种提出了不同的要求，蜜蜂属各蜂种已满足不了生产需要，人们所利用的蜜蜂已扩展到了除蜜蜂属以外的其他蜂种。本节对蜜蜂总科的有关科、属、种作一简介。

（一）蜜蜂科（Apidae）

本科为社会性昆虫，我国的蜜蜂科昆虫主要包括蜜蜂属、无刺蜂属和熊蜂属，是重要的授粉昆虫，有较高的经济价值。共同特征是：营社会性生活，形态、生理和职能各不相同的蜂王（母蜂）、雄蜂和工蜂生活于同一巢中。蜂王个体较大，卵巢发育良好，无采粉器官，专司产卵。雄蜂专司交配，交配后即死亡。工蜂体较小，为卵巢发育不完全的雌性蜂，专司筑巢、饲养幼虫，调节巢温、守卫蜂巢，有采集花蜜、花粉等的特殊构造，适于采、酿食粮。

1. 蜜蜂属（*Apis*） 本属共同的生物学特性是：有较高级的社会组织，工蜂泌蜡筑造由六角形巢房构成的巢脾用于群体生活、贮存饲料、育虫。人们驯化饲养用于生产蜂蜜、蜂王浆、蜂蜡、蜂花粉等蜂产品和授粉的主要是西方蜜蜂和东方蜜蜂。这两种蜂嗅觉灵敏，对光、温度敏感，个体耐热、耐寒性不如野生蜜蜂。通过信息素和舞蹈进行个体间的信息交流。人们正尝试饲养小蜜蜂、黑小蜜蜂、大蜜蜂、黑大蜜蜂和沙巴蜂种群用于授粉。蜂巢构成方面，东、西方蜜蜂和沙巴蜂营造与地面垂直的多脾穴居；小蜜蜂、黑小蜜蜂、大蜜蜂、黑大蜜蜂营造与地面垂直的单脾露天蜂巢生活。大蜜蜂、黑大蜜蜂是砂仁、油菜等植物的重要授粉昆虫，其中大蜜蜂能成功饲养并为作物授粉。

2. 熊蜂属（*Bombus*） 广泛分布于世界各地区，已知种300余种，其中我国云南有27种。熊蜂体粗壮，中型到大型，全身密被黑色、黄色、白色等色泽的长体毛。杂食性，口器发达，中唇舌较长。后足具花粉篮。寿命和日采集时间较长，喙长，采集力旺盛。进化程度处于独栖蜂到社会性生活的蜜蜂的中间阶段。一般在土表筑巢，少数在深层土中筑巢，巢窝零乱。贮蜜粉巢房与育虫巢房分开，蜜粉巢房呈圆钵状，较大；育虫巢房较小，呈葡萄状，密集成堆。采蜜量少且蜜质酸劣，其蜜、蜡在当地传统上有药用的习惯。群势数十只到数百只不等，1年1代，当年蜂王越冬。对低温、低光密度适应性强，趋光性差，信息交流系统不如家养的蜜蜂发达，声震大。

熊蜂是豆科和茄科植物重要且十分有效的授粉者，是温室作物和长花管植物的理想授粉传媒，经熊蜂授粉，温室番茄可增产30%以上。目前，世界各国人工饲养并用于温室授粉的熊蜂有*Bombus terrestris*、明亮熊蜂（*Bombus lucorum*）、红光熊蜂（*Bombus ingnitus*）等。工厂化繁育熊蜂用于出售授粉已成为荷兰、以色列等国的一个新兴产业，中国农业科学院蜜蜂研究所梁诗魁等已能成功地人工养殖并应用于温室授粉。

3. 无刺蜂属（*Trigona*） 小型蜂种，体长3～10mm。在土表层、墙洞、树洞等营群体生活，育虫巢房比贮蜜粉巢房小，呈葡萄状或发展成圆柱形，并紧连成片，片与片之间自上而下分层排列；蜜粉房呈球状或不规则。群势较小，有采花粉构造，是砂仁等植物的授粉昆虫。

（二）切叶蜂科（Megachilidae）

切叶蜂科为独栖蜂，雌蜂职能是为后代筑巢，采集食料，雄蜂专司交配，雌雄性个体只有性别差异，大小相似。本科是重要的授粉昆虫，种类较多，目前人们用于牧草、果树、蔬菜授粉的蜂种主要集中在切叶蜂属和壁蜂属。同科的黄斑蜂属的个别种亦有人进行过观察。

1. 切叶蜂属（*Megachile* spp.） 分布世界各地，已记录种超过2 000种。1年1～2代，以末龄幼虫越冬，翌年春季化蛹羽化，体型中到大型，多为黑色，密被长体毛，口器发达，中唇舌长。该属蜂种用上颚切下蔷薇科和豆科植物叶片将数个叶片卷成筒状，放在中空植物茎秆或土洞、木洞中筑成巢室，巢室底部填入花粉和花蜜混合物，在其上产卵，顶部再用切下的圆形叶片密封。第二个巢室筑于第一个巢室之上。

本属作为授粉昆虫应用得较多的是苜蓿切叶蜂（*Megachile rotundata* F）、淡翅切叶蜂（*Megachile remota* Smith）和北方切叶蜂（*Megachile manchuriana* Yasumatsu），这3种是苜蓿的重要授粉者，其中苜蓿切叶蜂在一些欧洲国家应用于苜蓿授粉已商品化。

2. 壁蜂属（*Osmia* spp.） 全世界记录的有70余种，中型蜂。1年1代，成虫越冬，耐低温。喜欢在石缝、土墙孔洞、砖瓦下、芦苇管、纸管内筑巢，可人工收回饲养。成虫工作时间约60d。已被人们开发应用于杏、苹果、桃、樱桃、梨等果树授粉的有凹唇壁蜂（*Osmia excavata* Alfken）、角额壁蜂（*Osmia cormfrons*）、蓝壁蜂（*Osmia lignaia propingua*）、紫壁蜂（*Osmia jacoti* Cockerell）、叉壁蜂（*Osmia pedicornis* Cockerell）、壮壁蜂（*Osmia taurus* Smith），其中凹唇壁蜂繁殖快，群势大，授粉效果较为明显，北京市农业科学院王凤鹤等试验表明，杏经该蜂授粉增产 69%。

（三）隧蜂科（Halictidae）

独栖蜂。本科由彩带蜂属（*Nomia* Latr.）、淡脉隧蜂属（*Lasioglossum* Curtis）等构成，其中隧蜂属的一些种类有较原始的社会现象，个体间有社会分工，形态略有差异。彩带蜂属的云南彩带蜂（*Nomia yunnaensis* Wu）、埃彩带蜂（*Nomia ellioti* Sm.）、黄绿彩带蜂（*Nomia strigata* Fabr.），以及淡脉隧蜂属和隧蜂属的部分种是砂仁、爪哇白豆蔻等中药材的授粉者。

（四）条蜂科（Anthophoridae）

独栖蜂，其中的木蜂属（*Xylocopa* Latr.）的个别种是砂仁和豆蔻的主要授粉昆虫，可开发利用。

四、蜜蜂属各个种及其亚种

（一）蜜蜂属各个种概述

1. 黑小蜜蜂（*Apis andreniformis* Smith，1858）

体型小，云南称之为小草蜂。

（1）形态特征：体长：蜂王 12 ~14mm，雄蜂 10 ~11mm，工蜂 7 ~8mm。体色：蜂王和雄蜂黑色，工蜂栗黑色。工蜂腹部第三至第六节背板后缘具白色绒毛带，颚眼距长大于宽，两后单眼的距离几乎等于后单眼至复眼的距离。肘脉指数 5. 67 ±0. 11，平均喙长 2. 4mm，平均前翅长 6. 1mm。

（2）生物学特性：黑小蜜蜂一般栖息在海拔 1 000m 以下的次生草坡的小乔木上，营单一巢脾的蜂巢，离地面 2. 5 ~3. 5m，巢脾总面积 177 ~334cm^2，近圆形，上部形成较厚的巢顶，将枝干包裹其内，巢脾中下部分为育虫区，上部及两侧贮存蜜粉。三型巢房分化明显，育虫分蜂次序与中蜂、意蜂相似。工蜂护脾能力强，性机警凶猛。对温度敏感，每日出勤高峰期在 11 ~17 时。

（3）分布：我国云南西南部以及泰国、斯里兰卡、印度尼西亚、马来西亚、伊朗。

（4）经济价值：猎取蜂蜜时，用烟驱蜂，连脾割下，每群每次可获蜜 0. 5kg，每年视蜜源季节，可采收 2 ~3 次。黑小蜜蜂体小灵活，是热带经济作物的重要传粉昆虫。

2. 小蜜蜂（*Apis florea* Fabricius，1787）

（1）形态特征：体长：蜂王 13 ~15mm，雄蜂 11 ~13mm，工蜂 7 ~8mm。体色：蜂王腹部第一至第二背板、第三节背板基半部和第三至第五节背板端缘为红褐色，其余黑色；工蜂体黑色，腹部第一至第二节背板暗红色，胸部绒毛黄色。工蜂两后单眼间距大于后单眼到复眼间距，颚眼距长明显小于宽。肘脉指数 3. 65 ±0. 25，平均前翅长 6. 65mm，喙长 2. 48 ~3. 12mm。

（2）生物学特性：小蜜蜂栖息在海拔 1 900m 以下、平均气温在 15 ~22℃的地区。常在草丛或灌木丛中营造单一巢脾的蜂巢，蜂巢离地 20 ~30cm，环境隐蔽。巢脾宽

15～35cm，高 15～36cm，厚 16～19.6cm，上部形成近球形的巢顶，将树干包裹其内。三型巢房分化明显，蜂巢中下部为育虫区，雄蜂房在巢脾下部及下部两侧，蜂王台在下缘；上部及两侧贮蜜粉。

生活在我国云南南部的小蜜蜂，通常在 2 月开始产卵育虫，4～5 月达到高峰，子脾面积可达 600cm^2，群势可达上万只。6～8 月气温高，蜜源缺乏，蜂王产卵很少，进入越夏期。9～11 月为第二个育虫期。12 月至翌年 1 月气温低，蜂群进入越冬期，停止育虫。在气温 18～42℃时，繁殖区中心温度在 33～38℃。雄蜂出现在 3 月初，小蜜蜂培育雄蜂最多时可达子脾面积的 1/4，分蜂期多在 3～4 月，9～10 月也可发生分蜂，分蜂王台多在 3～13 个，也有达 20 多个的。个体发育期，蜂王 16.5d，工蜂平均 20.5d，雄蜂 22.5d。

小蜜蜂护脾能力强。蜜源丰富时，性温顺；蜜源缺少时，性凶猛。

小蜜蜂的筑巢地点随着气候、环境和蜜源条件的变化而改变。小蜜蜂常在平原到山区间往返迁徙，以选择蜜源丰富的地方筑巢。受蜡螟或蚂蚁等敌害侵扰时，常导致全群弃巢飞逃。气候温暖凉爽季节，小蜜蜂在灌木丛或杂草丛中露天营巢；在暑季到来时，小蜜蜂筑巢在树阴深处或洞穴内；在气温较低时，蜂巢则移至树的南端或洞穴靠外处。在伊朗，人们还观察到，小蜜蜂在冬季和夏季所筑巢脾的脾面呈东西或南北方向，以增加或减少太阳照射的面积，从而适应气候的变化。

（3）分布：南亚和东南亚，西部边界为阿曼北部和伊朗南部；在中国，分布于云南境内北纬 26°40′以南的广大地区，以及广西南部的龙州、上思等地。

（4）经济价值：每年每群可猎取蜂蜜 1kg。可用于授粉。

3. 黑大蜜蜂（*Apis laboriosa* Smith，1871） 黑大蜜蜂是蜜蜂属中体形最大的一种，因主产地在喜马拉雅周围的雪山下，岩栖，故又称为喜马蜜蜂、雪山蜜蜂及岩蜂等。

（1）形态特征：工蜂体型中等，体长 17～20mm，细长。工蜂喙长 6.47～6.73mm，肘脉指数 15.75±0.01，前翅长 12.73～13.73mm。体黑色，腹部第一至第五节背板基部被极密的白色绒毛，第六节背板被黑毛。

（2）生物学特性：栖息在海拔1 000～3 500m的悬崖下，露天筑造单一巢脾的蜂巢，附于悬岩下，离地面 10m 以上。巢脾长 0.8～1.5m，宽 0.5～0.95m，基部贮蜜区可厚达 100mm，中下部为育虫区，厚为 35mm，雄蜂房与工蜂房无区别。新脾洁白，旧脾黄褐发亮。抗寒性好，个体耐寒力强，护脾力强。黑大蜜蜂常多群在一处筑巢，形成群落。匡邦郁等报道，在云南怒江峡谷傈僳族岩蜂村的山岩间，有 20 余群黑大蜜蜂筑巢相邻聚居，组成黑大蜜蜂群落。黑大蜜蜂具有季节性迁飞的习性，攻击性强。

（3）分布：分布于喜马拉雅山脉、横断山脉地区和怒江、澜沧江流域，包括我国云南西南部和东南部、西藏南部以及缅甸、尼泊尔、印度东北部、不丹。

（4）经济价值：每年秋末冬初，每群黑大蜜蜂可猎取蜂蜜 20～40kg 和大量蜂蜡；同时，大蜜蜂是多种植物的授粉者，是一种经济价值较大的野生蜜蜂资源。

4. 大蜜蜂（*Apis dorsata* Fabricius，1793） 大蜜蜂是蜜蜂属中体型较大的一种，又称排蜂。其种下有 3 个亚种：指名亚种（*Apis dorsata dorsata*）、小舌亚种（*Apis dorsata breviligula*）、炳氏亚种（*Apis dorsata binghami*）。

（1）形态特征：工蜂体长16～18mm，细长；雄蜂16～17mm。工蜂头、胸黑色；足栗褐色；腹部第一至第二节背板橘黄色，其余褐黄色，第二至第五节背板基部各有1条银白色绒毛带。工蜂肘脉指数9.57±1.37，喙长5.49～7.31mm，前翅12.99～14.01mm。

（2）生物学特性：露天筑造单一巢脾的蜂巢，常数群或数十群相邻筑巢，形成群落聚居。大蜜蜂筑巢，必须临近水源，以解决育虫和降温所需要的水。在我国云南南部，5～8月大蜜蜂筑巢于高大阔叶树的横干下或悬岩下，常离地面10m以上；9月以后，迁往海拔较低的河谷、盆地，在浓密的草丛中营巢越冬。在蜜源丰富和四季温暖的环境下，大蜜蜂也有常年定居一处的。巢脾长0.5～1.0m，宽0.3～0.7m，基部贮蜜区可厚达100mm，中下部为育虫区，厚为35mm，王台处于巢脾下缘；子脾可拥有7万个巢房，雄蜂房与工蜂房无明显区别，在分蜂季节，雄蜂和工蜂的数量比例可达1∶3，抗寒性好，护脾力强。大蜜蜂也具有季节迁飞的习性，攻击性较强。

（3）分布：中国云南的南部、金沙江河谷和海南岛、广西南部，印度、巴基斯坦、尼泊尔、越南、泰国、日本、斯里兰卡、印度尼西亚等国。

（4）经济价值：大蜜蜂是砂仁、向日葵、油菜等经济作物和药材的重要授粉者，国内外已能成功饲养用于授粉，有的还能控制其迁飞。山民猎取其蜂蜜，每年每群可获取蜂蜜25～40kg和一批蜂蜡。

5. 沙巴蜂（*Apis koschevnikovi* Buttel—Reepeen，1906）

（1）形态特征：又称红色蜜蜂，与东方蜜蜂同域分布，其个体大小、形态和某些生物学特性同后者相似，但生殖隔离。工蜂体色为红铜色，腹部第一至第六节背板基部各有1条宽而鲜明的银白色绒毛带。工蜂前翅长8.3～8.8mm，肘脉指数3.53～24.74。雄蜂内阳茎的囊颈腹面有一其他蜜蜂不具有的被有短毛簇的圆锥状突起。

（2）生物学特性：在其原产地还生存着东方蜜蜂、黑小蜜蜂和大蜜蜂，其生物学特性与东方蜜蜂相似，但雄蜂的飞行时间不同：黑小蜜蜂11时30分至14时，东方蜜蜂13时30分至15时30分，沙巴蜂16时30分至18时15分，大蜜蜂17时30分至18时30分。

（3）分布：沙巴蜂仅生活于婆罗洲（该岛现名为加里曼丹，分属于马来西亚和印度尼西亚）和斯里兰卡。

（4）经济价值：在沙巴洲的丹南可可研究所蜜蜂繁殖中心，曾试用椰筒和活框蜂箱饲养沙巴蜂。

6. 东方蜜蜂（*Apis cerana* Fabricius，1793） 东方蜜蜂原产地在东方，是重要的家养蜂种，还有丰富的野生资源。由于长期的地理隔离，分化出许多亚种和生态型，一般将其分为3个类群：南亚类群（包括印度蜂、巴基斯坦蜂、阿富汗蜂等）、海岛类群（包括爪哇蜂、帝汶蜂、菲律宾蜂等）、东亚类群（包括中华蜜蜂、日本蜜蜂、缅甸蜜蜂等）。重要的亚种有中华蜜蜂（*Apis cerana cerana*）、印度蜜蜂（*Apis cerana indica*）、日本蜜蜂（*Apis cerana japonica*）、喜马蜜蜂（*Apis cerana himalaya*）等。

（1）形态特征：东方蜜蜂体型中等，工蜂体长9.5～13mm，喙长3.0～5.6mm，前翅长7.0～9.0mm，后翅中脉分叉，唇基具三角形黄斑。蜂王体色有黑色和棕色两种；

雄蜂体黑色；工蜂的体色，在热带、亚热带其腹部以黄色为主，温带或高寒山区的品种主要为黑色。

（2）生物学特性：东方蜜蜂生存在热带、亚热带、温带等气候带中，现处于野生、半野生和家养状态。野生状态下，蜂群栖息在岩洞、树洞等隐蔽场所，复脾穴居。雄蜂幼虫巢房封盖有2层，突起，内层呈尖笠状凸起，中央有气孔，蛹成熟时露出内盖。群势在1.5万~3.5万只，产卵有规律，饲料消耗少。工蜂采集半径1~2km，飞行灵活，善避胡蜂捕食。个体耐寒力强，可利用冬季蜜源。工蜂在巢口扇风头向外，把风鼓进蜂巢。爱分蜂，分蜂期造7~15个王台。常因环境、病敌害等原因而举群迁徙。东方蜜蜂为大蜂螨原寄主，抗大、小蜂螨，抗白垩病和美洲幼虫病；易患囊状幼虫病和欧洲幼虫病，抗蜡螟能力弱。不采胶。

（3）分布：东方蜜蜂分布在亚洲各国，包括中国、印度、巴基斯坦、阿富汗、东帝汶、菲律宾、缅甸、日本、伊朗、斯里兰卡、泰国、马来西亚、印度尼西亚、朝鲜以及俄罗斯远东地区。

（4）经济价值：东方蜜蜂是重要的经济昆虫，既可用于专业和业余养蜂生产蜂产品，又可用于作物授粉。在某些年份，每群蜂产蜜可达50kg以上；但王浆的生产能力差。

7. 西方蜜蜂（*A. mellifera* Linnaeus，1758） 西方蜜蜂原产于欧洲和非洲，是进化程度最高的蜂种，已报道的亚种和变种有30余种。按地理分布，可分为欧洲类型、非洲类型和中东类型。

欧洲类型主要亚种有：

欧洲黑蜂	*Apis mellifera mellifera* Linnaeus, 1758
意大利蜂	*Apis mellifera ligustica* Spinola, 1806
卡尼鄂拉蜂	*Apis mellifera carnica* Pollmann, 1879
高加索蜂	*Apis mellifera caucasica* Gorbachev, 1916
黄色高加索蜂	*Apis mellifera remipes* Ger
伊比利亚蜂	*Apis mellifera iberica* Goetze, 1964
马其顿蜂	*Apis mellifera cecropia* Kiesenwetter, 1860

非洲类型主要亚种有：

突尼斯蜂	*Apis mellifera intermissa* Buttel – Reepen, 1906
埃及蜂	*Apis mellifera lamarckii* Cockerell, 1906
摩洛哥蜂	*Apis mellifera major* Ruttner
撒哈拉蜂	*Apis mellifera sahariensis* Baldensperger, 1922
东非蜂	*Apis mellifera scutellata* Lepeletier, 1836
坦桑海滨蜂	*Apis mellifera litorea* Smith, 1961
乞力马扎罗蜂（又称山地蜂）	*Apis mellifera monticola* Smith, 1961
塞内加尔蜂	*Apis mellifera adansonii* Latreille, 1804
也门蜂	*Apis mellifera yemenitica* Ruttner, 1975
海角蜂	*Apis mellifera capensis* Escholtz, 1821

中东类型主要亚种有：

塞浦路斯蜂	*Apis mellifera cypria* Pollmann, 1879
叙利亚蜂	*Apis mellifera syriaca* Buttel—Reepen, 1906
安纳托利亚蜂	*Apis mellifera anatoliaca* Maa, 1953
波斯蜂	*Apis mellifera meda* Shorikov, 1929

西方蜜蜂除上述主要亚种外，还有草原蜜蜂（*Apis mellifera acervorum* Alp.）、希腊蜜蜂（*Apis mellifera adamii* Ruttner）、卡尔巴阡蜜蜂（*Apis mellifera carpathian*）、迪拜蜜蜂（*Apis mellifera enigmatica*）、葡萄牙蜜蜂（*Apis mellifera iberica*）、苏丹蜜蜂（*Apis mellifera nubica* Ruttner）、西西里蜜蜂（*Apis mellifera sicula*）、森林蜜蜂（*Apis mellifera silvarum*）、克里米亚蜜蜂（*Apis mellifera taurica*）、西方蜜蜂日本变种（*Apis mellifera* var. *joponica* Rod）。

西方蜜蜂中著名的亚种有欧洲黑蜂、意大利蜂、卡尼鄂拉蜂和高加索蜂。

（1）形态特征：西方蜜蜂分布广，众多的地理亚种之间在形态和生活习性上差异很大。其在蜜蜂属中体型中等，三型蜂分化显著。体色从黑色至黄色。工蜂体长12～14mm，前翅长8.0～9.5mm，后翅中脉不分叉，肘脉指数平均为2.0～5.0；唇基一色，喙长5.5～7.2mm，第六腹节背板上无绒毛带。

（2）生物学特性：西方蜜蜂生存在除南极洲以外的各种气候环境中，现处于野生、半野生和家养状态。野生状态下，蜂群栖息在岩洞、树洞等隐蔽场所，复脾穴居。相对于东方蜜蜂而言，雄蜂幼虫巢房封盖凸起，似馒头状。工蜂采集半径2.5km，工蜂在巢口扇风头朝内，把蜂巢内的空气抽出来。具采胶性能。

（3）分布：西方蜜蜂分布广泛，除南极洲外，世界各地都有其踪迹，并成为许多国家和地区养蜂生产的主要蜂种。

（4）经济价值：西方蜜蜂是许多国家养蜂生产和植物授粉最主要的蜂种。每年每群蜂平均可生产蜂蜜20～60kg，高者可达数百千克，有些通过定向培养的种蜂，年产蜂王浆达9kg以上；生产蜂花粉得法的蜂场，每群每年可生产花粉15kg以上；同时，蜂胶也由西方蜜蜂生产。

（二）蜜蜂属主要亚种简介

1. 中华蜜蜂 中华蜜蜂原产于中国，为我国的土著蜂种，是东方蜜蜂的指名亚种，简称中蜂。全国绝大部分地区都有分布，主要集中在长江流域和华南各省山区。

蜂王体长14～19mm，前翅长9.5mm，体色有棕色和黑色两种，全身覆盖黑色和深黄色混合短绒毛。雄蜂体长11～14mm，前翅长10～12mm，喙长2.31mm，体色黑色或棕黑色，全身被短灰色绒毛。工蜂体长10～13mm，前翅长7.5～9.0mm，喙长4.5～5.6mm，生活在高山区的中蜂腹部背、腹板颜色偏黑，生活在低纬度和低山、平原区的偏黄，全身披灰黄色短绒毛。

中蜂嗅觉灵敏，飞行敏捷，早出晚归，善于利用分散的小蜜源，每天采集时间比意蜂多1～3h，并能躲避山区胡蜂的捕食；中蜂群的育虫习性较灵活，能适应蜜源的变化，节省饲料，比较稳产。中蜂的个体耐寒性比意蜂、卡蜂和东北黑蜂强，后者的个体安全飞行的最低临界温度都要求在13℃以上，而中蜂，在阴天气温9℃的条件下就能安全采集，晴天在阴处气温7℃时就能大量出勤。因此，中蜂能利用南方冬季和早春的蜜源。中蜂抗蜂螨和白垩病，抗美洲幼虫腐臭病能力强，抗巢虫力弱，春秋易感染囊状幼虫病和欧洲幼虫病。适应当地山区的环境和蜜源条件，能充分利用山茶蜜粉源。蜜房封盖为干性。中蜂分蜂性强，多数不易维持大群，缺饲料和被病敌危害易飞逃。爱咬旧脾，清巢性弱。易迷巢，盗性强。产卵力弱，失王后易出现工蜂产卵。不采胶，王浆产量低。

中华蜜蜂，分布我国大江南北，是广大南方山区业余或定地养蜂的优良蜂种，每群年产蜜40kg左右。中蜂在长期的自然选择中被保留下来，是适合我国气候和蜜源条件的优良蜂种，在生产实践中，其优良种性有着西方蜜蜂不可取代的地位。其不良品质，应在生产管理中积极进行改造，使之朝着人类要求的方向发展。

2. 印度蜜蜂 印度蜜蜂主要分布于印度，以及中国（云南南部和海南省）、巴基斯坦、斯里兰卡、菲律宾、印度尼西亚、马来西亚、东帝汶等。印度蜜蜂有3种类型，即克什米尔型、山地型和平原型。

蜂王体长14~16mm，前翅长9mm，喙长3mm，触角基部、额区、足及腹部腹板红黄色。雄蜂体长11mm，前翅长9mm，喙长1.85mm，体黑色。工蜂体长9~12mm，前翅长7.5~8.5mm，喙长4.46~5.30mm。平原型种群的蜂王日产卵数可达900粒，产卵可维持2年；工蜂腹部以黄色为主，是个体最小的一个类型，其采集半径约0.9km。克什米尔型工蜂腹部细长，体色以黑色为主，是个体最大的一个类型。山地型工蜂体色黑黄相间。

山地型和克什米尔型种群能维持1.5kg蜜蜂以上的群势，分蜂性弱，每群年平均产蜜15kg以上。平原型种群群势小，易分蜂，每群年平均产蜜5kg。

3. 意大利蜂 原产于地中海中部意大利的亚平宁半岛上，属黄色蜂种，简称意蜂。

意蜂是地中海气候的产物，最适宜生活在冬季温和、潮湿、较短而夏季炎热、干旱、蜜源植物丰富且流蜜长的地区。一般认为，意大利蜜蜂是亚平宁半岛上原有的欧洲黑蜂与引进的塞浦路斯蜂长期自然杂交形成的。1884年，意大利蜂被引入澳大利亚，翌年，澳大利亚南澳议会通过一项法令，将坎加鲁岛划为意蜂保护区，这项法令至今有效。现在，该岛意蜂与原产地意蜂相比，除前翅略变窄外，无其他差异，且更接近原产地意蜂。意大利蜂分布广泛，我国在1913年从日本引入意蜂，20世纪20~30年代又大量引入，一般所说中国意蜂（本地意蜂）即指其后代。

蜂王腹部背板颜色为黄至淡棕色，第五至第六节可为黑色。雄蜂腹部背板颜色为金黄有黑斑，其毛色淡黄。工蜂腹部背板第二至第五节黄色，后缘有黑色带；末节黑色，毛色淡黄。工蜂体长12~13mm，腹部细长，喙长6.2~6.7mm，肘脉指数2.1~2.8。

意蜂性情温和，不怕光，提出巢脾时蜜蜂安静。蜂王产卵力很强，每昼夜产卵1 800粒左右，子脾面积大；春季育虫早，蜂群发展平稳，夏季群势强。善于采集持续时间长的大蜜源，在蜜源条件差时，易出现食物短缺现象。泌蜡力强，造脾快。泌浆能力强，善采集、贮存大量花粉。蜜房封盖为中间型，蜜盖洁白。采集利用蜂胶较多。分蜂性弱，易维持大群。定向力差，易迷巢，盗性强，卫巢力也强。耐寒性一般，以强群的形式越冬，越冬饲料消耗大，在纬度较高的严寒地区越冬较困难。清巢力强，抗巢虫。意蜂抗病力较弱，在我国，意蜂常见的疾病有美洲幼虫腐臭病、欧洲幼虫腐臭病、白垩病、孢子虫病、麻痹病等，抗螨力弱。

在类似于地中海气候的条件下，意蜂是一个非常优良的品种，是一个世界性的蜂种，它在现代养蜂生产中的作用是其他任何品种蜜蜂都难以替代的。意蜂在我国养蜂生产中起着十分重要的作用，广泛饲养于长江下游、华北、西北和东北的大部分地区，适于追花夺蜜，突击利用南北四季蜜粉源。在刺槐、椴树、荆条、油菜、荔枝、紫云英等主要蜜源花期中，1 个生产群日采蜜 5kg 以上，1 个花期产蜜超过 50kg；经过选育的优秀品系，1 个强群 3d（1 个产浆周期）生产王浆高达 200g，年群产浆可达 9kg 以上；使用系列钢木巢门脱粉器生产蜂花粉，在优良的粉蜜源场地，一个管理得法的蜂场，群日产湿花粉高达2 300g。另外，意蜂还适合生产蜂胶、蜂蛹虫以及蜂毒等。

4. 欧洲黑蜂　简称黑蜂，原产阿尔卑斯山以西和以北的广大欧洲地区，是西方蜜蜂的指名亚种。

欧洲黑蜂是在西欧温和的海洋性气候条件和生态环境里发展起来的，它有很多生态型。在法国、西班牙、波兰和俄罗斯境内某些地区尚保留有地方性纯种；在澳大利亚的塔斯马尼亚岛上，设有欧洲黑蜂保护区，它们已在该岛生存、繁衍了 170 多年；在瑞士、奥地利的阿尔卑斯山区和斯堪的纳维亚半岛的国家，某些养蜂家开展了欧洲黑蜂品系的选育。中国伊犁黑蜂是 1925 ~ 1926 年间，由俄罗斯人从哈萨克斯坦带入新疆的中俄罗斯黑蜂。

欧洲黑蜂个体比较大，腹部宽，几丁质呈均一的黑色。蜂王腹部背板黑色；雄蜂腹部背板黑色，胸部绒毛深棕色至黑色。工蜂腹部背板黑色，第二至第三节有黄棕色斑，胸部绒毛棕色，覆毛长，绒毛带窄而疏。工蜂体长 12 ~ 15mm，腹部粗壮，喙长 5. 9 ~ 6. 4mm，肘脉指数 1. 3 ~ 2. 1。

欧洲黑蜂性情凶暴，怕光，开箱检查时易骚动和螫人。蜂王产卵力很强，但蜂群育虫能力不强，春季发展平缓。分蜂性弱，夏、秋季群势强。采集勤奋，节约饲料，善于采集流蜜期长的大蜜源，在蜜源条件差时，较其他蜜蜂勤俭，很少出现饲料短缺问题。泌蜡造脾能力较强，蜜房封盖为干型或中间型。采集利用蜂胶较多。定向力强，不易迷巢，盗性弱，卫巢力弱。耐寒性极强，以强群的形式越冬，越冬饲料消耗小，在纬度较高的严寒地区越冬性强。清巢力一般，易感染幼虫病和遭受巢虫危害，抗孢子虫病和抗甘露蜜中毒的能力强于其他蜂种。

欧洲黑蜂可用于蜂蜜生产，但在春季，采蜜量不如意蜂和卡蜂。欧洲黑蜂和其他蜂种杂交后，虽然表现出较高的生活力和产蜜量，但性情依然好螫。

5. 卡尼鄂拉蜂　简称卡蜂，原产于阿尔卑斯山南部和巴尔干半岛北部的多瑙河流域，包括奥地利南部、南斯拉夫、罗马尼亚、匈牙利、保加利亚和希腊北部。

卡蜂原产地受大陆性气候的影响，其最适宜生活在冬季严寒而漫长、春季短而花期早、夏季不太热的自然环境中。据报道，我国在 1930 年从日本引入卡蜂，20 世纪 60 年代末至 70 年代初，中国农业科学院养蜂研究所先后从奥地利、德国、南斯拉夫等国引进卡尼鄂拉蜂王，其后代已在我国养蜂生产中起着重要作用。

卡蜂的外形和大小与意蜂相似，腹部细长，几丁质为黑色。有些工蜂第二至第三腹板有棕色斑或红棕色带，工蜂绒毛灰至棕灰色。蜂王为黑色或深棕色，少数蜂王腹节背板上具有棕色斑或棕红色环带。雄蜂为黑色或灰褐色。工蜂腹部细长，比意蜂稍大；喙长6.4～6.8mm，肘脉指数2.0～5.0。

卡蜂性情温和，不怕光，提出巢脾时蜜蜂安静。蜂王产卵力很强，育虫节律变化很大，春季群势发展快。夏季，在气温低于35℃并有较充分的蜜粉源时，卡蜂才能保持大面积子脾；若粉源缺少或气温长时间高于35℃，则子脾面积明显缩小。秋季，蜂群繁殖下降很快，通常不能以强群越冬。善于采集春季和初夏的早期蜜源，能利用零星蜜源，节约饲料，在蜜源条件差时很少发生饥饿现象。泌蜡能力一般，蜜房封盖为干型，蜜盖白色。采集利用蜂胶较少。分蜂性强，不易维持大群。定向力强，不易迷巢，盗性弱。以弱群的形式越冬，在纬度较高的严寒地区越冬性能好。清巢力强，抗螨力弱，抗病力与意蜂相似，但在它的原产地几乎不发生幼虫病。

卡蜂具有顽强的生活力和对不同环境条件的适应能力，近几十年来，卡蜂的分布范围已远远超出其原产地，是继意蜂之后广泛分布于全世界的第二大蜜蜂品种，是中欧最流行的蜂种。卡蜂采蜜能力强，在群势相同的情况下，其产蜜量显著高于意蜂，是生产蜂蜜的理想蜂种；但卡蜂产浆力差，与意蜂、高蜂等杂交后，其产卵力、采集力和哺育力等都有不同程度的提高。

6. 高加索蜂 简称高蜂，原产于高加索中部的高山谷地。主要分布于格鲁吉亚、阿塞拜疆和亚美尼亚等地山区，这些地区的气候特点是：冬季不太寒冷，夏季较热，无霜期长，年降水量较多。

高蜂体形、大小以及毛色与卡蜂相似，几丁质为黑色。灰色高蜂蜂王黑色。雄蜂胸部绒毛为黑色。工蜂通常在第一腹节背板上有棕色斑点，绒毛灰色，体长12～13mm，喙长6.6～7.3mm，肘脉指数1.7～2.5。

高蜂性情温驯，不怕光，提出巢脾时蜜蜂安静。蜂王产卵力较弱，育虫积极，春季群势发展平稳缓慢，在炎热的夏季可保持较大面积的育虫区。分蜂性弱，能维持较大的群势，常出现蜂王自然交替现象。善于利用较小而持续时间较长的蜜源，能采集深花冠的豆科蜜源。采集勤奋，节省饲料，在蜜源条件差时，不易出现食物短缺现象。泌蜡造脾力一般，爱造赘脾。蜜房封盖为湿型，色暗。采胶性能极好，在秋季，巢门除留1个小洞外，其余都用蜂胶封闭。定向力差，易迷巢，盗性强。耐寒性较强，但在纬度较高的严寒地区越冬性能较差。易发生甘露蜜中毒和易感染孢子虫病。清巢力一般。

高蜂在俄罗斯境内产蜜能力比欧洲黑蜂强，适于为花管较长的植物授粉。高蜂是生产蜂胶最理想的蜂种，其某些特性在育种上颇有价值，与卡蜂、意蜂杂交后，表现出显著的杂种优势。高蜂在我国部分地区有饲养。

7. 东北黑蜂 在19世纪末20世纪初，是我国从西伯利亚引进的远东黑蜂，它是具有黑蜂、卡蜂血统的杂交类型，集中分布于我国黑龙江省东部的饶河、虎林一带，长期的生产实践证明，东北黑蜂是适应当地气候和蜜源特点的优良品种。

东北黑蜂的蜂王有两种类型：一是全部为黑色，另一种是腹部第一至第五节背板有褐色的环纹，两种类型蜂王的绒毛都呈黄褐色。雄蜂体黑色，腹部第一至第五节背板后缘都有褐色光泽的边缘，最末节为褐色，其腹端毛很长，胸部背板的绒毛为黄褐色。工蜂也有2种类型：一种是几丁质全部为黑色，另一种是第二至第三腹节背板两侧有较小的黄斑，胸部背板上的绒毛呈黄褐色，2种类型的工蜂，每一腹节都有较宽的黄褐色毛带。工蜂体长12～13mm，前翅长8.9～9.9mm，肘脉指数2.0～3.0，喙长6.0～6.5mm。

东北黑蜂性情较温和，不怕光，提出巢脾时蜜蜂安静，蜂王照常产卵，较爱蜇人。蜂王产卵力很强，在适宜的气候和蜜源条件好的情况下日产卵量950粒左右，且产卵整齐、集中，虫龄次序好，一般是从中间向外依次扩展。春季育虫早，蜂群发展较快，分蜂性较弱，夏季群势可达14框蜂，8～10个子脾时才出现王台。采集力强，善于采集流蜜量大的蜜源，能利用早春和晚秋的零星蜜源，对长花管的蜜源利用较差。饲料消耗较少。泌蜡、造脾力一般，爱造赘脾。蜜房封盖为中间型，蜜盖一般一边呈深色（褐色），另一边呈黄白色。少采胶或不采胶。定向力强，不迷巢，盗性较弱。耐寒性强，越冬性能良好。清巢性强。与意蜂相比，较抗幼虫病，易患麻痹病和孢子虫病。

东北黑蜂是黑龙江省养蜂生产中使用的一个主要蜂种，1980年5月8日，黑龙江省政府签发85号文件，将饶河、虎林和宝青三县划为东北黑蜂保护区，并建立监查站，三县现有东北黑蜂原种群3 000群。据报道，东北黑蜂在1977年椴树流蜜期创造了群产蜜500kg以上的高产记录。另外，东北黑蜂具有稳定的遗传性状，较强的配合力，以及杂种一代适应性强，增产显著等特点，是一个很好的育种素材。

8. 伊犁黑蜂 伊犁黑蜂原称新疆黑蜂，是欧洲黑蜂的一个品系，1925～1926年，由俄罗斯人从哈萨克斯坦带入。目前，伊犁黑蜂是新疆养蜂生产的重要蜂种，分布于新疆伊犁、塔城、阿勒泰、新源、特克斯、尼勒克、昭苏、巩留、伊宁和布尔津等地。

据徐振川等研究，蜂王有纯黑和棕黑两种。雄蜂黑色。原始群的工蜂，几丁质均为棕黑色，绒毛为棕灰色，有少数工蜂腹部的第二至第三腹节背板两侧有小黄斑。工蜂初生体重109～127mg，前翅长9.37～9.88mm，喙长6.03～6.44mm，肘脉指数1.57±0.24；春季最长寿命为47d，采蜜季节最长为33d，越冬期最长能达204d。

伊犁黑蜂怕光，提巢脾检查时蜜蜂不安静，性情凶暴，爱蜇人。蜂王产卵力较强，每昼夜产卵平均1 181粒，最高曾达2 680粒，产卵集中成片，虫龄整齐，蛹房密实度高。育虫节律波动大，春季育虫早，夏季群势达13～15框蜂，6框子时便开始筑造6～8个王台准备分蜂。采集力强，勤奋，善于采集零星蜜源，出巢早，收工晚，主要蜜源大流蜜期，在天下小雨、气温较低而同场意蜂已停止采集的情况下，伊犁黑蜂仍可出巢采集。泌蜡力强，造脾快，喜造赘脾。泌浆能力一般，蜜房封盖为中间型。采集利用蜂胶比意蜂多。耐寒性强，越冬性好。据报道，在伊犁高寒地区，冬季温度-40℃的情况下，具有一定群势的蜂群仍可在室外安全越冬；一群重1kg蜜蜂的群势能在越冬室中正常越冬，且节省饲料，比卡蜂更耐寒和节省饲料。伊犁黑蜂在早春冰雪还未完全融化，室外气温8℃左右时，就可采集雪莲花的花粉归巢。伊犁黑蜂抗病力和抗大蜂螨能力强，在新疆的气候条件下，伊犁黑蜂蜂群内还未发现有小蜂螨和蜡螟寄生。

长期生产实践证明，伊犁黑蜂是适应新疆气候和蜜源特点的一个优良黑蜂品系，是我国的一个宝贵的蜂种资源。正常年景，群平均产蜜量为80～100kg，最高产量超过250kg。初步调查统计，目前，全伊犁州约有黑蜂18 000群，全新疆有黑蜂25 000群左右，群众饲养伊犁黑蜂的技术比较落后，许多蜂群仍处于自生自繁状态。1980 年 5 月 27 日，新疆维吾尔自治区政府转发了《关于建立“伊犁黑蜂”保护区的报告》，将天山南侧西至霍城县玉台、东至和静县巴伦台列入伊犁黑蜂保护区。

9. 非洲化蜜蜂　非洲化蜜蜂（Africanized honeybee）是指从美洲引进的非洲蜜蜂（African bee）与当地饲养的意大利蜂或欧洲黑蜂自然杂交而形成的杂种蜜蜂。这种蜜蜂攻击性强，常成群追螫靠近其蜂巢的人畜，追击目标达数百米，造成人畜伤亡。

根据形态和行为的测定，非洲化蜜蜂接近于非洲蜜蜂的特征和性状，蜂王比意大利蜂略小，色更黑些，工蜂的体型比其欧洲的同类小 10%。非洲化蜜蜂繁殖力强，建群迅速，巢址要求随便，可以穴居，也可露天营巢。分蜂性强，弃巢性强，对热带气候和地理环境具有顽强的适应能力，在近热带地区，所到之处，其种群很快占据优势。出工早，收工晚，采集勤奋，比一般蜜蜂能更有效和更迅速地采集花蜜和传授花粉。对大蜂螨、武氏螨、美洲幼虫病、欧洲幼虫病、囊状幼虫病等具有明显抗性。

10. 海角蜜蜂　属黑色蜂种，原产于非洲好望角，仅分布于南非共和国西岸开普敦地区。工蜂喙长 5.68～5.92mm。该蜂最大的特点是工蜂的卵巢管数目较多，并有发育良好的受精囊，但受精囊里从未发现过精子。蜂群一旦失王，工蜂很快就会产卵，但产的卵分散、不整齐，这些未受精卵中的 70% 可发育成雌性蜂，并能培育出蜂王来，具有典型的孤雌生殖的特点。

11. 安纳托利亚蜂　黑色蜂种，原产于土耳其中部安纳托利亚高原。工蜂喙长 6.29～6.63mm。蜂王产卵力强，育虫节律随气候和蜜源的变化而变化，春季发展缓慢，夏季能维持强群。既能利用大宗蜜源又能利用零星蜜源，采蜜和采胶力强。易患麻痹病。该蜂种是很好的育种素材，与意蜂、卡蜂杂交后可获高产杂交后代。

12. 塞浦路斯蜂　黄色蜂种，原产于塞浦路斯岛。工蜂喙长 6.25～6.53mm。蜂王产卵力强，分蜂性弱，能维持大群，善于利用零星蜜源，喜采胶，少造赘脾，越冬性好，性凶，不利生产管理。可作育种素材使用。

五、我国养蜂生产使用的主要蜂种和育成品系

我国养蜂生产中使用的自然蜂种、亚种和生态型主要有中华蜜蜂、意大利蜂、卡尼鄂拉蜂、东北黑蜂、伊犁黑蜂、卡尔巴阡蜂、高加索蜂、塞浦路斯蜂、安纳托利亚蜂，所使用的育成品系和杂交种主要有国蜂 213、国蜂 414、白山 5 号、松丹 1 号、松丹 2 号、黄山 1 号、浙农大 1 号、萧山浆蜂、平湖浆蜂等。

据统计，我国人工饲养的蜜蜂约有 650 万群，其中 400 多万群为西方蜜蜂，200 万群为东方蜜蜂。年产蜂蜜 20 万 t，其中的 90% 为西方蜜蜂生产；年产蜂王浆约3 000t、500t 蜂王幼虫、30～60t 商品雄蜂蛹和 300t 蜂胶，都是由西方蜜蜂所生产。因此，西方蜜蜂是我国养蜂生产上使用的最主要的蜂种。东方蜜蜂因其产蜜量较低、王浆产量甚微且转地饲养困难，多数为农民业余饲养，南方有少数专业中蜂场，其生产潜力有待进一步开发。在 400 多万群西方蜜蜂中，意蜂和以意蜂血统为主的蜂群约占 80%，卡蜂和以卡蜂血统为主的蜂群约占 10%，东北黑蜂、伊犁黑蜂、高加索蜂以及它们的杂交种，共约占 10%。

第二章　养蜂机具与设备

养蜂机具与设备是养蜂生产的基本条件，采用适当的养蜂机具和设备不但可大幅度提高劳动生产率，而且能生产出高质量的蜂产品。

第一节　蜂　箱

蜂箱是科学养蜂中供蜜蜂繁衍生息和生产蜂产品的基本用具。蜂箱是蜂具的三大发明之一，与其后发明的巢础机和分蜜机配合应用，结束了数千年的养蜂采用土窝、毁巢取蜜的生产方式，奠定了新法养蜂的基础，使养蜂生产出现了巨大的飞跃。

一、蜂箱的制造

（一）蜂箱的种类和基本构造

蜂箱按其扩大蜂巢的方式，大体上可分为叠加式蜂箱和横卧式蜂箱2个类型（图2-1）。通过向上叠加继箱扩大蜂巢的蜂箱称为叠加式蜂箱，如朗氏十框蜂箱；通过侧向增加巢脾扩大蜂巢的蜂箱称为横卧式蜂箱。叠加式蜂箱合乎蜜蜂向上贮蜜的习性，搬运方便，适于专业化大生产和现代化饲养管理，因此，这类蜂箱是养蜂生产中最重要的蜂箱构型。

按适用的蜂种，蜂箱有西方蜜蜂蜂箱和中华蜜蜂蜂箱两类。西方蜜蜂蜂箱常见的有朗氏蜂箱、达旦式蜂箱、十二框方形蜂箱和十六框卧式蜂箱等箱型；中华蜜蜂蜂箱有高仄式中蜂箱、从化式中蜂箱、中一式中蜂箱、中蜂十框标准蜂箱、FWF型中华蜜蜂蜂箱等箱型。

蜂箱的形式繁多，但基本结构大致相同。以朗氏固定底蜂箱为例，一套蜂箱由巢框、箱体、箱盖、副盖、隔板、巢门板等部件和闸板等附件构成（图2-4）。

巢框是蜂箱的重要部件。用于支撑、固定和保护巢脾。每套蜂箱巢框的数量主要由蜂群群势和巢框大小而定，从几个到几十个不等。巢框悬挂在蜂箱内，可水平调动和任意从上方提出。

箱体包括巢箱和继箱体。巢箱是最下层箱体，继箱是叠加于巢箱上方，以扩大蜂巢的箱体。当巢箱已不够蜂群繁殖或贮蜜时，加上继箱可扩大蜂群育虫繁殖或增加蜂群贮蜜的空间。继箱的长和宽与巢箱的相同，但高度因其用途不同而异。高度与巢箱基本相

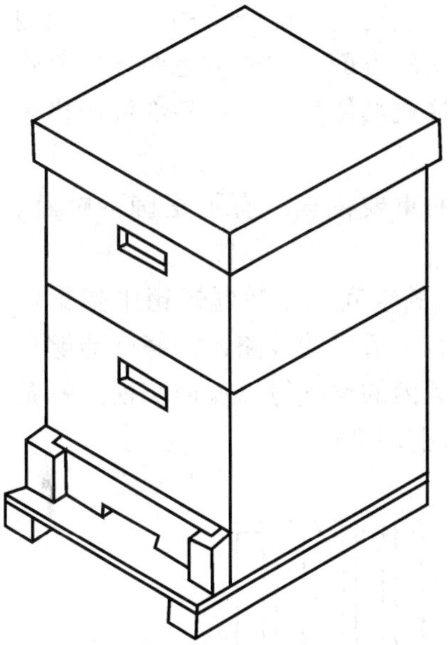
1

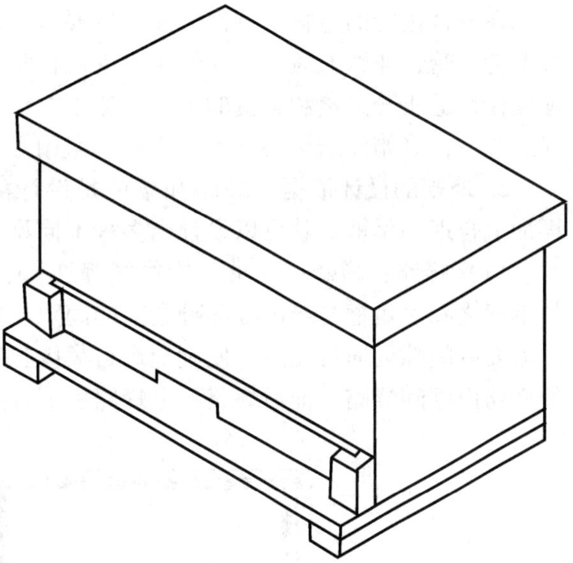
2

图 2-1　蜂箱的类型

1. 叠加式蜂箱　2. 横卧式蜂箱

同的为深继箱，采用的巢框与巢箱的相同，常用于作巢箱（内装育虫脾供蜂群繁殖）和作贮蜜继箱（内装蜜脾供蜜蜂贮蜜）。高度约为巢箱的1/2的为浅继箱，采用的巢框高度约为巢箱的1/2，用于生产分离蜜、巢蜜，或作饲料箱。一套蜂箱可有多个继箱。

箱盖又称大盖、外盖。它可保护蜂巢免遭烈日的曝晒和风雨的侵袭，并有助于箱内维持一定的温度和湿度。

副盖又称子盖、内盖。它盖在箱体上，可使箱体与箱盖之间更加严密，有利于蜂巢保温保湿和防止盗蜂侵入。

隔板的形状和大小与巢框的基本相同，但厚度仅10mm。每个箱体一般配置1~2块，使用时悬挂在箱内巢脾的外侧。在箱内蜂群尚未满箱时，采用隔板把蜂团与多余的空间隔开，既可避免巢脾外露，减少蜂团温湿度降低，又可防止蜜蜂在箱内多余的空间筑造赘脾。

巢门板具可启闭巢门的小巢门，通过操纵巢门的小木块启闭调节巢门。

闸板俗称隔堵板、隔离板，是蜂箱的重要附件之一。其形似隔板，但宽度和高度分别与巢箱的内围长度和内围高度相同。用于把巢箱纵隔成互不相通的两个或更多个区，以便同箱饲养两个或多个蜂群。

（二）设计与制造蜂箱的常识

1. 蜂箱的基本要求　蜂箱是养蜂生产中供蜜蜂生活和生产蜂产品的基本用具。因此，无论设计的蜂箱型式如何，它们都必须符合蜜蜂的生物学特性和便利于现代科学养蜂技术的实施这两个基本要求，在设计和制造蜂箱时应着重考虑这两个方面的要求。

在符合蜜蜂的生物学特性方面，主要考虑蜂箱的大小应适当，能隔热和御水，箱内应保持黑暗，兼顾通风等。在便利于现代科学养蜂技术实施方面，主要考虑便于饲养管理操作，适于分离蜜和巢蜜的生产，适于配合其他现代蜂机具使用，蜂箱各部件规格须标准统一，蜂箱的结构要坚固、实用、耐用等。

2. 蜂箱的设计依据　蜂路和巢框是设计活框蜂箱的重要依据。有了正确的蜂路，再加上合理的巢框，就可以设计出多种不同型式的蜂箱。

（1）蜂路：指蜂箱（巢）中供蜜蜂通行、流通空气的空间。在活框蜂箱中指巢框与巢框之间、巢框与箱内各部分之间的间隙。蜂箱内部有了适当的蜂路，蜜蜂就能够在所需要有间隙处通行无阻，便利地进行巢内各项工作，巢内的空气得以流通交换。蜂箱的蜂路由框间蜂路、前后蜂路、上蜂路和下蜂路构成（图 2－2）。

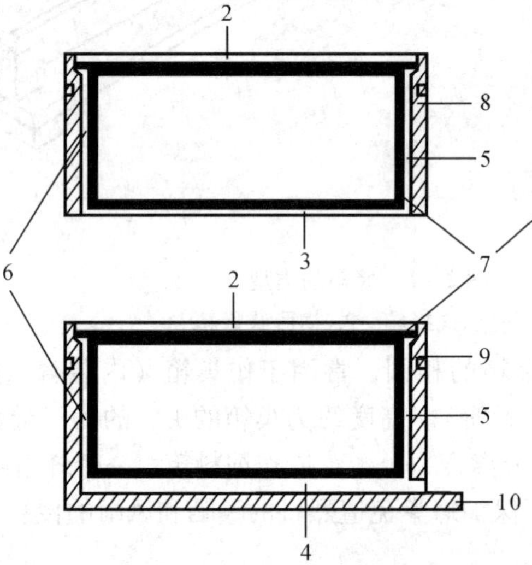

图 2－2　蜂箱的蜂路结构

1. 框间蜂路　2. 上蜂路　3. 继箱下蜂路　4. 巢箱下蜂路　5. 前蜂路　6. 后蜂路　7. 巢框　8. 继箱　9. 巢箱　10. 底板

西方蜜蜂蜂箱的框间蜂路、前后蜂路和上蜂路均为 8mm，继箱的下蜂路为 5mm，巢箱的下蜂路为 25mm 左右。中蜂蜂箱的蜂路，当蜂箱设计为单箱体时，框间蜂路为 7mm，前后蜂路为 8mm，上蜂路为 8mm，下蜂路为 25mm 左右；当蜂箱设计为双箱体时，其框间蜂路和前后蜂路与单箱的相同，但巢箱的上蜂路为 5mm，继箱的上蜂路为 8mm，继箱的下蜂路为 5mm。

（2）巢框：由上梁、侧条和下梁构成（图 2－3），用于支撑、固定和保护巢脾。巢框的形状、大小和数量决定了对所设计蜂箱的形状和大小，因此，在设计蜂箱时必须先确定巢框框条的大小，选

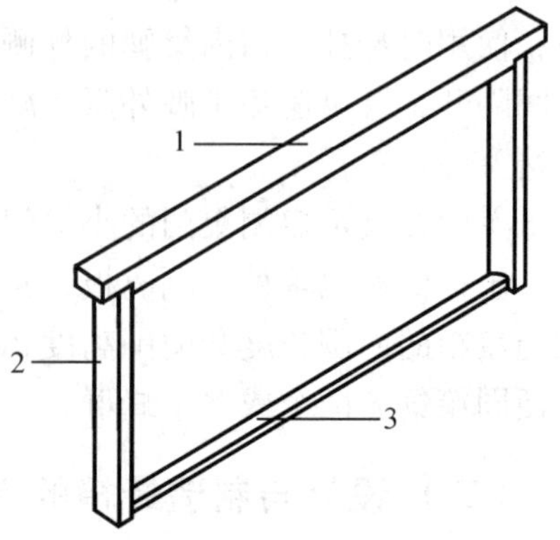

图 2－3　巢框

1. 上梁　2. 侧条　3. 下梁

择适当的框型，确定所需巢框的数量，然后再结合蜂路原理推算出蜂箱各部的尺寸。

①巢框的框条：一般地，西方蜜蜂巢框上梁的宽度为27mm，厚度为20mm，框耳的厚度为10mm；中蜂巢框上梁的宽度为25mm，厚度15mm或20mm（采用双箱体时为15mm）。侧条的宽度应与上梁相同，厚度为10mm。下梁的宽度，西方蜜蜂为20mm，中蜂15mm，厚度为10mm。

②巢框的框型：巢框有方形框、高窄框和低宽框3种框型。对于西方蜜蜂，目前普遍采用宽度大于高度的低宽框。对于中蜂，采用单箱体时，巢框可采用宽略大于高的框型，以利于蜜蜂结团保温和管理蜂群时提脾等的操作；但当采用双箱体时，整个蜂箱（叠加继箱后）应呈正立方体形或呈偏高的立方体形，这时其巢框应采用宽高比例为1∶0.5～1∶0.6的低宽框，这样既能使上继箱后整个蜂箱呈正立方体形或呈近似正立方体形，箱内蜂团能成球形，又能在采用继箱时上、下箱体内巢脾之间的距离较小，有利于中蜂上继箱。

③巢框的数量：巢框的数量是设计蜂箱宽度的重要依据之一。蜂箱是蜂群栖息的场所，巢框的数量首先必须满足蜂群栖息的需要，在这个前提下确定的巢框数量必定可满足蜂群繁殖的需要。当蜂脾比例为1∶1时，整套蜂箱的巢框数量可由式（2－1）推算：

$$\text{整套蜂箱巢框}=\frac{\text{蜂王日平均产卵量}\times\text{工蜂平均寿命}\times\text{每只工蜂占工蜂房数}}{\text{每平方分米巢脾（双面）工蜂巢房数}\times\text{每个巢框的内围面积}} \quad (2-1)$$

式中：

整套蜂箱巢框数——指所设计蜂箱总的巢框数量，个；

蜂王日平均产卵量——指繁殖盛期的蜂王平均每日产卵的数量，粒/d；

工蜂平均寿命——指繁殖盛期工蜂的平均寿命，d；

每只工蜂占工蜂房数——指每只工蜂爬附在工蜂脾上时所占的巢房个数，个；

每个巢框的内围面积——指所设计巢框的内围面积，dm^2。

3. 蜂箱箱体的设计　蜂箱箱体的尺寸，由蜂路和巢框的尺度推算确定。

（1）巢箱的设计：

内围宽＝（巢框厚度＋框间蜂路）×每个箱体容框数＋闸板厚＋5mm（余量）

内围长＝2×前（后）蜂路＋巢框外围宽度

内高＝上蜂路＋巢框高度＋巢箱下蜂路

外围宽＝内围宽度＋2×箱体侧壁厚度

外围长＝内围长度＋2×箱体前（后）壁厚度

外围高度＝内围高度＋底板厚度＋箱底垫木厚度

巢箱前壁高度＝上蜂路＋巢框外围高度＋巢箱下蜂路

巢箱底板长度＝箱体外围长度＋25mm（蜜蜂踏板）

（2）继箱的设计：

高度＝上蜂路＋巢框外围高度＋继箱下蜂路

（宽度、长度、框受和扣手设计与巢箱的相同）

4. 制造蜂箱的材料　蜂箱必须选用坚固耐用、质轻、不易变形、板面宽大、隔热性能良好和易于加工的木材，避免采用有浓烈气味、易变形开裂的硬杂木。在我国，制作蜂箱的木材以杉木和红松为宜。蜂箱的绝大多数部件都采用杉木或红松制作，但巢框的两个侧条应采用结构细密、不易变形的杂木制作，以增加强度，防止框线绷紧时侧条内弯变形和防止框线嵌入侧条时松弛。制作蜂箱所需木材原木的材积通常根据所设计蜂箱的各个部件计算。制造1套蜂箱需用木材原木的材积等于蜂箱各部件成品材积总和的1.5~2倍。

用于制作蜂箱的木材必须充分干燥，使其含水率在15%~18%。

二、西方蜜蜂蜂箱

西方蜜蜂蜂箱，适用于饲养意大利蜜蜂、卡尼鄂拉蜜蜂、高加索蜜蜂、欧洲黑蜂和东北黑蜂等西方蜜蜂，是蜂箱的一个主要类型。我国采用的西方蜜蜂蜂箱有朗氏十框蜂箱、十二框方形蜂箱和十六框卧式蜂箱。其技术参数和流行地区见表2-1。

表2-1 我国采用的几种西方蜜蜂蜂箱的技术参数和流行地区

技术参数	朗氏十框蜂箱	十二框方形蜂箱	十六框卧式蜂箱
巢脾中心距/mm	35	37.5	35
巢框内围尺寸/mm^2	428×200	415×270	428×200
巢框厚度/mm	27	25	27
每个箱体容巢框数/个	10	12	16
继箱内围尺寸/mm^3	465×372×245（145）	455×455×310	—
巢箱内围尺寸/mm^3	465×372×265	455×455×330	465×630×265
框间蜂路/mm	8	12.5	8
上蜂路/mm	8	7	7
前后蜂路/mm	8	10	8
继箱下蜂路/mm	5	3	—
巢箱下蜂路/mm	25	20	23
流行地区	世界各地	俄罗斯、中国东北和新疆北部寒冷地区	中国东北和西北

（一）朗氏十框蜂箱

习称“标准箱”，系自1851年发明以来，经过百余年的养蜂实践不断完善的一种箱型，由于它既合乎蜜蜂生物学的要求，又适应现代科学养蜂生产，被公认为饲养西方蜜蜂的标准蜂箱，是世界上流行最广的一种蜂箱。我国普遍采用这种蜂箱饲养西方蜜蜂和中蜂。我国采用的固定底朗氏十框蜂箱各个部件的形状、结构和大小如图2-4所示。

目前使用的朗氏十框蜂箱，其巢脾中心距为35mm，框间蜂路、上蜂路和前后蜂路均为8mm，继箱下蜂路为5mm，巢箱下蜂路为25mm。

据认为，朗氏十框蜂箱之所以成为标准蜂箱，除了正确的蜂路和适当的巢框外，主要还有产卵及贮存粉蜜的空间充足，能利用蜜蜂向上贮蜜的习性生产分离蜜和巢蜜，能

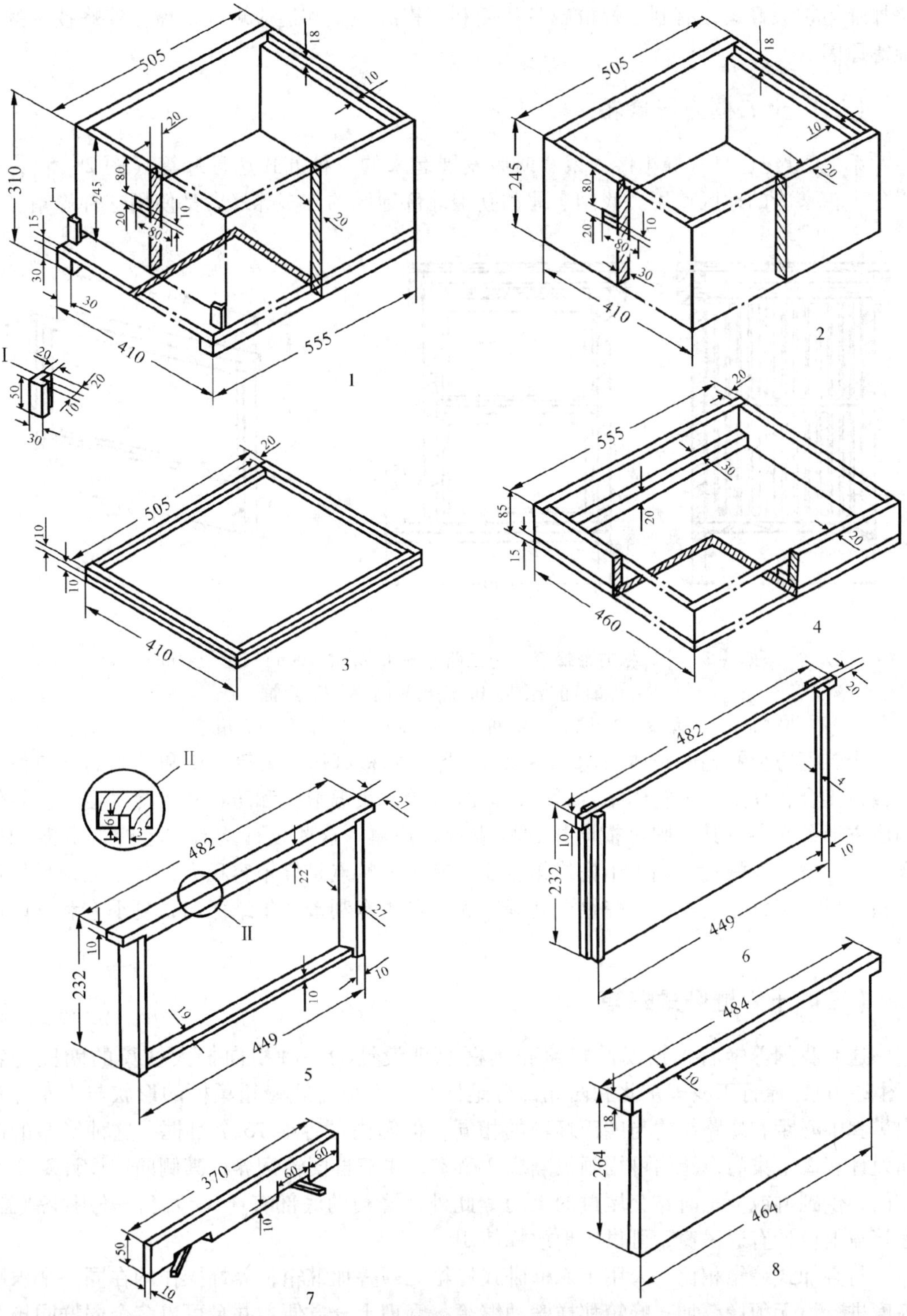

图 2－4　朗氏十框蜂箱（单位：mm）

1. 底箱　2. 继箱　3. 纱副盖　4. 箱盖　5. 巢框　6. 隔板　7. 巢门板　8. 闸板

叠加蜂箱扩大蜂巢，有利于蜂群越冬，便利于提脾检查和适应现代机械化养蜂技术的实施等原因。

（二）十二框方形蜂箱

系19世纪达旦式蜂箱传入俄罗斯后发展起来的一种苏式达旦蜂箱（图2－5），适于冬季较寒冷的地区使用。我国东北和新疆北部地区的许多养蜂者都使用这种蜂箱。

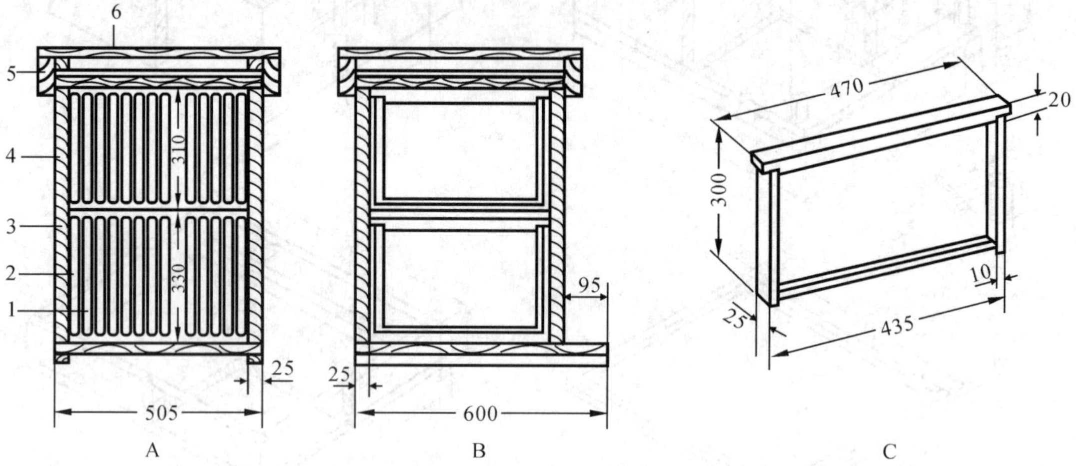

图2－5 十二框方形蜂箱（仿江西养蜂研究所，1975）（单位：mm）

A. 蜂箱正剖图 B. 蜂箱侧剖图 C. 巢框

1. 巢框 2. 隔板 3. 巢箱 4. 继箱 5. 副盖 6. 箱盖

十二框方形蜂箱的箱体采用25～45mm厚的木板制作。巢箱上口和继箱的下口设计成裁口接合，使上、下箱体结合紧密，以减少箱内巢温散失和防止外界冷气侵入。箱体制成方形，在冬季其巢脾可横向排列构成暖式蜂巢。这些设计均有利于蜂群保温和御寒。十二框方形蜂箱与朗氏十框蜂箱相比，其主要特点是蜂箱容积大，冬季无须另加饲料箱，早春可推迟上继箱，蜂箱框间蜂路大，冬季有利蜜蜂集结保温，夏季有利群内通风。

（三）十六框卧式蜂箱

这是我国养蜂者根据朗氏蜂路和巢框原理设计的一种横向扩大蜂巢的朗氏蜂箱（图2－6），流行于我国东北和西北部分地区。十六框卧式蜂箱巢框的形状与大小、箱内巢脾中心距和蜂路结构与朗氏蜂箱的相同，但箱内可容纳16个巢框。这种蜂箱的前向设计有2个巢门，箱内可用闸板隔成2个室，供双群同箱饲养；其侧向还设计1个小侧门，供副群或换王时作交尾群的巢门。此外，蜂箱的底部有通风纱窗，采用纱副盖，在箱盖上设计有通风窗，可供转地放蜂使用。

与叠加式蜂箱相比，采用十六框卧式蜂箱无须叠加继箱，养蜂操作均在同一个水平高度进行，无须像叠加式蜂箱那样搬动继箱，管理十分方便。并且可以多个弱群同箱饲养，弱小蜂群之间可以互相取暖保温，有利弱小蜂群安全越冬和在早春繁殖。但采用这种蜂箱多群同箱饲养时易出现蜜蜂偏集的现象，且不利于采用继箱生产优质分离蜜和不适于现代机械化养蜂生产。

三、中蜂蜂箱

自20世纪30年代以来，我国的养蜂工作者研制了从化式中蜂箱、高仄式中蜂箱、中一式中蜂箱、中蜂十框蜂箱、FWF型中蜂箱和GN式中蜂箱等多种型式的中蜂蜂箱，它们对促进我国中蜂饲养向科学化、现代化进展具有重要的现实意义。现将中蜂十框蜂箱和FWF型中蜂箱介绍如下。

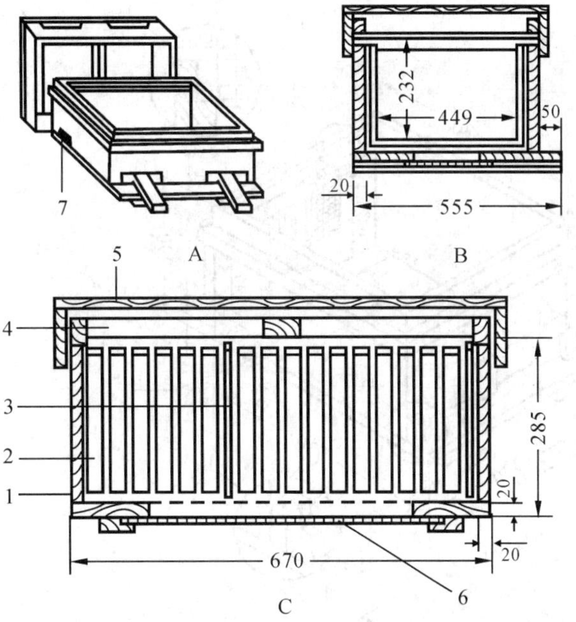

图2－6　十六框卧式蜂箱（仿江西养蜂研究所，1975）（单位：mm）

A. 箱体与箱盖　B. 蜂箱侧剖面　C. 蜂箱正剖面

1. 箱体　2. 巢框　3. 闸板　4. 纱副盖　5. 箱盖　6. 箱底通风纱窗　7. 侧巢门

（一）中蜂十框蜂箱

简称“中标箱”，1983年被国家标准局批准为我国饲养中蜂的十框标准蜂箱（GB 3607—83），并于1984年开始实施。

中蜂十框蜂箱由巢箱、继箱、巢框、箱盖、纱副盖、木副盖、隔板、闸板和巢门板等部件构成（图2－7）。中蜂十框蜂箱的巢脾中心距为32mm，框间蜂路8mm，前后蜂路10mm，上蜂路8mm，继箱下蜂路2mm，巢箱下蜂路20mm。

采用这种蜂箱，早春可双群同箱饲养，加速蜂群繁殖和维持强大群势，至采蜜期可采用单王，集中力量采蜜；取蜜采用浅继箱，可利用蜜蜂向上贮蜜的习性，生产优质分离蜜和巢蜜。

（二）FWF型中蜂蜂箱

由巢框、巢箱、继箱、箱盖、纱副盖、隔板、巢门板等部件，以及闸板、框式隔王板和平面隔王板等附件构成（图2－8）。FWF型中蜂箱的巢脾中心距为32mm，框间蜂路7mm，前后蜂路8mm，继箱上蜂路8mm，巢箱上蜂路5mm，继箱下蜂路5mm，巢箱下蜂路25mm。

FWF型中蜂箱使用时采取双群同箱饲养，巢箱采用框式隔王板将两群中蜂的蜂王隔开，但工蜂可以自由相通，以解决中蜂双群同箱饲养中的偏集问题。当巢箱的蜜蜂满箱时，通过叠加继箱扩大蜂巢，并在继箱与巢箱之间采用平面隔王板将蜂王限制在巢箱产卵繁殖。

采用这种中蜂箱养蜂，有以下一些特点：

第一，双群同箱饲养能维持强大群势，蜜蜂可充满上、下2个箱体（共24框，相当于朗氏巢框12足框）。强大群势是高产的前提。

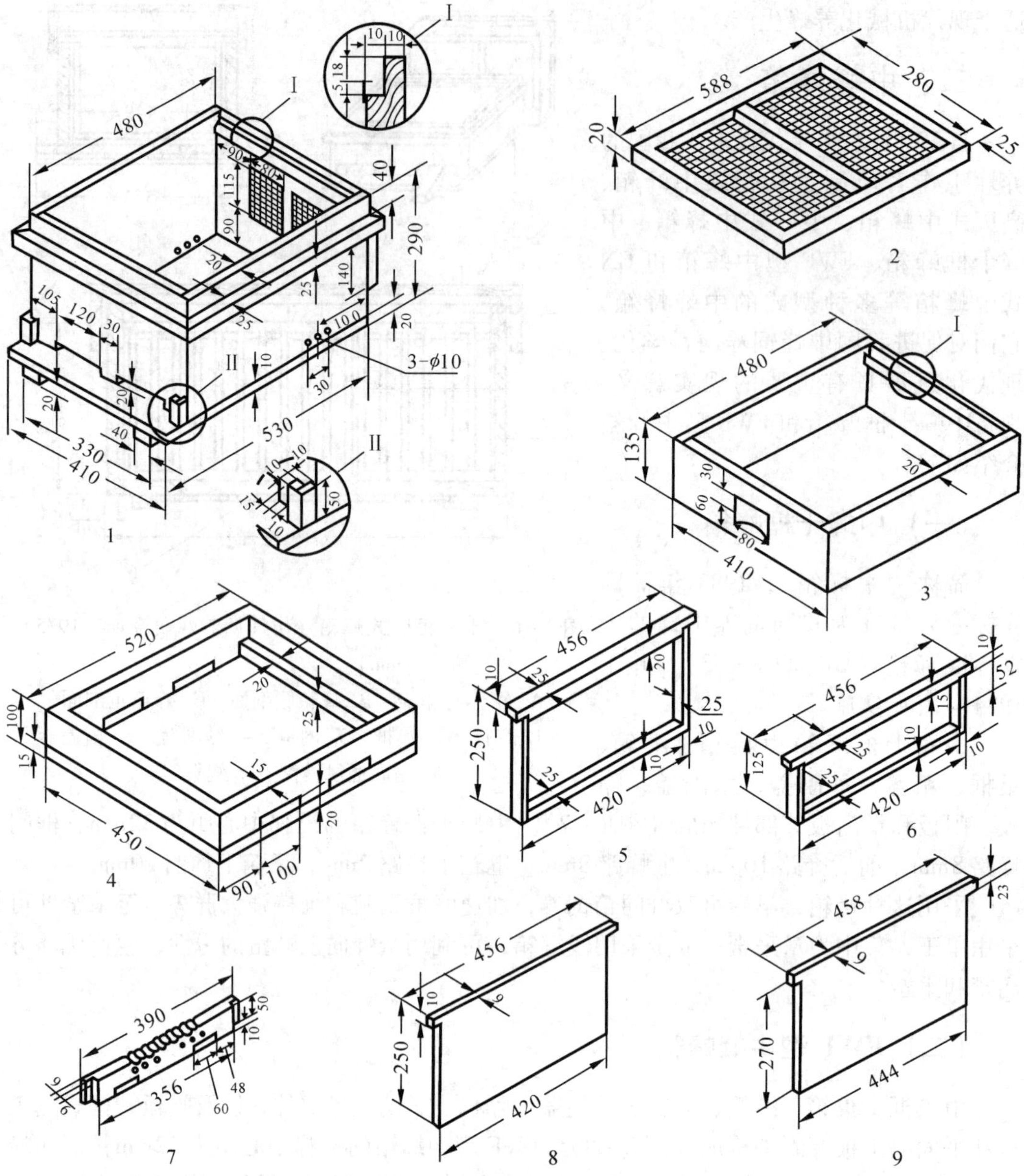

图 2-7　中蜂十框蜂箱（单位：mm）

1. 底箱　2. 纱盖　3. 继箱　4. 箱盖　5. 底箱巢框　6. 继箱巢框　7. 巢门板　8. 隔板　9. 闸板

第二，双群同箱饲养后，箱内保温良好，脾上子圈可扩大至巢框上梁和下梁处，巢内子圈可以扩大至边脾，蜂群繁殖迅速。通过采用继箱扩大蜂巢，可有效地缓解因箱内拥挤而出现的分蜂热。

第三，巢框和箱体的形状与大小有利于迫使中蜂上继箱，早春蜂群稍加繁殖便可上继箱。采用继箱饲养时，上、下箱体的蜜蜂无明显的偏集现象，且无论哪个日龄的卵、虫脾提上继箱后均可正常发育和羽化。

第四，流蜜期蜜蜂可方便地通过平面隔王板把蜜贮到继箱内，并且能获得满继箱的

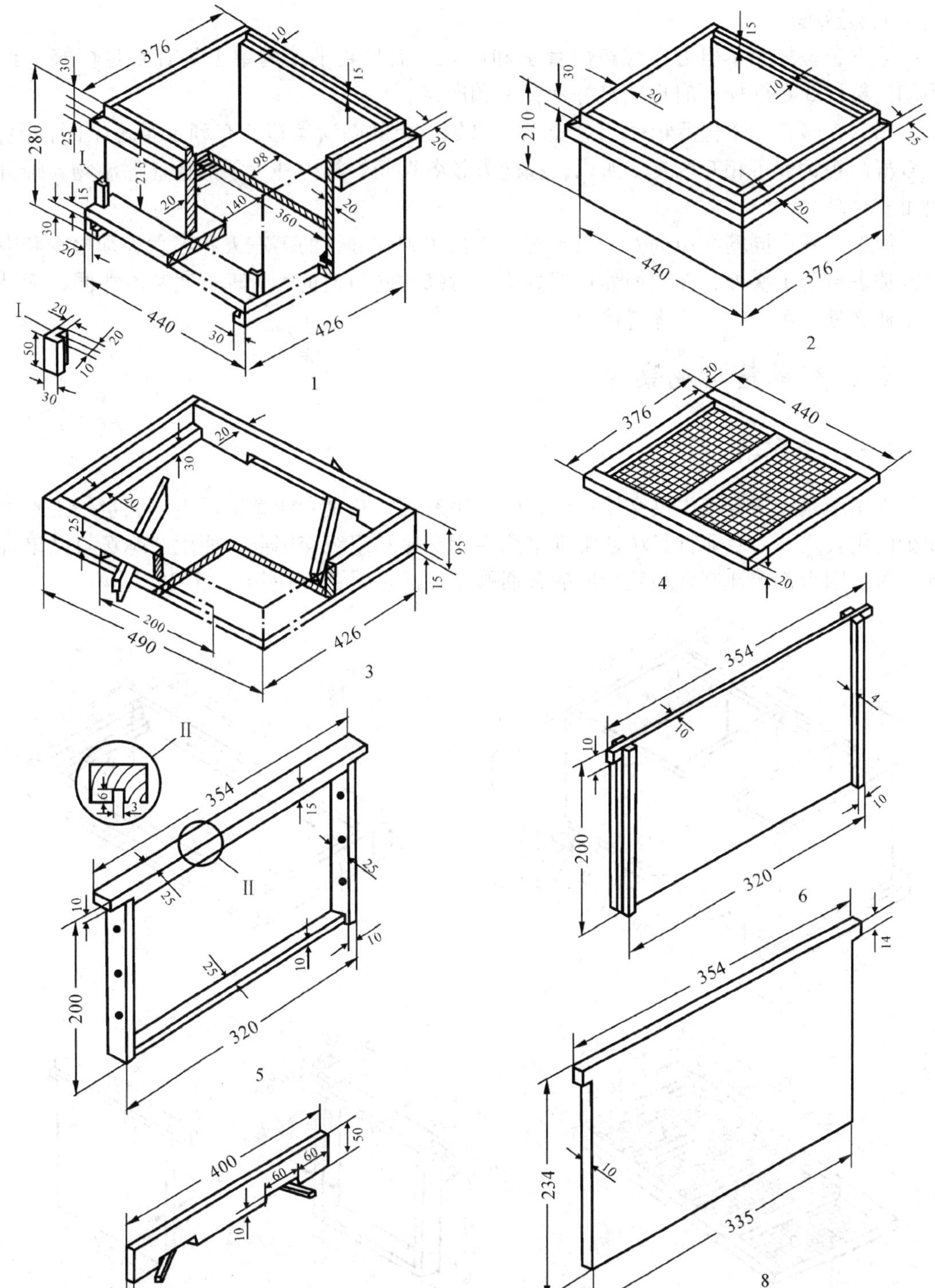

图 2-8 FWF 型中蜂蜂箱（单位：mm）

1. 巢箱 2. 继箱 3. 箱盖 4. 纱副盖 5. 巢框 6. 隔板 7. 巢门板 8. 闸板

纯净成熟蜜脾。

第五，该蜂箱不但可在继箱内育王和产浆，而且在平箱内单王具有6足框蜂（约为朗氏巢框3足框蜂）时也能良好地育王和产浆。

第六，蜂箱的巢框及箱体相对较小，越冬期蜂群充满巢箱，有利于蜜蜂结团保温，且双群同箱饲养可相互取暖。所以，在南方越冬期间蜂箱内外无须加任何保温物，蜂群仍可安全越冬。

第七，双群同箱继箱饲养，除了每次在提子脾到继箱的第三天和第六天须检查和毁除改造王台各1次外，其他饲养管理方法与意蜂的同类型饲养管理方法基本相同，无特别不便之处，可为一般养蜂者接受。

四、交尾箱与观察箱

（一）交尾箱

交尾箱是人工育王中供交尾群栖息的专用蜂箱，它是专业育王场生产大量蜂王不可缺少的用具之一。专业育王场通常都采用专用交尾箱组织交尾群，而生产蜂场自己培育蜂王时，则大都因地制宜利用现成的普通蜂箱改成临时“交尾箱”组织交尾群。

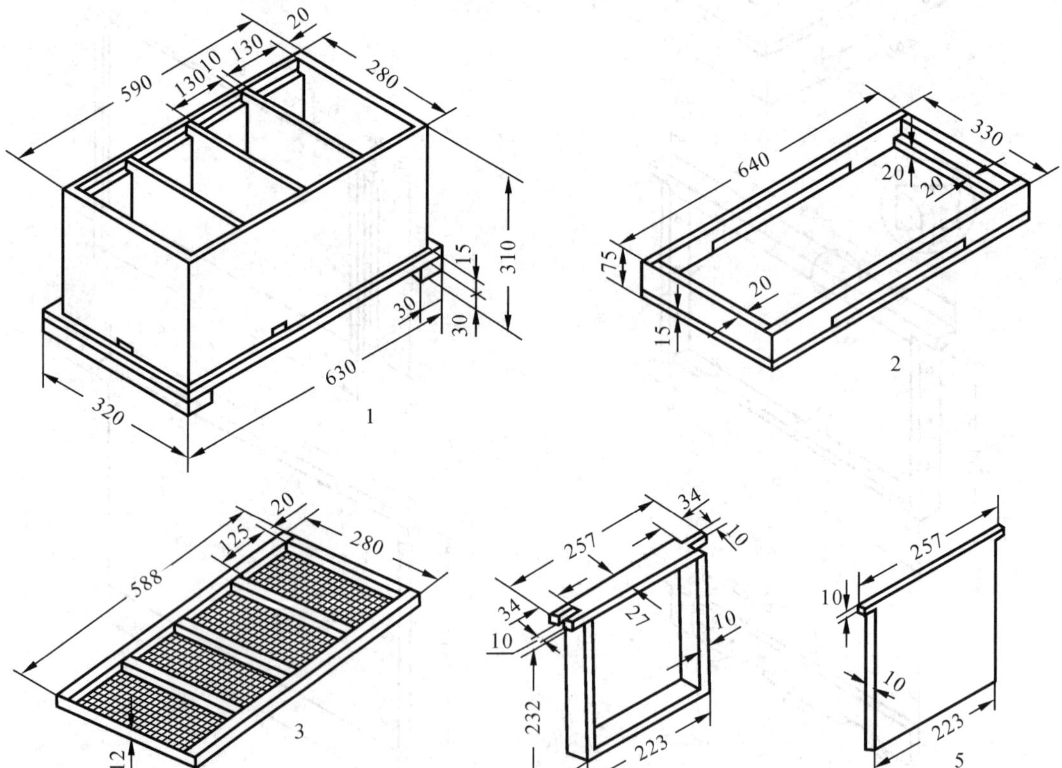

图2-9　1/2脾四室交尾箱（单位：mm）

1. 箱体　2. 箱盖　3. 副盖　4. 交尾框　5. 隔板

1. 1/2 脾四室交尾箱　采用 1/2 脾交尾箱，交尾群的用蜂量为2 000～2 500只，群势适中，能有效地调节巢内温、湿度，交尾成功率可达 85% 以上，处女王交尾成功后产卵的紧迫感强。

我国常见的 1/2 脾四室交尾箱（图 2－9），其箱体通常采用 3 块闸板隔成 4 个小室，各室巢门异向开设，每个小室排放 3 个交尾框和 1 块隔板。交尾框通常设计成可两两组合成 1 个朗氏框，以便组合成大框插入蜂群中造脾、育虫、贮蜜和附蜂。隔板通常各室独立设计，以便在检查交尾群时不互相干扰。此外，各室都分别设计有通风装置，供交尾群在运输时使用。采用这种交尾箱组织交尾群时，事先将交尾框上础，并把交尾框两两拼成朗氏框插入蜂群中造脾、育虫、贮蜜和附蜂。组织交尾群时，从蜂群中抽出带蜂、子和蜜的交尾脾分配给各个交尾箱。当各交尾箱的蜂量不足时，从蜂群中抽蜂抖入交尾箱内补足。其后，在各交尾群中介入 1 个成熟王台，或诱入 1 只刚出房的处女王，并装钉好交尾箱后运往交尾场。

2. 代用交尾箱　许多生产养蜂场为了节省开支，因地制宜利用普通蜂箱改成临时性交尾箱组织交尾群。

（1）普通蜂箱隔成 2 个区作交尾箱：用 1 块闸板把蜂箱一分为二隔成 2 个区，每区放 2～3 个巢脾和 1 块隔板，巢门异向开设。每区的用蜂量为4 000～5 000只。交尾群群

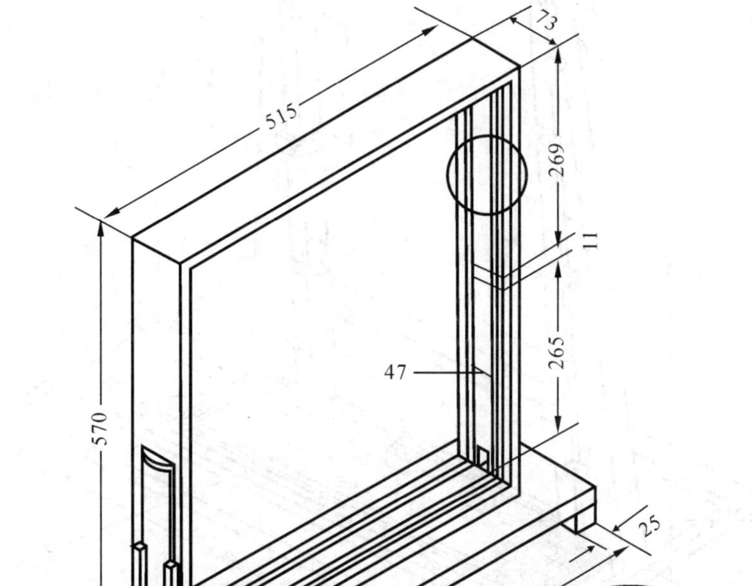

图 2－10　两框观察箱（单位：mm）

势大，保温性能好，抗逆能力强，适应期长，处女王交尾成功产卵后稍加繁殖即可成群。

（2）普通蜂箱隔成3～4个小区作交尾箱：用2～3块闸板把蜂箱均分为3～4个区，每区各放2个巢脾和1块隔板，各区巢门异向开设。每区的用蜂量为1 000～1 500只。交尾群用蜂经济，保温性也较好。

（二）观察箱

观察箱是用于透视蜜蜂群内状况的蜂箱，主要用于教学示范和科学研究，也可用于广告宣传和展览。

1. 两框观察箱　福建农业大学蜂学系设计的一种两框观察箱，由箱体、玻璃侧板、膨化塑料侧板、隔王板栅片和瓶式饲喂器构成。箱体采用杉木制成，前向下部设计有巢

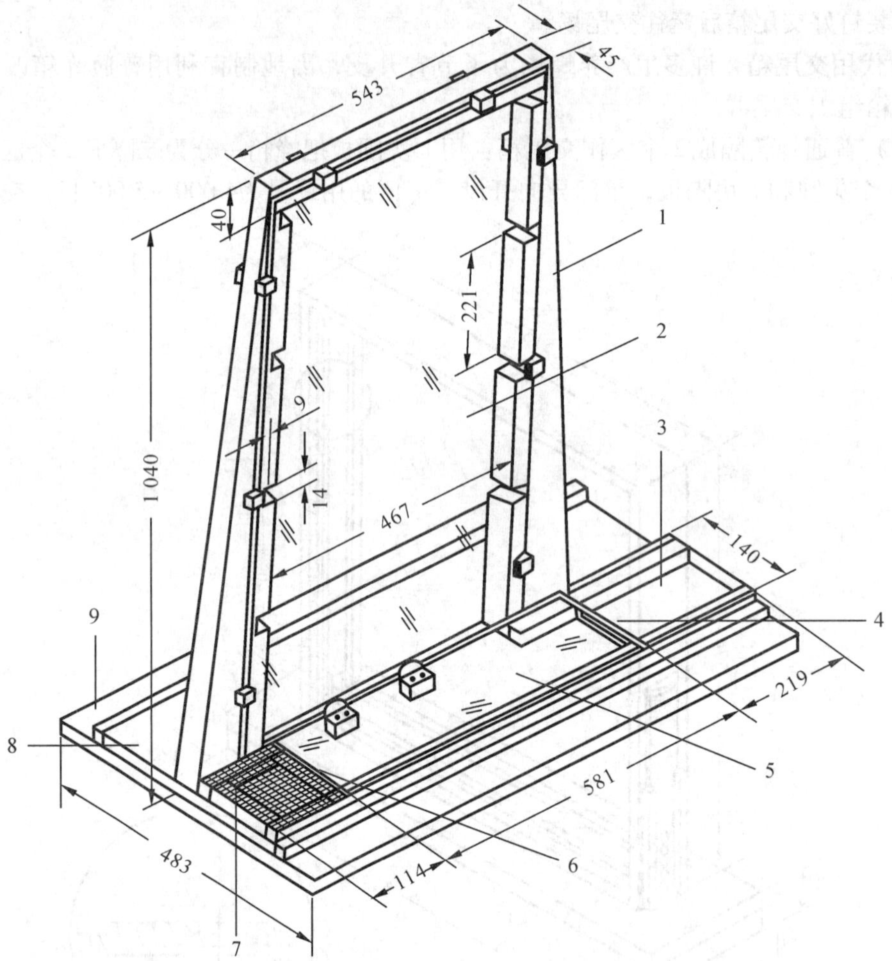

图2-11　**四框观察箱**（单位：mm）（仿 Divison of Agricultural Sciences，University of California，1980）

1. 箱体　2. 玻璃侧板　3. 蜜蜂延伸通道　4. 巢门闸板　5. 蜜蜂通道　6. 饲喂区闸板　7. 饲喂区　8. 底板　9. 底座

门，后向下部设计有饲喂孔（图2－10）。玻璃侧板由两块536mm×475mm×3mm的平板玻璃构成，膨化塑料侧板采用556mm×495mm×10mm的膨化塑料平板，隔王栅片采用475mm×47mm×6mm的线型金属隔王栅片，饲喂器采用鸟用微型饲水器。

2. 四框观察箱　美国的一种四框观察箱，可用于蜜蜂的味觉、蜂王产卵情况、蜂巢内部清理工作、蜜蜂的防卫、蜜蜂的采集和蜜蜂筑巢等蜜蜂生物学的研究。

四框观察箱由箱体、玻璃侧板、木侧板、巢门延伸通道和底座等部件构成（图2－11）。这种观察箱箱底一侧设计有具玻璃板盖的蜜蜂通道，透过玻璃盖可观察蜜蜂出勤和清理蜂巢等情况。蜜蜂通道前端设计1块薄铁片制成闸板，用于搬动该观察箱过程中暂时关闭通道不让蜜蜂出来；通道后部有1个顶面覆盖纱网（每厘米3目）的小区，供倒插瓶式饲喂器喂蜂，该区与蜜蜂通道之间有1块薄铁片制成的闸板，用于控制对观察群的饲喂。

玻璃侧板2块，分别由980mm×510mm×3mm的平板玻璃构成。木侧板2块，由大小与玻璃侧板相同、厚度为6mm的胶合板构成。巢门延伸通道由“U”形木槽顶面覆盖玻璃板构成，使用时对接在箱体蜜蜂通道的前端，以延长蜜蜂通道。

采用这种观察箱时，蜂群的装箱应在早春至初夏期间进行。蜂群装箱的操作应在室外观察群出入口附近进行，以使飞起的蜜蜂能投回所装箱的观察群中。用于观察箱的蜂群应从8km以外的蜂场提取，以防回蜂。每个观察群的蜂量应足够多（4足框），以利蜜蜂护脾保温。观察箱内子脾应置于下部，蜜脾置于最上部。

这种观察箱内的蜂群的管理方法与普通蜂群管理方法一样。但每次检查或管理蜂群时都必须把观察箱搬到室外其巢口附近。在饲养过程中，应保持群内有足够的饲料。当采用笼蜂和巢础框组成观察群时，蜂群装入观察箱后应立即进行饲喂，促进蜜蜂造脾、育儿。采用笼蜂和巢础框组织的观察群应饲喂到4个脾都造好。饲喂时，通常采用浓度为80%的糖浆，每次喂至出现一些封盖蜜为止。

春季饲养在四框式观察箱内的蜂群会逐渐壮大。春末应适时将观察群内的子脾与普通蜂群的空脾对换，以防止观察群群势过大，避免出现分蜂现象。

这种观察箱饲养的蜂群虽有3～4框的群势，但箱体的结构不利蜂群结团保温。因此，在秋末或冬初观察群群势下降，群内育儿停止后，应选择气温较高的日子，把观察群运到8km外的蜂场上，将观察群的蜜蜂合并给其他蜂群。

第二节　巢础及其生产设备

巢础是现代科学养蜂不可缺少的蜂具之一。它与活框蜂箱配套使用，使现代商业养蜂成为可能。巢础生产机具是养蜂生产的三大蜂具之一，它与活框蜂箱和分蜜机一起，奠定了新法养蜂的基础。

一、巢础

人工制造的蜜蜂巢房房基称为巢础（图2－12）。巢础一般采用蜂蜡制成，有的采用无毒塑料制作，使用时嵌装在巢框中，工蜂以其为基础分泌蜂蜡将房壁加高而形成完整的巢脾。养蜂生产采用巢础，蜜蜂造脾快，耗蜜少，造成的巢脾平整，有利于现代养蜂技术的实施。

（一）巢础的种类

巢础按其适用的蜂种分，有意蜂巢础和中蜂巢础2类，分别用于西方蜜蜂和中蜂；另按其适用的蜂型分，有工蜂巢础和雄蜂巢础2类。工蜂巢础又有巢蜜巢础、普通巢础、深房巢础、嵌线巢础、耐用巢础、金边耐用巢础、三层巢础和塑料巢础等。

图2－12　巢础

1. 巢蜜巢础　一种房底薄、房基浅的巢础，用于生产巢蜜。

2. 普通巢础　一种房底稍厚、房基稍高的巢础，用于造脾育虫或贮蜜。我国生产的巢础大多为普通巢础，有意蜂巢础和中蜂巢础2种。意蜂巢础每平方分米（双面）有814个巢房房基，中蜂巢础有1 081个巢房房基。

3. 深房巢础　一种房底较厚、房基较高的巢础，用于造脾育虫或贮蜜。这种巢础房基高，蜜蜂稍加筑造就可成脾，造脾比采用普通巢础的迅速，而且不易出现雄蜂房。

4. 嵌线巢础　美国Dadant and Sons公司生产的一种高强度巢础（图2－13）。巢础内部纵向嵌有9条波纹状钢线，以提高巢础的强度。这种巢础用于造脾育虫或贮蜜。

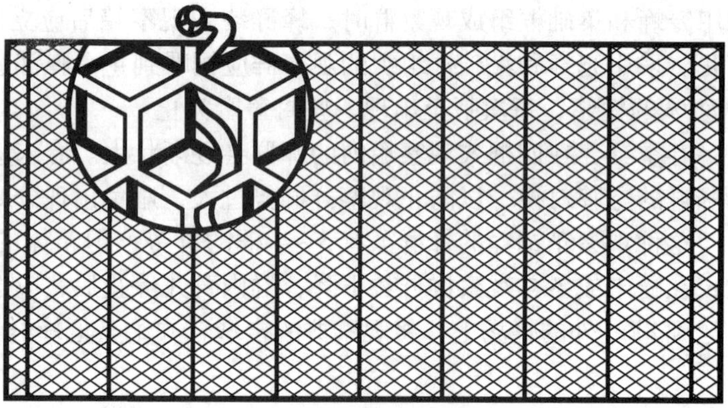

图2－13　嵌线巢础

5. 耐用巢础　美国Dadant and Sons公司生产的另一种高强度巢础。这种巢础采用硬塑料（聚乙烯和醋酸纤维素）薄膜作础芯，两面涂上蜂蜡轧印而成，其抗张力与延伸性比嵌线巢础好。这种巢础用于造脾育子或贮蜜。

6. 三层巢础　美国Root公司生产的一种高强度巢础。由3层蜡片轧制而成，以提高巢础的强度。这种巢础用于造脾育虫或贮蜜。

7. 塑料巢础　塑料巢础是第二次世界大战后出现的一种蜂蜡巢础的代用品。迄今，市面出现的塑料巢础有多种形式。目前，塑料巢础已较成功地用于贮蜜，但由于塑料对蜜蜂毕竟是外来物质，用于蜂群繁殖尚不够理想，所以塑料巢础仍处于试验推广阶段。

（二）巢础的应用

采用普通巢础和深房巢础筑造的巢脾强度较差，巢脾的巢房不但在蜂巢温度与巢脾上蜜蜂幼虫和蜂蜜重量的作用下易变形，而且在提脾脱蜂、分离蜂蜜和蜜蜂运输途中受震易损坏。因此，在使用普通蜂蜡巢础时必须给巢框上线，并把框线埋入巢础，以提高蜂蜡巢脾的强度，让蜜蜂造成优质育虫、贮蜜巢脾和特殊的巢蜜脾、雄蜂房脾，以更好地供蜜蜂生活、育子和服务现代养蜂生产。

二、巢础生产机具

巢础生产机具主要有平面巢础压印器和辊筒式巢础机两种类型。平面巢础压印器具有结构简单、可以自制、造价低等优点，但其制础效率较低，只适于巢础来源缺乏的业余养蜂场使用。辊筒式巢础机的巢房房底模型精确度高，生产的巢础具有房眼清晰、厚薄均匀、整齐美观等优点，其生产效率较高，适于专业蜂场使用。

辊筒式巢础机系利用 1 对机辊轧制蜡质巢础的机具。目前，辊筒式巢础机的型式虽较多，但它们的结构基本相同，现将我国常用的 C_{72} 型巢础机和生产巢础所需器械的结构以及维护方法介绍如下。

（一）C_{72} 型巢础机及其生产巢础所需器械

C_{72} 型巢础机及其生产巢础所需器械主要有轧光机、轧花机、熔蜡锅、蘸片锅、蘸片板、脱片槽、切础样板、切础刀、切础玻璃台板和皂水盆等。

1. 轧光机 用于把蜡片或蜡板轧制成厚薄一致、表面平整光滑的蜡片的机具。由轧光辊筒、调节螺丝、转动装置和机座构成，与轧花机相似。轧光辊筒 1 对，采用锡合金制成，外表光滑；调节螺丝用于调节两个辊筒的间隙；转动装置由手摇柄和齿轮组成，通过摇动手摇柄带动轧光辊筒工作；机座采用铸铁制成，其下部设计有用于装润滑水的槽。

图 2-14 轧花机

2. 轧花机　用于把蜡片轧制成巢础的机具。由轧花辊筒、调节螺丝、转动装置和机座构成（图 2－14）。轧花辊筒 1 对，采用锡合金制成，其上有工蜂巢房房底模型；调节螺丝用于调节 2 个轧花辊筒的间隙和 2 个轧花辊筒间巢房房底模型的配合度；转动装置和机座与轧光机的相同。C_{72} 型巢础机的轧花机有意蜂轧花机和中蜂轧花机两种。其主要技术指标见表 2－2。

表 2－2　C_{72} 型巢础机的轧花机主要技术指标

项目	意蜂轧花机	中蜂轧花机
巢房房壁对边距/mm	5.33	4.62
巢房房底斜角/（°）	120	120
轧花辊筒最大外径/mm	86	74.8
轧光辊筒最大外径/mm	72.5	72.5
巢础或光片最大宽度/mm	260	260
理论轧光速度/（m/min）	7	7
理论轧花速度/（m/min）	6	6

3. 熔蜡锅与蘸片锅　熔蜡锅采用镀锌铁皮制成，呈圆柱形，直径约 400mm，高约 500mm，用于熔化供蘸制蜡片的蜂蜡。使用时置于热源上加热。蘸片锅是由内锅和外锅组成的一种水浴锅，也采用镀锌铁皮制成。内锅呈长方体形，高 640mm、宽 350mm、厚 120mm；外锅呈圆柱形，直径 370mm、高 740mm。使用时，内锅装经过滤后的蜡液供蘸蜡片，外锅装热水，使内锅的蜡温保持在 70～80℃，以便蘸制蜡片。

传统上，熔蜡锅和蘸片锅分开设计。1986 年，福建农业大学蜂学系研制出 DLRZ—1 型自动控温电热熔蜡、蘸片两用锅，把熔蜡锅和蘸片锅设计成一体，并实现了熔蜡和维持蜡温自动化、电气化。

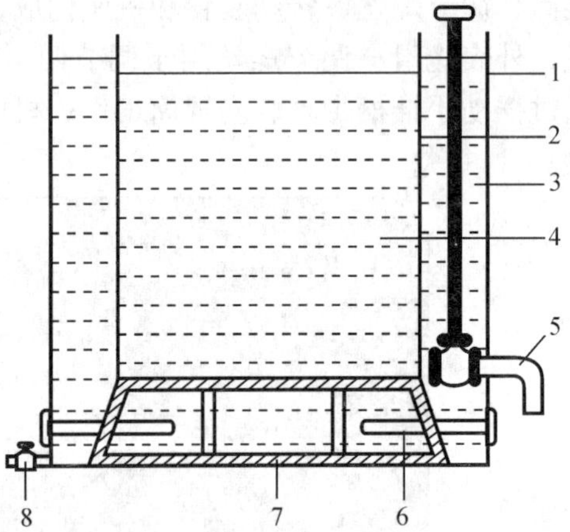

图 2－15　DLRZ—1 型自动控温电热熔蜡、蘸片两用锅

1. 外锅　2. 内锅　3. 清水　4. 蜂蜡　5. 出蜡控制阀　6. 电热器　7. 支架　8. 水龙头

DLRZ—1 型自动控温电热熔蜡、蘸片两用锅由双层锅、电热装置和控温装置构成（图 2－15）。双层锅由内、外 2 个圆柱形锅构成。内锅为不锈钢锅，通过 1 个铁架支撑并固定在外锅内，用于承装加工的蜂蜡，其直径 500mm、高 500mm；外锅采用镀锌铁皮制成，用于装清水，其直径 670mm、高 700mm，底部装有 1 个闸阀水龙头，用于在加工结束时排放锅内的水。内、外锅均配有锅盖。

电热装置由 4 个 1kW 的浸入式电热器构成，安装在内、外锅底夹层内，用于加热夹层内的水，从而间接加热内锅的蜂蜡。控温装置由 WMZK—01 型控温仪和 JXJ 型中间继电器构成，可根据需要在 10～100℃范围内选择所需控温点。使用时，控温仪的感温棒插于双层锅夹层内的水中，控温仪可自动控制电热器电源的通断，从而把锅内的工作温度控制在所选温点。

这种两用锅使用时，先在内、外锅夹层内注入清水至距锅上口沿 50mm 处，并在内锅加入已精制的蜂蜡（每次约可加工蜂蜡 90kg）。然后，按照电路图接好电热和控温电路，把控温仪的感温棒探头插入双层锅夹层的水中，插入深度为 150～200mm。最后，通过控温仪的选温旋钮选择所需的工作温度点（一般熔化蜂蜡和蘸制蜡片的温度选在 70～80℃），并接通电源。熔蜡、蘸片两用锅即可在所选的温度下熔蜡和维持蜡液的温度。生产巢础时，蘸制蜡片可直接在此锅上进行，并可根据需要在蘸片过程中加入固体蜂蜡，边熔蜡边蘸片。工作结束后，关闭电源，收起控温仪妥存，并趁热通过出蜡导管把内锅的余蜡导出和通过外锅的水龙头把内、外锅夹层内的水导出，加盖防尘。

4. 蘸片板 采用无节眼的硬木板制成，长 530mm、宽 240mm、厚 15mm，表面平整光滑，各个棱角锐利。一般需要 2～3 块交替蘸制蜡片。

5. 所需器械

（1）脱片槽：采用镀锌铁皮制成，长 800mm、宽 410mm、高 310mm。用于装清水冷却和脱下蘸片板蘸制的蜡片。

（2）切础样板：采用木板制成，其长和宽与所需巢础的相同，厚 10～20mm。

（3）切础刀：采用圆形刀片配上手柄构成，用于滚切巢础。也可采用裁纸刀代替。

（4）切础玻璃台板：用厚度为 5mm 的平板玻璃制成，长 700mm、宽 500mm，巢础放在其上进行裁切。

（5）皂水盆：用于盛装润滑轧光机和轧花机辊筒的肥皂水。

（6）刷子：用于蘸肥皂水涂刷辊筒，使蜡片不易粘在辊筒上。

（7）蜡片夹：采用薄木条装上弹簧而成，用于夹持、牵拉蜡片或础片。

（二）C_{72}型巢础机的使用与维护

1. 使用场所 巢础机使用时应安装在洁净的车间里，不得有硬质灰尘，以防损坏辊筒。巢础生产的车间，应保持一定的室温，一般在 20～30℃，并要求室内通风良好。

2. 故障的排除 巢础机在使用过程中，常常会因蜡片（板）温度过高或过低、机辊润滑不足以及巢础机自身发生故障，影响巢础机的正常使用。巢础机在轧制巢础过程中，常见的故障及其发生原因和排除方法见表 2－3。

3. 维护与保养 轧光机和轧花机在使用前应注意维护和保养，以延长使用寿命。使用前应在机架的油孔中加入少量的润滑机油，以减少辊轴与轴套之间的摩擦力和磨损。使用期间，每周要在传动齿轮表面加润滑油 1 次，以减少传动齿轮的磨损。生产巢础时，蜂蜡原料必须纯净，不得夹有硬质杂物，以免损坏辊筒。在使用中，若有蜡片粘辊，切勿用硬质金属物件挑剥，以免损坏辊筒。在使用结束后要装上防护罩，以保持辊筒洁净和避免硬物碰坏辊筒。

表 2-3　故障发生的原因及排除方法

故障	发生原因	排除方法
光片不易轧制或粘住辊筒	蜡板过硬或过软	使蜡板的表里温度达到 45～47℃
	辊筒温度过高	用滚开水冲洗辊筒上的黏蜡，再用冷水冷却辊筒
	肥皂水润滑不够	经常加冷肥皂水
巢础不易轧制或粘住辊筒	光片过硬或过软	光片预热并保持 40℃左右
	光片过厚	按要求调节轧花机辊筒的间隙
	辊筒温度过高	用滚开水冲洗辊筒上的黏蜡，再用冷水冷却辊筒
	双层重压	避免双层重压
辊筒转动阻力大或不能转动	润滑不良	加油润滑
	轴承咬死	更换新轴承
	下衬套的紧固螺丝拧得太紧	旋松下衬套紧固螺钉至适当为止

第三节　蜂产品生产器械

蜂产品有蜂蜜、蜂王浆、蜂花粉、蜂蜡、蜂胶、蜂毒、蜜蜂虫蛹等多种，生产时采用适当的机具和设备，对于提高蜂产品产量和质量都有重要的意义。

一、取蜜器械

（一）分离蜜生产器械

1. 脱蜂器械　用于采收蜂蜜时脱除蜜脾上的蜜蜂。

（1）蜂刷：一种扫脱蜜蜂的专用工具。通常采用白色的马尾毛和马鬃毛制成（图 2-16），主要用于刷脱蜜脾、产浆框、育王框上的蜜蜂。采用蜂刷脱蜂具有器具小、脱蜂方便等优点，但手工操作劳动强度大、费时，脱蜂时易激怒蜜蜂。

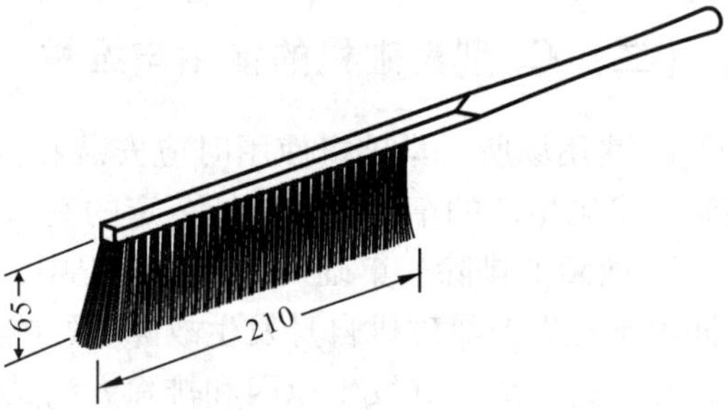

图 2-16　蜂刷（单位：mm）

采用蜂刷脱除蜜脾上的蜜蜂时，通常先抖落蜜脾上大量的蜜蜂，然后再用蜂刷轻轻刷除残留在脾上的蜜蜂。在使用过程中，蜂刷的刷毛粘上蜂蜜会变硬，用一阵后要用清水洗净，使刷毛柔软，避免伤蜂。

（2）吹蜂机：利用高速低压气流脱除贮蜜继箱内蜜蜂的机械，是现代养蜂生产取蜜作业中不可缺少的采蜜机械之一。

吹蜂机通常由动力、鼓风机、输气管、喷嘴和蜜继箱支架等部件构成（图 2-17），工作时由动力带动鼓风机的叶轮旋转产生气体，经输气管输送到喷嘴，从喷嘴成束高速喷出，把蜜脾上附着的蜜蜂吹离，达到脱蜂的目的。采用吹蜂机脱蜂一般需要 3～4 个人配合进行：1 人从蜂群上取蜜继箱，1 人操纵吹蜂机脱蜂，1 或 2 人搬运已脱蜂的蜜继箱和在取下蜜继箱的蜂群上加上 1 个带空脾的蜜继箱。脱蜂时，将待脱蜂蜜继箱平放在置于巢门前的蜜继箱支架上，或直接把蜜继箱竖立于原群蜂箱上，然后手持吹蜂机喷嘴沿框间蜂路逐一吹风，把其间的蜜蜂吹离。被吹脱的蜜蜂很快返回蜂巢。采用吹蜂机脱除 1 个蜜继箱的蜜蜂一般只需 6～8s。

图 2－17 吹蜂机

2. 割蜜刀 一种用于切除蜜脾蜡盖的工具，通常采用不锈钢制成（图 2－18）。刀身长约 250mm、宽 35～50mm、厚 1～2mm。切割蜜盖时，通常用 2～3 把割蜜刀浸在 80～90℃ 的热水中交替取用，使刀身维持一定热度，以避免损坏巢脾和便于切割蜜盖。

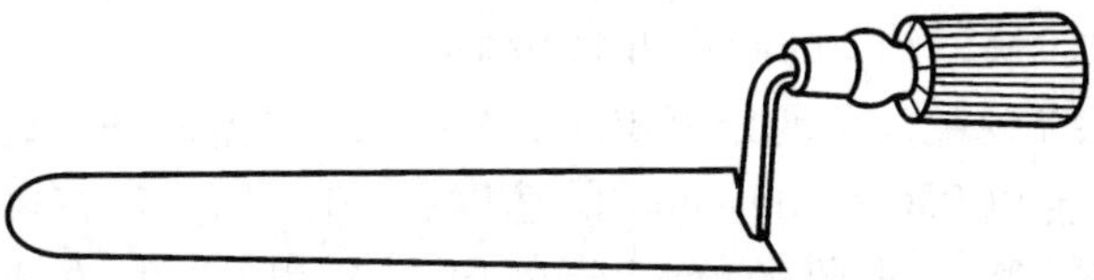
图 2－18 割蜜刀

3. 分蜜机 利用离心力把蜜脾中的蜂蜜分离出来的机具。主要有弦式分蜜机、辐射式分蜜机、半辐射式分蜜机和风车式分蜜机四大类型。现将弦式分蜜机和辐射式分蜜机介绍如下：

（1）弦式分蜜机：蜜脾在分蜜机中，脾面和上梁均与中轴平行，呈弦状排列的一类分蜜机。这类分蜜机蜜脾一面的蜂蜜分离后须翻转分离另一面的蜂蜜。通常做法是先在较低的转速下将蜜脾一面的蜂蜜分离出 2/3 后，翻转换面将另一面的蜂蜜分离干净，然后再翻转将第一面剩下的 1/3 蜂蜜分离出来。

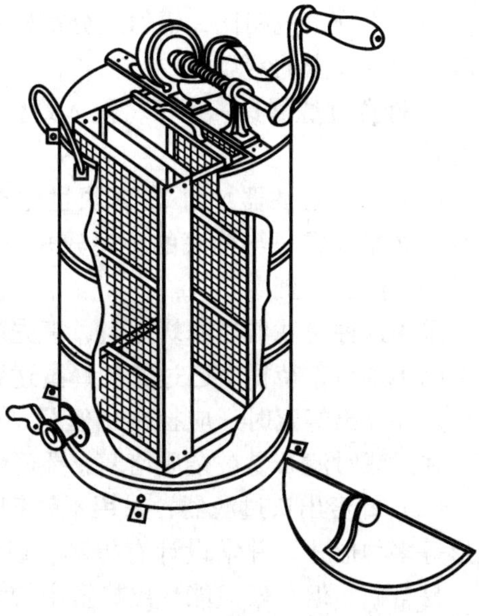
图 2－19 二框固定弦式分蜜机

弦式分蜜机有固定（换面）弦式分蜜机和活转弦式分蜜机等多种类型。二框固定弦式分蜜机（图 2－19）虽容脾量少，需换面，生产效率低，但其结构简单、造价低、体积小、携带方便，适于我国蜂场现阶段使用。

（2）辐射式分蜜机：蜜脾在分蜜机中，脾面位于中轴所在的平面上，下梁朝向并平行于中轴，呈车轮的辐条状排列的一类分蜜机（图2－20）。这类分蜜机蜜脾呈车轮的辐条状排列，蜜脾两面的蜂蜜能同时分离出来，无须换面。

辐射式分蜜机有6～120框式多种类型，大都采用电动机驱动，有的还配置有转速控制装置和时间控制装置。在分离蜂蜜过程中，开始时以较低的转速启动，其后转速随着蜜脾上蜂蜜被分离增多而逐渐自动加快，约5min后可将蜜脾上约3/4的蜂蜜分离出来，然后再以250～350r/min的速度将蜜脾中残留的蜂蜜分离出来。每次分离蜂蜜的时间需12～15min。

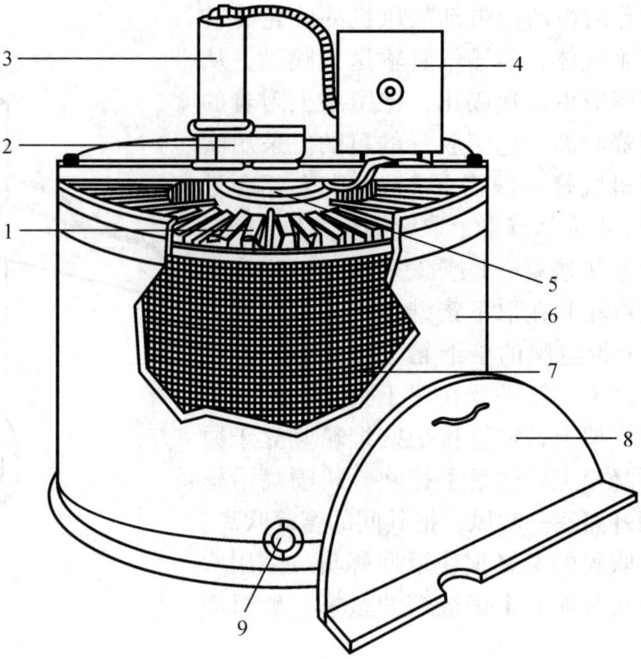

图2－20　辐射式分蜜机（仿Root A I，1980）

1. 巢框　2. 变速齿轮　3. 电动机　4. 定时和控速装置　5. 刹车装置　6. 机桶　7. 蜜脾转架　8. 桶盖　9. 出蜜口

与弦式分蜜机相比，辐射式分蜜机有分离蜂蜜的工效高、巢脾不易损坏和有利于分离较高浓度蜂蜜的特点。

4. 蜂蜜过滤器具　用于将混入蜂蜜中的蜜蜂肢体、蜡屑等外来物质滤除净化蜂蜜的器具。

（1）袋状过滤器：由2～3块过滤布呈袋状装置在一个下部具出蜜口的桶内构成。这种过滤器其袋底与桶底的距离较短（50～80mm），可减小蜂蜜的落差，以避免过滤过程中气泡混入蜜内。

采用这种过滤器过滤蜂蜜时，事先应把滤布沾水拧干，以利蜂蜜通过。在过滤之初先关闭出蜜口，待桶中已过滤的蜂蜜达到半桶以上时，再开始逐渐把桶中已滤过的蜂蜜导出。在导出蜂蜜时，应控制出蜜量，使进入过滤器和导出过滤器的蜂蜜的量保持均衡。在过滤时滤布易被杂质堵塞，要经常更换，以保证过滤的速度。

（2）蜂蜜出口过滤器：采用不锈钢和不易腐蚀的金属滤网制成，有倒圆锥形和半球形等多种形式，并常设计有提耳，以便使用时挂在蜂蜜出口处。这种过滤器结构简单，易自制，但一般只能滤出蜂蜜中较大的杂质，过滤后还需进一步净化处理。

（3）O. A. C. 蜂蜜过滤器：系加拿大安大略农业大学设计的一种能连续净化蜂蜜的过滤器。这种过滤器由1个外桶、4个网眼大小不一的圆柱形过滤网和1个器盖构成（图2－21）。过滤网共4个，其网眼大小由内向外依次为每厘米5目、12目、20目和30目。

O. A. C. 蜂蜜过滤器有大、中、小三种型号。大型的每天可过滤蜂蜜 2 500kg，中型的每天1 000kg，小型的每天250～500kg。

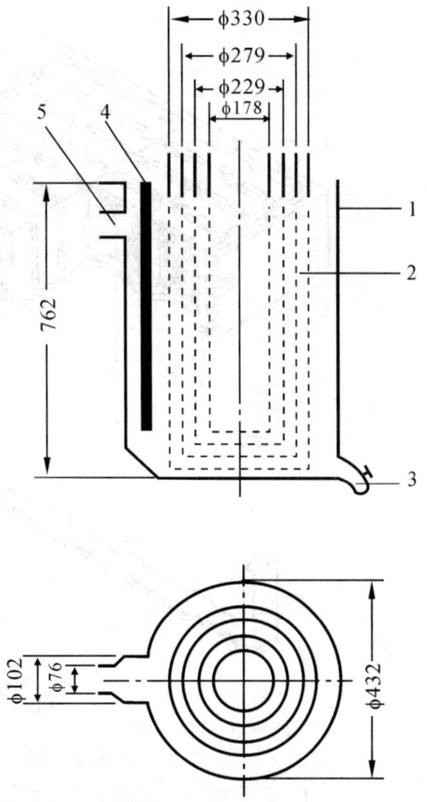

图 2－21　O. A. C. 蜂蜜过滤器（单位：mm）

1. 外桶　2. 滤网　3. 冲洗龙头　4. 挡板　5. 出蜜口

（二）巢蜜生产器械

1. 巢蜜继箱　巢蜜继箱是用于生产巢蜜的器具，主要有方形巢蜜继箱、圆形巢蜜继箱和盒式半巢脾巢蜜继箱三种类型。

（1）方形巢蜜继箱：常见的有蜂路巢蜜继箱和无蜂路巢蜜继箱。现将蜂路巢蜜继箱介绍如下。

蜂路巢蜜继箱由巢蜜格、巢蜜格承架、巢蜜隔板、继箱弹簧、楔条和继箱体等部件构成（图 2－22）。巢蜜格采用木材或塑料制成，市面上较流行的巢蜜格规格为108mm×108mm×48mm。为方便巢蜜格上础，在巢蜜格的制造中有的在巢蜜格的两侧板和顶板的中线开设 1 条宽 1～2mm 的通槽，把巢蜜格制成半分裂巢蜜格；有的把巢蜜格设计成由 2 个半巢蜜格组合成全分裂巢蜜格（图 2－23）。上础时只要把巢础插入巢蜜格的槽内或夹在两巢蜜格半格之间即成。

巢蜜格承架采用薄木板制成，用于承放巢蜜格。巢蜜隔板采用薄木板或塑料板制成，使用时夹在各排巢蜜格之间，其作用是使蜜蜂在巢蜜格内筑造的巢脾平整、厚度划一，生产出的巢蜜表面平整美观、重量一致。巢蜜继箱弹簧采用弹性良好的钢片，生产巢蜜时插在最外巢蜜隔板与继箱体侧壁的间隙内，用于横向挤紧箱内其他部件，防止蜜蜂在部件之间填充蜂胶或蜂蜡。楔条采用木材制成，生产巢蜜时用于纵向挤紧各排巢蜜格承架内的巢蜜格，防止蜜蜂在巢蜜格之间填充蜂胶或蜂蜡。箱体由浅继箱体构成，箱体的前、后壁下沿分别钉有 1 条支撑铁片，用于支撑箱内各部件。

（2）圆形巢蜜继箱：由圆形巢蜜格、巢蜜格承框、螺杆和浅继箱体等部件构成（图 2－24）。

圆形巢蜜格采用无毒塑料制成，共 36 个，每个巢蜜格由 2 个巢蜜格半环组成。巢蜜格承框采用无毒塑料制成，共 9 副，每副由 2 个半承框组成，生产巢蜜时用于承装巢蜜格半环。螺杆 2 根，采用直径 6mm 的圆钢制成，长 370mm，配有垫片和螺母，用于把巢蜜格承框连成一体。浅继箱体由浅继箱构成。

生产巢蜜时，将巢蜜格半环装入巢蜜格半承框，然后在构成巢蜜格承框的 2 个巢蜜

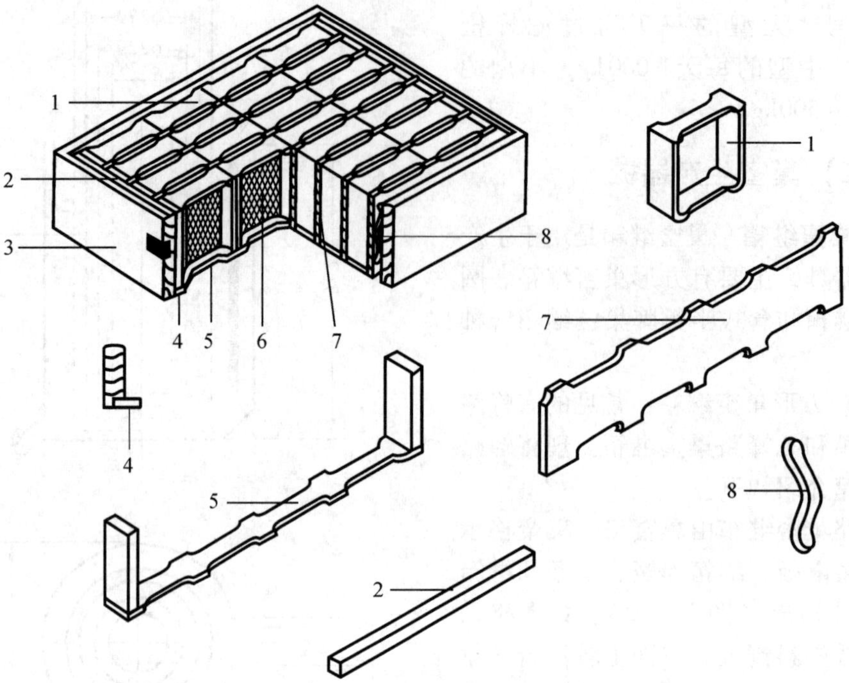

图 2－22　方形蜂路巢蜜继箱

1. 巢蜜格　2. 楔条　3. 继箱体　4. 巢蜜格承架支撑铁片　5. 巢蜜格承架　6. 巢蜜格巢础　7. 巢蜜隔板　8. 继箱弹簧

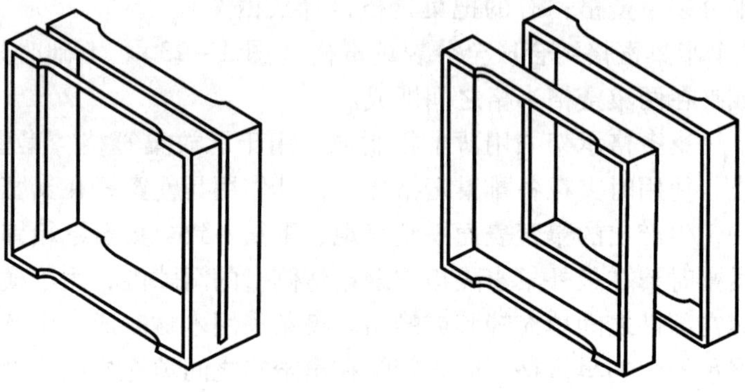

图 2－23　分裂巢蜜格

1. 半分裂巢蜜格　2. 全分裂巢蜜格

格半承框之间夹 1 片 448mm × 115mm 的巢础。这样即完成承框内的 4 个巢蜜格的上础工作。各副巢蜜格承框如法上础合拢后，将 9 副巢蜜格承框靠在一起，用螺杆连固成一体，最后悬挂在浅继箱体内，即可置于蜂群上生产巢蜜。巢蜜继箱内的巢蜜封盖后，即可从蜂群上取下巢蜜继箱，取出巢蜜格承框，卸下螺杆，小心启开各副巢蜜格承框取出巢蜜，用小刀割除巢蜜格外面的巢础，然后在巢蜜的两面加盖和在圆周面上整圈封上不干胶商标，所生产的圆形巢蜜即可供销售。

（3）盒式半巢脾巢蜜继箱：半巢脾巢蜜是一种仅有单边巢脾的巢蜜。近年来，我

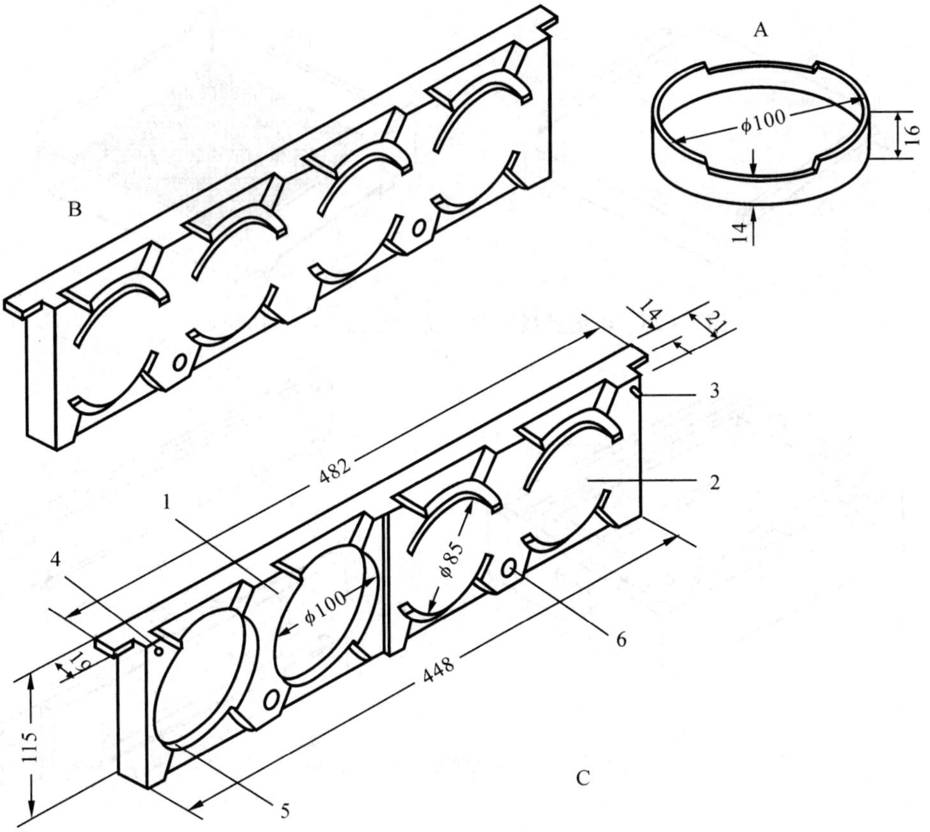

图 2－24　圆形巢蜜继箱（单位：mm）

A. 巢蜜格半环　B. 中间的半承框　C. 最外的半承框

1. 蜂路间隔装置　2. 巢蜜半隔板　3. 框间定位销

4. 框间定位销插孔　5. 巢蜜格定位销　6. 螺杆插孔

国业已生产出多种形式盒式半巢脾巢蜜。

美国的一种盒式半巢脾巢蜜继箱由半巢脾巢蜜盒、继箱体改装装置、继箱弹簧和继箱体构成。半巢脾巢蜜盒采用透明的聚苯乙烯塑料制成，大小为 114mm × 110mm × 35mm。每个浅继箱容纳 40 个巢蜜盒。巢蜜盒内底部有工蜂巢房房底模型，使用时在其上喷 1 层薄蜡，供蜜蜂单边造脾贮蜜；盒的上口 4 个角上有结实的角柱，可与相邻的巢蜜盒外底套接，并提供进入盒内的蜂路（图 2－25）。这种巢蜜盒配有透明的盒盖，盖的 1 个边设计成带状，使盖子扣在巢蜜盒上时起铰链作用，便于消费者取用巢蜜时启闭。当巢蜜从蜂群上取下后盖上盒盖，贴上标签即完成包装工作。

继箱改装装置由长衬板、短衬板、蜂路间隔条和支撑铁片构成（图 2－26），用于改变普通继箱的结构，使之适于搁置成列的半巢脾巢蜜盒。

长衬板 2 块，其中之一底部有 1 片长 432mm、宽 27mm、厚 1mm 的铁片（铁片伸出板面约 5mm），使用时固定在箱体的一侧壁上，用于支撑成列巢蜜盒的底端；另一块为活动的，呈凸形，凸出部分刚好能套入巢蜜盒口沿的角柱内，以在成列的巢蜜盒置于箱内时起支撑成列巢蜜盒的作用。短衬板 2 块，长 225mm、宽 114mm、厚 13mm，其中

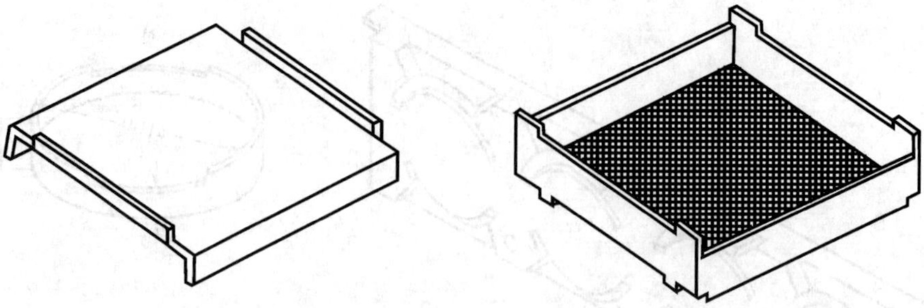

图 2－25　半巢脾巢蜜盒（仿 Hogg J. A.，1989）

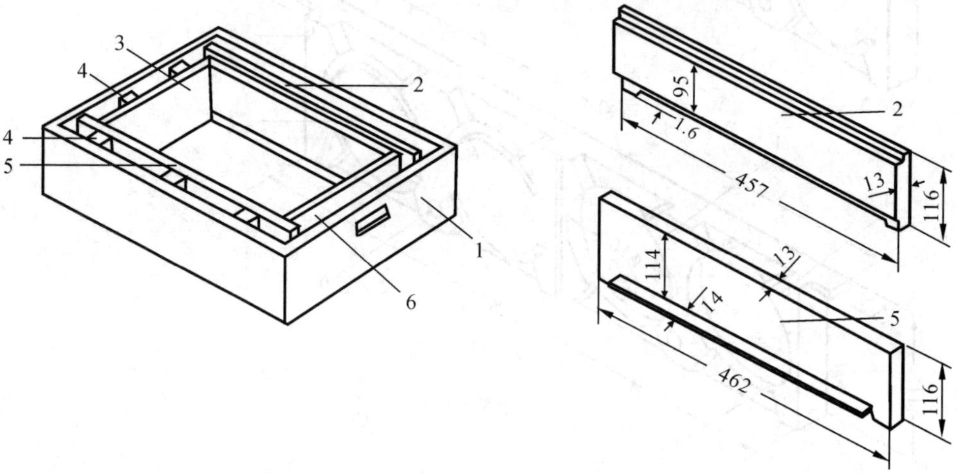

图 2－26　继箱体及其改装装置（单位：mm）

1. 继箱体　2. 活动长衬板　3. 固定短衬板　4. 蜂路间隔条　5. 固定长衬板　6. 活动短衬板

之一固定于箱体的前壁或后壁上，另一块为活动的。蜂路间隔条 4 条，长 114mm、宽 19mm、厚 10mm，用于间隔固定在箱体上的衬板，使它们与箱体壁间隔出宽为 10mm 的蜂路。支撑铁片 2 片，长 32mm、厚 1mm，使用时钉固在箱体内长衬板对边、箱体下口沿角上，用于支撑活动的长衬板和短衬板。继箱弹簧 4 个，生产巢蜜时用于挤紧箱内的巢蜜盒。浅继箱采用高为 121mm 的朗氏十框蜂箱浅继箱，经过改装后使用。

生产巢蜜时，在各巢蜜盒内底喷上或用海绵蘸涂上一层蜂蜡蜡液，每 10 个巢蜜盒套叠成 1 列（共叠 4 列），用高强度透明塑料胶带分别将各列巢蜜盒粘连成一体。然后，将继箱体竖立起来，保持箱内固定长衬板的一侧在下，具固定短衬板的一侧朝左，箱体上口朝操作者。其后，把 4 列巢蜜盒口朝上放入箱内，并左靠固定短衬板，后抵长衬板的铁条。接着，装上活动长衬板，把其凸出部分套进各列最上一个巢蜜盒的角柱内。最后，平放巢蜜继箱，装上短衬板，并在箱壁与活动衬板之间分别插入 2 个继箱弹簧，即可供蜜蜂造脾贮蜜生产巢蜜。

二、产浆器械

（一）台基与蘸蜡棒

1. 台基 采用蜂蜡或无毒塑料制成。

（1）蜂蜡台基：旧称蜡盏、蜡碗、蜡杯，用蘸蜡棒蘸蜡制成。它呈圆柱形，底部为半球形，大小依蜂种不同而异，意蜂用的其上口直径为10～12mm，底部半球形直径9～10mm，中蜂用的其上口直径为9～10mm，底部半球形直径8～9mm。使用时，多个成排粘在育王框或产浆框的台基条上，供移入工蜂幼虫。

（2）塑料台基：产浆用的台基大都采用塑料制成，并且多个台基制成一排形成台基条（图2－27），目前采用较普遍的台基条有25～30个台基。产浆台基条具有王台接受率高、产浆量高、可重复利用、使用方便和有利于机械化产浆等特点。

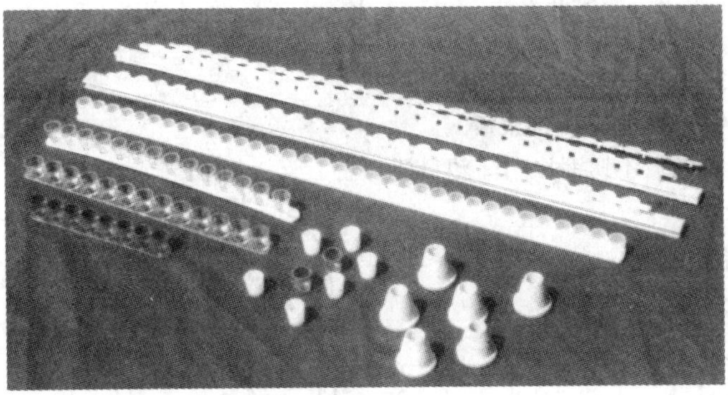

图2－27 人工台基

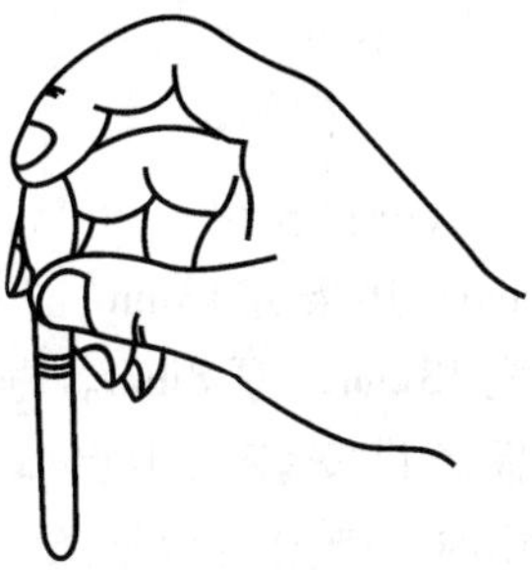

图2－28 蘸蜡棒

2. 蘸蜡棒 用于蘸制蜂蜡台基。采用纹理细致的木料制成，长约100mm，蘸蜡端通常呈半球形（图2－28）。意蜂用的蘸蜡端半球形直径9～10mm，距端部10mm处直径为10～12mm；中蜂用的蘸蜡端半球形直径8～9mm，距端部10mm处直径9～10mm。

蘸制台基时，事先把蘸蜡棒置于清水中浸泡半天，然后提出甩去水滴，垂直插入温度为70℃的蜡液中，连蘸3～4次，首次插入深度为10mm，其后逐次减少0.5～1mm。蘸好后放入冷水中冷却片刻，即可脱下蘸制的台基。

图2－29 弹性移虫针

（二）移虫工具

在人工育王或蜂王浆生产中，用于把工蜂巢房内的蜜蜂幼虫移入人工台基育王或产浆的工具。常见的弹性移虫针传统上采用牛角舌片、塑料管、幼虫推杆、弹簧和塑料线制成（图2－29）。使用时，将移虫针的牛角舌片沿巢房壁插入房底，连浆带虫提起。将虫转入台基底部中央，再轻压幼虫推杆，把幼虫连浆推移入台基。采用弹性移虫针移虫，无须点浆，操作迅速，王台接受率高。

（三）产浆框

用于安装人工台基产浆的框架，采用杉木制成。外围尺寸与巢框一致，长448mm，

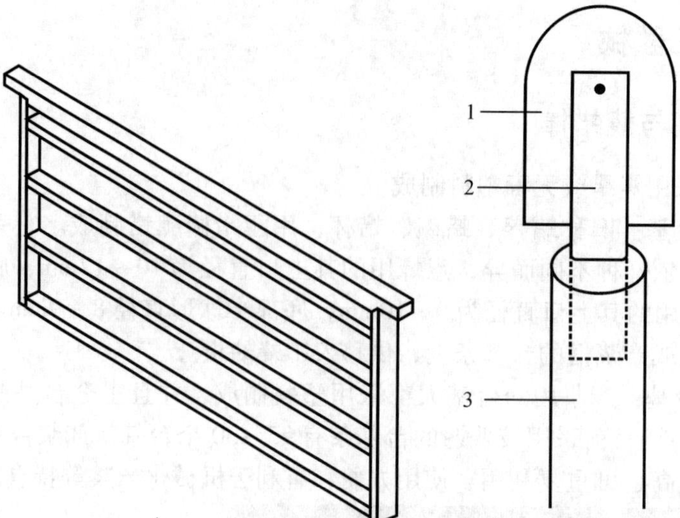

A　　B

图 2－30　产浆框和刮浆板

A. 产浆框　B. 刮浆板

1. 橡胶片　2. 不锈钢片　3. 塑料杆

高 232mm；长梁长 480mm，宽 13mm，厚 20mm；边条宽 13mm，厚 10mm；台基板条宽 13mm，厚 8mm。框内有 3～5 条台基板条供安装人工台基（图 2－30A）。使用时，把塑料台基条绑固在台基条上，供移虫产浆。

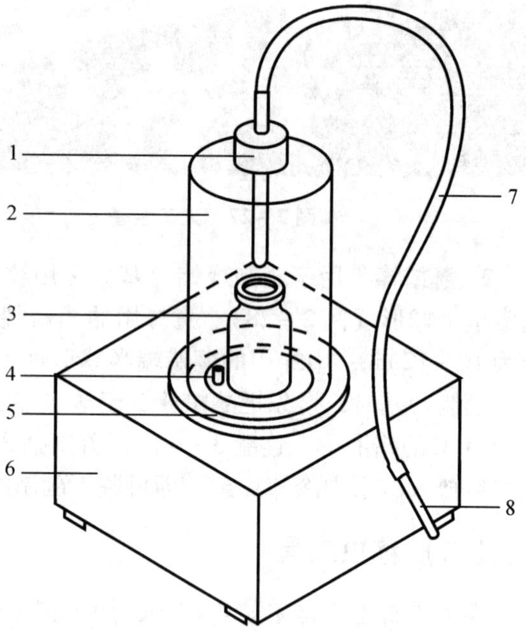

图 2－31　电动真空吸浆器

1. 王浆过滤器　2. 负压瓶　3. 集浆瓶　4. 抽气管　5. 橡胶环　6. 器体　7. 导浆管　8. 吸浆头

（四）取浆机具

有手工刮浆器具和取浆机 2 类。

1. 手工刮浆器具　主要有油画笔、刮浆板等，其操作烦琐，费工费时，生产效率低。

（1）油画笔：采用 4 号油画笔，可直接到文具商店选购。

（2）刮浆板：由刮浆舌片和笔柄组装而成。刮浆舌片采用韧性较好的塑料或橡胶片制成，呈平铲状，可更换，刮浆端的宽度与所用台基纵向断面相吻合；笔柄采用硬质塑料制成，呈扁笔状，其长度约 100mm。刮浆板可从蜂具商店购得，也可自制（图 2－30B）。

2. 取浆机　20 世纪 80 年代以来出现了多种类型的取浆机具，为实现蜂王浆生产机械化打下良好的基础。现仅将电动真空吸浆器介绍如下。

意大利的一种电动真空吸浆器由器体、电动真空泵、负压瓶、导浆管、吸浆头和王浆过滤器组成（图 2 - 31）。器体采用金属板制成，长 300mm、宽 300mm、高 165mm。其内装有电动真空泵，上顶中心部分有一橡胶环，以与负压瓶紧密配合，前向侧板上装有指示灯和电源开关。

电动真空泵由微型抽气机构成，真空度可达到 80 千帕。真空泵的抽气管穿过器体顶板，开口于橡胶环内，用于工作时抽出负压瓶内的空气，使瓶保持一定的负压。

负压瓶呈圆柱形，直径 170mm、高 270mm。其下口沿套有 1 个塑料环，以使负压瓶与器体顶板的橡胶环紧密相接；顶部中央装有 1 个王浆过滤器，过滤器的王浆出口管道直径 10mm、长 750mm，伸入瓶内。负压瓶瓶内中央放置 1 个贮浆瓶，用于收集从王浆过滤器出口吸进的蜂王浆。

导浆管采用透明塑料管，用于把吸入的王浆导入王浆过滤器。吸浆头采用直径 6mm、长 100mm 的玻璃管，通过导浆管与王浆过滤器相连。王浆过滤器呈圆柱形，直径 67mm、高 45mm，其内有 1 个每厘米 40 目的尼龙过滤网，用于过滤吸进的蜂王浆。

取浆时，先把集浆瓶置于负压瓶内中央的王浆过滤器出浆口下方，接着启动电动真空泵，不断抽出负压瓶内的空气，使瓶内产生和维持一定的负压，吸浆头也保持一定的负压。当吸浆头插入王台的蜂王浆中时，王浆被吸入，并顺塑料导浆管到达滤浆器，经过滤后从过滤器的出口流入集浆瓶内集中。

（五）其他产浆用具

1. 削台壁刀　为小纸刀或其他锋利小刀，取浆时用于削除过高的王台台壁。

2. 镊子　为小不锈钢镊子，取浆时用于镊除产浆王台中的蜂王幼虫。

3. 王台清理器　由形似刮浆器的金属片构成，有活动套柄可转动，移虫前用于刮除王台内壁的赘蜡。

4. 王浆瓶　用于贮存所产王浆的容器。目前市面上有容量为 250g、500g 和 1kg 等的多种塑料王浆瓶，也可用 5L 塑料壶代替。

三、脱粉器械

蜂花粉采集器系用于截留工蜂采粉归巢所携带的花粉团的器具。它装置在蜂箱的相应位置上，采集花粉的工蜂穿过采集器的脱粉板时，其后足携带花粉团即被刮下，落入采集器的集粉盒集中采收。蜂花粉采集器的脱粉率一般要求在 75% 左右，以免脱粉过多影响蜂群的繁殖。

蜂花粉采集器有巢前式、箱底式、继箱式和箱顶式 4 个类型。现仅将我国常用的巢前式蜂花粉采集器介绍如下。

（一）FJ—3 型全塑蜂花粉采集器

该采集器系由中国农业科学院蜜蜂研究所研制，由脱粉板、落粉栅、雄蜂出口、集粉盒和顶罩等部件组配而成。脱粉板采用乳白色的无毒塑料注塑而成，脱粉孔圆形，直径为 5.0 ~ 5.1mm。落粉栅采用乳白色的无毒塑料注塑而成，槽孔的宽度为 3mm，装置在集粉盒上方，用于阻止蜜蜂进入集粉盒。雄蜂出口由单孔波特脱蜂器构成，装置在脱粉板的一侧。集粉盒采用浅绿色的无毒塑料注塑而成，用于承接波特脱粉板截留而落下的花粉团。顶罩采用浅绿色或土黄色的无毒塑料注塑而成，其下部插在集粉盒上部两侧的槽内，构成蜜蜂进出蜂花粉采集器的通道。

使用时，取下巢门板，将采集器的顶罩向后推靠在前箱壁下方，用砖头垫住集粉盒，保持顶罩底部紧靠在蜂箱踏板表面，且集粉盒后部靠在蜂箱踏板的前端部。

（二）简易蜂花粉采集器

由脱粉栅和集粉盒构成。脱粉栅采用铜丝或不锈钢丝制成。其方法之一是选用22号铜丝，以直径为4.5～4.8mm的金属棒作模棒，绕成“8”字形双排圆孔即成。脱粉栅的长度视蜂箱巢门宽度而定，制成后将其固定在一块与巢门板大小相同的木板上使用。

集粉盒采用薄木板或纸板、牛皮纸等材料制成，长度通常与蜂箱巢门宽度相同，宽度和高度一般为70mm×70mm。

采粉时，将蜂箱巢门板取下，换上具脱粉栅的木板（具脱粉栅的一侧朝下）。然后将集粉盒装置在蜂箱蜜蜂踏板正下方，用于承接脱下的蜂花粉。为了便于脱下的蜂花粉落入集粉盒，采粉时应将蜂箱后部垫至比前部高出约100mm。

四、集胶器具

（一）格栅集胶器

板状格栅集胶器采用多条宽6～10mm、厚3mm的板条串连而成（图2－32－2）。采胶时，将格栅置于巢框与副盖之间或上下箱体之间，也可放在边脾外侧作隔板。每隔20d左右采胶1次，取胶时可以直接刮取，也可冷冻后振落。一般地，当格栅置于巢框与副盖之间或上下箱体之间，每次采胶约53g；置于边脾外侧的，每次采胶约17g。

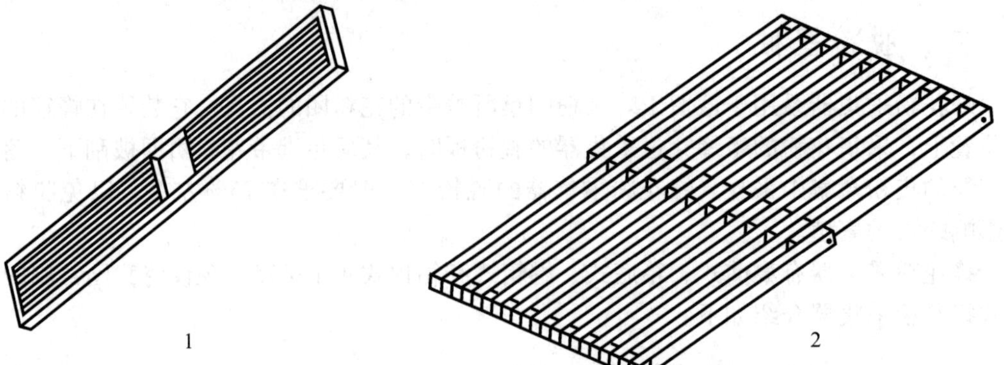

图2－32　集胶器（仿房柱，1984）

1. 巢门集胶器　2. 板状格栅集胶器

（二）巢门集胶器

采用细木条或竹片间隔 3mm 装在一个与巢门板大小相同的框架两侧，中间留有巢门而成（图 2－32－1）。它较适于多箱体养蜂的蜂群采胶，一般流蜜期、夏季和初秋气温较高时在强群上使用。采胶时，用巢门集胶器取代巢门板，蜜蜂为缩小巢门和填塞缝隙，在其上聚积蜂胶。每隔 12d 取下刮胶 1 次，一般每次采胶约 40g。

五、采毒器具

目前，电取蜂毒器的形式很多，现将我国设计的 2 种较实用的电取蜂毒器介绍如下。

（一）QF—1 型蜜蜂电子自动取毒器

它由电网、集毒板和电子振荡电路构成（图 2－33）。电网采用塑料栅板电镀而成。集毒板由塑料薄膜、塑料屉框和玻璃板构成。电源电子电路以 3V 直流电（2 节 5 号电池），通过电子振荡电路间隔输出脉冲电压作为电网的电源，同时由电子延时电路自动控制电网总体工作时间。

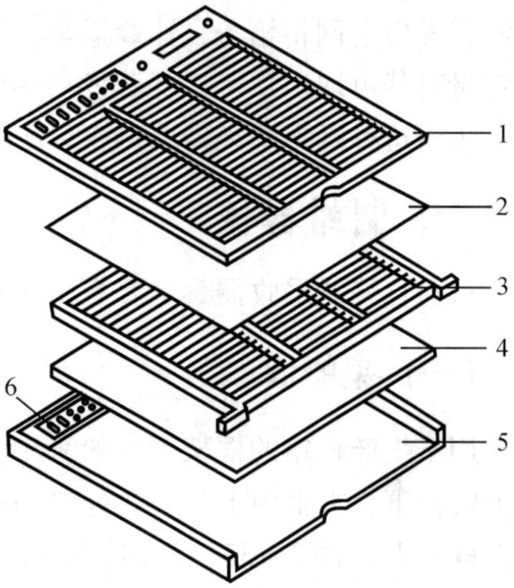

图 2－33　QF—1 型蜜蜂电子自动取毒器

1. 电网　2. 塑料薄膜　3. 塑料屉框　4. 玻璃板　5. 底板　6. 电子电路装置

（二）封闭式蜂毒采集器

它由电源控制器、电网箱、取毒板、抖蜂漏斗和贮蜂笼等部件构成（图 2－34）。电源控制器用于提供电网的电源，交直流两用，交流电源输入电压为 220V，输出供给电网的电压为 24V、28V、32V 和 36V 共 4 挡，通过换挡开关选择；直流电源采用 20 节 1 号干电池，装在器体内的电池盒，输出供给电网的电压为 22.5V 和 36V 2 挡，通过换挡开关选择。电网箱由箱体和电网 2 个部分组成，箱体由塑料制成，电网装置在箱体四壁内面和底部。电网箱上盖可开启，盖上设计有投蜂口，以便装进蜜蜂。取毒板采用玻璃板，取蜂毒时插于电网与箱体壁之间。抖蜂漏斗采用塑料薄膜，呈漏斗状；用于将待取毒的蜜蜂装入贮蜂笼。贮蜂笼采用尼龙纱网制成，用于净化待取毒的蜜蜂。

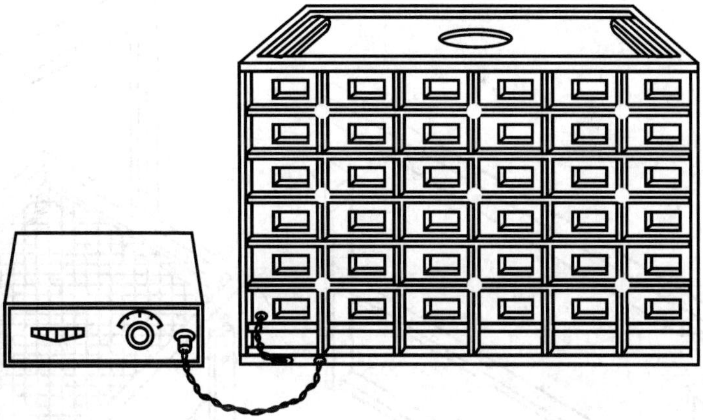

图 2－34　封闭式蜂毒采集器

取毒前一天 20～21 时，用抖蜂漏斗把待取蜂毒的壮老年工蜂装入贮蜂笼中，并将贮蜂笼小口朝下倒挂于通风凉爽处。次日清晨笼内蜜蜂已净化，即可投入电网箱取毒。取毒时，把取毒板插入电网与箱壁之间，盖好箱体顶板。接通电源，把电源开关调到“0”位。从箱盖的投蜂口投入约2 000只已净化的壮老年工蜂，盖好投蜂口。待箱内蜜蜂充分爬网散开后，接通电源开关，并通过电网箱的四周观察箱内取毒情况，酌情调高电网的电压和控制电网通电时间，待电网上蜜蜂螯刺后停电。一般通电 10～15s，停电 4～5s，如此反复 10～15min 即可。蜜蜂在此期间受电击而排毒于取毒板上。最后切断电源，开启电网箱箱盖，让蜂返巢。然后再投入第二批蜜蜂取毒。当取毒板的蜂毒达到一定量时就可取出，待蜂毒蒸发后用刮毒刀取下蜂毒晶体，放于暗色瓶中封存。

采用这种蜂毒采集器取毒，1 万只壮老年工蜂可采毒 1～1.5g。

六、制蜡器械

目前，蜂蜡采收器具主要有采蜡框、日光熔蜡器、蒸汽熔蜡器和榨蜡器等。

（一）采蜡框

用于生产蜂蜡的框架。一般采用普通巢框改制而成。改制的方法，一是把普通巢框的上梁拆下，在框内上部 1/2 处钉一横木，并在两侧条上端各钉一铁片作框耳，上梁架放在框耳上（图 2－35）；二是在普通巢框内的中部钉上一横木，把巢框分成上下两部分。

采蜡时，横木上方用于采蜡，下方仍可供育虫或贮蜜。在上梁和横木的腹面各粘上一窄条巢础后，插入继箱的蜜脾之间让蜜蜂造脾产蜡。根据蜂群和蜜源情况，每群一般

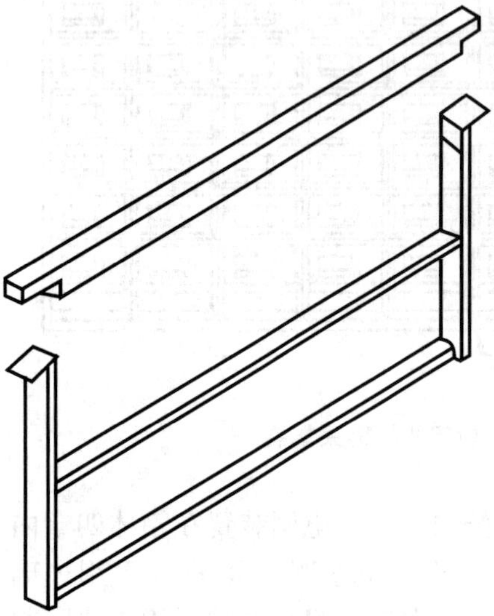

图 2－35　采蜡框

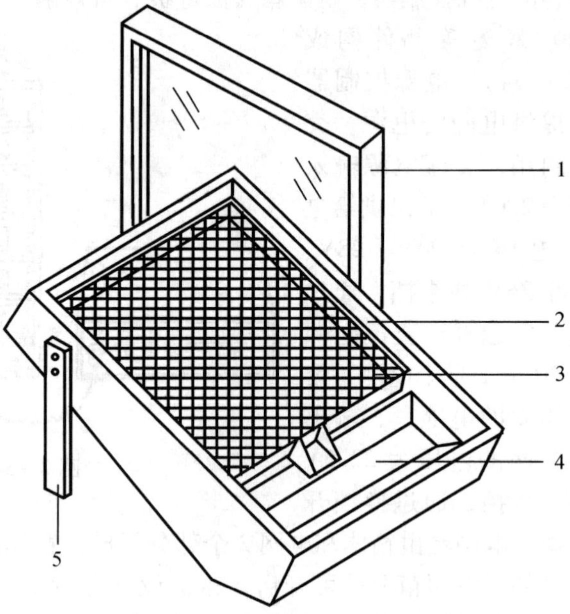

图 2－36　美国的一种日光熔蜡器

1. 器盖　2. 器体　3. 蜂蜡原料搁架　4. 蜡容器　5. 支架

可插入 2～5 个采蜡框。每隔 7d 左右割取横木上部的巢脾化蜡，然后将原框插回蜂群再造脾产蜡。

（二）日光熔蜡器

日光熔蜡器系利用太阳能提取蜂蜡的器具。用它提取蜂蜡省力省工，提取的蜂蜡颜色浅、质量好，并且器内的高温还能杀死蜂蜡中孢子虫的孢子、阿米巴的孢囊和蜂蝇、蜡螟、巢虫、蜂螨等蜜蜂病虫。日光熔蜡器提取蜂蜡的出蜡率为 50%～75%，因此蜡渣应再采用其他蜂蜡提取设备作进一步处理。

美国的一种日光熔蜡器，由器体、接蜡盘、蜂蜡原料搁架、蜡容器、器盖和支架构成（图 2－36）。器体采用杉木或铁板制成，内部涂白漆，使射入器内的太阳光反射至蜂蜡原料上；外部涂黑漆，以利吸收太阳热能。器体通常制作严密，以减少箱内外空气对流，防止箱内热量散失。接蜡盘采用不锈钢板制作，用于承接蜂蜡原料受热后滴下的液蜡；其前向有 1 个出蜡口，用于把盘中的液蜡导入其下的蜡容器内。蜂蜡原料搁架采用硬质不锈钢纱网制成，放在接蜡盘内，用于铺放蜂蜡原料。蜡容器采用不锈钢板制成，用于承接提取的蜂蜡。器盖采用双层玻璃嵌装于木框或铁框内而成。双层玻璃夹层间隔 6～10mm，以空气隔热防止器内的热通过玻璃传导出去而散失。器盖与器体接合严密，以减少箱内外空气对流，防止箱内热量散失。支架采用杉木或金属制成，用于将器体支离地面和使器体保持一定的倾斜度，让太阳光直射入器内。

使用时，将日光熔蜡器置于户外阳光下，调节器体的朝向和倾斜度，使阳光直射入器内。然后把含蜂蜡的原料铺放在蜂蜡原料搁架上，盖上器盖。一段时间后，器体吸收太阳热能，器内温度升至蜂蜡熔点以上，蜂蜡原料中的蜂蜡熔化，液蜡滴入接蜡盘中汇集并流入蜡容器内。

（三）蒸汽熔蜡锅

这是利用蒸汽热提取蜂蜡的器具。它提取蜂蜡的出蜡率可达 70%，但费用较高。我国采用的一种蒸汽熔蜡锅由双层锅、原料篮和锅盖构成（图 2－37）。双层锅呈圆柱形，内部分隔成上下两部分。上层锅底部中央有一圆锥台形管道突起，用于把下锅的蒸汽导入上锅熔蜡。上锅的侧壁下部有一出蜡口，用于导出提取的蜂蜡。下层锅装清水加热产生蒸汽。原料篮呈圆柱形，采用铁纱网制成，置于双层锅的上层锅内，用于装待提取蜂蜡的蜂蜡原料。其底部中央有一突起与上层锅底的突起相配合。锅盖采用镀锌铁皮制成。

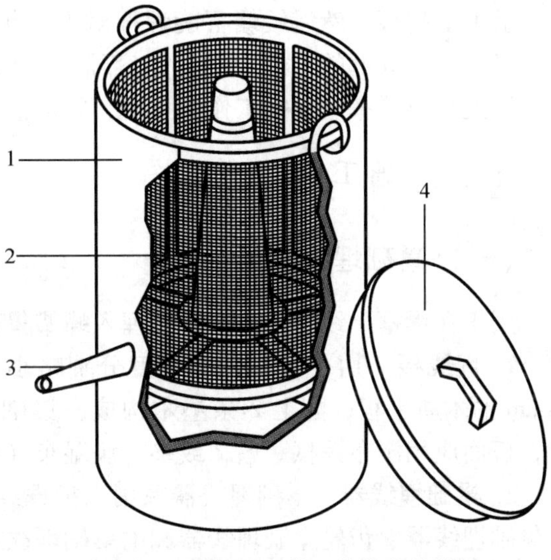

图 2－37 我国采用的一种蒸汽熔蜡锅
1. 双层锅 2. 原料篮 3. 出蜡口 4. 锅盖

提取蜂蜡时，先由上层锅底部突起的管道给下锅加入适量清水，并将含蜂蜡原料装在原料篮中，加盖后把整个锅置于热源上加热。下层锅水开后产生的大量蒸汽，通过上层锅的蒸汽通道进入上层锅，熔化原料篮中的蜂蜡，液蜡滴于上层锅底，从蜂蜡出口导出。提取蜂蜡工作结束时，趁热倒出原料篮中的蜡渣，清理各部件。

（四）螺杆榨蜡器

这是利用螺杆下旋施压的榨蜡器。它的出蜡率和工作效率均较高。我国的一种螺杆榨蜡器由榨蜡桶、施压螺杆、上挤板、下挤板和支架等部件构成（图2－38）。榨蜡桶采用厚度为2mm的铁板制成，桶身呈圆柱形，直径约350mm，内面间隔装置有木条，在桶内壁上构成许多纵向的长槽，以利于榨蜡时提取出的蜂蜡流下；桶身侧壁下部设计有1个出蜡口。施压螺杆采用直径约30mm的优质圆钢车制而成，榨蜡时用于下旋对蜂蜡原料施压榨蜡。上、下挤板采用金属制成，其上有许多孔或槽，供导出提炼出的蜡液。榨蜡时，下挤板置于桶内底部，上挤板置于蜂蜡原料上方。支架采用金属或坚固的木料制成，用于装置螺杆和榨蜡桶。

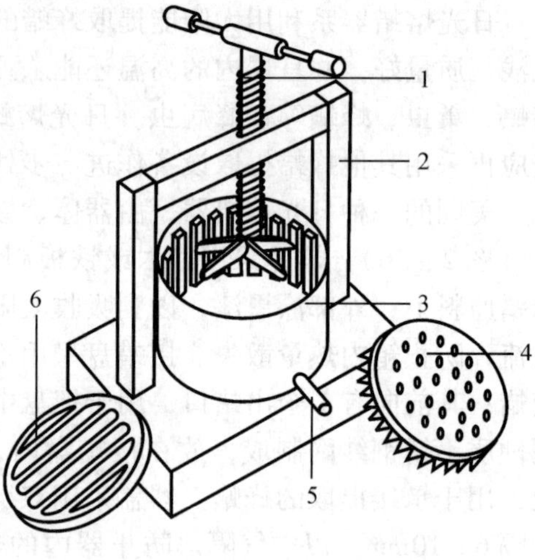

图2－38　我国的一种螺杆榨蜡器

1. 施压螺杆　2. 支架　3. 榨蜡桶　4. 下挤板　5. 出蜡口　6. 上挤板

榨蜡时，把下挤板置于榨蜡桶内后，堵住出蜡口，在榨蜡桶内装满热水预热桶身。待桶身预热后，排出热水，随即将煮烂的含蜡原料趁热装入小麻袋或尼龙袋后放入榨蜡桶，盖上上挤板。然后缓缓下旋螺杆对上挤板施压，蜂蜡原料中的蜡液即被逐渐挤压出，经榨蜡桶底部的出蜡口导至蜡容器。在榨蜡过程中，蜂蜡原料要经几次加热、压榨，以提高出蜡率。榨蜡工作结束时，趁热清理蜡渣和各个部件。

七、上础工具

（一）巢础埋线工具

用于在巢框上线后，将框线嵌埋入蜂蜡巢础。主要有埋线板和巢础埋线器两类。

1. 埋线板　由1块长度和宽度分别略小于巢框的内围宽度和高度、厚度为10～20mm的木质平板，配上2条垫木构成，巢础埋线时垫在框内巢础下面作垫板。使用时，板面应用湿布擦拭一遍，或垫一块湿布（纸），以防蜂蜡粘在埋线板上。

2. 巢础埋线器　巢础埋线器系用于把框线嵌埋入蜡质巢础的器具。常见的有烙铁式巢础埋线器、齿轮巢础埋线器和电巢础埋线器等。

（1）烙铁式巢础埋线器：由带尖顶的四棱柱形铜块配上手柄构成（图2－39－1）。铜块尖顶有一小凹槽。使用时，把铜块端置于热源上加热，然后手持埋线器，将铜块尖顶的凹槽搭在框线上，轻压并顺框线滑过，使框线下面的础蜡部分熔化，从而把框线埋入巢础内。

（2）齿轮巢础埋线器：由特制的齿轮配上手柄构成（图 2－39－2）。齿轮通常采用金属制成，可以转动，齿尖有小凹槽。使用时，齿尖的凹槽搭在框线上，用力下压并沿框线向前滚进，即可把框线压埋入巢础。有的在使用时先将齿轮稍加热，更便于埋线。

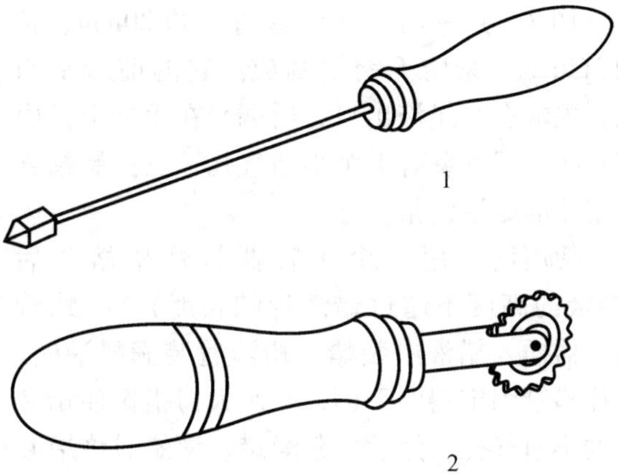

图 2－39　埋线器

1. 烙铁式巢础埋线器　2. 齿轮巢础埋线器

（3）电巢础埋线器：系利用电流通过框线，使之发热熔化础蜡而把框线埋入巢础的器具。采用电巢础埋线器埋线速度快，质量好。福建农业大学蜂学系研制的 DM—1 型电埋线器由一个特制变压器构成（图 2－40）。输入电压 220V（50Hz），埋线电压 9V，功率 100W，埋线速度为每框 7～8s。使用时，在上好框线的巢框中插入 1 片巢础，并在巢础下面垫好埋线板，使框线位于巢础片的上面。接通电埋线器电源，将埋线电源的一个输出端与框线的一端相连，然后一手持一根长度略比巢框高度长的小木条轻按住巢框上梁和下梁的中部，使框线紧贴础面，另一手持埋线电压的另一输出端与框线的另一端接通。框线通电变热，6～8s（或视具体情况而定）后断开，发热的框线熔化部分巢础蜡，框线即被埋入巢础内。

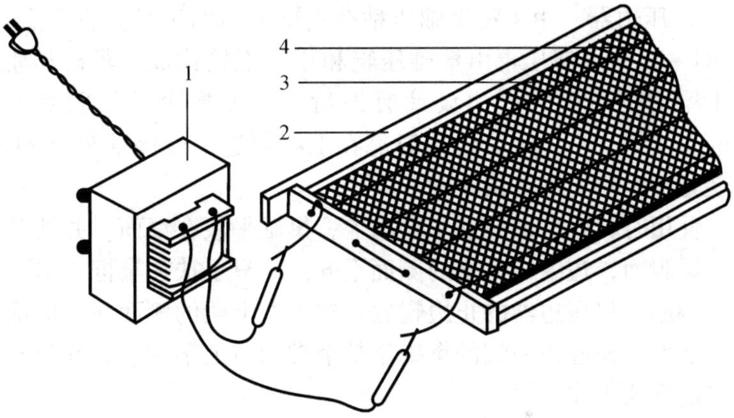

图 2－40　DM—1 型电巢础埋线器

1. 变压器　2. 巢框　3. 巢础　4. 框线

采用电埋线器埋线时，应注意以下几点：第一，巢框要平整，各段框线必须绷紧，并处于同一平面上，以保证埋线质量；第二，应注视框内埋线情况，及时断开框线电源；第三，埋线输出端不可长时间短路，以免电流过大损坏埋线器；第四，埋线工作结束后，应随即切断电源，并把埋线器放在干燥处妥善保存。

（二）巢础固定器

用于将埋好框线的巢础固定在巢框上梁的腹面，常见的有蜡管固定器和压边器等。

1. 蜡管固定器　用于灌蜡将巢础粘固在巢框上梁的工具，由一蜡液管配上手柄构成（图2－41－1）。蜡液管直径约20mm、长约160mm，采用不锈钢制成。它的前端呈斜状，尖端有个蜡液出口，后端套在手柄上，内部封闭，但侧壁有1个小通气孔，供控制蜡管固定器的蜡液流量。

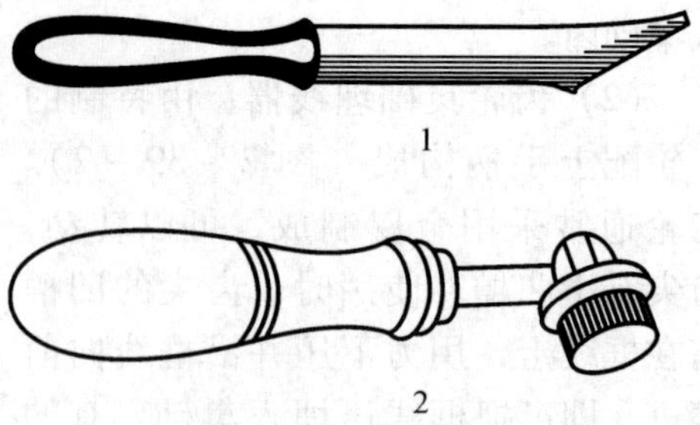

图2－41　巢础固定器

1. 蜡管　2. 压边器

使用时，用一个小容器将蜂蜡熔化后（蜡液的高度不超过蜡液管的长度），把蜡管固定器插入蜡液中装蜡。蜡液管装满蜡液时，握住蜡管固定器的手柄，并用大拇指摁住蜡液管的小通气孔，然后提起灌蜡。灌蜡时将蜡液管的出蜡口靠在巢框上梁腹面嵌础的槽口上，松开摁住小通气孔的大拇指，蜡液即从出蜡口流出。与此同时，握着蜡管固定器，保持出蜡口靠在嵌础的槽口上，慢慢沿着槽口移动灌蜡。整个嵌础槽都灌上蜂蜡，即完成巢框的灌蜡固定巢础工作。

2. 压边器　用于将巢础压粘在巢框上梁的工具。它由金属压辊配上手柄而成（图2－41－2）。金属压辊由巢础压辊和止边辊轮构成，巢础压辊直径12mm，长为1/2巢框上梁宽度，辊的周边设计有细齿，以提高滚压粘固巢础的效果。止边辊轮直径22mm，厚度1～2mm，使用时靠在上梁侧边，以保证巢础的压边准确、整齐。金属压辊装置在手柄上可自由转动。

使用时，将巢框倒立于桌面上，巢础平放在桌面，并让其1个侧边覆盖在倒立的巢框上梁腹面，边缘与巢框的侧面平齐。一只手扶住巢框，另一只手持压边器，从近身边的一端起，将压边器的止边辊轮靠在巢框上梁的侧面向下向前滚压，把巢础粘在巢框上梁。然后，扶起另一端的巢础至整个础面与上梁垂直，并位于巢框正中，即可再进行下一步的埋线工作。

采用压边器，不但可省去巢框上梁腹面开槽的工作，而且还有利于防止巢虫潜伏在上梁嵌础的槽内。

第四节　其他工具

一、饲养管理器具

蜜蜂饲养管理器具是现代科学养蜂不可缺少的辅助工具。采用适当的饲养管理器具可显著提高饲养管理的工作效率，使科学养蜂技术的实施成为可能。

（一）防护用具

1. 蜂帽　用于保护养蜂者的头部和颈部免遭蜜蜂螫刺。它的前向视野部分通常采用黑色纱网、尼龙网或金属纱网制作。通常要求视野广、能见度高、轻便、通风、穿戴舒适、不漏蜂、结实耐用。

目前使用的蜂帽主要有圆形和方形的两类，型式多种（图 2－42）。圆形蜂帽大都采用黑色纱网或尼龙网制作，为我国养蜂者普遍采用；方形蜂帽由铝合金或铁纱网制作，多为国外养蜂者采用。

2. 养蜂工作服　采用较结实的白布缝制，有养蜂工作衫和养蜂套服两种。养蜂工作衫的下口和袖口都采用松紧带，以防蜜蜂进入，且常常把蜂帽与工作衫设计连在一起，蜂帽不用时垂挂于身后。养蜂套服，通常制成衣裤连成一体的形式，前面安纵向长拉链，以便着装。套服的袖口和裤管口都采用松紧带，以防蜜蜂进入。

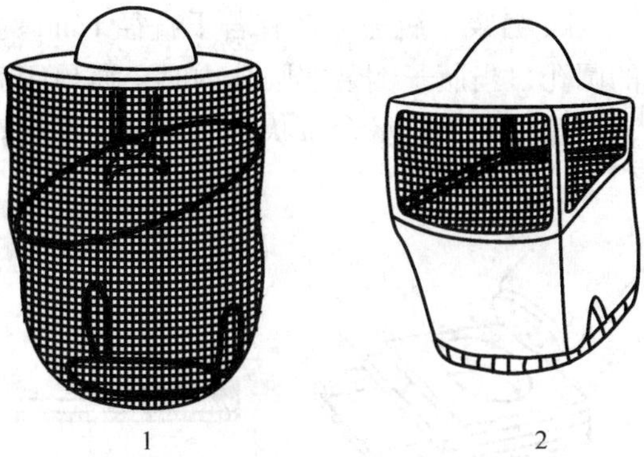

图 2－42　蜂帽

1. 圆形面网　2. 方形面网

3. 喷烟器　喷烟器是一种喷、发烟镇服蜜蜂的器具。风箱式喷烟器由燃烧炉、炉盖和风箱构成（图 2－43），具有结构简单、造价低、可根据需要掌握烟量等优点，被广泛采用。

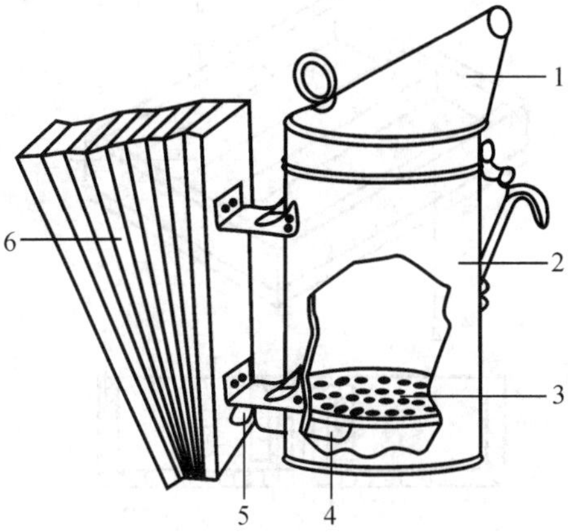

图 2－43　风箱式喷烟器

1. 炉盖　2. 燃烧炉　3. 炉栅　4. 通气管　5. 出气孔　6. 风箱

喷烟器使用的燃料种类较多，任何燃烧缓慢、能大量产生对蜜蜂无毒的发烟材料都可以用，主要有艾草、木屑、松针、玉米芯、细枝和泥炭等。

采用喷烟器镇服蜜蜂时，一般先在蜂箱巢门口轻喷一些烟，把巢门口的守卫蜂赶进蜂箱，稍待片刻后打开箱盖。在开启副盖时，先开一小缝，往里喷一些烟再盖上，1～2min 后打开副盖，并朝蜂群再喷烟，就可进行蜂群管理操作。

采用喷烟器镇服蜜蜂喷烟量，应视饲养的蜂群、天气、蜜粉源、蜂群内有无蜂王和养蜂者管理蜂群的习惯等情况而定，做到适量喷烟。

应注意喷烟器的保养，以延长其使用寿命。首先，喷烟器使用时应间歇鼓风喷烟，不能急剧连续鼓风，否则炉火太旺容易造成燃烧炉氧化生锈而损坏。其次，应时常清理炉栅，以免灰烬堵塞其上的通风孔，每次用毕应及时清出炉内残灰。喷烟器不用时，应存放在防雨、防潮和防晒处。

（二）饲喂器

饲喂器是用来盛装糖浆和蜂蜜供蜜蜂取食的器具。养蜂生产中采用适当的饲喂器可以提高饲喂工作效率。

1. 瓶式巢门饲喂器　由 1 个广口瓶和 1 个木底座组成（图 2－44）。广口瓶可容

0.5～1kg 糖浆，瓶盖上钻有若干直径 1mm 的小孔供蜂吸食。木底座上部有可倒插广口瓶的圆孔，当瓶子倒装在圆孔内时，瓶口距底座底板约有 10mm 的距离作为蜜蜂取食通道；木底座的一端呈台阶状，使用时用于插在不同高度的巢门上。

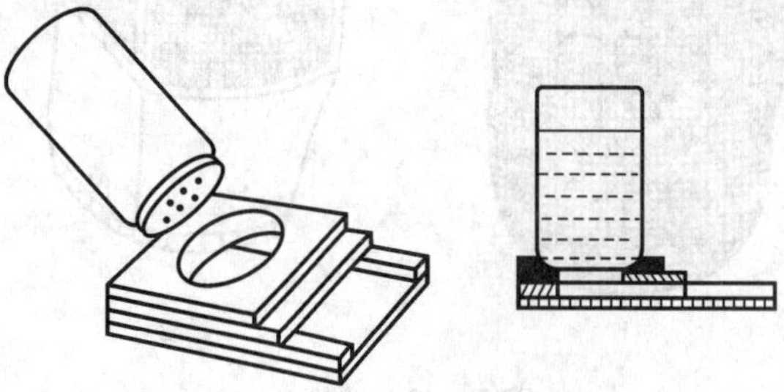

图 2－44　瓶式巢门饲喂器

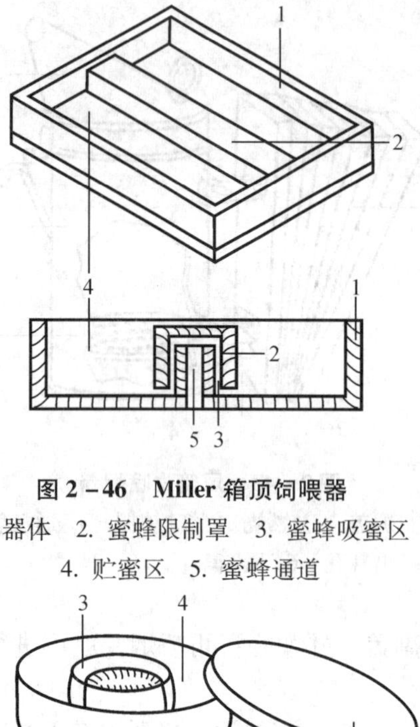

图 2－46　Miller 箱顶饲喂器

1. 器体　2. 蜜蜂限制罩　3. 蜜蜂吸蜜区　4. 贮蜜区　5. 蜜蜂通道

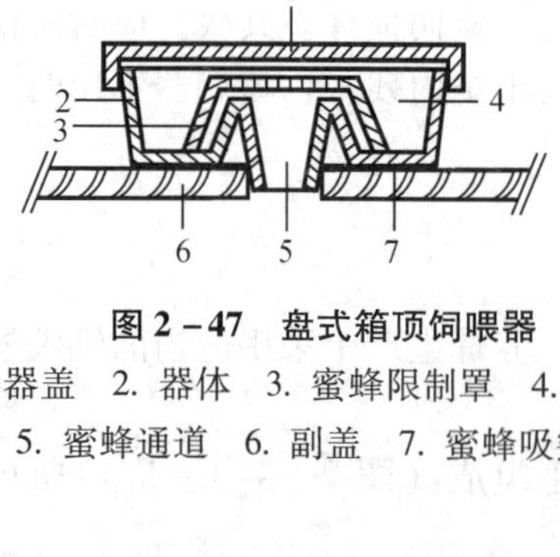

图 2－47　盘式箱顶饲喂器

1. 器盖　2. 器体　3. 蜜蜂限制罩　4. 贮蜜区　5. 蜜蜂通道　6. 副盖　7. 蜜蜂吸蜜区

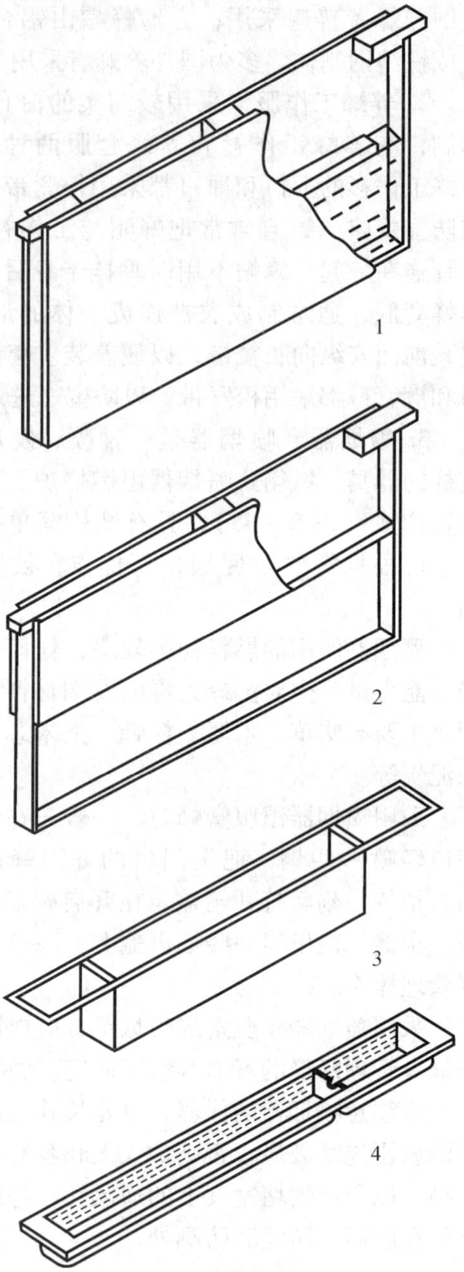

图 2－45　框式饲喂器

1. 全框式饲喂器　2. 半框式饲喂器　3. 塑料浅框式饲喂器　4. 金属浅框式饲喂器

这种饲喂器通常在晚间插入巢门饲喂蜜蜂或置于箱内饲喂。使用时，把已装满糖浆的广口瓶的盖子盖紧，并迅速倒插于底座的圆孔内，然后将木底座的台阶状一端插入巢门，供蜂吸食。

2. 框式饲喂器 有全框式饲喂器、半框式饲喂器和浅框式饲喂器三种。

（1）全框式饲喂器：通常采用胶合板、纤维板或塑料制成，其形状和大小与巢框相仿（图2－45－1）。器内平放1块薄木板或纵放1片无毒塑料纱网供蜜蜂取食时攀附避免溺死。全框式饲喂器可容纳糖浆约2.5kg，适于大量补助饲喂。使用时，通常置于巢内紧靠隔板处，或紧靠边脾兼起隔板的作用。但当较长时间不用时，应及时从蜂群中取出清洗干净，晾干妥存。

（2）半框式饲喂器：通常采用木框架和胶合板（或纤维板）制成，形似巢框。其上半部结构与全框式饲喂器的相同，下半部的结构与普通巢框相同（图2－45－2）。这种饲喂器可容纳糖浆约1kg，适用于补助饲喂。使用时，置于巢内蜂团的任一部位。半框式饲喂器不但保温性能好，而且可节省空间（下部可供蜜蜂筑巢育虫或贮蜜），尤其适于天气寒冷地区和中小蜂群使用。

（3）浅框式饲喂器：有金属浅框式饲喂器和塑料浅框式饲喂器两种形式（图2－45－3、4）。金属浅框式饲喂器采用镀锌铁皮和粗铁线制成，盒体长380mm、宽30mm、高70mm，可容纳糖浆约0.7kg，用于补助饲喂。塑料浅框式饲喂器采用塑料注塑而成，盒体分成2个大小不同的区，分别用于补助饲喂和奖励饲喂。这种饲喂器可容纳糖浆约1kg。使用时，将饲喂器悬挂在巢内隔板外紧靠隔板处。加入糖浆时通常应在器内放一些草秆，供蜜蜂取食时攀附。

3. 箱顶饲喂器 使用时置于蜂箱箱体的上方供蜜蜂取食。它具有容量大有利蜜蜂取食、饲喂时不必开箱和可常年寄放于蜂箱上等优点，在国外使用较多。

箱顶饲喂器通常采用木板、纤维板或塑料制成，呈矩形或圆形。器内用蜜蜂限制罩分成2个区，罩内为蜜蜂吸蜜区，罩外为贮蜜区。吸蜜区有蜜蜂进入的通道，箱内的蜜蜂通过它进入器内取食。贮蜜区用于盛装加入的糖浆。蜜蜂限制罩通常采用木板、透明塑料、金属板或纱网制成，用于限制蜜蜂在吸蜜区内取食和防止蜜蜂进入贮蜜区溺死。它的下沿通常设计有小缺口，供贮蜜区内的糖浆流入吸蜜区。限制罩大都设计成可拆的，以便饲喂结束后取下，让蜜蜂进入贮蜜区清理残余的糖浆。

箱顶饲喂器有箱式箱顶饲喂器（图2－46）和盘式箱顶饲喂器（图2－47）两类：

箱式箱顶饲喂器使用时置于蜂箱箱体与副盖之间。它通常采用木板或塑料制成，长度和宽度与蜂箱的相同，但高度仅60～100mm，容糖浆量约10kg。

盘式箱顶饲喂器使用时置于副盖与箱盖之间，因此在蜂箱副盖中心必须凿1个比饲喂器蜜蜂通道略大的圆孔，以搭接饲喂器的蜜蜂通道和供蜜蜂进入饲喂器取食；并且要在副盖与箱盖之间加1个空继箱架高箱盖。盘式箱顶饲喂器大多采用塑料制成，大都设计有器盖，以防盗蜂和其他昆虫进入。这种饲喂器能容纳1～10kg糖浆，常用于蜜蜂的补助饲喂。

（三）限制与保护蜂王工具

1. 限制蜂王工具

（1）隔王板：是用于限制蜂王在蜂箱内活动区域的栅板，是现代蜂箱的重要附件之一。在养蜂生产中，采蜜时用它隔开育虫区和贮蜜区，以在贮蜜区获得纯净优质的蜂蜜和提高取蜜的工作效率；育王和产浆时用它隔开育虫区和无王区，蜂王限制于育虫区产卵繁殖，而在无王区进行育王或蜂王浆生产。

隔王板由隔王栅片和框架构成。隔王栅片有孔型和线型两种。孔型的隔王栅片（图 2－48－1）通常采用薄金属片或塑料片冲孔而成，孔缘粗糙，易刮伤蜜蜂的翅膀和体毛；线型的隔王栅片（图 2－48－2、3）通常采用直径为 2mm 的钢丝或竹丝制成，孔缘光滑，工蜂通过时不会刮伤翅膀和体毛。隔王栅的孔宽以蜂王胸部的厚度为依据设计，西方蜜蜂的孔宽为 4.14～4.24mm，中蜂的孔宽为 3.80～4.00mm。框架通常采用宽度为 30mm、厚度为 12～15mm，不易变形的木材如杉木、红松木制作，也有采用金属片制成的。

隔王板有平面隔王板和框式隔王板两类。平面隔王板（图 2－48－2）习称“隔王板”，使用时水平置于上、下两箱体之间，用于把蜂王限制在育虫箱内繁殖。

框式隔王板使用时竖立插于巢箱内，用于将蜂王限制在巢箱几个脾上产卵繁殖。通常由线型隔王栅片装置在木框架上构成（图 2－48－3），也有的在闸板中心挖 1 个直径为 100mm 的圆孔嵌装上隔王栅片构成。我国采用的框式隔王板，均由竹制隔王栅片装置在木框架上构成。

此外，我国近几年还出现了多种形式组合式隔王板。它通常由框式隔王板和小块平面隔王板构成，使用时，把蜂王限制在巢箱几个脾的小区内产卵繁殖，而巢箱与继箱之间无隔王栅阻拦，让工蜂畅通无阻地上下继箱，以提高工蜂的工作效率。

（2）囚王器具：用于限制蜂王产卵，但在养蜂生产换王时，也常用来囚禁老王，待新王交尾成功后再除去。主要有扣脾囚王笼和嵌脾囚王笼两种。

①扣脾囚王笼：采用塑料制成，笼长 70mm、宽 50mm、高 20mm。顶面为隔王栅结

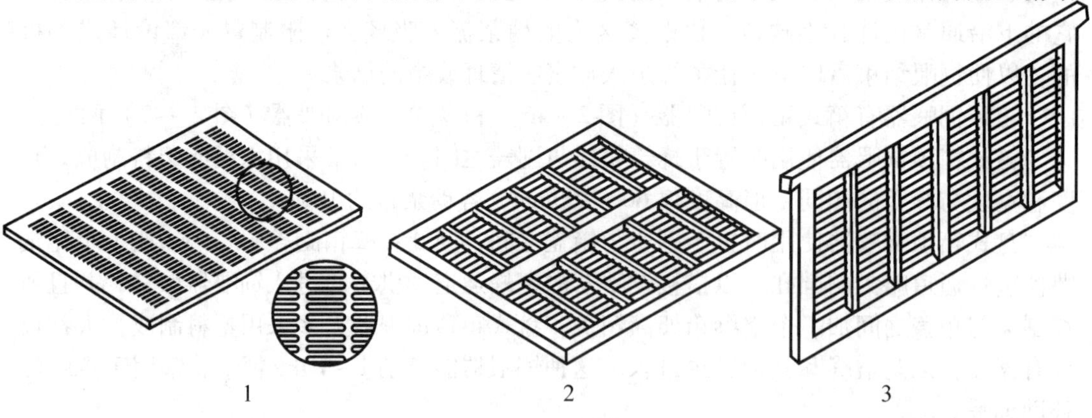

图 2－48　隔王板

1. 孔型平面隔王板　2. 线型平面隔王板　3. 框式隔王板

构，工蜂可自由进出（图2－49－1）。使用时，先罩住脾上的蜂王，然后轻轻下按，使笼齿插入巢脾内即可。

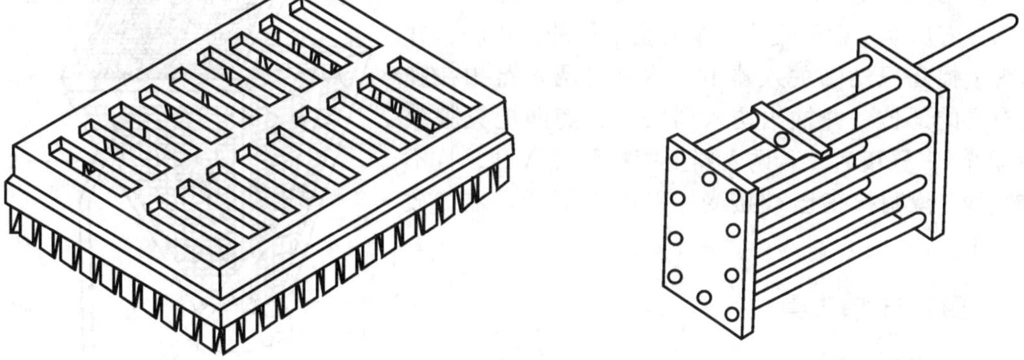

1　　2

图2－49　囚王器具

1. 扣脾囚王笼　2. 嵌脾囚王笼

②嵌脾囚王笼：采用塑料和竹丝制成，长45mm、宽30mm、高20mm。四周均为隔王栅结构，两端为塑料片；窄侧面有一个可抽开的小门，供装入和释放蜂王（图2－49－2）。使用时将囚王笼嵌装在巢脾近上梁处或下梁处，也可以吊挂在两脾之间。

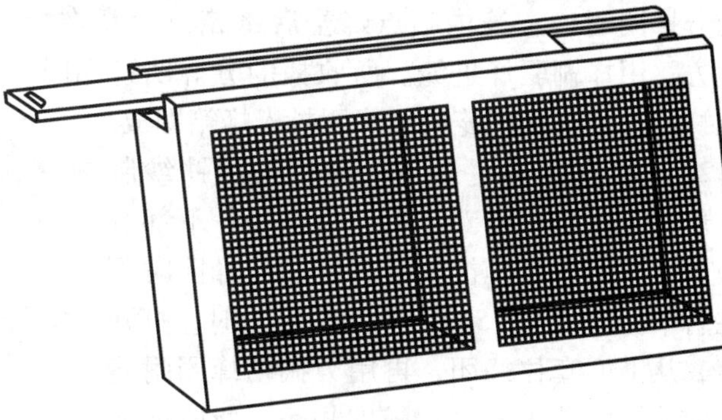

图2－50　全框诱入器

2. 蜂王保护器　也称蜂王诱入器，系用于给无王群安全诱入蜂王的器具，有全框诱入器、扣脾诱入器、密勒氏诱入器和诱王笼等多种形式。我国常见的有全框诱入器和扣脾诱入器两种。

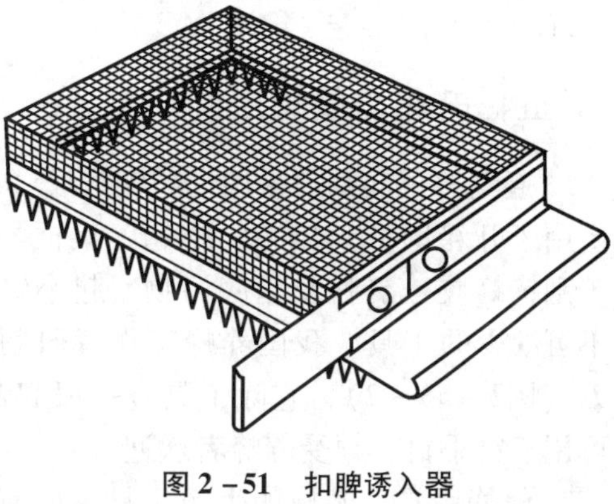

图2－51　扣脾诱入器

（1）全框诱入器：由薄木板和每厘米10目的铁纱制成（图2－50）。其大小以能容纳1个巢脾、且能插入蜂箱内为度，顶部配有1个插板盖。使用时，将1框连蜂带王的半蜜脾置于诱入器中，插入无王群内，经1～2d蜂王被接受后撤出诱入器。这种诱入器通常用于诱入较贵重的种用蜂王，也可用于合并弱小蜂群。

（2）扣脾诱入器：采用铁纱和铁皮制成（图2－51），长56mm、宽47mm、高20mm。器体上部采用铁纱制成，下部采用铁皮制成，并具尖齿，底部是一个可抽出的底板。器的一个端壁采用铁皮制作，其上有1个直径为10mm的圆孔，作为蜂王的入口，并配有1块铁片插板盖。

使用时，先将蜂王从诱入器端壁的圆孔装入器内，接着从无王群内提出1个有蜜带蜂的卵虫脾，并从脾上捉几只幼蜂关入器中，然后将诱入器扣在脾上有蜜的部位，并抽出诱入器底板，随即把巢脾放回蜂群。1昼夜后，若诱入器上蜜蜂已经散开，且不咬铁纱，说明蜂王已被接受，即可撤下诱入器，放出蜂王。

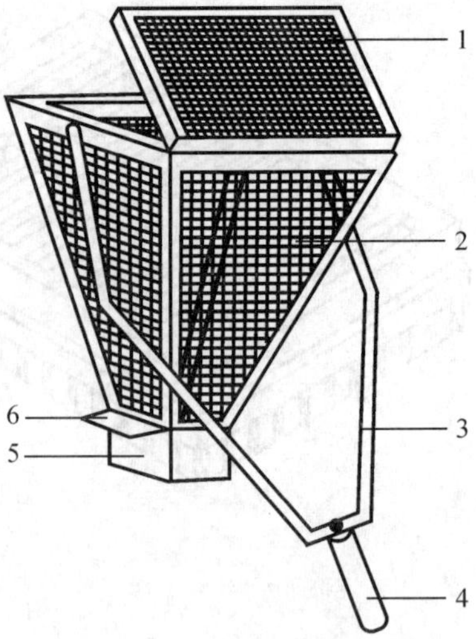

图2－52　铁纱收捕器

1. 器盖　2. 器体　3. 提耳　4. 竹竿　5. 蜜蜂出口　6. 抽板

（四）收捕工具

分蜂群收捕器用于收捕分蜂团，常见的有竹编收蜂笼和铁纱收捕器等。

1. 竹编收蜂笼　由2个钟形竹篓套叠在一起，中间衬以棕丝构成，口径约200mm，高约300mm。收捕分蜂团时，在笼内喷点蜂蜜后将笼口紧靠在蜂团上方，用蜂刷驱蜂进笼。所收捕的分蜂团过箱时，可在蜂箱上方直接把笼内的蜂团抖入蜂箱即成。

2. 铁纱收捕器　采用金属框架和铁纱制成，形似倒棱锥形漏斗，上口有活盖，下部有插板盖，两侧有提耳，收捕高处的分蜂团时可绑在竹竿上（图2－52）。收捕分蜂团时，打开上盖，从下方套住蜂团，再用力振动蜂团附着物，使分蜂团落入器内，随即扣盖。所收捕的分蜂团过箱时，抽去收捕器下部的抽板，把蜂抖入蜂箱即成。

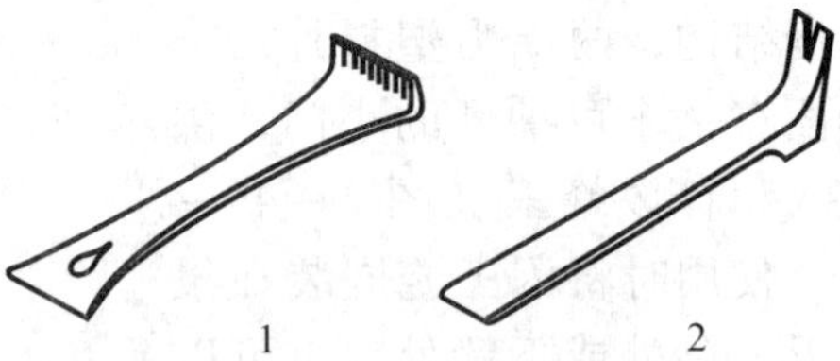

图2－53　起刮刀

1. 普通起刮刀　2. 三用起刮刀

（五）开箱与笼蜂用具

1. 起刮刀　起刮刀采用优质钢锻成（图2－53－1），主要用于开箱时撬动副盖、继箱、巢框、隔王板，还可用于刮铲蜂胶、赘脾及箱底污物，起小钉等，是管理蜂群不可缺少的工具。我国养蜂工作者研制的一种三用起刮刀（图2－53－2），它除了具有一般起刮刀的功用外，还可用于钉小钉，颇受养蜂者欢迎。

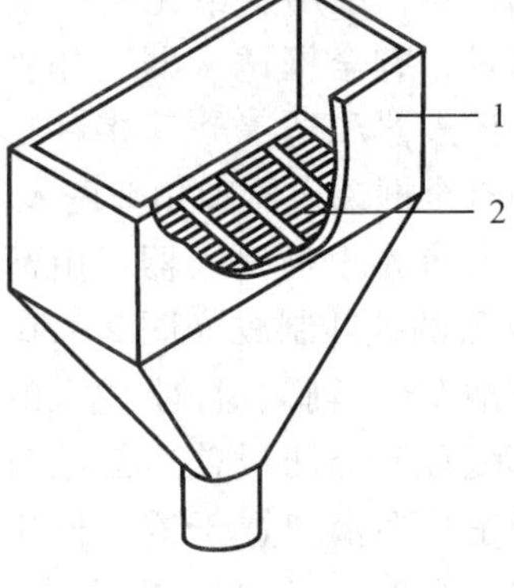

图2－54　抖蜂漏斗

1. 抖蜂漏斗　2. 隔王板

2. 笼蜂用具　笼蜂的生产用具主要有抖蜂漏斗和蜂笼两种。

（1）抖蜂漏斗：呈倒四棱锥形，采用镀锌铁皮制成，用于将蜜蜂装入蜂笼（图2－54）。使用时，在漏斗内平置1块隔王板，用以防止雄蜂混入笼蜂。

蜂笼装蜂时，将抖蜂漏斗的落蜂管插入蜂笼的装蜂口，然后从蜂群中提蜂，并在漏斗中将蜂抖落。抖落的蜜蜂，沿着漏斗管颈装入笼中。

（2）蜂笼：用于运送笼蜂的特制纱框，有方形的和圆形的两种。

①方形蜂笼：用于运送笼蜂的纱笼。按其容纳笼蜂重量，其规格有0.91～2.27kg的多种。通常用于容纳0.91～1.36kg蜜蜂的蜂笼（图2－55），长346mm，宽140mm，高254mm。

笼的上顶、下底和两侧均采用厚度为10mm的木板制成；前后两面钉以每厘米3～4目（每英寸7～10目）的铁纱网。它的顶板中央有1个圆孔，供装饲料罐和作装蜜蜂口；圆孔配有1块120mm×120mm×10mm的盖板。笼底板中央与顶板装蜂口的相对处设计有1个支架，用于在运输笼蜂时支撑饲料罐。饲料罐呈圆柱形，能装1～1.5kg糖浆，供笼蜂在转运途中食用。饲料罐盖上有2～3个直径为0.8mm的小孔，使用时倒插于蜂笼顶板的圆孔内，并支在底板的木支架上，让蜂吸食。

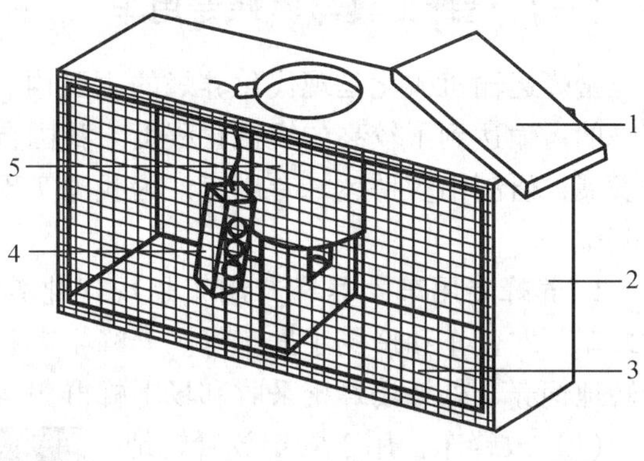

图2－55　方形蜂笼（仿 Athkns E. L. 等，1979）

1. 盖板　2. 笼体　3. 纱网　4. 蜂王邮送器　5. 饲料罐

笼蜂装笼时，把抖蜂漏斗插于蜂笼的圆孔内，并抖入一定量的工蜂，抖下的工蜂沿漏斗管颈进入蜂笼。继而将装有蜂王的蜂王邮送器放进笼中，悬挂在顶板圆孔旁的缝道下方，再把装满糖浆的饲料罐倒插入顶板的圆孔内，并钉上盖板。装运时，一般3～5个蜂笼1组，笼与笼间隔100～200mm，用木条钉连成一串，以便于装卸和通风。

②圆柱形蜂笼：一种新型蜂笼。其蜂笼的铁纱网不外露，能有效地避免笼体破损漏蜂和光线直射入笼，有利于运输安全。

圆柱形蜂笼由笼体、端盖、蜜蜂附着纱网、蜂王邮送器和饲料罐构成（图2－56）。笼体采用纤维板制成，呈圆柱形，内径为203mm，长度视装蜂的量而定，装900g蜜蜂的长度为356mm，装1 350g的为406mm。笼体的端盖由铁纱网和具鳍片的塑料盖构成，塑料盖上的鳍片由数根宽25mm的塑料片组成，除了用以保护纱网外，还用于该蜂笼与其他货物混运或蜂笼竖立时防止通风纱网被堵。蜜蜂附着的纱网采用铁纱网弯折成“Z”字形制成，装在笼内，以利蜜蜂附着和笼内通风。饲料罐可用空的饮料罐。饲料用琼脂和糖水制成，其配方是琼脂10g，白砂糖1.4L，清水1.66L。制作时把3种原料置于锅中加热，充分熔化后趁热装入饲料罐，让其自然冷却成胶状。一般0.36L

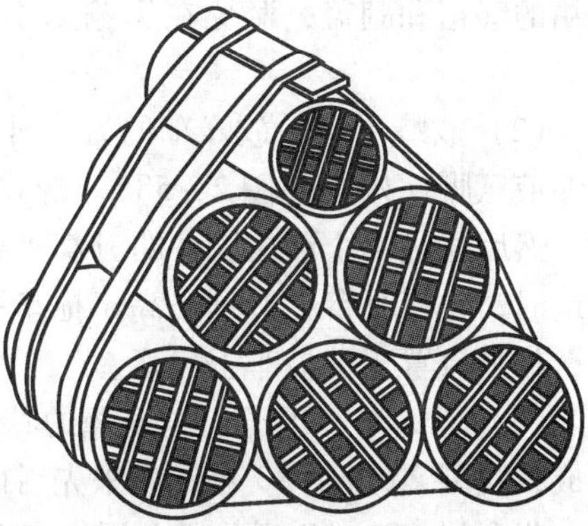
图2－56　圆柱形蜂笼

饲料可供蜜蜂在2～3d的旅途食用。

笼蜂装笼时，将装有蜂王的蜂王邮送器与饲料罐绑在蜜蜂附着纱网上，然后一同插入笼内。用抖蜂漏斗往蜂笼装入一定量的工蜂，套上蜂笼端盖并固牢后，即可每6个绑成1捆待运。

二、运蜂与蜂箱装钉工具

（一）运蜂工具与养蜂专用车

蜜蜂运输机械化是现代化养蜂的主要内容之一。在国外，养蜂现代化国家的蜂场，蜜蜂的运输达到了较高的机械化程度。我国自20世纪80年代以来，在这方面有了较大的发展，研制出多种运蜂专用车，为我国实现蜜蜂运输机械化和养蜂现代化打下了良好的基础。

1. 养蜂专用车　养蜂专用车是现代化养蜂不可缺少的设备之一，主要有运蜂车、放蜂车、取蜜车和蜂场手推车等。养蜂生产装备了这些专用车，就可实现蜜蜂运输、蜜蜂转地饲养、外蜂场蜂蜜采收和场上蜂群搬运等主要生产环节的机械化。

（1）放蜂车：用于常年放置转地饲养的蜂群的车辆。采用放蜂车转地饲养蜜蜂具有转运方便、无须装卸车、可节省劳力和及时运往蜜源场地等优点。

图2－57　意大利的一种放蜂拖挂车

放蜂车通常为拖挂式的，无边栏，蜂箱固定在车底板四周，巢门向外，转地时由其他车辆拖带。意大利的一种放蜂拖挂车（图2－57）可排列蜜蜂27群，蜂箱用螺钉固定在车底板上，中间留有养蜂员管理蜂群的通道。蜂箱的底部设计有通风装置，以确保转地途中蜂群的安全；蜂箱上部不用箱盖，而覆盖油毛毡防雨，并在上面压以长木条。转地运输时，用螺栓和铁链拉紧并压住长木条，以固定住蜂箱的继箱和副盖，避免在运输途中振散。蜂箱的外表涂有不同的颜色，以便蜜蜂认巢。

（2）放蜂平台：放蜂车的另一种型式。由1个比车厢底板略大的平板配上4个可伸缩液压脚柱构成（图2－58）。蜂箱成排固定于平板上。放蜂时，由平板车运至目的地，然后通过4个液压脚柱略升高平台，再退出平板车，继而将平台下降到适当高度。转地时，先将平台上升到略高于拖车平板，接着将拖车平板伸入平台下方，然后收缩脚柱，将平台置于平板车上启运。

（3）运蜂车：用于运送蜜蜂的特种汽车。国外大都采用普通卡车和蜂箱吊装装置组成，我国20世纪80年代以来先后研制了近10种专用运蜂车。

华东牌CS15AF型养蜂专用汽车系中国农业科学院蜜蜂研究所与江苏省汽车工业公司常熟汽车修配厂，于1983年联合研制的（图2－59）。这种汽车已纳入国家生产计

图 2-58 放蜂平台

划，正式批量生产、推广。

图 2-59 华东牌 CS15AF 型养蜂专用汽车

这种专用车载重量 4.5t，最高时速 75km。驾驶室左右双门，室内双排座，前排为司机与副司机的座位，可躺，可作高度、前后及角度调节；后排系通长软座，坐卧两用。驾驶室同时可坐 6~7 人或 4 人同卧。车厢分杂物厢和货物厢两部分。杂物厢在车厢前部，内部尺寸为 650mm×2 385mm×1 450mm，全金属固定栏杆式结构，内衬纱网，可容纳随带蜂具和生活用品，或 15 个标准继箱群。货物车厢内部尺寸为 4 850mm×2 385mm×1 450mm，可容 120 个标准继箱群；金属固定栏杆式结构，后栏板上部固定，下部可开启以装货物。车厢的底板设计有通气和排水孔，以提高车厢的通风程度和防止底板积水、锈蚀。

2. 蜂群运输工具 蜜蜂转地饲养已成为养蜂取得蜂产品高产的重要措施之一。掌握常见的蜜蜂运输工具的结构、运输和使用等特点，对根据蜂群、气候、交通和旅程等实际情况，选择适当的蜜蜂运输工具，确保转地养蜂生产适时、安全、高产具有重大的现实意义。

（1）火车：装载量大、速度快、运费低，适于中、长途蜜蜂运输。火车容蜂量大，通常 30t 的车厢，可装 200 个标准箱继箱群；40t 的车厢，可装 250 个标准箱继箱群；50t 的车厢，可装 300~350 个标准继箱群。采用火车运蜂，装运蜂群的方法依车厢的种类、吨位、气温高低、蜂箱规格，以及蜂群群势的不同而异。但一般的原则是：第一，往南方繁殖的越冬蜂群，冬季装运时蜂箱（包括蜂群）可以堆叠起来，可不留通道，其他季节装运时要留通道，以利通风和便于途中管理。第二，蜂具和随行人员的住宿通常安排在车厢挡风的前半部，蜂群装在车厢的后半部。第三，小群和弱群装在通风较差的地方，强群装在通风较好的地方；小群和弱群装在下部，强群装在上部。

采用火车运蜂，蜂群在车厢内的排列方法有多种，常见的有如下 3 种。

三列二通道排法：蜂群沿车厢纵向排列，第一排蜂箱背靠车厢的 1 个侧壁；第二排与第一排巢门相对，中间留可供 1 人出入的通道；第三排背紧靠第二排，巢门朝另一侧车厢壁，与车厢壁之间留一通道。

四列一通道排法：蜂群沿车厢纵向排列，第一排蜂箱的巢门朝向车厢1个侧壁，并与车厢侧壁稍有一段距离；第二排与第一排背靠背；第三排与第二排巢门相对，中间留可供1人出入的通道；第四排背紧靠第三排，巢门朝另一侧车厢壁，与车厢壁之间稍有一段距离。

四列二通道排法：蜂群沿车厢纵向排成4列，其中2列分别背靠车厢的2个侧壁，另2列背靠背，并排列于两侧列蜂箱的中间，与它们之间分别留有1个通道。

火车运蜂，蜂箱（标准继箱群）通常叠高3～3.5层。蜂箱叠装好后，应用粗绳固牢，以防运输途中翻倒。

采用火车运蜂时对车厢应进行严格检查，装过农药未冲洗干净，仍有农药气味的不可使用。

（2）汽车：机动性大，中间环节少，运蜂安全，但运费较高，只适于中、短途蜜蜂运输。汽车运蜂大多采用车厢底盘较低的普通卡车，也有的采用平板车。在国外，有的在车上配备有吊装设备，用于装卸蜂群。汽车运蜂，其装载量因车型和吨位不同而异。一般情况下，4t的解放牌货车，蜂箱叠高3层，可装70～90个标准箱继箱群。

采用汽车运蜂，装蜂的一般原则是：第一，车厢前部装蜂群，后部装蜂具和养蜂人员的生活用具；拖车振动大，一般用于装蜂具和养蜂人员的生活用具，尽量避免装蜂。第二，蜂箱在车上的排列一般应巢门朝前，不得已时巢门可朝向侧面，但不宜朝后。第三，强群装在车厢的四周和上部，小群和弱群装在车厢的中心和下部。第四，车上叠起的蜂箱顶层距地面的高度不得超过4m。

（二）蜂箱装钉装置

转地蜂箱的装钉装置包括箱内巢脾装钉装置和上下箱体装钉装置两大类。

1. 箱内巢脾装钉装置　用于把箱内巢脾和隔板等部件与箱体连成牢固整体，以抵御运输途中各种振动，保证蜜蜂安全运输。

（1）距离卡：30mm×15mm×12mm的小木块钉上1～2枚小钉构成（图2－60－1）。装钉巢脾时，将距离卡分别插在近巢框侧条处的框间蜂路和巢脾与箱体侧壁（或隔板）的蜂路上，每端1个距离卡，然后用力把巢脾和隔板向箱体一侧壁推压挤紧，用长约30mm的圆钉钉固（须留出钉头，以便于卸装）。最后再用圆钉每隔2～3个巢框将框耳钉固在框受上（留出钉头）。采用距离卡装钉巢脾工效低、劳动强度大，且装钉过程敲敲打打易激怒蜜蜂。

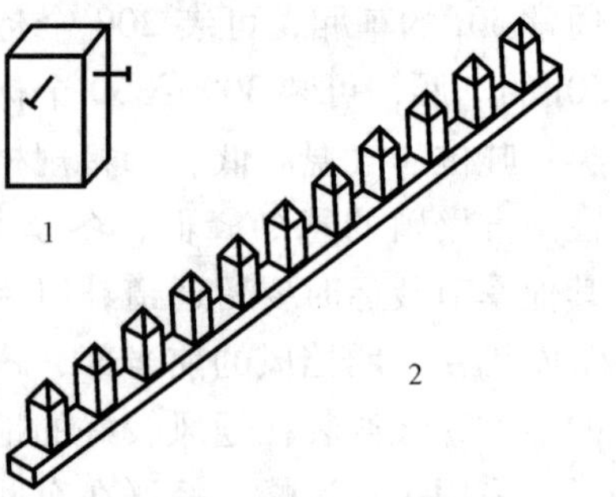

图2－60　距离卡和框卡条
1. 距离卡　2. 框卡条

（2）框卡条：由许多小木块按一定距离装在一薄木条上构成（图2－60－2）。小木块为30mm×10mm×10mm，按巢框厚度的间隔固定在薄木条上；薄木条长度与箱体内围宽度相同，宽度为20mm，厚度不超过上蜂路的尺度。装钉巢脾时，箱内巢脾按一定的间距排列好后，将2条框卡条分别横向插在巢脾两端近巢框侧条处的框间蜂路中，即完成该箱巢脾的固定工作。采用框卡条装钉巢脾操作简便、工效高、劳动强度低。

（3）海绵压条：采用一种制鞋底的海绵材料制成，长度与蜂箱内宽相同，宽度约20mm、厚度约15mm，为一类似框卡条状的海绵条。每个箱体2条。装钉巢脾方法与框卡条的相同。采用这种压条装钉巢脾，巢箱的巢脾是靠继箱的重力下压海绵条固定，继箱的巢脾则要通过用铁丝绑住纱副盖的拉力下压海绵条固定。

采用海绵压条固定巢脾操作简便，工效高，劳动强度低。

2. 箱体装钉装置 用于把上下箱体连接成一体。常见的有钉接连接装置和扣接连接装置两个类型。

（1）钉接连接装置：利用铁钉和竹条（或板条）将上下箱体钉连在一起。钉接连接装置由4条长约280mm、宽25mm、厚5mm的竹片构成。连接上下箱体时，2条竹片为1组呈“八”字形分别钉在蜂箱的前、后壁（或两侧壁）上下两箱体对叠处，就把上下箱体钉接成一体。这种装置结构简单，可自制，使用方便，但箱壁屡遭铁钉钉会损坏。我国绝大多数蜂场都采用这种连接装置连接上下箱体。

（2）扣接连接装置：主要有箱扣式的和弹簧式的两种型式。

①箱扣式连接装置：由扣钩和搭钩铁片构成。扣钩形如皮箱扣，搭钩铁片呈“L”形。每套蜂箱安装4副，2副1组固定在上下箱体相应的箱壁上（图2－61）。连蜂箱时，扣钩向上搭入搭钩铁片的钩中，随之下扳扣钩即成。

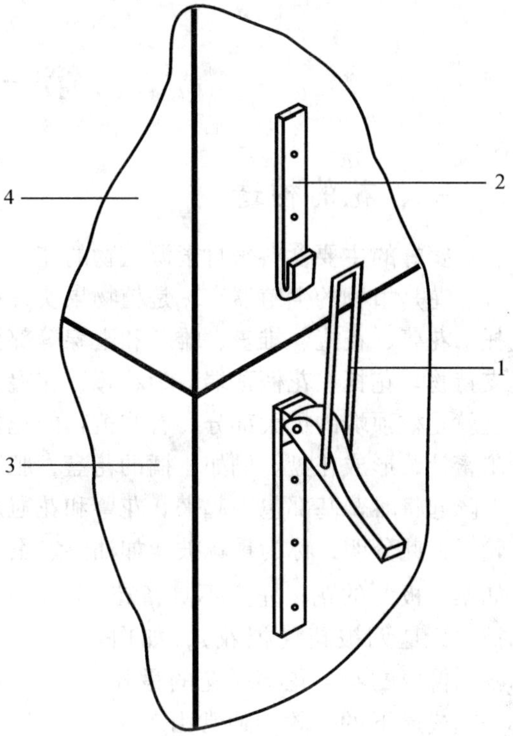

图2－61 箱扣式连接装置
1. 扣钩 2. 钩铁片 3. 底箱 4. 继箱

②弹簧式连接装置：由4个弹簧、8片固定铁片和16只固紧螺丝构成。固定铁片2片1组由固紧螺丝固定在上、下箱体相应的箱壁上。连接箱体时，只要将弹簧搭扣在固定铁片上外伸的固紧螺丝上即可。这种连接装置与海绵压条配合使用，使得蜂箱装钉快捷方便。

第三章　蜜源植物

第一节　花

一、花的构造

蜜蜂的主要食料来自蜜源植物的花——花的蜜腺分泌花蜜，雄蕊产生花粉。

花是植物的生殖器官，是植物果实、种子形成的基础。一朵花由花柄（花梗）、花托、花萼、花冠、雄蕊、雌蕊和蜜腺等部分组成（图3－1）。花柄是着生在茎上的花的支持物。花托在花柄顶端，为花萼、花冠、雄蕊、雌蕊着生部位。一般植物的花托实际上就是枝顶端的扩大部分。有些植物的花托，在花萼和雌蕊之间的部分特别发达，能分泌蜜汁，形成花盘。例如，橘的花盘，肥厚呈圆盘状，位于子房之下；牡丹之花盘，向上隆起将雌蕊基部包围起来。花萼和花冠总称花被。很多植物的花萼和花冠成为内外两轮，彼此分明，称为重花被，如油菜、蚕豆、桃的花；有些植物仅有花萼，称单被花，如桑、板栗的花；完全不具备花被的，是无被花（裸花），如白杨、柳树的花。花萼是花的最外一轮或最下的一轮，通常由若干片组成，萼片大多呈绿色。萼片有合萼和离萼之分，萼片由于基部连合而成的部分叫萼筒，萼筒有各种形状，如管状萼、壶状萼、漏斗状萼和唇形萼等。有些植物的萼筒延长成管状的部分，称为距。萼片通常为一轮，也有二轮的。二轮时外轮的萼片称为副萼（也有人认为是苞片），例如蔷薇科植物中的草莓花，锦葵科中的芙蓉花。花冠居花萼的第二轮，常呈鲜艳的颜色，并有香味，能招引蜜蜂等昆虫来采集，

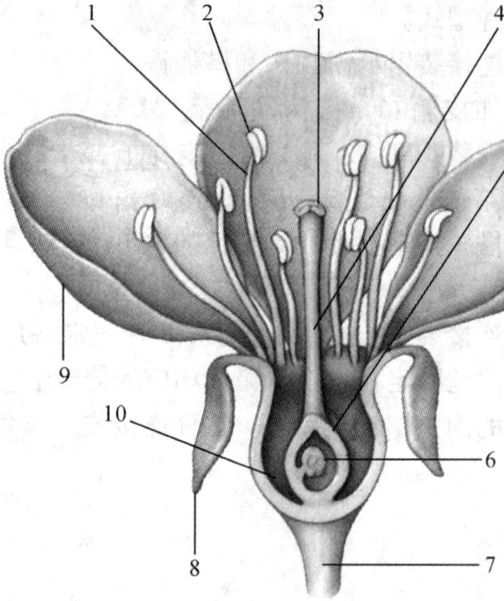

图3－1　桃花的结构

1. 花丝　2. 花药　3. 柱头　4. 花柱　5. 子房　6. 胚珠　7. 花柄　8. 花萼　9. 花瓣　10. 蜜腺点

是花器中最显著的部分，由若干片组成，总称花冠，分称花瓣。花瓣或合或离，因此，花也有合瓣花和离瓣花之分，在合瓣花的连合部分，称为花冠筒。花瓣表皮细胞里含有一种芳香的挥发油，使花有香味。花瓣基部薄壁组织中的细胞液里含有一种叫花青苷的色素，它能使花瓣显出红色、蓝色或紫色。花瓣的细胞中含有类胡萝卜素的有色体，细胞中的黄酮色素或黄色油滴，也能使花瓣呈现黄色或橘红色。洁白颜色的花瓣是因为细胞中不含任何色素。花冠形状也因植物的种类而不同，常常作为植物分类上的依据。如十字花科的十字形花冠，豆科的蝶形花冠，旋花科的漏斗状花冠，桔梗科的钟状花冠，菊科的筒状花冠和舌状花冠，唇形科和玄参科的唇形花冠。花冠有整齐的，如十字形花冠；也有不整齐的，如蝶形花冠和唇形花冠。

雄蕊由花丝和花药组成，一般着生在花托上，也有的着生在花冠上。花中的雄蕊是植物中的雄性生殖器官。它有花丝长短一致和不一致之分，如十字花科植物，每花具雄蕊6枚，外轮2枚较短，内轮4枚较长，称四强雄蕊。唇形科和玄参科植物，每花具雄蕊4枚，两长两短，称二强雄蕊。锦葵科的花丝连成一束，叫单体雄蕊。也有花丝分离而花药连合，叫聚药雄蕊，如向日葵、蒲公英等菊科植物。花药里含有花粉，是植物的雄性细胞，当性成熟时，花药自然开裂，散出花粉，这时蜜蜂等昆虫就会收集花粉，装入腿上的花粉篮，常见回巢蜜蜂腿上带着花粉团。花粉含有丰富的蛋白质、矿物质、维生素等，是蜜蜂的重要食粮。蜜蜂采集的花粉，往往成为人类的营养补品。20世纪80年代以来，我国大力开发商品花粉供给市场。花的中心位置有心皮组成的雌蕊，是植物雌性生殖器官。被子植物的雌蕊由花柱、柱头和子房组成。子房有上位子房、下位子房、半下位子房。子房仅底部和花托相联，其余部分是独立的，叫上位子房，如蚕豆、油菜、桃等植物花的子房；子房下半部与花托联合，而上半部以及花柱和柱头是独立的，叫半下位子房，如马齿苋花的子房；子房全部与花托愈合的，叫下位子房，如南瓜、向日葵花的子房。子房内的胎座上着生1至多数的胚珠，种子即是由胚珠发育而成。大部分的种子植物，其胚珠都在子房内，所以叫被子植物，它几乎包括了全部蜜源植物，在养蜂业上具有重要意义。另一小部分植物胚珠是裸露的，叫裸子植物，只能提供花粉或甘露，如松科、柏科、杉科等植物。

蜜腺也是花的组成部分，因为分泌蜜汁，在养蜂业上具有特殊重要的意义。通常蜜腺分布在植物花的各个部分，用以招引蜜蜂、蝴蝶等昆虫采集花蜜。蜜腺由植物表皮细胞特化而来。其细胞小而密集，无液泡。蜜腺有花内蜜腺和花外蜜腺之分。18世纪瑞典自然科学家林奈以花器进行植物分类时，在萼片、花瓣和雄蕊基部发现了一种腺体，并观察到它们具有分泌蜜汁的功能。同时德国C. K. 施佩格尔发现在尼泊尔老鹳草的花瓣基部有细毛，细毛之下有蜜腺。以后人们才知道蜜腺分泌花蜜，对于招引昆虫传粉和种的保存有密切关系。同时期英国人又发现了花外蜜腺。花内蜜腺多位于子房、雄蕊、花萼、花瓣基部或花盘上，也有的在花的其他部位。大多数显花植物的蜜腺位于花内，如豆科植物大多位于雌蕊的基部，椴树花在萼片的基部，紫花苜蓿在雄蕊上，油菜在雄蕊基部。花外蜜腺位于上述构造以外的其他器官上，如棉花蜜腺有的在叶脉上，橡胶树蜜腺在叶柄基部，油桐、乌桕叶柄顶端和叶片基部处有花外蜜腺，臭椿叶缘上、蚕豆托叶上也有花外蜜腺。蜜腺有环状、粒状和杯状等不同形状，如一品红的蜜腺（图3－

2)。蜜腺多为黄、橘黄、绿、赤等较深的颜色，易为蜜蜂或其他授粉昆虫识别。花内蜜腺能分泌蜜汁引诱昆虫采集，达到异花授粉目的，花外蜜腺的作用尚不清楚。

图3-2　一品红（示嘴巴形的蜜腺）（张中印　摄）

植物的花还具有多样性，同时具有雄蕊和雌蕊的花，称为两性花。雄蕊或雌蕊不完备或缺少其一的花，称为单性花。单性花的雄蕊和雌蕊都生在同一植株上，叫雌雄同株。若雄蕊和雌蕊分别在不同植株上，叫雌雄异株。如果在同一植株上既有两性花又有单性花，则叫杂性花。如果花中既无雌蕊，又无雄蕊，通常称为无性花，如向日葵边缘的舌状花。自然界在长期进化过程中，形成植物花器与蜜蜂等昆虫具有特殊的密切关系。蜜蜂等各种昆虫采集植物的花蜜和花粉作为自己的营养物质，使得自己的种族得以繁衍。而植物的花为了适应蜜蜂等昆虫采集，也有特殊构造以适应蜜蜂采集活动和便于自己进行异花授粉。如玄参科的金鱼草和唇形科的鼠尾草的花器，为适应蜜蜂采集，都有很巧妙的构造。除花器的特殊构造外，花蜜、花的颜色和芳香，也都能招引蜜蜂等昆虫采集。

二、花蜜的产生和散粉生理

（一）花蜜的产生及泌蜜生理

绿色植物光合作用所积累的有机物质，是植物进行生长、发育和各种生理代谢活动的基础，用以建造自身的营养器官和生殖器官以及生命活动过程的消耗，剩余部分积累并贮存于植物某些器官中的薄壁组织。当蜜源植物开花时，植物体内贮存的物质以花蜜汁的形式通过蜜腺分泌到植物体外，这时分泌的蜜汁就是花蜜。所以，花蜜的产生是依赖植物某一时期光合作用所积累的物质。

木本植物所积累的物质常是来自前一年或前一个生长季所贮存的物质，如椴树开花泌蜜的物质大部分来自前一年花期结束后生长所积累的物质。草本植物或者农田作物开花泌蜜所消耗的物质主要来源于当年生长发育所积累的物质，如是二年生或多年生草本，也有部分来自前一年植物体生长发育所积累的物质。

植物机体开花泌蜜生理是蜜源研究不可缺少的部分，因为植物蜜腺分泌花蜜数量除外在因素外，植物分泌花蜜生理状态也是很重要的。首先，植物机体本身营养物质的积累很关键，草本植物或农田作物长势强壮，不疯长，无病虫害，说明植物体内光合作用剩余贮存物质充足，新陈代谢旺盛，营养物质的分配和运输正常，植物开花时有适宜的外界条件，一定泌蜜丰富，丰收在望。反之，植物体长势瘦弱或疯长，即使外界条件再好，植物开花泌蜜少或无，大大影响这一蜜源的利用价值。木本植物如果前一年花期结束后，外界有利于植物生长发育，植物机体内大量积累营养物质，来年开花泌蜜丰富。例如，我国著名蜜源东北紫椴，前一年树体营养积累量，直接影响来年的开花数量和花朵泌蜜量，也容易造成椴树开花泌蜜的大小年现象。大年时椴树开花数量多，泌蜜丰富，获得椴树蜜大丰收。但椴树营养消耗量大，花期结束后如果生长发育有利，树体营养积累量得到较多补充，来年椴树开花泌蜜是平年，树体营养积累补充不多，椴树开花泌蜜是小年。椴树小年开花泌蜜少，营养消耗少，花期结束后树体营养得到充足增长，来年椴树开花数量多，泌蜜丰富，是椴树泌蜜大年。我们曾经多年对椴树休眠期一年生枝条进行淀粉、总糖等营养物质的测定，分析树体营养含量，判断椴树来年开花泌蜜是大年、小年或平年。

植物开花泌蜜生理除本身营养积累贮存量外，还受土壤、气候因素影响。农田还受耕作方法等影响。土壤肥沃，水分充足，植物新陈代谢有物质保证，开花泌蜜就丰富。温度、湿度都能影响植物的新陈代谢，直接影响开花泌蜜。

（二）散粉及其生理

花粉是植物雄性细胞，在花药里生长，植物生长到一定程度，到达开花时间才能开花。每种植物到达开花都需要有一定的积温。如果某种植物生长期内温度偏低，就需要较多的天数才能达到开花所需求的积温。如果某种植物生长期内温度偏高，需要较少的天数就达到开花要求的积温。只有开花，花药才有散发花粉的可能。与蜜腺泌蜜一样，开花要求一定的积温，然后花粉性成熟从花药开裂处散放出来。花期温度偏低或温度偏高都影响性细胞成熟以至散发花粉。因此，散粉与植物的生理状况、开花时的温度和湿度都有密切关系。花粉量多少除了与植物长势有关系外，与植物的种类也密切相关，如油菜蜜源花粉数量多，荔枝蜜源花粉数量少。

三、影响植物泌蜜和散粉的因素

（一）植物的立地环境

植物生长地的坡向、沟谷、土壤条件都影响植物开花泌蜜和散粉。土壤性质、土层厚度对植物开花泌蜜和散粉也有很大影响。如荞麦生长在沙壤土上，棉花生长在黑土上，就比生长在其他土壤上开花泌蜜和散粉多。

（二）农业技术

耕作制度也会影响植物开花泌蜜和散粉。如耕作精细、施肥适当、播种均匀合理，使植物生长健壮，花蜜分泌和散粉就必然多。据试验，施用磷钾肥能提高花蜜的分泌量。

（三）花的位置

同一株上的花，由于生长部位不同，其泌蜜量有很大差异。通常花序下部的花比上部的花蜜多粉多，主枝比侧枝的花也是如此，这与植物的营养供给条件以及花的健壮程度有关。所以，在养蜂生产中往往赶花前期，丢花尾期。

（四）木本植物的大小年

许多木本植物，如椴树、荔枝、龙眼、刺槐、乌桕等蜜源都有明显的大小年现象。在正常情况下当年开花多，结果多，由于植物体内营养消耗多，并无法得到足够的补充，造成第二年花少，泌蜜少，花粉也一样减少。

（五）气候因素

气候从多方面影响植物的生长发育以至开花泌蜜散粉。

1. 光照和气温 植物分泌花蜜和散粉都需要充足的光照，所以同一种植物由于分布的地理纬度、坡向和海拔高度不同，接受的光照不一样，其花蜜分泌量和散粉状况也不相同。如采伐空地和山间旷地的蜜源植物比密林中的蜜源植物分泌的花蜜多，散粉状况也好。植物分泌花蜜和散粉往往受气温的影响，适于植物分泌花蜜的温度一般为16～25℃，当温度低于10℃时，花蜜分泌就减少或停止。如荔枝泌蜜适宜温度为16～28℃，超出这个范围将影响荔枝的泌蜜量。植物分泌花蜜和散粉时间也因植物种类不同而有不同的温度要求。

2. 空气湿度 适于花蜜分泌的空气相对湿度一般为60%～80%。有些植物，如荞麦、枣树等花的蜜腺暴露在外，需要较高的湿度才能泌蜜，湿度越高，泌蜜越多，花粉成熟也是如此。有些植物，如菊科的蓟类和凤毛菊在空气湿度较低的情况下，也能较好地泌蜜和散粉。

3. 降水量 它不但影响植物的生长发育过程，而且直接影响到花期。花期如多雨少晴天，植物泌蜜量减少，分泌的花蜜也易被雨水冲刷掉，同时还影响蜜蜂出勤采集，所以直接影响到蜂蜜产量和花粉采集量。如江南优良蜜源油菜、紫云英，本来蜜粉丰富，但花期恰是多雨季节，往往影响花蜜和花粉的收获量。

4. 风 风向和风速都能影响开花植物花蜜分泌和散粉。如东北的荞麦只要刮4级以上西北风，花蜜分泌就减少或停止，花粉也因刮风干燥飘散使蜜蜂采集量减少。相反，刮1级和2级东南风，对东北荞麦花泌蜜散粉都有利。然而，宁夏固原的荞麦花期内刮东南风，即干热风（当地称“火风”），泌蜜量减少，散粉也不佳。

第二节　蜜源植物的调查与花期的预测预报

一、蜜源植物的调查

我国幅员辽阔，地形复杂，气候多样，在不同的生态环境中形成的植物群落也是多种多样的。我国南部的热带、亚热带地区，有常绿的热带和亚热带雨林、季雨林，与北方温带地区的落叶林带和草原大不相同，其丰富的植物种类，大部分是蜜源植物，为养蜂业提供了天然的蜜源基地。

对我国丰富的蜜源植物进行系统的调查和合理的规划利用，是养蜂业可持续发展不可缺少的工作。我国蜜源资源经过养蜂工作者几十年的努力，已经初步摸清家底，现正处于深入开发研究阶段，并且对边远地区继续进行必要的蜜源普查，以便更充分地加以利用。现把调查蜜源资源的内容阐述如下：

（一）蜜源植物种类调查（包括栽培蜜源植物和野生蜜源植物）

主要蜜源植物是重点调查对象，应详细记载。辅助蜜源植物的调查也不能忽视，尤其是对在山区饲养中蜂或定地饲养意蜂，往往有更大的价值。所有的蜜源植物，包括农作物、牧草绿肥、果树、林木、药材和其他野生蜜源植物，在调查过程中都要采集标本，填写好记录本，尤其对野生蜜源植物，有条件的单位可在当地定名，定名有困难亦可邮寄有关单位代为鉴定。

（二）开花期调查

蜜源植物开花泌蜜不一定同时进行，有的蜜源植物开花后很快进入流蜜期，有的则要到盛花期才开始进入流蜜期。因此在调查过程中，对主要蜜源植物一定要注意分清开花期和流蜜期的时间，避免混淆。记载开花期和流蜜期时，要统一使用“始”、“盛期”、“末”记载。主要蜜源开花时间以公历的月、日和二十四节气为准，辅助蜜源要以旬为准，开花和流蜜时间以观察点记载的为准，但要写明观察的地址、海拔高度、阳坡或阴坡等项目。

开花期按物候期观察为统一标准。始花期，木本是有个别树上个别花完全开放，草本是个别植株上个别花完全开放。盛花期，木本是树上有一半花蕾的花完全开放，草本是有一半植株的大部分花开放。末花期，木本或草本都只剩下个别花未凋谢。

蜜蜂上花采蜜就算是流蜜期，流蜜盛期蜜蜂勤奋采集，蜂箱进蜜量显著增加，这时必定是花盛开的时期。

（三）面积和分布范围的调查

栽培蜜源植物（包括农作物、绿肥、牧草、果林、用材林、药材等），可以通过有关部门掌握本地区的面积和分布情况。对野生蜜源植物调查面积难度较大，有的几种混生一起，调查时需要首先了解总的分布面积，然后分别选点统计各自占总面积的百分比，推算出每种蜜源植物的面积。有的蜜源植物，如乔木也可调查株数，再折合成亩（要求统计单位以亩为准），最后折合成公顷。为了减少工作量，尽可能地向林业等部门了解面积和数量。难度大的，统计有困难时，也可进行粗略推算。

（四）影响主要蜜源植物泌蜜因素的调查

气候因素：包括温度、湿度、雨量、风、光照、冰雹、霜冻等对蜜源植物泌蜜的影响。蜜源植物生长状况对泌蜜的影响：包括蜜源植物本身的营养、长势、病虫害、年龄、花芽分化等情况以及花朵花粉的多少等。耕作制度对蜜源植物的影响。土壤肥力和性质（包括含氮、磷、钾的数量及 pH 值）对蜜源植物泌蜜的影响，有条件可配合土壤测定。木本植物还要调查它的泌蜜大小年现象。

（五）泌蜜量的调查

对主要蜜源植物和新发现的重要蜜源植物，都要进行泌蜜量的调查。方法可根据具体情况确定，有条件的地方可采用玻璃毛细管定点测定。毛细管可以自制，用细玻璃管在酒精灯上拉成粗细均匀和注射针一样粗细的毛细管，然后用移液管吸取蜂蜜溶液 1ml，把移液管出口处对准毛细管，让蜂蜜流到毛细管中，在毛细管壁上刻格标记，每格为 1μl，做好标记的毛细管用来吸花蜜，然后计算 100 朵花能分泌多少微升花蜜。笔者曾用此方法测定老瓜头蜜源花的泌蜜量。但玻璃毛细管易破碎，野外工作不好带，笔者又改用未灌油的圆珠笔芯，拉成毛细管，标上刻度，比较好用。我们用此测定过紫椴、荆条等蜜源植物花的泌蜜量。笔者还用定量滤纸蘸刺槐花蜜，定容清洗在蒸馏水中，然后测定其百朵花的含糖量。外国也有报道：直接方法有洗清法、微量纸块法、微量管（显微注射器）法等，各有利弊，也可参考应用。

另外，可选出有代表性的样方（$1m^2$），样方的数量可根据该蜜源植物的面积大小而定。在求出每亩花数后，乘以平均每朵花的泌蜜量，就是每亩蜜源植物的泌蜜量。

在人力不足的情况下，可通过收购部门和管理部门了解蜂群数和蜂蜜量，然后推算出每亩蜜源植物的泌蜜量。还可委托蜂场，采取在每天蜜蜂出巢前、回巢后称蜂箱重量的办法，了解每群蜂所需蜜源面积，掌握整个花期的流蜜情况。

（六）收集、保存单花种蜜源植物蜂蜜样品

能取到纯净单花种商品蜜的蜜源植物最好保存 2kg 样品蜜，为了防止样品蜜变质，必须取浓度为 40°Bé 以上的蜂蜜作为样品。有特殊的蜂蜡、蜂胶等都可采样保存。保存的样品必须贴上采集地点、年月日、采集人、花种名称等项目的标签，不然，时间长久了无法核对。不懂植物标本制作方法的人员，首先要学习植物标本的采集和制作方法，掌握植物分类的基本知识，对于调查蜜源植物会起到很好的作用。

二、蜜源植物的分类

蜜源植物一般是指能为蜜蜂提供花蜜、花粉的植物，但也泛指能为蜜蜂提供各种采

集物的植物，其中有单提供花粉的植物称粉源植物，提供制胶的植物称胶源植物，提供酿造甘露蜜的植物称甘露植物，提供酿造蜜露的植物称蜜露植物，提供有毒蜜粉的称有毒蜜源植物等。按野生和栽培而论，又把蜜源植物分为野生蜜源植物和栽培蜜源植物两大类。按植物的性状，又分为木本蜜源植物和草本蜜源植物。按开花期季节不同，可分为春、夏、秋、冬季蜜源植物。在养蜂生产中人们习惯将蜜源植物分成下面几类。

（一）主要蜜源植物

无论是栽培或野生蜜源植物，在养蜂生产上能采到大量商品蜜的称为主要蜜源植物，它们通常是指数量多、面积大、花期长、泌蜜量大的植物。我国的主要蜜源植物有油料作物中的油菜、芝麻、向日葵，纤维作物中的棉花，豆科牧草和绿肥中的草木犀、苜蓿、紫云英、苕子，果树中的柑橘、枣树、荔枝、龙眼，林木中的刺槐、紫椴、柃木、桉树、荆条、狼牙刺（白刺花）、八叶五加（鸭脚木），野草中的密花香薷、野草香、野坝子、老瓜头等，香料植物中的薰衣草，药用植物中的党参等。中国主要蜜源植物约有30种。由于不同种类的蜜源植物所产生的蜂蜜有不同特性，所以人们对不同蜜种的喜好也有选择性。一般人喜欢食用颜色浅、味清香的蜜种，如刺槐蜜、椴树蜜、紫云英蜜、柃木蜜等；也有人喜欢食用具有不同水果香味的蜜种，如柑橘蜜、荔枝蜜、枇杷蜜等；党参蜜、枸杞蜜因含有药用成分，蜜色较深，但具有浓度大、黏稠的特性，加之有一定的医疗保健作用，也为人们所喜爱。

（二）一般蜜源植物

在这类蜜源植物中能取到商品蜜，但数量没有主要蜜源植物多。有的虽然单产高，但只分布于局部地区。如油料作物中的芸芥，只分布在黄土高原的旱地；药用植物中的薄荷、枸杞；牧草中的沙打旺；果树中的苹果、沙枣；林木中的槐树、臭椿；灌木中的柠条；草本中的柳兰、大蓟等。一般蜜源植物种类多，分布广，有的种类还是当地的主要蜜源，对发展当地养蜂业具有重要意义，因而有时也称其为重要或优良蜜源植物。

（三）次要蜜源植物

次要蜜源植物又称辅助蜜源植物。这类植物是指只能提供蜜蜂自身生命活动和繁衍后代所需食物的蜜源植物。如桃、梨、山楂等各种果树以及瓜类、蔬菜、灌木、花卉、野草等，通常从中难以取到商品蜜。次要蜜源植物既维持了蜜蜂的生存，又为主要蜜源期到来之前繁殖大量青壮年采集蜂提供物质条件。所以，在建立蜂场或寻找蜜源场地时既要了解主要蜜源植物，也要了解次要蜜源植物。如长江流域的棉花场地，棉花蜜源粉少，天气闷热，有时遇打农药蜜蜂易中毒，蜂群又值繁忙工作，群势下降快，为了加快繁殖以壮大群势，蜂群需要足够的花粉，因此，棉花场地附近必须有多种辅助蜜源植物相继开花，尤其是粉量多的玉米、野花等开花，才是最理想的棉花场地。

（四）粉源植物

能为蜜蜂提供大量花粉或兼有少量花蜜的植物，称为粉源植物。包括大量风媒植物和一些虫媒植物。我国粉源植物丰富，种类很多，列举主要种类如下：松，松科松属的总称。我国有22种，遍布全国各地，另外还引种栽培15种以上。全国各地有大面积栽培，是我国森林资源的主要组成部分，花粉蕴藏量极为丰富。在养蜂生产中常见蜜蜂采集的有马尾松、华山松、白皮松、黑松等。松树花粉干燥、轻飘、无黏性，适于风媒传粉，仅在空气较湿润的天气或10时之前，蜜蜂才容易采集到。花粉除供蜜蜂繁殖外，还可供人食用。禾本科栽培作物中的玉米、高粱、水稻都是很好的粉源植物，它们栽培面积大，分布广，产粉量多，完全可满足蜜蜂采集需要。尤其是玉米，南北都有广泛栽培，其花粉量大质优，蜜蜂喜欢采集。晴天10时前，阴天湿度大的全天，都有蜜蜂采集。玉米花粉不仅是蜜蜂的优良饲料，而且可生产大量商品花粉。此外还有猕猴桃、芒、蔷薇、委陵菜、麻黄、棕榈树、芨芨草、蒿、金丝梅等都是养蜂生产中较优良的粉源植物。

（五）药用蜜源植物

指能为蜜蜂提供花蜜或花粉的药用植物。从某些药用植物所产生的蜂蜜或花粉，或多或少含有该植物的药性成分，可治疗某些疾病，对人体具有保健作用。因而药用蜜源植物，尤其是滋补药用蜜源植物所生产的蜂蜜和蜂花粉，历来受到人们的欢迎。中国北宋的《图经本草》中即有黄连蜜和何首乌蜜的记载。中国药用蜜源植物种类有数百种，大部分为辅助药用蜜源植物，有些种类可采到商品蜜和商品花粉。如党参蜂蜜、党参花粉、枸杞蜜、薄荷蜜、黄连蜜、黄芪蜜等都是畅销蜜种。

（六）有毒蜜源植物

有些有毒蜜源植物产生的蜂蜜或花粉毒量较少，蜜蜂和人食用后无明显中毒症状，可视为正常蜜源植物。如乌桕、老瓜头、黄连等。少量的有毒蜜源植物产生的花蜜或花粉由于含有毒生物碱或不易消化的多糖类物质，对蜂或人类有毒害作用。例如，百合科的藜芦蜜粉能引起蜜蜂中毒死亡；茶树或油茶树产生的蜜粉能使蜜蜂寿命缩短，幼虫腐烂；蜜蜂采了雷公藤、昆明山海棠、南烛等植物产生的花蜜和花粉所酿制的蜂蜜，会使人吃后中毒或生病。人们因食用蜂蜜而引起中毒比较罕见，这种现象多发生在边远山区。

（七）胶源植物

这些植物分泌树脂、树胶液，并能被蜜蜂采集加工成蜂胶。这些分泌物来自植物芽苞、花苞、枝条以及树干的破伤部分。常见的胶源植物主要有杨柳科、松科、桦木科、柏科和漆树科中的多数种，以及桃、李、杏、向日葵、橡胶树等植物。

（八）甘露植物

某些植物的嫩枝幼叶或花蕾等表皮渗出像露水似的含糖甜液，并能被蜜蜂采集加工成蜜，这类植物称甘露植物，这种蜜称甘露蜜。甘露植物分泌甘露每年因地区和植物种类不同而有差异，多见于春夏和秋季晴暖且昼夜温差较大、湿度适宜的天气。如马尾松、南洋楹、银合欢、板栗、锥栗、茅栗、香蕉、芭蕉、田菁、山楂、锦葵等植物。甘露蜜也能食用，福建南平、永安等地每年采集大量的马尾松甘露蜜。欧洲某些国家由于其他主要蜜源植物缩减，秋季蜂群采集甘露蜜供给市场需要。

（九）蜜露植物

某些昆虫（如蚜虫、介壳虫、蝉等）以刺吸口器刺穿某些植物的芽、幼枝幼叶、花，吸食液汁后从肛门排出含糖物质（图3－3），这些植物称蜜露植物，被蜜蜂采集酿制成的蜜称蜜露蜜。其产生蜜露的时间因地区不同而有差异，并根据昆虫发育的时间而定，多见于春夏和秋季。常见具有蜜露的植物有乌桕、柳树、高粱、玉米、甘蔗、银合欢、豌豆、栎树、棉花、椴树、鹅掌柴、山毛榉、针叶类树种等。由于各种昆虫所产生的蜜露多含有某些蜜蜂食用后不易消化或引起中毒的物质成分，如糊精、低聚糖类、单宁酸、钾盐甚至抗酶性物质等，所以蜜露蜜不能留在蜂巢里做蜜蜂饲料用。一旦发现巢脾里有蜜露蜜，必须及时摇出，换成蜂蜜脾供蜜蜂食用。甘露蜜可以供蜜蜂食用，可作越冬饲料，而蜜露蜜不能，要及时取出或转移蜂场，避免采蜜露蜜。养蜂员必须到现场观察蜜蜂到底是采甘露还是蜜露，采取措施，区别对待。

图3－3　蚜虫分泌的蜜露

三、蜜源植物花期预报与泌蜜量预报

蜜源植物泌蜜往往受气候和植物本身生理状况等因素影响，泌蜜不稳定，年际间差异大，尤其是木本植物还存在大小年现象，给养蜂业造成损失。为了争取蜂蜜高产稳产，应在花期前预报蜜源植物的开花期和泌蜜量，以便预先选择放蜂路线，选好泌蜜好的蜜源场地。

王春煦利用20年的物候观察记录，预报刺槐开花期。他根据宛敏渭制作的公式（3－1）对当年刺槐盛花期进行预报，其公式：

$$D = A_1 + (I - A) \tag{3-1}$$

式中：

D——预报刺槐盛花期；

I——刺槐盛花期的多年平均日期；

A——早于刺槐盛花期以前的某一物候现象在当年出现的日期；

A_1——某一物候现象的多年平均日期。

北京杨国栋等建立了华北地区刺槐花期的物候测报模式，他们根据物候现象发生的顺序相关原理，进行相关、回归分析，得到一组适用于华北地区的，分别以榆树、杏树、紫丁香的始花期推算刺槐花期的预报模式。山东田海良等人运用积温原理对荷泽地区刺槐花期进行测报，主要采用多元逐步回归计算出当年的开花日期。

澳大利亚的波特认为，红铁皮桉树开花、泌蜜与气候有密切关系，采蜜前2~5年中的温度和降水对红铁皮桉树的生长和泌蜜量有影响。他提出每年产蜜量的方程为式(3-2)：

$$Y = a - b_0 t_0 + b_2 R_2 + b_3 t_3 + b_4 R_4 \qquad (3-2)$$

式中：

$a = 7.289$；

$b_0 = 0.185$；

$b_2 = 0.000\,388$；

$b_3 = 1.098$；

$b_4 = 0.003\,36$；

t_0、t_3——采蜜期间和采蜜前3年的冬季平均温度，℃；

R_2——采蜜前2年的冬季降水，mm；

R_4——采蜜前4年的夏季降水，mm。

苏联布兰诺夫认为，如果上年7~9月的降水量超过140mm，椴树分泌花蜜丰富。也有的为了预测当年椴树开花泌蜜情况，除调查花芽数量外，再调查树体中积累的淀粉含量。冬季选择健壮的椴树3~4株，将钻出的少量木屑分别装在试管内，每个试管内滴入10~15滴碘化钾溶液。树体中淀粉含量较多时，木屑就变成蓝色或黑色，这就表明椴树能大量开花泌蜜。有的在5月底或6月初于椴树花蕾初期观察苞叶颜色来判断椴树泌蜜量大小年，认为苞叶呈深绿色为丰收年，苞叶呈浅绿色或黄绿色为歉收年。还可伐倒椴树，从测量椴树生长年轮宽度判断当年椴树泌蜜量。

以上几种预测预报蜜源植物泌蜜量大小的方法，一是靠经验判断，二是靠简单的单因子测定分析，三是单靠物候学和积温学原理判断开花期。其实植物开花泌蜜受多种因素制约，既有植物生长发育过程中的营养积累状况，也有气候因子的影响，要预报蜜源植物的泌蜜量，的确是个系统工程。笔者与张厚瑄等于1985年开始研究蜜源植物年景产蜜量的预测，从椴树的物候学观察到椴树的生理状况，在掌握泌蜜规律基础上，利用计算机测算，建立数学预报模式，科学地预报椴树年景产蜜量。经研究表明，椴树休眠期可溶性糖和淀粉含量主要集中于一年生枝条中，同时与泌蜜量呈正相关（$P<0.01$）。因此，测定椴树休眠期一年生枝条中的可溶性糖和淀粉，可作为判断来年椴树泌蜜量大小的依据。椴树休眠期一年生枝条中氮素含量也与泌蜜量呈正相关（$Y=0.955$），F 检验通过，经测定，碳氮比越高，则开花越多，泌蜜量越大。

根据椴树的生长发育、开花泌蜜、休眠期营养等方面多年预测资料，提出了气候因子对椴树前期生长的影响效应采取累积效应的观点，用模糊数学综合评价法和影响函数模拟法建立该地区椴树年景产蜜量的预测预报数学模式。

笔者先后又对荆条和刺槐的冬季一年生枝条进行测定，测定其一年生枝条中可溶性糖和淀粉含量，同时测定其碳氮比。多年的测定资料，可作为预报荆条和刺槐的来年年景产蜜量预报生理指标。同时根据观测的资料，对荆条和刺槐采用年景气候类型分析预报法。如荆条生长在贫瘠的山区坡地上，树体矮小，根系不发达，养分水分存贮能力差，造成其对外界环境的变化极其敏感，抗逆性差的生理特点，其生长、发育、开花、泌蜜的状况主要取决于外界自然条件，分析荆条泌蜜的歉收年景气候类型及其相应的指标，是预测预报荆条花泌蜜产量的方法之一。又如刺槐，影响其泌蜜产量的气象因素很多，可分为花前气候和花期天气两部分。花前气候主要指 3～4 月的气温、降水等变化状况。花期天气是指刺槐开花泌蜜阶段的气温、降水及大风、雷雨等天气过程的影响。两者相比，主要的影响因素是花期的天气状况。

第三节 主要蜜源植物

一、油菜

油菜（*Brassica campestris* L.）为十字花科。我国油菜分三种类型：白菜型，芥菜型，甘蓝型。

油菜是我国主要油料作物，南北均广泛栽培。油菜因类型、品种、地区不同而花期不同，白菜型最早，芥菜型居中，甘蓝型最晚。秦岭及长江以南地区白菜型花期为 1～3 月，芥菜及甘蓝型花期为 3～4 月。华北及西北地区，白菜型花期为 4～5 月，芥菜型及甘蓝型花期为 5～6 月，东北及西北部分地区延迟至 7 月。油菜花期一般 25～30d，如遇阴雨天气，花期可延长几天，如一直为晴好天气，花期会缩短几天。

油菜开花，主茎花花序先开，然后分枝花序依次开放。在一个花序上，下部花朵先开，依次向上。一朵花开 2～3d。一株花期约 20d。初花期气温较低，泌蜜较少，末花期花朵营养不足，泌蜜逐渐停止。盛花期泌蜜最旺，大约有 15d。油菜开黄色花，花中有 2 对蜜腺，圆形，绿色，大的一对泌蜜丰富，小的一对泌蜜少。油菜开花泌蜜适宜温度为 12～20℃，10℃以下 30℃以上泌蜜量少或不泌蜜。要求湿度 60%～70%。湿度过高，含水量大，蜜蜂不愿采集；湿度过低、过于干燥，泌蜜减少或停止，蜜蜂采集困难。不同土质泌蜜也不一样，肥沃湿润土壤泌蜜丰富，干燥或贫瘠土壤泌蜜较差。油菜一天中泌蜜时间为 7～16 时，上午泌蜜含糖量低，中午泌蜜多且含糖量高。

油菜花粉丰富，除供蜂群繁殖外，可采集大量商品花粉。油菜花期强群可取商品蜜 10～30kg。同时，油菜花期也是生产蜂王浆的重要蜜源。我国南部热带地区油菜花期是春繁蜂群的好地方，绵阳、成都以及北方油菜集中地如青海、甘肃河西走廊是油菜蜜生产基地。

二、荔枝

荔枝（*Litchi chinensis* Sonn.）为无患子科。荔枝是亚热带栽培果树，为我国主要春季蜜源。主要产地为广东、福建、广西，其次是四川和台湾，全国约有 6.7 万 hm^2。荔枝栽培品种多达 160 个以上，分早熟、中熟和晚熟种，不同品种花期早晚差异大。

荔枝喜温暖和阳光充足、空气流通，宜土层深厚而肥沃的酸性土壤，具耐湿性和耐旱性。生长期间要求光照充足，高温高湿，最适宜温度为23～26℃，遇霜雪易受冻害。花芽分化要求2～10℃低温和雨量少、相对湿度低的条件，超过19℃则成花困难，所以适宜生长在亚热带地方。

荔枝花期因果实成熟期、地区气候条件等不同而异，广东早中熟种荔枝开花在1～3月，晚熟种荔枝在3～4月；福建早中熟种在3～4月上旬，晚熟种在4～5月中旬；广西晚熟种在3～4月。花期30d左右，自初花期至末花期均能泌蜜，主要泌蜜期20d左右，品种多的地区花期长达40～50d，泌蜜期长达30～40d。温暖的年份开花早，开花期集中且缩短；气温低的年份，开花期延迟。开花泌蜜有大小年现象。

荔枝花朵数量多，一个花序有花数十朵至数千朵，花序上有雄花、雌花、中性花和极少数两性花。因品种、每年气候和植物长势等不同，植株上花型的比例也不同。同一花序上的雌花、雄花和两性花不同时开放，因品种不同有：①单性异熟型：在整个花期中雄花和雌花开花有先后，有间歇期，如三月红，雄花先开放6d，间歇4d，转开雌花7d，又间歇4d，再转开18d雄花而结束。黑叶品种的雌花先开10d左右，间歇3～6d，转开雄花15～17d，最后再开5d雌花而结束。②单性异熟一次同熟型：在整个花期中雄花和雌花开放有先后，但中间有几天同时开放，有间歇期，如元红的雄花先开8～9d，间歇3d，转开雌花6d，接着雄花和雌花同时开放3～4d，最后又转开7d雄花而结束。③单性异熟多次同熟型：雄花和雌花交错开放，但有2次或2次以上同时开放，如桂味的雌花先开8～9d，紧接着雄花和雌花同时开放5～6d，又转开雄花4d，而后雌花和雄花又同时开放4～5d，最后开1～2d雄花而结束，桂味无间歇期。

荔枝在气温10℃以上才开始开花，8℃以下很少开花。13℃开始泌蜜，18～25℃开花最盛，泌蜜最多。荔枝是晚间泌蜜，晴天夜间暖和，微南风天气，相对湿度80%以上，泌蜜量最大，午夜1时左右达高峰，遇北风或西南风不泌蜜。雄花花药开裂散出花粉主要在7～10时，一朵花开花泌蜜2～3d，蜜蜂在7时以后大量上树采蜜，直至傍晚结束。

中华蜜蜂和西方蜜蜂都能采集，西方蜜蜂除收取蜂蜜外还生产蜂王浆。荔枝树冠大花朵数量多，花期长，泌蜜量大，花期若晴天多，每群可取蜜30～50kg。

三、龙眼

龙眼［*Euphoria longan*（Lour.）Steud.］又称桂圆，为无患子科。常绿乔木，亚热带栽培果树，春季主要蜜源植物，我国栽培面积和产量居世界首位，海南岛和云南省东南部有野生龙眼。龙眼分布于北纬17°～31°，以福建、广东、广西栽种最多，其次为四川和台湾，云南和贵州也有少量栽种。福建是龙眼主产区，栽种面积和产量居全国第一位，集中在东南沿海各县市。龙眼品种繁多，我国栽种的有福眼、赤壳、乌龙岭、东壁、石硖、广眼等近400个品种。龙眼喜土层深厚而肥沃和稍湿润的酸性土壤，喜阳光和温暖气候，年平均温度20～22℃为适宜。遇霜雪易受冻害，但比荔枝耐寒，耐旱力较强，生长迟缓。花芽分化和形成要求冬季有一段时间温度8～14℃，气温18～20℃以上不利于花芽发育，所以冬季气温高，则来年花少泌蜜差。龙眼开花期为3月中旬至6

月上旬，依品种和分布区气候条件以及长势等情况不同而有差异，海南岛 3～4 月，广东、广西 4～5 月，福建 4 月下旬至 6 月上旬，四川 5 月中旬至 6 月上旬。花期长达 30～45d，泌蜜期 15～20d。龙眼开花要求较高的温度，13℃以下开花少，适宜温度为 20～27℃，泌蜜适温 24～26℃。龙眼是夜间泌蜜，晴天夜间暖和的南风天气，相对湿度 70%～80%，泌蜜量最大。花期遇北风、西北风或西南风不泌蜜。龙眼开花泌蜜也有明显的大小年现象，品种不同，大小年轻重程度也不同。大年气候正常，每群蜜蜂可采蜜 15～25kg，丰年可达 50kg。龙眼花蜜多，花粉少，更需要蜜蜂为其传粉，花粉少不能满足蜂群的繁殖，进场前必须准备充足的粉脾随时加入蜂群，以防蜂群缺粉造成群势下降。龙眼第三期花蜜少，根据天气情况要适当早退出龙眼场地，转到采山花或其他有蜜粉源开花的地方。由于龙眼花期正值南方雨季，是产量高但不稳产的主要蜜源植物。

四、柑橘

柑橘（*Citrus* L.）是我国南方重要经济果树，属芸香科的常绿乔木或灌木，也是春季主要蜜源之一。柑橘种类繁多，通常根据果型分为柑、橘、橙。在养蜂界通称柑橘蜜源。柑橘花白色，开放时逐渐向外弯曲。雄蕊 20～30 枚，花丝联合成筒状，蜜腺在雌蕊和雄蕊基部之间，呈环状，黄色。柑橘喜欢温暖湿润气候。在年气温平均值 18～21℃，年降水量1 500～2 000mm，土质肥沃、湿润，土壤 pH 值 5.5～6.5 的地区生长良好，主要分布在我国秦岭、江淮流域及其以南地区即北纬 17°～37°，经济栽培区集中在北纬 20°～33°间的低海拔范围内。柑橘类果树有些种类一年数次开花，但用作蜜源植物的种类一般在晚春开花，多数在 4 月中旬至 5 月上旬。开花时间随品种早晚不一。同一种（或品种）在不同的地理位置，因各年份气候条件不一开花期也早晚不一。我国各地花期见表 3－1。

表 3－1 主要柑橘种或品种产地和花期

主要种（或品种）	产地	花期
蕉柑	广东惠阳	3 月下旬至 4 月中旬
蕉柑	广东潮汕	3 月下旬至 4 月中旬
蕉柑	福建龙溪	4 月上旬至 4 月中旬
甜橙	福建龙溪	3 月下旬至 4 月上旬
柑	广东惠阳	3 月下旬至 4 月中旬
福橘	福建福州	3 月下旬至 4 月中旬
南丰蜜橘	江西南丰	4 月中旬至 4 月下旬
温州蜜橘	浙江黄岩、衢州、温州	4 月中旬至 4 月下旬
温州蜜橘	湖南衡阳	4 月下旬至 5 月上旬
早橘	浙江黄岩	4 月下旬至 5 月上旬

续表

主要种（或品种）	产地	花期
新会甜橙	广东惠阳	2月下旬至4月中旬
锦橙	四川江津	4月上中旬
大红袍红橘	重庆万州	4月上中旬
沙田柚	广西柳州	4月上旬
沙田柚	重庆市郊	4月上旬至5月中旬
柠檬	重庆市郊	4月上旬至5月中旬
枳	重庆市郊	3月中下旬
金橘	浙江镇海	6月中旬至8月下旬

柑橘1朵花从花开到花谢需8~10d，泌蜜3~5d。群体花期20d以上，实际泌蜜期只有10d左右。开花泌蜜适温在17~25℃（22℃左右），相对湿度75%左右泌蜜最好。树龄5~10年的柑橘开花0.7万~1万朵，所以分泌花蜜多。花的子房膨大，基部有圆盘状花盘，盘上分布有蜜腺点，能分泌丰富的蜜汁。柑橘花在花瓣开放前3~5d，蜜腺就已泌蜜，开花后1~3d泌蜜最盛，花冠反曲时，泌蜜大为减少或停止。每朵花泌蜜量为20μl，花蜜糖浓度中等，为30%；通常1个花期内意大利蜂群可取蜜20kg左右，中华蜜蜂群可取蜜10kg左右。柑橘泌蜜期正值我国南方多雨季节，蜂蜜收获量常受影响。泌蜜期天气晴朗，则蜂蜜收获量大；阴雨连绵，柑橘蜜汁被雨水冲洗，大量落蕾落花，则蜂蜜减产。柑橘花粉呈黄色，有的种类如金橘，花粉很丰富，有利于蜂群繁殖和商品花粉生产。

柑橘有许多种或品种，必须异花授粉才能获得高产。自花授粉的品种，经过昆虫异花授粉，也能提高产量。蜜蜂是柑橘进行异花授粉的最好媒介，通常每公顷放一两群蜂就能为柑橘进行理想的异花授粉。为柑橘授粉的蜂群，最好分组分散在果园里的向阳地段，注意蜂群保温。经试验柑橘利用蜜蜂授粉后，与隔绝虫媒的比较，可提高产量1~3倍。

五、枇杷

枇杷［*Eriobotrya japonica*（Thunb.）Lindl.］为蔷薇科常绿小乔木，是冬季主要果树蜜源植物。枇杷品种繁多，我国有大红袍、夹脚、大钟、梅花霞、富阳、光荣、软条白沙、照种、青种、白梨等近百个品种。枇杷原产中国，已有2 000年以上的栽培历史。唐代传入日本，18世纪传入欧洲，19世纪传入北美洲。我国的主要产地为浙江余杭、黄岩，安徽歙县，江苏吴县，福建莆田、福清、云霄，湖北阳新等，栽培面积最为集中。台湾、广东、广西、江西、湖南、贵州、云南和四川等地也有栽种。

枇杷喜气候温暖湿润和排水良好、土层厚、富含腐殖质的中性或微酸性土壤（pH值6~7），稍耐寒和耐阴。年平均温度在12~15℃以上，年降水量1 000mm以上的低山丘陵和平原地区均可栽培。温度低于-3℃时易受冻害。

枇杷为聚伞圆锥花序顶生，各花梗密生绒毛，萼片 5 枚，密生绒毛，花瓣 5 枚白色，雄蕊多数，蜜腺位于花筒内。枇杷花序大小差异大，小的 30 ~ 40 朵花，大的200 ~ 300 朵花。花序挺直，总轴上部的花先开，中部支轴后开，下部支轴最迟；花序下垂者，以弯曲部为中心，向上向下依次开放。每一小花序则是顶端一朵花先开，两侧的花后开。开花期安徽、江苏、浙江 11 ~ 12 月，福建 11 月至翌年 1 月。花期长达 30 ~ 35d。气温 11℃以上开花，13 ~ 14℃开花最多，15 ~ 16℃开始泌蜜，其花蜜含糖量可达 30.5% ~ 65.0%。泌蜜适温 18 ~ 22℃。相对湿度 60% ~ 70%，昼夜温差大的南风天气泌蜜最多，蜜蜂采集活动主要集中在中午前后。刮北风遇寒潮不泌蜜。1 群蜂可产蜜 5 ~ 10kg。枇杷花粉黄色，数量较多，有利于蜂群繁殖。

六、枣树

枣树 [*Ziziphus jujuba* Mill. var. *inermis* (Bge.) Rehd.] 为鼠李科落叶乔木或小乔木，是我国夏季主要果树蜜源植物。除东北、西北以及西藏高原某些严寒地区外，其他省区都有栽培，大致分布在北纬 23° ~ 42°。但以河南、山东、河北等省栽种最多，山西、陕西、甘肃次之。江苏、浙江、宁夏、新疆、北京、天津都有栽种。

枣树寿命很长，一般 1 ~ 4 年开始结果，盛果期可达 15 ~ 80 年。枣树的年生长期因各地气候而异，为 175 ~ 220d。

枣树的适应性强，抗干旱，喜湿润，耐严寒，喜阳光，在阳光充足的平原地带和向阳山坡上生长旺盛，开花结果多。土壤肥力对枣树生长有明显影响。生长在山麓、平原土层深厚肥沃的环境中的枣树，高达 10 ~ 12m，寿命可达 200 ~ 300 年，而生长在瘠薄的山地砾质土上的枣树，高仅 4 ~ 5m，寿命 50 ~ 60 年。枣树在春季旬平均气温上升到 11 ~ 12℃时，树液开始流动，13 ~ 14℃时芽体开始膨大萌动，14 ~ 16℃时开始萌芽，18 ~ 19℃时结果枝进入发育旺盛生长期，出现花蕾，20 ~ 22℃时开始开花。枣花的开放整个过程可分为 7 个阶段：蕾裂、初开、半开、瓣立、瓣倒、花丝外展、枯萎。在华北平原 5 月上旬出现花蕾，5 月中旬为始花期，5 月下旬至 6 月中旬为盛花期，6 月下旬至 7 月上旬为末花期。整个开花期长达 50d 以上，其中泌蜜期 25 ~ 35d。在黄土高原如陕西北部、宁夏北部，开花期比华北平原晚 10 ~ 15d，长江以南各省区，开花期比华北平原早 15 ~ 20d。在同一地区不同品种的枣树，开花期也往往不同。例如，在山东，乐陵小枣 5 月中旬开始开花，婆枣 5 月下旬开始开花，大枣 6 月上旬开始开花。因此，在枣品种多的地区，花期长，有利于养蜂生产。一般花朵开放当天泌蜜较少，第二天最盛，第三天又减少。目前，矮化种枣树发展迅速，当年栽培当年开花结果。

影响枣树泌蜜量的主要因素有：第一，温度。枣泌蜜的最适宜温度在华北平原是 26 ~ 32℃，在黄土高原是 28 ~ 31℃，当低于 25℃或高于 33℃时，泌蜜量显著下降。第二，湿度。相对湿度 40% ~ 70%，均能正常泌蜜；当高于 70%时，往往伴随着阴雨和低温天气，基本上停止泌蜜；低于 40%时，空气过分干燥，不仅泌蜜量降低，而且已分泌出的花蜜浓度过高，蜜蜂不易采集，像枣花这样盘状暴露型蜜腺，最怕空气干燥使其分泌的花蜜很快干掉。第三，雨量。开花之前下过透雨，生长发育正常，开花期内有适当雨量，使空气湿度适当，则泌蜜丰富。降水量过大，则泌蜜显著降低，且雨水会冲掉花蜜，甚至造成提前落花。天气干旱时泌蜜很少。第四，风。3～4级以下的风，对枣花泌蜜影响不大；5～6级风时泌蜜量降低，并使分泌的花蜜浓度过高；6级以上大风，严重影响泌蜜，甚至停止泌蜜。枣花的泌蜜还与树龄有关，处在20～50年盛果期的枣树泌蜜丰富，幼树和50年以上的老龄树，泌蜜量明显降低。另外，枣树7叶比6叶、9叶泌蜜好。在华北平原和黄土高原一带，枣树开花季节，日照时间长，天气干旱，气温较高，又常刮风，枣花分泌出来的花蜜裸露在花盘上，水分蒸发过快，花蜜的浓度过高，蜜蜂采集患"枣花病"，所以，在采集这种枣花蜜时要经常给蜂群喂水、喷水以缓解病情。一般年份，1群蜂可采枣花蜜15～25kg，最高可达35～40kg。枣花花粉少，为繁殖蜂群，加喂花粉或附近有丰富辅助蜜源开花，以防蜂群下降。

七、紫云英

紫云英（*Astragalus sinicus* L.）为豆科春季栽培绿肥和牧草主要蜜源植物。紫云英原产中国，明清时期长江中下游一带已广为栽种。现分布于亚洲的温带、亚热带和热带地区。我国分布在北纬24°～35°、东经103°～122°的广大区域内，以长江中下游流域种植面积最大。20世纪70年代后期全国种植面积曾达933万hm^2，占绿肥作物总面积的77%左右。80年代以后由于耕作制度变动，种植面积有所缩小。紫云英喜温暖湿润气候和肥沃、保肥爽水的沙质土壤，适宜在pH值5.5～7.5的土壤种植；不耐碱，土壤含盐量在0.1%以上时不宜栽培，忌渍怕旱。大都播种在晚稻田里越冬，春季生长迅速，盛花时可作绿肥，为早稻田的前期作物。

紫云英花期可达1个月，泌蜜期20d左右。广东肇庆和广西玉林花期为1月下旬至2月中旬，广东花县一带2月上旬至3月中旬，浙江4月中旬至5月上中旬，江西4月下旬，湖北江陵4月上旬至5月初，安徽休宁、歙县一带3月下旬至4月下旬，河南信阳4月中下旬。不同品种的紫云英花期也不一样，如湖南早熟种3月底盛花，中熟种4月上旬盛花，晚熟种4月中旬盛花；上海早熟种4月中旬盛花，晚熟种4月下旬盛花。不同品种开花期长短也不一样，早熟种花期为33d，中熟种27d，晚熟种24d。

紫云英单株开花自下向上，主茎先于分枝，其开花数占全株开花数1/3左右。单一花序开花次序自外向内，每一花序单花全部开放，需4～5d。紫云英初花期为粉红色，不泌蜜或泌蜜较少，当颜色变红时，便进入盛花期，泌蜜达到高峰，颜色变为暗红色时表明泌蜜期行将结束。一天中开花泌蜜时间前期为12～15时，以后随气温的升高，开花泌蜜时间逐渐提早，晴天在8～10时出现第一次开花泌蜜高峰，10～11时开始减少，12～16时达到第二次高峰，17时后开花数量减少，泌蜜不多。紫云英开花时要求昼夜平均温度为14～18℃，相对湿度为75%～85%，泌蜜时最适宜温度为25℃，晴天光照充足，则泌蜜旺盛。从播种到开花期间若过分干旱，出苗不齐，开花泌蜜期在江南地区遇寒潮袭击，出现低温阴雨天，以及种植在山区冷水田里，都会减少泌蜜或不泌蜜。采集当时如刮黄风、沙风，紫云英不泌蜜，且伴有爬蜂病发生。

在我国南部紫云英种植区，待紫云英初花时耕掉沤田作肥料，仅有10%的紫云英留种地才是真正紫云英蜜源场地，就能够生产大宗商品蜜。强群日进蜜量高达12kg，通常每群蜂花期可采蜜20～30kg，强群可达50kg以上。紫云英花粉橘红色，丰富，不但可满足蜂群繁殖、生产王浆需要，而且可生产商品花粉，花粉营养丰富。

八、刺槐

刺槐（*Robinia pseudoacacia* L.）别名洋槐，豆科落叶乔木，高15~25m，为春末夏初主要蜜源植物。刺槐原产美国东部，20世纪初大量从欧洲引入中国栽种。现分布于北纬23°~46°、东经86°~124°的广大地区。江苏北部、安徽北部、胶东半岛、华北平原、黄河故道、关中平原、陕西北部、甘肃东部等地都有大量栽种，这些地方也是刺槐蜜源的重点基地。刺槐喜光，耐干旱瘠薄，适应性强，在年降水量500~900mm，湿润肥沃的土壤都能很好生长。北京刺槐开花期为5月上旬，江苏北部和安徽北部为5月上中旬，胶东半岛5月中旬至5月下旬，郑州4月下旬至5月上旬，石家庄5月上旬，宝鸡4月下旬至5月上旬，陕西延安5月中旬至5月下旬，陕西关中平原5月上旬，甘肃南部4月下旬至5月上旬，甘肃天水北部5月中旬至5月下旬，辽东半岛5月下旬至6月上旬初，秦岭为5月下旬至6月上旬。

刺槐开花期在同一地区常相差1周左右。土壤湿润、气温高、风力小，泌蜜丰富；阴雨、低温、大风，则泌蜜少或不泌蜜。7级以上大风则蜂蜜失收，遇5~6级大风，产蜜量也大为减少。如遇干热风，能使花朵枯焦，花期缩短。高温天气泌蜜多，适宜气温为27℃。每群蜂产蜜30kg，多者可达50kg以上。气温超过25℃，大气湿度80%以上，土壤含水量高时，一群蜜蜂日进蜜量可达5kg以上。同一地方刺槐开花泌蜜期仅10d左右，但不同地方开花期不同，一年中可连续多次转地利用刺槐蜜源场地。因此，同一地方若栽种若干品种，各个品种花期交错，可延长总的开花期，提高蜂群单产。也可选育和推广泌蜜量大的品种，以提高产量。同一地区往往城市、村庄、阳坡等地气温高处先开花泌蜜，而在山村、郊野、阴坡、林内气温较低处后开花泌蜜。因而地形环境复杂的蜂场，花期往往延长，单群产蜜量高。海拔高度不同也能延长花期，提高产蜜量。生长旺盛的刺槐，开花较晚，但泌蜜量大。刺槐一般在栽种6~7年后才能大量开花泌蜜。

刺槐底部的花先开，次中部，后顶部；先主枝，后侧枝。花序底部的花先开，后逐渐推向顶端。每朵花开放3d左右，单花泌蜜量3mg。开花第二天才逐渐泌蜜，接近凋谢时泌蜜最盛。刺槐花多叶少，呈现一片白色，表明植株强壮，泌蜜丰富。如花少叶多，远望全树绿中透白，则泌蜜量少。午前泌蜜大于午后。刺槐是泌蜜量很大的蜜源植物，开花数量多，且单花分泌的花蜜量也高，平均为2mg（1.59~3.7mg）。刺槐花粉乳白色，对繁殖蜂群和生产蜂王浆起重要作用。

九、胡枝子

胡枝子（*Lespedeza bicolor* Turcz.）别名笤条，豆科落叶灌木，高1~2m，丛生，为秋季主要蜜源植物。生长于山坡、荒地、林缘和灌丛中。在温带阔叶林区为栎下灌木层的优势种。同属种类繁多，多数为辅助蜜源，惟东北长白山和兴安岭山区有大面积生长，约有35万hm^2，为这些地区秋季的主要蜜源植物。胡枝子5月中旬萌芽，6月中旬现蕾，7月中旬开花，盛花期7月中旬至8月中旬。幼龄花朵少，老龄多枯枝，2~3年生者泌蜜量大。

秋季气温高时开花早泌蜜多，花期长，泌蜜适温 25～28℃，低于 20℃泌蜜少。花期阴雨低温常影响泌蜜。花前和花期干旱能促成翻叶、卷叶、叶片和花朵小，花色变紫，落花而不泌蜜。生于阳坡、林缘，特别是火烧迹地上，由于光照强、地温高、土质肥，泌蜜多。在胡枝子花期，一般年份群产蜜 15～25kg，丰收年 50～60kg。但胡枝子蜜源不稳产，有的年份蜂群采不足越冬饲料还要给蜂群喂越冬饲料糖。胡枝子蜂花粉黄红色，是春秋季繁殖蜂群的优良花粉之一，一般年份强群可采收胡枝子蜂花粉 4～5kg。

十、白刺花

白刺花（*Sophora viciifolia* Hance.）别名狼牙刺、苦刺，为豆科丛生小灌木，春夏主要蜜源植物。白刺花分布于陕西、甘肃、云南、四川、贵州、西藏、湖北、山西、河南、河北、浙江、江苏等省区。多年来作为重要蜜源基地利用的有：陕西省宝鸡市的凤翔、千阳、陇县、麟游、太白等地，汉中地区的略阳、留坝、勉县、城固等地，咸阳市的永寿，陕北的志丹、延安、甘泉、黄陇等地，还有甘肃省天水地区的两当、徽县等，武都地区的成县、康县等，平凉地区的灵台、华亭等县，以及山西省临汾地区的乡宁、大宁、吉县，晋东南地区的沁水、高平，云南省曲靖地区的嵩明、沾益、宜良、路南、寻甸，昆明市富民、呈贡、安宁等县，楚雄彝族自治州的楚雄、禄劝、禄丰，红河哈尼族彝族自治州的弥勒、开远，德宏傣族景颇族自治州的潞西。白刺花耐寒耐旱，喜生于河谷沙壤或山区灌木丛中，为黄土高原优良水土保持树种之一。在多数省份为优良辅助蜜源，只有陕西、甘肃、山西、云南等省分布集中地区成为主要蜜源。

白刺花通常 5 月初开花，5 月底结束，花期近 1 个月，但随不同纬度和海拔高度而不同，一般由南往北逐渐推迟，海拔低的先开花，海拔高的晚开花。如云南曲靖开花泌蜜期为 4 月中旬至 5 月上旬，昭通为 4 月下旬至 5 月中旬，四川广元 4 月下旬，甘肃两当、徽县和陕西的略阳、留坝为 5 月初开花，陕西凤县双石铺为 5 月中旬，甘肃灵台为 5 月中下旬，陕北 5 月中旬至 6 月中旬开花泌蜜。在秦岭南坡岭下徐家平、白水江 5 月初开花，到秦岭顶红花铺和黄牛铺 6 月初开花，花期岭下到岭顶相差 30d 以上。白刺花泌蜜约 20d，初花时无蜜或很少有蜜，开花 1d 后开始泌蜜，3～4d 后泌蜜最多。白刺花旗瓣向上反卷与花萼平行，同时翼瓣向两侧成 30°展开时，泌蜜最多，花凋谢时花蜜大大减少或不泌蜜。全天都有蜜蜂采集，泌蜜量最多为 9～15 时。白刺花蜜腺位于花丝基部内侧的子房基部周围，泌蜜适温为 25℃左右，在温度高、湿度大的条件下泌蜜多，过分干燥泌蜜少，夜间下雨，次日天晴，风和日暖，泌蜜最佳，如遇霜、冷停止泌蜜。常年每群蜂可产蜜 20～30kg，多的可达 40kg 以上。白刺花花粉较多，有利于蜂群繁殖和生产蜂王浆，并能生产一部分商品花粉。在秦岭南北坡，白刺花末期有死蜂现象，尤其在暴风雨后，白刺花停止泌蜜时更严重。经查明，在白刺花泌蜜后期，当地苦皮藤开始泌蜜，而苦皮藤是有毒的蜜粉源植物。因此，白刺花末花期蜂群应迅速离开白刺花蜜源场地，养蜂员称之“丢花尾期”现象。

十一、毛叶苕子

毛叶苕子（*Vicia villosa* Roth.）别名长毛野豌豆，豆科牧草、绿肥，为春、夏季主要蜜源。毛叶苕子原产欧洲及亚洲西部，在俄罗斯、德国、匈牙利等国栽培较广，也是温带国家栽培最广的牧草之一。中国于20世纪40年代中期引进，南方农区已广泛种植。北方采用春播，秋天开花；南方采用冬播，春夏开花。毛叶苕子喜土质肥沃、排水良好的土壤。我国江苏、安徽、河南、四川、陕西、甘肃、云南等省栽种较多。耐寒力强，在-20℃下可以越冬。开花结荚适温为19~24℃。花期由南向北推迟，贵州兴义3月中旬，四川成都4月中旬，陕西汉中4月下旬，江苏镇江、安徽蚌埠5月上中旬，山东济宁5月中旬，山西右玉7月上旬。花期20d以上，气温达20℃开始泌蜜，24~28℃泌蜜最多，超过28℃泌蜜减少。前一年下大雪，土壤水分充足，翌年泌蜜最好。施氮肥过多，雨水过剩，生长过旺造成疯长、黄叶、烂叶，开花少，泌蜜差。在生长发育期或开花泌蜜期，如发生蚜虫危害，泌蜜即大量减少。若在流蜜期下了冰雹，泌蜜即结束。每群蜂可取蜜15~40kg。

十二、光叶苕子

光叶苕子（*Vicia cracca* L.）别名广布野豌豆、蓝花苕子，春夏豆科牧草、绿肥，为主要蜜源植物。主要分布在江苏、山东、陕西、云南、贵州、广西和安徽等省区。长江中下游地区播种面积约10万hm^2。耐寒耐旱。田间、果园、山坡、生荒地上均可种植。开花期广西为3月中旬至4月中旬，云南为3月下旬至5月上旬，江苏、山东、安徽为4月下旬至5月下旬。江苏省淮阴地区为著名苕子场地，苕子蜜曾是当地主要出口蜜种之一。光叶苕子开花泌蜜期25~30d。开花的适宜气温为14~20℃，泌蜜最适气温24~28℃，25℃以上泌蜜丰富，20℃以下泌蜜很少。每群蜂常年可取蜜30~40kg，高者可达80kg以上。花粉粒黄色，质优良，对繁殖蜂群和生产蜂王浆、蜂花粉都有利。光叶苕子经蜜蜂授粉，产种量可提高1~3倍。

十三、车轴草

车轴草为豆科车轴草属主要蜜源植物的统称，成为主要蜜源的有红车轴草和白车轴草两种。

（一）红车轴草

红车轴草（*Trifolium pratense* L.）为夏季主要蜜源植物，在欧洲产蜜较高，也是种植国的主要蜜源植物。别名红荷兰翘摇、红三叶草，红菽草，是多年生牧草及绿肥作物。分布在江苏、江西、浙江、安徽、云南、贵州、湖北、辽宁、吉林、黑龙江等，为当地栽植区优良蜜源植物。喜温暖湿润气候，最适于在夏季不炎热、冬季温暖、年降水量达1 000mm的地区生长。在7~38℃时可正常生长，最适生长温度为20~25℃。喜中性和微酸性土壤。在四川巴东，湖北建始、恩施、利川等海拔800~1 800m的山区生长良好。4~9月都有花开，但泌蜜期集中在5~8月。气温在18℃开始泌蜜，25℃左右泌蜜较多。因其花管较深，蜜蜂难以吸取蜜汁，每群蜂常年能采 5kg 左右。蜜蜂为红车轴草授粉，可提高结籽率 70%。

（二）白车轴草

白车轴草（*Trifolium repens* L.）为夏秋季豆科牧草主要蜜源。别名白三叶草、荷兰翘摇。头状花序，花冠白色。我国东北、华北、华中、华南、西南、西北各省区均有栽种。耐寒而不耐旱、渍。生长适宜温度为 19～24℃，喜温暖湿润气候，最适于生长在年降水量 800～1 200mm 的地区，多长在路旁、田边、地梗、隙地。在荫蔽条件下，叶小花少，在全光照条件下，单位面积形成的花序数可增加 46.7%，平均每花序的小花数增加 21.89%。开花期在贵州贵阳为 3 月下旬至 6 月中旬，云南昆明 4 月中旬至 7 月中旬，新疆天水和东北林区多为 6～8 月。只有少数地方栽培面积集中可以取到商品蜜，多数地方仅作为辅助蜜源植物。如东北长白山采椴树蜜源植物，旷野或路旁开花的白三叶草是重要辅助蜜源，为蜂群提供繁殖用花粉。气温在 24℃时，白三叶草泌蜜丰富，常年每群可产蜜 10～20kg。

十四、紫花苜蓿

紫花苜蓿（*Medicago sativa* L.）别名紫苜蓿、苜蓿，为豆科栽培多年生牧草主要蜜源植物。我国栽培紫花苜蓿达 66.7 万 hm^2 以上，主要分布在西北、华北，东北南部种植较少，华东亦有少量种植。其中陕西约有 20 万 hm^2，主要分布在关中及陕北一带；新疆约有 13.3 万 hm^2，主要分布在石河子、阿勒泰及阿克苏地区；甘肃约有 8.7 万 hm^2，主要分布在平凉、庆阳、定西、天水；山西约有 10.7 万 hm^2，主要分布在吕梁地区、运城、临汾、晋中、忻州；山东主要分布在德州、惠民；河北主要分布在衡水、沧州、邢台；内蒙古主要分布在伊克昭盟和乌兰察布盟；宁夏主要分布在黄河灌区。此外，河南的西部及吉林的白城亦有栽种。

紫花苜蓿花期因地区不同而有差异。江苏、山东、河北 5 月中旬始花，山西永济 5 月上旬始花，陕西、甘肃、宁夏、新疆 5～6 月始花，内蒙古 7～8 月始花。紫花苜蓿喜光照充足、地墒饱满，对土壤要求虽不过分严格，但在排水良好、沙质土壤生长较好，泌蜜性能强。气温在 18℃开始泌蜜，温度上升到 28～30℃时，泌蜜量最多。自然条件优越，泌蜜量多。一般泌蜜规律是：株茎直立，花开一片蓝，泌蜜量大；植株疯长，匍匐地面，泌蜜量少或不泌蜜。紫花苜蓿号称“牧草之王”，是主要蜜源之一，由于花期长达 1 个月，泌蜜量大，强群高产达 80kg 左右，经济效益较高。粉少。

十五、草木犀

草木犀（*Melilotus* spp.）是夏季主要豆科牧草蜜源植物。草木犀属我国有 9 种，作为主要蜜源，栽培面积较大的有白香草木犀和黄香草木犀，其他种类均为优良辅助蜜源植物。

（一）白香草木犀

白香草木犀（*Melilotus albus* Desr.）别名白花草木犀，原产亚洲西部，中国引种后现各地已有广泛栽培作为牧草和绿肥。以陕西、内蒙古、辽宁、黑龙江、吉林、河北、甘肃、宁夏、山西、新疆种植较多，四川、西藏、湖北、河南、山东、江苏等省区也有分布。白香草木犀抗逆性强，适应性广，喜温暖、湿润和阳光，较耐干旱、耐瘠薄，在中性和碱性土壤中均能正常生长，越冬芽可耐－30℃的严寒。我国草木犀开花期6月中旬至7月下旬，为40～50d，其中盛花期30～40d。在各地，由于纬度和海拔高度不同，开花迟早不同：云南4～5月，陕西关中平原5月中旬至6月下旬，西北黄土高原6月中旬至7月下旬，辽宁6月下旬至8月上旬，黑龙江7月上旬至8月中旬。白香草木犀属无限花序，花朵逐渐发育形成，逐渐开放。以主茎中部花序的花发育最好，泌蜜丰富，靠近茎基部小侧枝上的花和茎枝上端的花瘦小，泌蜜量少。花序中部和中下部的花泌蜜量大。各种气象因素对泌蜜量都有影响，其中气温的影响较大，在28℃以上时，大量泌蜜。在正常情况下，单花泌蜜量为0.15～0.5μl。白香草木犀花小而数量大，蜜、粉均丰富。花瓣之间结合较松散，蜜蜂采集花蜜比较迅速，而且产蜜量高，较稳产。通常每群蜂可产蜜30～40kg，丰收年可达50～60kg。花粉除供蜂群繁殖、生产蜂王浆外，可生产蜂花粉供给市场。

（二）黄香草木犀

黄香草木犀［*Melilotus officinalis*（L.）Desr.］别名黄花草木犀，原产亚洲西部，我国辽宁、河北、内蒙古、山西、陕西、宁夏、甘肃等省区种植面积较大，山东、河南、安徽、四川、西藏等省区均有种植。黄香草木犀适应性强，喜生在温暖、湿润的环境中，又比较抗旱、耐寒、耐盐碱、耐瘠薄。在不适于耕作的干旱而瘠薄的土地上，往往可种植黄香草木犀。

黄香草木犀6～8月开花，花期长达40～50d，其中盛花期30～40d。各地花期不同：四川5月中旬至6月下旬，山东和河北6月上旬至7月中旬，陕甘宁黄土高原6月中旬至7月下旬，辽宁7月上旬至8月中旬。开花期还受海拔高度的影响。每朵花开放时间约3d，泌蜜时间约2d。当天气晴朗、气温较高时，全天可泌蜜，泌蜜量一般上午大于下午。蜜、粉均丰富，通常每群蜂可产蜜20～40kg，且比较稳产。花粉除供蜂群繁殖、生产蜂王浆外，可生产蜂花粉供给市场。但在我国北方地区有些地方，常把白香草木犀和黄香草木犀混合播种，因二者开花期相似，所产蜜或粉均为二者混合蜜和花粉。

十六、荆条

荆条［*Vitex negundo* L. var. *heterophylla*（Franch.）Rehd.］别名荆柴、荆子花、山荆，为夏季马鞭草科主要蜜源植物。荆条广布于我国南北各地，主要分布在太行山、燕山、吕梁山、中条山、沂山、蒙山、秦岭、大巴山、伏牛山、大别山和黄山等山区。华北主要分布在山西南部，北京北部山区，河北承德地区以及内蒙古的伊克昭盟和昭乌达盟的一些地区。陕西主要分布在富县、洛川、延安、凤县等地。甘肃分布在两当、徽县、武都等地。江苏、安徽、河南、四川、江西、湖南等地也有零星分布。荆条生长数量多，面积大，已成重点蜜源区的有北京郊区、河北承德、山西东南部、辽宁西部和山东沂蒙山区。荆条耐寒耐旱，耐瘠薄土壤，适应性强，喜生于低山山谷、山沟、河边、路旁、灌木丛中。

荆条花期在6~8月，同一地方群体花期1个月。主产区花期，北京近郊为6月初，远郊为6月末至8月上旬，辽宁西部7月初至8月初，山西6月中旬至7月中旬，内蒙古6月上旬至6月底，山东6月中旬至8月初，陕西北部6月中旬至7月下旬。1株荆条有花序6~20个，花0.6万~3万朵。干旱天气，1朵花的泌蜜量初花和末花期为0.004mg，盛花期为0.006mg。一天中，8时为0.006mg，10时为0.01mg，18时30分为0.003mg。泌蜜适温为25~28℃，夜间气温高，湿度大，闷热，次日泌蜜最多。山腰、山谷、田边、溪旁土质肥沃，水分充足的地方长势旺盛，泌蜜丰富。在山西，生长在风化煤含氧化钙10%左右的土壤上的荆条泌蜜多而稳产。在山东，生长在青石山的荆条花产蜜多，沙石山的产蜜少，崂山海滨的荆条不泌蜜。当年生或再生荆条花序短，花期晚，泌蜜少，二年生以上荆条花序长，花数多，泌蜜多，老龄荆条泌蜜量降低。旱情严重时，荆条的泌蜜量则显著减少。海拔高的深山区，荆条流蜜差。荆条花粉少，大部分地区采荆条的蜂场，蜂群群势下降。1个强群花期内能取蜜25~45kg。荆条花粉较充足，除供蜂群繁殖外，可生产蜂王浆。

十七、椴树

椴树属（*Tilia* L.）在我国有30余种，常见种类有紫椴、糠椴、华椴、蒙椴和南京椴等。其中紫椴、糠椴流蜜量大，东北分布面积大，为我国主要蜜源，中华椴在某些地方也能取到商品蜜，其余种类都是很好的辅助蜜源植物。

（一）紫椴

紫椴（*Tilia amurensis* Rupr.）别名小叶椴、籽椴，为椴树科著名木本夏季主要蜜源植物。紫椴为深根性树种，生于土层深厚、土质肥沃的山坡，单生或团状生长在杂木林或阔叶混交林中。天然分布于黑龙江、吉林、辽宁、山东、河北、北京、山西等省，以长白山和兴安岭林区最多，已形成著名的椴树蜜源场地。垂直分布，长白山林区生长在海拔500~1 200m，以600~900m最多；小兴安岭地区生长在海拔200~1 100m，以300~800m分布最广泛。吉林省主要分布在延边朝鲜族自治州、通化市、浑江市和吉林市的17个县（市）。黑龙江省主要分布在伊春、佳木斯、牡丹江等27个县（市）。

紫椴花期6月下旬至7月中下旬，阳坡先开，阴坡后开，花期交错持续20d以上，泌蜜15~20d。在天然林内，紫椴10~15年龄开花，40年龄渐多，60年龄最盛，100年龄后最少。在小兴安岭林区，5月上旬萌芽，中旬展叶，下旬现蕾，7月初始花，中旬盛花。在小年、干旱、虫害、开花后期受暴风雨摧残等不利条件下，花期缩短5~7d。蜜腺位于花萼基部，呈乳头状，上面有白色丝状毛覆盖。开花即泌蜜。花药散粉，柱头合拢，泌蜜最多；散粉结束，柱头展开，泌蜜减少。气温20~25℃、空气湿度70%时泌蜜最多。1朵花日泌蜜量3.8~7.5mg。花蜜含糖量平均7.1%~22.8%。泌蜜盛期强群日进蜜量达15kg以上。常年每群蜂可取蜜20~30kg，丰年50kg以上。

紫椴开花泌蜜“大小年”明显，但由于自然条件影响，也有大年不丰收、小年不歉收的情况。小年树体营养供给不良，花蕾数量少2/3，花朵小1/3，泌蜜少，蜜质稀，泌蜜期短。每年都有虫害，以小年为甚。开花前常受干旱影响，花期多受阴雨威胁。晚霜可使萌动的花芽或形成的花蕾受冻害，开花而不泌蜜。花期暴风骤雨或雨后降温常使泌蜜中断。夜间气温高，清晨泌蜜多。影响紫椴泌蜜的因素很多，选择场地时应注意了解并掌握各方面情况，以便信息准确，达到良好的收益。

（二）糠椴

糠椴（*Tilia mandschurica* Rupr. *et* Maxim.）别名大叶椴、辽椴，也是夏季椴树科木本主要蜜源植物。东北的长白山和兴安岭林区有紫椴分布的地方，常也有糠椴成片分布，同一地方花期比紫椴推迟7d左右，泌蜜期20d以上。糠椴与紫椴一样，泌蜜量大，紫椴花后期往往是糠椴大泌蜜时期，再摇上2～3次糠椴蜜，是非常理想的椴树场地。

（三）华椴

华椴（*Tilia chinensis* Maxim.）别名中国椴，主要分布于西北的秦岭南北坡、关山、乔山、子午岭以及六盘山等山区，并已形成重要蜜源。云南、四川、湖北及河南虽也有分布，但只是辅助蜜源，形不成专门的放蜂场地。西北山地的中国椴树6～7月开花，花期30d左右，同一地方比漆树早开花10d，往往只能取到漆、椴树混合蜜。天气晴朗、气温高时，椴、漆树花期每群蜂可取到15kg混合蜜。

十八、乌桕

乌桕为大戟科乌桕属蜜源植物，本属有10余种，其中栽培的乌桕和山区野生的山乌桕均为南方夏季主要蜜源植物。

（一）乌桕

乌桕［*Sapium sebiferum*（L.）Roxb.］别名木蜡树、木梓，喜温暖湿润气候及肥沃深厚的土壤，适生于年平均温度16～19℃，年降水量1 000～1 500mm的地区。主要蜜源场地在长江流域以南各省区，多栽植于荒坡地、疏林、田边、路旁和溪畔。

乌桕5～7龄开花，以10～30龄的壮年树泌蜜最多。6月上旬至7月中旬开花泌蜜，长达40d以上，雄花比雌花先开1～2d，如第一次开花全是雄花，花谢前，又在花序下面伸出2～4个新的花序，再开第二次花。雌花泌蜜比雄花丰富，所以第二次开花比第一次泌蜜多。气温在25℃左右开始泌蜜，30℃以上泌蜜最多，常年每群蜂可取蜜20～30kg，丰年可达50kg以上。花粉极为丰富，除供蜂群繁殖外，可大量生产蜂王浆。

（二）山乌桕

山乌桕［*Sapium discolor*（Champ.）Muell.—Arg.］也是大戟科乌桕属的一种，别名野乌桕、木梓树、红心乌桕，广泛分布于我国热带和亚热带地区，如江西省的赣州、吉安、宜春、井冈山等地，湖北大悟、应山和红安，贵州的遵义，以及福建、湖南、广东、广西、安徽等省区，山乌桕常生于红壤和黄壤腐殖质较多、含水量较大的向阳山坡和山谷混交林中。在新开掘的山地和新修的道路旁生长尤为迅速。

山乌桕在江西，开花期为6月上旬至7月上旬，5月下旬形成花序，整个花期40d左右，大泌蜜期20~25d，一天中以7~11时、15~17时为泌蜜时间。山乌桕泌蜜最适温度为32~35℃，相对湿度85%以上，特别在雷雨闷热的天气泌蜜更涌。山乌桕前期的花序长，泌蜜较多，后期的花序短小，泌蜜稀少，且常有第二次开花现象。在开花期间或开花前，如受冷空气侵袭，泌蜜减少或不泌蜜。山乌桕也存在大小年现象，大年丰收，小年歉收，应引起养蜂者注意。山乌桕粉少蜜多，前期花粉勉强供蜂群繁殖，后期常有缺花粉现象，应尽量补充花粉，以免蜂群下降。然而山乌桕泌蜜量大，尤其是山区饲养中蜂的最重要的蜜源。在自然条件适宜的情况下，山乌桕花期每群蜂可取蜜40~50kg，丰收年可达60~80kg。

十九、橡胶树

橡胶树［*Hevea brasiliensis*（H. B. K.）Muell. —Arg.］别名橡皮树、三叶橡胶树，为大戟科常绿乔木，亚热带、热带栽培区主要蜜源植物。主要分布在云南南部、广西南部、福建南部、海南省、台湾省。生于高温多湿、雨量充沛、土壤肥沃的热带地区，近年已移栽亚热带某些地区。栽种面积大，已成蜜源场地并取到商品蜜的为海南岛和云南的西双版纳。

三叶橡胶树种植后5~6年开花，每年开花2次，3~4月为主花期，称春花，开花多，泌蜜量大。5~7月第二次开花，称夏花。少数8~9月开花，称秋花。雄花比雌花先开1~2h，开花时，叶片基部的3个蜜腺同时泌出大量蜜汁。气温在23℃以上泌蜜最多。热带地区6~9时、17~19时泌蜜量大。每群蜂常年可取蜜10~15kg。蜜呈浅琥珀色，结晶乳白色，颗粒较粗。橡胶树花粉少，花期结束时，群势有所下降。橡胶树主要靠花外蜜腺泌蜜，花外蜜腺也要到开花期才能泌蜜。

二十、桉树

桉树（*Eucalyptus* L′. Herit）泛指桃金娘科桉属夏、秋、冬开花的优良蜜源植物。我国从1890年开始从意大利引种，现已有200多种，广泛栽培于四川、云南、贵州、广西、广东、海南、福建、浙江、台湾等省区。喜温暖湿润气候，在深厚、肥沃、湿润的中性土壤上生长最好。自然分布于北纬7°至南纬43°39′的地区。在我国栽植桉树种类虽多，但作为主要蜜源植物只有几种，现阐述如下：

（一）大叶桉

大叶桉（*Eucalyptus robusta* Smith）别名沼泽桉，主要分布于四川、云南、海南、广东、广西、福建、贵州等省区。开花期9月上旬至10月下旬，蜜腺位于花托内壁上，呈深黄色。15℃开始泌蜜，19~20℃泌蜜最多，常年每群蜂可产蜜10~30kg。蜜呈琥珀色，较稀薄，结晶后呈暗黄色，颗粒较粗，有桉醇异味。花粉仅够蜂群自身繁殖用。

（二）柠檬桉

柠檬桉（*Eucalyptus citriodora* Hook. f.）树皮光滑，灰白色或淡红灰色，片状脱落。叶有透明腺点，具有强烈的柠檬香味，因而得名。主要分布在广东、广西、海南、福建、台湾、四川、贵州、云南等省区，尤以广东、广西栽种最多。柠檬桉因地区和年份不同，有1年开花1次的，开花期11~12月，有的年份开2次花，开花期7~8月和12月至翌年2月。冬季开花的花期长，花朵数量多，刮西北风或偏北风泌蜜停止，温暖湿度大的天气泌蜜涌。柠檬桉花期长，蜜、粉丰富，为蜜蜂秋、春季繁殖蜂群打好基础，使秋季和早春蜂群恢复和发展加速。温暖的年份，生长集中地每群蜂可产蜜5~10kg。

（三）窿缘桉

窿缘桉（*Eucalyptus exserta* F. Muell.）别名粗皮细叶桉，树皮暗褐色，粗糙而有纵裂纹，宿存或呈片状脱落。广东、广西、海南、台湾、福建、江西、浙江南部、湖南、云南等省区均有栽培，以广东、广西为最多。喜温暖湿润的热带、亚热带气候，要求年平均温度18℃以上和年降水量800~1 500mm。在肥沃湿润的酸性土壤上生长良好，土壤瘠薄和黏性土壤上生长不良。窿缘桉栽培3年后开花，6年后进入壮年盛花大泌蜜期。开花期5~7月，因地区和气候不同而有差异，海南5~6月，广州6月，福建6~7月。主要开花泌蜜期20~25d。开花期间气温高，大气湿度为70%以上，泌蜜量大。窿缘桉花期长，蜜多粉丰富，没有明显大小年现象，产蜜量较稳定，常年每群蜂可产蜜5~10kg，甚至更多。

（四）蓝桉

蓝桉（*Eucalyptus globulus* Labill.）别名洋草果、灰杨柳，树皮呈片状剥落，叶蓝绿色，叶背呈白色。分布于我国南部和西南部，以广东、福建和四川南部较多，多栽于宅旁、路旁、河堤两岸等地，常和大叶桉混植，开花结果有大小年之分，各植株间开花也不一致。一般在10月开花，在四川南部凉山米易一带7月就开花泌蜜，泌蜜适宜温度为20~25℃，蜜多但较稀薄，大年每群蜂可产蜜10~20kg，小年可用来繁殖蜂群和生产蜂王浆，为种植地夏季或夏末秋初的主要蜜源。

桉树上有一种像小蜂螨的小寄生虫，在干旱年份危害蜜蜂，使蜂群群势急剧下降。

二十一、柃

柃（*Eurya* Thunb.）为山茶科柃属蜜源植物的总称，种类繁多，我国有80多种，多数为分布地主要蜜源或优良辅助蜜源。在养蜂生产上价值较大的有格药柃（*Eurya muricata* Dunn.）、翅柃（*Eurya alata* Kobuski）、细枝柃（*Eurya loguiana* Dunn.）、短柱柃（*Eurya brevistyla* Kobuski）、米碎花（*Eurya chinensis* R. Br.）、微毛柃（*Eurya hepeclados* L. K. Ling）、四角柃、细龄叶柃（*Eurya nitida* Korthals）、黑柃等。柃分布于长江流域及其以南各省区广大丘陵山区，为分布区冬春的主要蜜源，大部分为中华蜜蜂所利用，浅山区西蜂也可利用。柃喜生于温暖湿润、雨水充足的环境中，多生长在酸性或中性土壤中，垂直分布大都在海拔2 000m以下，少数种类达2 600～3 000m。常见于山谷、山坡、灌丛、林缘、路旁、沟边、河岸及林下。在湖南、湖北、江西、福建、广东、广西等省区一些丘陵地大量生长，是当地优势树种之一，这些省区是柃蜜的重要产地。

柃蜜、粉均丰富，不但能取到冬蜜，而且对冬春南方山区繁殖蜂群非常有利。同一种柃有相对稳定的开花期，群体花期10～15d，单株7～10d。一般雄花先开，蜜蜂积极采集花粉，12时后，雌花才开。不同种的柃其开花期往往不同，交错开花，柃的花期从10月到翌年3月。同一地区有多种柃分布，整个花期也很长，这是很理想的柃蜜源场地。江西的萍乡、宜春、铜鼓、修水、武宁、万载，湖南的平江、浏阳，湖北的崇阳等地柃的种类多，数量大，开花期长达4个多月，是我国“野桂花”蜜的重要产区，湖南平江“野桂花”蜜售往北京受到广大市民的欢迎。

柃俗称野桂花，蜜粉具佳，雌花无粉但泌蜜丰富，在温暖的晴天，花蜜可布满花冠，单花1次泌蜜量可达2～3μl。柃花泌蜜受气候影响较大，其中主要受温度和雨量的影响。柃常在12℃以上开始泌蜜，15℃以上泌蜜量大，在夜晚凉爽、晨有轻霜、白天无风或微风、天气晴朗、气温较高时，泌蜜最丰富，在阴天甚至小雨天，只要气温较高，仍然泌蜜，蜜蜂照样采集，尤其是中华蜜蜂。最忌花前过分干旱或开花期低温阴雨。中华蜜蜂抗逆性强，有在低温下采蜜的习性，因此柃花期产蜜量比西方蜂多，常年每群蜂产蜜20～30kg，丰年可达50～60kg。

二十二、鹅掌柴

鹅掌柴［*Schefflera octophylla*（Lour.）Harms］别名八叶五加、鸭脚木，亚热带山区五加科冬季主要蜜源植物。我国分布于北纬18°～30°，主要分布区为福建、台湾、广东、广西、海南、云南。喜光和温暖而湿润的气候以及土层深厚的酸性土壤，为速生树种。常见于海拔100～2 100m次生常绿阔叶林中、林缘、向阳山坡、山谷、溪边等湿润处。开花期10月至翌年1月。鹅掌柴开花前2个月进行花芽分化，花序抽生20～30d后开第一期花。开花通常分3期，第一期花开8～12d，间歇6～14d，开第二期花12～15d，间歇5～12d后，再开第三期花7～10d。各期花开放期和间歇期的长短因每年气候条件差异而不同，晴天多，气温高，则间歇期短而花期集中。第一期花泌蜜少，花粉多，但此时南方山区胡蜂危害严重，蜜蜂采集利用差。第二期花泌蜜丰富，花粉多，进入泌蜜盛期，蜜蜂采集最繁忙，蜜源利用率高。晴朗天气，气温达11℃以上开始泌蜜，泌蜜适温为18～22℃，中午气温高泌蜜达到高峰。花开第二天开始泌蜜，花凋萎后已发育成幼果，在晴暖天气蜜腺仍继续泌蜜3～6d。同一地区高海拔处比低海拔处先开花，生长在阳坡处比生长在阴坡处先开花，树冠上部比下部先开花，壮年树比幼年树先开花。开花有明显的间歇现象，有些地区花期长达60～70d。鹅掌柴花朵数量多，1个花序有花数百朵至数千朵，花期和泌蜜期长，泌蜜量大，花粉充足，对蜂群采蜜和繁殖都有利，尤其是对分布地的中华蜜蜂采蜜和壮大群势起重要作用。花蜜浓度高，无明显的大小年现象，为稳产高产的冬季优良蜜源植物，常年每群中华蜜蜂可采蜜10～15kg，丰年可达20kg以上。

二十三、芝麻

芝麻（*Sesamum indicum* L.）别名胡麻、脂麻。秋季胡麻科主要栽培油料蜜源植物。芝麻几乎各省区都有种植，全国有66.67万hm^2以上，主要产地在黄河及长江中下游。其中，河南最多，湖北次之，安徽、江西、河北、山东等省种植面积也较大。四川、江苏都有0.67万hm^2以上。芝麻开花期早的6～7月，晚的7～8月，花期长达30d以上。芝麻花朵着生于叶腋内，每个叶腋有花1～3朵。开花顺序是主茎先开，分枝后开，三花型中间花先开，然后侧边花开。1d中以6～8时开花最盛，占全天开花总数的90%左右，10时后逐渐减少。芝麻适宜于pH值7～8土壤中生长。在土质疏松、土壤结构良好，排水优良，有机质含量丰富的沙质土壤上生长良好，泌蜜多。这种土壤有的群众称之为“潮沙土”或“油沙土”，其宜耕性好，白天晒热之后，晚上还可以回潮，有利于花蜜合成、积累和分泌。在过于黏重、排水不良或容易板结的土壤上，泌蜜均差或根本不泌蜜。芝麻花期大部分地区天热、温度高而雨水少，如遇间隔下几场小雨，就能提高芝麻花的泌蜜量。但盛花期连雨渍水3～4d便叶片萎蔫，根系吸收面积少，生理功能受阻，泌蜜减少或停止。芝麻生育期较短，需肥量大，特别在钾、磷肥充足的条件下，花朵多，泌蜜丰富。在土壤瘠薄、肥水不足情况下，泌蜜少或不泌蜜。冷风吹袭能使泌蜜中断，在盛花泌蜜期往往一夜冷风之后，泌蜜就停止了。芝麻集中种植地能取到纯蜜，常年每群蜂可产蜜5～15kg，丰年30kg以上。但芝麻常和棉花同时开花，如果在棉花场地附近种植芝麻，可以补充棉花期花粉不足的状况，有利于蜂群正常繁殖。

二十四、向日葵

向日葵（*Helianthus annuus* L.）别名葵花、向阳花，菊科，秋季主要栽培蜜源植物。向日葵作为新型油料作物和蜜源植物，全世界栽培面积不断增加，我国20世纪80年代以后面积也增加很块，主要分布于东北、西北和华北。其中黑龙江、辽宁、吉林、内蒙古、山西、陕西等省区种植最多。

向日葵花期7月中旬至8月中旬，主要泌蜜期20d以上，但因品种不同而有差异。向日葵在18～30℃下都能正常泌蜜。向日葵从现蕾到花期结束需水量很大，故在花期每隔几天下场雨的情况下，泌蜜量大大增加。若花期天气干旱无雨，则泌蜜减少或不泌蜜，蜜蜂仅能采集一些花粉。向日葵花数量多，蜜、粉丰富，一般每群蜂花期可取蜜30～50kg。有些地方蜜蜂采向日葵，虽然取到大量商品蜜和花粉，但蜂群繁殖不起来，有的蜂场就用强群去换取向日葵蜜和花粉，在盛花期拼几天，见蜂群下降，马上转场去采其他蜜源，进一步繁殖蜂群，恢复群势。究其原因，现不清楚，有待研究。

二十五、棉花

棉花（*Gossypium hirsutum* L.）别名陆地棉，是锦葵科秋季主要栽培蜜源植物。我国分布范围很广，除了青藏高原、内蒙古及黑龙江、吉林外，全国20多个省市区的1 000多个县都有种植，总面积达500万hm^2，种植面积在6.67万hm^2以上、总面积占全国面积99%的主产区有江苏、浙江、上海、安徽、江西、湖北、湖南、四川、河北、山东、河南、山西、陕西、新疆、辽宁等15个省、市、自治区。其中江苏、湖北、河北、山东、河南5省常年种植棉花面积均超过60万 hm^2，占全国棉田总面积的60%。

另外在新疆、广东、广西、云南、福建、海南和台湾，还栽植一定数量的海岛棉（*Gossypium barbadense* L.），别名长绒棉。在新疆的吐鲁番、南疆种植的海岛棉比陆地棉泌蜜量大，是著名的棉花蜜源场地。

棉花花期在7～9月，泌蜜盛期为7月上中旬至8月中下旬，长达40～50d。全国棉花栽植面积大，分布南北各省，但真正发挥蜜源作用的除新疆外，仅有长江流域省份，如安徽、湖北、江西、江苏等省。棉花从现蕾到开花需22～28d。随着花芽的分化，棉株由下而上、由里向外相继出现花蕾，相继开花。相邻两果枝同一节位的花（称同位花），其开花间隔2～4d；同一果枝相邻果节的花（称邻位花），开花间隔5～7d。每株开花50朵左右，每亩以3 000株计算，可开15万朵花。在开花前1d下午，花冠急剧生长，露出苞叶顶部，翌日7～9时花朵开放。开花时花冠展开，花朵各蜜腺分泌蜜汁，花药开裂并散出花粉。花冠在开花当日下午开始变色，翌日加深成紫红色，并逐渐凋萎，第三天脱落。

棉花有4种蜜腺，即苞外蜜腺，萼外蜜腺、萼内蜜腺和叶脉蜜腺。苞外蜜腺3个，位于每个苞片基部，呈褐色，圆形或椭圆形凹陷，底部长有许多乳头状细胞。苞叶蜜腺在花朵开放的1～2d内，泌蜜量最大，2～3d后渐少。泌蜜时间多在7～12时，其中9～11时泌蜜最多，有时全天泌蜜。1个蜜腺1次泌蜜量2～6μl，泌蜜期较长，常到末花期，少数花朵苞片蜜腺还在泌蜜，整个泌蜜期为40～50d。叶脉蜜腺位于叶背中脉，离叶基约1/3处，呈窝状凹陷，窝内有许多乳头状突起，大多数品种侧脉也有蜜腺，多的5个，有的则无。叶脉蜜腺在开花之前，当叶片长成时就开始泌蜜，一般在3～5d内泌蜜量较大，此后随着叶片的老化而逐渐减少，最后停止泌蜜。叶脉蜜腺通常全天泌蜜，也有的泌蜜时间缩短，只在6～11时泌蜜，有时夜间也泌蜜。1个蜜腺1次泌蜜量为2～5μl。整个泌蜜期约达100d。棉花的苞片蜜腺和叶脉蜜腺称为花外蜜腺。萼外蜜腺有3个，位于花萼外侧基部两苞片相交处，凹陷较浅，蜜腺细胞数量较少。通常6～12时泌蜜，一般泌蜜量较少。棉花的4种蜜腺中，萼外蜜腺泌蜜量最小，单花1次泌蜜量为1.0～2.5μl，泌蜜期40d以上。在花萼内侧基部有1圈萼内蜜腺，呈乳头状，腺体不太明显，在花色变红，花瓣和萼片离缝时，蜜蜂才能采集。全天泌蜜，在棉花4种蜜腺内，萼内蜜腺泌蜜最多，单花1次泌蜜量可达20～30μl。棉花的萼外蜜腺和萼内蜜腺称花内蜜腺或花上蜜腺。

棉花泌蜜主要受气候、土壤、栽培技术、品种等因素影响。棉花是喜温作物，泌蜜适温为35～38℃，在气温高、日照长、温差大的情况下泌蜜多，如新疆吐鲁番种植的海岛棉，常年花期每群蜂产蜜100～150kg，为我国棉花蜜单产最高的地方。

棉花泌蜜受土壤影响较大。一般生长在沙质土壤上的泌蜜多，生长在黏质土壤上的泌蜜少或无蜜，生长在山东黑钙土上的泌蜜多，生长在浙江热潮土上棉株长势适中的泌蜜多，黄色或红色土壤上泌蜜少或无蜜，生长在黄沙土壤上特别干旱情况下泌蜜少或无蜜。雨后表土板结，生理机能受阻，停止泌蜜。

棉花栽培期管理得法，水肥条件好，稀株，不疯长，通风透光好，生长势旺，光合作用强，泌蜜多；水肥不足，营养供不上，密植，长势差，棉株早衰，泌蜜少；大水大肥，枝叶过密，光照不足，光合作用差，泌蜜少；沿海棉花受台风袭击，泌蜜减少或停止。

棉花泌蜜也受品种影响，海岛棉比陆地棉泌蜜多，岱字棉比木棉泌蜜多。

棉花为我国主要蜜源之一，一般每群取蜜 40～60kg，高的（如新疆）可达100～150kg。棉花蜜呈琥珀色，易结晶，颗粒粗，质地硬，缺香味，不宜作蜂群越冬饲料。为了更好地利用我国棉花蜜源，应解决好棉田施农药问题。为了避免药害，可将蜂群暂时搬离，或棉田错开施药，或施药时暂时关闭巢门，同时多喂水，加空继箱，增加蜜蜂活动空间，并使蜂群附近有芝麻、玉米等粉源植物，以加快蜂群繁殖，补充群势能力。

二十六、荞麦

荞麦（*Fagopyrum esculentum* Moench）别名三角麦、花麦、莜麦，为秋季蓼科栽培作物主要蜜源植物。荞麦在我国栽培历史悠久，分布地区很广，主要分布在华北、西北、西南及内蒙古，其次为华东、东北。重要的荞麦蜜源场地有甘肃、陕西北部、宁夏、内蒙古、山西、辽宁西部、安徽、江西北部、四川等地。全国播种面积约200 万 hm^2，多生长在海拔4 000m 以上干旱、寒冷的高原山区。

荞麦现蕾后 30d 左右开花，花两性，为无限花序，由茎下部逐渐开至上部顶端。花开后 7～10d 进入泌蜜盛期。花蜜具有特殊气味，蜜蜂喜欢采集。荞麦蜜腺着生在雄蕊之间，有 7～13 个蜜孔，有单个蜜腺，也有复合蜜腺，在花瓣基部，似杯状凹陷，聚集着花蜜，泌蜜很涌，裸露在外，西蜂、中蜂都积极采集。在正常的自然条件下，泌蜜20d 以上，气温下降到 13～14℃，则停止泌蜜。陕北荞麦遇西南风或白露前 4d 停止泌蜜。荞麦在沙质土壤或碱性较轻的土壤上长势良好，泌蜜量多，在过分贫瘠的土壤上，泌蜜减少。荞麦花期长、泌蜜量大，又有充足的花粉，除繁殖越冬蜂外，可采足越冬饲料，有利于蜂群安全越冬，并能取到每群 20～50kg 蜜和较多商品花粉。

二十七、老瓜头

老瓜头（*Cynanchum komarovii* AL. Iljinski）别名牛心朴子，萝藦科夏季荒漠地带主要蜜源植物。天然野生在我国西北地区荒漠和荒漠草原地带，是草场沙漠化后优良的固沙植物。主要分布于库布齐、毛乌素两大沙漠边缘，开发利用较好的有宁夏盐池、灵武，陕西的榆林地区古长城以北，内蒙古伊克昭盟，这些地区自从 20 世纪 70 年代后成为有名的老瓜头蜜源场地。

老瓜头一般 5 月中旬始花，7 月下旬终花，6 月份为泌蜜高峰期。老瓜头对温度要求高，泌蜜适温为 25～35℃。开花期如遇多阴雨天，气温低，泌蜜减少，下 1 次透雨，2～3d 不泌蜜。花期每间隔 7～10d 下 1 次雨为丰收年。持续干旱开花前期泌蜜多，花期结束早。老瓜头生育期下几场透雨，长势旺盛，为大泌蜜创造良好条件。老瓜头场地常缺乏充足的花粉，要及时补充饲喂花粉或代用花粉，以免采完老瓜头蜜源后，蜂群大量下降，影响下一个蜜源场地的蜂蜜产量。

二十八、密花香薷

密花香薷（*Elsholtzia densa* Benth.）别名萼果香薷，是唇形科香薷属蜜源中较重要的一种，其他重要蜜源植物还有野坝子、香薷、野草香等，其余都是辅助蜜源植物。密花香薷具有养蜂生产价值的分布区主要有宁夏南部山区、青海东部、甘肃的河西走廊以及新疆的天山北坡。这些地方密花香薷分布面积大而集中，已成为当地主要蜜源植物。

密花香薷花期为7月上中旬至9月上中旬，平地田野比山上先开花，边开花边结籽。泌蜜盛期在7月中旬至8月中旬。泌蜜适温为20℃左右，湿度为60%～70%。一天中10～15时泌蜜最多，蜜蜂采集最活跃，每群蜂花期可采商品蜜20～30kg，高的可达50kg以上。花前雨水充足，土壤保持湿润，晴天多，则泌蜜量大。花前雨水多，阴雨低温，则泌蜜少或不泌蜜。旱年适于在阴湿地放蜂，雨水多的年份宜到较干旱的山坡地放蜂。

二十九、野坝子

野坝子（*Elsholtzia rugulosa* Hemsl.）别名野坝蒿，狗尾巴香、灌木香薷，为唇形科冬季主要蜜源植物。主要分布于云南、四川西南部、贵州西部。野坝子是多年生灌木状草本，生长在阳光充足的草坡，林间、沟谷旁。

野坝子花期随纬度南移和海拔降低而逐渐推迟。通常野坝子10月中旬至12月中旬开花，花期40～50d。野坝子属低温型蜜源，气温在8℃时就开始开花泌蜜，18℃以上泌蜜最多，很适合当地中华蜜蜂采集，交通方便处也有不少意蜂蜂场采集。年降水量800mm以上，雨季开始于4月下旬，结束于10月中旬的年份，野坝子发苗早、长势好，蜜多，产量高。如果雨季推迟至6月，雨量少，则花稀蜜少。野坝子开花期正值冬季，开花初期遇霜冻，中后期如逢连续低温，则泌蜜很少。因此无连续的丰年和歉年。野坝子花期长，泌蜜丰富，如遇丰年，可取大量优质蜜，常年每群蜂可采蜜20kg左右。野坝子蜜源对蜜蜂贮足越冬饲料十分有利，但每年泌蜜很不稳定，泌蜜期昼夜温差很大，花粉少，因此，蜂群在采完野坝子花期之后，往往群势减弱，对蜜蜂安全越冬和早春繁殖有影响，尤其灾年更为突出。如能把蜂群转到有冬山花辅助蜜源多的地方，对恢复群势、安全度过越冬期有利。

三十、党参

党参［*Codonopsis pilosula*（Franch.）Nannf.］别名台参、仙草根，为桔梗科重要秋季药材蜜源。主要分布在我国西北各省区，以甘肃、陕西、山西、宁夏种植较多，栽培多的年份能取到大量商品蜜。党参花的蜜腺位于子房与杯状花萼组织间的结合处，形成五角星状，呈白色，略凸起，由杯形花萼内壁部分功能特化的细胞群组成。党参是单花泌蜜量最大的商品蜜源，以三年生党参泌蜜最好，每朵花泌蜜量为40～50μl，但泌蜜不稳定。影响泌蜜的主要因素为春季雨水和孕蕾期的气温，最忌春旱及霜冻。在气温20℃以上，相对湿度达70%以上时即可泌蜜，多集中于10～15时。党参花期从7月下旬至9月中旬，长达50d。由于党参花期长，泌蜜量大，通常每群蜂花期产量为30～

40kg，丰收年高达 50kg。

第四节　有毒蜜源植物

我国常见的有毒蜜源植物，有雷公藤、紫金藤、苦皮藤、博落回、藜芦等。除藜芦外，主要分布于长江流域以南广大山区。美国报道，有毒蜜源植物有山月桂、加州七叶树、棋盘花和西里拉等。有毒蜜源植物在我国多是春末夏初开始开花泌蜜，尤其是干旱年份，当其他蜜源植物流蜜不多时，中华蜜蜂或野生的大蜜蜂、小蜜蜂更是喜欢采集有毒蜜源植物。蜜蜂采集藜芦后，会出现卵不孵化、幼虫腐烂、成蜂患“黑蜂病”，群势大减，影响产蜜量。人食用有毒蜜源植物（如雷公藤、紫金藤、博落回）酿造的蜂蜜，会出现口干、口苦、唇舌发麻、恶心呕吐、疲倦无力、头昏、头痛、心慌、胸闷、腹痛、膝反射消失、腰酸痛、肝肿大等症状，有的表现为心动过速或过缓，周身酸痛、便秘、便血、嗜睡等，严重者血压下降，因心力衰竭而死亡。

毒蜜多呈深琥珀色，或呈黄、绿、蓝、灰色，有不同程度的苦、麻、涩味。放蜂时应尽量避开有毒蜜源场地，并调查当地有毒蜜源数量、分布、生长、开花泌蜜状况。对蜂蜜如怀疑有毒，可送样品至有关质检部门，通过花粉鉴定、层析法判定，再做动物实验测定其毒性。

一、雷公藤

雷公藤别名黄蜡藤、菜虫药。卫矛科，藤本灌木。小枝棕红色，有 4～6 棱，密生瘤状皮孔，被锈色短毛。单叶互生，卵形，边缘有小锯齿。聚伞圆锥花序，顶生或腋生，被锈毛。花小，黄绿色。蒴果未成熟时紫红色，成熟后茶红色。分布在长江以南各地山区以及华北至东北山区。生于荒山坡及山谷灌木丛中。

雷公藤夏季开花，湖南南部及广西北部山区 6 月下旬开花，云南为 6 月中旬至 7 月中旬开花。蜜腺袒露在花盘上，泌蜜较多，如遇干旱年份，其他蜜源泌蜜差，雷公藤仍能泌蜜较好，因而蜜蜂采集雷公藤酿造成毒蜜。蜜呈深琥珀色，味苦带涩味，含有毒物质“雷公藤碱”，人不可食。笔者曾于 1972 年在广西龙胜和湖南城步做过人吃毒蜜事故的调查工作，见到雷公藤与紫金藤混生，在野外难以辨认。

二、紫金藤

紫金藤别名大叶青藤、昆明山海棠。卫矛科，藤本状灌木。小枝红褐色，具有长圆形小瘤状突起，长有锈褐色绒毛。叶互生，椭圆形或阔卵形，先端渐尖，基部圆或楔形，叶背面有白粉。花小，淡黄色，顶生或腋生，大型圆锥花序。果实具有 3 翅，膜质，黄褐色。花粉呈白色，多数为椭圆形。分布在长江以南以及西南各地山区，生于向阳荒坡及疏林间。云南 7 月中旬至 8 月中旬开花，湖南城步和广西龙胜 6～7 月开花。蜜多粉少。蜜呈深琥珀色，有苦涩味。

三、苦皮藤

苦皮藤别名苦树皮、棱枝南蛇藤、马断肠。卫矛科，藤状灌木。小枝带有4～6个锐棱，具皮孔。单叶互生，叶片革质，矩圆状宽卵形或近圆形，长9～16cm，宽6～11cm。聚伞状圆锥花序顶生，花黄绿色。蒴果，黄色，近球形。

主要分布在甘肃、陕西，常生于山坡丛林及山坡灌木丛中。适应性较强，喜温暖、湿润环境，也较耐干旱。在秦岭、陇山南段、乔山和子午岭等山区分布数量较多。5～6月开花，花期20～30d，比当地主要蜜源白刺花晚15～20d，两种植物开花期首尾相接。苦皮藤花蜜和花粉有毒，对成年蜂和幼子都有伤害，尤其雨过天晴，白刺花花期结束，中毒现象更为严重。但不同年份不同地区中毒程度也不同，这与这两种植物当时的开花量不同有关。因此，在白刺花末期应将蜂群转移到别的蜜源场地。

四、博落回

博落回别名号筒杆、野罂粟、黄薄荷。罂粟科，多年生草本。茎圆形，中空，黄绿色而有白粉。叶互生，一般为阔卵形，先端钝，基部呈心脏形，边缘有5～9个掌状浅裂，正面深绿色，背面密生白粉。圆锥花序，花蕾绿色，开放后即脱落。雄蕊多数，灰白色。花粉粒呈灰白色，球形。博落回在我国淮河以南各省及西北地区都有分布。生长在丘陵、低山草地和林缘。在云南6月上旬至7月上旬开花散粉，在广西龙胜6～7月开花，无蜜，花粉丰富，为粉源植物。茎汁有剧毒，花粉也有毒。

五、藜芦

藜芦别名大藜芦、山葱、老旱葱。百合科，多年生草本。高约1m，上部被白色绒毛。地下宿根多数，带肉质须根。叶互生，基生叶阔卵形，长约30cm，宽4～10cm，先端渐尖，基部狭成鞘状，全缘。圆锥花序顶生，两性花多着生于花序轴上部，雄花常着生于下部，花冠暗紫色，径1.3～1.5cm，雄蕊6枚，子房圆形。朔果，卵状三角形。主要分布在东北林区，通常生于林缘、山坡、草甸，成片生长。花期6～7月。因含有多种藜芦碱，蜜蜂采集其蜜粉后抽搐、痉挛，有的不及还巢就死于花下。此期正是繁殖蜂群采椴树蜜之时，如果蜜蜂采集藜芦蜜粉就会造成采集蜂、幼蜂和蜂王中毒，群势急剧下降而使椴树蜜减产。因此，必须铲除藜芦幼株，播种与藜芦花期相近的其他蜜源植物，以利于繁殖蜂群采椴树蜜。如无法消除藜芦，只好迁移蜂群到他处。

第五节　一般蜜源植物

一般蜜源植物，多为分布范围小，或较分散，或泌蜜量不大，除个别地区外，不能够采收大宗商品蜜的蜜源植物。但一般蜜源植物对蜂群的繁殖和产浆、脱粉等有重要价值（表3－2）。

表 3－2　一般蜜源植物

科名	种名	俗名	分布	花期（月）	利用价值		备注
					蜜	粉	
松科	马尾松	松树	淮河流域及汉水流域以南	3～4		＋＋＋	粉源植物
麻黄科	麻黄	草麻黄	东北、西北、华北	5～6		＋＋＋	粉源植物
杨柳科	小叶杨		东北、华北、西北、华东、四川	4～5	＋	＋＋	
	旱柳、垂柳		河北、山东、山西、河南、陕西、安徽、江苏、浙江	3	＋＋	＋＋	
壳斗科	板栗		辽宁、河北、黄河流域及其以南	5～6	＋＋	＋＋	栽培面积大的地方可取少量蜂蜜
蓼科	水蓼	辣蓼	全国各地	9～10	＋＋	＋	分布面积大的地方有的年份可取到少量蜜
小檗科	小檗	秦岭小檗	陕西、河南及甘肃	5	＋	＋＋	
	黄连	三探针、土黄连	云南、四川等	3～4	＋＋	＋＋	
十字花科	芝麻菜	芸芥	内蒙古、河北、山西、宁夏、陕西、甘肃、青海、新疆	6～7	＋＋＋	＋＋＋	栽培面积大的宁夏、陕西、山西等地可取蜜
	蓝花子		云南、贵州、四川	9～10	＋＋＋	＋	栽培面积大的云南等地可取蜜
蔷薇科	苹果		辽宁、河北、山西、山东、陕西、宁夏、甘肃、河南等	4～5	＋	＋	
	悬钩子	牛迭肚	东北、内蒙古、河北、山东	6～7	＋	＋	
豆科	蚕豆	胡豆	广为栽培	11 月中至翌年 3 月中	＋＋	＋＋＋	
	苦豆子		内蒙古、陕西、甘肃、宁夏、新疆、山西、河北、河南	5～6	＋＋	＋	
	田菁	盐蒿	江苏、浙江、福建、台湾、广东	8～9	＋＋	＋＋	
	槐树		各地普遍栽植	7～8	＋＋	＋	
	驴豆	红豆草	西北、华北	6～7	＋＋＋	＋	栽培面积大的地方可取蜜
	骆驼刺		甘肃、内蒙古、新疆	7～8	＋＋	＋	

续表

科名	种名	俗名	分布	花期（月）	利用价值		备注
					蜜	粉	
豆科	沙打旺	直立黄芪	内蒙古、陕西、宁夏、河北、东北、四川、云南	8~9	++	++	
	膜夹黄芪	东北黄蓍	东北、华北，甘肃、四川、西藏	8	+	+	
	甘草		西北、华北、东北	5~6	++	+	
苦木科	臭椿		华北、西北、华东	5月中至6月中	++	++	有些年份可取2次蜜
楝科	楝树	苦楝	河北以南，甘肃	3~5	+	+	
大戟科	粗糠柴	香桂树	浙江、福建、台湾、广东、广西、云南、贵州、四川、湖南、湖北	6月下至7月中	+++	+	分布面积大、集中的地方可取蜜
漆树科	漆树		除新疆外遍及全国	2月中至6月中	++	++	在秦岭与椴树同时开花的可取到混合蜜
	盐肤木	五倍子树	长江流域及其以南地区	8~9	++	+	
冬青科	冬青	红冬青	长江流域及其以南地区	3~5	+	+	
杜英科	杜英		广西、广东、江西、福建、台湾、浙江	6	++	++	
锦葵科	洋麻	黄红麻	各地均有栽培	5~9	+	++	
猕猴桃科	猕猴桃	中华猕猴桃	长江流域及其以南地区	6~7		+++	粉源植物
山茶科	茶树		长江流域及其以南地区	10~11	+++	+++	可取到蜜，但蜂易中毒
	油茶		长江流域及其以南各丘陵山区	10~12	+++	+++	可取到蜜，但蜂易中毒
柽柳科	柽柳	西湖柳	自华北至长江中下游各省区	7~8月（华北）	+	+	
胡颓子科	沙枣	银柳	东北、华北及西北	5~6	++	++	
	牛奶子		长江流域及其以北地区	5~6（秦岭）	++	+	
桃金娘科	岗松	铁扫把	广西、广东、福建、江西	5~7	++	++	
柳叶菜科	柳兰		东北、华北、西北、西南	7~8	++	++	

续表

科名	种名	俗名	分布	花期（月）	利用价值		备注
					蜜	粉	
伞形科	茴香	小茴香	内蒙古托县新营子，山西朔州	6月下至7月中	+ + +	+	栽培面积大的地方可取蜜
	芫荽	香菜	各地栽培	4～8	+	+	
	当归	秦归	陕西、甘肃、湖北、四川、云南、贵州	6～7	+	+	
杜鹃花科	杜鹃	映山红	长江流域各省区，东至台湾、西至四川、云南	3～4	+ +	+	
	越橘	短尾越橘	江西、浙江、福建、湖南、广东、广西、贵州	5～6	+ + +	+	分布多、集中的地方可取到蜜
兰雪科	补血草	中华补血草	辽宁、山东、河北、江苏、福建、广东	9～10	+	+ +	
柿树科	柿树	柿子	全国各地均有种植，以黄河中下游各省及华中山区为多	5	+ + +	+ +	数量多的地方可取到蜜
龙胆科	龙胆		东北及浙江等地	8	+		
夹竹桃科	大叶白麻		新疆、青海、甘肃，华北、华东、东北	5～8	+ + +	+ +	分布多的地方可取到蜜
旋花科	大花菟丝子		河北、山西、新疆、四川、西藏	7～8	+ +	+	
紫草科	薇孔草		青海、甘肃、云南、四川、西藏	8～9	+ + +	+	分布多、集中的地方可取蜜
唇形科	薄荷	留兰香	江苏、浙江、安徽、河北有栽培，新疆有野生	7～8	+ +	+	栽培多的地方可取蜜
	香薷	山苏子	除青海、新疆外产全国各地	8～9	+ +	+	云南、贵州可取到蜜
	野草香	野苏麻	陕西、河南、安徽、湖北、湖南、广西至西南各省区	10～11	+ + +	+	栽培多的地区可取到蜜
	紫苏	白苏	全国各地栽培	7～8	+ + +	+	栽培多的地区可取到蜜
	东紫苏		滇中地区、贵州	10～11	+ +	+	分布多的地区可取到蜜
	米团花		云南、四川	8～9	+ + +	+ +	分布多的地区可取到蜜

续表

科名	种名	俗名	分布	花期（月）	利用价值 蜜	利用价值 粉	备注
唇形科	薰衣草		新疆、河南、陕西、北京	6~7	+++	++	栽培多的地区可取到蜜
	百里香	地椒	山东、辽宁、河北、河南、山西	5~6	+++	++	分布多的地区可取到蜜
	鸡骨柴	酒药花	湖北、四川、西藏、云南、贵州、广西	8~9	++	++	
	柴荆芥	山苏子、木香薷	河北、河南、山西、陕西、甘肃	8~10	+++	+	分布多的河北、山西可取到蜜
	牛至	满坡香	新疆、陕西、河南至江南各地	7~8	+++	++	分布多的新疆可取到混合蜜
	益母草		全国各地	6~9	+++	+	分布多的地方可取到蜜
茄科	枸杞		广布全国各省区	5~6	++	++	
	宁夏枸杞	中宁枸杞	分布于西北和华北，其中河北、宁夏栽培较多	5~9	+++	++	宁夏可取到蜜
玄参科	泡桐	白花泡桐	长江以南各省区及台湾省	3~4	+++	++	分布多的地区可取到蜜
茜草科	水锦树		广东、广西	3~4	++	++	
忍冬科	六道木		河北、山西、辽宁、内蒙古	5~6	+++	+	分布多的地区可取到蜜
葫芦科	西瓜	红瓜子	全国各地	5~6	++	++	栽培面积大的地方可取到蜜、粉
	南瓜		全国各地	7~8	++	++	
	西葫芦		全国各地	5~7	++	++	
	香瓜		南北各地	5~7	++	++	
	冬瓜		全国各地	6~8	++	++	
	丝瓜		全国各地	8~9	+	+++	
菊科	瑞苓草		青海、四川、甘肃、陕西、河南	8~9	+++	+	分布多的地区可取到蜜
	大蓟		山东、浙江、江西、福建、广东、湖南、湖北、四川、陕西	6~7	++	+	
	野菊		除新疆外，广布全国各地	9~10	++	++	

续表

科名	种名	俗名	分布	花期（月）	利用价值		备注
					蜜	粉	
禾本科	玉米	玉蜀黍	广为栽培	6～8		+ + +	可采收商品花粉
	高粱		东北、华北、西北	6～8		+ +	粉源植物
	稻	水稻	广泛栽培	4～9		+ +	粉源植物
	芒	芭茅	南北各地	4～6（海南岛）		+ +	粉源植物
棕榈科	棕榈	棕榈树	长江以南各省区	3～5		+ + +	粉源植物
无患子科	栾树		南北各地	6～7	+	+ +	城市绿化树，可生产花粉
	全缘叶栾树			8～9	+	+ +	
	复羽叶栾树			7～9	+	+ +	
睡莲科	荷花	莲花、莲	籽（开花结果）莲以湖南、湖北、江西等省为主。河南信阳地区的潢川、固始	6～9	+	+ +	可生产花粉

注：+ + +丰富，+ +中等，+少量。

第四章　基础管理技术

蜂群的基础管理技术，是养蜂生产中经常和普遍运用的基本操作技术与措施，是每个养蜂者必备的基本技能。养蜂场的建立也在本章论述。

第一节　建立养蜂场

建立养蜂场的主要工作，是蜂种的选择、蜂群的获得、蜂场的筹划和蜂场址的选择等。

一、场址选择

养蜂场是养蜂员生活和饲养蜜蜂的场所。无论是定地或转地养蜂，都要选一个适宜蜂群生活的环境，养蜂场地的好坏，直接关系到养蜂的成败。

（一）定地养蜂场址的选择

1. 蜜源　在养蜂场地周围3km半径内，全年要有1～2个比较稳产的主要蜜源和交错不断的辅助蜜源，无有毒蜜源或蜜露蜜源。

2. 环境　在山区，场址应选在蜜源所在区的南坡下，平原地带宜选在蜜源的中心或蜜源北面位置。方圆200m内的小气候要适宜，如温度、湿度、光照等，避免选在风口、水口、低洼处，要求背风、向阳，冬暖夏凉，巢门前面开阔，中间有稀疏的树林，背面有风障。水源充足，水质要好，周围环境安静，远离化工厂、糖厂、铁路和有高压线的地方。另外，大气污染的地方（包括污染源的下风向）不得作为放蜂场地。

3. 人、蜂安全　要考虑诸如虫、兽、水、火等对人、蜂造成危险。两蜂场之间应相距2～3km，中华蜜蜂场地要距离意大利蜂场5km以上，忌场后建场。

4. 交通方便　蜂场应设在车、船能到达的地方，以方便产品、蜂群的运输。

（二）转地放蜂场址的选择

转地放蜂场地也叫临时场地，是根据放蜂路线、蜜源植物花期确定的。转地放蜂场地除要求定地场址的环境条件外，根据目的不同，可分为繁殖场地、生产场地、越夏与越冬场地等，总的要求是在蜜蜂活动季节蜜粉充足，交通便利，蜂场与蜂场之间保持2～3km的距离，预防蜜蜂毒害、敌害。越夏场地要有遮阴物或凉爽的地方，敌害少，水源好，也可选有丰富蜜源的地方；生产场地要求有大面积的蜜源植物开花；繁殖场地要求粉源充足；越冬场地要求干燥、通风。

二、蜂场建设和养蜂工具与设备的购置

根据生产需要，养蜂场必须有蜂箱、巢础以及生产和管理工具（详见第二章“养蜂机具与设备”），这些工具可以从蜂具商店购买或向生产厂家邮购，有些还可以自制。无论是购买或自制的蜂具，都要求规范标准，符合卫生要求和生产管理需要。

固定养蜂场除要求有办公、生活和仓库设施外，还要有蜂产品生产、蜂产品初级加工和蜜蜂饲养等的建筑。用于蜂产品生产的建筑主要有取蜜、采浆车间和其他蜂产品生产室；蜜蜂饲养建筑有巢脾贮存室，在黄河以南地区应建造摆蜂群用的防雨廊，北方寒冷地区建造越冬室（见第五章“周年管理”）和1m高的挡风墙；蜂产品加工建筑主要有分离蜜的过滤、分装室，巢蜜的整理、灭虫和包装室，以及蜂王浆过滤分装室等。以上建筑物有些可以互用。

三、蜂种的选择

目前，我国主要饲养意大利蜂、中华蜜蜂、东北黑蜂、卡尼鄂拉蜂、伊犁黑蜂等几个品种。这些蜂种，在我国一定区域或某个季节，都是优良蜂种。此外，在广大养蜂科技工作者和养蜂员的努力下，通过杂交选择等方法，选育了许多优良的品系，如王浆高产种蜂、蜂蜜高产种蜂等。一般来讲，应根据不同地区、不同蜜源条件和不同的养蜂目的而有针对性地选用上述蜂种，例如，南方山区多养中华蜜蜂，平原和转地放蜂多选西方蜜蜂或由其培育成的优良品系，城市养蜂以养王浆高产种蜂为主。

四、购买蜂群

开始养蜂，获取蜂群的方法有两种：一是购买，二是收捕野生蜜蜂（或分蜂群），但通常以购买蜂群为主，最好是向连年高产稳产的蜂场购买。初学养蜂者，先购买2～3群蜂，待掌握技术后再扩大规模。

（一）买蜂时间

购买蜂群的时间宜选在蜂群开始繁殖的时候，北方多为春季，南方为早春和秋季，如河南省宜在雨水前后。这一时期，蜜蜂已经排泄，榆、杨、柳、杏等蜜源植物相继开花，可以从春天到秋天采集全年各个蜜源，当年可获取一定数量的蜂产品，年末蜂群数量即可增加，而且该时期购买蜂群有利于确定蜜蜂的数量和质量。一切从头开始，有助于掌握全面的饲养技术。

（二）挑选蜂群

挑选蜂群应在晴暖天气的中午，到蜂场观察，所购蜂群要求蜂多而且飞行有力有序，工蜂健康，有大量花粉带回，巢前无爬蜂等病态，初选后再打开蜂箱进一步挑选。

品质优良的蜂群，蜂王颜色新鲜，体大胸宽，腹部秀长丰满，行动稳健，产卵时腹

部伸缩灵敏，动作迅速，提脾安稳，产卵不停；工蜂体壮，健康无病，新蜂多，性情温顺，开箱时安静、不扑人、不乱爬。子脾面积大，封盖子整齐成片、无花子，无病；幼虫色白晶亮饱满。

意大利蜂每群应配备数框巢脾，巢脾不发黑，雄蜂房少或无，蜂巢内的巢脾要贮备一定数量的蜜粉。蜂箱坚固严密，尺寸标准。

（三）蜂数的确定与定价

买蜂以群论价，脾是群的基本单位。脾的两面爬满蜜蜂（不重叠、不露脾）为1脾蜂，可大致估计蜂数量。20世纪80～90年代，在河南省，正常情况下，早春1脾蜂价格为20～40元，秋季则10元左右。买蜂也以重量计价（如笼蜂），一般是1kg蜜蜂约有11 000只蜜蜂。

蜂群选好后，应立即包装运输，到达目的地后进行全面管理。

五、蜂场规模

根据我国目前生产力水平，1个人养45群蜂较为合适，城市养蜂可养3～5群，条件许可也可多养，规模化养蜂应在300群以上。定地加小转地可适当多养，详见本篇第八章“蜂场经营管理”。在1个放蜂场地，一般放蜂60～100群。

第二节　蜂群转运

蜂群转运，是用车船等交通工具，把蜂群运送到有蜜源植物开花的地方，便于采蜜、授粉、生产和繁殖，这是有效利用各地蜜源提高养蜂效益的重要措施。蜂群转运，根据路途远近可分为长途转运和短途转运。蜂群转运要考虑运程远近、顺逆、是否稳产和运输安全，以达到丰收之目的。

一、确定放蜂路线，调查蜜源

根据养蜂计划，确定一年之中采几个蜜源，将几个优质蜜源按开花先后以放蜂路线贯串起来，可提高养蜂的效益。

（一）放蜂路线

1. 长途转运路线

（1）西线：早春先把蜂群运到云南繁殖。在云南应注意蜂群出现小螨，一经发现要彻底根除干净；注意保持蜂群内一定的湿度，勿使干燥（因开远、罗平、楚雄、下关等地春天风大）。待到2月底，在楚雄、下关或昆明附近繁殖的蜂场应赴四川成都采油菜花。当地油菜花期结束以后，再到陕西汉中地区采油菜花，然后赴蔡家坡、岐山、扶风等地采刺槐花。如果在陕西境内转地放蜂，可到太白稍作休整繁殖，待盐池等地的老瓜头、地椒花开，再转到盐池场地，然后再到定边一带去采荞麦花和芸芥花。

陕西刺槐花期结束以后也可以转往西北，如甘肃油菜、青海油菜、新疆棉花等也是几个比较连贯的好蜜源。

每到一地都应时刻注意农民施农药情况，并采取防范措施。

（2）中线：在广东、广西、贵州、江西、湖南、湖北等省区进行春季繁殖和生产的蜂场，在当地油菜等花期结束以后，可直接北上河南采油菜花、刺槐花等。然后再北上河北、山西，那里的刺槐花正含苞待放等着养蜂人，而且山上的荆条花也即将流蜜。荆条花期结束以后，可到太原，那里有大面积的向日葵和荞麦相继开花。

山西的刺槐花期结束以后，可直接去内蒙古赶老瓜头，结束后转至呼和浩特市托县一带采茴香花和向日葵花。

在河北采刺槐花的蜂场，可在北京附近采荆条花，也可去东北采椴树花，每逢椴树的大年，天气又适宜，收获相当可观。

在河南刺槐花期结束以后，若不北上，可稍作休整，然后在新郑、内黄、灵宝采枣花或在辉县、焦作等地采荆条花，最后，折返到驻马店采芝麻花。

（3）东线：在福建、浙江、上海等地春繁以后可到苏北采油菜花，再到山东境内采刺槐花，山东的枣树蜜源也很丰富，而后走烟台直赴旅顺、大连，那里的红荆条也是很好的蜜源，每年一度的椴树花期也莫放过。

不论走哪条路线，都要注意调查研究，往往在上个蜜源没有结束之前，就要派人到下一个场地去实地考察，切莫犯经验主义。虽然蜜源情况每年有一定的规律，但随着农业结构的变化、每年气候的差异，它也会有所变化，3 条放蜂路线也可穿插进行放蜂，要灵活运用。

2. 短途转地放蜂 在本省或邻近地区，用汽车运蜂到第二天中午之前能到达的地方放蜂，也是提高养蜂效益的一个很好的方法。

（二）调查蜜源、落实放蜂场地

1. 调查蜜源与放蜂场地 主要调查蜜源植物的种类、分布、面积、长势、花期、利用价值、耕作制度、病虫害轻重、周围有无有害蜜源（有毒蜜源和甘露蜜源）、前后放蜂地点花期是否衔接、气候（光照、降水、风力风向、温度、湿度、灾害性气候）；其次是场地周围蜂场的数量、蜜蜂品种以及当地的风俗民情，农药污染、大气污染、水质、交通，场地地势、是否在水道或风口上。具体要求详见“场地的选择”。

若同一地方同一时期有 2 个以上主要蜜源开花流蜜，应根据蜜源、气候、生产、销售等情况，选择最优场地。

2. 落实放蜂场地 放蜂场地选定后，应征求有关单位认可，并填写放蜂卡或签订协议，即完成落实场地的任务。

一般情况下，应选择 2 个以上场地，以应付运输中因堵车、雨水、错过花期等原因造成的被动局面。

二、准备工作

（一）蜂群的准备

1. 平衡群势　在转运前，对全场蜂群进行全面检查。一般情况下，1个继箱群放蜂不超过14脾，上7下7，封盖子3～4框，多余子脾和蜜蜂，可采取强弱互换箱位或抽出正出房的封盖子脾调给弱群；平箱群每群不超过8个脾，否则应加临时继箱。总之，在蜂巢内要留有一定的空间，防止蜂群受热。

2. 饲料　每框足蜂有0.5kg贮蜜即可，多余的摇出。长途转运不足0.5kg的要提前补足，另外，还要有一定量的粉脾。

3. 巢脾排列　继箱群，巢箱放子脾，卵虫脾居中，粉蜜脾依次靠外；继箱放老封盖子脾。中小群的巢脾顺序不变。巢、继箱内的巢脾全向箱内一侧或中间靠拢。

（二）物质的准备

启运前根据计划，应准备好足够数量的巢箱、继箱、巢脾（或巢础框）、饲料、包装容器、帐篷等蜂群管理必需品和全部生活用品，并分别装“箱”或桶。

（三）包装蜂群

运输包装蜂群，即固定巢脾与继箱，防止巢脾碰撞压死蜜蜂和防止蜜蜂外飞，使装车、卸车方便。这项工作在启运前1～2d进行。

1. 固定蜂群

（1）木条、框卡法：它包括固定巢脾和连接箱体两个步骤。

①固定巢脾：固定巢脾的方法之一是用框卡或框卡条固定，在每条框间蜂路的两端各楔入1个框卡，并把巢脾向箱壁一侧推紧，再用寸钉把最外侧巢脾的2个框耳固定在框受上；然后，将中央那条蜂路里的2个框卡取掉，另在这条蜂路的中间楔入1个较厚的框卡即可。框卡是1个长约20mm、宽约15mm、厚10～12mm的方木块，上端钉1枚20mm长的小铁钉。隔板用同样的方法固定在巢脾旁边（图4－1）。

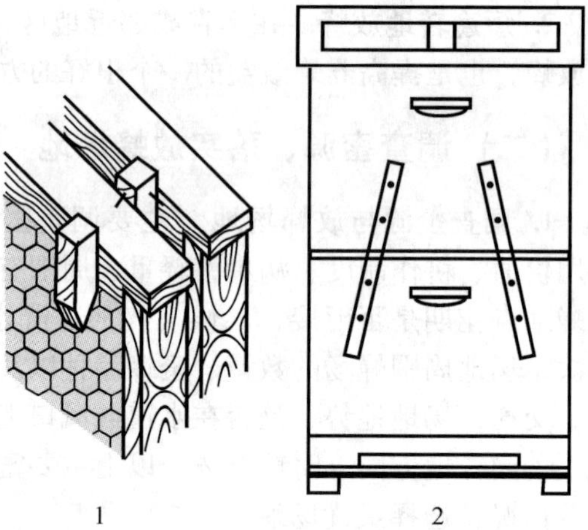

图4－1　转地包装

1. 固定巢脾　2. 箱体连接

固定巢脾的另一种方法是铁钉固定，在蜂箱前、后壁上对准巢框的侧条等距离钉上1排铁钉，钉子略向上翘，穿过箱壁钉住巢脾侧条。

固定巢框还可用快速固定器等方法，但都以牢固、卫生、方便为准。

②连接箱体：用两端钻有小孔，长约300mm、宽约30mm、厚5mm的竹片，或长

和宽同上、厚10mm的木条，在巢箱和继箱前、后或左、右两面，按“八”字形钉住，最后用直径10mm粗的绳子“十”字形捆绑，以便挑卸。另外，在蜂箱左右两面用4对连箱扣进行连接，也可在蜂箱的四角用弹簧或铁丝固定。

铁纱副盖也用铁钉固定在巢箱或继箱上，最后收起覆布。

（2）挑绳、条卡法（陈世敏研制，专利号：01239810.1）：

①结构与组成：条卡采用特殊材料制成，蜜蜂不咬，有弹性，规格有8mm、10mm、12mm、13mm、15mm厚等，选择条卡时以高出箱口1~3mm为宜。连接器由紧绳器、钢丝绳、卡砣、卡座组成。每个卡座上有3个涵口，可调松紧；紧绳器上设有钢丝绳、挑绳、卡砣和保险栓插孔；卡座安装在箱边，带管口的卡座固定在箱前挂短绳，不带管口的卡座固定在箱后挂长绳。

②使用方法：查蜂后，顺手把条卡放在巢框两头上，盖好盖；紧绳器置于大盖上，槽口朝上，先挂短绳，将卡砣卡在卡座的涵口内，再挂长绳，调整松紧，把紧绳器的杠反转180°，即达到箱体连接和紧卡的目的（图4－2），且随时可以挑运、装车。

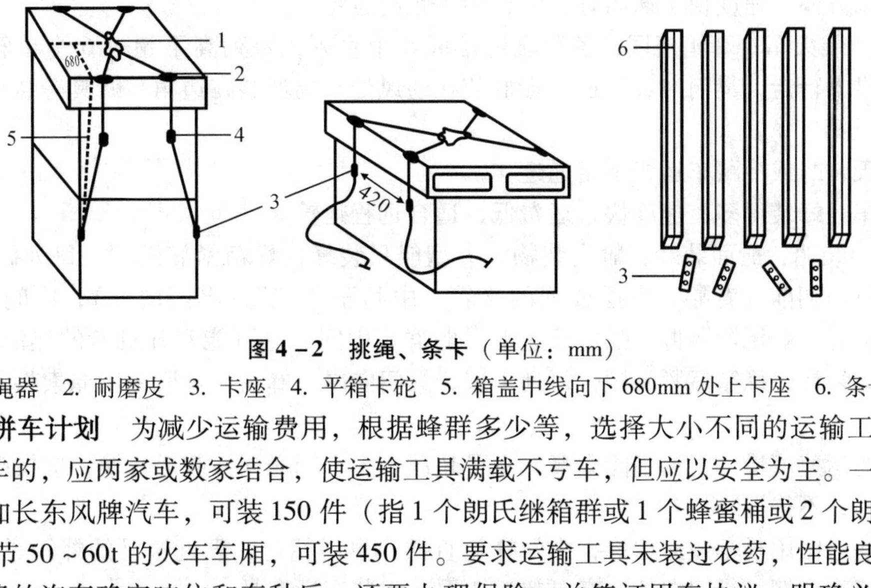

图4－2　挑绳、条卡（单位：mm）

1. 紧绳器　2. 耐磨皮　3. 卡座　4. 平箱卡砣　5. 箱盖中线向下680mm处上卡座　6. 条卡

2. 拼车计划　为减少运输费用，根据蜂群多少等，选择大小不同的运输工具，装不够1车的，应两家或数家结合，使运输工具满载不亏车，但应以安全为主。一般情况下，5t加长东风牌汽车，可装150件（指1个朗氏继箱群或1个蜂蜜桶或2个朗氏平箱群），1节50~60t的火车车厢，可装450件。要求运输工具未装过农药，性能良好。

运蜂的汽车确定吨位和车种后，还要办理保险，并签订用车协议，明确义务、租金、责任，否则不租用；火车运蜂，要提前填写用车计划，看好摆蜂货位，检查车厢卫生，蜂群白天到货场等候，白天装物，傍晚装蜂。无论是汽车或火车运蜂，运蜂前都要办好放蜂证和蜜蜂检疫证。

（四）适时启运

应根据蜜源花期、蜂群、计划、季节、气候适时启运蜂群，以有助于生产和繁殖。在主要蜜源花期首尾相连时，应舍尾赶前，即舍弃前一蜜源的尾期，赶赴新蜜源的始花期，同时要注意蜂巢内不应有过多的饲料。

运输蜂群的时间，应避开处女王出房前或交尾期，忌蜜蜂采集兴奋期转场。

三、装运管理

（一）关巢门、装车船

1. 关巢门 在关巢门前，打开箱体所有通风纱窗，收起覆布，然后在傍晚让大部分蜜蜂进巢后关上巢门。若巢门外边有许多蜜蜂，可用喷烟或喷水的方法迫使蜜蜂进巢。在炎热的夏季，若蜂群比较强壮，在半下午即可装车，丢掉一部分外勤蜂。

如果蜂群强壮，子脾多，计划开巢门运蜂，应在天黑前装车，傍晚运蜂。

2. 装车船 常用的运输工具是汽车、火车，装蜂前应认真检查、清扫运输车辆，凡是装过农药而未彻底洗刷去毒的不能装运蜜蜂，肮脏的要清洗干净。

（1）装汽车：装蜂箱的高度不超过7个单箱体，箱体紧靠，强群在外，弱群在里，强群放上层，弱群放下层，巢门一律向前不朝后，前装蜂群，后装蜂具和行李，一般不用拖车装蜂。装好后，蜂箱用粗绳固定。

汽车方便、速度快、通风好，适合中短距离运蜂。

（2）装火车：蜂箱横摆，各箱靠拢排成3个直列，每列高不超过6个单箱，中间留通道供人行走，巢门对着通道。强群装在通风处，弱群装在边角，蜂具等装在车厢前部（详见第二章）。

冷天装蜂或冷藏车运蜂不留通道。

火车运蜂装得多、速度快、运费低，适合远程运输。

（3）装船：舱面装蜂，舱内装物。大型船只装蜂，蜂箱紧靠横摆，每列码成2～3件高，巢门朝前（背靠背横摆成列的蜂箱，中间压“花”，巢门向外），中间留通道，船头摆强群，船尾摆弱群，强群摆边上，弱群放中间，尽可能避开机舱的热源和振动。小型船只装蜂，蜂箱靠紧竖摆，每列1层，巢门向岸。蜂箱摆好后，用绳索将其固定在舱面上。

因船运速度慢，气温不能太高，不可超载。多个蜂场同一艘船运输，应按顺序由前至后排列，不得混装。

有些地区用马车短途运蜂，中间蜂箱直摆，巢门朝前，靠近辕马的蜂箱巢门朝后，两侧的蜂箱横摆，巢门向外。高不超过3层，先装车后套马。

（二）途中管理

1. 汽车运蜂途中管理 汽车运蜂，最好是夜间行驶，若需白天行驶，避免白天休息，争取午前到达，以减少行程时间和避免因蜜蜂骚动而闷死蜜蜂。白天运蜂发生堵车时应绕行，如有其他意外不能行车时，应当机立断卸车放蜂，傍晚再装运。如汽车运输距离很长，应考虑开小巢门运蜂，运输途中放掉一部分老蜂。黑暗和连续轻微振动有助于蜜蜂稳定。

2. 火车运蜂途中管理

（1）开巢门：火车运蜂，在火车开动后视运送时间长短、蜂群强弱可开巢门1～2d，放走老蜂，然后关闭巢门。也可白天关晚上开。

（2）临时放蜂：装车前或卸车后若在车站、码头滞留，要临时放蜂，应注意防止蜜蜂偏集，可把蜂箱进行圆形或方形排列，两蜂场距离要远些，注意风向，一旦发生偏集要及时处理。

（3）降温：经常在箱壁上和通道洒水。

（4）喂水、喂糖：在早晚用喷雾器对准通气窗喷水，喂水要勤喂少喂。缺食蜂群，应在夜晚补喂白砂糖，同时洒些清水。火车途中停开，要连续对蜂群喷水。

（5）巡视：在火车上经常巡视，发现工蜂咬铁纱，并发出“吱吱”的叫声，散发一种特殊的气味，应立即打开巢门或捣破铁纱放出部分蜜蜂。若发现巢脾松动，要用铁钉钉牢，同时打开巢门。

用马车运蜂，无论何种原因，一旦马惊，应立刻砍断绳索，使马和车脱离。马车运蜂到达目的地后，先卸马再卸蜂。用船运蜂的途中管理与火车运蜂相似。

（三）卸车后的管理

蜂群转运到目的地后，尽快卸下蜂群并摆放在相应的位置，摆妥后，向巢门喷水（切勿向纱盖喷水），待蜜蜂安静后，即可打开巢门。如果蜂群不动，有闷死危险，则应立刻打开大盖、副盖，撬开巢门。中午到达的中蜂场，应稍停片刻，待蜜蜂安静后再打开巢门。翌日撤除箱内外包装，进行全面检查管理。无王群应及时诱入蜂王或合并，蜂群缺蜜应马上补喂，并根据需要调整群势。

中蜂群转场时，要在夜间运蜂，防震动，遮阴、通风、避光，到达目的地后，向箱内先喷水后打开巢门，预防飞逃。

第三节　蜂群的检查

蜂群检查，是查看掌握蜂群活动和内部变化情况，以便采取相应的蜂群管理措施，为蜜蜂创造最适宜的生存、发展环境和适应养蜂生产计划的要求。检查蜂群有开箱检查和箱外观察两种方式。

一、箱外观察

根据蜜蜂的生物学特性和养蜂的实践经验，在蜂场和巢门前观察蜜蜂行为和现象，从而分析和判断蜂群的情况。箱外观察是管理蜂群的重要环节之一，在经过箱外观察之后，如无必要就不要开箱检查。箱外观察的方法如下。

（一）从蜜蜂巢外活动情况判断群情

1. 蜂群群势　在天气晴朗、外界有蜜源时期，工蜂进出巢频繁，蜂声有力。傍晚有大量蜜蜂簇拥在巢门口，说明群强；若工蜂进出稀疏，蜂声轻微，说明群弱。

2. 繁殖好坏　在繁殖期，工蜂采水量大，归巢之蜂带回的花粉多，说明蜂王产卵积极，群内幼虫较多，繁殖力强。若见采集蜂出入懈怠，带回花粉很少，说明繁殖力弱，可能是蜂王质量差或群内出现分蜂热。

3. 分蜂预兆　在分蜂季节的上午，多数蜂群的工蜂出入正常，采集积极，而个别强群很少有蜜蜂出去采集，许多蜜蜂聚集在巢前形成“蜂胡子”，这是分蜂的前兆。若有蜜蜂在蜂箱周围绕飞，接着在蜂场上空盘旋，并发出很大的响声，巢门蜜蜂急躁拥出，这是分蜂已经开始，不久飞出的蜜蜂在树杈或屋檐下结团。

4. 盗蜂　在蜜源缺乏或流蜜中止时期，巢门前或箱周缝隙处有老年工蜂围绕飞行，有蜜蜂抱团撕杀，进巢蜂腹小，出巢蜂腹大，同时工蜂凶猛，易蜇人，这是发生了盗蜂。

5. 流蜜　采集蜂往返繁忙，回巢蜂腹部饱满沉重，透明发亮，肚子向下拖着进巢，有的蜜蜂未飞到巢门踏板就落在地上，腹部抽搐，休息一会儿爬进巢门，蜂场上有浓浓的蜜香，说明已进入大流蜜期。否则，为未流蜜或流蜜很差。

6. 蜂王情况　外界有蜜粉源的晴暖天气，若见有些工蜂在巢门附近轻轻摇动双翅，来回爬行，焦急不安，工蜂较少出巢采集，没有或很少带回花粉，这可能是丧失了蜂王。若蜜蜂飞行正常，较多的归巢蜂后足携带花粉团，说明蜂王健在或新蜂王已经产卵。在 13 ~ 17 时，若见处女王回巢时尾部带有白色分泌物，证明新王已经交配。

7. 幼蜂试飞　晴天中午以后，许多蜜蜂在蜂箱前上下左右飞翔，头向蜂箱，出出进进，或降落到巢门踏板上，嗡嗡声沉重，这是幼蜂正在试飞认巢。这一现象也叫“闹巢”。

8. 中毒　在蜂箱前工蜂乱飞，追螫人畜，正在飞行时旋转落地，翻滚抽搐，两翅张开，腹部钩曲，吻伸出而死，巢前死蜂多，是农药中毒所致。

9. 螨害　巢门前不断有体小、翅残的幼蜂爬出，是螨害所致。

10. “爬蜂病”　巢门前或沟旁有许多肚大、湿润的蜜蜂爬行跳跃，或挤成一堆，是蜜蜂患了“爬蜂病”或营养不良所致。

11. 下痢病　在春天，蜜蜂体色特别深暗，腹部膨大，行动迟缓，飞行困难，并在蜂场及其周围排泄黄褐色、有恶臭气味的稀薄粪便，为了排泄，常在寒冷天气爬出箱外，冻死在巢门前，说明患了下痢病。

12. 巢内闷热　蜜蜂在蜂箱壁和巢门前聚集成堆，大量蜜蜂扇风，不愿进入蜂巢，说明巢内拥挤或通风不良。

13. 蜂群受闷　生产花粉时，正常的蜂群蜜蜂进出巢数量大减，或卸蜂时，打开巢门，蜜蜂趴在箱内外不动，说明蜜蜂已经受闷，应及时给蜜蜂通风。在运蜂途中蜜蜂急躁围堵通风窗，并发出“嗤嗤”声，散发出刺鼻的气味，此时要捅破通风窗，以挽救蜂群。

14. 扇风与发臭　蜜蜂举腹扇风发臭，是招引同伴归巢；蜜蜂蹋腹扇风，是加强蜂巢内空气流通。

15. 蜜露蜜中毒　夏季遇干旱或湿冷天气，巢前有很多青年工蜂爬行，腹鼓胀大发亮，行动迟钝，蜂场周围有蜜露蜜源，则是蜜露蜜中毒的表现。

（二）从体色与死蜂情况判断

1. 体质判断 流蜜期观察蜜蜂，颜色鲜艳、采集浊声明显、飞行敏捷矫健，说明体质健康。若工蜂颜色暗浅，即使大流蜜期，采集飞行仍像未流蜜期那样轻飘，浊声不明显或无浊声，说明蜜蜂体质差。

2. 蜂群失王 箱前见有死蜂王，若其腹部、胸部或别处有凹陷，体形变化大，一般是检查蜂群时不慎将蜂王撞伤致死，若其体形无变化或足、绒毛等处稍有伤迹，可能是蜂群中有处女王出房，开箱检查，群内有王台，即可确定。

3. 饿死 死蜂喙伸长，腹部缩小，死蜂成堆落入箱底，或头钻入巢房而死。箱底死蜂中若混有大量结晶糖粒，证明饲料结晶。

4. 冻死 低温天气，箱前死蜂头向巢门，是来不及进巢而冻死。

5. 饲料中毒 早春或有蜜露蜜源的场地，蜜蜂死于巢门，有黄色粪便污染，腹部鼓胀、发亮，是消化不良或其他疾病引起中毒。

6. 鼠害 早春或冬季，箱前有头胸不全、足翅分离的碎蜂尸和蜡渣，是老鼠危害所致。

7. 患白垩病 在巢门口发现白色石灰状、轮廓不明显的蜂尸，有些蜂尸上有白色菌丝，也有的颜色已发黑，这是白垩病的症状。

8. 死蜂蛹 蜜源缺乏或中断时期，巢前拖出死蜂蛹，说明饲料匮乏；若外界有蜜源植物开花，巢前有死蜂蛹，说明是巢虫危害。

9. 冻害 早春或晚秋气温骤降后，巢前有大量虫蛹，是因为蜜蜂收紧蜂团，蜂团外的虫蛹冻死后由蜜蜂将其清理出巢。

10. 箱内潮湿 死蜂霉烂成块，说明箱内过于潮湿。

（三）从蜂声判断

在分蜂季节的中午前后，如听到蜂场“嗡嗡”声大作，必是蜂群正在进行分蜂。在蜜源植物花期，夜晚蜂声通夜大作，则表明蜂群内正在紧张酿蜜。在越冬期，用一根橡皮管，一头插入巢门内，一头插入人耳进行倾听：听到蜂巢内蜂团发出微微的“嗡嗡”声，声音均匀，表明蜂群正常；听到蜂团内发出“呼呼”声，表明巢内温度较高；听到蜂团内发出“唰唰”声，说明巢内有点冷；听到蜂巢内声音微弱无力或已听不到声音，轻拍箱壁后没有明显反应，可能是群内无饲料蜜蜂已饥饿昏迷，或因饲料质量差蜂群群势已经严重下降；听到巢内蜂团乱嗡的声音，并有“咔咔”的声音，很可能是蜂王死亡或侵入蜂巢内的老鼠正在糟蹋蜂群。轻轻振动蜂箱，巢内若发出“嗡”的一声，随后又安静下来，表明蜂群正常，若在几分钟内蜂群安静不下来，可能是失王或通风不良。越冬期听蜂群的声音，强群声音大，弱群声音小；蜂团在蜂巢前部和下部声音大，在后部和上部声音小。

（四）从蜂群内散发的气味判断

在箱前闻到有腥臭的气味，表明该群蜂已患幼虫腐臭病。

（五）搬箱估贮蜜

在大流蜜期或蜂群越冬时，可用手轻轻地将蜂箱搬起，或用一手托起蜂箱的前头或后头，对蜂群贮蜜多少进行估计。

箱外检查随时都可进行，但也要有的放矢。

二、开箱检查

为了准确了解蜂群内部的情况，通过箱外情况判断蜂群后，若需要处理蜂群内部的问题，必须打开箱盖，提出巢脾进行查看。

（一）开箱技术

检查蜂群时，人站在蜂箱的侧面，尽可能背对光线或上风向，先揭去箱盖，斜倚在蜂箱后箱壁旁，取下覆布，用起刮刀的直刃轻轻撬动副盖取下，反搭于巢门踏板前，然后，用起刮刀的弯刃依次插入蜂路撬动框耳，推开隔板或把隔板取出，用双手拇指和食指紧捏巢框两侧的框耳，将巢脾水平竖直向上提出，置于蜂箱的正上方（预防幼蜂和蜂王落脾造成不必要的损失）。先看正对着的一面，再看另一面。翻转巢脾时，一手往上提巢脾，使框梁与地面垂直，并以上梁为轴转动180°，然后两手放平，使巢脾上梁在下，下梁在上，查看完毕，采用相同的方法翻动巢脾，放回箱内，再提下脾进行查看。在检查满箱蜂群时，可先抽出边第二张巢脾：先将该巢脾两边的巢脾，用起刮刀轻轻向外移动几毫米，使要抽出巢脾的蜂路增大，然后慢慢提出，暂时放在继箱或运转箱内，接着进行检查。在检查继箱群时，首先把箱盖反放在箱后，用起刮刀直刃撬动继箱使之与隔王板等松开，然后，搬起继箱，横搁在箱盖上。检查完巢箱后，把继箱加上，再检查继箱。

检查蜂群时，需要处理的问题应随手处理。蜂群检查完毕后，无特别情况，应将巢脾恢复原状，或以卵虫脾居中、封盖子脾在虫脾和粉蜜脾之间、蜜脾在外的方式排列蜂巢内的巢脾。如果外界无粉源或粉源不足，应将粉脾调至靠近幼虫脾的地方。恢复蜂路时，巢脾与巢脾之间相距8~10mm，夏季或大流蜜期可适当宽些，弱群和繁殖群可适当窄些，应灵活掌握。工作完毕，推上隔板，盖上副盖、覆布和大盖，然后记录。

提脾检查在熟练的情况下，或无须仔细地观察卵、小虫情况时可不翻转巢脾，先看面对的一面，然后，巢脾下缘前伸，头前倾看另一面，看完放回箱内。

（二）检查方式

开箱检查蜂群，有全面检查和局部检查两种方式。

1. 全面检查 就是开箱将巢脾依次提出仔细查看，全面了解蜂群的蜂、子、王、脾、蜜、粉等情况，在分蜂季节，还要注意自然王台和分蜂热现象。全面检查会使蜂巢温度、湿度变化，影响蜂群正常生活，还易发生盗蜂，又费工费时，故一般情况下应避免采用。

（1）全面检查时间的选择：全面检查一般应在流蜜期始末、分蜂期、越冬前后和防治病虫害时。选择气温14℃以上的无风晴朗天气进行。流蜜期要避开蜜蜂出勤高峰时；而盗蜂季节则要在早晚蜜蜂不活动时进行，并在框梁上盖上覆布，勿使糖汁落在箱外，操作时间尽量短。夏天应在早晚进行，天冷则在中午前后进行；交尾群应在上午进行，对中蜂宜在午后做全面检查。

（2）全面检查的基本内容：

①预测群势与发展：

Ⅰ. 目测法：正常情况下，蛹脾占巢脾两面面积2/3以上时，经过12d蛹期发育，可羽化出房新蜂2脾左右，而12d中，群内成年蜂因衰老和机械、自然等因素而死亡约1/3，原有蜂数加上12d后出房新蜂数减老蜂死亡数，便是12d后群势的成年蜂情况。

Ⅱ. 网格法：意大利蜂用5cm×5cm方格网网测子脾，1格网巢房100个，目测折算后计算，这是预测群势发展比较准确的方法。

Ⅲ. 评估群势：蜜蜂的数量是蜂群的主要质量标志，以蜂数多少而定，常用强、中、弱表达（表4－1）。在繁殖季节，群内的蜂子数量是群势发展的潜力，推测群势应予以考虑。

表4－1 蜂群强弱对照 （单位：框）

蜂种	时期	强群		中等群		弱群	
		蜂数	子脾数	蜂数	子脾数	蜂数	子脾数
西方蜜蜂	早春繁殖期	>6	>4	4～5	>3	<3	<3
	夏季强盛期	>16	>10	>10	>7	<10	<7
	冬前断子期	>8	—	6～7	—	<5	—
中华蜜蜂	早春繁殖期	>3	>2	>2	>1	<1	<1
	夏季强盛期	>10	>6	>5	>3	<5	<3
	冬前断子期	>4	>3	>3	>2	<3	<2

在同一地区，蜂群群势随季节、蜜源的不同而变化，也与蜂种和饲养方式、管理水平、蜂王质量等有密切关系（表4－1）。在预测蜂群发展时，还应因时而异，如在仲春蜂群增殖时期，成年蜂死亡少，而蛹的成蜂率极高（95%以上），养蜂技术好，管理蜂群得当者，群势可达到10d增加1倍的发展速度；若是夏季，1张蛹脾羽化出的蜜蜂所维持的群势，只相当于春季的1.5框蜂；秋季更少，1脾蛹仅相当于春季的1框蜂。这是夏秋成年蜜蜂死亡率高的缘故。夏秋蜜蜂死亡率高低（寿命长短）与蜂群在这一时期的营养、群势和劳动强度等相关。

一般情况下，在巢脾两面布满蜜蜂而不重叠为1框蜂；1只蜜蜂约占3个巢房位置，这样，1个标准巢脾有意大利蜂2 400只，有中蜂3 000只；1kg意大利蜂约有10 000只，占4个标准巢框，有中华蜜蜂12 500只，占5个标准中蜂框。在高温时期，蜜蜂在脾上比较稀疏，容易多估；而在低温时期，蜜蜂在巢脾上密集，容易少估。流蜜期蜜蜂个大体重容易估多；蜜源缺乏时期蜜蜂个小体轻容易估少。因此，应根据当时外界情况和具体群势，进行接近实际的预测。

②巢脾数量与质量：巢脾数量包括子、蜜、粉、空脾和巢础框数。一个重3kg左右

的贮蜜脾称蜜脾，装约一半蜂蜜的叫半蜜脾，花粉装有一半巢房的叫粉脾。

供蜂王产卵的巢脾应为黄褐色、脾面平整、雄蜂房少或无，子圈、粉圈、蜜圈分明，在主要流蜜季节要有一定数量的新脾贮蜜。黑色巢脾、雄蜂房多的巢脾、被蜡螟蛀坏或长霉的巢脾均不应继续使用，以免影响繁殖和产品质量。

③蜂王状态：在检查蜂群时，可根据巢脾上各期子龄和比例推断蜂王状态。繁殖时期，卵、虫、蛹的比例应为1∶2∶4，若卵、虫达不到上述数量，子脾面积小，幼虫干瘪，说明蜂王产卵处于下降时期；若无蛹脾，只有卵、虫脾，表明蜂王刚开始产卵；若只有蛹脾，没有卵虫，表明蜂王停产或已失王；打开大盖，发现工蜂振翅叫声，脾上无卵、虫，是失王现象；脾上有工蜂房封盖似馒头状，显得凌乱，则是工蜂产卵。根据以上群内子脾情况，可以预测到下一段蜂群增减量。

寻找蜂王，应在有空巢房或有新蜂出房的老子脾上寻找，同时要兼顾箱壁和箱底。如果没有找到蜂王，但蜜蜂安静，工蜂工作有条不紊，巢房内有卵，又无急造王台，说明蜂王健在。若蜂王产卵整齐个大，子脾面积达八成以上，蜂王腹部较大，伸缩节律明显，是优良蜂王；若蜂王个小色暗，产卵凌乱，则该王为处女王；若蜂王腹小色暗，产子少或停产或跛行缺翅，则该王应淘汰；若卵虫少，有自然王台，蜜蜂怠工或蜂王被工蜂追赶，预示将要分蜂。

④病虫害：健康蜂群的幼虫白色晶亮、饱满，蛹的封盖呈黄褐色，封盖子密集成片。有病幼虫色泽灰白至棕黑色，有腥臭味，发生白垩病的老熟幼虫死亡，白色，贴在房底失去虫体轮廓；蛹的封盖有塌陷、油湿，色泽从深棕色到黑色，有的有洞孔、有臭味。被巢虫危害的蛹成行的封盖被工蜂咬去，呈现出“白头蛹”。在雄蜂体上或割开的雄蜂房内发现大蜂螨，说明蜂螨已爆发成灾。在严重缺食（蜜或花粉）或过于干旱季节，卵、幼虫干瘪，幼虫失去光泽、蜷曲。幼蜂蜷曲可因蜂螨、巢虫、干旱、炎热、营养不良等造成。

⑤蜂、脾关系：打开副盖，副盖下隔板外挤满蜜蜂，说明蜂多于脾；若脾上蜂稀，边脾外侧蜂少，隔板和副盖上无蜂，则是蜂少于脾。高温季节隔板外挤着蜜蜂，巢门口有蜂堆积，而脾上蜂少，说明高温使蜂离脾；或继箱里蜂少，巢箱里蜂多，说明外界温度较低。

⑥贮蜜多少：打开箱盖，蜜香扑鼻，各巢脾框梁上有巢白（新蜡），提脾沉重，说明箱内蜜足。开箱后，蜜蜂惊慌不安，提脾轻飘且有蜂掉落，说明箱内缺蜜。虫干瘪蜷曲、无光泽，有些封盖子房盖被咬，说明蜜蜂开始弃子。

2. 局部检查　就是从蜂巢中的某些部位提出少数几个巢脾进行查看，从而对蜂群内的情况作出判断，以便采取相应的措施。局部检查省工省时，对蜂群生活影响比较小，在任何时候都可进行。

（1）巢内贮蜜：抽边脾和隔板内第三脾，若边脾是蜜脾，则饲料充足，若仅有上角有封盖蜜，说明贮蜜暂时够用，否则说明饲料缺乏，需要饲喂。

（2）增减巢脾：打开大盖，见副盖或覆布下、隔板外、边脾上布满蜜蜂，表明须加脾扩巢；或隔板内第二脾蜜蜂达八九成以上，卵圈已扩展到边缘巢房，且边脾为蜜脾，则应加脾；若边脾蜂稀，应抽脾，缩小蜂巢。早春繁殖，应使蜜蜂密集。

（3）寻找蜂王：蜂王体大，早春晚秋抽中央巢脾往外查看，夏季从边脾向中央找；发生分蜂热的蜂群在台基附近找（详见“蜂王状态”）。

（4）子脾发育：从蜂巢偏中央部位提脾观察，如果幼虫滋润丰满晶亮，封盖子整齐成片，即发育正常；若卵、虫、蛹混杂，幼虫干瘪甚至变色、变形、发臭，说明发育不良或发病。

（三）注意事项

第一，开箱检查，要准备好起刮刀、喷烟器（或火香、艾草绳等发烟的东西）、记录本、木凳、巢础框等，并对要查看的蜂群应有计划。

第二，操作时，动作要轻，提脾放脾要直上直下，防止碰撞挤压蜜蜂。万一蜂王惊飞，应随手把蜜蜂抖落在巢前，盖上箱盖，人退蹲箱侧观察，惊飞的蜂王一般会随起飞的蜜蜂进巢，若久未回巢，就及时到邻箱去找。

第三，开箱检查，如遇蜜蜂凶暴，可点燃艾草绳等对框梁喷少量烟，使工蜂驯服。一般情况下，尽量少使用烟熏蜜蜂，平常保持蜂群食料充足。

三、蜂蜇的预防和处理

雄蜂没有螫针不会蜇人，蜂王的螫针退化极少蜇人，蜇人的蜜蜂是指工蜂。

蜜蜂在正常情况下是不蜇人的，只有在受到外界某种刺激后，才进行蜇人。蜜蜂蜇人是为了群体的利益进行自卫的一种表现，当蜜蜂的螫针刺进肌肉后，螫针连同螫器官一起与蜂体断裂，螫针在螫器官有节奏的运动下，继续深入射毒。只有掌握蜜蜂螫刺行为的生物学特性，才能有效地预防和处理蜂蜇。

（一）预防蜂蜇

1. 接触蜂群应注意气味和衣服颜色 带有酒、蒜、葱、汗臭、涂脂抹粉、发乳等异味与穿戴黑色毛织品等易激怒蜜蜂螫人，应将异味除掉后，穿戴白色或浅色衣服接触蜜蜂，还要注意勿对蜜蜂喘粗气和大声说话。

2. 开箱检查要注意方法和天气因素

（1）方法：蜂群需要安静的生活环境，接触时要做到稳、准、轻、快。稳，即镇静自如，心平气和，不冒失；准，即动作准确，不得碰撞挤压蜜蜂；轻，即轻拿轻放，不振动碰撞；快，即在保持稳、准、轻的前提下，尽量缩短接触时间。看蜂，人要立于箱侧，不得在箱前阻挡蜂路。

（2）天气：冷、热、风、雨天尽量不看蜂，因为，这些天气因素对蜂群影响大，易引起蜜蜂攻击人。

3. 掌握好蜜蜂活动的特点，采取防护措施

（1）检查蜜蜂时，人应从右侧或左侧动手，箱盖放在箱后，副盖、覆布等带蜂的物体放在箱前。提脾时，手应从蜂箱前后壁向框耳靠近。撬动副盖时，蜜蜂腹部上翘发臭，或有“唰唰”的示威声，则应稍停片刻或喷水待蜜蜂安静后再检查。若蜜蜂起飞扑面攻击或在头周围盘旋，不要惊慌，不要用手乱拍乱打或丢脾后逃跑，正确的做法是紧闭双眼，双手遮住面部或头发，慢慢蹲下身、低下头，保持冷静，稍停片刻，蜜蜂会自动飞走。

（2）防护措施：蜜蜂爱钻进头发、袖和裤管内部蜇人，并好攻击人的眼睛和嘴巴，检查蜂群最好头戴面网，将袖、裤口扎紧，蜜蜂钻进袖和裤内，可用手使之离开皮肤，然后将其捏死；若钻入鼻孔、耳朵、头发内，就及时压死，并用清水洗掉该处异味。

在看蜂时，双手可涂些卫生球粉或1%的2－庚酮等驱避剂，或双手搓揉黄蒿叶，对发怒、暴躁的蜜蜂，可喷烟、喷水驯服。

（3）避免蜜蜂暴躁：要避免容易引起蜜蜂暴躁的因素，如缺蜜群、有病群、中毒群、盗蜂和敌害干扰的群、受药物刺激的群、失王过久老蜂多的群、经常不检查的群、常年不见阳光的群、长期管理不当经常压死蜜蜂而受惊动的群，以及恶劣天气等，检查时要特别戒备，实在无法检查的蜂群，可用喷烟器等驯服蜜蜂，炎热夏季可用凉水从纱盖上向框梁和蜂路洒些水，然后再检查。

（4）蜂种：有些蜂种爱蜇人，如塞浦路斯蜂，性情凶暴。也有些因选种关系，同一品种的不同群蜂，温驯程度也不一样，而在生产实践中，往往较凶的蜜蜂产蜜量也较高，在育种上要选育温驯而高产的种蜂。

（二）蜂蜇处理

蜂蜇使人疼痛，被蜇部位红肿发痒，影响工作，面部被蜇还影响美观，有些人对蜂蜇过敏，因此，要注意避免和减少蜂蜇。凡养蜂者难免被蜂蜇，大多数初次受蜂蜇的养蜂者，局部迅速出现红肿热痛的急性炎症，尤其是被蜇在面部软组织处，反应更为严重，一般3d后可自愈。但经受多次蜂蜇的养蜂人对蜂毒会产生抵抗性，被蜇后不会再发炎。

当人体被蜇，应用指甲反向刮掉螫针，或借衣服、毛巾、箱壁等顺势擦掉螫针，然后涂些仙人掌汁或用清水洗净，使疼痛减轻。不可用指甲掐拔，避免将更多的毒液挤入皮肉内。

有少数人对蜂蜇过敏，被蜂蜇后，面红耳赤、恶心呕吐、腹泻肚疼，全身出现斑疹，发痒难忍，发烧寒战，甚至发生休克。应立刻内服扑尔敏，外敷季德胜蛇药片，或送医院治疗。

蜂蜇无辜，应予劝慰，给与蜜水，使被蜇者放松精神，介绍蜂蜇的利害情况、注意事项，在被蜇部位红肿期间勿抓破皮肤，消除受伤人的紧张情绪。为此，在养蜂场明显处竖警示牌，以避免事故发生。

根据医学研究，蜂毒能治疗神经、心脑血管和运动系统疾病，对人体有很大的益处。

四、养蜂记录

养蜂记录是为掌握蜜蜂的周年生活规律、蜂群对各种管理措施的反应、蜜源植物开花泌蜜规律及气候对养蜂的影响等的记录，其数据对指导蜜蜂管理、养好蜜蜂有重要意义，是编辑计算机程序指导养蜂生产的基本数据。养蜂记录有蜂群检查记录和蜂场日志两种。

（一）蜂群检查记录

蜂群检查完毕，对发现的问题即行解决，一时难以解决的，待检查完全部蜂群后统一处理。每群检查结束时，即进行记录。蜂群检查记录有两种表格：一种是全场蜂群记录总表，它是记录全场蜂群的情况及各项管理工作，根据它可以了解蜂群在当地环境条件下的发展规律。另一种是分表，记录个别蜂群在一年中的变化情况、发现的问题及处理方法，它可以帮助了解个别蜂群的消长情况、生产性能等其他特性。进行蜂群检查记录，首先要给每个蜂群编号，号卡挂在蜂箱前壁，群号随蜂王移动。蜂群检查记录参考表4－2、表4－3。

表4－2　蜂群检查记录总表

年　　月　　日　　　　　　　　（单位：框）

群号	巢脾数	蜂数	蜂王情况	蜂子数		饲料		备注
				卵虫	封盖子	蜜	粉	

表4－3　蜂群检查记录分表

群号：　　蜂种：　　蜂王出生日期：　　蜂王产卵日期：

项目 日期	蜂王情况	蜂数/框	脾数/框	蜂子/框		饲料/框		产量/kg				抗病虫		备注
				卵、虫	封盖子	蜜	粉	蜜	粉	浆	胶	蜂螨	染病菌	

（二）蜂场日志

蜂场日志是对养蜂场地的气象、蜜源、蜂群活动、蜂场管理工作、生产情况的每天记录以及对示重群的记录。示重群以其重量的增加、减少、不变来表明外界有无蜜源和蜜源的流蜜情况等（表4－4）。

根据蜂场日志，推测蜜源开花时间以及该年养蜂场地的天气变化、蜂群周年活动、蜂场工作程序、蜜源流蜜概况作出判断，以指导养蜂生产。

表4－4　蜂场日志

场名：　　　　放蜂地址：　　　　年　　月

日期	天气			阴处气温/℃			蜜源植物			蜂群活动	示重群/kg			工作事项
	上午	下午	夜间	7时	13时	20时					总重	增重	减重	

第四节　蜂群的饲喂与蜜蜂的营养

一、饲喂蜂群

充足优质的饲料，是蜜蜂正常生长发育的保证，可使羽化出的蜜蜂健康、寿命长、抗逆力强、采集力高，也是蜂王产卵力旺盛、蜂群迅速发展的基础。只有保证蜂群有充足的饲料，才能把蜜蜂养成强群，并夺取高产。所以，在蜂巢内饲料不足而外界又缺乏蜜粉源时，要学会适时对蜂群进行饲喂、喂好。喂蜂的饲料主要有蜂蜜或糖浆、花粉或代用品、水、矿物质等。

（一）喂蜂蜜或糖浆

蜂蜜是蜜蜂的主要饲料，是蜜蜂的最主要的能量来源。一个正常繁殖的蜂群，1 年要消耗掉 70～100kg 蜂蜜。

1. 补助饲喂　在外界蜜粉源缺乏而群内又缺食料的情况下，短时间内（3～4d）喂给蜂群大量的蜜汁或糖浆，使蜂群贮备足够的饲料，以度过饥荒的日子。补助饲喂的时间一般在大流蜜过后、越夏与越冬前、春季繁殖和秋季繁殖越冬蜂前进行，补助饲喂的方法如下。

（1）补加蜜脾：把贮备的蜜脾（早春或越冬期，蜜脾先在 25～30℃的温度下加热 12h）下方的蜜盖割开一小部分，喷少量温水加在被喂群边脾的位置，抽出多余的巢脾，或直接抽出强群的蜜脾调给弱群。如有饲料箱，可在越冬前返还给蜂群。

（2）喂蜜汁或糖浆：蜜 4 份加水 1 份，文火化开、放凉；或白糖 1 份加水 0.7 份，加热溶化到听见锅响为止，放凉。蜜汁和糖浆有条件的可在糖浆中加入 0.1%～0.2%的蔗糖酶或 0.1%的酒石酸。在傍晚倒入框式饲喂器或灌入空脾内饲喂蜂群。用自动饲喂器喂蜂，省工省时方便，又不引起盗蜂，它是根据液体浮力和虹吸原理制成的，可自动控制饲喂器内液面的高度。每次喂糖汁 1.5～3kg，直到喂足为止。为避免盗蜂，可先喂强群，然后抽蜜脾予小群。喂越冬饲料时，若蜂箱内干净、不漏液体，也可以把箱的前部垫高后，傍晚将糖浆直接从巢门倒入箱内喂蜂。

要注意不可用蜜露蜜和金属污染、发酵酸败及不明蜂场的蜂蜜喂蜂，油菜、棉花和向日葵等花种的蜂蜜也不宜作饲料贮备。可用优质白砂糖或果糖与葡萄糖的混合物代替蜂蜜喂蜂。

（3）炼糖喂蜂：在邮寄蜂王、运输笼蜂和长途运蜂途中，可喂给蜂群炼糖。在配制炼糖时按一定比例加入适量的蛋白质、维生素和微量元素（详见第五章第三节“笼蜂的生产”）。

（4）生产巢蜜时蜂群的饲喂：见第五章第六节“优质蜜蜂产品生产技术”。

2. 奖励饲喂　蜂巢内贮蜜较足，但外界蜜源较差，给蜂群连续或隔日喂以少量的蜜汁，直到外界流蜜为止，以此来促进蜂群的繁殖和王浆、花粉的生产。奖励饲喂多在早春繁殖巢内贮蜜较充足后、秋繁前越冬饲料喂至八成后或大流蜜期结束、粉足蜜差产浆与脱粉时进行。蜜汁或糖浆的配比同补助饲喂或稍稀一点。每日意大利蜂喂200～500g，中华蜜蜂100～300g，饲喂的量以够当天消耗不压缩卵圈为宜。奖励饲喂的方法有巢门饲喂（瓶式饲喂器）和箱内浅塑料盒饲喂两种。

注意事项：在非生产季节，饲喂糖浆或蜜汁时可以加药防病。加入0.1%的酒石酸可促进蔗糖转化。在蜜源中断期喂蜂要谨防盗蜂。禁用劣质、掺假、污染的饲料喂蜂。繁殖期喂蜂饲料不压卵圈。培育适龄采集蜂应在主要流蜜期开花前45d进行。人工育王在组织哺育群或交尾群前3d开始奖励。补喂越冬饲料应喂足，直到第二年春繁时还有充足的饲料，有利于春季繁殖。

（二）喂花粉或花粉代用品

花粉是蜜蜂的蛋白质、脂肪、维生素、矿物质等的自然来源。哺育1只蜜蜂需要120mg花粉，蜜蜂羽化出房后的生长发育以及王浆等的分泌都需要花粉，没有花粉，蜜蜂就不能繁殖。早春繁殖蜂群，花粉、蜂蜜和蜂群质量同样重要。花粉的饲喂主要在早春繁殖时以及在枣花期等长期缺粉的蜜源花期，早春宜喂花粉脾，造脾产浆也可以喂蜜粉混合饲料。

1. 喂花粉脾　把平常贮备的花粉脾，喷上少量稀薄蜜汁或糖水，直接加到蜂巢内供蜜蜂取食。

2. 做花粉脾　把花粉团用水浸润，加入适量糖粉，充分搅拌均匀，形成松散的细粉粒，用椭圆形的纸板（或木片）隔挡育虫房后，把花粉装进空脾的巢房内，一边装一边轻轻揉擦，使其装满填实后，再用蜜汁淋灌，让蜜汁渗入粉团，最后加入蜂巢供蜜蜂取食。

3. 喂花粉饼　将花粉闷湿润，加入适量蜜汁或糖浆，充分搅拌均匀，做成饼状或条状，置于蜂巢大幼虫脾的框梁上，上盖一层塑料薄膜，吃完再喂，直到外界粉源够蜜蜂食用为止。

4. 喂花粉代用品　市售的花粉代用品很多，配方各异，但都以蛋白质为主，适当加入添加剂，以便于取食、利于消化吸收，从而促进生长发育。喂法同上。

5. 蜜粉混合饲料　1份蜜加1份开水加0.1份新鲜花粉，盛于盒中，置于隔板外侧饲喂。

（三）喂水

早春和冬季在箱内喂水，可将凉开水加入饲养盒内，用脱脂棉的一端浸入水中，另一端搭在框梁上。春末到秋季，可在蜂场设置饲水器。最简单的是在蜂场开阔的地方挖一个直径1m的圆坑，铺上塑料布，上放秸秆，注入干净的清水，蜜蜂就会取食。

水要清洁卫生，箱内喂水要少喂勤喂，防止变质，有条件的可喂磁化水、矿泉水、麦饭石水等优质保健水。

（四）盐、维生素、药物的饲喂

在喂糖浆时，可加入0.1%的碘盐以及维生素C、维生素B、少量胡萝卜汁等，也可放入水中喂，用以弥补白糖水中微量元素等的不足。有病蜂群，药物放在糖浆中饲喂。

（五）饲喂蜜蜂注意事项

1. **预防盗蜂** 在蜜源缺乏季节对蜜蜂补充糖饲料，最好喂糖浆，并采取相应的措施预防盗蜂的发生。

2. **预防疾病传染** 饲喂蜂群的蜂蜜、糖浆、花粉或花粉代用品，应经灭菌处理，受金属污染、发酵的蜂蜜以及生虫、霉变的花粉等，不能用做蜜蜂饲料。

3. **合理选用饲料添加剂** 在给蜜蜂喂糖或花粉及其代用品时，可选用下列添加剂混入饲料中喂蜂，以促进蜂群繁殖和王浆生产：维生素E、微量元素（钾、钠、钙、镁）、氨基酸（如赖氨酸、蛋氨酸、精氨酸等）等。在花粉或代用品中加入适量的茶花粉预防白垩病。无论选用哪种添加剂，都应先做小区试验（先喂几群），取得经验后再喂。

二、蜜蜂的营养、消化与配合饲料

（一）蜜蜂的营养

蜜蜂的营养和蜂群群势，是影响蜜蜂寿命和培育蜂王质量的关键因素。

1. **蜜蜂幼虫的营养** 蜜蜂幼虫的饲料是18日龄内的工蜂腺体分泌物和蜂粮等组成，其营养素是蛋白质、脂肪、碳水化合物、矿物质、水和维生素等。

工蜂和雄蜂幼虫，在2日龄内吃的是工蜂浆，从3日龄开始，吃的是王浆腺分泌物和蜂蜜、花粉的混合物。工蜂浆是指无色的含大量蛋白质的王浆腺分泌物和白色的含大量脂类的上颚腺分泌物的混合物，其比例为1∶4.5。在早期幼虫食物中的糖类，葡萄糖含量占优势，较大幼虫食物的糖类，果糖占优势。

蜂王幼虫在生长发育过程中吃的都是蜂王浆（王浆腺和上颚腺分泌物的比例约为1∶1），数量充足，葡萄糖是其食物的主要成分。另外，蜂王浆中的泛酸、叶酸、生物蝶呤等维生素以及糖等的含量比工蜂浆高。

不同成分的食物，糖含量的高低影响幼虫进食速度，从而促进保幼激素的分泌，激活级型表达基因，促使级型分化。也就是说，受精卵是发育成工蜂还是发育成蜂王，取决于幼虫获得食物的种类、数量，当然，由于巢房不同，工蜂会分别喂以不同的食物。

蜜蜂幼虫的食物都是工蜂供给的。目前，还没有人在脱离蜂群的情况下能使幼虫正常生长发育，蜜蜂幼虫的营养要求还在研究中。

2. **成年蜜蜂的营养** 成年蜜蜂的基本食物是蜂蜜或花蜜、花粉、水等。蜂蜜为蜜蜂提供能源，并可转化为脂肪和糖原，成年蜜蜂靠吃蜂蜜可长期生活。花粉对刚羽化幼蜂的生长发育和王浆腺的发育、腺体分泌必不可少，培育幼虫必须有花粉。水是生命之源，蜜蜂的一切活动都离不开水。另外，成年蜜蜂生活还需要矿物质和维生素等。

（1）蛋白质：蛋白质是构成生物体的主要物质之一，花粉是蜜蜂所需蛋白质的天然来源。能够形成新组织，维持新陈代谢。蜜蜂将摄入的蛋白质消化分解为氨基酸后吸收，在体内合成本身所需的蛋白质，再构成组织器官。刚羽化的蜜蜂，蛋白质占其体重的13%，蜂王产卵期工蜂喂以大量的蜂王浆。工蜂羽化2h后就开始吃花粉，5日龄消耗花粉量达最高点，身体蛋白质含量占机体的15%，同时，营养腺、脂肪体以及体内器官得到发育。Dietz和Haydak1965年报道，蜜蜂舌腺的发育需要有足量的L－精氨酸和L－赖氨酸。某些蛋白质在蜜蜂体内的分布可以转移：为哺育幼虫，幼蜂的王浆腺迅速发育，并能分泌蜂王浆等蛋白质含量比较高的食物，13日龄后，王浆腺体开始萎缩，蛋白质就转移到蜡腺和飞翔肌上去了。另外，在脂肪体中还存在着一定数量的蛋白质，工蜂从事采集工作后，它们需要的蛋白质数量急剧减少，主要食物为碳水化合物。

蜂王浆、蜂蜡、蜂毒的生成，都需要蛋白质，蛋白质还能产生一定的能量。

培育1只蜜蜂，从幼虫到羽化约需120mg或145mg花粉（Alfonsus，1933；Haydak，1935），在平均生活的28d内平均消耗100mg花粉（Schmidt and Buchmann，1985）。1个蜂群，正常情况下，年消耗花粉25kg左右。

蜜蜂贮藏在巢脾中的花粉，已混入上颚腺分泌物并被少量蜂蜜覆盖其表面，称蜂粮。蜂粮中含有乳酸菌、酵母菌、假单孢菌等菌群，经过一系列生化反应，花粉丧失了萌发能力，变得易被蜜蜂消化吸收并增加营养价值。据分析，蜂粮中各种营养物质的含量和配比都相对优于蜂花粉，在正常情况下，蜜蜂都不食用新鲜的花粉团。生产贮存的花粉，随着贮存时间的延长，对蜜蜂的营养价值逐渐降低，降低的快慢受温度、湿度、花粉来源和干燥程度的影响。新鲜花粉对工蜂营养腺的发育最好，贮存1年的花粉只有24%的效果，贮存2年的花粉对腺体的发育完全无效（Haydak，1961）。冷冻贮存3年的花粉添加赖氨酸、精氨酸可恢复其营养价值（Dietz and Haydak，1965）。

各种植物的花粉，蛋白质含量为8%～40%不等，其对蜜蜂的营养价值也不同。用不同植物的花粉饲喂笼蜂，根据它们对蜜蜂王浆腺、卵巢、脂肪体发育、寿命等的影响，可将花粉分成四等：一等对蜜蜂营养价值高的花粉有果树、柳树、玉米、白车轴草、板栗、罂粟、梨等；二等有榆、杨、蒲公英和向日葵等；三等为椿等壳斗科植物的花粉；四等为松。成年蜜蜂的食物添加蛋白质饲料（如糖浆中加入少量鸡蛋），可延长其寿命。

（2）脂类：蜜蜂从饲料中摄取脂类物质，合成贮备的能源和脂肪，供蜜蜂生长发育和饥饿时用以及作为细胞膜结构的成分。蜜蜂所需要的脂类物质主要有：甾醇类（如胆固醇、2，4－甲基胆固醇）、脂肪酸类和磷脂类。磷脂在细胞膜的结构和功能上有重要作用，脂肪酸是构成磷脂的主要成分，花粉是蜜蜂所需脂类物质的主要来源。

（3）糖类：花蜜和蜂蜜是蜜蜂天然食物中碳水化合物的主要来源。花蜜的主要成分是蔗糖，其含糖量为25%～40%，花蜜被蜜蜂酿成蜂蜜后，其中的蔗糖转化为葡萄糖和果糖，蜜蜂将蜂蜜转化为脂肪和糖原，并为蜜蜂提供能源。一般蜂群1年可利用蜂蜜150～200kg，在蜜蜂饲料中没有一种代用品可替代蜂蜜。

蜜蜂可利用的糖有：蔗糖、果糖、葡萄糖、海藻糖、麦芽糖、松三糖等，无花时，像西瓜汁等也能被蜜蜂利用。这些糖中，山梨糖醇加入蔗糖中喂蜂可使蔗糖代谢周转降低，使笼蜂的寿命延长（Vogel，1931）。蜜蜂不能利用的糖有：甘露糖、鼠李糖、木糖、阿拉伯糖、棉子糖、乳糖、半乳糖、糊精、低聚糖。甘露糖对蜜蜂有毒；半乳糖、鼠李糖使蜜蜂寿命缩短（Frisch，1934，1965）；醛糖（$C_3 \sim C_7$单糖的混合物）抑制蜜蜂的生长，能使工蜂死亡。蜜蜂能够区分甜味和甜味大小，而没有区分有无毒性糖的能力。

工蜂血糖的含量平均为2%，飞行中的工蜂每小时平均消耗11.5mg的糖；雄蜂飞行时每小时约需30mg（Olaerts，1956），静止时只需飞行时的1/10。笼蜂的蜜蜂对糖的消耗量取决于外界温度：一只蜜蜂需糖量每小时在11℃时为1.1mg，37℃时0.7mg，48℃时1.4mg。蜜蜂每次飞行前需吃2mg蜂蜜，分泌1mg蜂蜡要消耗掉4.7mg的蔗糖。成年蜜蜂只取食碳水化合物即能长期生活（如蜂群在越冬期）。

（4）维生素：花粉中有丰富的维生素。蜜蜂育虫必需7种维生素B复合物（生物素、叶酸、烟酸、泛酸、吡哆醇、核黄素和硫胺素）、肌醇和抗坏血酸（维生素C）。维生素C在花粉中的含量为360～590mg/100g（干重），在蜂粮中或被蜜蜂贮藏在巢房内的花粉中含量为68～118mg/100g（干重）；烟酸约100mg/100g（干重），其他维生素含量为0.5（生物素）～20mg/100g（泛酸）。每克花粉含类胡萝卜素50～150μg/g，它是维生素A的前体，花粉中还含有少量的维生素D、维生素E，蜜蜂能合成泛酸、维生素C、维生素A。花粉中的维生素含量随着贮存时间的延长而下降。

研究表明，维生素对蜜蜂寿命没有明显影响。泛酸、硫胺素、核黄素对蜜蜂王浆腺的发育影响较大，哺育1只幼蜂需要45μg吡哆醇，维生素A影响蜜蜂的视觉，维生素E可保证机体必需营养物质的特定功能和调节机体内的化学合成。表4－5为基本的维生素配合比例。

用含2.5μg/kg维生素E糖浆饲喂蜂群的对比试验证明，它能显著促进工蜂王浆腺的发育，使王浆腺重量在10～18日龄段比对照组高47%～76%，发育盛期至少延长5d以上（陈崇羔等，1993）。Haydak和Dietz1965年发现，对蜂群喂无维生素的酪蛋白或已补充了矿物质的酪蛋白，可使王浆分泌量提高，且外观浓度正常，但幼虫食后不能生长到3日龄以上。

表4－5　基本维生素混合物①　（单位：mg/ml）

氯化胆碱	烟酸	泛酸钙	氯化硫胺素	核黄素	吡哆醇	叶酸	生物素	肌醇	维生素 B_{12}	维生素C②
100.0	36.0	4.0	1.8	3.6	1.0	0.5	0.05	36.0	0.004	500.0

① Haydak and Dietz，1965；1972；②Anderson和Dietz 1974。

（5）矿物质和水：水是生命必需的物质，蜜蜂幼虫约含水77%。水还是蜜蜂机体内生命活动有关化学变化的媒介，直接参与营养物质的消化、吸收、运输、利用、废物的排泄等全部生理过程。蜜蜂必须排泄液态物质，而且必须经常获得水才能生存。蜜蜂从花蜜里获得水，也飞出去采水。

高温干燥季节或大量育虫季节，蜜蜂群势大，需水量大。越冬季节需水量少，1群意蜂在育虫季节，日采水量可达200g以上，这些水除用于蜜蜂的正常生理需要外，主要用来调食喂幼虫、调节巢内温湿度和稀释糖液。蜜蜂的直肠腺对排泄的水能够再吸收，以保持血淋巴中水分的含量。蜜蜂自身对水的需求量受激素的调节。

矿物质是组成机体各器官的重要物质，对蜜蜂的新陈代谢有很大影响。蜜蜂所需要的矿物质主要来源于花粉、花蜜和水。花粉含有2.9%～8.3%的矿物质：磷、钾、钙、镁、钠、铁、铜、锰、锌等，能满足蜜蜂对矿物质的需要。蜜蜂直肠腺能吸收溶解在食物残渣中的盐分（氯化钠），并把它贮藏起来，以维持体内渗透压。蜂蜜饲料中如含有过量的矿物质，则对蜜蜂有害。蜂蜜中矿物质含量平均为0.17%，甘露蜜的灰分含量平均为0.73%，故甘露蜜不能作蜜蜂的饲料。加盐喂蜂，加碘的氯化钠不应超过0.1%。

雄蜂成虫的营养，在幼龄期，需要继续食用蛋白质饲料（工蜂喂给蜂王浆、蜂蜜、蜂粮的混合物）才能完成发育；性成熟后，靠蜜糖维持其生命活动。蜂王成虫在繁殖期，工蜂喂以蜂王浆。

（二）消化吸收

蜜蜂对食物的消化、吸收、代谢是在肠道内同时进行的。

花粉被蜜蜂的口器破碎为小块后，通过食管的波动送到蜜囊（前胃），前胃的4个唇形瓣将它们聚集形成食物团粒，送入中肠（胃），并被围食膜包裹，经过1h以上通过中肠进入后肠。花粉粒在中肠和后肠发生物理和化学变化，消化后期花粉壁变形并松弛，其营养物由萌发孔逐渐流出。蛋白质在蛋白酶、类胰蛋白酶的催化下，分解为氨基酸；脂肪类物质在胆盐汁的作用下，分散形成微小油滴，在酯酶的催化下，将脂肪分解成易于吸收的饱和与不饱和的脂肪酸等物质，氨基酸、甾醇类、脂肪酸等小分子物质透过肠壁，进入血淋巴，然后送入各组织器官进行转化利用。

蜜蜂吸食的花蜜或蔗糖停于口器和蜜囊处，在唾液腺酶（蔗糖酶、淀粉酶）的作用下，将蔗糖转化为果糖和葡萄糖及中间的多糖类物质，在前胃瓣的控制下，糖液进入中肠，由中肠的上皮细胞吸收后，转移到血淋巴，再输送到脂肪体，在酶的作用下，和其他物质合成糖原、海藻糖、蛋白质等。糖原以单个颗粒或聚合体的形式大量存在于脂肪体、飞行肌和小肠中。在需要能量的时候，经过水解和磷酸解，将糖原降解为构成它的葡萄糖；海藻糖具有释放葡萄糖、提供飞行所需能量的作用。蜂蜜中的葡萄糖可直接被蜜蜂吸收后转化为能量。蜜蜂在吸饱蜜糖后，在适宜的条件下，经过24h的化学变化，由蜡腺分泌出蜡液。

（三）配合饲料

配合饲料主要指为蜜蜂提供类似花粉成分与营养的人工蜜蜂饲料，其成分全部或部分替代了天然花粉。配合饲料的成分要以一等蜜蜂花粉的成分为依据进行配合，满足蜜蜂对各种营养素的需要，促进蜜蜂正常繁殖，适合蜜蜂食用，卫生、不变质。

1. 原料与配方

（1）原料：蛋白质类有蜜蜂花粉、蜂蛹粉、蚕蛹粉、蚯蚓粉、纯奶粉、酵母、鸡蛋、豆饼、芝麻饼、花生与花生饼、酪蛋白等；维生素类见“成年蜜蜂的营养”；糖类有蔗糖、蜂蜜；矿物质类有钾、镁、钠、钙、铁、铜、锌、锰、磷等，在饲喂糖浆或水时常加入0.1%的食盐；促食剂类有蜂蜜香精、茴香油等。

（2）常用配方：豆饼粉（或花生、芝麻、向日葵等粕粉）2~3份，花粉1~2份，用2∶1的浓糖浆或蜜汁混合成饼状。花粉1份，酵母3份，用法同上。酵母粉2份、白糖粉3份混合，在巢外让蜜蜂自由采集，或酵母、糖各3份，加水2份，制成糖饼。鲜牛乳1份，蜂蜜或白糖1份，制成液体食料。在以上1kg液体食料中可添加赖氨酸、蛋氨酸、复合维生素各1g以及促食剂等。

2. 配合饲料的质量评判　蜜蜂的配合饲料，通过饲喂蜂群试验，可测定其培育幼虫的数量、质量和蜜蜂的寿命，王浆腺等腺体的发育程度，培育成的蜜蜂的体重和含氮量，蜂群群势消长等。为此，可做以下试验。

（1）网室小群试验：本试验做5个以上重复，连续哺育幼虫10周。从多个蜂群提出2~4张带蜂幼虫脾，放入远离原箱位置的空蜂箱，待老龄蜂飞走后，将剩下的幼蜂抖入一个空蜂箱内混合，再分为每份400~500g的蜜蜂5份，分别放在5个小箱内，箱内预先放入1个蜜脾、1个空脾，然后分别诱入1只新产卵王，最后把各试验群放入一个大型网室，将配合饲料装在反放的1个大箱盖内，任蜜蜂自由采集；或与糖浆混合做成饼状，放在框梁上饲喂。每12d用5cm×5cm的方格网测定封盖子数，同时，检查孵化幼蜂的体质。

（2）蜂群试验：选择无粉源的季节或地区，在蜂场选择群势相当的蜂群进行试验，将配合饲料进行饲喂，然后测其效果。

（3）笼蜂试验：在小纱笼中各装入刚羽化的幼蜂30~100只，分别将氨基酸、矿物质、维生素加在糖浆中饲喂，定期取蜂分析统计蜜蜂死亡数，以此试验上述物质对蜜蜂寿命、营养腺发育程度、各体节含氮量等的影响。

第五节　巢脾的修筑与保存

一个蜂场应备有足够数量的优质巢脾，以促进蜂群的发展和产品质量、产量的提高。饲养意大利蜂，每群应备有15~18张巢脾，每个巢脾使用时间不应超过3年；饲养中华蜜蜂，每群要有10张巢脾，使用时间不超过2年。撤下的巢脾要及时妥善保存。

一、巢脾的修筑

（一）筑脾的条件

蜜蜂造脾需要有较丰富的蜜粉源、一定数量的适龄泌蜡蜂、15℃以上的气温和蜂巢内合适的空间、合格优良的巢础等。从早春箱内出现巢白（白色新蜡）或蜜蜂造出自然巢脾时，即可开始修筑巢脾。

无王群、处女王群、起分蜂热的蜂群和有病群，不宜用来造脾。

（二）安装巢础

1. 打孔　取出巢框，用量眼尺卡住边条，从量眼尺孔上等距离垂直地在边条上钻3～4个小孔。

2. 穿线拉线　按图4－3－1所示穿上24～26号铁丝，先将其一头在边条上固定，以手钳夹着另一头，依次逐道将每根铁丝拉紧，直到使每根铁丝用手弹拨发出清脆之音为止，最后将铁丝的另一头拧紧即可。

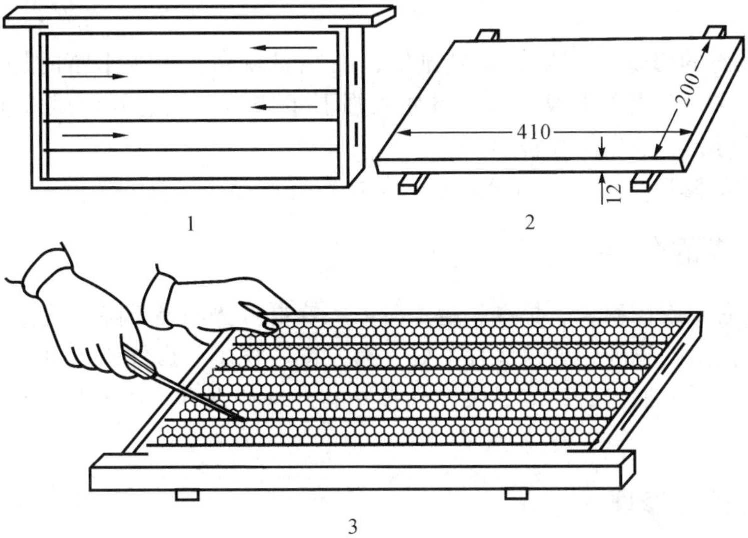

图4－3　镶装巢础（单位：mm）

1. 巢框穿线　2. 埋线衬板　3. 巢础埋线

3. 上础埋线　首先把巢础的一边插入巢框上梁腹面的槽沟内，巢础左右两边应与两边条保持2～3mm的距离，巢础与下梁保持5～10mm的距离，然后用熔蜡壶沿槽沟均匀地浇入少许蜂蜡，或将蜡片在阳光下晒软，捏成豆粒大的蜡块，双手各拿1粒，隔着巢础，保持6cm的间距，从两边对着一点用力挤压，使巢础牢牢粘在框梁上；接着将巢础框平放在埋线衬板上，用埋线器端部卡槽卡住铁丝滑动（铜头的须先加热，齿轮的直接滚动），把每根铁丝埋入巢础中央，也可用起刮刀在铁丝上每隔4～5cm压一下，埋线时用力要均匀，以免压烂巢础（图4－3－3）。有电源的地方用电热埋线：用输出电压为6～12V电源的变压器，把输出端的两根导线分别与巢框上的铁丝两头接触，通电数秒钟后，摘下电源导线，铁丝就埋入巢础内了。

安装的巢础要求平整、牢固，没有断裂、起伏、偏斜的现象，装好巢础的框架暂存空箱内备用。

（三）加巢础框造脾

1. 工蜂巢脾的修筑　往蜂群中加巢框时，通常1次只加1张，强群1次可加2～3张巢础框；加巢造脾应在傍晚进行，有条件时，可在础面上喷少许蜜汁。中、小群或新分群，巢础框一般插在粉蜜脾与子脾之间；强群可插在子脾间或边脾或继箱内的位置，同时插入多个巢础框时，应与原有巢脾间隔放置，巢础框与巢脾的蜂路应缩小到5mm。

巢础加进蜂群后，第二天进行检查，对于巢础发生变形、扭曲、坠裂、脱线、皱折的，及时抽出加以矫正（用小刀或镊子进行矫正，矫正后的巢础框应放入刚产卵的新王交尾群中进行修补），或予以淘汰。加础造脾，一般是造好一批再加一批，尽量让蜂王在新脾上产卵；连续造脾时，要待巢础造好2/3以上时，再加新巢础框，并从蜂巢中抽出该淘汰的旧脾或还未产上卵的新脾。中小蜂群和新分群，不造雄蜂房，可把巢础框先加到这些蜂群中，待巢房修造到2～3mm高时，再提出给强群继续完成，以此来提高新脾的质量。

2. 雄蜂巢脾的修造 用雄蜂巢础镶框，在气温较高、蜜源丰富时加入强群修造；或把旧脾下部的1/3或2/3裁去后，再插入强群中修造。修造好的雄蜂脾，让蜂王产卵，待雄蜂出房后，抽出保存备用。

3. 巢蜜脾的修造 见第五章第六节“优质蜜蜂产品生产技术”。

二、巢脾的保存

大流蜜过后，或在秋末、早春、越冬阶段，蜂群群势明显下降，这样从蜂群中要抽出一些巢脾。抽出的巢脾，如果保存不好，易发霉、积尘、虫蛀或招引老鼠和盗蜂，因此，将巢脾从蜂群中抽出后，应尽快进行必要的处理和保存。贮藏地点要求没有污染，清洁、干燥、严密。

（一）分类与修理

把抽出的巢脾按全蜜脾、半蜜脾、花粉脾和空脾（旧脾、新脾）进行分类，除作饲料脾外，余脾把蜜摇出，返还蜂群，让蜜蜂舐吸干净，然后抽出。用起刮刀把框梁上的蜡瘤、蜂胶清理干净，削平巢房，及时把该淘汰的旧脾和病脾分别化蜡，余脾分类装入继箱或放进特设的巢脾贮存室进行贮藏。

（二）消毒杀虫

1. 二硫化碳和磷化铝熏蒸法 用标准巢箱作底层，上叠5个继箱，下边5层箱内排放10张巢脾，上边1层放8张巢脾，并分置于蜂箱两侧，留出中间空位以便放药。各箱体叠加好后，用报纸或塑料膜筒将整个箱体所有缝隙糊严，然后以每个箱体3～5ml的药量放入备好的容器内，置于最上层继箱的空隙处，立即加盖封严即可。用56%磷化铝片剂熏蒸，每箱体用药1片，置纸上。

2. 二硫化碳和甲酸熏蒸 堆垛巢脾继箱如“1”，在上边1层按量放入二硫化碳后，盖上草纸，按每个箱体8ml甲酸滴在草纸上后，加盖塑料薄膜和箱盖熏蒸，杀死蜡螟和蜂螨。

3. 冰醋酸熏蒸法 堆垛方法如上，每箱体用96%～98%的冰醋酸20ml，可杀死蜡螟卵、虫和孢子虫、阿米巴病原。

4. 硫磺熏蒸法 用1个带窗的空巢箱作为箱底（或在地面挖一小坑，上放1只空继箱，并在空继箱一侧的下边，留有能将硫磺放进坑内的小口），然后在上面叠放5～6

层继箱，第二箱体内放入 6 个巢脾，分置于箱内两侧，留出蜂箱中间的位置（以免硫磺燃烧时熔化巢脾或发生火灾），第三层以上各个继箱，可排放 10 张巢脾，整个箱体叠放好后，最上层继箱加盖纱盖、覆布，再用报纸或塑料膜筒将整个箱体所有缝隙封严，这些工作完成以后，从空巢箱窗口或继箱下边的小口处，放入有几块火炭的容器，将硫磺以每个箱体 3～5g 的剂量，一并撒在火炭上，让其燃烧，产生二氧化硫气体，达到熏蒸的目的。最后封闭窗口或继箱下边的小口。

使用硫磺熏蒸巢脾，只能杀死蜡螟及其的幼虫，不能杀死其卵和蛹，应每隔 15d 左右熏蒸 1 次，一般熏蒸 3 次即可。

上述药物均对人体有害，操作时人应站在上风向。留作饲料的蜜脾、半蜜脾，须有相当的蜜房封盖，粉脾蜂粮表面应有光泽。蜜脾继箱也可叠放在中等群势的巢箱上保存，巢、继箱间加隔王板。

越冬前抽出的巢脾，可直接贮存。

熏蒸后的巢脾使用时，应经 1 夜通风，待药味完全消失后再使用；最好用 15% 的盐水浸泡 1 昼夜，用清水冲洗沥干后使用。

第六节 盗蜂的预防和制止

盗蜂是指进入别的蜂群或贮蜜场所采集蜂蜜的工蜂。在蜂群活动季节随时都可能出现盗蜂，以蜜源缺乏季节和大流蜜末期为甚。盗蜂一般来自本场其他蜂群或邻近蜂场，有时是一群盗一群，或一群盗数群，或数群盗一群，或全场蜂群互盗。盗蜂攻击的对象，首先是弱群、无王群、交尾群、病群。

一、盗蜂的起因

盗蜂的主要起因，是外界缺乏蜜源、蜂群群势悬殊、中华蜜蜂与意大利蜂同场饲养或蜂场相距过近、同一蜂场蜂箱摆放过长（大）以及蜂箱巢门过高、箱内饲料不足、管理不善，另外，喂水和阳光直射巢门等也会引起盗蜂发生。

中华蜜蜂和高加索蜂盗性强。

二、盗蜂的危害与识别

盗蜂一旦发生，轻者受害群生活秩序被打乱，蜜蜂性情变凶；重者受害群贮蜜被掠夺一空，工蜂大量伤亡；更严重者，被盗群的蜂王被围杀或举群弃巢飞逃，若各群互盗，全场则有覆灭的危险。另外，作盗群和被盗群的工蜂都有早衰的现象，给后来的繁殖等工作造成影响。

不同群的蜜蜂气味不一样，蜜蜂能依靠其灵敏的嗅觉认出他群蜜蜂的成员。刚开始，盗蜂先在被盗群周围盘旋飞翔，寻缝乱钻，企图进箱，落在巢门口的盗蜂不时起飞，一味“逃避”守卫蜂的“攻击”，一旦被对方咬住，双方即开始斗杀，如果进入巢内，就上脾吸饱蜂蜜，然后匆忙出巢，在被盗群上空盘旋一阵后，飞回原群。盗蜂回巢后将信息传递给其他工蜂，遂率众前往被盗群搬蜜。凡是被盗群箱周围，蜜蜂群集，秩序混乱，互相咬斗，并伴有尖锐叫声，地上蜜蜂抱团撕咬，有爬行的、乱飞的，死亡的蜜蜂足翅残缺不全，腹部钩起。弱群的巢门口，蜜蜂突然增多，不见守卫蜂，表明已被盗蜂征服。作盗的蜜蜂多是身体油光发亮的老蜂，它们早出晚归，进巢蜂腹小，出巢蜂腹大。

蜜蜂作盗的另一种形式是暗盗。当盗蜂降落在被盗群巢门口被守卫蜂检查时，就献出一滴蜂蜜，给守卫蜂，然后混进巢内盗蜜（或直接闯进箱内），不久，盗蜂就自如地进出被盗群。这种被盗群显得很安静，不易被发现，开箱检查可见巢脾的前半部无蜜，后半部蜜足甚至还有封盖蜜。

在被盗蜂群的巢门口向蜜蜂身上撒些白粉，发现带有白粉蜜蜂飞入另一蜂群，该群就是作盗群。

三、盗蜂的预防

预防盗蜂，是防止盗蜂的根本措施。

选择有丰富、优良蜜源的场地放蜂，常年饲养强群，留足饲料。蜂场内不长期保留无王群、弱群、病群；需要饲喂时，先喂强群后喂弱群，或抽饲料脾给弱群，饲料尽量喂糖浆。

保存好蜜、蜡、巢脾，平时做到蜜不露缸、脾不露箱、蜂不露脾，场地上有蜜汁应及时用湿布擦干或用泥土盖严，取蜜应在室内进行，一旦发现盗蜂立即停取，洗净摇蜜机。

开箱看蜂时间不宜太长，盗蜂猖獗季节，尽量不开箱，必须开箱时，趁一早一晚蜜蜂不活动时开箱。

非流蜜期，要紧缩蜂巢，修补蜂箱，填堵缝隙，缩小巢门，降低巢门高度（8～6mm）。

中华蜜蜂和意大利蜂不同场饲养。相邻两蜂场应距2km以上，同一蜂场蜂箱不摆放过长。蜂场不要选在另一蜂场蜜蜂飞行采集的路线上，也不要放在其后。

不用芳香药物防治病虫害，如芝麻花期不用升华硫治螨等。

四、盗蜂的制止

盗蜂发生后，只有在下雨或骤然变冷时才能自然止盗，否则，必须采取有效措施，积极进行止盗。

（一）保护被盗群

初起盗蜂，立即缩小、降低被盗群的巢门，并在巢门口遮盖带叶的树枝、洒水或放一蘸有煤油或其他驱避剂的小棉团，或装盗蜂预防器，也用白色塑料布搭住被盗群的前后，用清水冲洗被盗蜂群的巢门，并在作盗群的巢门口持续洒水。

（二）处理作盗群

如果采用上述方法还不能止盗，在一群盗几群的情况下，就将作盗群搬离原址数十米，原位置另放一装有2~3框空脾的巢箱，盗蜂归来，受到失王、失子、失蜜的打击，不再为盗，2d后，将原群搬回。或将其蜂王关入诱入器或提走，待盗性消失后再放王。也可将作盗蜂群傍晚搬入暗室，每天进行1次大喷烟和大喂，第三天晚上再搬出放回原位，打开巢门。

将被盗蜂群关闭巢门搬离蜂场较远的阴凉处隐藏起来，打开纱窗揭去覆布，在原址放1只空箱，内放驱避剂，使盗蜂产生忌避的条件反射；或在原址放1个空箱，内放空脾几张，巢门插入1个长20cm、直径1cm的竹管或纸筒，向外的口与巢门齐，用泥封严其余巢门缝隙，使盗蜂只进不出，让它们饿2~3d后，在傍晚打开箱盖放出，搬开空箱，把原来蜂箱蜂巢整理后搬回，打开巢门。

（三）搬迁蜂场

全场蜂群互相起盗，一片混乱，应当机立断，将蜂场迁到5km以外的地方，分散安放，饲养月余再搬回。或将蜂场各箱位置画图标记后，将蜂群搬进暗室，保持黑暗、通风（风吹）、巢门畅通，蜂场上留几个弱小蜂群，以收容各群未归和从暗室缝隙中钻出的蜜蜂，在晚上把这些蜜蜂送到5km以外的地方放置3周，在暗室里的蜂群3~4d后从室内搬出，按原位置放好。

第七节　蜂群的排列和近距离迁移

一、蜂群（箱）排列

（一）蜂箱的摆放要求

摆放蜂箱，首先要求场地清洁干净，蜂箱前低后高，左右平衡。巢门的朝向，以朝南、东南、东较好，巢门朝这些方向开，可促进工蜂提早出巢采集；秋末及越冬前，华北平原及以南地区的转地蜂场，如有条件应使巢口朝北；交尾群巢门宜朝西南；脱粉蜂群的巢门，除春天外，其他时间以朝北、东、东北更好。巢门不向灯光，还要注意季风风向。

蜂箱垫高离开地面，巢门踏板至地面的空隙用土垫一斜坡相衔接。

（二）蜂群的排列方式

排列蜂群的方式，以场地大小、季节、蜂种及饲养管理方便而定。

1. 西方蜜蜂的排列　摆放意大利蜂群，应采取2箱1组进行并列，也可分组排列，前后箱错开，或“一”字形排列；在车站、码头或限于场地，多按圆形或方形排列

(图4-4)。

交尾群应放在蜂场四周僻静处，蜂路开阔，标志物明显。

转地蜂场，若要组织采集群，则蜂箱紧靠；若要平分蜂群，则蜂箱间距要大，留出新分群位置。成排摆放蜂群，每排不宜过长，以防蜂盗。

2. 中蜂群排列方式　中蜂识别巢门方位的能力相对较差，所以要利用地形、地物分散摆放蜂群，各群巢门尽可能朝不同方向。

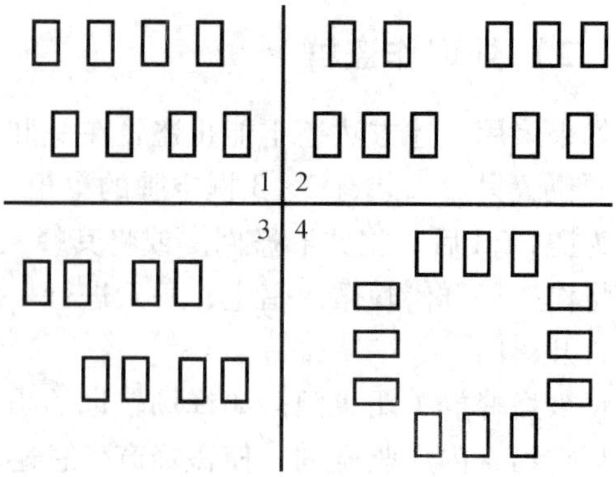

图4-4　蜂群的排列
1. 单箱排列　2. 分组排列
3. 双箱并列　4. 方形排列

二、蜂群的近距离迁移

蜜蜂具有识别蜂巢位置的能力，尽管在一个场地上排列几十群、上百群蜜蜂，它们也能准确地知道自己蜂巢的位置和巢门；只要在它们飞翔范围之内，不管将蜂箱搬到任何地方，在一定的时间内都会有许多蜜蜂返回原来的位置。但由于种种原因，必须将蜂群作短距离移动，这就要采取适当的措施，使蜜蜂移位后很快地识别新位置，而不再返回原址。

(一) 逐渐移动法

在每天傍晚或早晨蜜蜂没有飞翔的时候，逐步地移动蜂箱，向前或向后每次可移1m；向左或向右，每次不超过0.5m，这种方法适用于移动20~30m内的蜂群。

(二) 直接迁移法

在蜜蜂飞行范围内对蜂群作相当距离的移动或中间有障碍物时，可直接把蜂群迁移到新址，蜂箱放好后，打开后纱窗或底窗、天窗，用青草或纸团轻塞巢门，让蜜蜂慢慢咬去堵塞物后出巢，加强它们对巢位变动的感觉，而重新进行认巢飞翔。同时，在原址放几个弱群或几个带巢脾的蜂箱，每天傍晚将收容的蜜蜂送到新址。此方法最适合冬季迁移蜂群。

(三) 间接迁移法

把蜂群暂时搬到离原蜂场和新址都超过5km以外的地方，过渡饲养月余，再迁到新址。此法稳妥，但较费工费时，它适合蜂场起盗严重时移动蜂场。

(四) 临时搬迁法

把蜂群暂时搬离原地，在很短时间内又搬回原位置。如遇洪水、大雨造成较深积水等必须暂时搬迁，这时各群的位置应绘图作好标记，待洪水退后，及时有序地把蜂箱放好，以避免蜜蜂斗杀。在短时搬离期间，可关巢门，也可不关，但应打开通风窗，并在白天不断地向巢门洒水，减少蜜蜂骚动和飞出。

第八节 蜂团的收捕与处理

在分蜂季节，因检查疏忽或受气候的限制失去检查机会，而发生自然分蜂；或因胡蜂等敌害的侵袭、巢内缺蜜、患病以及盗蜂、风吹日晒、烟熏、强烈震动、恶劣气候等原因，会迫使蜂群弃巢飞逃，蜂群飞出蜂巢后不久便在蜂场附近的树杈或屋檐下结团，2～3h 后便举群飞走。为了避免造成损失，在蜜蜂结团后飞走前，应抓紧时机把飞出的蜜蜂收回。

一、收捕方法

（一）关门

当蜂群自然分蜂或飞逃刚开始，蜂王尚未飞离原巢，应立即关闭巢门或装上巢门脱粉器，不让蜂王出巢，然后打开箱盖，揭去覆布，从铁纱上往巢内洒水，一会儿，蜜蜂安定下来，飞出去的蜜蜂因无王跟随也都纷纷归巢。这时打开箱盖进行检查，并在原群旁放 1 个空箱，把带蜂王的脾连同 1 个封盖子脾、1 个蜜脾和几个空脾带蜂放入空箱，组成临时蜂群。若蜂群发生自然分蜂，非流蜜期，原群则留 1 个大而端正的成熟王台成交尾群，临时群为分出群，另外管理；如果在流蜜期或离主要蜜源开花流蜜时间很短，则按流蜜期分蜂的管理措施进行处理（详见第五章“周年管理”）。如果蜂群飞逃，查明飞逃原因，对原群从速处理后（缺蜜补喂、无子补虫、群弱合并、有病防治、日晒遮阴等），把临时群并入原群。

（二）笼收

当大批蜜蜂拥出巢门，蜂王也已飞出，在蜂场上空纵横飞行，这时用涂有蜂王浸液（浸液是用淘汰的蜂王或处女王放入 95% 的酒精中浸泡而成）的竹编收蜂笼放在分蜂蜜蜂的蜂路上，分出的蜜蜂受到浸液信息激素的招引，会很快飞到蜂笼中结团并安静下来。若蜂已结团，应将收蜂笼套放在蜂团上方，笼的内缘接靠蜂团，利用蜜蜂向上的习性，以蜂刷或淡烟驱蜂入笼。若蜂团骚动不安，可略喷水镇定，待蜂入笼后取下。

也可用铁纱收蜂笼自下向上套住蜂团拉动，蜂团落入笼内，盖上盖提回。

（三）网捕

自然分蜂群结团后，可用捕虫网从下向上套住蜂球，轻轻一拉，蜂球便会落入网中，顺手把捕虫网柄旋转 180°，封住网口，提回。这个方法快捷利索，收蜂干净。但要注意收回的蜜蜂要及时放入蜂箱。

捕虫网的制作：捕虫网由网圈、网袋、网柄三部分组成。网圈用粗铁丝弯成直径 33cm，两端长出的末端弯成小钩，固定在网柄上。网柄长 100～150cm，用适宜的木棍或竹竿制成，一般网柄的直径为 2～3cm。网袋用白纱布制作（能用白尼龙纱最好），袋长 67cm，袋底略圆，直径 5～6cm，袋口用白布镶在网圈上。网柄、网圈、网袋的另一种制作方法（图 4－5）：网柄由直径 2.6～3cm，长为 40cm、40cm、45cm 的 3 节铝合金套管组成，端部有螺丝，用时拉开、拧紧，长可达 110cm，不用时互相套入，长只有 45cm，似雨伞柄。网圈用 4 根直径 0.3cm、长 27.5cm 的弧形镀锌铁丝组成，首尾由铆钉轴相连，可自由转动，最后两端分别焊接与网柄端部相吻合的螺丝钉和能穿过螺丝钉的孔圈，使用时螺丝钉固定在网柄端部的螺丝上。网袋用白色尼龙纱制作，袋长 70cm，袋底略圆，直径5～6cm，袋口用白布镶在网圈上。

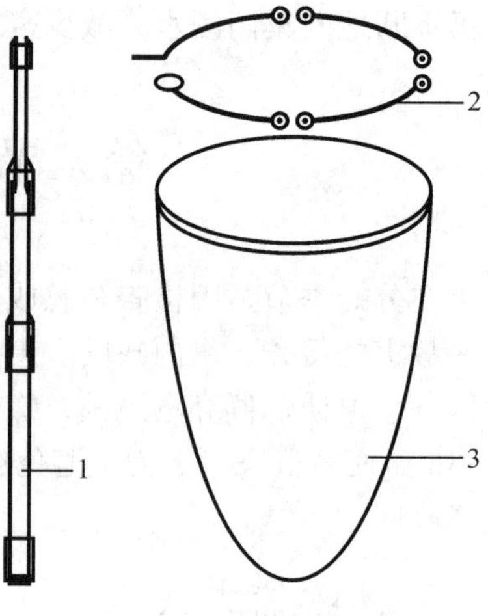

图 4－5　捕虫网
1. 网柄　2. 网圈　3. 网袋

（四）剪枝

如果分蜂团结在细小的树枝上，可用枝剪轻轻剪断树枝提回；若蜂团结在粗短的树枝上，可将放好巢脾的蜂箱放在蜂团下方，用力振动树枝，使蜂团振落到箱内。

（五）脾收

将带蜜的子脾或蜜脾绑在一根长的竹竿上，举到蜂团跟前，引诱结团的蜜蜂上脾，当蜂王爬上脾后，将其用诱入器扣在脾上，其他蜜蜂自然飞回原群。或者在蜜蜂飞出后未结团前，用脾拦截在飞舞的“蜂球”中央或蜂飞行的方向，当蜜蜂雨点般落向蜂脾时，表明蜂王已上脾，即可撤回，或在蜜蜂都附在脾上时撤回。

（六）追捕分蜂群

如果分蜂团结在比较高大的树上无法收捕，待其飞走或分蜂团已开始飞走时，向分蜂“球”撒细沙，迫使蜜蜂降落，或跟踪分蜂群，待其降落时捕捉蜂王。根据情况，也可以用其他方法收捕。

收捕分蜂团，必须收回蜂王。若蜂王已惊飞，要等它飞回后再收，捉住蜂王，提回即可。如果蜂团结在高大的树上，可用一老蜂王或用蘸有蜂王激素的酒精布团，固定在一张巢脾上，然后振散蜂团，让蜜蜂在设置的巢脾上聚集；若别处有小蜂团，则应在该处寻找蜂王。

二、自然分蜂群的处理

（一）原群处理

首先检查蜂群，若是飞逃，查明原因，从速纠正后把收回的蜂团抖入原巢；若是自然分蜂，对蜂巢进行调整，抽出多余的巢脾，选留 1 个端正、大型、成熟的王台，其余均予毁弃。若原群群势仍较强，可再拆为2群，各挑选1个王台，蜂巢以闸板隔断，进行同箱饲养，分别巢门交尾。最后对原群缩小巢门，喂足饲料。

（二）分出群的处理

准备1个巢箱，摆在选定的位置，从原群抽出1~2框卵虫脾，以此为中心，视分出群的强弱，在卵虫脾的两旁适当补充空脾或巢础框，依次排在箱内一侧，隔板暂放另一侧，打开纱窗，关闭巢门（意蜂可不关巢门），把蜂团用力振落在箱内空处，立即盖上副盖和箱盖，10min后打开巢门，傍晚或第二天观察，若蜜蜂出勤正常，采集蜂带回花粉，则证明蜂王已经上脾，打开蜂箱放好隔板即可，或者推移副盖和隔板，催蜂上脾。蜜蜂上脾后，检查蜂王是否收回，如果蜂王伤残或无王，分出群应合并或介入1个产卵蜂王。

第九节　合并蜂群和调整蜂群

一、合并蜂群

（一）合并蜂群的概念、原因与障碍

把2群或2群以上的蜜蜂全部或部分合成1个独立的生活群体，叫合并蜂群。无王群、蜂王老弱病残而又无贮备产卵王可供诱入或替代的蜂群，无法越冬、不利于生产和繁殖的弱群以及育王结束后的小交尾群都应及时合并。

蜂群的生活具有相对的独立性，每个蜂群都有自己独特的气味——群味，蜜蜂能凭借灵敏的嗅觉，准确地分辨出自己的同伴或其他群的成员，如果随便将不同群的蜜蜂合在一起，会引起相互斗杀；另外，蜜蜂卫巢能力的表现因环境、蜂群状态不同而有差异。故合并蜂群还是从混淆群味入手。

（二）合并蜂群的方法

1. 直接合并法　先把一群蜂的巢脾放在蜂箱一侧，再把被合并的蜜蜂连脾带蜂放在另一侧，彼此间距1框距离或以隔板相隔，第二天将两群巢脾靠拢，整理蜂巢，抽出多余巢脾。

直接合并蜂群时，在要合并的蜂群巢脾上喷稀薄的蜜（或糖）水或喷一下烟或洒些香水、白酒等，使群味混淆则更加安全。

直接合并蜂群，一般在早春、晚秋、越冬和刺槐等流蜜涌的花期采用。该法简单、省时，但有一定的危险性。

2. 间接合并法　取1张报纸，在上边用针扎很多个小孔，把被并群的箱盖、纱盖取下来，将报纸放在巢箱上盖严，上面叠加继箱，然后将无王群的巢脾放在继箱内，盖好箱盖即可。一般10h左右，蜜蜂就将报纸咬破，群味自然混合，2d后撤去报纸，整

理蜂巢。

也可用铁纱盖或框式铁纱闸板代替报纸，2～3d后撤去铁纱。

间接合并蜂群，安全，适合外界蜜源缺乏、失王过久、天气高温等情况下采用。

（三）注意事项

弱群并入强群，被并群强应分散合并到几个蜂群中去。将无王群并入有王群，若合并的蜂群都有王，在合并前1d除掉品质差的蜂王。相邻蜂群进行合并，应在傍晚进行操作。彻底检查被并群，除去所有王台。无子缺蜜群，先调入卵虫和饲料脾，然后合并。合并后3d内尽量不开箱，以箱外观察判断群情。

二、调整蜂群

调整蜂群，就是人为地有目的地分散群势或加强群势，以便达到安全运输、加快繁殖或集中生产、强群越冬等目的。

（一）调整采集蜂

其管理方式是主副群饲养，在流蜜期到来时，把事先并列在一起的两群蜂，移走一群作为繁殖群，使采集蜂飞回时集中在留下的一群，该群作为生产群（该群须有优良蜂王）。

（二）调整子脾

正常的蜂群，一只优良蜂王的产卵力可维持8～9框子脾，其中卵、虫、封盖子的比例为1∶2∶4，若子脾失调，可与别的蜂群脱蜂后调换子脾。

早春，弱群的卵、虫脾调给强群，把达到8～9框子脾的强群正在出房的封盖子脾调给弱群。转运前，封盖子脾多的蜂群，调出一部分封盖子给弱群。发生分蜂热之前的蜂群，抽出封盖子脾，加入虫卵脾。主要蜜源流蜜前或流蜜中，副群成熟封盖子脾调入生产群；流蜜结束，强群封盖子脾还补弱群。

（三）调整幼蜂

为使交尾群早日成为一个生产群，在交尾群的蜂王产卵后，把强群中幼蜂多的巢脾或幼蜂正在出房的封盖子脾提出，轻轻振动几下，使壮、老年蜂飞回原巢，把余下的幼蜂连同巢脾合并到交尾群中。在流蜜期中，也可以将幼蜂多的巢脾提出直接合并到另一群中，但要注意，不要放在蜂王所在脾的旁边。

第十节 诱入蜂王与被围蜂王的解救

一、诱入蜂王

诱入蜂王就是给无王群导入一个蜂王。诱入蜂王一般诱入产卵王和王台，较少诱入处女王。

蜂王的寿命为3~5年，1~1.5年龄的蜂王产卵较好，优质蜂王在第二年产卵量最高。蜂群能否壮大发展以达到高产稳产的目的，蜂王在蜂群中起着重要作用。因此，在养蜂生产中经常要更换老、残、病、劣的蜂王，组织新分群、蜂群失王、引进或繁育优良种蜂等，都需要诱入蜂王。

（一）直接诱入蜂王

直接诱入蜂王就是把蜂王直接放入蜂群，宜在流蜜期和越冬期采用。

1. 换位诱入　在大流蜜期，选择晴暖无风天气，在采集蜂出勤高峰期，开箱找到老劣蜂王，轻稳捉出，不让蜂王挣扎和惊动蜂王周围的工蜂，立即在原位换上准备好的优良产卵蜂王。

2. 蜂路诱入　在越冬期或早春定群时，诱入群不管是刚失王或失王很久，将蜂王直接放入蜂路有蜂的位置即可。

除此之外，还可以用滴蜜圈、粘蜜、喷烟等混淆气味的方法和抖蜂趁混乱直接诱入蜂王。

（二）间接诱入蜂王

1. 利用王笼诱入　把蜂王装入王笼，用纸把王笼的前后左右四面包裹2~3层，用绳扎紧，打开笼门（抽出侧面一根竹丝），把笼门上的纸扎穿数个小孔，并在王笼的上部有孔处滴2滴蜜，最后，把王笼挂在被诱群的蜂路中间，3d后取出王笼，恢复蜂路。

2. 邮寄王笼诱入　首先放出笼内工蜂，然后关闭笼门或用炼糖堵塞笼门，再把王笼固定在两个巢脾之间，有铁纱的一面对着蜂路，经2~3d，工蜂不再啃咬围铁纱并饲喂蜂王，即可打开笼门，让蜂王自行爬出，或工蜂吃完炼糖，打通笼门，蜂王自动爬出。

3. 组织幼蜂群诱入　对贵重蜂王，为确保诱入万无一失，可采用此法。在强群上加上纱隔板（一般用铁纱副盖）和一个继箱，把蜂群中正在羽化蜜蜂的老子脾数张抖去大部分蜜蜂后放入继箱内，按“1”或“2”的方法在子脾之间诱入蜂王，或将新蜂王直接放在巢脾上，就会被幼蜂很快接受。把继箱搬到一个新地点另成一群，或补充蜜蜂、子脾后成为一个中等群势的蜂群，或与要换蜂王的群合并。

4. 全框诱入器诱入　把一个带饲料适宜产卵的巢脾，连同蜂王和工蜂插入全框诱入器，推上盖板后放进蜂巢，2d后，铁纱外面的蜜蜂不围啃铁纱，取出诱入器把诱入器内的巢脾连同蜂王放在蜂巢里即可。

5. 双王群蜂王的诱入　在诱王的前1d，把“无王区”用覆布等物与其他区完全隔离，呈无王状态，然后诱入同龄蜂王；或把“无王区”的巢脾带蜂撤离后空出，另给一个具有同龄蜂王的中等群势的蜂群留3~4个巢脾，多余巢脾抽出，在傍晚把余下的巢脾连蜂带王提到双王群空出的一室中。

小交尾群的蜂王连同蜜蜂，可采取合并的方法介绍入无王群中；若2个小交尾群需要组成双王群，可在巢箱加闸板，左右各放1个小交尾群，群势发展后，在巢、继箱间加隔王板即可。

给无王群介绍王台时，把成熟王台从养王框轻轻割下，不使破坏与倒置，及时把王台栽在老脾下角的空处。

（三）注意事项

第一，选择优良蜜源花期的良好天气换王，应在傍晚诱入，操作谨慎，不急不躁。

第二，如果换王，应在换王前1d提出老蜂王。无论换王或给无王群介绍蜂王、王台等，都应在诱王前彻底检查蜂群，消除所有王台。

第三，换王前，无蜜的补喂，无子的补虫，有病虫的先治病虫。

二、被围蜂王的解救

蜂王不被蜂群接受，许多蜜蜂把蜂王围在一个蜂球内，要将蜂王咬死、闷死或刺死，或开箱惊扰了蜜蜂，蜜蜂追围蜂王，这时应立即解救蜂王。蜜蜂围王的原因有诱入蜂王的方法不当或开箱检查时诱入的蜂王惊慌、处女王误入他群或交配后返回时惊慌以及盗蜂、敌害、药害的影响等。

蜂王诱入后，3d内一般不进行开箱察看，利用箱外观察的方法判断诱入蜂王是否被接受。蜜蜂采集正常，有花粉带入，箱底无蜂球，巢前无死蜂，为诱入成功。若蜂群采集突然中止，或听见蜂巢中有“吱吱”叫声，箱底有蜂球或巢前有死蜂王，表明已发生围王现象。

解救蜂王的方法：把蜂球放入30℃左右的温水中或对蜂球浇蜂蜜，使蜂球散开，救出蜂王。解救蜂王不用烟熏，忌用棍拨硬拽。蜂王解围后，仔细检查，若无受伤，采用更安全的方法再次诱入，并同时检查蜂群是否有王台或处女王。若蜂王伤残或死亡，则另外介绍蜂王。若解救出的是他群的处女王，没有受伤，应找到原群，把蜂脾喷洒蜜水后放回。

第十一节　工蜂产卵的识别与处理

一、工蜂产卵的现象

蜂王对蜂群的正常生活影响很大。蜂群无王，蜂群的生产力、造脾与守卫能力等大大降低，同时会出现工蜂产卵现象。工蜂一般不产卵，但在流蜜期结束、有分蜂迹象的有王群、蜂王老弱病残的蜂群，都存在着一定数量的卵巢发育而未产卵的工蜂，称为解剖学上的产卵工蜂。在意大利蜂失王2～3周，群内无卵虫后即会出现产未受精卵的工蜂；中华蜜蜂在有丰富蜜粉源的季节失王，常会出现一边改造王台，一边工蜂产卵的现象。

工蜂产卵初期也是1房1卵，有的还在王台中产卵，不久，在同一巢房内会出现数粒卵。工蜂产卵时，常使其背部或身体的侧面朝下，大半个身体深入巢房，并有一小部分工蜂松散地围在其周围，约 1min，一只卵便产在巢房侧壁上，不久在工蜂房培育成发育不良的雄蜂。工蜂产的卵不成片且没有秩序，一个巢房数粒卵，卵小，微观青色而且东倒西歪，十分混乱。产卵工蜂像其他工蜂一样，只是腹部稍长并且发亮，在育出雄蜂后，产卵工蜂要时常逃避正常工蜂的追赶。有产卵工蜂的蜂群显得涣散，蜜蜂活动性、采集能力、造脾能力、抗逆能力大为降低，蜜粉贮存在子脾下方，工蜂辨认不出卵虫的性别，老年蜂也参加哺育活动，经过 20d 以上，工蜂房内的雄蜂育出，工蜂性情变得凶暴，腹部变黑发亮，并追逐攻击产卵工蜂。

二、工蜂产卵的处理

发现蜂群失去蜂王时，应及时诱入成熟王台或产卵蜂王。工蜂已产卵的蜂群，诱入产卵蜂王（中华蜜蜂诱入老产卵王）后，产卵工蜂会自然消失。若诱入蜂王没被接受，可在上午将工蜂产卵群移走，原位另放一个小蜂群（4 ~5 框），让工蜂产卵群的蜜蜂自行飞投进去，晚上，把工蜂产卵群的蜜蜂抖入箱内，抽出所有巢脾，第二天让它们投靠原位，并整理蜂巢。如果工蜂产卵群剩余蜜蜂不多，可以将蜜蜂抖在地上，搬走蜂箱，任其进入他群，若余蜂较多，也可分散合并。

对不正常的封盖巢脾割开封盖，用摇蜜机甩出虫蛹后再使用或进行化蜡处理；已产上卵、虫的脾，浇上蜜水或用水浸泡后交还蜂群清理。

第十二节　蜜蜂迷巢与偏集

归巢蜜蜂误入他群的现象叫迷巢。工蜂、蜂王和雄蜂都有可能迷巢，中华蜜蜂比意大利蜂易迷巢。许多工蜂因迷巢或其他原因飞入某些蜂群，短时间内造成一部分蜂群群势过强而另一部分蜂群群势过弱，就是偏集。

一、偏集原因与危害

蜜蜂迷巢和偏集的原因：蜂群排列不合理或蜂场相距过近、蜂箱位置不显著、调换不同颜色的蜂箱、白天给笼蜂过箱、刮大风、缺饲料、气候突变、受季风或光照的影响等。

据报道，80% 的迷巢蜂是 6 ~11 日龄的幼蜂，且多发生在试飞的前 3 ~4d。幼年蜂和满载花蜜和花粉来投的外勤蜂，一般不会遭到守卫蜂的阻拦和攻击，而长途转运刚放出巢的工蜂迷巢时常遭到守卫蜂攻击，有时会发生围王现象。

雄蜂迷巢比较普遍，它们可以进入任何一个蜂群而不受到守卫蜂的阻拦。

处女王、交配归来以及受惊起飞的产卵蜂王，一旦进入他群，常遭受该群工蜂的围杀。

蜜蜂偏集，一般是下风向向上风向的蜂群偏集（蜜蜂有顶风飞行的习惯，主要受季风影响），但当风力较大时则相反。蜂场后排蜂群的蜜蜂向前排蜂群偏集较多见，两蜂场相近时，蜂路不好的蜜蜂向蜂路好的蜂群（场）偏集。无王群的蜜蜂向有王群偏集，老劣病残蜂王蜂群的蜜蜂向有优良蜂王群偏集。另外，处女王婚飞也会造成偏集，蜜蜂有向蜂王信息素强的地方偏集或火车运蜂向喂蜜的地方聚集的特点。

蜂王迷巢误入他群，常遭围杀。工蜂偏集，导致一些蜂群的蜂数锐减，失去生产能力，繁殖受到影响；另一些蜂群的蜂数猛增，影响安全运输或影响正常生活（不久蜂群就会产生分蜂热），给管理带来麻烦。另外，蜜蜂迷巢（偏集）还容易传播疾病。因此，在养蜂生产中应尽量避免蜜蜂迷巢，积极处理好已偏集的蜂群。

二、蜜蜂偏集的预防、处理与利用

（一）蜜蜂偏集的预防和处理

1. 预防措施 预防蜜蜂迷巢要根据蜜蜂迷巢特点、环境、气候等具体情况采取相应的措施。

（1）利用标志物：将蜂群摆放在或靠近有明显标志物的地方，如树木、大石块和建筑物等。

（2）合适的管理方法：长途转运的蜂群途中临时放蜂，蜂箱应摆成圆形或方形，先向巢门纱窗喷水后再打开巢门，与其他蜂场不宜相距太近，或使两场蜂放的位置在风向同一条线上，蜂路都要开阔。不得随意喂蜜，不使用含信息素物质和芳香物质。落场时，应向巢门喷水后再开巢门，同一排蜂箱同时开巢门。笼蜂过箱在傍晚依次进行。

（3）避开风向："一"字形摆放蜂群，应使蜂箱对着季风方向，或采用不规则形或无重复形摆放蜂群。早春繁殖与越冬把蜂箱摆放在背风向阳处，不要放成顺风的长蛇阵。蜂群的其他摆放要求见本章第二节"蜂场址的选择与蜂箱排列"。在有风的空旷地方摆放蜂群，有条件的应设置风障。

（4）同一生产：生产花粉、蜂毒，对于同一排的蜂群应同时进行，同时结束。

（5）空间隔断：两个蜂场应保持一定距离，严禁把蜂放在别人蜂场的上风向、蜜粉源上首和出入飞行线上。

2. 偏集蜜蜂的处理 蜜蜂在有蜜粉源季节偏集，把强群和弱群互换箱位；抽出强群的带蜂巢脾补给弱群（合并）。若蜂王被围，应及时解救。

（二）蜜蜂偏集的利用

根据蜜蜂对蜂巢位置的记忆特点和有向邻箱、附近蜂箱偏集的特性，在组织采蜜群、人工分蜂等环节可加以利用。

第五章　周年管理

本章对全年的生产目的和蜜蜂一年四季活动规律、不同饲养与生产方式、具体蜜源等情况下的管理措施进行了系统阐述，其前后内容相辅相成。所有的技术方法，旨在有计划地促进蜂群的生长和发展，养好蜜蜂，用好蜜蜂，让蜜蜂为人类奉献更多的“剩余价值”，更好地为花儿做传媒。

第一节　四季管理

蜂群的四季管理，必须根据当地四季气候变化、蜜源丰歉、病敌害消长规律和蜂种特性，采取相应的管理措施，做到在不利季节保持蜂群实力，在有利季节快速发展群势和群数，掌握好壮年蜂出现的高峰期与主要流蜜期或授粉期相吻合，以达到高产稳产和优质的目的。

我国各地气候差异很大，蜂种、蜜源、蜂群与病敌害消长规律不尽相同，管理目标与放蜂计划因人而异，不同地区不同的人对蜂群的四季管理千差万别，所以，四季管理没有固定的模式，要因地制宜，灵活掌握。本节按时间先后，对意大利蜂群的四季管理作一介绍。

一、春夏管理

（一）春繁前的准备工作

1. 早春场地选择　选择背风、向阳、干燥，有榆、杨、柳等早期蜜源的地方摆放蜂群，其前方和两侧应没有高大建筑和常青树木并避开风口，尽量就近在油菜蜜源场地繁殖，另外，水源、水质要好，并保持场地清洁卫生，远离工业区及所排废气的下风向，避开高压电线。蜂场不宜过密，场地小气候与外界应相同。在南方多风的地方，蜂群摆放还要求地势不高不低，雨天能排水。在南方蜂群不放置在枯草皮和枯木桩附近，防止白蚁蛀食蜂箱。

在早春晴天多、日照长的地区，巢门朝向东方，如云南省、四川省南部。四川、河南，巢门向南。有些地区巢门则朝向西方，其好处是子脾大小头不明显，蜂群易排湿。

蜂群2箱1组或连着放，但不宜过长，前后排间隔不超过3m。

2. 促蜂排泄　蜂群进场后，或在越冬室的蜂群搬到场地摆放好后，选择中午气温在10℃以上的晴暖无风天气，10～14时打开大盖，使阳光直照覆布，以增高巢内温度，促使蜜蜂出巢排泄。从越冬室搬到场地上的蜂群，要连续排泄2d。

促蜂排泄的时间，在河南宜选立春前后进行，即离榆树开花前半个月左右，在天气晴暖的情况下，让蜜蜂连续排泄2～3次，在第一次排泄前要用铁钩从巢门掏出死蜂。蜜蜂排泄后若不及时繁殖，应对巢门遮光或关闭蜂王。

3. 检查调整蜂群

（1）关王与抽脾：蜜蜂排泄飞翔后，及时开箱用王笼把蜂王关起来，吊在蜂团的中央，控制蜂王产卵，同时抽出多余的巢脾，使蜂脾相称，留出蜂巢空间。

（2）并群与补喂：对无王群、弱群进行合并，淘汰老劣王。清除箱底死蜂、蜡渣和霉变物。对缺蜜的蜂群，要趁一早一晚蜂不飞时补充蜜脾。将有病蜂群放置一边。

4. 换箱整脾、防治蜂螨

（1）防治蜂螨：在雨水前后或蜂王刚产卵时，选晴暖天气的午后，对全场蜂群进行治螨1～2次。一般用杀螨剂喷脾，如杀螨剂一号、杀螨剂二号和复方绝螨一号等，喷雾治螨前1d要喂蜂，饱腹治螨。因这时群内蜂少，蜂螨抵抗力也弱，治螨省工，效果也好。早春治螨要彻底，若效果不好，要补治。早春不用升华硫治螨，用升华硫熏蒸的巢脾晾24h后才能使用。升华硫的用法：蜜源前期，温度较高，用布包升华硫粉擦蜂脾，每克可擦2框。或用升华硫与杀螨剂调成泥状置于箱角，可常年抑制小蜂螨的发生。

（2）换箱整脾：治螨后或治螨的同时，即把清扫干净并经过消毒的空箱与原蜂箱调换，换入适合产卵的粉蜜脾，作繁殖前的准备。换入的巢脾如为空脾，要用水浸泡24～48h，用割蜜刀削低巢房口，甩净晾干；然后，把花粉或其代用品用15%的温水润透，加少量蜂蜜或白糖粉，处理好后加压到脾的两头和上梁下边，并淋稀蜜水，最后加入蜂巢。

早春繁殖脾以选用过1年的无雄蜂房的黄褐色巢脾为宜。

（二）春季繁殖

1. 春季开始繁殖时间　在完成上述工作后，关王的蜂群要及时放王产卵进行繁殖。南方一般在2月初开始春季繁殖。东北在3月上旬，计划在椴树开花前分蜂的场早一些，不分蜂的场晚些。在河南，蜂群春季繁殖的时间宜在2月19日（即“雨水”）前后，豫南早一些，豫北宜晚些，中等群势及育种群宜早些，大群宜晚些。提前繁殖应在第一个蜜粉源开花散粉前的20d开始。

2. 保持蜂巢育子温度　早春蜂群群势弱，外界气温低，对蜂群采取适当的管理措施有助于恢复群势。蜂群保温不宜加保温物太多，应强少弱多，尽可能以蜂群自身的能力达到繁殖温度，人为地加强保温，只是一个辅助措施。

（1）抽脾紧脾：早春繁殖，每群蜂数在华北、东北和西北要达到3～4足框蜂，华中地区须有2足框以上蜜蜂，把蜂脾比紧为（1.5～2）∶1，即蜂多于脾；达不到以上要求的或南方不足1框蜜蜂的蜂群，应组成双群同箱饲养或把更弱群予以合并。抽出多余巢脾后就放王产卵。

(2) 双群同箱繁殖：早春对不足 3 框蜂的蜂群进行同箱饲养，可达到相互取暖促进繁殖之目的。其做法是：在巢箱中间加闸板，两侧各放 1 群蜜蜂，分别巢门出入。按此春繁，根据河南省浚县种蜂场试验，如果每群有 2 脾足蜂，到刺槐花期，每群可达 12 框蜂的群势，也就是早春开始繁殖时 1 脾蜂，到刺槐花期可增加 6 倍，增殖效果比较理想。

(3) 调节巢门：早春繁殖，根据群势、蜜源和天气等调节巢门大小，晴暖时开大巢门，低温或早晚缩小巢门。另一方面，设置偏巢门，使巢门不正对着蜂巢，亦有助于蜂群保温。巢门向南的蜂群，刮东北季风开右巢门，刮西风开左巢门，不顶风开巢门。

(4) 适当保温：对于 4 足框蜂以上群势的蜂群，不需要特殊保温，只需用覆布盖严上口、副盖上加草帘即可。对于群势较弱的蜂群，还应采取下述方法保温：用锯末或干草围着蜂箱左右箱壁和后箱壁，箱底垫实，或再用干草等物填满箱内空处；寒冷地区，蜂箱前面也围上草帘，留出巢门。无论怎样内、外保温，上部都应留通气孔，以利蜂巢内空气流通。阴雨天气，蜂箱上盖塑料薄膜，防止雨淋蜂箱，以保蜂箱干燥，有太阳时要拿掉，阴雨天温度低时盖后不盖前，温度高时不盖。

对蜂群加强保温的时间，是在蜂王产卵 3d 以后，当蜂王产卵圈日益加大，直到群势发展到 8 框蜂左右时为止。

(5) 原箱繁殖：若蜂群有 7 框蜂以上的群势，可用原箱脾繁殖。

3. 充足供应优质蜜、粉饲料 早春繁殖，尽可能利用贮备的蜜粉脾和利用自然蜜粉源。

(1) 喂糖：在蜂群开始繁殖时，应留够蜜脾，在饲料充足的情况下，尽量少喂。糖水比为 1∶0.7，视巢内饲料多少决定奖饲的量，以够吃不产生蜜压卵圈为宜。在缺食的情况下，首先补足糖饲料，在保证每个巢脾上有 0.5kg 角蜜的情况下，进行补偿性奖饲，以够当天消耗为宜。

不可喂锈桶盛装的蜂蜜，否则蜜蜂爬出箱外，若处置失当，将会全场覆没。另外，在蜂数不足的情况下，每次用脾喂冷糖浆的量不宜过大，防止蜜蜂“暴食”而引起蜂巢温度急剧下降。

用 0.5kg 生大蒜捣碎榨汁，加入 50kg 糖浆中喂蜂，可预防美洲和欧洲幼虫腐臭病、孢子虫病和爬蜂病。早春，若距养蜂生产还有 1 个月，可用盐酸土霉素粉 1/4 加糖粉 1/2 混合，撒于蜂路，预防美洲幼虫腐臭病；在糖浆中加入烟曲霉素，或在1 000ml 糖浆中加入 4ml 食醋，可预防孢子虫病。

(2) 喂粉：缺粉蜂群要补喂花粉或其代用品，直到主要粉源开花有足够的新鲜花粉进箱时为止。喂花粉的时间一般在新蜂出房时有自然花粉采进，即在最早的蜜粉源植物散粉前 20d 开始喂粉繁殖。喂粉最好采用喂花粉脾或做粉脾的方法，每框花粉脾应有花粉 300～350g。

早期喂粉，饲喂茶花粉能抑制白垩病的发生。

用购买的蜂花粉喂蜂要进行消毒处理：把 5～6 个继箱叠在一起，每 2 个继箱之间放纱盖，纱盖上铺放 2cm 厚的蜂花粉，边角不放，以利透气，然后，把整个箱体封闭，在下燃烧硫磺，3～5g/箱，间隔数小时后再熏蒸 1 次。密闭 24h，晾 24h 后即可使用。

（3）喂水：春季视天气情况对蜂群在巢口或箱内喂水，用脱脂棉连接水槽与蜂框或巢门板让蜜蜂取食。喂水要不间断，水质要好，水中可加入0.1%的加碘食盐。箱内喂水要么全部喂冷水，要么全部喂温开水，不能冷、热相间。

4. 扩大卵圈与蜂巢 人为对蜂群扩巢的原则：前期要稳，新老蜂交替期要压，发展期要快，群势发展到8框足蜂时即可撤保温物上继箱。

视情况，采取调头、调脾、割蜜盖等措施扩大蜂王的产卵圈，调头、调脾要一个一个来。早期加脾要稳，繁殖20d后，新蜂陆续出房，天气亦较温暖并趋于稳定，子脾面积达90%以上，蜜蜂造小脾，在加强保温的情况下，可向巢内加入第一张优质巢脾。中后期加脾要视蜂群发展、外界蜜源、天气情况，可3d加1张脾，但蜂脾比不小于0.7:1，争取做到产1卵得1只蜂的效果，充分利用老蜂和新蜂的哺育力。在群内巢脾数达到8~9框时暂停加脾，使工蜂逐渐密集，为加继箱蓄积力量，或以强补弱，促进小群的发展。

开始2~3次向蜂巢内加脾时，应选育过几代子的优质黄褐色巢脾；外界有蜜粉源时，可加新脾或半成脾；大量进粉时，可加巢础框造脾。早期或阴雨连绵或饲料不足时，加蜜粉脾，蜜多加空脾。老巢脾或巢房加高的巢脾，用清水浸泡24h后，削低巢房甩干水珠后加入蜂巢，或灌上少量温热的蜜汁和糖浆后再加入；没用水浸泡的巢脾应用硫磺熏蒸并晾24h后加入。

开始加脾，一般加在边脾或蜜粉脾内侧的位置，待蜂王产卵后再移到中间；若采回的蜜粉较多，而蜂数不足时，脾应加在隔板外侧，蜂数够后再调到隔板内侧。随温度升高、群势发展、蜜粉增多，巢脾可加在边脾或中间位置，连续加脾要求饲料足、保温好、子产到边角。中后期加脾，可直接加在正对巢门的位置，正出房的子脾也调到蜂巢中央位置，其余巢脾大小相间摆放，有寒流时多喂浓一点的糖浆或加糖脾，以防拖虫和子圈缩小。在蜂巢内有较多封盖糖的情况下，要及时割去封盖，注意喂水。繁殖好的蜂群，在大流蜜开始10d后停止加脾。

早春繁殖，小子脾在中央，大子脾在小子脾的外侧，大子脾外侧放粉蜜脾，巢脾要调匀。

单脾开始春繁的蜂群，在第一张子脾封盖时即加第二张脾，注意饲喂。原箱脾开始春繁的蜂群，当蜂满箱时加整箱脾。

繁殖期，如果多数蜂群出现大量的封口糖，要进行“压蜂”，加脾要稳或缓加脾。弱群繁殖蜂数不足1足框的，用来繁殖的巢脾饲料要多。

5. 防止空飞 在春季日照长的地区春繁，若外界长期无粉可采，应对蜂群进行遮盖，并注意箱内喂水。

（三）平衡群势、进行生产

春季因初繁殖时群势、蜜蜂和蜂王质量、蜂种、巢内饲料多少等差异，蜂群的发展并不平衡，随着蜜源的多寡、气温等的变化，管理上除要求加强繁殖外，还须做好生产和平衡群势的工作，采用转场等措施，严防蜜蜂农药中毒。

1. 生产 当春季蜂群发展到6框蜂时即可进行花粉生产，发展到8框以上，王浆生产也将开始，在蜂数接近满箱暂缓加脾的同时，如果不进行王浆和花粉的生产，对个别采蜜多的群要进行蜂蜜生产。生产花粉不得影响繁殖，在大流蜜时停止生产花粉；王浆的生产从此开始，直到全年蜜源结束为止。

养蜂生产，在河南一般从3月下旬或4月初开始，长江流域以南地区在3月，东北椴树蜜生产在7月。

2. 均衡群势 由于蜂群发展的不平衡，势必影响管理、生产的同步进行，因此，在蜂群达到9足框蜂时，要及时把有新蜂出房的老子脾带蜂补给弱群，弱群的卵虫脾调给强群，以达到预防自然分蜂、共同发展之目的，但调子调蜂以不影响蜂群发展和蜂能护子为原则。

（四）两稠两稀蜂群快速繁殖法

这是春季常用的一种繁殖方法。在早春繁殖定群时蜂要稠，若群势弱，可把两群蜂放在一个蜂箱中饲养，抽脾缩巢，使蜂脾比达到2:1以上；当新老蜂交替即充分利用老年蜂的哺育力时和花开后有大量新花粉进巢后蜂稀。在蜂巢中有1张子脾封盖后，即加第一张脾，以后视蜂群的发展、蜜源、天气等逐渐加脾，直加到蜂脾比为0.7:1为止；以后让蜂数逐渐密集，在生产开始时蜂要稠，对蜂数达不到1:1以上的蜂群，可采取抽出1个蜂群（双群同箱饲养的）或搬走1个蜂群（主、副群饲养的）方法，使留下的蜂群，借飞翔蜂的投入，加脾后进行生产；也可采取提前调整子脾的方法加强生产蜂群的群势，被调走工蜂的蜂群应互相组成双群同箱饲养繁殖。

（五）培育蜂王

蜂场每年都要尽早在第一个主要蜜源期更换蜂王。一般说来，新蜂王的获得应向种王场购买良种一代生产用蜂王，但因换王早或其他原因，不能获得较多的一代新蜂王，所需蜂王，将由自己培育。种蜂的获得可以自己选育，也可以购买。

1. 准备雄蜂 选场内经济性状等各方面比较好的蜂群，在早春开始繁殖时即加强其群势，使其在当地第一个主要蜜源花前期（河南在3月20日前后）即达10足框蜂群势，加入雄蜂脾，并用隔王板或蜂王产卵控制器迫使蜂王产雄蜂卵，同时进行奖励饲喂，保持食物充足。

2. 选择母群 选择具有优良性状的蜂群或购买的种用群作母群，并加强群势，当地第一个主要蜜源花中期（河南在4月5日）移虫，次日复移。

3. 哺育群 移好虫的育王框放在哺育群中进行哺育。哺育群要求群强、经济性状好、没有病虫害，每架育王框育王不超过30个，用优质蜡质王台养王。

4. 组织交配群 在移虫的第十天，在山东、河南、河北的蜂场，把能在5月上中旬刺槐花期投入生产的蜂群作为交配群，其老蜂王用王笼关起来，集中贮备在1个蜂群中；需采枣花的蜂群，组成主、副群饲养，将主群作为交配群；连续追赶蜜源的蜂场，用小区限制蜂王产卵或不限制蜂王产卵的蜂群，应组织交配小群。对交配小群和主、副饲养的副群，要加强保温和饲喂。

5. 介绍王台 移虫后第十一天给每个交配群介入1个大而端正的王台。

6. 蜂王产卵　一般介绍王台10d后新王即交配产卵，若育王不成，上述地区也应在刺槐开花初期放出（回）老王让其产卵，或给蜂群介绍新蜂王。

在河南省这次育王的好处，一是新王开产后，正是最主要的蜜源刺槐开花流蜜，工蜂工作积极，加之巢内工作负担轻，能大幅度地提高刺槐蜜的产量；二是本期换王后的蜂群，本年度不会产生分蜂热，从而提高工作效率；三是春季养王，天敌少，气候适宜，成功率高，品质相对较好。还可利用育王换王的机会补治蜂螨。

（六）夏季的一般管理

夏季，除南方部分省区外，在长江以北地区，枣树、芝麻、荆条、椴树、向日葵等开花流蜜，是养蜂的生产季节，蜂群经过繁殖，其群势也达到了生产要求。这一阶段的管理要做好以下工作：

1. 选择好生产场地　选择有丰富蜜源的地方放蜂，在树阴下洪水冲不到、淹不到，空气流通的地方摆放蜂群，同时考虑不使蜜蜂中毒、甘露蜜中毒和气候的干湿。

2. 维持群势进行生产　主要蜜源流蜜时进行蜂蜜的生产，干旱无蜜源时要补喂糖浆，喂够，以促进繁殖，适当安排王浆、花粉生产，给蜂群换优良蜂王。根据蜜源、生产计划，进行养王分蜂。

3. 做好防暑降温工作　除利用树阴和加强通风外，可加大巢门，撩起覆布一角或对场地洒水等。但蜂群遮阴不宜太过。

4. 灾害性气候　如遇花期干旱等造成流蜜不好，蜂群繁殖区巢脾要少放，蜂数、饲料要足，新脾抽出或靠边放，或者转移到蜜源好的地方放蜂。

二、南方蜂群的越夏管理

7～8月，在我国广东、浙江、江西、福建等省，天气长期高温（最高气温常达36～38℃，蜜蜂生活适温为24℃左右），蜜粉源枯竭，敌害猖獗，造成蜜蜂活动减少，群势逐日下降，难以维持巢内恒定的温湿度，蜂王产卵锐减直至停产，蜜蜂虫蛹发育不良。越夏后，蜜蜂群势一般下降30%～50%。

造成越夏困难的原因主要是蜜源匮乏，其次是持续高温和敌害侵扰。因此，南方蜂群的越夏管理要重视场地的选择、保证饲料充足、消除干扰和防暑降温等，其目的是维持和发展群势。

（一）越夏准备

1. 更换老劣王、培育越夏蜂　在越夏前1个月，养好一批蜂王，产卵10d后诱入蜂群，培育一批健康的越夏适龄蜂。

2. 保证充足的饲料　在越夏前，留足饲料蜜，每框蜂需要2.5kg，不足的补喂糖浆，并有计划地贮备一部分蜜脾。

3. 调整蜂群势、整理蜂巢　越夏蜂群，中华蜜蜂应有3足框以上的蜜蜂，意大利蜂要有5框以上足蜂，不足的用强群子脾补够，弱群予以合并。提出多余巢脾，使蜂脾相称。

4. 防病治螨　在早春繁殖初期，将蜂螨寄生率控制在最低限度；在越夏前，还可利用换王断子的机会狠治蜂螨，或分群治螨。蜂场不保留有病群。

（二）越夏管理

1. 选择场地　选择有芝麻、瓜菜、乌桕、玉米、窿缘桉等蜜粉源较充足的地方，或选择海滨、山林和深山区，作为越夏场地，场地须空气流通。

2. 通风遮阴、增湿降温　把蜂群摆放在排水良好、阴凉的树下，适当扩大巢门和蜂路，撩起覆布一角，但勿打开蜂箱的通气纱窗；在蜂箱四周洒水降温；在空气干燥时副盖上可放湿草帘。在水源不足或不洁净的地方，树阴下要设置饲水器。蜂箱不得放在阳光直射下的水泥、沙石、砖面上。

3. 防中毒、防干扰、防盗蜂、治螨除虫　越夏期间，减少开箱次数，全面检查应趁一早一晚进行，间隔 10d 以上，避免烟熏、震动，以减少干扰和预防盗蜂。同时，在巢门口钉一排大头针并调低巢门（7～8mm），以防胡蜂进攻蜂巢，并用药饵、捕打和捣巢的办法遏制胡蜂的危害；捕捉的青蛙、蟾蜍放回远处田间；防蚂蚁攻入蜂箱；经常清除箱底杂物，防止滋生巢虫；利用群内断子或封盖子少的机会，用杀螨剂治螨 2 次。越夏期间还应防止农药中毒、水淹蜂箱。

4. 断子、繁殖与生产　在越夏期较短的地区，可关王断子；在有蜜源出现后奖励饲养进行繁殖。

在越夏期较长的地区，适当限制蜂王产卵量，但要保持巢内有 1～2 个子脾，2 个蜜脾和 1 个花粉脾，饲料不足即补充蜜粉脾。

在有辅助蜜粉源的放蜂场地，应奖励饲喂，以繁殖为主，兼顾王浆生产。繁殖区不宜放过多的巢脾，蜂数要充足。

（三）越夏后的蜂群管理

蜂群越夏后，蜂王开始产卵，蜂群开始秋繁，这一时期的管理可参照春季繁殖管理办法，做好抽脾缩巢、恢复蜂路、喂糖补粉、防止飞逃等工作。

三、秋季管理

在长江以北地区，秋季管理的中心任务是充分利用工作蜂，繁殖好适龄越冬蜂，喂足越冬饲料，彻底治螨，为安全越冬做好准备，给次年养蜂生产打好基础。在长江以南地区，秋季是蜂群的第二个繁殖高峰期，茶花、桂花等主要蜜源相继开花，故长江以南地区秋季管理的任务是繁殖好冬季蜜源的采集蜂，还要利用冬季蜜源培育越冬蜂。长江以南的秋季管理，可参照春季蜂群的管理和本章第七节有关冬季蜜源花期的蜂群管理进行。

（一）补充育王、更换老劣蜂王

1. 健壮雄蜂的培育　蜂群进入最后一个蜜源场地（如芝麻等）初期，选择能维持大群、高产等经济性状比较好的蜂群作父群培育雄蜂。父群用隔王板把蜂王限制在放 3

张脾的区域内，中间插入雄蜂脾，两边分别放蜜粉脾和小幼虫脾，迫使蜂王产雄蜂卵，待蜂王产满约1/3脾面时，就可把该脾调到无王区进行哺育，原处再插入雄蜂脾。培育雄蜂的数量应视所育蜂王的数量而定，一般所育雄蜂数量应是所育蜂王数量的50倍以上。培育雄蜂的同时，要割除非父群中的雄蜂蛹，以期达到种用雄蜂在处女王交配时的空中优势。

2. 移虫育王 培育雄蜂10d后，选择当年从种蜂场引进的优良种王或本场内与父群无亲缘关系或亲缘关系较远、经济性状表现好的蜂群作母群，对种王采取小区隔离的办法，限制蜂王产卵，以便获得较大的卵虫。第十三天，把1张适宜产卵育虫的巢脾插入母群，让蜂王产卵，第十六天移虫，第十七天复移12h龄的小幼虫。移虫工具应消毒。把移好的育王框放进强群中哺育，每群放1框，每框30个台，每天对养王群进行奖励饲喂，直到全部王台封盖为止。

3. 交配群的组织、人工分蜂 移虫后第九天和第十天，把全场蜂王用竹制王笼关起，当年的新王吊在中间巢脾框耳处，非当年的老蜂王集中贮备在1个蜂群中或处理掉，全面检查蜂群，毁灭所有王台。与此同时，视全场蜂群情况，进行混合分群，或以强补弱，全面调整，使每一群都达到10框以上蜜蜂的群势，子脾均等。如果计划次年进行双王同群或双群同箱饲养，则在此时组成双群同箱交配、秋繁，每群应有6足框以上蜜蜂。

第十一天再次检查蜂群，毁除自然王台，并给每个老王群或新分群介绍1个王台，新王一般在最后一个主要蜜源花开后期交配产卵。长江以北地区，秋季养王一般在8月前后，此时，蜂群处于第二个自然分蜂季节，有强烈的育王欲望，用较强的蜂群作交配群，有助于培育更好的蜂王，为换王、秋季繁殖打下基础。

（二）贮备蜜脾、喂越冬底糖

棉花、芝麻、向日葵、荞麦等主要秋季蜜源开花的中后期，应逐步停止蜂蜜和王浆的生产，让蜂群稍作休整，贮留饲料。8月份，秋玉米大量散粉，会出现粉压卵圈，这时应保留粉蜜脾，或积极生产花粉，同时抓紧时机造脾。

主要蜜源开花后期，秋季繁殖即开始。若贮备的蜜脾不够越冬用，或蜜脾中的饲料不宜作越冬饲料，应在秋季繁殖前全部清除，换进优质巢脾，并对蜂群喂大量糖浆，即在繁殖越冬蜂前1周饲喂，直到越冬饲料达八成以上且有2/3以上蜜房封盖为止。

（三）防治蜂螨

结合育王断子，待全部老子脾羽化出房，蜂王刚开始产卵，蜂群内无封盖子，利用这一有利时机，用杀螨剂狠治蜂螨2～3次；如果蜂群没有采取囚王断子这些措施，则应在秋季繁殖前2周和1周于每个蜂箱挂螨扑药2次，每次1片，以达到繁殖前彻底治螨的目的，保证秋季繁殖顺利进行。囚王断子还能减轻工蜂的工作负担，增强其个体生命力，减少饲料消耗。

（四）繁殖适龄越冬蜂

适龄越冬蜂要求秋末羽化出房后，既没有参加过哺育、采集等工作，又要经过充分排泄飞翔。培育适龄越冬蜂是秋季蜂群管理的中心任务，所以在蜂群饲养管理上所采取的一切技术措施，其目的都是在短期内大量繁殖出健康的适龄越冬蜂。

繁殖适龄越冬蜂的时间，应根据当地蜜粉源条件和气候特点来决定。

1. 调整蜂群　繁殖适龄越冬蜂前5d，检查全场蜂群，抽出多余巢脾和老劣脾，换进优质巢脾，使蜂略多于脾，10框以上的继箱群，巢箱放5个脾供蜂王产卵。

2. 换王、放王、促王产卵　一般情况下，新王交配产卵，适龄越冬蜂的培育也就开始。

利用新蜂王产卵。新蜂王产卵积极，适合快速繁殖，应及时更换掉老蜂王。

利用新、老蜂王共同产卵。蜂巢用闸板隔为两区，一边放老蜂王，另一边放新王，共同产卵。老蜂王由于幽闭了一段时间，放开后同新蜂王产卵一样积极。因此，利用新、老蜂王共同繁殖对培育更多的适龄蜂有利，但秋后要除掉老蜂王。

单独利用老蜂王产卵有两种情况：一是春天第一次培育的蜂王，没有淘汰的，二是隔年的老蜂王，计划淘汰的，因新蜂王未育成而被采用。利用这两种蜂王繁殖，到第二年春天育王时淘汰。放老蜂王产卵的时间，在繁殖适龄越冬蜂前5d。

3. 奖励饲喂　越冬蜂繁殖开始后，每天傍晚用优质糖饲料对蜂群进行奖励饲喂，并注意蜜蜂的饮水卫生，糖水比例为1∶0.7。糖浆中可加入红霉素或盐酸金刚烷胺片等药物进行防病。老蜂王奖励20d，新蜂王奖励25d。

蜂数足，糖、粉脾放继箱，扩大繁殖区，反之应抽出糖粉脾。

4. 适当保温　因天气渐凉，昼夜温差大，夜晚应适当对蜂群保温，如盖好覆布、抽脾缩巢等。

5. 脱粉　如果粉源充足，如黄蒿草、城市中的栾树等花期，管理得当可生产相当数量的蜂花粉。

6. 防止盗蜂　9月份蜜粉缺乏，盗蜂严重，奖励饲喂时应严防盗蜂。可用优质白糖在箱内喂蜂，不喂蜂蜜；傍晚饲喂，可打开通气纱窗，堵塞缝隙。采取这些措施后，再加上前面的均衡群势，一般不会发生盗蜂。

在高寒山区越冬的蜂群，为防寒流早来冻伤蜂子，应早繁殖，并做好保温工作，备足越冬饲料，新蜂出完后及时治螨。

（五）做好秋繁后的工作

1. 适时断子　繁殖适龄越冬蜂结束（河南省一般在9月20日），分别把全场蜂王用竹丝王笼幽闭起来，吊于蜂巢前部（中央巢脾前面框耳处），淘汰老劣王。

在黄河中下游流域，自然情况下，蜂王可产卵到10月底，但10月份蜂王产的卵，到羽化出房已经是10月底以后，此时天气已冷，这些蜜蜂因不能很好地飞翔排泄，在越冬期间易患下痢病死亡，影响整个蜂群的越冬质量；另外，进入10月后，蜂王产卵量也明显下降，蜜源断绝。因此，适时关王断子，既可避免越冬蜂因哺育这部分蜜蜂而缩短寿命，又可节省饲料，为治螨做好准备。

关王后如外界粉源好，仍可进行花粉生产。

2. 补足越冬饲料　在断子后，越冬饲料不足的蜂群应补饲糖浆，喂足越冬饲料。开始喂时蜂数要足，这样可利用老龄蜂把越冬饲料酿造成熟，确保适龄蜂安全越冬。越冬饲料应包括早春繁殖时所需要的一部分饲料，同时要预防被铁污染和甘露蜜的混入。在河南省，10 框蜂开始喂，喂好 7 个蜜脾，需白糖 11kg。而在其以北地区每群蜂饲料为 12～15kg，每框蜂不少于 2.5kg。喂越冬饲料也可专喂强群，提蜜脾补助弱群。

3. 彻底治螨　适龄越冬蜂全部羽化出房后，群内断子，温度还较高，抓住这个时机，利用水剂喷雾狠治蜂螨 2 次，治螨后及时把蜂王从王笼中放出。

4. 及时搬场　不论是在外小转地还是在家定地秋繁的蜂场，在喂足越冬饲料后，如果条件允许，都应及时把蜂群搬到阴凉处，掀起一部分覆布，放宽蜂路，减少蜜蜂活动。或者用玉米秆放在箱上，对蜂群进行遮阴避光。蜂场地要避风防潮。

至此，秋季管理结束，并为冬季管理做好准备。

四、冬季管理

蜜蜂属于半冬眠昆虫。在冬季，蜜蜂停止巢外活动和停止产卵育虫，结成蜂团，以贮备的饲料为食，处于半蛰居状态，以适应寒冷的环境。中国北方蜂群的越冬时间长达 5～6 个月，而南方仅在 1 月份有短暂的越冬期。

每一个正常的蜂群全年都保持一个蜂团。在活动季节，蜂团松散，蜜蜂分散在整个蜂巢；当蜜蜂周围的气温在 14℃时，蜂团变得比较明显，当气温继续下降时，蜂团表面的蜜蜂就充当蜂团的一层绝缘外壳，这个绝缘外壳由钻进被贮备食粮包围着的空巢房中的蜜蜂组成，一般厚 25～75mm，蜂团中心的蜜蜂则产生热量；温度越低，蜂团就变得越紧密，在外界温度下降到 6～8℃时，蜂群中所有的蜜蜂都成为蜂团的一部分。蜂团外紧内松，它们通过代谢作用产生热量，并传导到蜂团表面，以补充蜂团表面散失的热量，使蜂团表面的温度始终维持在 6～8℃，而蜂团中心的温度保持在 14～24℃。一般说来，群势大、饲料足，蜂团相对越大，蜜蜂越冬的伤亡越小。

冬季管理的任务，就是使蜂群安全越冬，把越冬的损失降低到最低限度。

蜂群越冬的基本条件是：充足优质的饲料，具有优良品质的新蜂王，一定的群势，健康无病，适宜的蜂巢空间、安静的环境和正确的保暖措施。

（一）越冬准备

1. 越冬场地选择　蜂群的越冬场所有两种，一是室外越冬场所，二是室内越冬场所。室外场地要求背风、向阳、干燥、卫生，要有足够的阳光照射蜂箱，场所要僻静，周围无振动、声响（如不断的机器轰鸣）。室内越冬场所要求隔热性能良好，室内空气畅通，温、湿度稳定，黑暗、安静。

2. 布置越冬蜂巢　越冬蜂巢应在蜜蜂白天尚能活动、而早晚结团时进行布置。

蜂数不足 4 框的蜂群，最好双群同箱饲养，布置蜂巢时，把半蜜脾放在闸板的两侧，大蜜脾放在半蜜脾的外侧，这样能使两个蜂群结成一个冬团，有助于相互借温，安全度过寒冬。拥有5框以上足蜂的蜂群，可以单群平箱越冬，布置蜂巢时，中间放半蜜脾，两侧放整蜜脾；若均为整蜜脾，则应放大蜂路；边脾的糖脾要大。双箱体越冬，上下箱体放置相等的脾数，蜂脾相对，上箱体放整蜜脾，下箱体放半蜜脾。

越冬蜂团常靠近巢门附近，随着饲料的消耗，蜂团逐渐向蜂箱后部移动，在个别蜜蜂中午还能飞行时，可再调整一次蜂巢：平箱群可把蜂巢中相对位置的巢脾互相换位并调头，并要放好蜂路；继箱越冬群只需把继箱调头即可。

在布置越冬蜂巢时，群势较弱的蜂群，要蜂脾相称或蜂略多于脾；强群蜂少于脾，有助于及早结团和蜂团随气温的升降而伸缩。

（二）越冬方式

1. 室外越冬　室外越冬简便易行，投资较少，适合我国广大地区。

对室外越冬的蜂群，宜在当地早晚结冰、中午冰不化时进行保温处置。处置的时间依各地气候的冷暖和管理要求而不同，处置的方法也各异。

冬季气温高于－20℃的地方，可用锯末、干草、秸秆把蜂箱的两侧、后面和箱底包围、垫实，副盖上盖草帘，箱内空间大应缩小巢门，箱内空间小则放大巢门。

中原地区立冬以后，在蜂箱的四周和上部覆以较厚的玉米秆，开大巢门，撩起覆布一角；5～7d后让蜜蜂排泄。在气温达－5℃时去掉覆盖物检查蜂群，撤回食料不好的边脾，换上蜜脾，蜂数要足。在最后一个蜜源巢向北的蜂群，此时应把巢门调向南。这样可避免阳光的照射，减少蜜蜂活动和盗蜂。

冬季最低气温在－20℃以下的高寒地区，蜂箱上下、前后和左右都要用御寒物包围覆盖，巢门用“∩”形桥孔与外界相连，并在御寒物左右和后面砌成“∩”形围墙。也可把蜂箱集中一起堆垛，垛之间留通道，巢门对通道，以利管理与通气，然后在箱垛上覆盖帐篷：夜间温度－5～－15℃时，帐篷盖住箱顶，掀起周围帆布；夜间温度－15～－20℃时，放下周围帆布；－20℃以下，四周帆布应盖严，并用重物压牢；在背风处保持篷布能掀起和放下，以便管理，篷布内气温高于－5℃时即要进行通风，立春后撤垛。转地蜂场的包装可在箱内覆盖棉垫或放棉框，并在蜜蜂能活动时装钉好。

2. 室内越冬　在东北、西北等严寒地区，把蜂群放在室内越冬。这些地区1月份平均气温在－15～－20℃，最低气温达－35～－40℃，在室内越冬比较安全，可人工调节环境条件，管理方便，蜂群节省饲料。越冬室有地下、半地下和地上3种（图5－1）。越冬室高度约240cm，宽度有270cm和500cm两种，可放2排和4排蜂箱；墙厚30～50cm，保温好，温差小，防雨雪，湿度、通风、光线能调。还可加装空调或排风扇。

蜂群入室时间一般在水面结冰、阴处冻结不融化时，在东北地区11月中下旬蜂群就可以入室越冬，在早春外界中午气温达到8℃以上时即可出室。中原地区在霜降以后即可入室。蜂群入室初期，要注意室内黑暗、通风，开大蜂箱巢门、撩起覆布，立冬前后，中午温度高时搬出室外进行排泄，检查蜂群，抽出多余巢脾，留足糖脾。

蜂箱在越冬室的排列距墙20cm，蜂箱搁在40～50cm高的支架上，支架上可叠放继箱2层，平箱3层，强群在下，弱群在上，成行排列，排与排之间留80cm通道，巢口朝通道，便于管理。

越冬室内的温度应控制在 -2 ~ 4℃，相对湿度控制在 75% ~85%。入室初期，白天关闭门窗，夜晚敞开室门和气孔，以便室温趋于稳定，接近或达到要求。室内过干可洒水增湿，过湿则增加通风排除湿气，或在地面上撒草木灰吸湿，使室内湿度达到要求。蜂群进入越冬室后还要保持室内黑暗和安静。

（三）越冬期管理

1. 管理方法与管理时间的安排
冬季蜂群的管理，主要通过箱外观察和橡胶管插入巢内或轻拍蜂箱前壁的听测方法来判断蜂群的内部情况，如无特殊情况，不开箱检查。在整个越冬期，要有针对性地对蜂群进行定期检查。如 12 月中下旬对蜂群的快速检查或抽查；对室内越冬的蜂群，入室初期勤观察，以后 10d 左右入室检查 1 次，气候突变时，要及时入室检查，越冬后期，3 ~ 5d 入室检查 1 次。对发现的问题，及时妥善地解决。

2. 越冬期十二防要点

（1）防鼠：钻入蜂箱的鼠一般为小鼠。把巢门高度缩小至 7mm，或在巢门口钉一排大头针，使鼠不能进入。如发现巢前有腹无头的死蜂，证明有鼠，应开箱捕捉并结合药物、器具诱杀。

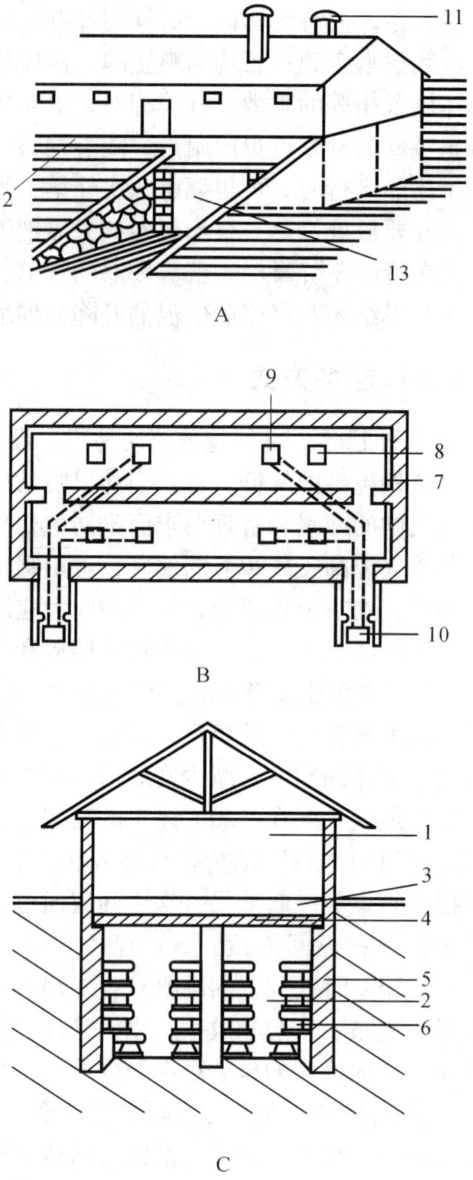

图 5-1　地下双洞越冬室结构（仿葛凤晨等，1981）
A. 越冬室外形　B. 水平面结构图　C. 侧面结构图
1. 仓库　2. 越冬室　3. 顶板　4. 黏土　5. 石墙
6. 蜂箱　7. 排水沟　8. 出气口　9. 室内进气口
10. 室外进气口　11. 室外出气口　12. 水泥台
13. 越冬室门

（2）防振：搬动蜂箱检查缺食与否时动作要轻，蜂场要远离公路、铁路、机房等。

（3）防寒：对蜂群采取适当的保温措施，如包围御寒物、室内越冬、双群同箱等。越冬期间尽可能不关王，若蜂王被王笼关着，在王笼的正上方多盖几层保温物，以防寒流和避免蜂团移动而冻死蜂王。越冬室通气窗的正对面约 30cm 处用片状物挡上，以防冷风直接吹入或光线直射，并根据温度、湿度高低开、关进气或出气孔。

（4）防热：蜂群入室和室外越冬包围御寒物，宁晚勿早，包围御寒物尽可能强少弱多、包外不包内，越冬时让蜂群冷一点有助于蜂群安全越冬。

（5）防饿：对缺食的蜂群及时调入加温的蜜脾；对小群加强保温，适当缩小巢门，或在箱内喂水，以预防因蜜糖结晶而造成蜜蜂饥饿。

（6）防渴：在冬季比较干燥地区越冬，应在巢门口或箱内喂水。室内过干可洒水。

（7）防闷：蜂群任何时候都需要新鲜空气，室内或室外越冬蜂群，都要撩起覆布一角，其大小视蜂群强弱而定，室内更要注意空气流通。室外或室内越冬，都要定期用铁丝钩钩出蜂尸和箱内其他杂物。大雪天气，及时清理积雪，防止雪堵巢门或通气孔。

（8）防湿：室外越冬的蜂群，在雨雪天气要加盖防雨物，以免雨雪漏进蜂箱，及时打扫蜂场，防止蜂场积水。蜂群在室内越冬的湿度要求见“室内越冬”。

（9）防光：室外或室内越冬，黑暗的环境都对蜂蜜有利，其做法是：巢门口用瓦片等物遮光，或用秸秆围盖蜂箱，这样还有助于蜂群恒温的维持。越冬室也要注意保持室内黑暗。

（10）防飞：蜂群在越冬期间，受到卵虫、温度过高、光照、振动、干扰、环境不良、花、饲料、病虫等的刺激，工蜂会飞出蜂巢而冻死，或因空飞而缩短寿命。因此，要避免选冬季有零星植物开花的地方作越冬场地；越冬后期，要采取降温、关王等办法控制蜂群繁殖；秋末要早断子，早喂足优质越冬饲料，彻底治螨，不使有病群进入越冬。总之，要努力为蜂群安全越冬营造优良的环境。

（11）防火：包围的保温物和蜂箱、巢脾等都是易燃品，要预防小孩引火烧蜂，要求越冬场所远离人多的地方，人不离蜂。

（12）防盗蜂和丢失。

3. 饿昏蜂群与病蜂群的解救

（1）饿昏蜂群的解救：发现蜂群缺蜜应及时补进微温的蜜脾，蜜脾要靠近蜂团，将空脾和结晶蜜脾取出；也可把成熟蜂蜜稍加温后用的确良布或白布盛放，再放到蜂团上方用木条等物围成的方池内，上棚几根木条，盖上塑料布、覆布与保温物。对饥饿不能活动的蜂群，要搬到温暖（25℃）的室内，用少量温蜜汁喷在蜂体上，待蜜蜂苏醒后，将蜂巢内的空脾或结晶蜜脾换成微温的蜜脾，如果没有蜜脾，可将成熟的蜂蜜温热后灌满巢脾后喂蜂；或用白糖4份加热蜜1份混合揉成糖饼，放在框梁上喂蜂。蜜蜂救活后再降低温度至6～8℃，待蜜蜂结团后搬回原处。受饥饿的蜂群，尤其是饿昏被救活的蜂群，其蜜蜂寿命会大大缩短。

（2）患病蜂群的解救：若因饲料、疾病、湿度等原因引起蜜蜂严重下痢，可在8℃以上的晴天中午在室外打开大盖、副盖，让蜜蜂排泄；如个别蜂群下痢，找出原因后从速纠正。室内越冬的蜂群，待蜜蜂重新结团后搬进室内。如果全场蜂群严重下痢，最好的办法是及时运到南方繁殖。

解救有问题的蜂群只能挽救部分损失，应做好前述的工作，预防问题的发生。

（四）南方冬蜜期与越冬期管理

在我国长江以南各省区，冬季温暖并有蜜源植物开花，是生产冬蜜的时期，只有在

1 月份蜂群才有短暂的越冬时间。

1. 南方冬蜜期管理

（1）南方冬季蜜源：在我国南方冬季开花的植物有油茶、茶树、柃、野坝子、枇杷、鹅掌柴（鸭脚木）等，这些蜜源有些可生产较多的商品蜜和花粉，有些可促进蜂群的繁殖。

（2）蜂群管理：冬季气温较低，尤其在流蜜后期，昼夜温差大，时有寒流，中午气温常在 10℃以下，有时还阴雨连绵，因此，冬蜜期管理应做好以下工作。

①选择好场地：选择背风向阳干燥的地方摆放蜂群，避开风口。

②生产与繁殖并重：冬蜜期采取强群生产、强群繁殖，生产与繁殖并重。淘汰老劣王，合并弱群，适当密集群势，组织强群进行繁殖和生产。流蜜前期，选晴天中午取成熟蜜，流蜜中后期，抽取蜜脾，保证蜂群饲料充足和备足越冬、春季繁殖所需饲料。

③奖糖喂粉、适当保温：对弱群进行内保温处置，在恶劣天气要适当喂糖喂粉，促进繁殖，壮大群势，积极防治病、虫、毒害，为越冬做准备。

2. 南方越冬期管理　长江以南地区，冬季气温变化幅度较大，晴天中午 10℃以下的气温也常有，有些地方冬季一直有蜜源植物开花流蜜，蜂群越冬时间短。但无论何种原因，都应让蜂群断子越冬 45d 以上，因此，在这些地方越冬的蜂群要做好以下工作。

①关王、断子、防治蜂螨：蜂群在室外越冬或入室越冬之前，把蜂王用竹王笼关起来，强迫蜂群断子 45d 以上，待蜂巢内无封盖子时狠治蜂螨，治螨前 1d 要对蜂群进行饲喂。

②布置越冬蜂巢：越冬蜂巢的布置除要求扩大蜂路外，其他同“（一）”。

③饲料：喂足糖饲料，抽出花粉脾。

④促蜂排泄：在晴天中午打开箱盖，让太阳晒暖蜂巢促使蜜蜂飞行排泄。

⑤选择越冬场所：室外越冬，进入越冬的蜂群，选择通风阴凉、干燥卫生、周围 2km 内无蜜粉源的场地摆放蜂群，并给蜂群喂水。

12 月中旬，在做好以上工作后，也可把蜂箱紧靠，加宽蜂路，并保持蜂脾相称；然后，用秸秆或草苫盖严蜂箱，上面再加盖防雨物，使蜂箱处于黑暗环境中，但要保持蜂巢内外空气流通。

室内越冬，利用空闲房屋，保证其清洁、干燥、通风、黑暗，其周围空气新鲜。蜜蜂入室时间有 10 月、11 月上中旬和 12 月上旬，入室前蜂巢内尽可能无子。傍晚把蜂群搬到越冬室，并绘好每个蜂箱所在室外场地上的位置。入室后保持温度 10℃以下，可采取洒水、夜间开门窗、开电扇等方法控制温度，促使蜜蜂稳定，湿度保持在75% ~ 85%。有子脾蜂群在巢门口喂水。无子进入越冬室后的蜂群，半个月后把蜂箱搬到室外场地上，打开大盖，让阳光晒暖蜂巢，促使蜜蜂排泄飞翔，傍晚搬回。有子进入越冬室的蜂群，入室 3d 后搬到场地，让蜂爽飞，夜晚搬回，4d 后再次放蜂，第二次放蜂后 12d 左右进行第三次放蜂，以后视情况安排蜜蜂爽飞。蜜蜂爽飞的天气，要求气温在蜜蜂安全飞行临界温度以上的阴天最好，也可选择寒流到来的前 2d 进行爽飞。利用蜜蜂爽飞时间，可进行补喂蜜脾或治螨等工作，但补喂饲料或治螨后应让蜜蜂有 2d 的排泄时间。

（五）转地蜂群越冬

在我国北方一些蜂场，在 12 月至翌年 1 月中旬把蜂群运往南方繁殖。这些蜂场在越冬时，首先把饲料脾准备好，挤上框卡，钉上纱盖，在副盖上加盖覆布和草帘，蜂箱用秸秆覆盖，尽可能保持黑暗、空气流通、温度稳定，等待时日，随时启运。

五、流蜜期与分蜂期管理

蜂群经过一段时间的繁殖，由弱群变成生机勃勃的强群，外界气温升高，蜜源丰富，蜂群的管理任务也由繁殖转向生产，同时蜂群也具备了群体繁殖——自然分蜂的基本条件了。

（一）分蜂期管理

春末以后，当中蜂群势发展到 4 ~5 框子脾、意大利蜂超过 7 ~8 框子脾后，常会发生分蜂。蜂群一旦产生分蜂趋势（热）后，蜂王产卵量显著下降，甚至停产；工蜂呈现怠工。这对群势的发展和蜜粉源的充分利用极为不利，尤其是主要蜜源流蜜期中发生分蜂，分散了群势，会大大影响采蜜量。因此，对于有分蜂趋势的蜂群必须采取措施加以控制和利用。

分蜂受蜂王年龄、体质、遗传性、蜂巢内的拥挤程度、地理位置、气候、日照等影响。

1. 分蜂的预防和解除

（1）预防分蜂热：任何有利于蜂群舒适生活的管理措施都有助于预防分蜂。

①选用良种、更换老王：同一品种的不同蜂群，分蜂性有强有弱，所以，应选择能维持强群、分蜂性弱的蜂群作为种群，在蜂群发展到后期（幼蜂积累阶段），适时进行人工育王，在主要流蜜期到来前换上新王产卵，再结合相应的管理措施，不但能提高产量，而且换王后的蜂群，当年内不易发生分蜂。

在炎热地区，采取 1 年每群蜂换 2 次蜂王的措施，有助于维持强群，提高产量。

②繁殖期适当控制群势：在蜂群发展阶段，群势过强不利于发挥工蜂的哺育力，而且容易分蜂，所以，应抽调过强群势的封盖子脾补助弱群，弱群的小子脾调给强群，这样可使全场蜂群同步发展壮大。强、弱群调换大、小子脾，应以不影响蜂群在主要蜜源期生产和不传播疾病为原则。

③积极进行生产：蜂群发生分蜂，主要内因是劳动力过剩。因此，及时采出成熟蜂蜜，进行王浆、花粉的生产或积极造脾，加重工蜂工作负担，可有效地抑制分蜂，又可增加养蜂的收益。

④扩巢遮阴：随着群势发展壮大，要适时加脾、上继箱、扩大巢门，有些地区或季节蜂箱巢门可朝北开；天气炎热时要注意遮阴、通风、给水降温等措施，使蜂群经常处于积极的工作状态。

（2）解除分蜂热：蜂群已发生分蜂趋势，应根据蜂群、蜜源等条件积极进行处理，使其恢复正常工作秩序和不发生自然分蜂。

①强、弱蜂群互换箱位：在外勤蜂大量出巢之后，把有新蜂王的小群用王笼诱入法先将蜂王保护起来，再把该群与有分蜂热的蜂群互换箱位；第二天，检查蜂群，毁灭有分蜂热蜂群的王台，给小群调入适量空脾或分蜂热群内的封盖子脾，使之成为一个生产蜂群。

②更换蜂王：方法有两种。

Ⅰ. 仔细检查已产生分蜂热的蜂群，毁灭所有王台后把该群搬离原址，在原位置放1个装满空脾的巢箱，从原群中提出带蜂不带王的所有封盖子脾放在继箱内，加到放满空脾的巢箱上，诱入1只新蜂王或成熟王台。再在这个继箱上盖副盖，加上1个继箱，另开巢门，把原群蜂王和余下的蜜蜂、巢脾放入，在老蜂王产卵一段时间后，杀死老蜂王，撤回副盖合并。

Ⅱ. 在蜜源流蜜期，对发生分蜂热的蜂群当即去王并毁灭所有封盖王台，保留未封盖王台，在第七至第九天检查蜂群，选留1个成熟王台或诱入产卵新王，毁尽其余王台。

③模拟分蜂：生产季节把分蜂热蜂群的所有子脾提出，补充空脾和巢础框，然后把蜂王和工蜂抖落在巢门口，让它们自行爬入蜂箱；子脾除净王台后加入其他蜂群内，当蜂群恢复正常后，适当补充子脾，以加强群势。

④剪翅、除台：在自然分蜂的季节里，定期对蜂群进行检查，掌握蜂群发展动向，毁灭分蜂王台，或对有可能发生分蜂蜂群的蜂王剪去其右前翅的2/3。剪翅和毁灭王台只能暂时不使蜂群发生分蜂，预防和控制分蜂热，应采取综合措施。

2. 人工分蜂 从1个或几个蜂群中抽出部分蜜蜂和子脾、蜜脾，导入1只蜂王或成熟王台，组成1个新分群。人工分蜂是根据蜜蜂的生物学习性，有计划有目的地在适宜的时候增加蜂群数量，扩大生产和避免自然分蜂造成损失的一项有效措施。以分蜂扩大规模的蜂场，应早养王，早分蜂。

人工分蜂的时间，因地区和管理目的不同而异，如河南省在采过刺槐蜜后即可及时分蜂，或在油菜蜜源花期，结合换王进行分蜂。各地应根据生产、蜜源、管理目的订出合理的分蜂计划。

人工分蜂的原则是有助于蜂群繁殖，不影响生产，在分蜂前要有计划地养王。

（1）人工分蜂的方法：人工分蜂的方法有多种，应根据具体情况灵活运用。分蜂之前要培育蜂王，在王台封盖9～10d提交配群，或蜂王交配产卵10d天后介绍给分蜂群。分蜂提出的子脾要有助于解除大群的分蜂热，分出群在1个月后要有生产能力或越冬能力。

①强群分蜂法：当蜂群发展到一定程度时，其繁殖能力和采集工作就停滞不前，往往产生分蜂热。因此，应根据蜂群和蜜源情况，在离主要采蜜期50d以上进行人工分蜂，就能提高蜂群的繁殖量，又能在大流蜜期成为生产蜂群。

Ⅰ. 平分法：先将原群蜜蜂的蜂箱从原位向后移1m，取2个形状和颜色一样的蜂箱，放置在原群巢门的左右，两箱之间留0.3m的空隙，两箱的高低和巢门方向与原群相同，然后把原群内的蜂、卵、虫、蛹和蜜粉脾分为相同的2份，分别放入两箱内，一群用原来的蜂王，另一群在24h后诱入产卵蜂王。分蜂后，外勤蜂飞回找不到原箱时，会分别投入两箱内；如果蜜蜂有偏集现象，可将蜂多的一群从原箱位移远一点，或将蜂少的一群向原箱位移近一点。

这种方法，能使2群都有各龄蜜蜂，各项工作能够正常进行，蜂群繁殖也较快。相似的分蜂方法有1群分3群和1群分4群的方法，后两种分蜂，一旦繁殖受到影响，就应采取补子或补蜂的方法进行调整。

Ⅱ.偏分法：从强群中抽出有3～4脾蜂和各龄子的小群，如果不带王，则介绍1个成熟王台，成为1个交尾群。如果小群带老王，则给原群介绍1只产卵新王或成熟王台。分出群与原群组成主、副群饲养，通过子、蜂的调整，进行群势的转换，以达到预防自然分蜂和提高产值的目的。

新分群的蜜蜂应以幼蜂为主，群势以3脾足蜂为宜，保证饲料充足，放置在蜂场周围僻静处，第二天介绍给产卵蜂王或成熟王台，王台口朝下安放在中间脾的两下角处或脾下缘。

②双王群分蜂法：双王群分蜂即将“双王繁殖”的蜂群分开，常使用的方法有两种。一是距大流蜜期较近分蜂：在一区内提出2脾带蜂带王、有一定饲料的子脾，放到另一蜂箱中，其余蜂脾合并到另一群内，原箱不动变成一个强群。二是距大流蜜期较远分蜂：另取一箱，将原群其中一侧的蜂提出来，另组新群，将原群另一侧留下，这样成2个平箱群，到大流蜜期到来时，仍能发展成为2个采集群；为防蜜蜂错入巢门，原箱巢门距原位置要远一点。

③多群分出一群：选择晴朗天气，在蜜蜂出巢采集高峰时候，分别从超过10框足蜂和7框以上子脾的蜂群中，各抽出1～2张带幼蜂的子脾，用报纸合并的方法合并到1只空箱中。提脾要有计划，应使新分群中有大多数封盖子脾，同时要带有少数幼虫和蜜粉脾。次日将巢脾合拢，调整蜂路，介绍入蜂王，即成为一个新分群。

这个方法多用于大流蜜期较近时分蜂。因为是从若干个强群中提蜂、子组织新分群，故不影响原群的繁殖，并有助于预防分蜂热的出现，同时，利用这样的时间和组织形式组成的新分群，在主要流蜜期到来时还能壮大起来，达到分蜂促进繁殖和增收的目的。

④应急分蜂法：蜂群在流蜜期发生分蜂热，除采取解除分蜂热的方法外，还可采用分蜂法处理分蜂热群。在外勤蜂大量出巢时，从原箱内提出1张蜜粉脾和1张老子脾，连同蜂王和附在巢脾上的蜜蜂，一起放在空箱中央，两边再加入空脾和巢础框，然后把该箱放在原箱位置，将原箱移到别处放置，原箱中的外勤蜂飞回原址的新箱内。这样的新分群散失了分蜂情绪，提高了工作积极性。对产生分蜂热的原群检查后，选留1个优良成熟王台或诱入新产卵蜂王。如果蜂数过少，应抽出子脾放回新分群中，原群保持蜂脾相称。

（2）新分蜂群的管理：新分交尾蜂群的位置要明显，新分出来的蜂群或交尾群，新王产卵后要有3框足蜂的群势，不足的要补蜂补子，保持蜂脾相称或蜂略多于脾，各阶段的蜂龄尽可能合理，饲料充足。经过人工分蜂的新分蜂群，对巢内外环境都要经过一段适应时期，因此，对新分蜂群必须加强管理，这可参考春夏蜂群繁殖管理的方法，做好保温或遮阴工作，适当缩小巢门，必要时进行奖励饲喂，使群内经常保持充足的蜜粉。

哺育蜂少的新分群，其小子脾可提到大群哺育。随着群势的发展，要适时加空脾和加巢础框造脾；对较弱的蜂群，应逐渐、适当地调入封盖子脾或补充幼蜂。若新分蜂群数量多，原群的补助力量不足时，可先集中力量把一部分新分群补强壮大，大流蜜到来时投入生产；在大流蜜前还可结合淘汰老劣蜂王，用间接合并的方法加强新分群的群势，使之成为一个生产蜂群。

对较弱的新分群或交尾群，要时刻预防盗蜂的发生，秋后防止飞逃。

（二）流蜜期管理

蜂蜜收成的好坏，主要取决于气候、蜜源、蜂群，场地（蜜源）可以选择，蜂群更是人为能控制的。养好蜂，还要用好蜂，才会有好效益。比如，华北地区的油菜和刺槐蜜源，定地蜂场采取在刺槐花前育王断子 7～10d 至流蜜开始时放王产卵的方法，或结合换王等措施尽可能减轻巢内工作负担，全力采集刺槐蜜，刺槐流蜜结束后，加强繁殖，到荆条花期又能繁殖成生产蜂群，可以收到好的效益。东北椴树花期采用这个方法，也得到好收获。而转地蜂场，则需要边生产边繁殖。因此，流蜜期要根据天气形势、蜜源的流蜜特点和养蜂计划等选择蜜源场地，对蜂群要加强生产管理，维持强群，保持蜜蜂的工作积极性，以增加蜜、浆、蜡等的产量。

1. 采蜜前的准备

（1）培育适龄采集蜂：个体器官发育和生理最适合出巢采集的工蜂叫适龄采集蜂。在采集活动季节，工蜂的寿命约 35d，其活动一般按日龄进行分工，正常情况下，14～21 日龄的工蜂从事采集花粉、花蜜、无机盐等活动，21～28 日龄采集力充分发挥。工蜂的这种按日龄分工，随着群势和蜂巢内、外环境的变化而有差异，蜜蜂各腺体功能及其有关的行为也有明显的改变，所从事的各项工作可提前也可延后。在主要流蜜期，如果巢内只有极少量的蜂子可哺育，5 日龄的工蜂也参加采酿蜂蜜活动；连续生产花粉的蜂群，采粉的工蜂相对就多。

所以，为一个特定蜜源花期培育适龄采集蜂的时间，流蜜开始前 45d 到流蜜结束前 30d，较为适宜。当然，培育足够量的适龄采集蜂，蜂群要有一定的群势基础，这就要求做好繁殖前的准备工作。

在早春，蜂群开始繁殖时距主要蜜源生产期如有 8～10 周的时间，则蜂群适龄蜂出现的高峰易与流蜜期相吻合；若少于 8 周，则应加强管理，采取措施组织生产蜂群；若多于 12 周，往往主要流蜜期未到，蜂群就会产生分蜂热趋势，这时要控制群势的发展，比如强、弱群互换子脾以达到共同发展之目的，或结合养王、分出小群组成主副群饲养，待流蜜期到来再组织强大的采集群。如果流蜜期短，后面又没有连续的大蜜源，在流蜜前可结合养王断子，集中力量采蜜；若主要流蜜期较长或与后面的主要蜜源连接，后继蜜源价值又较大，则应为蜂群创造条件，加强繁殖；转地蜂场，要边生产边繁殖，采蜜群势要符合转运要求。

蜂群繁殖参照“春夏管理”，但蜂巢内保证充足的饲料，是养好蜜蜂的关键。

（2）修筑巢脾：在主要流蜜期，蜂群需要有足够的浅色巢脾用于贮蜜，转地蜂场，

1个生产蜂群平均要有18张巢脾，定地蜂场，每群要有24张脾，多箱体养蜂则需要更多的巢脾。这些巢脾有1/3要在主要流蜜期前利用辅助蜜源先筑造成半成品，主要蜜源期完成。

（3）组织采集群：一般在主要蜜源植物开花前15d进行，结合以上管理，尽可能做到新王、强群生产。

①原群组织：全面检查蜂群，有12框蜂、8~9张子脾的蜂群，在进入主要流蜜期后即可有15框蜂投入生产。

②调整蜂群：利用封盖子脾或采取合并的方法补强生产蜂群。抽出子脾的小群组成双群或双王同群进行繁殖，若流蜜期不超过30d，则每个小群留下3框蜂和1个小子脾即可；若流蜜期超过30d或有连续蜜源，则小群应保留5框蜂，为以后的生产蓄积力量。

③集中飞翔蜂和主、副群饲养：主要流蜜期已经到来，可将蜂群分组排列，主、副群搭配（定地蜂场在繁殖时即做这项工作），以具备新蜂王的强群作主群，弱群作副群，在流蜜开始后，搬走副群，使外勤蜂投入到主群内，根据群势扩巢。被移开的副群按“②”的要求和方法进行管理。

④合并两个中等群势的蜂群：主要流蜜期到来，把相邻的2个或多个中等以下的蜂群，除掉老劣王后合并，使之成为一个生产蜂群。从双王群或双群同箱中提出1只蜂王带1个小群，原群成为一个生产蜂群，小群组成双王群或双群同箱进行繁殖。

灵活运用“分久必合，合久必分”的原理，对蜂群适时分群或合并，进行繁殖或生产，会产生较好的经济效益。

（4）酌情控制蜂王产卵：根据蜜源流蜜情况、花期长短和后继蜜源的远近与价值，适当控制蜂王产卵。当主要蜜源流蜜期在12d左右，且以后没有连续的蜜源开花（如刺槐），以生产蜂蜜为主的蜂场，在开始流蜜之前10d，用王笼把蜂王关起来；或结合养王，在流蜜开始前12d给每个蜂群介绍一个成熟王台，在大流蜜期开始时蜂王产卵。若蜜源花期较长（25d以上）或两个蜜源花期衔接，则应前期生产、繁殖并重，到后一个蜜源采取限王产卵，或结合养王换王的措施限王产卵，以提高产量。对生产王浆为主的蜂场，应生产、繁殖两不误。生产蜂花粉的蜂场，应促进蜂群繁殖。

陈盛禄等研究的结果，在幼、青、壮、老蜜蜂比例正常、生物学组成完整、不发生分蜂热的健康蜂群中，蜂子比值是影响蜂群采蜜量的重要因素。用式（5-1）、式（5-2）表示了单位蜜蜂采蜜量与蜂巢内蜂子比值的关系。

蜂子比值（x_1）与单位蜜蜂采蜜量（y）之间的关系可用回归方程式（5-1）表示

$$y = 1.4262 + 3.2805x_1 \quad (0.3 < x_1 < 3) \qquad (5-1)$$

蜂虫比值（x_2）与单位蜜蜂采蜜量（y）之间的关系可用回归方程式（5-2）表示

$$y = 2.2535 + 0.6717x_2 \quad (0.5 < x_2 < 7.5) \qquad (5-2)$$

（5）整理蜂巢：在蜂群发展到一定群势后或组织生产蜂群时，要及时给蜂群加上继箱。在流蜜前10~15d，巢、继箱之间加隔王板（结合断子养王的不加），继箱放新脾或浅色巢脾和封盖子脾，巢箱放蜂王、小子脾和 2 ~3 张适合产卵的巢脾，巢脾上下相对。这样，继箱为生产区，巢箱为繁殖区。加继箱 7d 后检查蜂群，毁灭王台。对生产蜂群要加够贮蜜的巢脾。

蜂群群势不强或子脾过多，又以生产蜂蜜为主的蜂群，在流蜜前 10d 把封盖子脾和适宜贮蜜的巢脾放入巢箱为生产区，蜂王带小子脾放继箱，巢、继箱间加隔王板，流蜜开始，隔王板换成铁纱副盖，继箱下沿开小巢门。

（6）大流蜜前抓紧脱粉：油菜花期选择孔径 4.7mm、4.8mm 的脱粉器进行脱粉，到大流蜜开始即停止脱粉。为预防分蜂热，在流蜜不好的情况下，可抽出强群的封盖子脾组成新分群，安上王台。

2. 采蜜群的管理　在管理过程中，要做到流蜜前发展群势，流蜜开始即组织强群投入生产，流蜜期补充蛹脾延续群势，流蜜期后调整群势，抓紧恢复和增殖工作。在流蜜期间，充分利用强群取蜜弱群繁殖，新王群取蜜老王群繁殖；单王群生产双王群繁殖，小群正出房子脾调给生产蜂群维持群势，适当控制生产蜂群卵虫数量，以此解决生产与繁殖的矛盾。同时，采取措施预防分蜂热，保证蜜蜂处于积极的工作状态。

（1）选择蜜源场地：根据蜜源、季节、气候、蜂群密度等选择场地放蜂，采蜜群宜放在树阴下，遮阴不宜太过，蜂路开阔，对不施农药、没有蜜露蜜的蜜源可选在蜜源的中心地带，季风的下风向，如刺槐、荆条、椴树、芝麻等；对施农药或有蜜露蜜的蜜源场地，蜂群摆放在距蜜源 300m 以外的地方；对缺粉的主要蜜源花期，场地周围应有辅助粉源植物开花。中午避免巢门被阳光直射，夏天巢门方向可朝北。水源水质要好，防水淹、水冲。

（2）始终保证蜂群有充足的食物，维持强群：在流蜜开始以后，把贮满蜜的蜜脾抽出，作为蜜蜂饲料保存起来，然后，另加巢脾或巢础框让蜜蜂贮蜜，蜜源结束，把贮备的蜜饲料还给蜂群。

（3）叠加继箱：当第一个继箱框梁上有巢白（新蜡）时，即可加第二继箱，第二继箱加在第一继箱和巢箱之间，待第二继箱的蜂蜜装至六成、第一继箱有一半以上蜜房封盖，可继续加第三继箱于第二继箱与巢箱之间，第一继箱即可取下摇蜜（图 5 -2）。

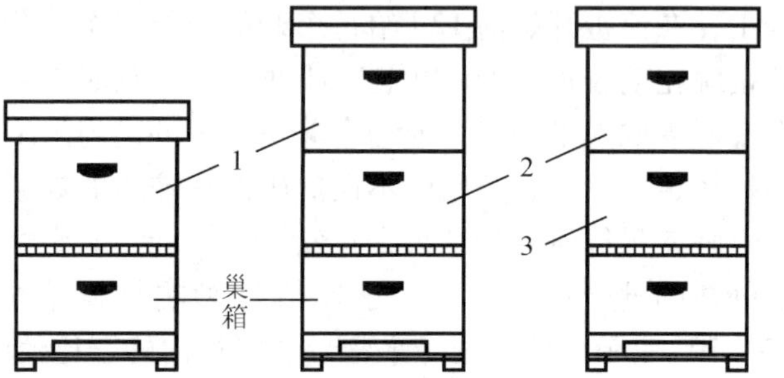

图 5 -2　叠加继箱

1. 第一继箱　2. 第二继箱　3. 第三继箱

不向继箱调子脾，打开通风窗，开大巢门，撩起覆布。

（4）适时取蜜：流蜜初期抽取；流蜜盛期，在没有足够巢脾贮蜜的情况下，待蜜房有 1/3 以上封盖时即可进行蜂蜜生产；流蜜后期要少取多留。在采蜜的同时，重视蜂王浆、蜂花粉、虫和胶的生产。

蜜源流蜜好，以生产为主，兼顾繁殖；流蜜不好，则调整群势，以繁殖为主。

通风降温，加大蜂路，积极预防和解除分蜂热。

3. 流蜜结束后蜂群的管理　流蜜结束，或因气候等原因流蜜突然中止，应及时调整群势，抽出空脾（新脾老子靠边，蜂出房后抽出，若有新脾小虫脾应放在老子脾中间，防止脱虫），使蜂略多于脾，防治蜂螨。补喂缺蜜蜂群，在粉足取浆时要进行奖励饲喂，根据下一个场地的具体情况繁殖蜂群。在干旱地区繁殖蜂群时要缩小繁殖区。

第二节　几种箱式的管理要点

活框蜂箱可分为两种形式：一种是可以加继箱向上扩大容积的直立式蜂箱，如十框标准箱、十二框方形箱；另一种是向侧面扩大蜂巢容积的卧式蜂箱，如十六框卧式箱、二十四框卧式箱。无论采用何种蜂箱，蜂群的饲养管理都要因时因地制宜，根据季节、气候、蜜源、生产方式和使用的蜂箱，采取相应的管理措施，促使蜂群能够迅速发展强壮，及时投入生产，实现高产稳产。

一、十框标准箱养蜂的管理要点

采用十框标准箱可以饲养单王平箱群、继箱群、双王群、主副群以及多箱体蜂群。

（一）平箱群

平箱群的饲养适合秋季有主要蜜源的地区，例如新疆的棉花蜜源地区。春夏季着重分蜂繁殖蜂群，到棉花流蜜期前半个月加继箱，改为继箱群取蜜管理。管理要点为：

1. 秋季管理　抓好培养越冬蜂，防治蜂螨，喂足越冬饲料。

（1）培养越冬蜂：棉花流蜜期结束，用新蜂王更换衰老蜂王；奖励饲喂，培育越冬蜂；使每个越冬群平均有5框以上健康蜜蜂。

（2）防治蜂螨：棉花流蜜期一结束，就防治蜂螨；蜂王停止产卵后或关王停产后，彻底治螨。

（3）喂足越冬饲料：棉花蜜易结晶，不适于作越冬饲料，最好用夏季贮备的山花蜜蜜脾作越冬饲料；也可在蜂王停产前，将棉花蜜取净，用白糖糖浆喂足。

2. 冬季管理　做好保温处置。注意防除鼠害，及时扫除积雪，掏出死蜂。在新疆等干旱地区，冬季在巢门喂水。

3. 春季管理　重点是防病治螨、紧缩蜂巢、奖励饲喂、促进蜂群发展。

（1）箱外观察：经常进行箱外观察，及早发现问题及早纠正，合并失王群。

（2）防病治螨：早春极少封盖子时，割开封盖，防治蜂螨。饲喂糖浆时加药防病。

（3）紧缩蜂巢：春繁的群势以3框蜂以上为标准，3框蜂留1~2个脾，做到蜂多于脾，使蜜蜂密集，并做好蜂巢保温。

（4）饲喂蜜粉：在当地最早粉源植物开花前半个月开始补喂花粉糖饼，粉源植物开花后开始奖励饲喂糖浆，或者用人工花粉蜜脾扩大蜂巢。

（5）人工分蜂：蜂群发展到8框蜂、5~6框子脾以上时，开始分蜂，诱入新蜂王。

4. 流蜜期管理　夏季利用山花等小蜜源繁殖。在棉花等秋季蜜源流蜜前20d平衡群势，使每个蜂群都有8~9框蜂、7~8框子脾，以后加上继箱和隔王板，按继箱群和流蜜期管理。

（二）继箱群

饲养继箱群是普遍采用的管理法，一般是平箱群越冬，春季蜂群发展到8框蜂、6框子脾以上时，加继箱。最好在晚秋有7框蜂以上，加继箱越冬，全年采用加继箱饲养。

管理方法基本上与平箱群管理相同。根据饲养方式（定地饲养还是转地饲养）、生产要求（以采蜜为主，还是以采王浆为主，还是蜜浆兼顾）、当地主要蜜源植物开花日期作适当的修正。一般是利用小蜜源加巢础框造脾，扩大蜂巢；不人工分蜂或少量分蜂；蜂群发展到8~10框蜂、6~8框子脾时加继箱和隔王板。加继箱时，将未封盖子脾和1框空脾、1~2框蜜粉脾放在巢箱，上面加隔王板，蜂王在巢箱产卵；继箱里放封盖子脾和1~2框蜜粉脾。以后每隔7d左右，视蜂数往巢箱中加脾，待巢箱中有6~7张脾时，即可固定此数；此后根据蜜源和蜂群的发展调整蜂巢，将继箱里已出房的子脾调到巢箱，将封盖子脾提到继箱；在流蜜期前15d及流蜜期中，巢箱中的子脾不宜向继箱中调。由于种种原因，全场蜂群的发展会不平衡，可以分批加继箱。首先从较弱的蜂群提出封盖子脾补给较强的蜂群，使它们先加上继箱，投入生产。第一个大流蜜期开始前，可从继箱群抽调封盖子脾，补助较弱蜂群加上继箱。分批加继箱可以使部分蜂群早投入生产，防止强群产生分蜂热。长江流域油菜、紫云英花期开始生产王浆和采蜜。北方到刺槐流蜜期开始采蜜，也可以生产王浆，着手培育蜂王。

（三）双王群

双王群是在1个蜂群中采用2只蜂王，用闸板和隔王板将2只蜂王分别隔离在2个产卵区产卵，蜜蜂互相交通，共同组成1个蜂群。有平箱双王群、继箱垂直分隔双王群、继箱上下横向分隔双王群以及临时组成的双王群等多种形式。

饲养双王群的优点是：蜂巢保温较好；蜂群有2只蜂王产卵，在蜜源丰富季节能够及时发展壮大，提早投入生产；蜂群中幼虫较多，在生产蜂王浆时，容易找到集中的适龄幼虫。缺点是：每隔3~5d要检查调整1次蜂巢，管理比较费工；在蜜源匮乏季节群势下降快，在相同群势下较单王群消耗饲料多，炎热天气散热比较困难。

1. 平箱双王群　这是普遍采用的形式（图5-3B）。组成平箱双王群的方法有多种：

（1）由分隔的交配群组成：当蜂群发展到10个脾，有7框多蜂时，用闸板在蜂箱一侧隔出2框的小区，其中放1框蜜脾，1框带蜂封盖子脾，再从8框大区向小区抖入蜜蜂1~2框，巢门开在侧壁的后方。翌日，小区里的飞翔蜂大部分飞回大区，留下的主要是幼蜂。向小区诱入1个成熟王台。新蜂王产卵后，用大区不带蜂的封盖子脾分2次补给小区，使小区达到4个脾时，将闸板移到蜂箱中央，同时将小区巢门改到前方。对着闸板前下方放一块三角形木板，将两区的巢门分开，防止蜂王从闸板的前下端通过。蜂群发展满箱时，巢箱内每区各放置2框未封盖子脾、1框空脾、1框封盖子脾，

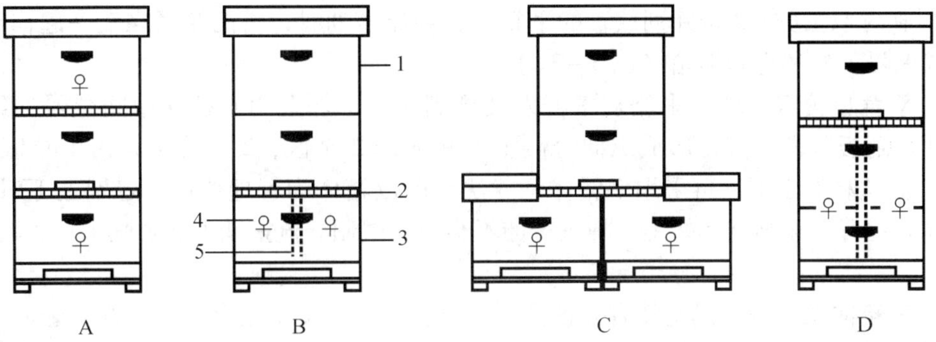

图 5-3　双王群的形式

A. 继箱双王群　B. 平箱双王群　C. 临时双王群　D. 双育虫箱双王群

1. 继箱　2. 隔王板　3. 巢箱　4. 蜂王产卵区　5. 闸板

加上隔王板和继箱，其余子脾和蜜粉脾放继箱内。

（2）诱入产卵王组成：当蜂群发展到 10 个脾时，用闸板插在蜂箱中央分隔成相等的 2 个区。给无蜂王的区内，用安全诱入器诱入 1 只产卵王。要求诱入的蜂王与巢内的蜂王产卵力相似。最好将老蜂王和 2 框带蜂子脾提出，与另一群的老蜂王和 2 框带蜂子脾放入分隔的蜂箱，组成双王群，每区各补加 1 框蜜粉脾；原箱分隔后，两区分别诱入产卵蜂王组成双王群；巢门开在中央，用三角板将巢门分开。

根据生产要求和蜜源情况，用调整蜂巢的办法控制蜂王的产卵。在需要蜂王产卵时，将 2 个产卵区的大面积子脾提上继箱，将空脾或继箱里的正在出房的封盖子脾调到产卵区。每隔 3～5d 调整 1 次。不需要蜂王产卵时，就不必调整产卵区的子脾，以限制蜂王产卵。生产王浆时，如果从双王群提出适龄幼虫脾时，可补加空脾；移完虫以后，可将这个幼虫脾补给其他蜂群。

双王群的子脾多，幼虫和幼蜂的饲料消耗大，要注意巢内的饲料贮备。缺乏蜜源时，应补加蜜粉脾或进行饲喂。

炎热季节，强壮的双王群，由于蜜蜂和子脾多，如果蜂巢通风不畅，傍晚往往有许多蜜蜂在巢门外结成蜂团乘凉。可以用双王群的子脾补助弱群，减少蜂箱中的巢脾数量，留大空间，放大巢门。如果蜂王产卵也受到了限制，有的蜂王会爬出巢门，可能经过蜂团进入另一区内，往往造成蜂王伤亡。可在巢门前对着闸板的正前方放一砖块或石块，阻止蜂王通行。

2. 继箱双王群　蜂群发展到 10 个脾、7 框以上蜜蜂时，在巢箱上加双层纱隔板（可在木制副盖开一 10cm×15cm 洞口，在洞口两面的木板上钉上铁纱），纱隔板后边框条上开一小巢门，上面加上继箱。从巢箱提到继箱 1 框带蜂封盖子脾、1 框蜜脾，外侧加隔板，再抖入 1～2 框蜜蜂。次日，诱入成熟王台。新蜂王产卵后，用下面巢箱的封盖子脾逐渐给它补强到有 5 框蜂时，在巢箱上加隔王板，上面加空脾继箱，再上加隔王板，撤去双层纱隔板，落上新分群的继箱，组成上下的双王群（图 5-3A）。继箱双王群适合有夏、秋季蜜源的地区。主要流蜜期到来时，撤去原来的隔王板，使上下 2 个产卵区自然合并，让蜜蜂自己选留其中 1 只蜂王。在 3 个箱体上加隔王板，再上依次加上数只空脾继箱，用于贮蜜。国外大多采用这种方法。

3. 临时双王群 2个并列放置的平箱群，到流蜜期时，将两箱紧靠在一起，垫平，中央加上隔王板和空脾继箱（图5-3C）。

4. 双育虫箱双王群 平箱双王群发展到满箱时，加上用闸板从中间分隔的继箱，上下两块闸板紧密相接，形成纵向分隔上下相通的2个区，2只蜂王各占1个区（图5-3D）。这种双王群，可采用多箱体饲养法，即以箱体为管理单位，定期上下对调产卵箱体的位置，无须查找蜂王，蜂王产卵不会受到限制。流蜜期上面加隔王板和贮蜜用继箱。

5. 三箱体双王群 黑龙江省方正县贾连吉、贾志宏父子结合当地气候、蜜源情况，经过不断改进形成了“季节性双王三箱群饲养法”，自1993年以来连续多年获得丰收，成为黑龙江省科学养蜂先进典型。饲养方法是：

（1）3月下旬开始紧脾起繁，单王起繁3框足蜂。紧脾时每群留1个大蜜脾放在箱内侧，蜜多一面靠箱壁；中间放1个半蜜脾；外侧放1整框花粉脾，少粉一侧在内，外侧加隔板；均留10mm蜂路。如果没有天然粉脾，则在柳树开花前18～20d紧脾。紧脾后除3个脾爬满蜜蜂外，隔板外侧有半框蜂，纱盖下面和框梁上面爬满蜜蜂。

（2）把培育雄蜂的种用雄蜂群和育王群调整成5框足蜂，紧脾时在蜂巢中间加上1框雄蜂房巢脾，两侧蜂路15mm，群内蜜、粉要充足。

（3）4月下旬柳花盛开，育王群已达到6足框蜂，采取平箱育王。用框式隔王板将蜂箱隔成繁殖区和育王区。蜂王在繁殖区产卵，放3个脾；育王区3个脾、1个育王框、1个框式饲喂器。把完整的盖布用图钉钉在框式隔王板上，防止蜂王通过。每批育王25个。从移虫日起，每晚奖饲。

（4）5月7～10日以前，繁殖群达到6个脾，7～8框蜂，培育的王台成熟时，开始分出双王交配群。

（5）从7框群提出1个有部分角蜜的咬盖老蛹脾，放入双群交配箱闸板的一侧，再抖入2框幼蜂；闸板另一侧也同样组织交配群，盖上盖布和箱盖，搬到预定地点。1h后诱入成熟王台。傍晚蜜蜂停止飞翔时，给每侧加1个蜜脾。

（6）组成交配群后10d检查，大部分新蜂王已经产卵。如有一侧蜂王丧失，采取“整群对调法”补上新王群。即将失王群的蜜蜂和巢脾、隔板提出，另放一箱，翌日给失王群诱入王台。用10%酒水将箱内剩蜂喷湿，将新王群的蜜蜂和巢脾、隔板提出，用10%酒水把蜂喷湿后放入箱内，两侧加隔板。

（7）将新王群的1框卵虫脾脱去蜜蜂，与老王群的1框不带蜂蛹脾交换，逐步使新双王群每侧有3框蜂，每箱双王共6框蜂；老王群也平均为6框蜂。

（8）组成老王双王群：用2个老王群各以老蜂王带3框蜂组成双王群，箱上加隔王板和继箱，从另一老王群剩余的3框蜂加在继箱内，如此每个双王群都是由3个蜂群的蜜蜂组成。

（9）组成双王群后短期内不加脾。3d后检查，上下对调子脾，将适于产卵的脾调到巢箱，虫卵脾放在继箱。到隔板外侧共有1框蜂，两侧能同时加脾时，开始加脾，两侧同时从内侧提大虫脾放入继箱，巢箱两侧小虫、卵脾推靠中间闸板，贴外侧加1框空脾，巢箱两侧恒定 3 框。每隔 3d 如此调整，巢箱两侧各加 1 个脾。第三次加脾时间在 6 月中旬，蜂量充足时加第三箱体，各箱脾数由下而上为 6 框、6 框、3 框。下箱体 6 框仍放在中央，两侧隔板外各有空间，有利于通风散热；中、上箱的巢脾靠箱内侧，外加隔板，便于管理。

（10）椴树始花前 7 ~ 10d 蜜源少，有的年份基本无蜜，要大量饲糖。

（11）紫椴始花期（6 月底）扣王 15d，7 月中旬放出蜂王。适时取蜜。

（12）糠椴流蜜期结束前 1 ~ 2d，撤下第三箱体，成为双箱群便于转场。撤出的巢脾摇净蜜，熏蒸保存。撤下第三箱体时，巢箱每侧各加 1 个巢脾；继箱按蜂数留脾，最多不超过 6 框。

（13）蜂群转到秋蜜场地，安排就绪，提出中间闸板，让蜂群自己选留 1 只蜂王。

（14）蜂群单王越冬，留足或喂足越冬饲料。

（四）主副群

主副群是将强群和弱群搭配饲养，早春将 1 个 5 框蜂的强群和 1 个 2 框蜂的弱群并列放在一起，或者 1 个强群在前、2 个弱群在后呈三角形排列。同样蜂数的 2 个蜂群分别在 2 个蜂箱饲养，比放在 1 个蜂箱组成双王群饲养发展较快。但是，比饲养双王群需要较多的蜂箱，检查、调脾时要打开 2 个蜂箱。在春季新老蜂交替时期，按常规管理。在缩小蜂巢给蜂巢保温的 1 个月以后，进入蜂群发展时期，开始从弱群提出卵虫脾，扫去蜜蜂，写上群号和日期，加到强群代为哺育；同时给弱群补加空脾。这时强群的新蜂增多，有过剩的哺育力，而弱群的蜜蜂少，蜂王的产卵力不能充分发挥。将弱群的卵虫脾交给强群哺育，既可利用强群的哺育力，又可发挥弱群蜂王的产卵力，使蜂群加快发展。每隔 4 ~ 5d 从弱群提 1 框不带蜂的卵虫脾交给强群哺育，如此可以重复 3 ~ 5 次。等到强群代为哺育的幼虫已经封盖，快要羽化出房时（约经过 15d），将该封盖子脾脱除蜜蜂，还给弱群。根据记录或记在框梁上的日期，可以知道蜂子发育的情况。依次将代哺的子脾提回原来的弱群。经过 3 ~ 5 个幼虫脾的代哺，弱群就能发展成继箱群。

在临近大流蜜期时，停止代哺活动。在大流蜜期的中期，生产蜂群的采集力量下降时，可以用副群的封盖子脾补助。在转地饲养前，可将主群的带蜂封盖子脾加给较弱的副群，使主群的蜂数减少，保证运输安全。总之，根据情况灵活运用。

（五）多箱体蜂群

多箱体蜂群是全年采用 2 ~ 3 个箱体作为蜂王产卵、蜂群育虫和贮存饲料之用，在流蜜期到来时加贮蜜继箱的饲养方法。这是机械化大规模养蜂采用的方法，在蜂群管理上以箱体为单位，管理简便省工，能显著提高劳动生产率和蜂蜜质量，并且有利于饲养和保持强群。采用多箱体养蜂必须使用活箱底蜂箱，以便于各个箱体互换位置，必须有大量的巢脾和充足的饲料贮备，开始投资较大。作为一种蜂群管理方式，可以从蜂场中划出部分蜂群试养。

1. 双箱体越冬　晚秋准备蜂群越冬时，蜂群需有 7 框以上蜜蜂，20 ~ 25kg 贮蜜的蜜脾，2 ~ 3 框花粉脾。布置蜂巢时采用 2 个箱体，将 70% 的蜜脾和全部花粉脾放在上箱体（继箱）里，从两侧到中央依次放整蜜脾、花粉脾、半蜜脾；30%的蜜脾、蜂王和子脾放在下箱体（巢箱）。如果采用3个箱体越冬，将50%的蜜脾和全部花粉脾放在最上面的第三箱体，30%的蜜脾放在中间箱体，20%的蜜脾、蜂王和子脾放在最下面的箱体。随着饲料的消耗，越冬蜂团逐渐向上移动，越冬期蜂团通常处于两个箱体之间。早春，蜂王大多在上箱体内开始产卵，蜂巢位于上箱体。

2. 蜂群检查　只在春季蜂群已经恢复采集活动时、转地饲养前后、布置越冬蜂巢时以及个别发生分蜂热的蜂群，进行逐脾的全面检查，平时只做局部的快速检查和箱外观察。从上箱体的育虫区提出1～2框子脾，根据蜂子的有无和多少，判断蜂王的存在和质量；从上箱体的后面把箱体掀起，向巢脾喷一些烟，从下面查看子脾边缘是否有王台，判断是否发生分蜂热；根据箱体的重量，判断巢内饲料的余缺。

3. 调整育虫箱　多箱体蜂群的管理不是以巢脾为单位，而是以箱体为单位。春季蜂王大多在上面箱体产卵，在最早的粉源植物开花1个月以后，蜂群由新老蜜蜂交替的恢复阶段进入发展阶段时，上箱体中部的巢脾大部分被蜂子占满，将上箱体与下箱体对调位置，使下面具有空巢脾的箱体调到上面，蜂王自然爬到调到上面的箱体内产卵。经过2～3周，上面箱体的巢脾大部分已被蜂子占据，下面箱体的子脾基本上羽化出房，空出了许多巢脾，进行第二次上下调动箱体。再经2～3周，蜂群发展到15框蜂以上，在上下对调箱体后，于两箱体之间加上装着空脾的第三箱体。蜂群有3个箱体足够蜂王产卵、蜜蜂栖息和贮存饲料之用。以后还是每隔2～3周，对调1次最上面和最下面的箱体，中间箱体不动。

4. 流蜜期管理　大流蜜期开始前，上下对调箱体，在最上面箱体上加隔王板，上加1个贮蜜用的空脾继箱，待继箱的贮蜜达到80%时，在它下面隔王板之上加第二继箱。往后再加继箱时，仍然加在原有贮蜜继箱的下面。如果蜂群采集的花蜜数量较大，蜂群每日增重在2kg以上，加继箱时可在继箱里放置4～5个巢础框，巢础框与空脾间隔放置。在流蜜期快结束时，将贮蜜继箱的蜂蜜一次分离。取过蜜的巢脾和继箱，仍然放回蜂群，让蜜蜂将黏附在巢脾上的余蜜吮吸干净，然后将空脾熏蒸，妥善保管。如果继箱和巢脾不足，每群至少有2个继箱，可分批取蜜，每群每次只分离1个继箱的封盖蜜脾（图5－4）。

5. 贮备越冬饲料　在最后的主要流蜜期的后期要适时撤去贮蜜继箱，以便蜂群在育虫箱内装足越冬饲料，或者预先选择一些巢脾质量好的封盖蜜脾贮藏起来，作为越冬饲料。

二、卧式箱养蜂的管理要点

卧式蜂箱养蜂是横向扩大蜂巢。卧式蜂箱有14框、16框、18框、24框及30框等多种不同的容积。卧式蜂箱的优点是：早春可以2～4群同箱饲养，有利于互相保温；蜂群发展壮大时，可以提出部分蜂群改为单王群或双王群饲养；一般不叠加继箱，检查处理蜂群比较方便；箱上高框边纱盖和箱底大纱窗都是为转运时便于通风设计的，运输安全；转地时没有连接继箱的麻烦。缺点是：箱体大而笨重，需要两个人搬动；大流蜜期容易造成蜜压子脾；不利于培养强群、取成熟蜜。这里介绍十六框卧式箱和二十四框

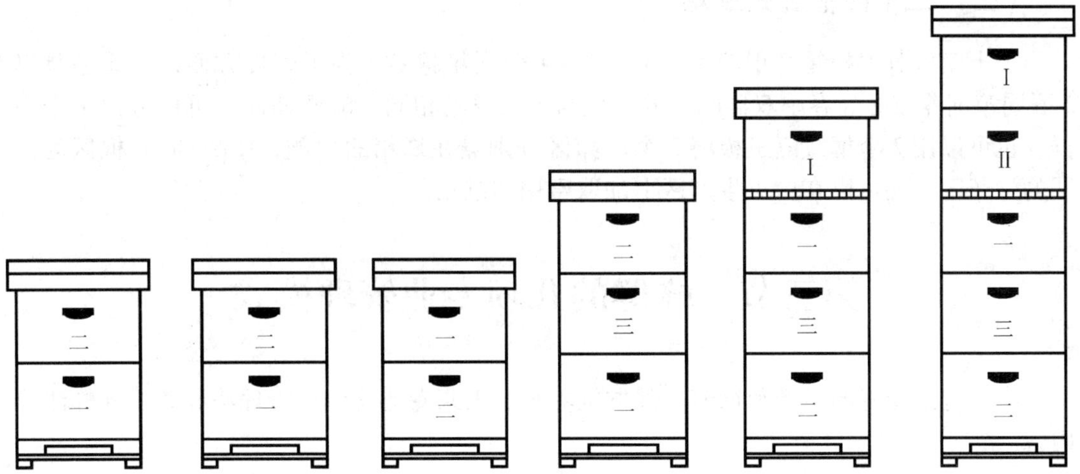

图 5－4 多箱体养蜂

1. 双箱体越冬，蜂王和蜂巢开始在第一箱体，逐渐向上移动 2. 早春，蜂王和蜂巢在第二箱体 3. 第二和第一箱体对调 4. 第一和第二箱体对调，中间加第三箱体 5. 第一和第二箱体对调，加上隔王板和继箱 6. 第二继箱加在第一继箱下面

卧式箱养蜂的管理要点。

（一）十六框卧式蜂箱

十六框卧式箱使用比较广泛，一般以双群同箱越冬，春季按双王群管理，蜂群发展到满箱或到第一个流蜜期前，提出 2 框或 3 框蜂和 1 只蜂王变成单王生产蜂群。

1. 春季管理 通常在春季采用双群同箱饲养，用闸板插在蜂箱中央，将蜂箱分隔成相等的 2 个室，闸板两侧各放 1 群饲养。两群的子脾可以互相调配，使两群平衡发展。当蜂群发展到满箱时，即每群都有 7～8 个脾、6～7 框蜂时，从中提出 1 只蜂王和带蜂子脾 2～3 框，放入另一卧式蜂箱，与从其他蜂箱提出的小群组成双王群。将原群中的闸板取出，使两边的蜜蜂及子脾合并成为单王生产蜂群。

如果需要更换蜂王，可用闸板在箱内一侧隔出 2 框的小区，内放 1 框带蜂封盖子脾和 1 框带蜂蜜脾，巢门开在箱侧面的后下方，诱入 1 个成熟王台，组成交配群。新蜂王交配成功，开始产卵后，将交配群的巢门关闭，开启前面的巢门。流蜜期来临时，将老蜂王淘汰，提出闸板使两边的蜜蜂合并。

2. 流蜜期的管理 在流蜜期开始前 7～10d，用框式隔王板将蜂巢分隔成繁殖区和生产区。繁殖区供蜂王产卵。根据蜜源情况和生产要求（只采蜜，还是同时生产王浆）布置两区的蜂巢。短流蜜期，为控制蜂王产卵，使繁殖区较小；长流蜜期，使繁殖区适当放大。如果生产王浆，可在生产区放置 2 框幼虫脾。

（二）二十四框卧式蜂箱

二十四框卧式蜂箱容积较大，可以2～4群同箱越冬。为了管理方便，春季还是以2群同箱饲养较好。春季双群同箱的管理与十六框箱相同。流蜜期前，可以分出1个小群。也可以用2个框式隔王板将2个产卵区分别隔在蜂箱的两侧，中央的10框区为共同的生产区。还可以在中央生产区上加取蜜用的继箱。

第三节　蜂群的几项专业管理模式

本节包括笼蜂的生产和饲养、强群饲养法、王浆专业化生产管理法和数控养蜂法等内容。

一、笼蜂的生产和饲养

笼蜂是以纱笼装运不带巢脾的蜂群。一笼蜂通常包括一定重量的蜜蜂和1只产卵蜂王。自从20世纪初期，养蜂业在欧美养蜂发达国家形成了产业化生产以后，美国南方各州逐步成立了200多家专业的育王场和蜂种繁殖场，每年可生产和销售50万笼笼蜂和100万只蜂王。同时在美国北方和加拿大的许多蜂场，削减了饲养越冬的蜂群，专门或者部分饲养笼蜂。

例如，加拿大每年春季从国外进口30万～40万笼笼蜂饲养，秋季采完蜜就将蜂群杀死，既节约了越冬饲料，又大量增产蜂蜜，全国平均蜂蜜单产达50kg以上，居于世界前列，养蜂员又有半年空闲可以从事其他职业。所以，饲养笼蜂大受北方养蜂者的欢迎。

用轻便的纱笼运输蜂群，其重量只有普通蜂箱的10%，从而节省运费和搬运的劳动力；既可以用卡车在高速公路长途运输，也可以实行远距离航空快运；笼蜂除了直接作为生产蜂群饲养，调剂南北方蜜源季节差别以外，还可以用来补强北方越冬削弱了的蜂群，对充分利用蜜源、饲养强群有积极作用；作为农业增产的一项措施，可以利用笼蜂给需要虫媒的农作物授粉；炎热季节，以铁路货车开巢门运蜂，既飞走蜜蜂，又影响车站作业，可以从强群分出部分蜜蜂装笼运输，到达目的地再合并。因此，笼蜂的生产和饲养是我国养蜂业的一项技术革新，须大力推广。

（一）生产笼蜂的条件

生产笼蜂要考虑技术力量、气候、蜜源和交通运输条件。

1. 建立种蜂场　从美国、俄罗斯以及近10年来澳大利亚和新西兰生产笼蜂的情况来看，大型的人工养王场是生产笼蜂的基础。我国虽然在海南、广东、广西、福建、云南、四川、江西等省，早春有适宜的气候和丰富的蜜源，由于在这些地方的养王场和种蜂场数量少、规模小、技术力量不足，没有能力供应笼蜂，所以笼蜂饲养的开展非常缓慢。近年来只有黑龙江省哈尔滨市南北笼蜂研究所张世元和广西博白县龙潭养蜂场林志丰等少数人员搞笼蜂饲养的试验和推广。

开展笼蜂饲养必须与推广优良蜂种相结合，要求供应的笼蜂蜂王品质好，产卵力强，蜜蜂年轻，没有病虫害，使饲养笼蜂者当年获利。所以，在南方建立大型育王和蜂种繁殖场，聚集人才，努力提高培育蜂王的技术和改良蜜蜂的品质，是当务之急。

2. 蜂具和饲料 生产笼蜂的工具主要有蜂笼、抖蜂漏斗以及人工养王用具；饲料有液体的，也有固体的。

（1）方形蜂笼：我国采用的长方形蜂笼，是用厚度为10mm的木板制成，长240mm、高160mm、宽240mm的矩形木框，可装1.5kg蜜蜂。根据盛装蜜蜂的多少，增减笼子的宽度。在矩形木框的前后两面钉上每厘米8～10目的铁丝纱网。笼体的顶板中央开1个直径100mm的圆洞，作为装上饲料罐和装入蜜蜂的孔洞。圆孔配有1块120mm×120mm×10mm封堵圆洞的盖板。笼底板的中央正对着装蜂的圆孔有1个凹形木支架，用来支持饲料罐。饲料罐为圆柱形，能装1.0～1.5kg糖浆，供蜜蜂在运输途中食用。饲料罐的盖子钉有2～3个直径0.8mm的小孔；使用时，将装上糖浆的饲料罐倒插在蜂笼顶板的圆洞内，支持在底版的支架上。这种采用液体饲料的蜂笼适于铁路、汽车运输。

航空运输时，由于气压的变化，液体饲料会洒出，因此必须采用固体饲料。采用固体饲料时，铁铅丝纱制成直径95mm、高70mm圆柱形的饲料篮，盛装固体饲料。

（2）圆柱形蜂笼：美国在20世纪80年代研制的圆柱形蜂笼，笼体采用纤维板制成，内径203mm，长度根据装蜂量决定，装900g蜜蜂的长度为356mm，装1 350g的长度为406mm。笼体两端的端盖由铁纱网和固定纱网的塑料鳍片盖构成（可用竹片代替），可保护纱网和防止纱网通风被堵。用一张纱网折成“Z”字形，固体饲料罐、蜂王笼绑附在“Z”字形纱网上，放入蜂笼中，此纱网还供蜜蜂栖息。

（3）饲料：液体饲料可用白砂糖加等量水制成1∶1的糖浆。固体饲料可采用细白糖粉和蜂蜜配制的炼糖。也可用琼脂和糖浆配制。按琼脂10g、白砂糖2.0kg和水1.5kg的比例，将它们置于不锈钢锅或铝锅内加热，使充分融化混均，趁热分装入饲料罐，自然冷却成胶状。

（4）装蜂漏斗：采用镀锌铁皮制成，上部为矩形，下部为漏斗状，在矩形底部装有隔王板，用于将蜜蜂装入蜂笼。使用时，将它插入蜂笼的装蜂口，抖入蜜蜂。隔王板可防止抖入雄蜂。大型漏斗是制成上面的矩形开口比继箱外围面积稍大，可以放入1块隔王板和继箱。

3. 蜜源 生产笼蜂的蜂场要设在南方有早春蜜源的地方。最好是有早油菜、胜利油菜、紫云英、荔枝、龙眼等蜜源的地方，春季有2～3个月的连续蜜源。有夏、秋季蜜源的地方，有利于蜂群的发展。

4. 运输 随着高速公路的发展和铁路不断提速，采用卡车或铁路货车运输笼蜂，既比航空快运经济，也便于养蜂人员跟蜂照料。卡车运输可以从始发地直接运达目的地，减少中途装卸的麻烦。

5. 技术 从事生产笼蜂的人员除了具有丰富的养蜂经验以外，需要熟练掌握人工培育蜂王及蜜蜂良种繁育技术。

6. 规格　1笼笼蜂包括1只新受孕蜂王和一定数量的年轻蜜蜂，可按重量分为1.0kg、1.5kg、2.0kg数种。由于在饲养笼蜂的第一个月，蜜蜂哺育幼虫的数量不多，不需要过多的蜜蜂，因此，一般以饲养1.0~1.5kg重的笼蜂为宜。

（二）签订购销合同

饲养笼蜂一般集中在每年的3~5月，饲养者需要事先预定，与供应的蜂场签订购销合同，明确货款支付方法、日期以及笼蜂的规格等。内容包括：笼蜂数量、蜜蜂品种、每笼蜜蜂的重量、产卵蜂王数量、交蜂日期、价格、订金、运输方法及其他事项等。购买笼蜂需要多订购5%~10%的蜂王，以便补充蜂王的意外损失。为了补强削弱了的越冬蜂群，还可以订购不带蜂王的笼蜂（在无王笼蜂运输期间放入笼中1个王台）。

（三）笼蜂的生产

开展笼蜂生产要有计划地进行，培育出受精、产卵的蜂王，繁殖强壮蜂群。

1. 计划　3月下旬开始从生产蜂群提出第一批笼蜂计算，须在1月初开始进行蜂群繁殖；2月下旬蜂群发展到8~10框蜂，加上继箱；2月底、3月初培育蜂王，第一批新蜂王在3月中旬开始产卵。按照订购笼蜂数量和发货日期，事先做好计划，按计划安排生产。

2. 加速蜂群发展　四川省崇庆县朱有炎、朱明生等1988年冬季试验，从12月底开始进行奖励饲喂糖浆和花粉，促使蜂王产卵、促进蜜蜂哺育幼虫，可使蜂群比当地正常越冬的蜂群多繁殖2代蜂子，到春季油菜花期时多增殖3框多足蜂。

（1）准备工作：将蜂群放置在背风向阳的场地，防治蜂螨，消毒蜂箱、巢脾和养蜂用具。按蜂群群势放入带有圈蜜和花粉的巢脾。3框蜂以下的蜂群放1框，3~6框的中等群放2框，6框蜂以上的强群放3框。将提出的巢脾熏蒸，保存。箱底垫10~15cm厚的稻草保温。2月初再在箱内加保温物。

（2）奖励饲喂：每天傍晚在箱内饲喂1∶1糖浆100~150g，一直到2月下旬有蜜粉源时为止。

（3）喂水：采用巢门喂水，每天向巢门饲喂器添加新鲜水，不使水干，经常清洗饲喂器，保持卫生。

（4）喂花粉和添加剂：按常规方法配制花粉糖饼或人工花粉脾。按1kg干花粉或花粉代替品加添加剂36.5g（蛋白酶0.5g、维生素C 1g、酵母粉25g、王浆酒10g）。初期可喂花粉糖饼，1次50~100g，5d左右喂1次。第一代子封盖以后最好加入人工花粉脾。

（5）治螨防病：防治蜂螨，应在蜂王开始产卵时或子脾未封盖前进行。蜂螨严重的蜂群，可以结合割除封盖子脾继续防治。当第一批封盖子脾面积只有碗口大时，可割开封盖，用药物防治。

早春容易发生大肚病（蜜蜂孢子虫病、慢性蜜蜂麻痹病等），预防方法是进行抗病育种，饲养强群，用消毒蜂箱和巢脾给蜂群换箱换脾，用蜜脾和优质饲料替换巢内的巢脾。

（6）控制蜜蜂出巢：在寒潮来临前的晴天中午，扩大巢门，在框梁上洒20～30ml稀蜜汁，促使蜜蜂出巢飞翔、排泄。寒潮到来时，缩小巢门，在巢门前斜挡木板遮光，控制蜜蜂出巢。

（7）扩大蜂巢：3框蜂以下的弱群（1框巢脾），在有60%封盖子时加脾。3框蜂以上的蜂群（2～3框脾），子圈面积扩大到巢脾底部，就可以根据天气、巢内蜜粉贮备、蜜粉源情况，加蜜粉脾、半蜜脾或空脾扩大蜂巢。加空脾时，用温蜜汁喷洒巢脾，促使蜜蜂清理巢房，加速蜂王产卵。

吴永中提出的“两密两稀”蜂群快速繁殖法，刘集生提出的促控结合蜂群春繁技术，原则上都是在初期气温低、没有或只有少量蜜粉源，时常有寒潮时期，蜜蜂要密集，加脾宜缓，并可通过子脾调头，割开封盖蜜的办法扩大产卵圈。加脾时最好加人工粉脾。2月立春以后气温上升，平均每脾有七八成蜂即可。这时每隔4～5d可加1～2个脾。蜂群达到10个脾有6～8框子脾时，适当缓加脾，待新蜂大量出房后加继箱，扩大蜂巢。这时蜂群有6～8个子脾，新蜂陆续出房，青幼年蜂多，哺育力强，同时蜜粉源增多，可以进一步促进蜂王产卵，培育大量的蜜蜂。

（四）蜂王的培育

预先选择出提供幼虫的种蜂群、育王群和培育雄蜂的种用雄蜂群。按需要数量做出计划，按计划培养蜂王。我国饲养笼蜂是个新兴事业，销售笼蜂一定要注重信誉，保证蜂王是当年人工培育的新产卵王。3月份的早期笼蜂，蜂王可以在前1年秋季培育，日龄不超过6个月。蜂王应符合种性要求，产卵力强，其后代蜜蜂采集力强，分蜂性弱，有较强的抗逆性和抗病力。

在12月底1月初整理蜂巢时，选择品质优良、无病虫害、5框蜂以上的强群作育王群和种用雄蜂群。紧缩蜂巢时，在育雄蜂群加入1框雄蜂房的空脾。已有雄蜂出房时，着手人工养王。控制种群的蜂王产卵，采用大蜂卵育王。

（五）笼蜂的装运

根据合同提前准备蜂笼、使用工具、饲料，并与运输部门联系好。

1. 装笼操作 装笼使用的工具主要有蜂笼、蜂王邮寄笼、饲料罐或饲料笼、装蜂漏斗、台秤、铁钉、钉锤、钳子以及饲料等。

预先将蜂王装入蜂王邮寄笼，在饲料室装入炼糖（也可以不加饲料），笼内无须带侍从蜂。用细铁丝将蜂王笼吊在蜂笼装蜂口内一侧的锯缝里，用小钉固定在顶板上。把蜂笼放在台秤上，插上漏斗，称出重量。打开蜂箱，找到有蜂王的巢脾，放在箱内一边。提出其他青幼年蜂多的巢脾，将蜜蜂抖入漏斗，然后将巢脾放回原箱。依次提脾抖蜂，直到笼内蜜蜂重量稍微超过要求，立刻抽出漏斗，装上饲料罐，将顶板盖在装蜂口上钉住。纱盖、隔板和边脾上附着的蜜蜂大多是日龄较大的，不要将它们抖入笼内。在蜜源缺乏时期装笼，容易发生盗蜂，装笼时间须安排在清晨或者黄昏蜜蜂很少飞翔时。最好用蚊帐纱制作一个便于移动的纱帐，在纱帐内装蜂。一旦发生盗蜂，立刻停止，等蜜蜂安静后再继续。在流蜜期装笼要在蜜蜂大量出巢以前进行，以免装笼的蜜蜂蜜囊中装有花蜜，到达目的地以后失重太多。在蜂笼上写上编号，记录每个编号的蜂笼毛重（含蜂笼和装上蜂王的蜂王邮寄笼重量）、饲料罐（饲料笼）重、饲料重量和装笼日期。

3 月下旬达到4kg 蜜蜂的蜂群，从 3 月底到 5 月上旬，每隔 10 ~ 15d 可提出 1 笼 1.0 ~ 1.5kg 蜜蜂，平均每个强群可生产 3 ~ 5 笼笼蜂。

2. 固定蜂笼　为了使笼蜂通风、散热和便利搬运，将每 3 ~ 4 笼用 4 根木条或竹板钉连在一起。各笼的纱窗与纱窗相对，间距 80 ~ 100mm，木条钉在蜂笼侧壁的上下两端，一面 2 根。木条的长度根据蜂笼的长度和宽度而定，两头各长出 30mm。

3. 笼蜂的运输　我国的高速公路在大力延伸，采用双排座卡车运输可以根据天气和温度灵活掌握运输时间，减少途中装卸，又有人押运，既安全方便，运费也较省。铁路在不断提速，以铁路运输随人押运，也很安全。将蜂笼在车厢内叠放整齐，对齐空间，保持蜂笼空气流通，并用绳子捆扎固定，防止互相碰撞。不能将蜂笼倒放。押运人员应随身携带面网、钉子、锤子、钳子和饲料，沿途指导笼蜂的装卸、安放等工作，避免阳光曝晒，发现问题随时处理。在运输途中，每天可少量喂水，查看饲料情况，及时给予补充。

长距离的航空快运，须采用固体饲料，还要安排好两方面短途的汽车运输，装上飞机启运后，要立刻通知接蜂单位。用喷气式飞机运输，将笼蜂装在前舱；用螺旋桨飞机运输，将笼蜂装在后舱，以减少震动。

（六）饲养管理

饲养笼蜂要准备好蜂箱、巢脾、巢框、巢础、饲料以及管理用具；预先做好计划，与蜂笼供应单位签订购销合同，订购需要数量的笼蜂，约定交蜂日期和运输方法。蜂笼过入蜂箱以后需要经过 1 个月才能逐渐恢复到原有蜂数，经过 2 个多月才能发展壮大。须根据当地的气候和蜜粉源情况确定交蜂日期。笼蜂在当地最早的蜜粉源植物开花时，或者开花前半个月运到最理想。

1. 准备工作　预先将蜂箱修理好，消毒，清洗干净，陈列在蜂场上。巢门 10 ~ 15mm 宽，箱底垫 30 ~ 50mm 厚的干草。准备草帘、蜜脾、砂糖、花粉或花粉代用品。1.0kg 蜜蜂的笼蜂，每箱放 3 个脾，其中 1 个适于产卵的空脾放中间，两侧各放 1 个蜜粉脾。1.5kg 蜜蜂的笼蜂，每箱放 4 个脾，其中 2 个空脾放中央，蜜粉脾放两侧。巢脾向箱内一侧靠拢。

2. 笼蜂过箱　过箱的关键是不能发生盗蜂和不使蜜蜂迷巢而产生偏集。笼蜂到达时，如果是晴天，气温在 10℃ 以上，就暂缓过箱，将笼蜂放在阴凉通风的地方，向蜂笼喷一些糖浆或蜜汁，使蜜蜂安静。从纱窗查看笼蜂，查明是否有蜜蜂严重死亡的情况及死亡的原因，待到傍晚蜜蜂很少飞翔时再过箱。如果是阴冷无风天气，可以立刻过箱。在过箱时，尽量避免蜜蜂飞翔。

取下蜂笼上面的盖板，取出饲料罐；提出蜂王笼，打开出入口，将它夹在两个巢脾之间；启开蜂笼一面的铁纱，将蜂笼放入箱内空的一侧，使启开铁纱的一面朝向巢脾。盖上盖布、副盖和大盖。蜜蜂会自动爬上巢脾。

如果遇到寒潮大风天气，也可以在室内过箱。将地面清扫干净，关上门窗，安装红色灯或将手电蒙上红布照明，在室内将笼蜂放入蜂箱，随时将落到地面的蜜蜂拾回蜂箱。待天气好转后，傍晚将蜂群搬到蜂场陈列，做好箱外保温处置。

过箱时严格防止发生盗蜂。蜜粉脾装在蜂箱内，蜂具不乱放，随时盖好蜂箱，饲料放入严密的容器，洒落地面的饲料立刻清理。

3. 笼蜂的管理　过箱的次日，巡视蜂场，进行箱外观察。如果发现某群有蜜蜂不出巢，有一些蜜蜂在巢门附近爬行，有盗蜂攻击现象等不正常情况，先做上标记，然后开箱快速检查，首先检查不正常的蜂群，加以补救。蜂笼中有剩余蜜蜂的，将它们抖出，用蜂扫扫净。丧失蜂王的，仔细检查，确认无王时，诱入蜂王，或与有王群合并。发生盗蜂的，采取防止措施。蜂王未出笼的，揭开铁纱，让蜂王爬上巢脾。扫出箱底死蜂，将巢脾向中央靠拢，两侧加隔板。根据当时气温情况进行箱内保温，或只进行箱外保温。傍晚开始奖励饲喂，同时饲喂花粉糖饼或花粉代替品，以刺激蜂王产卵及蜜蜂育虫。饲喂花粉或者以后加人工花粉脾，一直持续到有天然花粉为止。抓紧巢内没有封盖子的有利时期，用长效杀螨剂防治蜂螨。

笼蜂过箱 21d 以后，新蜂陆续出房，就可按一般蜂群管理，加空脾或花粉脾，逐步扩大蜂巢。在笼蜂过箱以后，如果每隔 1 周补给它 1 框封盖子脾，陆续补助 2 ~ 3 框子脾，可以加速蜂群的发展。

（七）生产和饲养笼蜂的效益

中国农业科学院蜜蜂研究所在 1982 ~ 1985 年共计推广笼蜂 1 023 笼，效果良好。对其中 81 笼进行统计，在 3 ~ 7d 的运输期间，蜜蜂的死亡率为 0.96% ~ 3.88%，比蜂箱运输蜂群的死亡率低。试验证明，在新疆和北京，4 月初 1.5kg 蜜蜂的笼蜂，其蜂蜜和蜂王浆产量都相当于或略高于在北方越冬的中上等群势的蜂群。在四川的 1 个原群（1 月有蜜蜂 2 框），在 3 ~ 4 月生产、出售 3kg 蜜蜂（2 笼），其收入就高于同等群势生产蜂群 1 倍以上。开展笼蜂饲养，不但能充分发挥我国蜜源资源的优势，增加生产，节约开支，减少蜂群长途运输的损失，还能减少养蜂人员长期在外过游牧生活之苦（黄文诚、陈世璧、焦东升、吴永中、刘集生等，1993）。

（八）饲养笼蜂的方式

饲养笼蜂有几种方式，可根据个人情况选用。

1. 饲养 1 个养蜂季节　每年春季从南方购入笼蜂饲养，采完当地秋季最后的蜜源以后，将蜜蜂杀死，从而减少蜂群越冬饲料蜜，增加商品蜜产量，节省人工管理及越冬保温物等费用。欧美国家大多采用这种饲养方式，我国北方寒冷地区也适宜采用。

2. 补强越冬蜂群　春季蜜蜂繁殖期短，主要蜜源比较早的地区，可以利用笼蜂补强越冬削弱了的蜂群，使蜂群及时发展成生产蜂群，来提高蜂产品的产量和产值。

3. 南北笼蜂双向流动　这是张世元和林志丰合作试验的方式。他们 1995 ~ 2000 年的试验表明，每笼笼蜂可获得 500 ~ 2 000 元纯收入。他们认为，每年 4 月下旬到 5 月中旬将笼蜂运到黑龙江，9 月下旬至 11 月上旬将笼蜂返回运到广西比较适宜。张世元希望建立股份合作方式进行笼蜂饲养（参见《蜜蜂杂志》2000 年 6 期）。

4. 为果树和温室授粉 利用笼蜂可为果树和温室水果、蔬菜授粉。例如，中国农业科学院蜜蜂研究所 1983 年 3 月底，用 30kg 笼蜂给砀山酥梨进行授粉试验，除完成当年授粉任务以外，还收到一些梨花蜜。试验结果，蜜蜂授粉区的酥梨比全场平均增产 15%，还节省下大量劳动力和开支。1 群蜂可节省 20 多个劳动力。

5. 确保强群运输安全 在高温季节，为了确保强群长途运输的安全，起运前可将强群中的一部分蜜蜂用蜂笼运输，到达目的地以后，合并回原群或补充弱群，可以大量减少蜂群运输途中的损失。

二、强群饲养法

强群是提高蜂产品产量的基础。在主要流蜜期，1 个强群比 3 ~ 4 个弱群的产量还要高，所以从事养蜂生产必须培养强群和保持强群。饲养和维持强群必须选用良种；掌握蜜蜂遗传原理和培养蜂王技术，不断地进行良种选育；进行奖励饲喂和饲喂花粉及花粉代用品，促进蜂群快速发展，保证蜂群有充足的饲料；控制分蜂热的产生，使蜂群处于积极的工作状态；及时防治蜜蜂病虫害，保持蜂群健康。

（一）选用良种

改革开放以来，我国科技人员已经成功选育出 10 余个蜂王浆和蜂蜜高产蜜蜂品种和品系，例如，浙农大 1 号、国蜂 213、国蜂 414、平湖浆蜂、萧山浆蜂、黄山 1 号、平湖黑浆蜂、白山 5 号、松丹 1 号和松丹 2 号等。引进高产蜂王是提高产量的捷径，再继续进行选育可以事半功倍。

浆蜂品系大致可以分为 3 个类型：以生产蜂蜜、花粉为主生产王浆为辅的蜜主浆辅型，以生产蜂蜜、花粉和王浆并重的蜜浆兼顾型和以生产王浆为主的浆主蜜辅型（徐祖荫、王泽邦，2000）。根据生产方式选择引用的蜂种可参考第六章。

（二）人工育王

保持高产蜂种的优良品质必须不断进行良种选育，精通蜜蜂遗传学基础理论并掌握人工育王技术。在进行蜜蜂选育和人工育王时，往往忽视性等位基因的纯合及雄蜂的培育，即只选用少数蜂群作为母群和父群，经过几代就形成了近亲交配，造成生产力和生活力严重下降。其次着重选育具有清扫巢房行为的蜂群，提高蜜蜂的抗病力。第三，重视选择采集花粉能力强的蜂群，蜂群采集花粉多，表示蜂王产卵力和蜜蜂哺育力强。可参考第六章。

（三）丰富的蜜粉源

蜜粉源是蜂群生活和生产的物质基础。定地蜂场，在蜂场半径 2km 以内必须有主要蜜粉源和丰富的辅助蜜源。转地蜂场要预先调查清楚放蜂场地的蜜源情况。参考第四章第二节。

(四) 充足的食料

养蜂产蜜是在满足蜂群自身生活需要的条件下，采收剩余的蜂蜜。如果实行掠夺式的生产方式，在流蜜期三天两头摇蜜，采取“一扫光”的方法，将蛹脾和幼虫脾上的蜂蜜通通摇光，生产的蜂蜜未经蜜蜂酿制成熟，质量低、水分大，同时也损伤虫蛹，一遇到气候突变，蜜源断绝，就会使蜂处于饥饿状态，群势迅速减弱，短时间难以恢复。每个蜂群应经常保持2框蜜脾，保证蜂群有充足的饲料，使蜂群能正常发展。

(五) 控制分蜂热

饲养和保持强群，除选用不爱分蜂的蜂种外，要及时采取各种有效方法控制分蜂热的产生。具体措施参考第一章第二节和本章第一节。

(六) 防治病虫害

坚持“以防为主、防重于治”的方针，每年严格消毒蜂箱、蜂具、蜂场；选育抗病蜂种；定期防治大、小蜂螨和各种传染病；不用来历不明和患病蜂场的蜂具、巢脾、蜜粉、蜂王及蜂群；一旦发病及时诊断、治疗，防止蔓延成灾。参考第七章。

三、蜂王浆专业化生产管理法

蜂王浆专业化生产是我国养蜂业显著区别于西方养蜂业之处，是我国蜂农提高养蜂效益的主要途径之一。蜂种、群势、蜜粉源、气候是蜂王浆生产成败的决定因素。在生产实践中，应注意引进王浆高产良种蜂王，切实养起强群，利用天然蜜粉源快繁蜂多产浆，缺蜜少粉时奖糖喂粉；采用先进的蜂王浆生产工具，讲究卫生，熟练掌握蜂王浆生产操作技术。

(一) 产浆群的组织

1. 大群产浆　我国养蜂者普遍采用大群产浆，春繁群势平箱达到9～10框，工蜂满出箱外，蜂多于脾时，即加上继箱生产蜂王浆。精选产卵力旺盛的新王介入产浆群维持强群群势，使之长期稳定在8～10框子脾循环出房。专业生产蜂王浆的养蜂场，应组织大群数10%的交配群，既培育新王又可与大群双向调节，不换王时用四区交配群中的卵或幼虫脾不断调入大群哺养，快速发展大群群势。

产浆大群一般须有11～13框巢脾，其中8～10框子脾，2框蜜脾，1框专供补饲粉脾，大流蜜后群内花粉缺乏时须迅速补足，巢脾布置巢箱为7框，继箱4～6框。这种组织生产蜂群的方式最适宜小转地、定地饲养，夺取王浆丰产稳产。春季油菜大流蜜期用10条33孔大型台基取浆，框产王浆达200g以上，夏秋用6～8条台基取浆，全年群均产浆可达8～10kg。这是蜂王浆专业化生产最理想的模式。也有少数蜂场用这种方式大转地饲养，长期开大巢门运蜂，蜂群不受闷，饲料要留足，到了新场地，子脾正常，群势不落，浆产量不跌。但王浆产量总不及定地、小转地饲养的高。

我国有许多蜂场赚不到钱，甚至亏本。究其原因，早春繁蜂不肯下本钱，不提早繁蜂，到油菜盛花期7~8框蜂匆匆加上继箱。大流蜜期，为多摇点蜜，又采取杀鸡取卵的方法，把种王扣起来，人为地造成“花落群势落”的局面，若从着眼全年生产的角度看，这种做法是得不偿失的。这些蜂场，巢箱4~5张脾产卵，继箱上4~5框蜂，群势很弱，只能用3~4条小型台基条取浆，年群产王浆只有1~2kg。这种饲养方式仅能保本，多数年份要亏损。

2. 小群产浆 平箱饲养也可产浆。平箱群巢箱中间用框式隔王板隔开，分为产卵区和产浆区，2区各4框，产卵区用一块小隔板，产浆区不用小隔板。浆框放产浆区中间，两边各2框巢脾。摇蜜期产浆区全用蜜脾，产卵区用4框脾产卵；无蜜期，蜂王在产浆区和产卵区10d一换，这样8框全是子脾。平箱年群产浆量也高达5kg以上。

（二）移虫群的组织

移虫虫龄的大小与工蜂泌浆、王浆产量密切相关，养蜂人必须根据外界蜜粉源条件合理把握移虫虫龄的大小。产浆旺期虫大得快，可选15~20h龄的幼虫，虫移大了王浆被吃掉很多，影响王浆高产。在蜜、粉源缺乏期可选24h龄的幼虫，以提高接受率。同一浆框移的虫龄大小一定要均匀。

找适龄虫脾是令养蜂人费神又费时的工作，蜂王浆专业化生产的蜂场应组织好移虫群，专供产浆用移虫。早春双王群快速繁殖成强群时，拆去部分双王群，组织双王小群。移虫群数占产浆群数的9%~10%，例如，一个有产浆大群100群的蜂场，可组织移虫双王小群9群，共18只蜂王产卵，分成A、B、C 3组，每组3群，每天确保12框适龄虫脾供移虫专用。

在组织移虫群时，双王各提入1框大面积出房子脾放在闸板两侧，让它出房维持群势。A、B、C 3组分3d依次加脾，每组有6只蜂王产卵，就分别加6框3年以上的老空脾，因为老脾色深房底圆，便于快速移虫。及至第一次加脾的第四天A组就有6框四方形的整齐的移虫脾，A组移虫后的虫脾仍还A组。及至第五天7时A组又加空脾6框产卵，第五天下午取浆移虫的主虫脾是B组的6框，A组的6框同时调出作为备用虫脾。移虫后，巢脾数量充足的蜂场，A组的这6框备用虫脾可调入大群壮大群势；巢脾缺乏的蜂场可用喷雾器冲洗大小幼虫及卵子，重新作为空脾使用。第六天移虫的主虫脾是C组的6框，B组的6框备用，依次循环。须注意的是每天2组的虫脾不能调错，第一次移虫的主虫脾仍还原移虫箱，第二次作为替补的备用虫脾移虫后调入大群哺育；第二，加空脾时间要根据季节、冷脾（贮备的巢脾）和群内的热量而定，春季气温较低时空脾应在提出虫脾的当天17时加入；夏天气温较高时幼虫长得快，空脾应在次日7时加入。若是冷脾，应在还虫脾的当天加在小隔板外让工蜂整理1夜，到次日7时放到小隔板里边第二框，也就是中间位置蜂王易产卵，及至第四日下午移虫面积很大，幼虫正适龄。有些蜂场取浆移虫是上午进行的，那么空脾应在当天17时加入。实践证明，下午取浆产量比上午取浆高约20%，应提倡下午取浆。

（三）产浆群的管理

1. 精选良种 蜂种是蜂王浆高产的基础。王浆专业化生产蜂场必须引进浆型良种，更换遗传因子杂乱的劣质蜂种。笔者曾引进1只原种澳意王，做产浆试验，精心饲养成12框足蜂的强群，在主要蜜源大流蜜期蜂王浆产量仅有30g/框，为我国20世纪70年代的产浆水平。我国蜂王浆高产蜂种的研究经过几代育种工作者的努力，已结出丰硕的成果，比如萧山高产浆蜂种，大流蜜期强群群次产浆在180g以上，突出的在200g以上，推广全国饲养后蜂王浆产量得以成倍跃升。由此可见，蜂农引进王浆高产良种蜂王是达到王浆高产的必然要求。

2. 调整子脾　产浆大群的巢箱和继箱之间有隔王板隔离，继箱相当于一个无王群。将新封盖子脾提上继箱，工蜂就会把封盖子脾边上未封起的小幼虫房改造成自然王台，因此，把提上的新封盖子脾放在浆框边，符合工蜂急需造台育王的欲望，可大大提高浆框王台接受率，且在气温低蜂数不足时可以多调上哺育蜂。春秋季节气温较低时应提2框新封盖子脾保护浆框热量，夏天气温高提上1框新封盖子脾即可。10d左右子脾出房后应及时从巢箱调上新封盖子脾，出房脾返还巢箱以供产卵。

3. 培养强群　强群是蜂王浆高产的关键。秋繁开始用同龄蜂王组成双王群，为来年快速春繁打好基础，双王春繁的速度比单王快，从生产蜂王浆的效益看，单王群较双王群好，“双王繁殖，单王产浆”是蜂王浆专业化生产的理想模式。产浆群应常年维持12框蜂以上的群势，巢箱7脾，继箱5脾，长期保持7～8框四方形子脾（巢箱7脾，继箱1脾）。产卵慢、产花子的蜂王，即使是当年新王也一律淘汰，迅速换上产卵快的新王，介入大群50～60d后可鉴定其王浆生产能力，将产量低的蜂王迅速淘汰再换上新王。蜂王应年年换新，老王不能常年维持强群。夏季气温高，老王产卵力下降，甚至休产，应用产卵力旺盛的年轻蜂王换下老王，保持高温季节群势不下跌，蜂多于脾，王浆依然高产稳产。

4. 维持蜜、粉充足　蜜粉源是培养强群的物质保证，也是蜂产品生产的物质基础。在主要蜜粉源花期，养蜂场应抓住时机大量繁蜂。实践证明，这样做既获得了满意的强群，又不影响蜂蜜产量。无天然蜜粉源时期，群内缺粉少糖，要及时补足，最好加喂天然花粉；如无花粉，也可用黄豆粉配制粉脾饲喂。此脾为笔者配方：黄豆粉、蜂蜜、蔗糖按10∶6∶3配制。制法是黄豆炒至九成熟，用0.5mm筛的磨粉机磨粉，按上述比例先加蜂蜜拌匀，将湿粉从孔径3mm的筛上通过，形如花粉粒，再加蔗糖粉（1mm筛的磨粉机磨成粉）充分拌匀灌脾，花粉灌足脾后用蜂蜜淋透，下用大盆接住，浇至渗透巢房内的粉为止，以便工蜂捣实加工，不变质。粉脾放置在紧邻浆框的一侧，这样，浆框一侧为新封盖子脾，另一侧为粉脾，5～7d重新灌粉1次。群内缺糖时，应在夜间用糖浆奖饲，确保哺育蜂的营养供给，达到“无花不低产，落花不落群”的境界。

5. 控制巢温、湿度　蜂巢中产浆区的适宜温度是35℃左右，相对湿度75%左右。只有保持产浆区合适的温、湿度，才能调动适龄蜂到产浆区泌浆。气温高于35℃时，蜂箱应放在阴凉地方，或在蜂箱上空架起凉棚，注意通风，必要时可在箱盖外浇水降温，最好是在副盖上放一块湿毛巾。

（四）蜂王浆生产操作技术

1. 产浆工具　生产蜂王浆的工具主要有王浆框、台基条、割台刀、镊子、取浆笔、浆瓶、移虫针、消毒纱布、酒精及冰柜等。

王浆框采用南方杉木、东北红松制作，不易变形，做成5条巢框式，台基条子可以活动拆装，产浆旺期可用双条并列，每框最多可装10条台基条，依据泌浆的多少灵活掌握台基条数。

王浆台基条早已从蜡台杯改进到塑料台基条，随着王浆高产良种的生产需要，又由原每条25孔改进到每条33孔。33孔大型台基条以笔者制作的大型王蜡台杯为模型，采取直筒圆底形，内直径0.95cm，内径深度1.2cm，用优质白色无毒塑料制作，经久耐用。33孔大型台基条能充分发挥蜜蜂最佳产浆性能，深受养蜂人的欢迎。

割台刀和镊子应选不锈钢材质，使用之前用75%酒精消毒。用割台刀切割王台蜡及用镊子钳取幼虫时应加倍小心，切勿割破王虫；万一割破，即用镊子夹出虫体，防止其体液污染王浆。

采用机器取浆、移虫是我国几代养蜂人梦寐以求的理想，也确有一些采浆机、移虫机问世，但推广应用于日常王浆生产还有许多问题有待解决。目前，多数养蜂人用塑料取浆笔或小匙取浆；也有自己独创的工具，比如用长18cm、宽0.95cm的毛竹片，两端圆头，用502强力胶粘住与该毛竹片两端形状吻合的橡胶片（长3cm、宽0.95cm），橡胶片外缘超出竹片2mm左右，使用方便灵活，得心应手。

王浆瓶用无毒塑料制作，容量有150g、250g、500g和1 000g等多种规格。在装蜂王浆之前应用75%的食用酒精消毒。移虫针直接影响移虫的速度和接受率，很多养蜂人喜欢用羊角片自制移虫针，羊角质地柔韧，回复力好，不伤及虫体，是上好的移虫针舌材料。

采集的蜂王浆应立即放入冰柜，或者尽量做到当天放入冷库，温度恒定在－15℃以下，确保其活性成分不流失。大转地蜂场可购置小型冰箱随时贮备蜂王浆。

2. 取浆、移虫操作技术　移虫取浆操作技术直接影响王浆生产效率，养蜂人要努力提高移虫取浆速度，为大规模专业化生产王浆打好基础。

第一次使用的新台基条，可将其插入蜂群“亲台”24h左右，正式移虫前须在每个台基内点上新鲜王浆，提高接受率。移虫操作是将移虫针端沿巢房壁轻轻伸入幼虫体下的王浆底部，随即提起，把幼虫连浆带出，再把移虫针伸到台基底部轻轻一捺，幼虫即落在台基底部。移好1条，台基口朝下，放在湿净毛巾上保持一定的湿度，移好一框，迅速插入产浆群，动作要轻，以防幼虫移位。移虫虫龄以15～20h的幼虫为适宜，虫体呈新月形，蛋清色。移好虫的浆框在下午或傍晚插入最适宜，这时蜂群情绪稳定，利于台基接受。移虫后经68～72h即可取浆，每日10时左右泌浆量多，一般13～15时提出采浆框最合适。

提出采浆框时尽量把上面的蜜蜂轻轻抖落于原位，用清洁的蜂刷拂去余蜂，并仔细观察其接受率、台基颜色，王浆是否满台，如果台基内王浆很满，可再加1条台基，如浆不太满，可减去1条台基。同时在蜂箱盖上做上记号，比如写上“6条”、“7条”、“10条”等字样，使下浆框时不致失误。

定地和小转地的产浆蜂场，在取浆群蜜脾充足的情况下，做到糖浆“两头喂”，即浆框插下去当晚喂1次，以提高接受率；取浆的前一晚喂1次，以提高浆产量。大转地产浆蜂场要注意蜜不能摇得太空，转场时群内蜜要留足，以防到下个场地时天下雨或者不流蜜，造成蜂群拖子，王浆产量大跌。

移虫取浆工作量很大，大蜂场要合理安排好王浆生产。比如大蜂场可以置备4批高产王浆台基条，用来取浆和连续产浆。第四批高产台基条在第一批产浆群下浆框后的第三天上午用来移虫，至第三天下午，抽出第一批产浆框，立即将第四批移好虫的台基条插入，达到连续产浆。第一批的产浆框可在当天下午或傍晚取浆，也可在第二天早上取浆，取浆后上午移好虫，下午把第二批产浆框抽出后，立即把这第一批移好虫的浆框插入第二批产浆群中，如此循环，周而复始。这样做的好处有：第一，取王浆和移虫的工作时间分开，比较从容；第二，抽浆框后立即下移好虫的浆框，达到连续泌浆，可提高浆产量；第三，人手少的蜂场可以缓解劳动强度。

（五）茶花期产浆措施

茶花是我国南方入秋以后一个优良的大宗蜜粉源，利用好茶花期，既高产王浆又抓秋繁，强壮越冬蜂群，为翌年的高产打下基础。茶花粉是春繁增强蜜蜂体质、预防控制蜂病（如白垩病）的首选饲料。茶花浆10－HDA含量还高于春浆。我国的养蜂业如能好好利用这一丰富的蜜粉源，可增加一份巨大的财富。

1. 茶花场地蜂群管理 8月下旬蜂群提前到达茶花场地，从杂交稻花开始，培育一代子壮大群势。到10月初，除留下优质老王组织双王群，其余全部换成新王双王群，这样产卵积极，蜂势很强，与早春大流蜜期一样。

2. 防止茶花蜜引起的烂子，关键在于勤喂稀糖水 蜜蜂幼虫不能有效利用茶花花蜜中所含较高的寡糖中的半乳糖成分，因而引起营养生理障碍，导致烂子。为尽可能使哺育蜂少取食茶花蜜饲喂幼虫，每个强群每晚应用1∶1.5的稀糖水喂1～1.5kg。浇在框梁上面，以迫使每只哺育工蜂都吸到糖浆。

在气温正常情况下，茶花期40d，大流蜜30d。若长期高温流蜜很好，必须天天喂，如发现烂子，喂糖水量需增加，在框梁上多浇几次；低温多雨流蜜少时，可少喂。大流蜜期应及时摇蜜，每4～5d检查1次，蜜足的便抽摇。为防盗蜂，摇蜜须在密室内进行。继箱出房子脾应及时取蜜调入巢箱产卵。双王群巢箱保持7～8张脾产卵。继箱浆框两侧应长期保留子脾，调节浆框昼夜温差，同时提高浆框王台接受率，使王浆高产、稳产。用5～7条33孔高产台基条取浆，一直可取到11月中下旬。届时及时关王断子，待幼虫全部封盖后，停止喂糖水，同时停止取浆、脱粉，让蜂群采足花粉，离开茶花场地，供最后一代新蜂的营养消耗，为来年的春繁奠定好基础。

四、数控养蜂法

养蜂生产随时都会遇到与数据有关的问题，养蜂的技术措施与最佳数据的差距越小，效益就越高。传统养蜂，养蜂者依据“冷、热，多、少，强、弱，早、晚”等模糊的定性概念，凭自己的经验去管理蜂群，很难做到恰到好处，因此经济效益很低。

笔者在长期的养蜂生产实践中，发现了关于管理蜂群的3个蜜蜂生物学规律：仿热律、间虫律和伤力律。在此基础上，提出了选择繁蜂的蜜源、调节巢温和调节虫蜂比例三原则，并创造出一套新的养蜂法则和技术，在整个养蜂生产周期内，用最佳数据来指导蜂群的饲养管理工作，笔者称之为“数控养蜂法”。

（一）数控养蜂法的三规律、三原则

1. 三规律

（1）伤热律：蜂群中，蜂子和内勤蜂需要34～35℃的环境温度，外勤蜂不需要这么高的温度。正常情况下，外勤蜂栖息在箱内温度较低的地方，新陈代谢减弱，在天暖时离巢活动。若过度为蜂群保温，一方面，造成产卵圈外围温度升高，外勤蜂的新陈代谢加强且飞翔更频繁，从而缩短其寿命；另一方面，一部分内勤蜂被迫提前接替与自身日龄（生理上）不相称的巢外工作，又加速了老化和死亡，形成恶性循环，这种损失称“伤热”。

如果巢温长期偏高，不仅成年蜜蜂受到伤害，而且蜂子也受到伤害。伤热轻微时，子脾中部的幼虫提前封盖，提前出房，幼蜂体小质弱，寿命短。伤热较重时，孵出的幼蜂不能飞，甚至残翅，有些在蛹期即死亡。伤热严重时，蜂巢中心的蜂子死亡，被蜜蜂清除后，在子脾中心出现成片的空巢房，这种现象简称“空心”。剩余蜂子虽能发育成蜂，但体弱到只能咬破房盖却爬不出来，以致饿死在房内，有的甚至连房盖也无力咬破就已毙命，子脾中部的卵不能孵化成小虫。因此，尽管饲料充足，蜂巢中部却是卵多虫少，虽然蜂王不停地大量产卵，工蜂积极地哺育，还是只见蜂子不见蜂，群势停止增长甚至下降。

（2）间虫律：在哺育蜂少而卵、虫又多的蜂群中，工蜂将饲料分散喂给全部幼虫，随着虫龄的增大，哺育蜂即使竭尽全力，也不能满足全部幼虫对食物的最低需求。因蜂王浆饲喂不足的部分幼虫在3～4日龄时死亡，因乳糜饲喂不足的部分幼虫在6日龄时死亡，所以，尽管巢温正常，蛹脾上还是出现了许多空房，这些空房均匀地分布在蛹脾各处，这种现象称“间虫”，是蜜蜂的一种营养性疾病。

发生间虫时，死虫随时被清除，其巢房被蜂王产上卵，或被工蜂贮上蜜粉，这就形成了“插花子脾”，其特征与欧洲幼虫腐臭病相似，但发生间虫子脾上的死虫体不变黄，头不朝向房底，也不腐烂。间虫无传染性，用药物防治无效。间虫发生后，剩下的幼虫在封盖后还会有一部分死亡，幸存下来羽化出的幼蜂，多不能飞翔，甚至残翅，能飞的也体小寿短。所以，间虫的后果也是只见蜂子不见蜂。羽化的新蜂不足以补偿老蜂死亡数，群势逐渐下降，哺育力越来越低，进而间虫更严重，形成恶性循环。

间虫是由于虫、蜂比例失调或巢温长期偏高，许多哺育蜂被迫离开虫脾引起幼虫食物不足造成的，在蜂群哺育力不足或巢内饲料缺乏和蜂群患病时也会发生。

（3）伤力律：蜂群在日采集量大于日消耗量时，蜂巢内贮蜜量迅速增加，会出现蜜压卵圈现象，造成繁蜂和采蜜相矛盾。转地饲养的蜂场，蜂群连续处在大流蜜的条件下，不停的采蜜工作使外勤蜂很快累死，内勤蜂被迫提前接替与自身日龄（生理上）不相称的巢外工作，又加速了老化和死亡，从而造成哺育蜂减少，蜂子数量下降。这种因长期赶采大蜜源，工蜂一直处于超负荷劳动状态，而造成蜂群群势削弱的现象，笔者谓之“伤力”。

2. 三原则

（1）调节巢温的原则：传统养蜂法调节巢温要求宁热勿冷，数控养蜂法依据“蜂多于子脾，常年宁冷勿热”的原则力争使巢温适宜。

（2）调节虫、蜂比例的原则：尽量使蜂群处于最佳的虫、蜂比例状态，在难以达到时，要“育虫宁少勿多”。

（3）选择繁蜂蜜源的原则：繁蜂时，要尽可能选择蜂群日采蜜量与耗蜜量大致相当的蜜源场地；在难以符合要求时，要优先选择能使巢内贮蜜缓慢增加的蜜源；当巢内贮蜜逐渐减少时要奖饲。避开大流蜜和无蜜源的地方。

（二）数控养蜂方法

数控养蜂法包括数控调节巢温、数控虫蜂比例、数控人工孵蜂、利用最佳群势、数控蜂产品组合、数控蜂群越冬、数控分群与养王、数控养蜂日程和养蜂策略等，其核心是利用最佳群势。

1. 数控调节巢温　根据群势确定蜂、脾关系。春、秋调整蜂巢时，蜂群群势在4脾蜂以下的要蜂多于脾，4脾蜂以上的要蜂、脾相称，6脾蜂以上的要脾多于蜂。利用气温（20℃）、群势（6脾蜂）和时令（大流蜜前15d）等为转折点，进行蜂群保温、散热等的管理转换，以准确的数据实行程序化管理。例如，以气温20℃为界线，在20℃以下侧重保温，20℃以上侧重散热等。

2. 数控虫、蜂比例　既反对利用弱群繁蜂，又反对常年利用强群繁蜂；要使蜂群既能喂好幼虫，又没有过剩的哺育力。因此，9脾蜂以下的蜂群要限制蜂王产卵量，做到蜂群每天能喂活多少个虫，就让蜂王每天产多少粒卵。平箱群要利用经验公式（5－3）进行扩巢，不随意调换虫、卵和蜜蜂，避免造成虫、蜂比例失调和破坏各日龄蜜蜂的正常构成。

$$\text{加脾间隔日} = 11 - \text{群势} \qquad (5-3)$$

蜂群达到10脾蜜蜂（有9张子脾）时，每6d提出1张蛹脾和1脾蜂组织新蜂群，这样既能控制繁殖群的群势，又能增加产卵蜂王，充分利用全场的蜜蜂哺育力。在群势未达到10脾蜂时不提蛹，不勉强分群。如此，既不会造成原群哺育力不足，又不会造成原群哺育力过剩。在蜂群都达到10脾蜂后，应采用连续分群法，每天分出7%的新蜂群，至大流蜜前15d停止。不采用一次或分批的分群法分群。这些调节虫、蜂比例的措施，就是要使蜂群的虫、蜂比例达到最优状态，其要点是“10脾蜂，常奖饲”，即繁殖群要保持10脾蜂，巢内贮蜜减少时要奖饲。

3. 数控人工孵蜂　做1个能容纳100张蛹脾的孵蜂蜂箱，以火炕为热源的，用温度报警器来检测箱温，当箱温低于33℃或超过35.5℃时，温度报警器就发出不同的音响，通知养蜂者加温或散热。以电为热源的，用电热自动控温仪等来控制箱温。孵蜂箱内的湿度以80%为宜。

提蛹时，达到10脾蜂的蜂群，每6d提出1张蛹脾进行人工孵化，平箱群每加2次脾提出1脾蛹，群中有虫、卵的蛹脾可与他群采取“换脾提蛹”，有分蜂情绪或无王的群应多提蛹脾。粉圈大的或雄蜂房多的和应淘汰的蛹脾，都尽可能提出来孵化。每2d

扫取1次孵出的幼蜂，待幼蜂上脾后治螨，2d后用来组织新蜂群或补助弱群（未提蛹的弱群不补幼蜂）。承接幼蜂的巢脾要有足够的花粉、蜂蜜以及让蜂王产卵的空巢房，扫净幼蜂的蛹脾还给孵蜂箱，空脾或尚有少部分幼蜂未出房的脾加入蜂群。

人工孵蜂能控制繁殖群的群势，使虫、蜂比例处于最佳状态，避免分蜂热的发生，减轻蜂群调节巢温的负担，减少粉压卵圈现象，有助于培育、导入蜂王和补助弱群等，简化养蜂技术，降低生产成本。

4. 利用最佳群势　大于最佳群势的群为强群，小于最佳群势的群为弱群。数控养蜂法主张常年利用最佳群势，既反对饲养弱群，又反对常年强群繁殖。数控养蜂法主张先侧重繁殖机制，力争多培育采蜜蜂的哺育蜂，大流蜜结束前60d，开始侧重营养机制，饲养强群以培育出健壮的采蜜蜂。传统养蜂法主张常年养强群，在繁蜂前期就侧重营养机制，降低了蜂群生长率，使繁蜂速度变慢。

（1）春繁开始时的最佳群势（Y）：可用公式（5－4）和（5－5）求得。

$$Y = 8 \div (3.85 - 0.39a) \qquad (5-4)$$

$$Y = 8 \div (3.85 - 0.39a) + (67 - C) \times 832 \div 2\,000 \quad (C < 67) \qquad (5-5)$$

式中：

a——蜂群越冬期月数；

C——开繁日至蜜源大流蜜的日数，d。

当 $C = 67$ 时，在蜜源大流蜜开始前不能分群；当 $C > 67$ 时，在蜜源大流蜜开始前应适当分群。

（2）越冬最佳群势：可用公式（5－6）求得。

越冬最佳群势＝春繁开始的最佳群势＋越冬平均死亡蜂数　（5－6）

（3）繁殖群的最佳群势：黑×意杂交蜂繁殖群的最佳群势为10脾蜂，1只蜂王大量产卵，10脾蜜蜂哺育，既不会间虫，又充分利用了哺育力。超过10脾蜂的群，每脾蜂的育子数量相对较少，群势增长率低；8～23脾蜂的群，不论群势大小，每日增长的蜂数，一般都是0.6脾蜂，所以，不应常年利用强群繁蜂。

繁蜂最佳群势＝平均日产卵量÷298＋2　（5－7）

（4）采蜜群的最佳群势：10脾蜂群在大流蜜前15d停止分群，蜂群每天增长0.5～0.6脾蜂，到大流蜜开始时达到18脾蜂，充满2个箱体，不用组织采蜜群，蜜蜂各日龄的比例正常，适合生产需要，既不用增加第三箱体，管理方便，蜜蜂又不会拥挤；群势再大时，需要3个箱体，巢温增高，蜜蜂出勤率大幅度下降，造成“窝工”。

5. 数控蜂产品组合　开展综合生产，是保证蜂场赢利的重要途径。但是，各种蜂产品生产之间都是互相制约的，不同产品生产的组合，经济效益不同。这就要根据不同的蜂种、群势和蜜源条件，优化蜂产品生产组合，科学地安排每种产品的生产期，使不同的蜂产品生产之间产生互助作用，以取得最大经济效益。

春繁开始后2个月内和越冬蜂培育期中，不利用大流蜜蜜源，但可生产蜂花粉。在主攻的主要蜜源流蜜期，一般采用无虫化采蜜，利用的时间不应超过20d，此阶段不宜生产花粉。如果预测到无虫化采蜜的增产值＜蜂王浆减产值＋少繁蜂的价值时，不宜实行无虫化采蜜。

生产蜂王浆的蜂场，应先侧重繁蜂，利用前期的剩余哺育蜂分群，停止分群后再产浆。这样，在产浆条件顺利时能多投入 34% 的蜂群产浆，效益提高 50%，这个方法称为“集中产浆法”。在蜜源大流蜜期，用无虫化采蜜群生产王浆，使产蜜量降低 30%，蜂王浆的机会成本相当于蜂蜜日产值的 43%；而用产卵群产浆，虽然也影响产蜜量，但减产幅度小，还是应该产浆的。全年内有大流蜜期又较稳产的蜂场，应以产蜜为专业，把原来产浆的时间用来再多养 70% 的蜂群，这样养蜂的经济效益比蜜、浆兼收可提高 20%。

在中小流蜜的蜜源场地进行造脾、繁蜂和采蜜，三者是互助关系。在大流蜜期中，可以趁夜晚或雨天造脾。

6. 数控蜂群越冬　在蜂群越冬时，饲料的饲喂量和饲喂时间、越冬形式、群势、越冬蜂巢的调整、温度和越冬蜂排泄飞翔日期等，都要最佳。在秋季蜂群停止育虫前 25d，蜂场要撤离流蜜量大的蜜源，转以繁蜂为主。

从停止育虫日开始补喂越冬饲料，既能利用老蜂加工饲料，又能限制蜂王产卵。用白糖作越冬饲料，喂糖前 2d 提出贮粉面积大的巢脾，大量喂糖的当天把小子脾放入巢箱，继箱放老子脾与深色脾。喂糖群留脾总数 = 平箱群数 ×（越冬最佳群势数 - 1）+ 继箱群数 × 8；选强群喂蜂，其喂糖群数 = 喂糖群留脾总数 ÷ 14。在蜜蜂最后飞翔日排泄后，应杀掉多余蜂王，平衡群势，越冬蜂王最佳数量 = 全场越冬蜂数 ÷ 最佳越冬群势。

寒地养蜂用地窖越冬，当最低气温降至 - 14℃时入窖，窖温保持 2℃，蜂窖内的湿度保持在 75% 左右，蜂窖和蜂群都要加强通风，蜂巢上面放小木棍以形成上蜂路，冬季不检查蜂群。越冬效果不良时要在春季第一个气温达到 6℃ 的晴天排泄，越冬良好时，则在第二个适飞回暖期再排泄，不论何时排泄，都应在第二个适飞回暖期中加粉脾开始春繁。

7. 数控分群与养王　采用连续分群法，在保持原群都达到 10 脾蜂的前提下，将剩余幼蜂全部用来组织新群。每 3 脾幼蜂为 1 群，蛹脾、粉脾、蜜脾和空脾各 1 张，再从交尾群中导入产卵王。新群组成的第三天，加入 1 张从间虫群或弱群中提出的大虫脾，以后，每 9d 补给 1 张蛹脾，并按加脾周期公式进行扩巢。分群数量宁少勿多，大流蜜期前的 15d 和培育越冬蜂最佳期前的 40d 禁止分群。

用连续养王法培育蜂王，以配合连续分群工作。从蜂场出现雄蜂时起，到大流蜜结束前 50d 止，是养王最佳期，最后一次育王，要在蜂群停止喂虫日前 44d 移虫。利用继箱群哺育蜂王，移虫第五天，将封盖王台提到孵蜂箱中，移虫第十一天，把王台粘在蜜脾上，用铁纱横向罩住，罩内有蜜、粉和空房。移虫后 12d 组织好有 0.2 脾幼蜂的小交尾群，每群放入 1 只体躯较大的幼蜂王，于室内幽闭 3d（注意喂蜜），然后搬到蜂场外围进行交尾。蜂王产卵 1d 后提出利用，否则，导入有 0.5 脾蜂的群内贮备；提出蜂王 40h 后的交尾群，可再诱入刚出房的处女王，并在导入的新处女王体上涂蜜以减轻工蜂的敌意。交尾箱中的蜂王产卵后，首先用来更换劣王，再用来分群，对达不到 8 张子脾即出现封盖王台的蜂群，也要立即换王。

8. 数控养蜂日程　蜂场的每项季节性工作都有它的最佳时机。确定最佳日程时，是以春季排泄日、大流蜜开始日、秋季蜂群停止育虫日和最后飞翔日这4日为基准，科学地计算出每项工作的最佳日期。

9. 养蜂策略　数控养蜂法非常重视养蜂的策略，其决策原则有两条：重视长远利益，反对急功近利。要侧重4年内（大、小年2个周期）或更长远的利益，而不是注重当年收益。1年内的养蜂策略，也是侧重于全年利益，而不是只顾眼前抓现钞。重视一个养蜂员的收益，而不是注重一群蜂的收益。因此，不仅要蜂群数量足，而且要把蜂场作为一个生产单位。

传统养蜂法把大流蜜开始前第五十一天至大流蜜结束前第二十九天，叫做“采蜜蜂培育期”，这是片面的。因为，虽然直接去采蜜的蜂是这个时期的卵孵化的，但是这个时期的育子数量是由群势来决定的，没有较多的哺育蜂，就培育不出大量的采集蜂。所以，培育采集蜂的哺育蜂的繁殖期，也是采蜜蜂培育期。采蜜蜂培育期包含了准备期和最佳期两个阶段，大流蜜前第五十一天开始的是“培育采集蜂最佳期”，是“采蜜蜂培育期”的一部分，只有在准备期中多繁蜂，最佳期中才能多培育采集蜂。实际上，采蜜蜂培育期是在上个大流蜜期流蜜下降时就开始了。“培育采集蜂最佳期”和“采蜜蜂培育期”是两个不同的概念。

由于传统养蜂法“越冬蜂培育期”概念的缺陷，在培育越冬蜂准备期中，弱群也全力以赴采蜜，造成越冬群势弱。与之相比，数控养蜂法把采蜜群群势下降到10脾蜂时，即作为越冬蜂培育期的起点，这样，在椴树蜜源流蜜结束时，一般蜂群就进入了越冬蜂培育期。如果椴树流蜜期中群势达不到10脾蜂，就使蜂群在椴树花流蜜前就进入了越冬蜂培育期，椴树流蜜期中则侧重繁蜂。

传统养蜂法，提倡追花夺蜜转地饲养，使养蜂业形成了常年转地常年弱群的局面。数控养蜂法利用蜜源的原则是有取有舍，提倡“间歇采蜜法”。每繁蜂60d即能利用一个有20d的大流蜜期。在以有大、小年规律的蜜源为采蜜对象时，要将2年作为1个生产周期来制订方案，小年以繁蜂为主，要尽可能分群，蜂场周围若有大流蜜蜜源时，应转地到蜂群日采蜜量等于或略大于耗蜜量的地方繁蜂。在主攻大流蜜30d之前，要将蜂群转到采蜜场地；流蜜前的第九天，将蜂王幽闭起来，实行无虫化采蜜；流蜜高峰时释放蜂王，提高采蜜积极性；蜂王释放的第六天治螨。应用“间歇采蜜法”比连续采蜜法增产25%。

传统养蜂法把秋季蜂群停止喂虫前的25d，称为“越冬蜂培育期”，这个概念也是不完整的。传统养蜂法也反对弱群越冬，要求寒地越冬蜂群群势有5脾蜂以上。与采蜜蜂的培育同理，要育出5脾越冬蜂，在培育越冬蜂25d前的群势至少应有10脾蜂，培育这10脾哺育越冬蜂的蜜蜂时期，实际上就是越冬蜂培育期，而停止喂虫前的25d则是“培育越冬蜂最佳期”，是“越冬蜂培育期”的一个阶段。因此，“越冬蜂培育期”也包含了准备期和最佳期两个阶段。

近几年来，笔者仍致力于数控养蜂法的研究，蜂群管理中的蜜蜂生物学“四律、五律”研究即将完成，届时将以更丰富的技术以飨读者。

第四节　中蜂新法饲养管理要点

中华蜜蜂（*Apis cerana cerana*）简称中蜂，是东方蜜蜂（*Apis cerana* Fabricius）种下的一个亚种（习惯称为品种），原产于我国，是西方蜜蜂未引进我国以前，广大人民饲养的惟一的蜜蜂品种。过去普遍采用木桶、竹笼等固定脾蜂窝饲养，毁巢取蜜，产量低，质量差。采用活框蜂箱科学养蜂，不仅使蜂蜜产量和质量提高，而且进行专业饲养，可以开展多品种生产，进行转地采蜜及利用蜜蜂为农作物授粉。

一、中蜂资源和品种特性

（一）中蜂资源

中国农业科学院蜜蜂研究所主持，组织全国中蜂主产区的科研单位，于1975～1982年对全国中蜂资源进行了普查。初步查明，全国除新疆和内蒙古以外，各省区都有中蜂分布。根据调查结果，可以将中蜂分为以下几个类型（杨冠煌、许少玉，1982；杨冠煌、孙庆海，1983；杨冠煌、李桂仙，1983；杨冠煌，1984）：

1. 东部中蜂　是中蜂的主要品种，约有200万群，占中蜂总数的80%以上，广泛分布于华南、华东、中南、华北、东北和西北各省区。由于各地区的生态差异，可细分为两广型、湖南型、云南高原型、北方型和长白山型。其体型中等，工蜂体长11～12mm。

2. 海南中蜂　分布于海南省，约有10万群，其体型最小，工蜂体长10.5～11.5mm。

3. 阿坝中蜂　约有15万群，分布在四川省阿坝、甘孜地区以及青海和甘肃的东部，均在海拔2 000m以上的高原和山地。其体型最大，工蜂体长12.5～13.5mm。

4. 西藏中蜂　约有2万群，主要生存于西藏海拔2 000～4 000m的河谷地带。

5. 滇南中蜂　属于印度亚种（*Apis cerana indica*），约有15万群，分布于云南省北纬24°30′以南，主要在西双版纳和德宏两个自治州。

（二）中蜂生物学特性

中蜂的生物学特性与西方蜜蜂不同，以下的说明是以占绝大多数的东部蜜蜂为代表。

1. 中蜂体格较小喜密集　中蜂体长平均11～12mm，初生体重73～87mg，喙长5.0～5.2mm，都略小于意大利蜜蜂。中蜂喜欢密集在子脾上，外界气温在25℃以下，工蜂就聚积在子脾表面，形成密聚的蜂团。

2. 飞行的临界温度较低　意蜂安全采集飞行的温度为14℃以上。中蜂在8～10℃以上的晴天就能正常采集飞行。因此，中蜂在南方能生产枇杷蜜、柃蜜（野桂花蜜）、鸭脚木蜜等冬蜜。

3. 饲料消耗少比较稳产　中蜂出工早，收工晚，善于利用分散的小蜜源，同时中蜂蜂王产卵和蜜蜂育虫对气候、蜜源条件变化的反应迅速，能节约饲料，具有“大年丰收，平年有余，歉年不赔”的稳产性能。

4. 中蜂抗螨力强　雅氏瓦螨（大蜂螨）寄生于中蜂群已有很长时期，它们互相已经适应。并且中蜂工蜂幼虫的饲料少，蛹的发育期较短，大蜂螨只寄生于雄蜂虫蛹，爬在工蜂体上的大蜂螨常能被抖落，或由其他工蜂帮助清除。所以中蜂群即使有大蜂螨寄生，也没有明显的危害。将寄生着亮热历螨（小蜂螨）的意蜂子脾加入中蜂群，也能被中蜂驱除。

5. 逃避敌害抗御胡蜂　中蜂飞翔敏捷灵活，在飞行中能较好地逃避胡蜂、蜻蜓和鸟类等天敌的捕杀。如果胡蜂在巢门前攻击中蜂时，就会集中几十只守卫蜂发出“嗤嗤”声，进行恐吓，时常群起反抗，几十只工蜂将胡蜂包围，往往使胡蜂窒息死亡。

6. 蜂王产卵力较低　在繁殖期，中蜂蜂王正常的日平均产卵量为700～750粒，最高1 000粒左右。

7. 工蜂的喙较短　工蜂的喙长5.16mm，采集荔枝、龙眼、枣、油菜、柃等短花冠蜜源植物，可以获得蜂蜜丰收。

中蜂，尤其是仍然处于野生及旧法饲养的中蜂，具有一些不利于生产的缺点，主要是：分蜂性强；恋巢性弱，易飞逃；抗巢虫力弱，爱咬毁旧脾；盗性强；丧失蜂王后易出现工蜂产卵等。应采用活框蜂箱，实行科学饲养，加强管理，注意发挥它们采集活动的积极性，克服它们不易维持大群，易发生盗蜂，易患中蜂囊状幼虫病和欧洲幼虫病等缺点，同时通过人工育王、良种选育、抗病育种，逐步提高中蜂的生产能力和为植物授粉的效率。

二、过箱操作

过箱是将饲养在木桶、竹笼、墙洞等固定脾旧法饲养的中蜂转移到活框蜂箱，这是专业化、规模化饲养中蜂的第一步。

（一）准备工作

过箱要准备好蜂箱、使用的各种工具，调整好蜂窝的位置。

1. 蜂箱和工具　各地广泛使用的中蜂蜂箱主要有中一式、中笼式、从化式、沅陵式、景戎式、高窄式等，也有采用意蜂十框蜂箱饲养中蜂的，目前推广的是中蜂10框标准蜂箱。不论采用什么样式的蜂箱，它的巢框上梁和侧板（边条）的宽度都定为25mm，两个巢脾之间的双蜂路保持8～10mm。巢框穿上25～26号铁丝，将铁丝拉直、拉紧。裁切巢脾的平木板，长500mm、宽300mm。与巢框大小相似的托脾木板。埋线器，或用小螺丝刀，刀口锉一道与铁丝直径相同的沟，做成笔式埋线器。夹绑巢脾用的细竹棍。其他用具有小桌、喷烟器、面网、起刮刀、蜂扫、收蜂笼、钳子、细铁丝、图钉、硬纸板、水桶、面盆、抹布等。

2. 过箱时间　将旧法饲养的中蜂转移到蜂箱，对蜂群是强迫性的迁居，割脾、镶脾要损失一些蜂子和蜜粉，所以在春季有早期蜜粉源时过箱较好。有蜜粉源时期，过箱操作不易引起盗蜂，过箱以后蜂群造脾迅速，有利于蜂群发展壮大。如果已有活框蜂箱饲养的中蜂群，能够借用部分巢脾过箱，可在早春蜂王恢复产卵初期进行，提早蜂群繁殖。

在操作时，子脾要暴露一段时间，宜选择在晴暖无风、气温在20℃以上的时候进行。春季和南方的秋季，选择晴暖天气，在中午过箱；夏季气温高时，宜在黄昏进行。气温低的早春，也可以将蜂窝搬到室内，在室内过箱。

3. 蜂群群势 过箱的蜂群要有3框以上蜜蜂。蜂数过少的蜂群，保温、育虫和采集能力差，须等待它发展壮大后再过箱。

4. 调整位置 如果准备过箱的蜂窝高悬在房檐下，或其他不适当的地方，预先逐日慢慢移动，将它迁移到便利操作的地面。

（二）过箱操作

过箱时最好是3人协作，1人负责驱蜂、割脾，1人镶脾、绑脾，1人协助绑脾、收蜂和清理洒落的蜂蜜、蜡渣等。

将工作地面和蜂窝外面清扫干净，以免操作时污染子脾和蜜脾，放置好小桌及各种工具。旧法饲养使用的木桶、竹笼、荆条筐等蜂窝有直立式或横卧式的，外形有圆柱形、横圆形或长方形等多种形式（图5－5）。

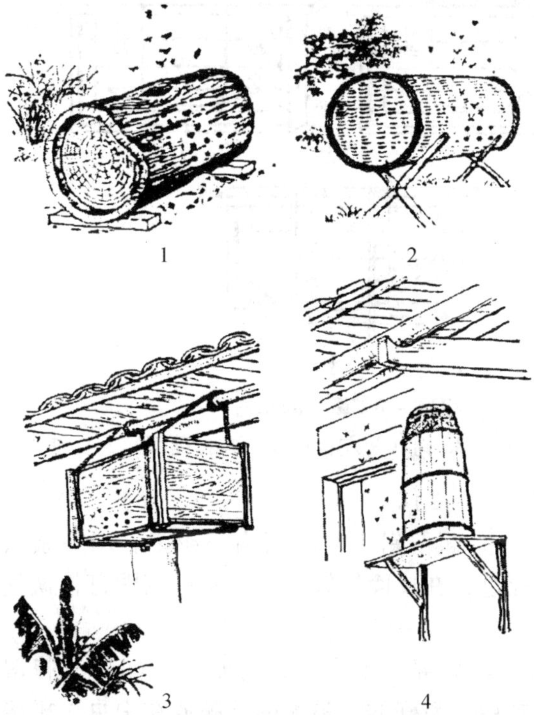

图5－5 旧法饲养中蜂使用的蜂窝

1. 空心树段 2. 卧式竹笼 3. 长方形板箱 4. 立式木桶

过箱的方法可以分为翻巢过箱和不翻巢过箱两种。

1. 翻巢过箱 翻巢过箱法对于横卧式和直立式蜂窝都适用。

（1）直立式蜂窝：首先，点燃喷烟器，向巢门喷入少量烟。从下面掀起蜂窝，查看巢脾的排列，翻转时注意使巢脾的纵向与地平面垂直，慢慢将蜂窝翻转过

图5－6 翻转蜂窝，将蜜蜂驱入收蜂笼

来，上部朝下倒置在地上。将收蜂笼斜靠在蜂窝上面，用木棒从蜂窝下部往上轻轻敲打，促使蜜蜂离脾向上进入蜂笼集结（图5－6）。操作时不要过激，以免把蜂团驱散。待大部分蜜蜂收入蜂笼后，将蜂窝搬离原处。把收蜂笼放在原址一旁，下面稍微垫高一些，使飞回的蜜蜂进入笼内集结。将蜂箱放在原来位置，打开巢门。

（2）横卧式蜂窝：向巢门喷烟后，拆去两头的盖板，按同样方法将蜂窝翻转，向巢内喷烟并用木棒敲打，将蜜蜂驱赶到对面放置的收蜂笼内。

2. 割脾镶框　用快刀紧贴巢脾基部将巢脾割下，用手掌或托脾板承接取出，交给另一人裁切，镶框，绑脾。选留巢脾的原则是留子脾和新脾，淘汰旧脾和空脾。将空脾、旧脾上的贮蜜部分切下，集中放置在有盖的容器中，留待取蜜，其余部分另放入一个容器，以后化蜡。

对子脾要抓紧处理。将子脾放在桌面的平板上，用一个未上铁丝的空巢框作尺度裁切，把子脾上的贮蜜部分切下，以免子脾上存蜜过多、过重，容易使巢脾下坠。较小的子脾可以2块拼接成1框。镶框、绑脾的方法根据具体情况分别处理：

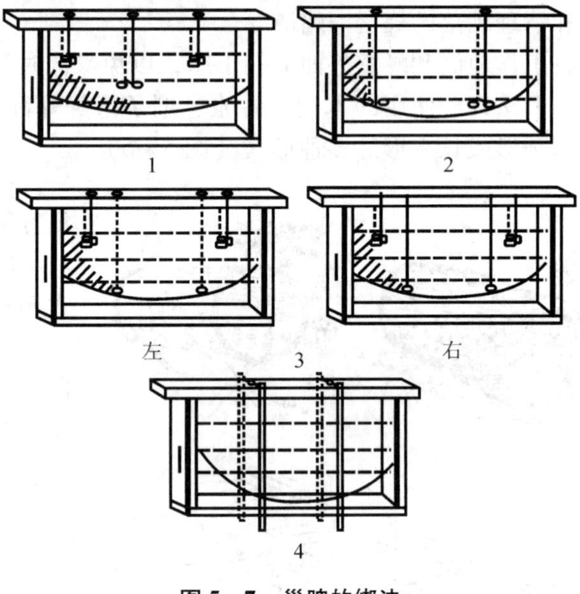

图5－7　巢脾的绑法

1. 插绑　2. 吊绑　3. 钩绑（左：正面　右：反面）　4. 夹脾

（1）夹绑：将整框的子脾或蜜粉脾套入穿好铁丝的巢框，巢脾上端紧贴上框梁，用笔形埋线器将铁丝压入巢脾，深度以接近房底为准。两面用竹条夹住绑牢，顺着绑两道（图5－7－4）。

（2）插绑：已经培育过多代蜜蜂、茧衣较厚的黄褐色子脾适合插绑。将子脾镶上巢框，埋入铁丝以后，用薄铁片按图在适当位置插入巢脾，穿上铁丝，拉到框梁上面固定、绑牢（图5－7－1）。

（3）吊绑：新巢脾宜用吊绑。将镶好的巢脾用硬纸板从下面托住，再用铁丝把它吊绑在框梁上（图5－7－2）。

（4）钩绑：插绑、吊绑以后，如果巢脾向一面偏斜，可以用钩绑纠正。用一条铁丝一端拴一小块硬纸板，从巢脾歪出的部位穿过，在反面轻轻拉正，然后用图钉将铁丝固定在框梁上（图5－7－3）。

绑脾要认真、细致，使巢脾平整、牢固。巢脾绑得不牢，容易坠毁。如果巢脾偏斜，就会阻塞蜂路。绑好的子脾要尽快放入蜂箱。整框的、最大的子脾放在中央，拼接的、较小的子脾依次放在两边，蜜粉脾放在最外侧。巢脾之间保持一定的蜂路。

安排好巢脾以后，将收蜂笼提到蜂箱上面，把蜜蜂震落在蜂箱内。用蜂扫将爬到蜂箱外面的蜜蜂赶入蜂箱，盖上盖布、副盖和箱盖，将巢门缩小到适宜大小。

2. 不翻巢过箱　不能翻转的蜂窝或墙洞蜂窝内饲养的中蜂群，向巢门喷一些烟，取下前面挡板，观察巢脾的位置和方向。喷烟，将蜜蜂驱逐到后面或侧面空处，然后割脾、镶框。最后用木勺将蜜蜂舀出，放入蜂箱绑好的巢脾上，同时寻找蜂王，剪去一侧后翅的1/3，放到蜂箱内的子脾上。

3. 借脾过箱　已有活框蜂箱饲养的中蜂时，最好借用1～3个子脾，放入新过箱的蜂群，把绑好的巢脾分别交给早期过了箱的蜂群帮助修筑。

4. 室内过箱　首先根据蜂窝的形式、巢脾的位置和方向，设计好过箱操作方法。将蜂窝搬到室内，关上门窗。如果室内黑暗，可用红色灯光照明。按上述方法翻转蜂巢、驱蜂、镶框、绑脾。将绑好的子脾、蜜粉脾依次放入蜂箱，将收蜂笼内的蜜蜂抖入蜂箱，盖好箱盖。傍晚或翌日清晨，将蜂箱陈列到蜂场上。

5. 注意事项　在过箱操作时，如果有蜜蜂散落在蜂箱外面，要在蜜蜂团集的地方寻找蜂王。如果找到蜂王可捉住其双翅，立刻放入巢内；也可剪去其一个大翅的1/3。如果发现蜂王起飞，要暂停操作，保持蜂窝和蜂箱原样，等待蜂王飞回。随时清理洒落在桌上和地面的蜂蜜、蜡渣，避免引起盗蜂。

（三）过箱后的管理

过完箱以后，缩小巢门，预防盗蜂发生。根据群势和天气变化，调节巢门大小。傍晚进行奖励饲喂，促进蜂群造脾和蜂王产卵。翌日进行箱外观察，如果蜜蜂采集正常，积极清除蜡屑，拖出死蜂，表明蜂群已经安居下来。

第二天午后，开箱进行快速检查，如果有一些蜜蜂集结在箱内一侧的空处，可将巢脾向该侧靠拢，或用蜂扫驱蜂上脾。发现下坠的巢脾，重新绑好；偏斜的巢脾，用钩绑纠正。3～4d以后，将已经粘牢的巢脾除去绑缚物，将箱底的蜡屑污物清除干净。

如果丧失了蜂王，子脾上会出现改造的王台，可选留1个好的保留，其余的割除，或将王台除净，与其他蜂群合并。

三、饲养管理要点

饲养中蜂要选用年轻高产的蜂王，质量优良的新巢脾，保持蜂群强壮，注意防治病虫害，根据它们的生物学特性，发挥其优良性能，克服它们不利于生产的缺点。

（一）放蜂场地和蜂群排列

放蜂场地的条件是：蜜粉源丰富，有一两种大面积、较集中的主要蜜源植物，背风向阳，地势高燥，环境幽静，有良好的水源。中蜂的采集飞翔距离较近，通常不超过1～2km，采集飞翔面积较小，因此宜将蜂群分散放置，1个场地以放置20群左右为宜，蜂场之间相距2km以上。在蜜源单一的地方，可采取短途放养，提高产量。

中蜂蜂箱的摆放，宜利用地形分散、分组放置，不能要求整齐划一。各箱的距离在1m左右，分组放置时，每组2～3群，巢门方向互相错开，以防止发生蜜蜂迷巢，也防止新蜂王交配飞翔返巢时错入他巢。

（二）盗蜂的防止

在蜜源缺乏时期容易发生盗蜂，要注意预防和制止（参见第四章第六节）。中蜂和西方蜜蜂不宜在同一蜂场饲养，发现西蜂盗抢中蜂时，采用中蜂只能进入的圆孔巢门。

（三）巢虫的预防

中蜂抗御蜡螟幼虫（巢虫）的能力弱，容易遭受巢虫危害，使成片的蜂蛹死亡，巢脾被毁，若不及时防治，全群都可能弃巢飞逃。

预防的方法是饲养强群，淘汰旧脾，勤造新脾，保持蜂脾相称。蜂箱缝隙和巢框上的洞眼，用泥子泥上，不使巢虫有适合的产卵地方。使用活动蜂箱底板，经常清扫箱底蜡屑，消除蜡螟滋生场所。提出的空脾及时用药剂熏蒸保存。在蜂箱的框受安装广东昆虫研究所研制的巢虫阻隔器；在蜂箱四壁距离内侧上口以下 40mm 处各挖 1 条 5mm 深、4mm 宽的环形槽，里面涂上杀虫剂，如除虫菊酯药膏，杀死和防止巢虫爬上巢脾；采用水泥制作的蜂箱，用竹板制作巢框等都可防御巢虫。

（四）咬脾的控制

中蜂有咬脾的习性，坠落箱底的蜡屑，容易滋生巢虫，并且浪费蜜蜂重新修造巢脾的精力。晚秋，蜂群准备越冬、蜂王减少以至停止产卵时，中蜂就开始咬脾，从中央向外围逐渐扩大咬脾面积。春季，它们常将护不严的外侧巢脾、子脾上有雄蜂房的部分及有巢虫活动的旧脾咬毁，重新筑造。夏季咬脾主要是为驱逐巢虫。控制中蜂咬脾的措施是：

1. 多造新脾　在蜂群过箱的当年，大量造脾，逐步将原来的巢脾全部更新。以后年年造脾，每年淘汰 50% 的旧脾。

2. 切削旧脾　分蜂季节发现咬脾时，将咬洞以下的黑旧部分切去，镶上巢础，使蜂群接补成整片工蜂房的巢脾。

3. 快速造脾　在主要流蜜期时，选择强群作造脾群，黄昏时只给蜂群留下 1～2 框未封盖子脾，其余的巢脾全部提出，将蜜蜂抖落巢内，加入较弱的蜂群。在造脾群一次加入巢础框 3～5 个，当晚饲喂糖浆 1kg，第二天下午检查，巢房修造 1/2 高度就可以提出，加给其他蜂群使用；同时给造脾群补加巢础框，继续修造，每晚继续饲喂糖浆，饲喂数量根据蜜源情况和消费数量适当减少。这样让造脾群连续造脾 2～3 次，可以突击造成一批新脾。

（五）分蜂的控制和利用

中蜂的分蜂习性比较强烈，这是影响中蜂产量的一个主要因素。中蜂和西方蜜蜂的自然分蜂都是蜜蜂繁殖的本能，产生分蜂热的原因相同，因此可以采用同样的预防和控制方法。

1. 控制分蜂热的措施　普遍适用的方法是：选择分蜂性弱、能维持强群、无病虫害的蜂群作为种群，人工培育蜂王，用新蜂王更换老劣蜂王，年年换用新蜂王；勤造新脾，淘汰旧脾，用巢础框扩大蜂巢；勤割除雄蜂封盖幼虫；饲养双王群；生产蜂王浆；及时进行人工分蜂。

采取控制分蜂的方法要因地制宜。例如，华南沿海亚热带的广东、福建等省，多采取“多分群、小群繁殖、4～5框蜂的蜂群取蜜”，或“三小”饲养法（小群度秋、越冬，小群繁殖，小群取蜜）。广东从化县梁百辑先生认为，2月初大部分蜂群发展到5～6框蜂时就应分蜂，繁殖群适宜的群势为2～4框，凡超过4框蜂的蜂群就用作分蜂（联合分蜂或补强弱群、交配群），直到全部蜂场迁去采荔枝蜜数天前为止，然后再组织主副群进行生产。采秋冬蜜时他们同样也主张利用小群繁殖快、育虫强度大的特点，以2～3框的群势繁殖，11月中下旬换王，使育出的新王刚好迎合鸭脚木（即八叶五加）初期流蜜（徐祖荫、段晋宁，1999）。其他地区宜采取通常的控制分蜂的措施，争取以10框蜂左右的强群采蜜。

2. 自然分蜂的利用　在距离主要流蜜期10d以内，蜂群造了分蜂王台，就可以利用蜜蜂自然分蜂的积极性，组织分群采蜜。将蜂王和2框带蜂的幼虫脾提出作为分群，另放入1只新蜂箱，补加1框蜜粉脾，放在新地址。检查原群中的王台，选留1只好的，其余王台完全割除，并适当补加空脾或巢础框。主要流蜜期到来时新蜂王已经出房，不久交配、产卵，蜂群投入采蜜。如果在距离主要流蜜期10d以上，蜂群已经造了分蜂王台，就将王台全部割除，同时割除封盖雄蜂幼虫，并从巢内提出1～2框封盖子脾补给弱群，给它补加巢础框，推迟分蜂日期。待到距离主要流蜜期10d以内再造出王台时，按上法处理。

（六）飞逃的预防和制止

中蜂对环境条件的变化特别敏感，全群飞逃是它们对不可抗御的恶劣条件的反应。南方的夏秋季，蜜源稀少、敌害多的时期，中蜂群容易发生飞逃情况，要注意预防。

1. 飞逃的预防　经常进行箱外观察，注意发现情况异常的蜂群，保持群强蜜足，防治巢虫、胡蜂、幼虫病等病敌害。发现个别蜂群出勤蜂大量减少，巢门前几乎没有扇风蜂和守卫蜂时，要开箱检查。如果蜂王产卵急剧减少，巢内缺乏贮蜜，或有巢虫大量滋生，患有严重的囊状幼虫病等情况，必须立刻采取措施防止蜂群飞逃。针对情况，给蜂王剪翅，补加子脾，傍晚饲喂糖浆，防治病敌害。

2. 飞逃的处理　发现有蜂群飞逃时，按照收捕分蜂群的方法，将收捕的蜂群过入新蜂箱，并且调给蜜粉脾和子脾，傍晚进行奖饲。为了避免产生连锁反应，立刻关闭附近蜂群的巢门，打开纱窗通风，等飞逃群处理完毕，再打开巢门。

几群同时飞逃时，时常结成大的蜂团，工蜂互相咬杀，蜂王被围。用糖水喷向咬杀的蜂团，找出被围蜂王的蜂团，放入糖水中，将蜂王解救出来，分别装入蜂王笼。将蜂团收回，分别过入几个蜂箱，补加蜜脾和子脾，诱入蜂王。过几天，根据情况放出蜂王，调整蜂巢。

（七）工蜂产卵的识别和处理

中蜂丧失蜂王以后，容易出现工蜂产卵。产卵工蜂是将未受精卵产在工蜂房内，只能培育出体型小的雄蜂。发生工蜂产卵的蜂群，蜜蜂生活涣散，群势下降，如不及时采取补救措施，就会全群覆灭。

1. 工蜂产卵的识别　在工蜂产卵群，找不到蜂王，有小王台，子脾上工蜂房内常有数粒卵，东倒西歪，产的卵极不规则。根据巢内的卵、幼虫和蛹的情况及工蜂衰老程度，大致可以推断出工蜂产卵已有多长时间。只发现少数工蜂房有多粒卵，表明工蜂产卵在3d以内；有卵和幼虫，工蜂房无突起的封盖蛹，在10d以内；工蜂房有大量突起的封盖蛹，在20d左右；已有小雄蜂，工蜂腹部变黑，在25d以上。工蜂产卵的日期越长就越难处理。

2. 工蜂产卵群的处理　根据情况分别处理。

（1）工蜂产卵不久：中等以上群势的蜂群，割除王台，用诱入器诱入产卵蜂王；弱群在割除王台后，分散合并到其他蜂群。提出的卵脾，灌上糖水，加到其他蜂群让蜜蜂清理。

（2）工蜂产卵在10d以上：如果在流蜜期，提出子脾，将蜜蜂抖落在蜂箱外，待大部分蜜蜂飞回原箱后，将留在地面的少数蜜蜂杀死。然后将蜂巢中的蜜蜂分成几部分，分散合并到生产蜂群。提出的子脾割开封盖，用分蜜机摇出虫蛹，加到其他蜂群。卵脾，可以灌上糖水，加到其他蜂群由蜜蜂处理。

（3）补强弱群：将工蜂产卵群移开原址1m以上，把1个弱群放在它的原址，工蜂产卵群的蜜蜂飞回，进入弱群。傍晚，将工蜂产卵群的所有巢脾依次提出，将蜜蜂抖落箱内，巢脾另外处理，让蜜蜂饥饿1夜。第二天，蜜蜂飞返原址，并入弱群，适当补加巢脾。将留在箱内的少量蜜蜂杀死。

（八）度夏管理

7～9月，华南夏秋季气温高，蜜源缺乏，甚至完全没有蜜源，蜂王停止产卵，胡蜂、蟾蜍等敌害增多，给蜂群管理造成困难。

1. 准备工作　在6月底以前，调整群势，平均使每群有3～4框蜂；按蜂数留脾，使蜜蜂密集，蜂路放宽到10mm；巢脾放在蜂箱中央，两侧加隔板，使箱内留有空隙；贮蜜不足的，预先喂足，使每群有2～3框蜜脾。如果春季没有更换蜂王，这时也要换成新蜂王。把蜂群放置在高大树阴下，或搭设凉棚，或在蜂箱上放置遮阳覆盖物，使巢门不受阳光照射；设置高度为50～100cm的高箱架，把蜂箱放在箱架上，可以减少敌害和雨水侵入巢内，又可避免地面热气上蒸。如有蚂蚁为患，在箱架四周铺细沙，箱架腿上涂灭蚁剂。

2. 勤喂水　进入度夏期，在蜂箱内放置框式饲喂器，经常喂水。也可在蜂箱上使用铁纱副盖，上面盖一块盖布。晴热天气，每日中午用清水把盖布喷湿，既可以供蜜蜂吸取，水分蒸发还可降低温度。

3. 防除敌害　积极捕杀、诱杀胡蜂。在巢门前放置每厘米2目（网眼5mm×5mm）的粗铁纱纱罩，防止蟾蜍捕食蜜蜂，也可减少蜡螟侵入蜂巢。

4. 箱外观察　度夏期间，经常进行箱外观察，尽量避免开箱检查，不饲喂、不调动巢脾。

5. 转移蜂群 最好将蜂群转移到山区或海滨有蜜粉源的地方。高温季节，只要有蜜粉源，在早晚气温较低时，中蜂就能出巢采集，蜂王也不停止产卵。

6. 度夏后的管理 9月下旬以后气温下降，蜜粉源逐渐增多，进行奖励饲喂，促进蜂王恢复产卵，蜜蜂育虫，转入正常管理。10月进行人工育王，更换衰老的蜂王。

四、活梁巢脾养蜂

采用活框蜂箱饲养中蜂，需要专人管理，精心饲养。活梁巢脾和简易蜂窝取材容易，制作简单，投资不多，比旧法饲养提高一步，也可以提出巢脾检查、进行调整和便于清扫；在分蜂季节，便于割除王台和实行人工分蜂；在主要流蜜期，可以选择贮蜜多的巢脾提出取蜜；各种蜂具都可以采用，根据需要陆续添置；可以不断改进饲养管理技术，积累经验。活梁养蜂极适合作为家庭副业。

活梁巢脾是指用木板梁或竹板梁代替巢框，蜜蜂在梁上筑脾，这样巢脾就可以移动和提出检查。蜂窝可以采用现成的木板箱，或用竹篾、柳条、荆条等编织的敞口长方形筐，或用土坯、砖等砌成。木板梁宽25mm、厚20mm左右，长度按蜂窝的前后长度而定。木板梁的下面刨削成弧形，涂上一层蜂蜡，便利蜜蜂在梁下造脾。为使巢脾坚固，不易折断，在木板梁两端距离外边各20mm处，分别斜着穿下14～16号铁丝（或自行车条）。无论采用哪种蜂窝，上面都要盖防雨板。

五、野生中蜂的收捕

各地的广大山林地区蕴藏着大量的野生中蜂，将它们收捕回来，用活梁巢脾或活框蜂箱饲养，对发展养蜂事业有重大意义。收捕野生蜂群要熟悉蜜蜂营巢的环境条件，了解蜜蜂的活动规律，掌握收捕蜜蜂的技术，灵活运用才能成功。

（一）野生蜂群的习性

蜜粉源是蜂群生存的物质基础，中蜂采集飞翔的距离较近，野生蜂群多选择半径1～2km以内有丰富蜜粉源植物的地方营巢。它们常在向阳的山麓或山腰的树洞、岩洞、土洞或古坟内筑巢，既要适宜寒冬居住，也要适于炎夏生活。树洞是最理想的营巢处所，因为树洞干燥，内表面结构有利于巢脾黏着，并且御寒防热。其次是岩洞和古坟具有防风避雨的优点。

蜂群自然分蜂多发生于春末夏初，南方的秋季也有蜂群分蜂。野生蜂群迁徙或飞逃，主要原因是当地蜜粉源缺乏或受敌害侵扰。分蜂季节是设置蜂箱，进行诱捕的良好时机。

（二）诱捕野生蜂

诱捕是选择蜜蜂喜爱营巢的环境，放置空蜂箱让蜂群自己飞入。

1. 诱捕地点 选择蜜粉源植物丰富的山林地带，在分蜂季节，将收蜂箱放置在目标明显的地方。理想的诱蜂地点是向阳山腰突出的山岩下，四周有一些灌木丛，上面有高大的树木掩映。

2. 蜂箱和蜂具 蜂箱要严密没有缝隙，洁净、干燥，没有特殊气味。新蜂箱可用淘米水或乌桕叶汁浸泡，除去木材气味，风干后内壁涂上蜂蜡。箱内放3～4个上了铁丝和窄条巢础的巢框。用框卡将巢框卡住、钉牢。巢门留10mm高、20mm宽，钉牢副盖，盖上大盖，上面压上石块，并把蜂箱垫高、垫平。

使用过的旧蜂桶，具有蜜蜡气味，对蜜蜂有吸引力。

3. 检查处理 分蜂季节每2～3d前往检查，久雨初晴常有分蜂群飞出，侦察蜂寻觅营巢地方，应及时检查。其他时期7～10d查看1次。发现已有野生蜂群进住蜂箱，傍晚蜜蜂归巢后，关闭巢门，搬到饲养地点。使用蜂桶诱捕的蜂群，搬回场地后，及早改用活梁巢脾饲养或过入活框蜂箱饲养。

（三）猎捕野生蜂

猎捕是根据野生蜂营巢习性和活动规律，先侦察到蜜蜂营巢的地点，然后设法收捕。

1. 猎捕季节 适宜季节是当地气候温暖、蜜粉源丰富时期，通常是在初夏，南方在秋末也可以，使猎捕的蜂群能够迅速恢复正常的发展。

2. 侦察方法 侦察野生蜂活动的方法有以下几种：

（1）追踪工蜂：选择晴暖天气，9～11时，守候在山谷出口处，注意观察回巢蜂的飞行路线，向前追踪，每次前进3～5m，最后找到蜂巢。同时倾听蜜蜂飞翔声音，飞翔声音尖锐，消失快，表明蜂巢距离较远或者是出巢蜂；声音长而且消失慢，表明蜂巢距离近，要继续追踪。

采取交叉线定位，能够帮助找到蜂巢。在高地的上风处，将树枝的叶面蘸上蜂蜜，挂在距地面2m高的树上，同时在地面点燃一些旧巢脾，使蜜蜡味散发，引诱蜜蜂（注意防火）。如果招引来了蜜蜂，观察它吸饱蜜汁后返巢的路线。另外，在相距10m的地点，用同样方法引诱蜜蜂，观察蜜蜂回程的路线。在两条飞行线相交的方向，可以找到蜂巢的位置。

发现花上有蜜蜂采集时，可在手上托一盛蜜的浅盘，招引蜜蜂前来采集。待它吸饱蜜汁起飞时，向它飞行方向追踪，最后找到蜂巢。也可将采蜜蜂捉住，用一根10cm长的细线，一端系上小纸条，将另一端缚在蜜蜂的腰部，然后将蜜蜂放飞。蜜蜂拖着纸条，飞行缓慢，目标明显，容易追踪。

（2）观察采水蜂：在溪边、水田边细心观察，发现采水蜂就证明蜂巢距离不远，可按上法追踪。

（3）观察蜂粪：工蜂认巢飞行或排泄飞行时，常在蜂巢附近排下黄色粪便。采集蜂出巢时，也常排掉粪便然后飞去采集。因此，如果发现树叶、杂草上有蜂粪密集，蜂巢一定在附近。

此外，可以和放羊、打柴、采药、狩猎的老农联系，了解情况，打听野生蜂的线索。

3. 猎捕技术 找到野生蜂巢以后，根据蜂巢情况准备猎捕工具，如开挖洞穴的斧、凿、锄、刀以及喷烟器，或艾条、收蜂箱（笼）、面网、起刮刀、蜂扫、水桶等。根据蜂巢情况采取不同的猎捕方法：

（1）土洞或墙洞蜂的猎捕：带上面网，挖开洞口，熏烟把大部分蜜蜂驱逐到巢内较空的地方，让蜜蜂离脾结团。依次割脾，镶装到巢框内，绑牢，放入蜂箱。用木勺舀取蜂团，倒入蜂箱。移入大部分蜂团以后，将蜂箱巢门靠近洞口，让蜜蜂自己爬入蜂箱。操作中，在洞内和附近蜂团注意寻找蜂王。如果蜂王受惊起飞，略等片刻它会飞回。

（2）岩洞蜂的捕捉：首先寻找它有几个出入口，除保留 1 个适当的出入口以外，其余洞口全部用泥封闭。用棉花蘸上 50% 石炭酸塞入蜂巢，在所留洞口插入 1 根玻璃管，四周用泥封固，管口通入放在洞旁的蜂箱。不久蜜蜂受石炭酸气体的驱迫，陆续通过玻璃管进入蜂箱。看到蜂王从玻璃管通过，洞内蜜蜂基本脱净时，将蜂箱搬到一旁，放置一两天，然后搬回处理。收捕的只是蜜蜂没有蜂子，最好能由其他蜂群补给子脾，补加巢础框，进行奖励饲喂。

石炭酸（酚）是消毒剂，药房可以买到。石炭酸溶液沾在皮肤上容易造成灼伤，洒到眼睛内会造成失明，使用时要特别注意。若洒到皮肤上，立刻用大量清水冲洗。樟脑油、萘粉也可代替使用。

（3）树洞蜂的收捕：高大树木的树洞蜂，如果不便凿开，可将蜂箱支架到稍高于洞口，在洞口安装漏斗形脱蜂罩，蜜蜂只能出不能进，被迫进入蜂箱。

（4）分蜂团的收捕：发现结团的分蜂群时，先向分蜂团喷少量水，使蜂团安定。把收蜂笼或涂上蜜的斗笠举到蜂团上方，熏烟或用蜂扫驱赶蜜蜂，使蜂团进入收蜂笼。将收蜂笼轻稳取下，将其中蜜蜂抖入放有巢脾的蜂箱。

4. 恢复原巢　利用原来的蜂巢引诱分蜂群或迁飞群，效果良好。因此，在收捕岩洞蜂或树洞蜂时，应尽量保护它们的巢穴，在蜂巢中留下一些巢脾蜡基，用石块、树皮、黏土等把蜂巢恢复到自然状态，开个 10～20mm 直径的巢孔，以便有蜂群前来投居。

第五节　规模化养蜂和城市养蜂

一、规模化养蜂

我国是养蜂大国，在蜂群饲养数量、蜂产品产量和出口量上都居于世界领先地位。但是，由于饲养规模小，设备落后，基本上是手工操作，蜂产品质量低，满足不了国内外市场的要求，在国际市场上缺乏竞争力。一家一户小规模饲养，经济实力薄弱，无法使用高效率的机器，劳动生产率低，并且无法抗御天灾人祸；不使用现代化的通讯设备，就无法了解市场行情。为了提高经济效益及蜂产品产量和质量，须扩大饲养规模，逐步由手工操作向机器生产，由直接经验向现代科学饲养技术，由小生产向专业化、大批量商品化生产转变，并且采用现代交通工具、通讯设备、电子计算机以及经营管理科学。扩大养蜂规模可以使经济效益增加，也就是随着生产能力的扩大而使产品单位成本下降，经济收益递增。

（一）规模养蜂的优势

养蜂专业户可以不断扩大饲养规模，但是需要较长的时间，需要投入大量资金，有一定风险。联合起来是实现规模化养蜂现实的道路。目前有几种方式：第一，以龙头企业为主，联合养蜂户；第二，以中介组织和服务组织（养蜂协会）为主联系养蜂户；第三，以养蜂专业户为主，成立养蜂互助合作社。不论以哪种形式联合起来都可以形成规模优势：一是可以解决资金与劳力不足，合理安排放蜂路线和放蜂场地，减少天灾人祸的损失，协助解决法律纠纷等困难；二是有利于实现蜂产品规格化、标准化生产，确保产品质量，提高竞争力；三是有利于推广应用先进饲养技术、使用养蜂机器和通讯设备；四是有利于发挥个人专长，实行专业分工，专场大批量生产；五是有利于将蜂产品直接打入市场，参与市场竞争，可以减少中间环节，增加收入；六是有利于政府加强对养蜂生产的管理和服务工作。

（二）管理模式

具有一定规模的养蜂单位，可以实行统一管理，进行专业分工，逐步采用各种机器设备，向养蜂现代化迈进。

1. 统一管理 人事、财物、蜂产品及仓库统一管理。养蜂人员、蜂群、蜂具的调配，放蜂场地、放蜂路线及运输的安排，逐步纳入统一管理。蜂产品统一销售，制定商标，创立品牌。

2. 专业分工 将全部蜂群划分为育王场、蜂蜜生产场、蜂王浆生产场。育王场主要生产蜂王，繁殖蜂群或笼蜂，开展良种选育；蜂蜜生产场主要生产蜂蜜和巢蜜，兼产蜂花粉、蜂蜡、蜂胶、雄蜂蛹等；王浆生产场主要生产蜂王浆，兼产蜂蜜等其他产品。

3. 采用机器设备 根据生产发展的需要，逐步添置大型机器设备。提高工效和质量显著的是吹蜂机、电动分蜜机，运输和装卸蜂群的养蜂专用车、吊车、叉车，蜂蜜加热、沉淀和过滤、浓缩设备，采收王浆的机具、花粉干燥器、花粉除杂机和分筛机等。大型箱底脱粉器可以提高蜂花粉质量，减少管理工作。采用现代通讯设备，便利通讯联系和了解情况；使用电子计算机，通过国际互联网，随时了解国内外蜂产品行情。

4. 采用塑料制品 与有关单位联系，研制并广泛采用塑料巢础、塑料巢脾、塑料蜂箱、塑料王笼、塑料饲喂器等。

5. 采用先进技术 组织学习，进行经验交流，开展专题研讨会，采用和创造一整套建立在科学基础上的先进饲养技术。

6. 集中取蜜 在有大面积主要蜜源地区，定地和小转地的养蜂单位，可以建造采蜜车间、蜜脾脱水室、巢脾熏蒸室以及蜂具、蜂产品仓库，将各个蜂场的蜜脾运到采蜜车间采收。另一种做法是，装备1辆流动采蜜车，在车上安装动力分蜜机、吹蜂机、滤蜜机和王浆分离机等，到各养蜂场点采收蜂蜜、蜂王浆、蜂花粉等蜂产品。

7. 现代化越冬室 建造具有空调设备的和自动控制通风的蜜蜂越冬室。越冬室内墙壁、地面和天花板贴附泡沫塑料绝缘层，双层门，红色灯光照明。

（三）管理措施

1. 规模养蜂的饲养管理办法 规模养蜂是增加1个人的饲养量，做到1人多养。因此，规模化养蜂要采用多箱体养蜂，简化蜂群管理，生产成熟蜜。

规模养蜂必须坚持常年养强群：强群越冬，强群出窖，强群繁殖，强群分蜂，强群采蜜。蜂场内每一蜂群的群势基本一致，以方便管理，提高工作效率。

养蜂场必须备有足够的蜂箱及巢脾，养强群，加多继箱，向立体发展。蜂群出窖或蜜蜂试飞后，及时检查，清扫箱底，巢内留足饲料或补足蜜脾，待花开时进行繁殖。采取原箱脾繁殖，待蜂满箱时，加整个继箱脾，与巢箱组成繁殖区。繁殖区蜂满箱后，及时加浅继箱贮蜜造脾，深继箱与浅继箱之间加隔王板，这样就把繁殖区与生产区分开。根据流蜜情况，确定加浅继箱的数量，其原则是不影响蜂群繁殖和采集。

把传统的1次加1张脾，改为1次加整箱脾，要及时扩大蜂巢，预防分蜂热，使蜜蜂处于积极的工作状态。在流蜜期，连续加浅继箱贮蜜，一个花期取蜜1次。这样既减少了工作量，又达到了生产成熟蜜的目的。

采用现代化的生产工具，统一生产。分离蜜及时过滤、装桶，生产过后妥善保存养蜂生产用具。

在繁殖期和秋季蜜源结束后越冬前，巢内应贮足饲料，不采用补喂的方法。

越冬蜂群要求强群、新王、饲料足。最后一个蜜源贮足越冬饲料。越冬群势应有7~8框足蜂，巢箱利用半蜜脾，浅继箱利用满蜜脾，加到巢箱上，构成一个越冬箱体。最后把蜂群及时搬到现代化的越冬室中。

改变勤检查和割雄蜂的管理方法，按照蜜蜂的生物学特性、蜜源特点和养蜂计划进行管理。平时多进行箱外观察，对失王、饥饿、有分蜂热的不正常蜂群，都应及时处理。在统一换王、统一贮备饲料、统一群势等统一管理下，根据季节、气候、蜜源和蜂群在该地区的周年生活规律，有计划地抽检个别蜂群，以了解全场蜂群情况，及时加继箱或采取其他的管理措施。选用良种蜂王、优质巢脾控制蜂群中雄蜂的数量，使蜂群中的性比值合理，这样既节省工时，又有利于蜜蜂种的进化和蜂群采集。

有计划地做好防病工作。第一，饲养强群，给蜂群营造一个适合其生活的小环境，增强抗病力；第二，在非生产期对蜂群使用药物预防，避免发病；第三，在早春蜂王刚产卵时和秋后断子时彻底治螨，繁殖时期挂螨扑，把蜂螨寄生率控制在最低程度。

小转地、少转地，简化转地包装。

2. 规模养蜂的饲养方式 采用小转地，以充分利用蜂群、蜜源，获得较好的经济效益。若春、夏、秋有3季蜜源的理想场地，可定地饲养，节省人力、物力。在有较理想蜜源的村庄或山区，每隔3km放养50~60箱蜂，多设几个放蜂点，既可形成定地养蜂的规模，风险小、费用少，效益也较稳定。在蜜源较少的情况下，可定地与小转地相结合，或部分定地、部分小转地饲养，也可形成规模养蜂。

3. 树立品牌观念 提高产品质量，讲信誉，重视对外宣传，开辟市场，参与竞争。

二、城市养蜂

（一）城市养蜂的意义与条件

1. 城市养蜂的条件

（1）城市蜜源资源与特点：最近几年全国城市绿化工作进展很快，植被覆盖率达到了很高的程度，地面草坪品种繁多，街道路旁各种树木和花卉美不胜收，一年四季蜜、粉源充足，先后有杨树、柳树、桃树、苹果、柑橘、荔枝、龙眼、泡桐、虞美人、刺槐、椿树、楝树、枇杷、女贞、桉树、刺梅、锦鸡儿、香樟树、桂花、椴树、葱兰、菊花、槐树、栾树、丝瓜等开花泌蜜散粉；除此之外，一品红、桃、杏、梨、悬铃木、漆树、白车轴草、向日葵、金盏菊、月季、冬青、牡丹、芍药、枣树、黄杨、蒲公英、桑树、松树、迎春花、大叶黄杨、棕榈、花石榴、狗尾红、榆树、金银忍冬、玉兰、剑麻、龙爪槐、蒿草、葎草等构成了城市辅助蜜源植物群，城市近郊还有莲、玉米、油菜和各种瓜花，丰富的蜜粉源植物给城市养蜂提供了有利条件。

各城市受气候条件和人为因素的影响，蜜粉源植物呈现出如下规律：第一，种类多、人工栽培的多、木本蜜源植物多、粉源植物多，并且多在道旁、公园、庭院、河边和各风景点集中分布；第二，形成主要蜜源的植物种类多是人工栽培的木本植物，且多处于壮龄树阶段，如桃、刺槐、泡桐、栾树属及椴树等，而生产的蜂蜜多为混合蜜，单花种蜂蜜少；第三，草本和灌木植物多为辅助蜜源，远离市中心的地带有少数野生种类分布；第四，处于不同纬度的城市其蜜源植物的种类有较大差异，而且在南方城市，春、夏、秋、冬四季都有蜜源植物开花，在长江以北的城市，春、夏、秋蜜源植物丰富；第五，主要蜜源植物和辅助蜜源植物的开花泌蜜时间和分布位置都较均匀，花期交错，可以相互补充；第六，目前，各城市养蜂生产中每年的收获除受气候、城市小环境和蜂群强弱影响外，还受木本植物的树龄、种类、大小年影响以及养蜂者生产方式的影响。

（2）丰富的人力资源：我国各城市离退休人员逐年增加，社会上也有些闲散人员，他们有足够的时间去养蜜蜂，因此，近几年来城市养蜂得到迅速发展。

2. 城市养蜂的意义

（1）养蜂有益于人们的身心健康：根据俄罗斯科学院院士、著名的生物学家齐钦（Н. В. Цицин）对150多位百岁以上老人的调查报告，这些老人中绝大多数是养蜂人家，都有每天食用花粉的习惯。另外，蜂疗可以治疗很多疾病，尤其是对风湿性和类风湿性疾病有独特疗效。

（2）养蜂是向大自然索取财富：城市养蜂可以充分利用城市公园、庭院、道路旁边观赏林木、花卉、绿化带以及郊外果园、花圃等蜜粉源植物，使其转瞬即逝的花蜜和花粉转化为经济效益。养蜂生产不占用土地，不与农业争土地肥料，投资少，见效快，经济效益较高。

（3）城市养蜂效益高：由于城市蜜源较丰富，抵御干旱的能力强，交通方便，小转地快捷迅速，强群单产高，产品直接零售，因此，城市养蜂者的效益高，而且稳定，是失业人员再就业的好门路。

(4) 养蜂利国利民：我国是个养蜂大国，但是全国人均食用蜂蜜、蜂王浆等蜜蜂产品的量，与发达国家相比，差距甚远，全国各地现有蜜源仍未充分开发利用，提倡城市老年人及闲散人员从事养蜂，增加城市蜂王浆等蜜蜂产品自给率，既陶冶了情操、锻炼了身体，还增加了经济收入。提倡城市养蜂，具有积极意义和潜力。

（二）城市养蜂蜂种的选择

我国目前养蜂生产上使用的蜂种，有东方蜜蜂和西方蜜蜂两个品种。城市养蜂南方地区应以中蜂为主，有条件的也可以养西方蜂种；北方城市以西方蜜蜂为主。

1. 中华蜜蜂　中华蜜蜂有很强的采集力，与意大利蜂相比，它的个体和群体较小，但它飞翔敏捷，嗅觉灵敏，出勤早，收工晚，并能在较低的气温条件下进行采集。它较适应城市阳台、房顶放置，在花的淡季很少补喂。抗螨能力强。缺点是易发生自然分蜂和飞逃，失王后工蜂易产卵，爱生盗蜂，同时抗囊状幼虫病能力差，这些缺点在采取活框饲养和药物防治后是能改善的。不采蜂胶，生产蜂王浆和蜂花粉的能力差。

2. 西方蜂种　包括欧洲黑蜂、意大利蜂、卡尼鄂拉蜂、高加索蜂和东北黑蜂等亚种，目前我国饲养的主要是意蜂和卡蜂。蜜源条件较好的城市可以养意蜂，因为它维持群势较大，不但可以取得大量的蜂蜜，而且可取蜂王浆、蜂花粉。如果条件有限，则以生产蜂蜜为主，取浆和脱粉为辅，淮河以北地区可以养卡蜂，它不但采集力强，尤其善于利用零星蜜源；性情温和，越冬性能良好，抗幼虫病能力强。卡蜂缺点是爱分蜂，不维持大群，但可以通过杂交进行改良（如卡蜂1代与意蜂杂交）。东北黑蜂和国蜂213也是采蜜很好的蜂种。在有条件时，选育优良种王。近年来，使用我国选育的王浆高产种蜂，提高了城市养蜂的经济效益。

（三）城市养蜂的规模和地点的选择

1. 城市养蜂的规模与效益　根据调查郑州和新乡两市区的36家业余养蜂户，城市养蜂以在职教师和离退休人员为主，饲养3～8群蜜蜂，每年收取50～150kg蜂蜜以及部分蜂花粉和少量蜂王浆。这些产品是天然无污染食品，吃着放心，除满足全家对蜂产品的需要外，还以适中的价格供应给亲朋邻居。

鉴于城市蜜源特点，如果这些养蜂者选用蜂王浆高产种蜂，管理得法，除生产蜂蜜外，一年还可生产蜂王浆10～40kg和数量可观的花粉。因此，重视蜂王浆和蜂花粉的生产是提高城市养蜂效益的重要措施之一。

在我国现有状况下，庭院面积一般都较有限，城市蜜源植物分布较分散，饲养量不要过多，以3～8群为宜，多余蜂群可送亲友或者出售。

2. 城市养蜂的地点选择　蜂群应放养在离市中心较远的地带或生活小区，蜂群多时分散放置，不宜过于集中。要保持蜜蜂飞行路线畅通。住宅的小庭院、阳台、房顶，都可以放置蜂群。蜂箱应放置在阳光充足的背风处，夏天要适当遮阳降温。放蜂的环境，要求其蜜、粉源要兼顾生产与繁殖，避免夜间灯光照射，还要以不影响街坊邻居的安宁为原则。但在大城市居民过于稠密的地段，在炎热高温的夏季，最好将蜂群转移到近郊或遮阴较好的地方，一方面可以减少蜜蜂螫人，另一方面对蜂群安全度过夏季及秋季繁殖培养越冬蜜蜂都有好处。到主要蜜源植物泌蜜散粉时，如果离蜜源较远可将蜂群作短距离迁移。

另外，根据试验，蜂群摆放地点不宜过高，阳台、房顶放蜂不要超过2~3层楼，过高影响蜂群采集力，对西方蜜蜂品种的蜜蜂影响更大，尤其是在温度低或有风时，采集工蜂不能顺利归巢。夏季必须给蜂群遮阳，蜂箱也不能直接放到水泥地面上，箱底下面垫上大的草垫，有条件的可以垫15~20cm厚的黄土，一来可以防热，二来可以洒水降温增加湿度。蜂箱底部还须用架子或砖块支起，使之通风。

（四）城市养蜂有关技术问题

1. 养强群 蜂群饲养管理技术性强，蜜蜂病、虫害防治技术难度较大，因此，初学养蜂者必须掌握基本理论知识和实践技能，拜有经验的人为师，向他们多请教，才能成功。

不管是养中华蜜蜂或西方蜜蜂，在本地主要蜜源植物开花流蜜时都必须有强大的群势才能获得丰收，中华蜜蜂必须保持6~9框蜜蜂，西方蜜蜂必须保持12~15框蜜蜂。如果达不到这个标准，弱蜂群要合并。这就要求平时加强饲养管理，给蜂群创造适宜的生活环境，根据本地区蜜蜂疾病流行特点，做好蜂群的病、敌害预防工作，常年保持饲料充足，蜂多于脾，使蜂群健康地发展。

在北方地区，培养越冬蜜蜂是关键，所以要在培养越冬蜜蜂上狠下功夫，利用秋季培育的优质新王，每日或隔日饲喂。繁殖好越冬蜜蜂，春季才能强群繁殖，到主要蜜源植物开花泌蜜时，蜂群才能强大起来，给丰产丰收奠定基础。

在南方城市，1月要做好蜂群断子工作，根据蜜源特点和生产周期注意更换蜂王，减少蜂群越夏和越冬的损失。

城市养蜂人员必须掌握常年养强群的技术，做到1年换王1次或1年换王2次，强群越冬，强群繁殖，强群生产，是获得城市养蜂成功的四要素。

2. 重视蜂王浆和蜂花粉生产 城市养蜂，除在主要流蜜期生产蜂蜜外，要重视蜂王浆的生产，兼顾生产蜂花粉。由于城市蜜粉源丰富，辅助蜜源多，开花泌蜜时间较均匀，花期交错，可以相互补充，为蜂王浆和蜂花粉的生产奠定了良好基础。在有一定粉蜜源植物泌蜜散粉的情况下，有5脾足蜂及以上群势的蜂群就可以进行花粉生产，8~9框蜂就可以生产蜂王浆，并有所收益，这几乎不受气候和木本植物流蜜大小年的影响，但在天气干旱和流蜜不好的情况下，进行适当的奖励饲喂是非常必要的，这是城市养蜂获得效益的保证。

3. 做好关王或繁殖工作 根据每个城市主要蜜源植物开花期、泌蜜散粉特点和养蜂计划，有目的地控制蜂王产卵或促进蜂群的繁殖，以充分利用有限的蜜源资源和降低养蜂成本。

4. 进城放蜂注意事项 转地蜂场，只能在城市蜜源集中开花的季节进城放蜂，其他时间会因水的污染、蜜蜂空飞等原因而造成损失。另外，还须注意行人安全和放蜂场地避免占用公共场所。

目前，新发展养蜂的城市，蜂种来源及蜂药、蜂具的购买比较困难，可向当地养蜂协会及养蜂主管部门咨询。关于城市养蜂的饲养管理、越冬、春繁，可参照本书一般的蜂群管理办法进行。

第六节　优质蜜蜂产品生产技术

一、蜂蜜的生产

现代养蜂，生产蜂蜜的方法有分离蜜和巢蜜两种。

（一）分离蜜的生产

1. 生产原理　分离蜜的生产是利用分蜜机的离心力，把贮存在巢房里的蜂蜜甩出来，并用容器承接收集。

2. 生产蜂群的组织　包括适龄采集蜂的繁育和蜂群的组织管理，详见本章第一节"流蜜期与分蜂期管理"。

3. 生产工具、场地及消毒　主要工具有分蜜机（摇蜜机、辐射式分蜜机）、割蜜刀、蜂扫、滤蜜器、吹蜂机、割蜜盖机等。使用前，用清水清洗干净，必要时消毒处理（高温消毒或4%高锰酸钾溶液浸泡等，之后，用清水冲洗、晾干备用），蜂场及周围环境要清扫洒水，保持清洁卫生。

4. 操作

（1）采收时间：巢内出现巢白（巢房加高现象），贮蜜房有1/3封盖，在6～10时取蜜，外界温度应不低于14℃。

（2）操作过程：包括脱蜂、切割蜜盖、分离蜂蜜、还脾等4个步骤。一般要求3人合作：1人提脾脱蜂，1人割蜜盖和摇蜜，另1人传递巢脾。

①脱蜂：把附着在蜜脾上的蜜蜂脱离蜜脾，其方法有抖蜂和用吹蜂机脱蜂等。

Ⅰ. 抖蜂：人站在蜂箱一侧，打开大盖，把贮蜜继箱搬下，放在仰置的箱盖上，并在巢箱上放一侧带空脾的继箱；然后推开贮蜜继箱的隔板，腾出空位，再依次提出巢脾，两手握框耳，对准新放继箱内空处、蜂巢正上方，依靠手腕的力气，上下迅速抖动两三下，使蜜蜂掉落在继箱空处，蜜脾上剩余少量蜜蜂用蜂扫扫落，抖完蜂的蜜脾放于搬运箱内，继箱内的蜜脾全部抖完后搬到分离蜂蜜的地方。当蜂扫沾蜜发黏时，将其浸入水盆中涮一下，水甩向巢门后再用。

抖蜂时根据用力大小和快速抖动次数，有硬抖和软抖之分。抖脾脱蜂，要注意保持平稳，不碰撞箱壁和挤压蜜蜂，以免激怒蜜蜂。平时锻炼抖蜂，可用一空巢框，绑上约2kg重的扁体物，拿一空箱，用隔板隔一个1～2框的小区，人蹲箱侧，两手紧握框耳，在这个小区内抖动锻炼，做到不捣箱底、上下抖动平衡垂直后，再进行抖蜂工作。

Ⅱ. 吹蜂机脱蜂：将贮蜜继箱放在吹蜂机的铁架上，用喷嘴顺巢脾间隙吹风，将蜜蜂吹落到蜂箱的巢门前。贮蜜继箱的蜜蜂被吹净后，立即搬走，再处理其他蜂群。

②切割蜜盖：蜂蜜分离前要割除蜜房的封盖。左手握着蜜脾的一个框耳，另一个框耳放在割蜜盖架（“井”字形木架）或其他支撑点上，右手持刀紧贴房盖从下向上顺势徐徐拉动，割去房盖，割去一面，翻转蜜脾再割另一面，割完后送入分蜜机里进行分离。割下的蜜盖和流下的蜂蜜，用干净的容器（盆）承接起来，最后滤出蜡渣，滤下的蜂蜜作蜜蜂饲料或自酿蜜酒、蜜醋。

为提高切割效率，可采用蒸汽或电热割蜜刀切割，大型养蜂场可用电动割蜜盖机。

③分离蜂蜜：割完盖后把蜜脾置于分蜜机的框笼里，两蜜脾重量大致相等，转动摇把，由慢到快，再由快到慢，逐渐停转，甩净一面后换面或交叉换脾，再甩净另一面。遇有贮蜜多的新脾，先分离出一面的一半蜂蜜，甩净另一面后，再甩净初始的一面。在摇蜜时，放脾提脾要保持垂直平行，避免损坏巢房；摇蜜的速度以甩净蜂蜜而不甩动虫蛹为准。

在大型蜂场可设置取蜜车间或流动取蜜车，配备辐射式自动蜂蜜分离机、电动切蜜盖机、过滤机及蜜泵等，以提高劳动效率。

④还脾：取完蜜的空脾，清除蜡瘤、削平房口后，立即返还蜂群。

平箱群取蜜，首先把要摇取的蜜脾提到运转箱内，把有王脾和余下的巢脾按管理要求排好，再抖“蜜脾”上的蜜蜂于巢箱中，随抖蜂随取蜜、还脾。

5. 贮存　分离出的蜂蜜，在放入缸或大口桶内时进行过滤，1d 后撇去泡沫等上浮的杂质，然后将纯净蜂蜜装入包装桶内，每桶盛装 100kg，贴上标签，注明蜂蜜的品种、浓度、生产日期、生产者、生产地点等，最后封紧桶口。贮存于通风、干燥、清洁、气温低于 20℃以下的仓库中，按品种、浓度进行分等、分级，分别堆放；不露天存放。在运输时，蜜桶叠好、捆牢，尽力避免日晒雨淋，缩短运输时间。

6. 提高蜂蜜质量和产量的措施

（1）提高蜂蜜产量的措施：提高蜂蜜产量要达到“蜜源充足流蜜好，强群新王幼虫少，脾足箱富管理巧”的条件。详见“流蜜期与分蜂期管理”。

（2）提高蜂蜜质量的措施：提高蜂蜜质量除严格按操作规程取蜜外，还要做好以下工作。

①饲养强群，取成熟蜂蜜，新取蜂蜜浓度不低于 40°Bé。选择良好天气，10 时以前进行生产。

②生产单一花种的蜂蜜，严禁混杂与人为掺假。在主要流蜜期流蜜 2d 后，进行全场性的清脾，把蜂巢内原有存蜜全部分离出来，单独存放。

③严禁污染。植物花期不施药，生产期开始前 30d 对蜂群停用药。不用老脾取蜜，防扬尘与飞虫，远离空气、水源污染的地方放蜂，不使幼虫体液混入蜂蜜，不用水洗割蜜刀，提倡用无污染分蜜机取蜜。盛蜜的容器要求是干净、卫生的专用容器，如果是铁桶，内皮食品漆必须完整无损。

（二）巢蜜产业化生产技术

蜜蜂把花蜜酿造成熟贮满蜜房、泌蜡封盖并直接作为商品被人食用的脾蜜叫巢蜜。生产上有整脾巢蜜、半脾巢蜜、切块巢蜜、格子巢蜜、盒装巢蜜等巢蜜品种。整脾巢蜜是用十框标准蜂箱生产的整张封盖蜜脾；半脾巢蜜是用浅继箱（巢蜜继箱）生产的整张封盖蜜脾；切块巢蜜是将整、半脾巢蜜根据需要切成圆形、方形、六角形等形状后再进行加工包装的脾蜜；格子巢蜜是引导蜜蜂在巢蜜格内造脾酿蜜的脾蜜，从蜂箱取出后外套盒子进行包装即可上市；盒装巢蜜是引导蜜蜂在巢蜜盒内造脾酿蜜的脾蜜，从蜂箱取出盖上盒盖出售。格子巢蜜和盒装巢蜜比前三者优越，它不需要分割，不流蜜污染，保持蜂蜜生产的天然状态，方便贮藏运输，但技术性相对较强。

生产格子巢蜜和盒装巢蜜，只要具有巢蜜生产的专用设备，不改变现有的生产模式，不增加过多的设备，掌握技术就可以生产。格子巢蜜和盒装巢蜜，目前已可产业化生产。

1. 生产原理与条件　蜜蜂把花蜜贮藏在蜂房中，经过充分酿造成熟，贮满蜜房后即泌蜡封盖保存。同时，蜜蜂有向蜂巢上部贮食的习惯。根据蜜蜂的这一生物学特性和人的消费需要，制成各种巢蜜格和巢蜜盒，引导蜜蜂在其上造脾贮蜜，直至封盖，然后包装待售。

生产巢蜜要求有丰富的优良蜜源，花期长、流蜜量大，蜂蜜色浅味香不易结晶，如刺槐、紫云英、白荆条、椴树、荔枝、柑橘、枣树等蜜源花期都可生产巢蜜。有些药用植物蜜种虽不适口，但不结晶，有市场开发价值，可生产特种巢蜜，如荞麦蜜等。巢蜜生产要求蜜房封盖为干性或半干性的蜜蜂品种，中华蜜蜂和意大利蜂都可用来生产巢蜜。生产巢蜜的蜂群群势要求在12足框蜂以上，健康无病，并具有优良的新蜂王。意大利蜂种中的蜜王型种群或蜜浆高产种群适合生产巢蜜，一般不用浆王种群生产巢蜜。选择空气新鲜、通风遮阴和水源良好、蜜源丰富、远离污染源的地方建立蜂场；气温在15～35℃为宜，若高于35℃时，蜂巢内贮蜜充足，蜜蜂拥挤，蜂群易起分蜂热而影响生产，且封盖速度慢，影响产品的外观美。实践证明，优美的环境、适宜的气候能使生产的格子巢蜜和盒装巢蜜的表面洁白美观。生产巢蜜的蜂场，实际上就是一个小型食品厂，一切操作都要严格按照工艺流程和食品卫生要求去做，大批量产业化生产巢蜜，要建立巢蜜厂房，在厂房里组装巢蜜格（盒），对采收到的巢蜜进行杀虫灭菌、除湿、包装等各项工作。生产巢蜜还要有熟悉巢蜜生产、操作、质量控制的专业技术人员。

2. 生产巢蜜的设备　生产巢蜜的专门设备主要有巢蜜继箱、巢蜜格、巢蜜盒、巢蜜格（盒）框架、纯蜂蜡的薄型巢础、切巢础的模具等，详见第二章“养蜂机具与设备”。下面介绍山东省梁山生宝蜂业园研制的获国家专利的巢蜜生产设备（用于意蜂）。

（1）巢蜜格、巢蜜盒（国家专利号：ZL 98 333441.2，孙士尧等研制）：

①巢蜜盒：100型长方形巢蜜盒长×宽×底盒高为100mm×70mm×15mm（全盒高25mm），十框标准巢框可组装24只，巢蜜继箱巢框装12只，每盒装蜜100g左右。

50型长方形巢蜜盒长×宽×底盒高为65mm×50mm×16mm（全盒高25mm），每个十框标准巢框组装48只，巢蜜继箱巢框可组装24只，每盒装蜜约50g。

40型六角形巢蜜盒边长×底盒高为30mm×18mm（全盒高25mm），每个标准巢框装64只，巢蜜继箱巢框装30只，每盒装蜜约40g。

巢蜜盒特点：巢蜜盒采用聚乙烯注塑成型，盒底注塑成巢房房基（图5－8），材料符合食品卫生要求，并有一定的强度；涂上蜂蜡即可让蜜蜂造脾，贮满蜂蜜，封盖后从蜂箱取出进行除湿、消毒灭虫处理，最后盖上盒盖即完成生产任务，节约时间、费用，并有效地保持蜂蜜的天然状态和营养成分。全盒无色透明，可以直观蜂蜜的品质。

图5-8　塑料巢蜜盒、格（孙士尧　摄）

②巢蜜格：由外盒和内格两部分组成。

500 型巢蜜格：外盒的外围尺寸长×宽×高为 140mm×100mm×45mm，内套巢蜜格长×宽×高为 135mm×95mm×30mm，四角蜂路高 5mm。每个标准巢框可装 6 只巢蜜格，巢蜜继箱可组装 3 只，每盒装蜜约 500g。

250 型巢蜜格：外盒长×宽×高为 100mm×70mm×45mm，内套巢蜜格外围尺寸长×宽×高为 95mm×65mm×30mm，四角蜂路高 5mm，每个标准巢框可装 12 只，巢蜜浅继箱的巢框可装 6 只，每盒装蜜约 250g。

（2）盒子础板、格子础板与切础模盒、巢础：

①盒子础板：根据每框巢蜜盒数量多少、盒子大小，刻制比巢蜜盒内围尺寸小 0.5mm、比巢蜜盒高度高 0.5mm 的木块，每块外包棉纱布，包好后的尺寸比巢蜜盒内围尺寸稍小一点。

②格子础板：用纹理致密的木板制成比巢蜜格内围尺寸小 2mm、高度略大于巢蜜格高度 1/2 的木质垫板。

③切础模盒：长方形的巢蜜格所用巢础，可用木板制成一个木盒，木盒内宽与巢蜜格内长度一样，而长度是巢蜜格内宽度的倍数，在木盒的两个长壁上，按巢蜜格内围宽度预先锯成宽为 1mm 的缝隙（图 5-9）。使用时，把薄形巢础成叠装入盒内，用切础薄刀沿 1mm 的相对缝隙切下。

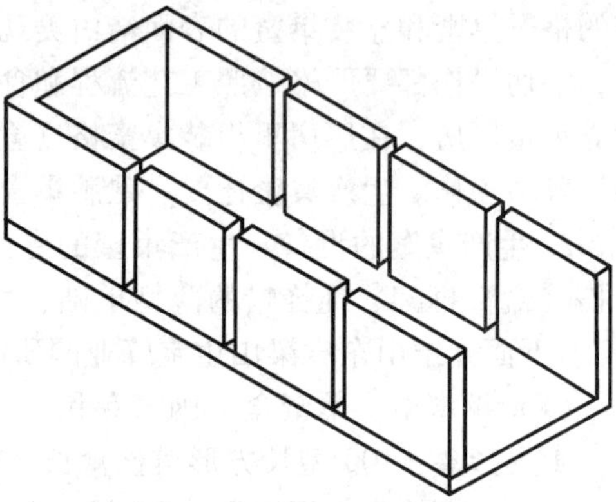

图5-9　切础模盒（孙士尧　摄）

④巢础：用纯净蜜盖蜂蜡压制成的超薄型巢础。

（3）巢蜜继箱：生产巢蜜的继箱可根据巢蜜盒框大小、高低配套，但以十框标准浅继箱生产最好，高度为 112mm、122mm、140mm 等，内围的长、宽与标准蜂箱的相同。

（4）巢蜜格（盒）托架：其功能是安置巢蜜格（盒）于箱中，目前使用的主要有巢蜜框架（也包括安装巢蜜格、盒的巢框）、“T”形巢蜜托架。

3. 生产方法 生产巢蜜包括巢蜜脾的修筑、生产蜂群的组织与管理、巢蜜的采收等工序。

（1）修筑巢蜜脾：

①组巢蜜格（盒）成框：把巢蜜格（或盒）组合在巢蜜框架内，或放在“T”形巢蜜托架上即可。也可以自做巢蜜框架：大小与巢蜜盒（格）配套，上梁宽为30～32mm，长、高与标准巢框相似，一般内径尺寸为长420mm、高200mm、宽30mm（按标准蜂箱设计）。

组盒方法（以100型巢蜜盒为例）：先将巢蜜框架平放在平面桌上，把24只巢蜜盒每2个盒底上、下反向摆在巢框内，再用24号铁丝沿巢蜜盒间缝隙竖捆两道，涂蜡待产（图5－10）。

图5－10 组盒成框（孙士尧 摄）

②巢蜜盒内涂蜡和巢蜜格内镶础：

Ⅰ. 巢蜜盒内涂蜡：首先将优良纯净的蜜盖蜡加开水熔化，然后把盒子础板在被水熔化的蜂蜡里蘸一下，再放到巢蜜盒内按一下，整框巢蜜盒就涂好蜂蜡备用。为了生产的需要，涂蜡尽量薄少。

Ⅱ. 巢蜜格镶础：把巢蜜格套在格子础板上，再把切好的巢础入在格子础板上，用熔化的蜡液沿巢蜜格巢础座线把巢础粘固。也可用经改进的压边器沿巢础边缘和巢蜜格巢础座线滚动，使巢础与座线粘合。

③修筑巢脾：在主要蜜源开花流蜜之前，调整群势，加上巢蜜继箱，利用早期蜜源或辅助蜜源造脾（如生产紫云英巢蜜，可在油菜花后期造脾），或根据实际需要，奖励饲喂，喂足，促使蜜蜂造好巢蜜脾。若流蜜开始，脾未造好，要边造脾边生产；或利用副群（非生产巢蜜群）造脾，连续造脾。

放进蜂巢内的巢蜜盒（格）框2～3d后蜜蜂开始造脾（不涂蜂蜡的巢蜜盒框则需要5～7d蜜蜂才在盒内泌蜡），巢房房基加高，经3～4d即可造好巢房。

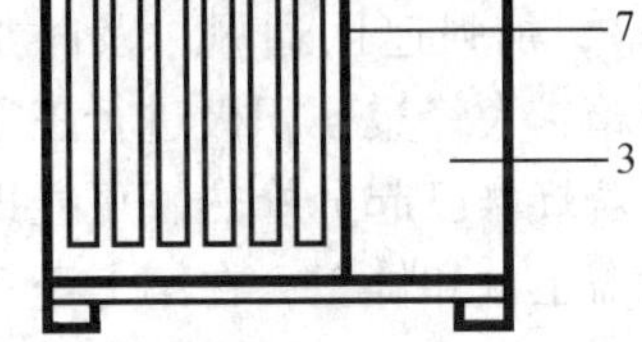

图5－11 巢蜜格与封盖子脾的放置

1. 2. 浅继箱 3. 巢箱 4. 封盖子脾 5. 巢蜜格框 6. 隔板 7. 闸板

修筑巢蜜格巢脾时，在巢箱上一次加2层巢蜜继箱，每层放3个巢蜜框架，上下相对，与封盖子脾相间放置，巢箱里放6～7个巢脾（图5－11）。也可用十框标准继箱，巢蜜格组放在特制的巢蜜格框内。修筑巢蜜盒巢脾，与之相似，塑料房基巢蜜盒框不宜与封盖子脾间隔放置，以免老脾蜡造脾，影响品质。

（2）组织生产群：采用单王群生产时，在大流蜜开始第二天调整蜂群，把继箱卸下，底（巢）箱脾数压缩到6～7框，蜜粉脾提出（视具体情况放进辅助蜂群内或生产分离蜜的蜂群中），巢箱内子脾按正常管理排列后，针对蜂箱内剩余空间可采用二、七分区管理法（图5－12）：用闸板分开，在小区内做交尾群；或巢箱内按正常状态排好后，把剩余空间用其他物品填满，以防止蜜蜂在空隙处造小脾装蜜产卵，造成不必要的浪费，避免影响巢蜜的生产速度。巢箱调整完毕后，在其上加平面隔王板，隔王板上面放巢蜜继箱，再将组装好的巢蜜格框或巢蜜盒框视蜂群势大小决定加入的数量，加巢蜜框的原则是：蜂多群势好的多加，蜂少群势弱的少加，以蜂多于脾为好。

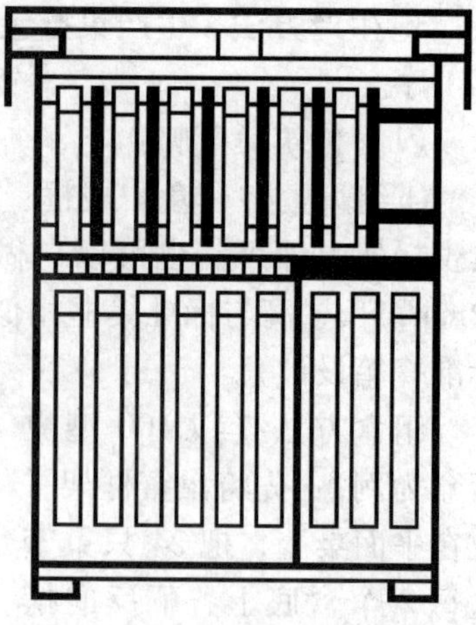

图5－12　巢蜜生产群的蜂巢

双王群生产巢蜜与单王群生产巢蜜蜂群的组织管理相似，需要加强管理的地方有：两边王龄一致，所留脾数一样，两边蜂脾靠中隔板排放，巢蜜继箱内的巢蜜框要与巢箱子脾对齐放在中间。其他同单王群一样管理。

（3）管理生产群：

①叠加巢蜜继箱：生产巢蜜采用巢蜜（浅）继箱生产速度快，质量好，成功率高，正确按序加巢蜜继箱有利于采、贮蜂蜜和控制分蜂热。其方法是：组织生产蜂群加第一继箱，箱内加入巢蜜框后，应达到蜂略多于脾，待第一个巢蜜继箱贮蜜60%时，蜜源仍处于流蜜盛期，及时在第一个巢蜜继箱上加第二个巢蜜继箱，同时把第一个巢蜜继箱前、后调头，当第一个巢蜜继箱的巢蜜房已封盖80%，将第一个巢蜜继箱与第二个调头后的巢蜜继箱互换位置，若蜜源丰富，第二个继箱贮蜜已达70%，则可考虑加第三继箱，把第三继箱直接放在前两个继箱上面，第一个继箱的巢蜜房完全封盖时，及时撤下（图5－13）。叠加继箱，让蜜蜂快速灌蜜，注意蜂数要足，不要一次加巢蜜继箱太多或太快。

②防止分蜂热：生产巢蜜的蜂群在巢蜜封盖期间最易起分蜂热发生分蜂。应采用优良新王，及时更换老劣蜂王。每5～7d检查1次蜂群，除净王台和控制雄蜂（采用优良巢脾），加强遮阴通风，及时加巢蜜继箱扩大蜂巢，积极进行王浆生产。若蜂群已起分蜂热，可立即除掉封盖王台和蜂王，在第七至第九天再次毁灭王台，给蜂群诱入1个刚产卵的新王或成熟王台（也可保留1个成熟王台）。在抖蜂找王台时，应用软抖的方法把蜂抖落。

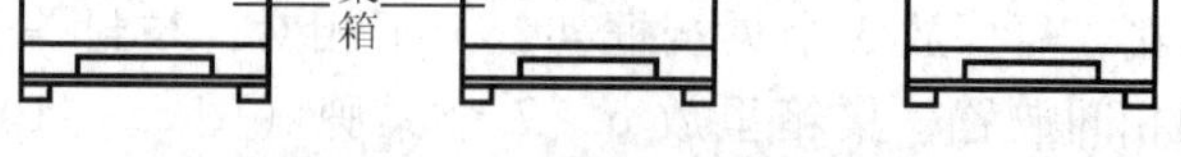

图5－13　巢蜜继箱叠加顺序

1. 第一继箱　2. 第二继箱

③控制蜂路大小、保证封盖平

整美观：采用十框标准继箱生产整、半脾巢蜜，蜂路控制在 5 ~ 6mm 为佳；采用十框浅继箱生产巢蜜时，蜂路应控制在 7 ~ 8mm 为宜。控制蜂路的成功方法：在每个巢框的一面四个角部位钉 4 个小钉子，每个钉头距巢框 5 ~ 6mm，这 5 ~ 6mm 就是蜂路的宽度。在小隔板的一面同巢框一样钉 4 个小圆钉，在相间安放巢框和隔板时，有钉的一面朝向箱壁，依次排列靠紧，它们之间的 5 ~ 6mm 作为蜂路；在最外侧的隔板与箱内空间，用 2 根等长的木棒，在前后两头顶住隔板，另一头顶住蜂箱壁，这样可挤紧巢框，使之竖直、不偏不斜，蜂路一致。可有效防止巢蜜表面不平整，更有效防止一盒巢蜜凸出盒面重量超重，相对的另一盒巢蜜凹进盒面重量不足等质量问题。

④蜜源后期加速封盖：当主要蜜源即将结束，盒格尚未贮满蜂蜜或尚未完全封盖时，必须及时用同一品种的蜂蜜强化饲喂。

制作一个高度为 60mm、长和宽与巢蜜继箱相同的箱圈，安放在巢蜜浅继箱上，采用 6 个 1kg 或 1. 5kg 的框式饲喂器均匀地放在饲喂箱圈内；如果巢蜜浅继箱只放 5 ~ 6 个巢框时，可用 2. 5L 新塑料桶在大面的 1/2 处竖剖开，分为 2 个饲喂器，把这种饲喂器安置在隔王板上生产巢蜜的空区内，可防止蜜蜂在框式饲喂器下空间造小脾。

用上述两种方法进行饲喂，对于蜜格（盒）没有贮满蜜的蜂群喂量要足，若蜜房已贮满蜂蜜等待封盖，可在每天晚上酌情饲喂；若巢蜜格（盒）中部封盖，周围仍不完满，则限量饲喂。饲喂期间揭开覆布，以加强通风，排除湿气。

⑤预防盗蜂：生产巢蜜，尽可能在流蜜后期生产完毕，因天气等原因，流蜜中断，蜂群还需饲喂时，要采取有效措施预防盗蜂。预防盗蜂除第四章的有关方法外，对本场非巢蜜生产蜂群要留足饲料，对已被盗的蜂群做一个长、宽各 1m、高 2m，四周用胶纱围着的活动纱房，罩住被盗蜂群。被盗不重时，只罩蜂箱不罩巢门；被盗严重时，蜂箱、巢门一起罩上，开天窗让蜜蜂进出，待盗蜂离去开启巢门，使纱房只罩蜂箱不罩巢门，蜂群稳定后可搬走活动纱房。在生产巢蜜期间，各箱体不得前后错开来增强空气流通，这个做法除引发盗蜂外，还会导致蜜蜂在靠近缝隙或开口处的巢蜜房贮蜜、封盖延缓。

（4）巢蜜的采收、灭虫与修框消毒：

①采收：巢蜜格（盒）贮满蜂蜜并全部封盖后，把巢蜜继箱从蜂箱上轻轻卸下来，放在其他空箱上，用吹风机吹出巢蜜继箱内的蜜蜂后，把巢蜜继箱搬到巢蜜厂房。

如果巢蜜格（盒）不能同时完成封盖，可以分期分批采收。

②灭虫：取出的巢蜜要及时杀灭巢虫等害虫。

二氧化碳熏蒸：在一严密的室内，温度 37℃、相对湿度 50%，将巢蜜继箱作“+”字形叠在一起，最下层放在木架上，然后通入二氧化碳，使室内二氧化碳浓度保持在 98%，熏蒸 4h，打开排风扇，通入新鲜空气，排出二氧化碳。另外，梁山生宝蜂业园与清州居禄养蜂园研制的含量为 56% 的磷化铝制作的巢蜜熏杀片剂，在相叠密闭的继箱内按 10 张巢蜜脾放 1 片药，进行熏杀 15d 后，可彻底杀灭蜡螟的卵、虫，这里注意用药不得过量，否则，巢蜜表面颜色变深。

③修正蜜格（盒）：已作上述处理的巢蜜格（盒），及时卸框。从巢蜜继箱提出巢蜜框，解开铁丝，在中间部位用力推出巢蜜格（盒），注意不要碰及蜡盖，然后用不锈

钢薄刀片逐框清理巢蜜格（盒）边沿和四角上的蜂胶、蜂蜡及污迹，对刮不掉的蜂胶等污迹，可用棉纱浸75%酒精擦拭干净后，再盖上盒盖或在巢蜜格外套上盒子。

4. 分类、包装与贮藏、运输　对盒、格巢蜜的质量要求：外观要求平整、洁白，100%的封盖；内在质量要求：符合国家蜂蜜质量标准，在饲喂蜂群时，只准喂同一品种的蜂蜜促使蜜房封盖，不得掺入其他品种的蜂蜜或异物。

经过杀虫、修正和去污的巢蜜，根据其外表平整与封盖完整程度、颜色洁白度、格（盒）的清洁度、没有花粉房、不含甘露蜜等进行挑选、分级、分类，剔除不合格产品，然后装进巢蜜纸箱内，在每2层巢蜜盒之间放1张白纸，以防止盒盖的磨损，再用胶带纸封严纸箱，最后把整箱巢蜜送到通风、干燥、清洁的仓库中保存，保存温度在20℃以下为宜。若长久保存，室内相对湿度应保持在50%～75%。按品种、等级、类型分垛叠放，纸箱上标明防晒、防雨、防火、轻放等标志。

在运输巢蜜过程中，要尽力减少振动、碰撞，要苫好、垫好，避免日晒雨淋，防止高温，尽量缩短运输时间。

5. 其他巢蜜的生产

（1）整脾巢蜜：在流蜜期开始，把巢蜜巢础的一边插入浅巢框上梁腹面的槽内，用熔蜡壶把熔化的蜡液斜着倾进槽内，使巢础粘固在巢框上，然后扶平巢础，加进浅继箱，搬到巢箱上进行造脾，生产整张封盖蜜脾，其他技术与格子巢蜜、盒装巢蜜的生产方法相同。整脾巢蜜须及时卖给批发商，以便及时进行修正、灭虫、切割、包装等贮藏销售前的工作。

（2）切块巢蜜：用能加热的特制切刀，把经过消毒、灭虫、修整过的巢蜜脾放在木板上，按要求切成圆形、方形、六角形等不同式样和不同重量的蜜块，其次把切割好的巢蜜块放在下有浅盘的硬纱网上滴干黏附在切割边缘上的液态蜜，或把它们放在有转盘的特制分离机上，开动机器，利用离心力把黏附在边缘上的蜜汁甩净，第三，先用无毒透明塑料膜包裹，再用相应形状的无毒透明的塑料盒进行包装待售；或将其镶入巢蜜格，重放回蜂群，让蜜蜂加工成格子巢蜜，用透明塑料盒包装后注明产品、净重、生产者或包装商的姓名和地址等。

（3）混合块蜜：把切好的巢蜜块沥净或甩净边缘的蜜汁后，连同液态蜂蜜一同放到玻璃瓶内，立即封盖。混合块蜜要求巢蜜占总容量的50%，巢蜜与液态蜜色泽一致，以浅色、透明、不结晶的蜂蜜为佳。

如果混合块蜜久放出现结晶，应放入恒温箱或水浴中，在50℃的温度下维持5～8h，使结晶完全熔化；或将容器放入热水中，使结晶蜜和巢脾熔化后倒入桶内，待冷却后蜜蜡自动分开，过滤出蜂蜜。

（4）功能巢蜜：巢脾修造、蜂群的组织与管理同上，以植物汁液或提取物与蜂蜜按比例混合后喂给蜂群，生产出以蜂蜜为载体具有某种特殊生物功能的巢蜜。功能巢蜜的生产，必须严格按照有关规定和标准进行。

6. 提高巢蜜产量和质量的措施

（1）提高巢蜜产量的措施：

①新王强群：这是提高巢蜜产量的基础，生产巢蜜的蜂群群势要达到十二框足蜂以

上。

②计划生产：进行巢蜜生产的蜂场，一般要有2/3的蜂群生产巢蜜，1/3的蜂群进行分离蜜的生产；在流蜜期集中生产，流蜜后期或流蜜结束，集中及时喂蜜，喂蜜量大且要连续。

③定向选育优良蜂种：长期有计划地生产巢蜜要做好选种育王工作，选择产卵多、进蜜快、封盖好、抗病强、不易起分蜂热的蜂群作巢蜜生产种群；在生产实践中，以东北黑蜂为母本、黄色意蜂为父本的单交或双交蜂种是生产巢蜜较好的种蜂。

④连续生产：有计划地连续生产巢蜜，蜜蜂就会对塑料盒（格）产生认识和记忆，生产巢蜜的积极性高涨。实践证明，连续生产巢蜜，第二批比第一批少5d以上，且质量比第一批好。

⑤原料充足：蜜源要丰富，饲料要充足，蜂群繁殖好，用浅继箱生产。

（2）提高巢蜜质量的措施：生产巢蜜的过程中，要严格按操作要求、巢蜜质量标准和食品卫生要求进行。坚持用浅继箱生产，严格控制蜂路大小和巢蜜框竖直，保证全部封盖、封盖平整重量一致；防止污染，不用病群生产巢蜜，饲喂巢蜜生产蜂群的蜂蜜必须是纯净、符合卫生标准的同品种蜂蜜，最好用本蜜源花期生产的稀蜜饲喂，生产、饲喂工具无毒；选择不结晶或不宜结晶的蜜源进行生产，不喂异种蜂蜜，以防止结晶。防巢虫危害，用于灭虫的药物或试剂不得对巢蜜外观、气味等造成污染。在巢蜜生产期间，不允许给蜂群喂药，避免抗生素超标影响其品质。

二、蜂王浆的生产

（一）蜂王浆的来源与生产原理

1. 来源 蜂王浆是工蜂王浆腺（又称舌腺或营养腺）与上颚腺分泌出的浆状混合物。

2. 生产原理 蜂王浆在蜂群中是用以饲喂蜂王及3日龄内蜜蜂小幼虫的食物，又称蜂乳。蜂王和工蜂都是由受精卵发育来的，工蜂卵产在口略向上的正六棱柱体的工蜂巢房里，孵化后只吃3d蜂王浆，以后吃蜂粮（花粉和蜂蜜的混合物），将来发育成工作蜂；蜂王卵产在比工蜂房大、形似花生、口朝下的王台基内，卵孵化后终生吃王浆，以后发育成专司产卵的蜂王。当蜂群群强子旺时，工蜂就会筑造王台基，蜂王在王台基内产卵，培育蜂王，准备分“家”；或蜂群突然失王，群内又无王台，则工蜂会把有3日龄内小幼虫的工蜂房改造成王台，并喂给大量的蜂王浆，使这个小幼虫发育成蜂王。工蜂喂给工蜂幼虫的王浆量少且时间短，而喂给蜂王幼虫的王浆量多且一直供给。根据这些现象，人们模拟自然王台制作人工王台基——蜡碗或塑料台基（条），把3日龄内的工蜂小幼虫移入人工王台基内放入蜂群，同时通过管理使蜂群产生育王欲望，引诱工蜂分泌蜂王浆培育蜂王，经过一定时间，王台内积累的王浆量最多时，取出，挑去蜂王幼虫，把王浆挖（吸）出来，贮存在容器中，这就是一般蜂王浆的生产原理。另外，还有蜂王浆留在王台内，连同王台一同出售的“盒装王台活性王浆”的生产。

3. 生产条件 生产蜂王浆要求蜂群群势达到8足框蜂以上，群内蜂龄协调、子脾齐全，蜂群健康。饲料充足，有一定的粉源或蜜粉源。外界气温在15℃以上，熟练的操作管理和技能人员。

4. 生产工具　生产蜂王浆的一般工具有王浆框、移虫针、塑料台基或蜡碗、不锈钢镊子、挖浆铲或吸浆器、容器、蜡棒等。蜡碗的蘸制方法：把蜜盖蜡放在容器（如熔蜡壶）内加热使之熔化，再把用水浸透的蜡棒小的一端插入蜡液8mm，立即竖直提出，若蜡液温度高，蘸蜡太薄，则重复插入蜡液5～6mm后提出，片刻，竖直插入冷水中，旋即提出，用大拇指和食指将其卸下，继续蘸制蜡碗。生产王浆的工具在使用时，要用75%的酒精消毒，然后用清水冲净。

（二）蜂王浆的一般生产方法

1. 安装王浆框　用蜡碗生产蜂王浆，首先用一个内径小于蜡碗内径、端部光滑的木棒插入蜡碗，用右手食指相对木棒挤紧蜡碗，并使蜡碗底部沾少量蜡液，然后垂直地粘在台基条上，每条粘20～30个蜡碗，或装塑料台基，每框装4～5条王台条。目前，生产蜂王浆多用塑料台基条，用金属丝绑在王浆框条上即可。

2. 生产蜂群的组织与管理　准备生产王浆的蜂群，用隔王板把蜂巢隔成生产和繁殖两区，蜂王放在繁殖区，王浆框放在生产区幼虫和蜜粉脾之间，在群势强壮、外界有充足的蜜粉源时，生产区可不放幼虫脾，加继箱的蜂群，巢箱放5个巢脾即可满足蜂王产卵要求。

生产王浆，要促进产浆蜂群的繁殖，使其保持4～5个封盖子脾，如若不足，可从副群中抽补；蜂群要做到蜂略多于脾或蜂脾相称，巢内蜜粉充足，如若蜜粉不足，应及时补喂，直到主要蜜源流蜜开始。在生产蜂蜜时，应在移虫后的次日进行，平时做好调温、调湿工作。

3. 培育适龄幼虫　大量生产王浆，需要很多18～24h龄呈新月形的幼虫，为提高移虫效率，必须建立供虫群。选择场上的双王群，将一侧蜂王和适宜产卵的黄褐色巢脾（育过几代虫的）一同放入蜂王产卵控制器，蜂王被控制在空脾上产卵2～3d，第四天后即可取用适龄幼虫，并同时补加空脾，一段时间后，被控的蜂王与另一侧的蜂王轮流产适龄幼虫。

4. 清扫台基　将安装好王台基条的产浆框，放到产浆群中，让工蜂修理2～3h，即可取出移虫；掉的王台补上，啃坏的王台换掉。凡是第一次使用的塑料台基，须置于产浆群中修理12～24h。

5. 移虫　提出虫脾，扫落蜜蜂，斜放在干净的隔板上或特制的木盒里，使光线照到脾面上，用移虫针的舌端顺着巢房壁从幼虫背面伸入到幼虫体下的王浆底部，将虫浆一并提出，再将移虫针伸到王台基底部，用右手食指轻压弹簧推杆，将幼虫和王浆一同推进台内，依次逐台移虫，移好一框，将王台口朝下放置，加入产浆群内。移虫2～3h后，提出产浆框进行检查，凡台中不见幼虫的均须补移，使接受率在90%左右。补虫时可在未接受的台基内点一点鲜王浆再移虫。移虫时要求做到所移幼虫虫龄一致，轻、快、稳、准，操作熟练，不伤幼虫，移虫速度每5min移100条左右。

6. 增框　在大流蜜期，强群可在继箱上同时加入2个产浆框，产浆框之间相隔1～

2 个巢脾。增框要求每台单产达 0.25g 以上，每台单产在 0.2g 以下时即恢复单框生产。

7. 取浆 视移虫大小和生产计划，尽量在王浆积累最多时取浆，每日挖浆宜安排在 10 时以后。根据移虫先后分批把产浆框从生产蜂群中取出，捏住产浆框一端框耳，轻轻抖落蜜蜂，再用蜂扫扫落余下的蜜蜂，把王台条翻转 90°，用割蜜刀割去王台的顶端，留下长约 10mm 有幼虫和王浆的基部，不要割破幼虫；或者顺塑料台基口削去加高部分的蜂蜡。割台后，立即用镊子夹住幼虫的上部表皮，将幼虫拉出，放入容器，注意不要夹破幼虫，也不要漏夹幼虫。最后用挖浆铲或 3 号画笔从王台边插入台底，旋转 1 周后提起，把蜂王浆刮带出台，然后刮入王浆瓶（壶）内（瓶口可系一线，利于刮落王浆），并重复一遍刮尽。有条件的地方可用吸浆器取浆。

提出的王浆框放在周转箱内，上覆干净的湿纱布或毛巾，移虫后不能及时放蜂巢的虫框亦这样做。另外，在割去加高的王台时，向王台洒凉水不得洒入王台内。

至此，蜂王浆生产的一个流程就告结束，历时 2～3d，但蜂王浆的生产由前一批结束开始第二批的生产，取浆后尽可能快地把幼虫移入刚挖过浆还未干燥的前批蜡碗内（蜡碗可使用 6～7 批次，塑料台基用几次后，用刮刀旋刮，清理浆垢和残蜡 1 次，用清水冲洗后再继续使用），将前批不被接受的蜡盏割去，在此位置补一个已接受的老盏。如人员富足，应随分批取浆，随分批移虫，随分批提浆框，随下浆框，循环生产。

（三）提高王浆产量和质量的技术措施

1. 提高王浆产量的措施

（1）选用泌浆量高的蜂种：中华蜜蜂泌浆量少，黄色意大利蜂泌浆量比其他蜂种多。在意大利蜂种群中，工蜂的泌浆量存在着差异，通过选育，目前，蜂王浆群年产浆量最高可达 10kg 以上。大型蜂场可引进高产种蜂，然后进行育王，选育出适合本地区的王浆高产品种。杂交王只使用 1 代为宜。

（2）强群生产：见本章前述。

（3）使用高产塑料台基，适量增加王台数：养蜂技术好、蜂群强（15 框以上）、蜜源足，可加入圆柱形台基 200 个，反之，可使用杯形台基，并减少王台数量。一般 12 框蜂用台 100 个左右。有条件的使用颜色深的塑料台基，如黑色、蓝色、深绿色等。

（4）延长产浆期，连续取浆：早春提前繁殖，使蜂群及早投入生产。在蜜源丰富季节抓紧生产，在有辅助蜜源的情况下坚持生产，在蜜源缺乏但天气允许的情况下，视投入产出比，如果有利，喂蜜喂粉不间断进行生产，喂蜜喂粉要充足。

（5）保证虫龄适中，虫数量充足：利用副群或双王群，建立供虫群，适时培育适龄幼虫，以提高生产效率和王浆产量。48h 取浆，移 48h 龄的幼虫；62h 取浆，移 36h 龄的幼虫；72h 取浆，移 24h 龄内的幼虫。适时取浆，有助于防止王浆老化或水分过大。

（6）加强管理，做好防暑降温工作：蜜粉缺乏季节，王浆框放在幼虫脾和蜜粉脾之间，在放入浆框的当晚和取浆的前 1d 傍晚奖励饲喂，经常保持王浆生产蜂群的饲料充足。外界气温较高时王浆框可放在边二脾的位置，较低时应放中间位置。有条件的利用双王群进行生产；技术熟练，移虫不伤幼虫。

2. 提高王浆质量的措施

（1）蜂群健康：生产蜂王浆要用健康无病的强群进行生产，大量培育适龄泌浆蜂，整个生产期和生产前1个月不用抗生素等药物杀虫治病。

（2）防止幼虫体液混入：捡虫时要捡净幼虫，割破的幼虫，要把该台的王浆移出另存或舍弃。

（3）根据蜂数多少严格控制放台数：一般情况下，强群1框蜂放台数8～10个。外界蜜粉不足，蜂群群势弱，应减少放台数，以防止10－HDA含量的下降，王台数量与王浆总产量呈正相关，而与每个王台的王浆量和10－HDA含量呈负相关。

（4）选育优良种王：在选育王浆高产种蜂的同时，选育能提高10－HDA含量的蜂种，以期达到产量和质量的同步提高。

（5）优质的饲料：选择蜜粉丰富、优良的蜜源场地放蜂，对蜂群进行奖励时应慎用添加剂饲料，以免影响王浆的色泽和品质。

（6）卫生：严格遵守生产操作要求，生产场所要清洁，空气流通，所有生产用具应用75%的酒精消毒，生产人员身体健康，工作时戴口罩，着工作服、帽，手和衣着整洁，过滤王浆时，保证手不与王浆接触。取浆时不得将挖浆工具、移虫针插入口内、水内、蜜中、淀粉里，盛浆容器务必消毒、洗净、晾干，不得有剩水或余酒。整个生产过程尽可能在室内进行。

（四）过滤与保存

生产出的王浆及时用60或80目滤网，经过离心或加压过滤，然后装入王浆专用瓶或壶内；不能过滤和无良好保存条件的蜂场，生产出的王浆要及时交售给收购单位，收购单位应及时过滤掉蜡渣等杂质。养蜂场或收购单位严禁在久放或冷藏（冻）后过滤，以防止10－HDA的流失。

过滤后的王浆，按1kg、6kg分装密封，及时存放在－15～－25℃的冷库或冰柜中贮藏。蜂场野外生产，应在棚内挖1m深的地窖临时保存，上盖湿毛巾，尽早交售。

（五）盒装活性王台蜂王浆生产技术

盒装活性王台蜂王浆，是将蜜蜂在王台中分泌王浆后，从蜂箱提出，取净幼虫，立即装盒消毒冷存。盒装活性胚胎王台蜂王浆，是从蜂群中取出王台，不取出幼虫，经消毒处理后装盒冷冻保存。这样能有效地保持蜂王浆的天然状态和活性物质。盒装活性王台蜂王浆与盒装活性胚胎蜂王浆的生产原理与蜂王浆的生产相似，其生产条件除要求有王浆生产的一般条件外，还要求蜜蜂泌蜡洁白，蜂王台粗壮，产浆技术更加熟练，有冷冻设备或生产后能迅速出售。

1. 生产工具　除王浆生产的一般工具外，还需要以下工具：

（1）标准四梁式活动王浆框。

（2）活动王台王浆盒：活动王台王浆盒常用的为山东梁山生宝蜂业园研制的获国家专利（专利号：ZL 99 320466. X）的活动王台王浆盒，这种王浆盒由盒盖、底座、台条、王台、取浆勺等组成（图5－14）。

图5－14　活动王台王浆盒（孙士尧　摄）

使用优点：每个王台可以自由放进台条座或从台条座上取下，方便取下装不满的台浆，换上合格的台浆，使产品一致达到合格要求；按十框标准蜂箱设计，标准四梁式活动王浆框，每梁可安放2条24个王台，盒子透明无毒，有一定的硬度，符合卫生要求，并直观王浆的情况，且能最大限度地保持王浆的天然状态和活性成分不变。

2. 生产方法

（1）蜂群的组织和管理：生产盒装活性王台蜂王浆的蜂群，与生产一般蜂王浆蜂群的组织和管理基本一样，只要有较强的群势（浆蜂10框以上，蜜浆型蜂12框以上），外界气温不低于15℃，蜜粉源较充足，全年都可以组织生产。用隔王板把生产蜂群的蜂巢隔为生产区和繁殖区，产浆区组织小幼虫脾放中间，粉脾放两侧，往外是新封盖蛹脾和蜜脾，王浆框插在幼虫脾和粉蜜脾之间，这样组织排列巢脾有助于集中大量适龄的哺育蜂在产浆区泌浆育虫，提高王浆产量。生产一段时间，蜜蜂已形成条件反射，就可以不提小虫脾放继箱，巢脾的排列则为蜜粉脾在两边，王浆框两侧放新封盖蛹脾，每6d（2个产浆期）调整1次蜂群，在生产期，产浆框两侧不少于1张封盖蛹脾。

产浆群在管理上应注意蜂量密集，使蜜蜂有轻微的分蜂热的情绪，并及时检查蜂群，如粉源不足，及时补充蜜粉饲料，视群势强弱增减王台数量。

（2）培育适龄幼虫：有计划地组织双王群作为供虫群，除按前述方法外也可按下述方法去做：双王群中间用闸板隔开，每区放4个脾，近闸板第二个脾为空脾，供蜂王产卵，外侧为新封盖蛹脾和老蛹脾，根据产浆需要，随时抽出虫脾供移虫或调给产浆群；也可选定几个蜂王产卵强的蜂群，专门供给幼虫。供虫群用的巢脾以浅棕色为宜，为使产卵集中，供虫群应多放蜜粉脾和新封盖蛹脾，并将空脾放中间，蜂王产卵4d后提出移虫，原处再放1张空脾。

长期使用供虫群，每6～7d给供虫群调入1张即将羽化的蛹脾，维持群势和提供哺育蜂。

（3）组装台条：将单个王台卡进王台条基座的卡槽内，12 个王台组成 1 个王台条，浆框的每一个框梁上安放 2 条王台条，再把每条王台条用橡皮圈固定在王浆框的框梁上（根据王台条的长短，在王浆框的木梁两端及中间各钉 1 个小钉，钉头距木框 3mm，用橡皮圈绕木梁 1 周后捆住王台条，然后挂在小钉 3mm 的钉头上）。

（4）修饰王台：将安装好王台条的产浆框，挂放在产浆群中让蜜蜂修整 24h，即可取出移虫。

（5）移虫：移虫方法同一般王浆生产的移虫方法。环境要求温度 25℃左右，相对湿度 75% ~80%，露天作业，要洒水增加湿度，防止扬尘；取出的和移好虫的浆框应用消毒纱布覆盖，移虫时不伤幼虫。

（6）插浆框：移好虫待产的浆框要及时插入产浆群，初次插框产浆时，首先要提前 1 ~2h 将产浆群中的虫脾和蜜粉脾移框，使之相距 30mm，插框时徐徐放下，不扰乱蜂群的正常秩序。一般情况下，8 ~9 框蜂群每群可插入有 72 个王台的产浆框；达到 12 框足蜂的可插入 96 个王台的产浆框；达到 14 框以上足蜂的可插入 144 个王台的产浆框，或隔日错开再插入 96 个王台的产浆框，保持 1 个大群有 2 个产浆框；但在条件不太好的情况下，即使插入 1 个产浆框也要酌情减少王台数量，首先减去上面的 1 条，后减下面的 1 条，留中间 2 条，这样王台条刚好在蜂多的位置，以便工蜂泌浆育虫和保温。在插浆框的同时插入待修王台的王浆框。

（7）及时补虫：产浆框插入产浆群 2 ~3h 后，及时开箱检查蜂群接受幼虫情况：王台外有许多蜜蜂围住，表明已被接受；因移虫受伤或其他原因不被接受的幼虫，已被工蜂清除，王台上无蜜蜂，这时，要及时再补进幼虫，为了促使蜜蜂接受新补移的幼虫，可以将少量新鲜王浆放入要补虫的王台底部，然后再重新移虫，新补幼虫的虫龄可稍大一点。

另一个补虫的方法是，把已接受幼虫的王台集中一框继续生产，没接受幼虫的王台重新组框移虫再生产。

（8）收浆装盒：收取王台王浆的时间，一般在移虫后 60 ~70h（2.5 ~3d）。收取王台王浆的早上，边收王台王浆框边在原位置放进移好虫待产的浆框，或把前 1d 放入的产浆框移到该位置，并加入待修台的产浆框，以节约时间，并减少开箱次数。

从箱内提出的王台王浆框，将附着浆框上的蜜蜂轻轻抖落在蜂箱内，再用清洁的蜂扫拂去余蜂，从王浆框梁上解开橡皮圈，将王台条从框梁上卸下来，用不锈钢镊子小心镊去蜂王幼虫，注意不能使王台口变形，一旦变形要修整如初，否则，应与不足 0.5g 的王台一同换掉，使整条王台内王浆一致，上口高度和色泽一样。另外，还要注意王浆状态不被破坏。

取出的王台王浆用刀片、酒精清污消毒后，将王台条推进王台盒底的王台条插座内，上放 2 支取浆勺，用 75% 的酒精喷洒王台盒内外后，盖上盒盖，放进王台王浆专用泡沫箱内，送冷库冷冻存放。

3. 提高盒装活性王台王浆产量和质量的措施

（1）选育蜂王浆高产蜂种：近几年来，浙江等省区有一些种蜂场对王浆产量较高的蜂群进行了定向选育。例如萧山浆蜂、平湖浆蜂、浙农大1号及黄山1号等，都是王台王浆高产蜂种。

（2）延长产浆期：同王浆生产。

（3）补粉奖糖：定地养蜂缺乏蜜粉源的季节，在王浆框边上添加混合粉脾（1/3纯花粉+2/3的脱脂豆饼粉做成的粉脾），移虫当天或收取台浆的前夕用1∶2的糖水奖励饲喂。

（4）调脾连产：为夺取王台王浆的高产稳产，6~7d从巢箱内或其他蜂群中，给产浆区调入幼虫脾或新封盖蛹脾，促使更多哺育蜂在此处集结泌浆育虫，只要生产台浆无特殊情况，不能中断调脾和生产，以避免破坏蜂群建立起来的条件反射而使产量降低。

盒装活性王台王浆的质量要求：王台内鲜王浆含量每台不少于0.5g；王台口上蜡质洁白或微黄，高低一致，无变形、无损坏；王台内的幼虫要求取出的，应全部取净；王台王浆取出箱后，取虫、清污、消毒、装盒、速冻以最快的速度进行，忌高温和暴露时间过长；盒子透明，不能磨损和碰撞，盒与盒之间由瓦楞纸相隔，采用泡沫箱包装。盒装活性王台王浆的质量控制同王浆的生产。

三、蜂花粉的生产

蜜蜂花粉是养蜂生产中的主要产品之一，也是蜜蜂在自然界惟一的蛋白质来源。

生产蜂蜜和蜂王浆需要有较强的蜂群，而生产蜂花粉，有5脾足蜂就可以投入生产，8~9框蜂生产蜂花粉较适宜。因此，在有一定数量粉源植物散粉的情况下即可进行蜂花粉生产。在蜂蜜歉收年景，生产适销对路的蜂花粉，同样能保证好收益。一个管理得法的蜂场，生产蜂花粉的效益往往超过蜂蜜和蜂王浆。而且，进行蜂花粉生产的蜂群，只要选择好巢向和脱粉器，做好防暑降温等管理工作，就不会影响蜂王浆的产量和蜂群的繁殖。生产蜂花粉，还要了解市场行情，选择优良的或具有特殊用途的粉源场地。

正常情况下，1群蜂1年能采集30kg以上的花粉，并消耗掉其中的25kg。蜜蜂为植物授粉可提高其种子（果实）产量15%以上，其品质也相应地有所提高，并为自然界生物的多样性做出巨大贡献，这是现代社会养蜂的主要目的之一。生产蜂花粉可促进蜜蜂为植物授粉。因此，要重视蜜蜂花粉的生产。

（一）蜂花粉的来源与生产原理

花粉是高等植物雄性生殖器官——雄蕊花药中产生的生殖细胞，其个体称为花粉粒。当花粉粒成熟时，花药裂开，散出花粉。蜜蜂采集植物的花粉，并在后足花粉篮中堆积成团带回蜂巢。根据蜜蜂采集携带花粉的习性，在巢门或箱底装上脱粉器，当蜜蜂归巢通过脱粉孔时，其后足携带的两团花粉就被截留下来，待集粉盒积累到一定数量蜂花粉后，集中收集晾干。

（二）生产蜂花粉的条件与生产工具

1. 生产蜂花粉的条件　生产蜜蜂花粉首先要有丰富的粉蜜源植物，一般要求1群蜂应有油菜 3 ~4 亩、玉米 5 ~6 亩、向日葵 5 ~6 亩、荞麦 3 ~4 亩供采集，并选择有多种粉源植物衔接的地方放蜂，以延长生产期。适宜的天气、合理的蜂群群势和优良的生产工具，是蜜蜂花粉高产优质的保证。生产蜂花粉的场地要求植被丰富，空气清新，无飞沙与扬尘；周边环境卫生，无苍蝇等飞虫。

2. 生产工具　生产蜂花粉的工具主要是脱粉器，有巢门脱粉器和箱底脱粉器两种，制作材料有塑料的、金属的等，结构有繁有简，型号规格有大有小，详见第二章“养蜂机具与设备”。下面介绍“系列钢木巢门脱粉器”的制作方法以及在生产中的使用情况。

（1）制作钢木巢门脱粉器：用优质木材和 26 号不锈钢丝作材料制成。

脱粉孔圈的制作：用圆柱形钻头作模具，钢丝围模具旋转 1 周后，交叉拧紧，使两股丝拧成的柄长达 5mm，截断，从模具上卸下，然后，继续制作下 1 个孔圈，制作过程中钢丝一定要拉紧，孔径误差不得超过 1μm。生产蜜蜂花粉，中华蜜蜂要备齐孔径分别为 4. 5mm、4. 6mm 的二排的脱粉器，意蜂和卡蜂等西方蜜蜂要备齐孔径为 4. 7mm、4. 8mm、4. 9mm 的二排或三排的脱粉器。

支承架：木片要求宽 12mm，厚 5 ~7mm，两头厚 11 ~12mm，长 410mm。把钢丝圈固定在木片腹面的前七、后五的位置上；相邻圈与圈间距 1mm；每一排两头边上的小木片厚要比孔圈外径高出 1mm，即孔圈距离下平面 1mm，其作用是使箱内不存粉粒，保持花粉粒不破裂。三排脱粉器是在两头和上条加 12mm 宽、10mm 厚、两头厚 16mm 的木条，其间增加 1 排孔圈，而且在脱粉器内面的上、左、右位置钉上 12mm 厚的木条，以便蜜蜂也能从最上边的脱粉孔进出。

（2）系列钢木巢门脱粉器的特点：经过多年的实践验证，有下列优点。

①对蜂群的影响：不伤蜜蜂。表现在：第一，蜜蜂进巢不栽跟头，不损伤蜜蜂绒毛（绒毛是蜜蜂采集花粉的重要器官）；第二，蜜蜂进巢速度快（研究证明，蜜蜂进巢速度的快慢是脱粉器影响蜜蜂寿命和蜂群繁殖的关键）；第三，不影响蜂群的繁殖（对比试验证明，在秋季生产花粉，对培育适龄越冬蜂无不良影响，而对照组群势下降 30% 左右）。

②对产量和质量的影响：花粉团脱落率在 90% 以上，增产 30% ~150%，群日产鲜花粉可达 2 300g。花粉团破碎率在 5% 以下，花粉团整齐，痕迹清晰。不影响蜂王浆的产量。

（三）脱粉蜂群的组织、管理与生产方法

1. 组织脱粉蜂群　生产蜂花粉，5 框足蜂就可进行，但以 8 ~9 框蜂的群势为佳。所以，在生产花粉 15d 前或进入粉蜜源场地前后，有计划地从强群中抽出部分带幼蜂的封盖子脾补助弱群，使之在粉蜜源开花时也达到 8 ~9 框蜂的群势，增加生产群数。

2. 选择脱粉工具　主要根据蜂种、群势、蜜源、不同季节的温度和湿度、箱内贮粉多少等，灵活选用脱粉器，避免因脱粉而影响繁殖和效益。

（1）根据群势选择脱粉器：根据工作蜂的多少选用不同排数的脱粉器，解决蜜蜂进巢拥挤所造成的不良后果。10 框以下的蜂群选用二排的脱粉器，10 框以上的蜂群选

用三排的脱粉器。

（2）根据不同季节的温度、湿度和蜜源及蜂种间个体大小的差异选用不同规格（孔径）的脱粉器：西方蜜蜂一般是用4.8mm孔径的脱粉器，干旱年景使用4.6mm、4.7mm的；早春与晚秋温度低、湿度大时用4.8mm、4.9mm的。如山西省大同地区的油菜花期使用孔径4.6mm、4.7mm的；内蒙古葵花期使用4.7mm的；驻马店芝麻花期使用4.8mm的，油菜花期使用4.7mm、4.8mm的；南方茶花期使用4.8mm、4.9mm的；4.9mm孔径的适用于低温、湿度大、粉团大的蜜粉源花期生产蜂花粉，如四川的蚕豆花期。4.5mm的适用于中蜂，在干旱与不流蜜或流蜜差的情况下，也适用于喀尔巴阡蜂的脱粉生产。

3. 管理脱粉蜂群

（1）根据温度、纬度选择巢向，避免阳光直射：春天巢向南，夏、秋面向东北方向，巢口不对着风口，只在上午生产花粉的蜂群，其巢门也可朝西南。

（2）加强繁殖，协调发展：正常情况下，花粉产量与蜂群中幼虫的多少呈正相关。所以，要促进蜂群的繁殖，做到卵、虫、蛹、蜂的比例正常，幼虫发育良好。另一方面，青壮年蜂比老年蜂爱采花粉，而且采集的花粉团大，青壮年蜂越多，产量就会越高，因此，应在花粉开始生产前40d至花期结束前30d有计划地培育青年采集蜂。采用大小群互换箱位或小群小子脾拿到大群、大群超出群势的出房子脾拿到小群等方法，可达到大群高产，小群发展又高产的目的。继箱群应根据幼虫比例，上、下适当调脾。

（3）蜂数足、糖饲料足：根据季节的温、湿度和蜜源，使群势强、弱适中和蜂脾比相称或蜂略多于脾，工蜂才能积极采集，调温能力也强。粉够吃不节余，无蜜源时先喂好底糖，有蜜采进但不够当日用时，每天晚上喂，达到第二天蜂糖的消耗量，以促进繁殖和使更多的蜜蜂投入到采粉工作中去，特别是旱天更应每晚饲喂。

（4）注意观察，发现问题及时解决：脱粉过程中若发现蜜蜂爬在蜂箱前壁不进巢、怠工，巢门堵塞，应及时拿去覆布、掀高大盖或暂时拿掉脱粉器，以利通风透气，积极降温，最后查明原因及时解决。气温在34℃以上时应停止脱粉。若全场同时脱粉，同一排的蜂箱应同时安装或取下脱粉器，以预防盗蜂和蜜蜂偏集。

（5）预防蜜蜂回采花粉：连续晾晒的花粉碎团粒多，或因箱内缺粉、外界粉源缺乏，蜜蜂就会在晾晒的花粉上采集。其解决方法是，晾晒的花粉上盖以棉纱布，让蜂带适量的花粉回巢，使其够用。

4. 规范脱粉技术

（1）安排好脱粉时间：一个花期，应从蜂群进粉略有盈余时开始脱粉，而在大流蜜开始时结束或改脱粉为抽粉脾。一天中，一般应在7～14时脱粉（如山西省大同的油菜花期），有些蜜源花期可全天脱粉（在湿度大、粉足、流蜜差的情况下），有些只能在较短时间内脱粉（如玉米和莲花花粉，只有在7～10时才能生产较多的花粉）。蜂带粉进巢，要注意箱内不能有存粉，或保持花粉略多于消耗；使用系列钢木巢门脱粉器脱粉，7d后箱内无存粉。

在一个花期内如果蜜、浆、粉兼收，花粉的生产应在9时以前进行，适时安装和取下脱粉器，下午生产蜂王浆，两者之间生产蜂蜜。专门生产蜂花粉，应在群势还较弱或外界粉多蜜少的情况下进行，脱粉器装上后，可一直到脱粉结束时取下。当主要蜜源大流蜜开始，要取下脱粉器，集中力量生产蜂蜜。

（2）安装巢门脱粉器：首先，把用来生产花粉蜂群的蜂箱后部垫高成前低后高，在巢门踏板与地面之间，填土连接，并拍平拍实，坡度要缓；再把其巢门板取下，清理巢门及其周围的箱壁（板）；最后，把脱粉器紧靠着蜂箱前壁巢门放置，堵住蜜蜂通往巢外除脱粉孔以外的所有空隙，并与箱底垂直。

（3）放置集粉盒：为巢门脱粉器安置集粉盒（用塑料盒或布片均可），脱下的花粉团自动滚落在集粉盒内，积累到一定量时，及时倒出。

（四）提高蜂花粉产量和质量的措施

1. 提高花粉产量的措施　根据蜜源花期，适时放蜂脱粉。在有粉进箱花粉够用时要连续脱粉，不够用或粉源差时才取下脱粉器。雨后及时脱粉。繁殖力强的蜂种，是提高蜜蜂花粉产量的根本，国蜂 213 和蜂王浆高产种蜂适合采蜜、脱粉或脱粉、取浆，越冬性能、繁殖力都较强，且花粉团大。以 8 ~ 9 框足蜂的群势为好，在粉源好、繁殖好的情况下采用双王群生产，效果更佳。气候对新王产卵影响不明显，且新蜂王分泌激素强，产的卵个大质量高，使工作蜂采集积极。因此生产花粉的蜂群要更换老、劣蜂王，不使用无王群生产。脱粉蜂群在生产过程中不换王、不治螨、不介绍王台，这些工作要在脱粉前完成。同时要少检查、少惊动。在生产初期，将蜂群内多余的粉脾抽出妥善保存，但要保证蜜蜂繁殖用的花粉充足又不剩余。保证巢内糖饲料充足，在当天采的蜂蜜不足以当天消耗的情况下要进行奖励饲喂；在流蜜较好进行蜂蜜生产时，应有计划地分批分次取蜜，给蜂群留足糖饲料，以利蜂群繁殖。

2. 提高蜂花粉质量的措施

（1）勤倒集粉盒，分开收集：集粉盒面积要大，当集粉盒内积有一定量的花粉时要及时倒出晾干，以免压成饼状。在采杂粉多的时间段内和采杂粉多的蜂群，所生产的花粉要与纯度高的花粉分批收集，分开晾晒，互不混合。

（2）晾晒方法：晾晒要用无毒的塑料布或竹席，倒出的花粉要均匀，厚度约 10mm 为宜，蜂花粉上覆盖一层棉纱布；晾晒初期少翻动，如有疙瘩时，2h 后用薄木片轻轻拨开。尽可能一次晾干，干的程度以手握一把花粉听到“唰唰”的响声为宜。若当天晾不干，应装入无毒塑料袋内，第二天继续晾晒或作其他干燥处理。不得在沥青、油布（毡）上晾晒花粉，以免变黑和沾染毒物。晾干的花粉及时用双层无毒塑料袋密封，置于阴凉通风的室内，在冷库保存更好。

（3）选择优良粉蜜源场地，防农药与抗生素污染：有些植物的蜜粉对人或蜜蜂有害，有些则有不良气味和味道，都是放蜂的避忌，而莲花、油菜、板栗、野皂荚、茶花、栾树、瓜花、杏花等集中生长的地方都是生产商品花粉的优良粉蜜源场地。防治病虫害应在脱粉前施行，脱粉中不治螨，不使用升华硫，以免污染蜂花粉，不用病群生产花粉。若粉蜜源植物施药，应停止花粉的生产。每次生产花粉后，及时清理脱粉器和集粉盘上面残留的花粉，并妥善贮藏，保持其清洁。

（五）蜂花粉的干燥与贮存

1. 蜂花粉的干燥 刚生产的蜂花粉含水量高，花粉团松软湿润，容易散团，加上花粉营养丰富，易被微生物污染与破坏，某些昆虫产在花粉团上的虫卵还会孵化蛀食花粉，因此，要及时进行干燥和灭虫处理。蜂花粉的干燥除采用日光晒干和通风晾干外，还可利用恒温箱干燥，其方法是：把花粉放在烘箱托盘上的衬纸上或托盘上的棉纱布上，接通电源，调节烘箱温度在45℃。蜂花粉的其他干燥方法见第十章“蜂产品加工”。

2. 蜂花粉的保存 干燥后的花粉用双层无毒塑料袋密封后外套编织袋，每袋25kg、40kg。或用铝箔复合袋抽气充氮包装。花粉在保存过程中主要防虫蛀、防鼠咬、防霉变，同时防止在贮存过程中成分的变化。蜂花粉防虫蛀的方法是对蜂花粉进行消毒和灭虫工作，只要蜂花粉干燥到含水量在5%以下或在低温下保存即可防止霉变，贮存蜂花粉的库房要干净卫生，无鼠洞。综上所述，贮存花粉以在－5℃的库房中最好，并做好上述工作。蜂场临时贮存花粉应放在通风、干燥、阴凉处，在交售前不得反复晾晒和翻倒，并时刻防止鼠害。

四、蜂胶的生产

（一）蜂胶的来源与蜜蜂的贮胶习性

蜂胶来源于植物。是工蜂从植物幼芽和树干损伤处采集树脂，混入其上颚腺分泌物等加工而成的一种具有芳香气味的固体物。

蜜蜂采胶季节在气温较高的夏秋季。蜂群中一般是较老的工蜂进行采胶、加工和利用蜂胶，采胶蜂也较少。西方蜜蜂喜好采胶，东方蜜蜂不采胶。

蜜蜂采胶是用来填补蜂箱裂缝、缩小巢门、加固巢框、涂抹巢房（巢房上光）、包埋小动物尸体防止腐臭、抑制病虫害和蜂巢内微生物的生长等，因此，蜂巢中积胶较多的地方是蜂巢上方、铁纱盖、覆布、巢门等处，其次是框耳、框受和隔王板边框等。

（二）生产原理与生产条件

1. 生产原理 根据蜂胶的来源和蜜蜂的贮胶习性，可人为地在蜂巢中集胶较多的地方设置集胶器让蜜蜂贮胶，当贮到一定量的时候，取出来，用刀刮取，或使其冷冻（－15℃以下）后再用木棒敲击、挤压的方法使蜂胶与集胶器脱离，最后收集起来。平时也可在蜂箱内刮集蜂胶。

2. 生产条件 专门生产蜂胶要求外界最低气温在15℃以上，蜂场周围2.5km范围内有充足的胶源植物；蜂群强壮、健康无病、饲料充足。生产蜂胶的工具主要有刮刀（竹的或不锈钢的）、巢门集胶器、格栅集胶器、白尼龙纱布、3mm厚的小木条、冰柜、无毒塑料袋等，在使用前必须清洗干净并晒干。

（三）生产方法

1. 放置集胶装置　生产蜂胶，可根据生产蜂胶的部位放置不同的集胶器，其主要方法有：

（1）取下巢门挡，在巢门放置巢门集胶器。

（2）在巢框上或蜂巢两侧放置格栅集胶器。

（3）把尼龙纱或聚乙烯纱网用图钉固定在副盖或隔王板下边，让蜜蜂上胶，隔王板下边的尼龙纱留出10cm宽的通道，方便蜜蜂上下。

（4）在框梁上放3mm厚的竹木条，把白尼龙纱放在上面，再盖以覆布，20d后，一个强群采集的蜂胶可以把尼龙纱和覆布粘在一起。在检查蜂群时，打开大盖，揭下覆布，然后再盖上，再连同尼龙纱一起揭掉，蜂群检查完后再盖上。

（5）用副盖式取胶器（与平面隔王板类似，只是竹丝的间隔为3mm）代替副盖使用，在蜜蜂活动季节长期积胶。

2. 采收蜂胶　利用上述方法，待蜂胶积累到一定数量时（一般历时20d左右）即可采收。将集胶器或其他取胶的覆布、尼龙纱从蜂箱中取出来，放入冰箱冷冻后，用木棒敲击或挤压或折叠揉搓等方法，把蜂胶从器物上脱离出来。在高温季节，从蜂箱中取出尼龙纱，用一手提起布的一角，一手持刮刀切刮，使框梁上的蜂胶都带在集胶布上，然后把集胶布平铺在浸透水的木板上，使两对角折叠，平压一遍，使蜂胶相互黏结后，再一面面揭开，让蜂胶成饼状，便于取下。若集胶器上有余胶，可用成球状的蜂胶在其上来回滚动，使余胶黏附。

在日常管理蜂群时，用刮刀直接从纱盖、巢继箱口边缘、隔王板、蜂箱挂框耳的槽等处，依次将蜂胶刮下，捏成团状。

（四）蜂胶的保存

采收的蜂胶应及时装入无毒塑料袋中密封，1kg为1个包装，放于阴凉、干燥、避光、通风处保存，并及时交售。一个蜜源花期的蜂胶存放在一起，勿使混杂。袋上应标明蜜源、时间、地点、采集人。一般当年的蜂胶质量较好，经1年贮存后，蜂胶颜色加深、品质下降。

（五）提高蜂胶产量和质量的措施

1. 提高蜂胶产量的措施　选择采胶力强的蜂种（如高加索蜂）或定向选育采胶力强的蜂群；选择胶源丰富或蜜源、胶源都丰富的地方放蜂；利用采胶器或尼龙纱网连续采胶。

2. 控制蜂胶质量的措施　影响蜂胶品质的主要因素是胶源植物和地区、重金属含量、蜂蜡含量、杂质含量、挥发油含量等。因此，在蜂胶生产贮运过程中，选择具有优良胶源的地方进行生产，严格按要求操作，生产工具要清洗消毒；在生产前刮除箱内的蜂胶，生产期间，不得用水剂、粉剂类药物对蜂群进行杀虫灭菌，生产蜂胶的人员要健康无病；采收过程中，认真清理赘脾、蜡瘤、木屑、纸片、棉纱纤维、死蜂肢体等杂质；流蜜期及时取蜜和造脾，缩短生产周期；不得人为地加热过滤，不得掺杂使假（如胶包蜡、粉等），装蜂胶的无毒塑料袋要扎紧密封，及时交售。蜂群治螨用药前须取出集胶器，刮集蜂箱内的存胶。

五、蜂毒的生产

（一）蜂毒的产生及其影响因素

1. 蜂毒的产生　蜂毒是工蜂毒腺及其副腺分泌出的具有芳香气味的一种透明毒液，贮存在毒囊中，蜜蜂受到刺激时由螫针排出。雄蜂无螫针和毒腺，不能产生蜂毒；蜂王的毒液约是工蜂的3倍，但只在两王争斗时蜂王才伸出螫针射毒，又因其量少，而无实际生产价值。目前生产蜂毒的技术和方法，使副腺产生的乙酸乙戊酯等13种挥发物质损失掉；1只工蜂1次排毒量约含干蜂毒0.085mg，毒液排出后不能再补充，电取蜂毒，每群每次约有2 000只蜜蜂排毒，可得到干蜂毒0.15g。

2. 影响蜂毒产生的因素　一只新出房的工蜂只有很少毒液，随着日龄的增长，毒囊中的蜂毒量逐渐增加，到15日龄时有0.3mg左右，18日龄泌毒量达到最高峰。在蜜粉充足的条件下，工蜂泌毒量大；春季比秋季能生产更多的蜂毒，而整个冬季则保持同样多的蜂毒量。蜂种间也有差异，东方蜜蜂的蜂毒量低于西方蜜蜂的蜂毒量。

（二）蜂毒的生产原理与生产条件

1. 生产原理　青壮年蜜蜂在受到低压电流的刺激后就会进行自卫性的蜇刺行为，毒囊中的毒液通过毒液道排出，同时招引同伴攻击同一个目标——刺激物，若用玻璃板等承接毒液，受空气的影响，毒液迅速干燥并成晶体。用不锈钢刀等工具把蜂毒晶体刮下集中，干燥后即成粗蜂毒。

2. 生产条件　生产蜂毒的蜂群要求有较强的群势，青壮年蜂多，蜂巢内食物充足，外界气温在15℃以上的晴天。

采毒工具：QF—1型电取蜂毒器（由电网、集毒板、电子振荡电路等构成，详见第二章“养蜂机具与设备”）、小玻璃瓶、不锈钢刀片、化学干燥器、酒精、药棉等。生产前对各工具认真擦洗消毒。

（三）电取蜂毒操作技术

1. 操作方法　取下巢门挡，将取毒器接上电源（在器体的电池盒内装上2节5号电池，或采用2～3V外接直流电源）后，从巢门口插入箱内30mm或安放在副盖（应先揭去副盖、覆布等物）的位置，接通电源开关对电网供电，把电位器调至读数7～8，以给蜜蜂适当的电击强度，并稍震动蜂箱。当蜜蜂停留在电网上受到断续电流刺激，其螫刺便刺透塑料布或尼龙纱排毒于玻璃上，随着蜜蜂的叫声和刺螫散发的气味，蜜蜂急向电网聚集排毒。每群蜂取毒10min，取毒器内电路自动控制停止对电网供电，待电网上的蜜蜂离散后，把取毒器移至其他蜂群继续取毒，按下取毒复位开关，即可向电网重新供电，如此采集10群蜜蜂，关闭电源，抽出集毒板。

2. 收集蜂毒　将抽出的集毒板置阴凉的地方风干，用牛角片或不锈钢刀片刮下玻璃板或薄膜上的蜂毒晶体，即得粗蜂毒。

3. 注意事项

（1）取毒时间：电取蜂毒一般在大流蜜结束时进行，选择温度15℃以上的无风或微风的晴天，傍晚或晚上取毒，每群蜜蜂取毒间隔时间15d左右。

（2）预防蜂螫：选择人、畜来往少的蜂场取毒；操作人员应戴好蜂帽、穿好防螫衣服，不抽烟，不使用喷烟器开箱；隔群分批取毒，一群蜂取完毒，让它安静10min再取走取毒器。

（3）预防刺激：蜂毒的气味，对人体呼吸道有强烈刺激性，因此，刮毒人员应戴上口罩，以防意外。

（4）缓时转场：蜂群取毒后应休息几日，使蜜蜂受电击造成的损伤得以恢复，然后再转场。

（四）蜂毒的包装与贮存

取下蜂毒，先置于放有硅胶的玻璃干燥器中干燥至恒重后，再放入棕色小玻璃瓶中密封保存。

（五）提高蜂毒产量与质量的措施

1. 提高蜂毒产量的措施　坚持定期连续取毒，维持强群，保证蜂群饲料充足。

2. 提高蜂毒质量的措施　严格按照操作要求和注意事项进行生产，注意工具清洗干净，消毒彻底。工作人员注意个人卫生，生产场地洁净，空气清新；蜂群健康无病。选择用不锈钢丝做电极的取毒器生产蜂毒，以防金属污染；傍晚或晚上取毒和不用喷烟的方法防蜂螫，以防蜜水污染；刮下的蜂毒应干燥以防变质。

六、蜂蜡的生产

（一）蜂蜡的来源及蜂群生产蜂蜡的能力

1. 蜂蜡的来源　蜂蜡是由还原糖经过8～18日龄的工蜂腹部的4对蜡腺转化而来的。工蜂分泌蜂蜡时，吸饱蜜糖，经过一昼夜的化学变化，蜡液即由细胞孔渗到蜡镜上，分泌的蜡液，在常温下凝固成蜡鳞，蜜蜂用它筑造蜂巢，蜂群每分泌1kg蜂蜡要消耗3.5kg以上的蜂蜜。

2. 蜂群生产蜂蜡的能力　据报道，每2万只蜜蜂一生中能分泌1kg蜂蜡，1个强群在夏秋两季可分泌蜂蜡5～7.5kg。

（二）生产蜂蜡的原理与生产条件

1. 生产原理　人们把蜜蜂分泌蜡液筑造的巢脾，利用加热的方法使之熔化，再通过压榨、上浮或离心等程序，使蜡液和杂质分离，蜡液冷却凝固后，再重新熔化浇模成型，即成固体蜂蜡。从蜜蜂蜡腺分泌的蜡液是白色的，但由于花粉、育虫等原因，蜂蜡的颜色有乳白、鲜黄、黄、棕、褐几种颜色。

2. 生产条件 生产蜂蜡除需要榨蜡器、熔蜡容器、麻袋等工具外，主要是原料蜡的获得。获得原料蜡的条件是蜂群拥有相当数量的8～18日龄的适龄泌蜡蜂，蜂子比例合理，蜂王产卵力强，外界蜜粉丰富，气温15～32℃。

（三）蜂蜡的生产技术

1. 原料蜡的获得

（1）积极造脾：饲养强群，多造新脾，淘汰旧脾；大流蜜期，加宽蜂路，让蜜蜂加高巢房，做到蜜、蜡兼收。

（2）采蜡框采蜡：采蜡框可用巢框改做，详见第二章“养蜂机具与设备”。横梁的上部用来采蜡，下方供育虫和贮蜜。产蜡时，在上梁腹面粘一窄条蜜盖蜡，插入继箱的蜜脾之间，蜜蜂就会造自然巢脾，收割后让蜜蜂继续造脾；横梁下边装础，仍让蜜蜂造脾、育虫、贮食。根据蜜源和蜂群情况，每群蜂可放采蜡框2～5个，与蜜脾间隔放置。

2. 蜂蜡的提取 提取蜂蜡就是把专门采集的蜂蜡脾和收集到的旧脾、零星的蜂蜡原料，经过初步处理后，除去其中的茧衣、蜂蜜、蜂花粉、蜂胶、巢虫、木屑等杂质，以利于贮存和保持蜂蜡的质量。

（1）漂浮法：蜡比水轻，把原料蜡块装入一个加重物的麻袋中浸没在一金属容器内，加水浸过麻袋，慢慢煮沸，用木棒搅动麻袋，使蜡液浮到水面，凉后取出蜡块。

（2）杠杆热压法：将蜂蜡原料放于锅内，加入4倍清水，煮沸10～20min，然后盛入特制的麻袋或尼龙纱袋中，最后放在热压板上，以杠杆的作用加压，使蜡液从袋中流入盛蜡的容器内，稍凉，撇去浮沫，待蜡液凝固后，刮去下面的杂质，即得净蜡。剩余蜡渣可加水再加热榨取。

蜂蜡的提取还有日光晒蜡法，以及工厂化加热压榨机提取法等多种方法。

3. 蜂蜡的浇模成型 将冷凉的蜡块（毛蜡）除掉杂质，重新加水熔化，撇去上层气泡和杂质，待蜡液开始凝固时，用长勺舀入一个光滑而有倾斜度边的模子里，待蜡块完全凝固后取出，刮去底层的沉淀物。把模子外边缘浸入水中可加速蜂蜡凝固；若使用的模子是木制的，浇模前应将模子用水浸透；也可以用不锈钢模或瓷盘等作模具。

重新熔化的蜂蜡，也可连同所加的水倒入一个上口略大、下部稍小的容器内，撇去浮沫，冷却后反扣容器，蜡块自然落下，刮去下部杂质。

4. 注意事项 加热蜂蜡时，要浸于水中加热，以免引起火灾与蜂蜡变色；加热蜡液不得长久沸腾。

（四）包装与贮存

1. 包装 把蜂蜡进行分等分级，以50kg为1个包装单位，用麻袋包装。麻袋上应标明时间、等级、净重、产地等。

2. 贮存 不同品种、等级的蜂蜡，分别堆垛于枕木上，堆垛要整齐，每垛附账卡，注明日期、等级、数量。贮存蜂蜡的仓库要求干燥、卫生、通风好，无农药、化肥、鼠。养蜂场贮存蜂蜡，包装后放在通风阴凉的地方保存，并及早出售。

（五）提高蜂蜡产量和质量的措施

提高蜂蜡产量的措施同蜂蜡原料的获得。提高蜂蜡质量的措施主要有：严格按照操作要求生产。加工前对蜂蜡原料进行分类：一类为蜜盖、赘脾、采蜡框采的蜡，色泽好；二类为无病的巢脾；三类是病脾。分类后，先提取一类蜡，按序提取，不得混杂。熔化前应将蜂蜡原料用清水浸泡 2～4d，提取时可除掉部分杂质，并使蜂蜡色泽鲜艳。熔蜡容器宜用铝、镍、锡或不锈钢器皿，不宜与铁、铜、锌等器皿接触，以免使蜂蜡色泽加深。养蜂场提取蜂蜡，不得添加任何添加剂改变蜂蜡色泽。

七、蜜蜂躯体的生产

蜜蜂是完全变态昆虫，其个体发育经过卵、虫、蛹、成虫 4 个阶段，各个阶段的蜜蜂躯体也是养蜂产品。目前，国内开发利用的蜜蜂躯体主要有蜂王幼虫和雄蜂的虫、蛹，国外还利用成虫。

（一）蜂王幼虫

蜂王幼虫是生产蜂王浆的副产品，其采收过程即是取浆工序中的取虫环节，每生产 1kg 蜂王浆，可收获 0.2～0.3kg 蜂王幼虫。其生产方法详见本节“二、蜂王浆的生产”。

（二）雄蜂蛹、虫

1. 生产原理与生产条件

（1）生产原理：蜂群进入强盛阶段就具备了分蜂的条件，这时，蜂王在雄蜂房产未受精卵，培育雄蜂，准备分蜂。在此阶段，给蜂群加入雄蜂脾，迫使蜂王在上面产未受精卵，然后集中哺育，待雄蜂发育到 10 日龄或 22 日龄时取出雄蜂脾，以低温或敲击的方法取出雄蜂虫、蛹。

（2）生产条件：生产雄蜂蛹、虫的蜂群要求健康无病，蜂螨寄生率低，群势在 12 框足蜂以上，巢内蜜粉充足，外界有较丰富的蜜源。在河南省，每年 4 月 15 日至 8 月 20 日均可生产雄蜂蛹、虫。

批量生产雄蜂蛹、虫还需要有雄蜂巢础、隔王板、贮存用的冰箱、竹制或塑料筛子、铝锅或沙锅、漏勺、无毒塑料袋或纱布袋、蜂王产卵控制器等。

2. 生产技术

（1）筑造雄蜂脾：用标准巢框横向拉线，再在上梁和下梁之间拉 2 道竖线，然后，把雄蜂巢础镶装进去，或用 3 个小巢框（合在一起刚好嵌进 1 个标准巢框内）镶装好巢础，然后将其放入强群中修造。修造好的雄蜂脾要求整齐、牢固，每个生产蜂群应备 1～3 张雄蜂巢脾，在非生产季节，取出雄蜂巢脾妥善保存。

（2）生产蜂群的组织与管理：生产雄蜂蛹、虫的两个环节，一是取得日龄一致的雄蜂卵脾，二是把雄蜂卵培育成雄蜂蛹、虫。

①组织产卵群：

Ⅰ. 选择双王群：将蜂王产卵控制器安放在巢箱内一侧的幼虫和封盖子脾之间，内放雄蜂脾，次日下午将蜂王捉放入控制器内，36h 后把蜂王放回，抽出雄蜂脾，放入继箱或哺育群中孵化、哺育。

Ⅱ. 选择蜂王产卵力旺盛的强群：用隔王板把蜂王隔在巢箱内一侧只有 3 张巢脾的空间，其中之一为空雄蜂小脾，其余 2 张为产满边角的虫脾或新封盖子脾，迫使蜂王在雄蜂小脾上产卵。

Ⅲ. 用处女王产卵：在处女王出房后第六天，用二氧化碳气麻醉处女王 8min，以后隔天 1 次，共 3 次，第三次麻醉后的 1 周内，处女王开始产未受精卵。在做上述工作时，用隔王栅把巢门隔住，预防处女王飞出交配。处女王产卵后，抽出群内工蜂脾，加入雄蜂小脾 1 张，并在雄蜂小脾的两侧加隔王板。

在蜂王产卵 36h（Ⅰ）或 24h（Ⅱ、Ⅲ）后，即将雄蜂脾抽出，原处再加 1 张空雄蜂脾，让蜂王继续产卵。在供虫群（Ⅱ）组织 1 周后，把小区内的 2 张工蜂脾提出，重新加入整张的卵虫和新封盖子脾，子脾由副群提供，适当时候让蜂王产一些受精卵，以弥补群势的下降；处女王群采用可直接补充新蜂或补充子脾的办法维持群势；双王群用蜂王产卵控制器迫使一侧蜂王产雄蜂卵一段时间后，与另一侧蜂王交替轮流产雄蜂卵。

②雄蜂蛹、虫的培育：把从供虫群抽出的雄蜂脾（若为雄蜂小脾，3 张组拼后镶装在标准巢框内），放到强群继箱中哺育，雄蜂脾两侧分别放工蜂幼虫脾和蜜粉脾，在非流蜜期，对哺育群和供卵群均需进行奖励饲喂。

（3）采收雄蜂蛹、虫：从蜂王产卵算起，在第十天和第二十二天采收雄蜂虫、蛹为适宜时间。

①雄蜂蛹的采收：把封盖雄蜂脾从哺育群提出，脱去蜜蜂；或从恒温恒湿箱中取出（雄蜂子脾全部封盖后放在恒温恒湿箱中化蛹的），把巢脾脾面水平地放在“井”字形架子上（有条件的可先把雄蜂脾放在冰箱中冷冻几分钟），用木棒敲击巢脾上梁和边条，使巢房内的蛹下沉，然后用平整锋利的长刀把巢房盖削去，再把巢脾翻转，使削去房盖的一面朝下（下铺白布等作接蛹垫），另一面朝上，再用木棒或刀把敲击巢脾四周，使巢脾下面的雄蜂蛹震落到垫上，同时上面巢房内的蛹下沉离开房盖，按上法把剩下的一面房盖削去，翻转、敲击，震落蜂蛹。敲不出的蛹用镊子取出。取蛹后的巢脾用硫磺熏蒸后重插入供卵群，让蜂王产卵，继续生产。

②雄蜂幼虫的采收：从蜂群中抽出雄蜂虫脾，抖落蜜蜂，将其巢房削去 1/3 后，放进室内，让雄蜂幼虫向外爬出，落在设置的托盘中。

生产雄蜂虫、蛹结束后，雄蜂巢脾经过消毒、杀虫后，妥善保存。

3. 蜜蜂蛹、虫的包装与保存　由于雄蜂蛹、虫易受内外环境的影响而变质，因此，雄蜂蛹、虫生产出来后，要及时进行处理，妥善保存。

（1）雄蜂蛹：新鲜雄蜂蛹中的酪氨酸酶易被氧化，在短时间内可使蛹体变黑，失去商品价值。因此，雄蜂蛹生产出来后，立即捡去割坏或不合要求的蛹，并用清水漂洗干净后进行妥善贮存。

①冷冻法：把雄蜂蛹用 80% 的食用酒精喷洒消毒，然后用不透气的聚乙烯透明塑

料袋分装，每袋1kg，排除袋内空气，密封，并立即放入 -18℃的冷柜中冷冻保存。

②淡干雄蜂蛹：把雄蜂蛹倒入蒸屉（或蒸笼）内的纱布上，用旺火蒸10min，使蛋白质凝固，蛹体蒸好后可烘干或晒干，晒干时，蛹体倒在白布上，罩上纱罩；也可以把蒸好的蛹体表水沥干，然后装入聚乙烯透明塑料袋中冷冻保存。

③盐渍雄蜂蛹：取蛹前，把含盐10% ~15%的盐水煮沸备用。雄蜂蛹漂洗后倒入锅内，大火烧沸，煮15 ~20min，捞出滤出盐水，摊平晾干。煮后的盐水重复再用，每次按加水的重量添加食盐。沥干后的盐渍雄蜂蛹用聚乙烯透明塑料袋包装（1kg/袋）后冷冻保存。或者装入纱布袋内挂在通风阴凉处待售。

（2）蜂王幼虫和雄蜂幼虫：

①低温保存：生产出的蜜蜂幼虫用透明聚乙烯袋包装后，及时存放在 -15℃的冷库或冰柜中保存。

②白酒浸泡：用60°白酒或75%的食用酒精浸泡，液面浸过幼虫，装满后密封保存，及时售出。

③冷冻干燥：利用匀浆机把幼虫粉碎匀浆后过滤，经冷冻干燥后磨成细粉，密封在聚乙烯塑料袋中保存。

4. 提高蜜蜂虫、蛹产量和质量的方法

（1）提高产量的措施：利用双王群进行雄蜂虫、蛹的生产，保证食物充足，连续生产。生产雄蜂蛹，从卵算起，22d为1个生产周期，强壮的哺育群，7 ~8d可加1张脾，雄蜂房封盖后调到副群或集中到恒温恒湿箱中化蛹，恒温恒湿箱的温度控制在34 ~35℃，相对湿度控制在75% ~90%。

（2）提高质量的办法：生产虫、蛹的工具和容器要清洗消毒，防止污染；严格按照要求进行生产，保证生产的虫、蛹日龄一致，去除被破坏的和不符合要求的虫、蛹；生产场所要干净，工作人员要保持卫生，着工作服，双手用酒精消毒；不用病群生产；生产的虫、蛹要及时进行保鲜处理和冷冻保存。

（三）蜜蜂成虫

蜜蜂成虫的生产主要指工蜂，在使用笼蜂进行生产或授粉后，将蜜蜂杀死，然后烘干、磨成细粉。可作动物的蛋白质饲料添加剂。

八、蜂粮的生产

蜂粮的质量稳定，口感好，卫生指标高于蜂花粉，营养价值优于同种粉源的蜂花粉，易被人体消化吸收，而且不会引起花粉过敏症。因此，蜂粮的生产前景广阔。

（一）蜂粮的来源与生产原理

蜂粮（bee bread）是蜜蜂采集植物的花粉粒（pollen grain）加入工蜂口腺的分泌物和蜂蜜，贮藏在巢房中，夯实并在微生物的作用下，经一系列生物化学变化而成。

正常情况下，蜜蜂把蜂粮贮藏在距蜂子最近的地方，以便哺育蜂取食喂大幼虫和刚出房的幼蜂容易吃到蜂粮，也有利于蜂巢保温。从整个蜂巢来看，蜂粮在子圈和蜜圈之间，呈一个中空的球壳。因此，生产蜂粮时，要把蜂粮生产工具安置在离蜂子最近而又不让蜂王产上卵的位置，待蜂粮贮存到一定量的时候，及时把蜂粮脾提到边脾或继箱的位置，当有部分蜂粮巢房封盖时，即可抽出来进一步加工包装。

（二）生产蜂粮的工具

生产蜂粮的工具，除一般的养蜂生产工具外，要求有生产蜂粮的巢脾——蜂粮脾，蜂粮脾有活动巢房的塑料巢脾（可拆卸和组装），其产品是颗粒状的蜂粮；还可用蜡质巢脾生产，与普通巢脾相比，其使用的巢础必须是由纯净的蜜盖蜡轧制的，无础线，脾造好后要让蜂王产上卵育过 2～3 代虫，然后再用于生产蜂粮，其产品是切割成各种形状的块状。另外，生产蜂粮，还可参照生产盒装巢蜜的方法，用巢蜜盒生产蜂粮，取出装满蜂粮的盒子，经过消毒、清污和灭虫后，盖上盒盖即可出售。

（三）蜂粮的生产方法

1. 单王群生产　用三框隔王栅和框式隔王板把蜂巢分成产卵区、哺育区和生产区三部分。蜂王在靠箱壁一侧有 3 张脾的产卵区产卵，3 张脾从箱壁到隔王板依次是封盖子脾、大幼虫脾和正在出房的老封盖子脾或 1 张空脾。蜂粮生产脾是具活动巢房的塑料巢脾或蜂粮生产专用蜡质巢脾，放在隔王板外侧，即第四张脾的位置，使巢门正对着蜂粮生产脾。蜂粮生产脾外侧再放有大面积子的巢脾和整蜜脾。蜂粮生产脾加入 1 周左右，视贮粉多少，及时提到继箱继续成熟，当有部分蜂粮巢房封盖，即取出，再进一步处理，原位置再放蜂粮生产脾。

2. 双王群生产　用框式隔王板把巢箱隔成三部分，若三部分相等，中间区的中央放无空巢房的虫脾或卵脾，其两侧放蜂粮生产脾；若中间区有 2 个脾的空间，则放 2 张蜂粮脾。在靠箱侧的两区各放 3 张带王的巢脾，3 张巢脾从箱壁往里依次是新封盖子脾、大幼虫脾和正出房的老子脾或 1 张适合产卵的空脾。继箱与巢箱之间加平面隔王板，继箱中放子脾、蜜脾和浆框。当巢房贮存满蜂粮后及时提到继箱使之成熟，有部分蜂粮封盖后取出。

（四）生产蜂粮蜂群的管理

1. 选育良种蜂王　首先要求生产蜂粮的种王产卵力强，采粉和贮粉能力强，分蜂性弱、能维持大群；其次，性情温顺，抗病。如萧山浆蜂王、浙农大 1 号意蜂等。生产蜂粮的蜂群一般是要求具有优良种性的新王。

2. 蜂群　生产蜂粮的蜂群群势与生产蜂花粉蜂群的群势基本一样，有 5 框蜂即可生产，以 8～12 框蜂的群势为佳，双王强群生产蜂粮具有优势。蜂群繁殖旺盛，子脾面积大，幼虫多，蜂数足，蜂脾比达到相称或蜂略多于脾。

3. 粉、子脾的调整　在外界蜜粉源丰富时，放进蜂巢的蜂粮生产脾，蜜蜂 1d 即可装满花粉，要及时把装满花粉的蜂粮脾调到边脾或继箱的位置，让蜜蜂继续酿造，当有一部分巢房封盖即表示成熟，及时抽出。在原位置再放进蜂粮生产脾，以供贮粉，继续生产。

在产卵区，要及时在傍晚供给正出房的封盖子脾，以使该区无多余的贮粉巢房，而又不影响蜂王正常产卵，其子脾调到蜂粮脾外侧，保持蜂粮脾外侧一直是大面积的子脾。

4. 选择粉蜜源场地　青海、甘肃、陕西、内蒙古、山西等地的油菜、向日葵、荞麦，河南的芝麻，太行山的野皂荚蜜源，长江流域和河南信阳地区的荷花蜜源和板栗蜜源，都是生产蜂粮的优良粉蜜源场地。

5. 防止分蜂热　生产蜂粮，是让蜜蜂在食粮丰富的情况下进行采集，因此，要时刻注意蜂群的增长动态，除及时抽出蜂粮脾外，要给蜂群创造良好的生活环境，预防分蜂热。其方法详见本章第一节“流蜜期与分蜂期管理”。

6. 连续生产　生产蜂粮和生产蜂花粉一样，也要求连续生产，只要外界粉源较好就坚持生产，使蜜蜂建立起来的条件反射得以充分的利用，以提高产量。

7. 奖励饲喂　在粉源较好而流蜜不好的情况下，每天对蜂群进行饲喂，饲喂的量以当天够蜂群消耗为宜，促进蜂群繁殖，同时可以进行蜂王浆的生产。

（五）蜂粮的保存与初加工

1. 保存　抽出的蜂粮脾用75%的食用酒精喷雾消毒及用无毒塑料袋蜜封后，放在－18℃以下的温度下冷冻48h，以杀死蜡螟等害虫，或用熏蒸的方法杀死寄生其上的害虫。蜂粮脾经消毒、灭虫后即可放在通风、阴凉、干燥处保存。保存期间要防鼠害，防害虫的再次寄生。若保存条件不好，应及时交售。

2. 初加工　经消毒和灭虫的蜂粮，在塑料巢脾内，应拆开收集，用无毒塑料袋包装后待售。在蜡质巢脾内的蜂粮，可用模具刀切成所需形状，用无毒透明塑料薄膜包裹后，再用透明塑料盒密封包装，标明产品名、重量、生产日期、食用方法等，即可出售或保存。

若生产少量蜂粮，以备自用，可采用如下方法：从蜂巢中取出花粉脾，用一根稍小于巢房、内套推杆、端部锋利的不锈钢空心管，插进贮满蜂粮的巢房里旋转一下取出，用大拇指按一下推杆，即将蜂粮捅出来。也可将移卵套管按巢房大小改进、排列规则固定在模板上，进行蜂粮的生产，可提高生产效率。这是较原始的生产方法，不能形成商品化生产。

蜂粮的生产方法与应用，目前报道较少，技术措施还不成熟，有待于进一步研究和开发。

九、蜜蜂激素

由信息素腺体分泌出的信息素，目前国内还未开发形成商品，但近年来，一些养蜂场把每年淘汰的蜂王收集、浸泡在95%的酒精中，以使蜂王信息素浸渗到酒精中，在收捕分蜂群时使用；利用蜂王和幼虫、卵信息素提高蜂蜜、花粉的产量。据报道，人工合成的蜜蜂信息素，以海绵状物作载体，装在塑料小管内密封出售，并应用在生产中。

第七节　部分蜜源植物花期蜂群管理要点

各种蜜源植物的开花季节、花期长短不一，其泌蜜量和散粉不尽相同，同一种植物生长在不同的地区所处的环境和气候条件不同，其泌蜜和散粉量也有差异，而且各种蜜源也都不是孤立存在的，其花前花后或多或少有主要蜜源或辅助蜜源存在。因此，要根据它们的特点和蜂群的具体情况，因蜂、因时、因地制宜，采取适当的管理措施，前后呼应，使全年的养蜂生产管理浑然一体。另外，还要根据多年积累的气象、物候和地理资料，以及当年的气象、放蜂路线，选择好放蜂场地。

一、油菜花期

油菜有白菜型、芥菜型和甘蓝型 3 种，是我国早春第一个主要蜜源，其蜜、粉丰富，是繁殖蜂群和进行蜂蜜、蜂王浆、蜂花粉生产最好的蜜源植物之一。白菜型油菜花期，蜂群正处于恢复、发展阶段，气候比较寒冷，常有寒流。芥菜型和甘蓝型花期，天气比较稳定，气温较高，是油菜花期生产的好时机。

（一）主要放蜂地点与场地选择

1. 主要放蜂地点　四川绵阳地区和成都市、青海省的海北洲和海南洲、内蒙古的乌兰察布盟和呼伦贝尔盟是我国油菜蜜生产基地，这些地区油菜蜜源比较稳产。除这些地区外，湖北省的武汉市和荆州、孝感、黄石地区，山西大同，云南的昆明、楚雄、下关，江苏的镇江、苏州地区，安徽的徽州、宣城、安庆、宿县、阜阳、淮北市以及皖中地区，河南省南部地区，陕西汉中、安康、宝鸡、咸阳、延安、榆林地区，甘肃的武威、九泉、定西、平凉，江西中部和北部地区，浙江的浙北平原、绍兴和宁波地区等都有大面积的油菜分布。

2. 放蜂场地选择与蜂群的摆放　油菜繁殖场地，要求背风、向阳、干燥，附近有水源、水质好，小气候较稳定，油菜面积大，最好在有白菜型、甘蓝型油菜混播的地方摆放蜂群。避免油菜、小麦田喷药的地方和风口地方放蜂。生产场地，要求油菜面积大、流蜜好且稳产、小气候适宜。另外，还要根据前 1 年的雨水和当年的气候特点选择场地。

在青海、山西大同、陕西北部、甘肃、宁夏和内蒙古的芥菜型油菜场地，选择地下水位高、土质好、湿润的小盆地最好，涝处去丘陵，注意山洪。

蜂群的巢门一般向南、向东为宜，根据风向、日照开左或右巢门，避开冷风直吹蜂巢。

（二）管理要点

油菜花期，定地蜂场以繁殖为主，生产为辅。转地蜂场以生产为主，繁殖为辅。前期抓繁殖，中、后期抓繁殖和生产均宜。

1. 繁殖场地

（1）蜂群群势要求：长江流域及其以南地区，蜂群保温包装时以2脾足蜂为宜。淮河以北地区以每王3框足蜂为宜。东北寒冷地区每群应有4框足蜂。

（2）加脾与保温方法：从开始繁殖到更替越冬蜂结束，蜂巢内要保持蜂多于脾。在蜂群上升阶段，新蜂代替了老蜂，蜂群的哺育力提高了，要及时加空脾逐渐扩大蜂巢，但在中午外界气温达不到18℃以上时，要始终保持蜂脾相称，中午气温达到18℃以上后，可使脾略多于蜂，同时加强蜂群内、外的保温工作。箱内保温物要及早撤，外保温物在蜂数达到5框足蜂后撤掉。

（3）饲喂方法与群内饲料标准：繁殖第一代子时尽可能不喂蜂，保持蜂巢中有较充足的"角蜜"。花粉要充足，繁殖第一代子的每张巢脾上存粉不得少于300g。喂糖浆时糖水比例以1∶0.7为宜，水和糖浆应在箱内喂，饲喂量以框梁上长期有新蜡为度。饲喂花粉可加入精氨酸、赖氨酸、维生素E等，以提高其营养价值，直到外界有充足的花粉采进为止。装花粉脾喂蜂比喂糖粉饼好。

在天气阴雨的情况下，为配合蜂群的保温和繁殖，应停止加脾，多喂饲料，保持群内饲料充足，但以蜜不压卵圈为度，这就是通常所说的"晴天猛加脾，阴天多喂蜂"。寒流时间长于4d以上者，在箱内饲料充足的前提下可不喂蜂。

（4）蜂群的调整：包括蜂、脾和子的调整。早春少查蜂，一般不进行左、右调脾，靠边加脾，逐渐扩大蜂巢，巢中有7张脾时停止加脾，待油菜流蜜后，蜜蜂溢出箱外即加上继箱，里面放上2～4张空脾。

（5）预防分蜂热：随着群势的发展，气温的逐渐升高和稳定，外界蜜源也丰富起来，巢内存蜜增多。这时，选择气温高的时候适当取蜜。油菜花粉丰富，品质好，在天气较好而流蜜不好的情况下，抓紧生产花粉，一般群势在5框蜂时即可生产，以避免粉压卵圈，同时能有效地预防分蜂热。

（6）培育蜂王：在全场蜂群都达到6框以上的群势时，即可着手培育蜂王，及时更换一批老劣蜂王，或组织新分群、双王群，扩大蜂场规模，增加效益，防止分蜂热的形成。

2. 生产场地　在白菜型油菜花中后期或甘蓝型油菜花期，蜂群群势迅速发展，气温显著升高，这时，按群势增长扩大蜂巢，适时加继箱进行生产。

（1）调整群势进行生产：若流蜜好，应以生产蜂蜜和蜂王浆为主，群势要达到8框足蜂；若流蜜不好，但天气较稳定，要抓紧时间生产蜂花粉和蜂王浆，一般生产花粉的群势要求在5框足蜂以上，生产蜂王浆的群势要达到8框以上。前期调强生产蜂群，后期补强繁殖群。

（2）生产与繁殖两不误：生产蜂群要求蜂数要足，蜂王有足够的产卵余地；繁殖群要求蜂脾比不少于0.7∶1，饲料充足，保温好。生产期根据蜜源和天气，做到三狠、三忍（即花前期要狠喂粉、糖，晴天狠加脾，中期狠取蜜；天气不好不加脾，后期取蜜要忍，以不取为好），使达到既有效益，又繁殖了蜜蜂，并为下一个蜜源准备采集蜂。

（3）做好换王工作。

（4）造脾：在油菜花期每群蜂应造脾 2～4 张，以更换老劣旧脾。

3. 芥菜型油菜蜜源场地　蜂数要足，巢向不对着太阳。在内蒙古的蜂场以繁殖为主，适当进行脱粉或生产蜂王浆。

（三）病虫防治和注意事项

1. 早春蜂群运输　早春往生产场地运蜂，如巢内有未成熟的糖饲料，应考虑开巢门运蜂，强群要注意巢内饲料不要太好。

2. 防病、防毒，注意安全　油菜是我国的主要蜜源，要预防蜜蜂大肚病等引起的爬蜂病，把大、小蜂螨控制在最低限度。在云南昆明等地放蜂，还要注意因气候干燥引起的卵不孵化，解决方法是在箱内草苫上洒水。西北地区某些年份要防山洪水淹。贵州等地要防热伤。芥菜型油菜花期生产花粉，防蜂群饥饿。防农药中毒。

3. 及时转地　根据蜜源、天气和放蜂计划，及时转运蜂群，要舍尾赶前。在青海采油菜的蜂场，在 8 月底一定要退出场地，以防气候突变。

4. 重视喂蜂　油菜场地，在有寒流活动时期，要多喂糖，少加脾或不加脾，以保证繁殖。

二、紫云英花期

紫云英花期蜜、粉丰富，也是进行蜂蜜、蜂王浆、蜂花粉生产的好蜜源之一。这个花期转地蜂场群势已经强壮，定地蜂场经过油菜花期的繁殖群势好，有了一定的基础，是生产蜂产品的好时期。此花期的主要工作是：前期繁殖与生产并重，中后期以生产为主，兼顾繁殖。

（一）主要放蜂地点与场地选择

1. 主要放蜂地点　湖北省武汉市、安徽省巢湖地区、湖南、江西、浙江。在河南省信阳地区的固始、罗山、光山等县，紫云英分布面积大，同时兼有较多的油菜蜜源，是早春比较理想的紫云英蜜生产场地。

2. 放蜂场地选择与蜂群摆放　紫云英场地，以生产为主，兼顾繁殖，其场地要求紫云英前期长势好，留种地面积大。遇花期雨水多，场地选择在岗地、丘陵。长期冬旱、早春低温多雨的地方不宜作放蜂场地。在阳光充足、通风好和地势高的地方摆放蜂群，巢门朝向何方均可。

（二）管理要点

1. 及时加继箱扩大蜂巢　生产以蜂蜜和蜂王浆为主。在蜂群满箱后（或子脾达 7 框、飞翔蜂晚间溢出箱外）及时加上继箱，继箱放老子脾于中间，两侧放蜜脾或空脾，巢箱放小子脾和空脾。初加继箱要注意蜂群保温。

2. 培育蜂王　在油菜花期没有换王的蜂场，抓紧时间在这一时期培育蜂王，及时更换一批老劣蜂王。或组织新分群、双王群，扩大规模，增加效益，防止分蜂热的形成。

3. 生产兼顾繁殖　紫云英花期，以生产为主，兼顾繁殖。生产蜂群要求蜂数要足，蜂王有足够的产卵余地；繁殖群要饲料充足，保温好。生产蜂蜜时，要留有足够的饲料，以防天气变化或久雨不晴饿死蜜蜂。

（三）病虫防治和注意事项

这一时期主要是预防小麦施农药中毒。黄沙天气防蜂爬，注意喂药。

转移蜂场。花期若遇暴风雨，或遇有寒冷的西北风或干燥的东南风，尤其沙尘刮起或遇早晨有白雾出现时，为避免爬蜂病或流蜜突然中止蜜蜂起盗，可考虑及早转场，赶赴刺槐场地。紫云英花期结束，转移场地时，蜂巢内饲料不宜过多；蜂群群势好，长途运蜂应尽量做到开门运蜂。

三、荔枝花期

我国荔枝分早熟、中熟和晚熟种，花期长，早晚不一，为连续生产荔枝蜜提供了条件。荔枝早熟种粉较多，蜜较少，适合蜂群繁殖；中、晚熟种蜜多粉少，有助于采蜜产浆。

（一）主要放蜂地点与场地选择

1. 主要放蜂地点　广东省佛山地区、广州市、汕头地区和惠阳地区，福建省晋江、漳州等地区，以及广西玉林地区、四川泸州和内江地区、台湾等都有较大面积的分布。

2. 放蜂场地选择与蜂群的摆放　荔枝开花有明显的大小年现象，要根据荔枝大小年、气象预报和各地土质、气候条件来选择放蜂场地，同时注意当地对荔枝的施药情况来决定蜂场场址。因荔枝花期西南风和西北风比较多，蜂箱巢门向东较好。

（二）管理要点

1. 组织强群生产　意蜂要有 15 框蜂以上的群势，中蜂要有 6～8 框蜂的群势。同时，生产蜂群还要配置副群进行繁殖，以便随时抽老子脾补给生产蜂群，或将生产蜂群的小子脾调入副群。采荔枝蜜源的生产蜂群，其蜂王应是荔枝花前期交配产卵的新王。

2. 生产和繁殖灵活掌握　荔枝流蜜大年，天气好的年景，适当限制蜂王产卵，减少工蜂的巢内工作，集中力量采蜜，生产蜂王浆，防止分蜂热。在天气不好或小年的情况下，及时加脾抓繁殖，为下一个蜜源培育采集蜂。

3. 造脾　荔枝花期每群蜂应造脾 2 张，以更换老劣旧脾。

（三）病虫防治和注意事项

防治蜂螨，预防果农打农药造成蜜蜂中毒。取成熟蜜。

四、刺槐花期

刺槐蜜源花期短，泌蜜量大，缺花粉。刺槐花期无论是定地蜂场还是转地蜂场，群势都已发展壮大，这个花期主要是生产蜂蜜和蜂王浆，连续赶花期的蜂场要兼顾繁殖。

（一）主要放蜂地点与场地选择

1. 主要放蜂地点　河南、山东、河北、山西、陕西。河南省民权、卢氏、中牟、原阳、浚县、济源、许昌、栾川等地区，山东省的临沂、泰安、潍坊地区，河北省石家庄、邢台等地区，山西省长治、安泽、屯留地区，陕西省咸阳地区都是著名的刺槐花期放蜂场地。

2. 放蜂场地选择与蜂群的摆放　刺槐花期差异比较大，泌蜜量还受小气候、小地形的影响，因此，场地选择必须实地考察。刺槐场地要求树龄10～20年，生长旺盛，气候适宜，背风，每年流蜜较稳产。土质以黄土和黄沙土为好，尽量避免在当年水淹的刺槐和地势低洼、地下水位较浅的地方放蜂。刺槐流蜜先花后叶优于先叶后花，紫萼好于绿萼，深绿色萼比浅绿色萼好。

选择林间蜂路开阔地带或树林的南边缘处摆放蜂群，交通要便利，以便及时退场奔赴下一个刺槐蜜源场地。场地周围如有瓜花等开花最为理想。巢门一般面向东或东南。

（二）管理要点

1. 组织生产蜂群　生产蜂群的组织，按流蜜期蜂群的管理。另外，在刺槐花期到来，未达到生产蜂群要求的蜂群，可临时把蜂王、子脾提到继箱，继箱下开小巢门，巢箱放空脾供贮蜜，巢箱与继箱间由副盖相隔。

2. 花期前适当控王产卵　在刺槐开花前7～10d控制蜂王产卵，或结合育王换王，使在刺槐开花流蜜时，放王或新王产卵，减少群内负担，刺激工蜂的采集积极性。

3. 生产　以生产蜂蜜为主，兼顾生产王浆和繁殖，有条件的可造脾。

4. 生产单一花种的优质刺槐蜜　在刺槐开花流蜜的第二天，把生产蜂群的贮蜜全部摇出另存。视蜂群和天气、流蜜情况，2～3d摇蜜1次，或加继箱贮蜜，最后将蜜摇出。早上取蜜，10时以前结束，这样不会影响蜜蜂的出巢采集，并使蜂蜜的浓度提高。

5. 喂水　坚持在巢内给蜂群喂水。

6. 及时转场，追花夺蜜　不同地区，刺槐花期不一，在同一地区，由于海拔高度不同（如平原与山区），花期有早有晚，因此，舍掉上一个刺槐花尾期，及时把蜂场搬到下一个刺槐场地，以提高产量。连续赶花的蜂场，其巢箱运输包装可不撤掉，箱内不宜留过多的饲料。

7. 防止发生分蜂热　见本章第一节“流蜜期与分蜂期管理”。

8. 加强繁殖　花期结束，蜂群较壮，若不追花取蜜，这时可进行分群，做到蜂脾相称，并进行奖励饲喂。但分群的前提是在刺槐花前期培育一批蜂王。

（三）病虫防治和注意事项

1. 防止农药中毒和甘露蜜中毒　刺槐花期蜜蜂中毒主要是麦、山楂打药。转到山上采刺槐的蜂场，在天气低温多雾的情况下要防止山楂甘露蜜中毒而引起的爬蜂病。

2. 防止蜂群饥饿　生产蜂蜜时，该取则取，尽量不留；该喂则喂。在刺槐花期，遇寒流、大风和大雾，刺槐流蜜中止，蜂群常缺饲料；以及在刺槐大流蜜过后，若外界缺乏蜜源，要及时给蜂群补充饲料，促进繁殖，为下一个蜜源准备采集蜂。

3. 防蜂盗和偏集　刺槐场地，蜂场密集，因此，蜂路要开阔，避免蜜蜂偏集造成的损失或麻烦。刺槐花后期，及时缩小巢门，留足饲料。

五、枣树花期

枣花期天气正值旱季，雨量少，气温高。蜂群群势强。枣花流蜜期长，花蜜量大、浓稠，但花粉少。枣花蜜中含生物碱等，加上上述不利因素，枣花后期，蜂群群势下降。

（一）主要放蜂地点与场地选择

1. 主要放蜂地点　河南省的内黄、新郑、灵宝、中牟、兰考及其周边地区，河北省的沧州地区，山东省的聊城、德州等地区都是著名的枣花蜜源场地。另外，陕北地区也有大面积的枣树分布。

2. 放蜂场地选择与蜂群的摆放　选择有水源和粉源（如西瓜）的地方或枣林边、山岗处放蜂，树龄适中，生长茂盛，株距稀疏，面积大，历年高产。蜂路开阔，空气流通。

蜂群摆放在树阴下，场地距枣林0.25～0.5km。天气干旱年份低洼处的枣花泌蜜，蜂群应放高处；雨水多的年份低洼处的枣花不泌蜜或泌蜜少。

（二）管理要点

1. 保证花粉充足　采枣花的蜂场，在刺槐花结束后，要想法让每一个蜂群采集贮存2框粉脾，并繁殖一定数量的采集蜂。如枣花场地周围无其他粉蜜源开花，还应在花期间喂粉，其方法是把花粉做成粉脾，然后喂蜂。经常清扫场地及周边环境，一早一晚洒水，防止蜜蜂沾染尘土。

2. 生产与蜂数　以取蜜为主，保持蜂脾相称或蜂多于脾。

3. 洒水降温，喂水增湿　在每天的一早一晚向蜂箱和场地上洒水。取蜜时，将取过蜜的巢脾喷上少量水或将空脾灌上干净的水放进蜂巢，或在纱盖草帘上洒水，以补充水分的蒸发。

4. 做好换王工作　换王的时间应在枣花期前或枣花大流蜜期。

5. 繁殖好蜂群　枣花期，除要求蜂群有充足的花粉外，繁殖区要少放脾，枣花结束抓紧繁殖。

（三）病虫防治和注意事项

1. 预防中毒　枣花期前后果农常对枣花施农药，因此，采枣花的蜂群可采取晚进场与早退场的方法来避免农药中毒。与枣树同花期的蒺藜花散出的花粉对蜜蜂有毒，蜜蜂采集食用后会下痢。

2. 防枣花病　枣花病是气候、蜜源等综合造成的，在管理中要做好防暑降温工作，每天清扫蜂场，洒水增加湿度，还要喂好花粉，预防蜜蜂采食泥沙。

3. 适时治螨 枣花期，蜂群下降，而蜂螨则上升快。枣花后期，群内子脾少，应抓住这个有利时机狠治蜂螨，为花后蜂群的繁殖扫清障碍。

4. 防盗蜂，早退场 采枣花的蜂群蜂数要足，后期防蜂盗，晚上取蜜。若枣花流蜜不好，应早退场。

六、荆条花期

荆条花期正值夏季，天气炎热，蜂群群势比较平稳。荆条花泌蜜丰富，花粉基本够用。

（一）主要放蜂地点与场地选择

1. 主要放蜂地点 河南省太行山区、伏牛山区、桐柏山和大别山区，北京市，河北承德、张家口等地区，山东潍坊和烟台等地区，以及山西省的太行山区、吕梁山区等，湖北省的应山、安陆、随州和大悟。

2. 放蜂场地选择与蜂群的摆放 选择有水源和粉源（如野皂荚等）的地方放蜂。海拔不宜太高。在温度低的年份选择前山、山边或丘陵地带的荆条场地。在山西和河南，尽量采集开花较早的荆条。另外，根据雨水多少，选择干燥或湿润的地方放蜂，不在海拔高的地方放蜂。蜂群摆放在树阴下，但应让蜂群每天得到一定时间的阳光照射，蜂路开阔，空气流通。

（二）管理要点

1. 生产 花期前若气候适宜可适当奖励，生产野皂荚花粉。花期中，蜂数要足，以取蜜和生产蜂王浆为主，兼顾造脾和繁殖蜂群。

2. 育王 开花前做好换王工作，或花期中育王，花后期更换老劣王。

3. 洒水降温，喂水增湿 在炎热的中午或一早一晚向蜂箱和场地上洒水，扩大蜂路，加强通风，及时取蜜或加贮蜜继箱，防止发生分蜂热。

4. 繁殖 北方地区，促进繁殖，为培育越冬蜂准备哺育蜂，并贮备部分越冬饲料。

（三）病虫防治和注意事项

1. 治螨防病 利用螨扑或升华硫防治大、小蜂螨。预防白垩病、爬蜂病。

2. 选场防灾 蜂群不得摆放在水口上，以防山洪冲走蜂箱；并避开有博落回、照山白、乌头、白屈莱生长的地方放蜂。遇干旱年，若荆条不流蜜，应给蜂群补充糖、粉饲料，促进繁殖，防止蜜蜂营养代谢病的发生。

七、芝麻花期

芝麻花期正值夏季末，蜂群群势前期比较平稳，后期逐渐下降，大蜂螨寄生率上升快。天气炎热，雨水多。芝麻花蜜、粉丰富。

（一）主要放蜂地点与场地选择

1. 主要放蜂地点　河南省的平舆、新蔡、上蔡等豫东南各县为著名的芝麻蜜源场地，湖北、安徽、江西、河北、山西、四川、江苏等省都有分布。

2. 放蜂场地选择与蜂群的摆放　蜂路开阔，空气流通，以磷、钾肥充足的地方为好。放置蜂群的地势要高，有稀疏树林遮阴，防止雨水淹蜂箱。蜂箱巢门宜朝东、东北，避阳光直射巢门，忌遮阴太过。

（二）管理要点

1. 生产　以生产蜂王浆、花粉和蜂蜜为主，兼顾造脾和繁殖蜂群。

2. 育王　大流蜜期培育蜂王，为秋季繁殖做准备。

3. 防止发生分蜂热　在炎热中午经常向蜂箱和场地上洒水，扩大蜂路，加强通风，及时取蜜或加贮蜜继箱。在干旱年份或蜂场附近有污水，应在箱内给蜂群喂水。

4. 预防蜂盗　芝麻花后期计划转场的蜂场，应提前转运。遇冷气流或干旱天气，芝麻流蜜中止，要采取措施预防盗蜂的发生。

5. 培育适龄越冬蜂　计划在芝麻花期结束后就地越冬的蜂场，要贮备越冬饲料，促进繁殖，培育越冬蜂。

（三）病虫防治和注意事项

1. 治螨防病　利用螨扑或硫磺掺杀螨剂防治大、小蜂螨。也可结合育王断子的机会治螨，用杀螨剂喷雾杀螨2～3次，为越冬蜂的繁殖扫除障碍。该花期忌用升华硫治螨。预防卷翅病。

2. 防饥饿、防闷蜂　遇干旱年或水淹年份，芝麻花不流蜜，当地蜂场应给蜂群补充糖饲料，以促进繁殖。脱粉时，应根据蜂种的大小和气候干湿情况，选用合适规格的脱粉器，严防闷蜂。

3. 运蜂　芝麻花结束转场时，若长途运蜂，可开门运蜂，在当天的16时左右装车。饲料不宜过多。

八、椴树花期

椴树花泌蜜量大，其花期气候温暖多雨，大量野生草本植物开花，粉源充足，蜂群采蜜量大。椴树蜜源有大小年现象。花前如长期干旱、花蕾受 -3～-5℃冻害或遭虫害而绝产，常因花期长期阴雨而减产。

（一）主要放蜂地点与场地选择

1. 主要放蜂地点　东北小兴安岭和长白山区，是著名的椴树蜜源场地。

2. 放蜂场地选择与蜂群的摆放　椴树流蜜受小气候影响较大，同一年份常有“五里有丰歉之别”，所以应根据当年天气、往年气候和地形来选择场地，尽量选取在阳坡，场地不宜过挤，不选常受雹灾的地方放蜂。旱年选地势低处放蜂，防洪水冲；雨水多的年份选地势较高的平川或山岗放蜂。蜂群摆放在背风向阳处，宜采用短排或圈形2箱1组摆放。

（二）管理要点

1. 花前管理 以强群为基础，进行春季繁殖，培育新王，利用双王繁殖培养强群，单王群进行生产。

在椴树花大流蜜期前18d扣王，扣王15d后放王。也可结合养王工作，在椴树大流蜜前断子，减轻工蜂巢内负担，同时在椴树大流蜜时巢内有幼虫，刺激工蜂采集。

2. 组织生产蜂群 花前培育采集蜂，一般在5月中旬培育椴树花期采集蜂。在椴树花期，组织13框以上的强群生产，并且蜂龄比例合理。弱群繁殖，把生产蜂群的小子脾调给弱群哺育，生产蜂群加入空脾贮蜜，同时加强通风。

3. 早养王 每年6月初培育一批蜂王，用生产蜂群作交尾群，使之在椴树花期前期交配产卵。

4. 生产 以生产蜂蜜、蜂王浆为主，多造新脾贮存蜂蜜，预防分蜂热。若椴树流蜜不好，要以生产蜂群的老子脾补给新分群或弱群，使全场蜂群平衡快速发展。

5. 花后期管理 及时缩小蜂巢，做到蜂脾相称。大群与小群的子脾互调，使群势均衡。在椴树蜜源结束后，计划采葵花的蜂场，要在椴树花期给蜂王创造产卵的条件，促进繁殖。

在深山采椴树蜜的蜂场，后期还要适当补充粉脾或饲喂人工花粉。

（三）蜂病防治和注意事项

椴树花结束前要留足饲料，治好螨，给培育越冬蜂做好准备。

在椴树蜜源歉收年份，要平衡群势，合并小群，保证蜂多于脾和充足的蜜粉饲料，提供产卵脾，抓蜂群繁殖。

九、棉花花期

棉花花前期泌蜜量较大，后期较小，粉较少，花期长。气温高，敌害多，同时，棉花经常打农药，蜂群群势容易下降。遇低温不流蜜。

（一）主要放蜂地点与场地选择

1. 主要放蜂地点 新疆以及长江流域和黄河流域之间的地区。

2. 放蜂场地选择与蜂群的摆放 选择兼有其他粉蜜源植物同时开花的地方放蜂，如甘薯、玉米、芝麻及菜花、瓜花等。选择虫害少的地方放蜂，减少因施农药所造成的中毒损失。蜂群摆放在有树阴和水源的地方，场地通风好，距棉花地300m，巢门朝向一般为东、北或南方。

（二）管理要点

1. 生产 以生产蜂王浆、蜂蜜为主，兼顾造脾。在新疆棉花场地，以主、副群饲养的方式，维持生产蜂群的群势，集中力量生产。所造新脾，尽可能让蜂王在其上产1～2代子。在花后期，调整主、副群的子脾，加强繁殖。

2. 繁蜂　在某些地区，蜂数要足，缩小繁殖区，防止爬蜂。培育蜂王，加强繁殖，培育越冬蜂。

（三）病虫防治和注意事项

做好防暑降温工作，防治蜂螨。若棉田虫害大发生，喷药频繁，应及早转移场地。到了棉花后期，将蜂群尽快转移到有辅助蜜粉源的地方进行繁殖。近年来，随着抗虫棉种的推广，其种性使其花蜜量下降，选择场地应避免之。

棉花蜜易结晶，不宜用作越冬饲料，取出棉花蜜后要及时用白糖补足越冬饲料。

十、荞麦花期

（一）主要放蜂地点与场地选择

1. 主要放蜂地点　陕西省定边、靖边、榆林、子洲、神木、府谷、横山，内蒙古四子王旗、大青山、固阳，新疆，甘肃。

2. 放蜂场地选择与蜂群的摆放　荞麦在黄土含沙量大、磷钾肥含量高、地下水位低、小气候好、光照充足和植株密度适中长势好的地方流蜜较好。

在荞麦花长势好面积大的地方放蜂，蜂群摆放在树林中和有围墙、土坡等避风处，周围挖排水沟，中午和下午日照不对巢门。

（二）管理要点

组织生产蜂群，在玉米、芝麻菜（芸芥）花期培育采集蜂，花期到来组成主、副群饲养，生产蜂群要有14框足蜂，繁殖群5框蜂，蜂数要足。生产蜂蜜、蜂花粉、蜂王浆为主，花前、中期若天气好狠取蜜，花中后期不造脾。花中、后期蜜房封盖不好，是流蜜不好或天气有变化的信号。

花后期生产蜂蜜，要多留少取，紧缩蜂巢，抽蜜脾贮备饲料，在花期结束前繁殖好越冬蜂。繁殖越冬蜂时新脾封盖子提到继箱。

（三）病虫防治和注意事项

治蜂螨。防治白垩病。防止甘露蜜中毒。

防盗蜂。防洪水冲蜂箱，在场地周围挖排水沟防水淹蜂箱。

十一、向日葵花期

（一）主要放蜂地点与场地选择

1. 主要放蜂地点　内蒙古河套平原、东北三省、河北、山西、新疆焉耆盆地。

2. 放蜂场地选择与蜂群的摆放　向日葵花期在7月中旬至9月上旬。选择土质肥沃、排水好、种植面积集中的地方作为放蜂场地，若选择岗地和平洼地兼有的地方可旱涝保收。蜂群摆放在有稀疏树林的地方，附近水质要好。巢门可朝北。

（二）管理要点

1. **花前工作** 开花前要培育采集蜂，开花期临近时要组织生产蜂群，主群要达到15框蜂以上、副群达到5框蜂时进行繁殖。

2. **适时进场** 在蜂群进场前，要实地了解花期前雨水、气温、长势等，若气温高，雨水充足，葵花长势好，即可提前5d入场。在场地近处没有水源的地方，要设饮水设施。防止阳光直射蜂箱。

3. **调整群势** 生产蜂群蜂数要足，单王生产蜂群巢箱里放5张脾，其余的放继箱；双王群在流蜜期关1只蜂王，在花后期放王到继箱产卵。新分蜂群要加子脾，增强群势，慎重取蜜，副群以繁殖为主。

4. **生产与繁殖** 花前、中期，进行蜂蜜和王浆的生产；后期，抽出多余巢脾，做到蜂脾相称或蜂多于脾，留足饲料，若流蜜突然中止要补喂，加强繁殖。转地蜂场，要根据情况适时迁移蜂场。

5. **育王与造脾** 花期培育一批蜂王，多造新脾，为培育适龄越冬蜂和组织双王群作准备。

（三）病虫防治和注意事项

干旱年份如发现甘露蜜中毒，立即转场，摇出箱内饲料，另喂给优质蜜糖饲料。防止农药中毒。繁殖越冬蜂前要治螨，新疆地区葵花后期繁殖越冬蜂还要注意蜂群的保温工作。蜜源结束即进行越冬的蜂群，要合并小群，葵花蜜不宜单独作越冬饲料。

盗蜂严重时要尽快转场。

十二、龙眼花期

（一）主要放蜂地点与场地选择

1. **主要放蜂地点** 福建、广东、广西、台湾、四川。

2. **放蜂场地选择与蜂群的摆放** 在荔枝盛花期过后，及时把蜂场运到龙眼场地，蜂群摆放在朝向南风向的树阴下，防雨水，在巢门与地面之间筑一斜坡，以利蜜蜂进巢。

（二）管理要点

1. **组织采集群和处女王群进行生产** 调整群势，使蜂脾相称或蜂略多于脾，中蜂要求达到6框蜂以上的群势，在进入龙眼场地的前几天，往采蜜群内介入1个成熟王台。意蜂单王群应达到14框蜂的群势，若达不到要组成双王群加上继箱，利用转场的机会组织采集蜂。

2. **保护虫脾** 取蜜时要轻摇，或只取继箱中的蜜脾，避免伤害幼虫，加强通风。

每生产一次蜂蜜，视群势，抽出多余巢脾，使蜂略多于脾，重视蜂王浆的生产。

3. 育王 花期中育一批蜂王，进行分蜂和繁殖。

4. 花后期 留足饲料，调整群势，抽出多余巢脾，加强繁殖。

（三）病虫防治和注意事项

防止雨水直灌箱内，防蟾蜍危害。花期结束进行治螨。

十三、柑橘花期

（一）主要放蜂地点与场地选择

1. 主要放蜂地点 四川、湖南的怀化、湖北、广东惠阳、广西、浙江、福建、江西。

2. 放蜂场地选择与蜂群的摆放 在柑橘品种多长势好、土质肥沃花蕾多的地方放蜂。选坐北向南、避风向阳的地方摆放蜂群。

（二）管理要点

1. 花前期 油菜花后期留足饲料，防盗蜂，并育一批蜂王，在柑橘花期交配。进场时采取主、副群搭配，流蜜前1周，意蜂组织15框蜂以上的强群进行生产，巢箱放5~6张脾。中蜂采用8~10框的群势。生产蜂群的蜂王应是新王（或油菜花后期育王，在柑橘花期交配），群内蜂龄比例合理，利用老王群繁殖。流蜜前奖励饲喂，加盐酸金刚烷胺片或红霉素、制霉菌素等药物防病，阴雨天多喂粉。

2. 花中期 维持强群，适时取蜜产浆，加础造脾，防止分蜂。根据蜂群的发展，先调副群小子给大群，后调主群大子给小群。天气好且稳定，集中强群突击取蜜；天气不好，以繁殖为主。上午取蜜，保证柑橘蜜的纯正和浓度。花前没换王的蜂场花期中要养王。

3. 花后期 留足饲料，保持蜂脾相称，平衡群势，积极繁殖，为荔枝等后继蜜源准备采集蜂。

（三）病虫防治和注意事项

预防农药中毒。防盗蜂，防流蜜不好蜂群饥饿。提前包装，随时启运。

十四、乌桕花期

（一）主要放蜂地点与场地选择

1. 主要放蜂地点 浙江、江西南部、福建、湖南、广西、广东、四川、贵州。

2. 放蜂场地选择与蜂群的摆放 乌桕在5月底即开花流蜜。蜂群摆放在树阴下，巢向朝北较好。

（二）管理要点

组织强群生产，以生产蜂蜜和蜂王浆为主，兼顾造脾。

1. 花前期 要预防分蜂热，其方法是利用乌桕前一个蜜源养王，培育采集蜂，早换王；强弱互补子脾，达到同步发展。加大蜂路，及时扩巢，加强通风。

2. 花中期 适时取蜜，取蜜应在10时以前完成。加巢础造脾，大量生产王浆，抽出粉脾保存。喂水遮阴。

3. 育王 利用乌桕花前期的蜜源进行育王，发展蜂群，组织双王群或主、副群饲养，利用小群贮备一批蜂王。

4. 追花夺蜜 乌桕花后期如有小叶桉、芝麻等后继蜜源，应及时转场。

（三）病虫防治和注意事项

1. 防病、虫 在乌桕花流蜜前预防欧洲幼虫腐臭病和美洲幼虫腐臭病。在花前期或花后期采用分巢治螨或挂螨扑片治螨。防除胡蜂危害蜂群。

2. 防暑 做好遮阴防暑工作，预防天热晒化巢脾。

十五、柃花期

（一）主要放蜂地点与场地选择

1. 主要放蜂地点 湖北崇阳、江西、福建、湖南、广西、广东、四川。

2. 放蜂场地选择与蜂群的摆放 柃蜜源花期在10月下旬至翌年1月，是一年中最寒冷的季节，昼夜温差大，寒流频繁，气候干燥。柃蜜源多被中蜂利用，选择地形复杂、柃木种类多、数量多、小气候稳定的地方放蜂。蜂群摆放在背风、向阳处，巢门朝向南方。

（二）管理要点

转地蜂场，西蜂以繁蜂和贮备越冬饲料为主，中蜂组织采集群，生产以抽取蜂蜜为主，可以生产巢蜜。定地和小转地蜂场，在紫云英、油菜花期养一批王，紫云英花期结束，把蜂群转到春桂和冬桂较多的深山区越夏，并有计划地组成3箱1组或2箱1组的主、副群饲养。白露节前15～20d奖励饲喂，直到有山花散粉流蜜为止，并以强补弱，繁殖采集蜂。在桂花流蜜，撤走副群，集中采集蜂到主群，加空脾，适时取蜜。

蜂群保持蜂多于脾，加强保温，中午经常晒箱，夜间用塑料布盖箱，促进繁殖。

（三）病虫防治和注意事项

预防甘露蜜中毒，防治大肚病和幼虫病。柃蜜源花后期，把蜂场及时转到油菜场地，进行春繁。

十六、老瓜头花期

（一）主要放蜂地点与场地选择

1. 主要放蜂地点　宁夏盐池，陕西榆林地区古长城以北，毛乌素沙漠，内蒙古伊克昭盟。

2. 放蜂场地选择与蜂群的摆放　老瓜头花期在5月20日至7月中旬，天气干热、风沙大、花前期缺粉。选择老瓜头生长期3～5月降水量比历年多的地区放蜂。春季持续干旱的年份选宁夏、陕西老瓜头场地。在宁夏、陕西放老瓜头的蜂场，根据花上蜜珠大小和花期雨水情况，在宁夏青铜峡到陕西神木800km的古长城内外，灵活转地，避开因小气候形成花期多雨的地区。雨水多的年份选内蒙古伊克昭盟北部库布其和毛乌素沙漠老瓜头场地。在毛乌素沙漠区，等大多数花上有蜜珠显现再进场。

低温和干热风会使泌蜜减少。在老瓜头发芽期（5月中旬），如果发现老瓜头的嫩叶、嫩芽发黑，接着枯萎，最后变为墨绿色卷曲的干芽、干叶，即是遭冻害的表现。

选择有辅助粉源、含沙量较少的土地、沙丘交错的地方和土壤湿度较大的河边放蜂。在湖、河边的树林、草滩和山间小盆地，把蜂群摆放在树阴下、草滩上。

（二）管理要点

1. 花前准备　采老瓜头的蜂场，提前培育采集蜂，组织强群和有较好子脾的蜂群进入老瓜头场地，前一个蜜源留足饲料。以弱补强，合并弱群，组织单王继箱群进行生产，保持蜂脾相称；换王促产，双王群繁殖。

2. 生产兼顾繁殖　生产蜂群的巢箱一般放4张脾，如果蜂群内花粉较多，巢箱多放脾，粉少少放脾。出房子脾调到继箱，巢、继箱之间不调脾；当外界花粉增多时，再向巢箱调脾。如果有贮备的花粉，在老瓜头花期可喂粉促进繁殖，为下一个花期准备采集蜂。生产蜂群要采取从副群中抽补封盖子脾的方法，维持强群，防止分蜂热，延长生产期。

在内蒙古伊克昭盟库布其沙漠区老瓜头场地，采取突击取蜜方式，狠抓前、中期的生产。在干旱无水源的场地，箱内要喂水。

3. 调整蜂群　如果进入老瓜头场地的蜂群比较弱，要保持蜂脾相称，可喂粉进行繁殖。采取育王换王或幽闭蜂王等方法控制蜂群育虫量，在蜂群负担轻的情况下突击采蜜。

4. 注意虫害　抓花前、中期生产，花后期若虫情严重，立即转场。

（三）病虫防治和注意事项

蜂群断子后治螨。防风沙。防缺粉，蜂群中子脾数量要和蜂群采粉、箱内存粉、人工喂粉的量相适应。若蜂群较差，及早转到繁殖场地。有些地区要防山洪冲蜂箱。

十七、白刺花花期

（一）主要放蜂地点与场地选择

1. **主要放蜂地点**　陕西秦岭山区及铜川，山西安泽、吉县及晋东南地区等。白刺花又名狼牙刺，花期在刺槐花结束后，5月上旬至6月下旬。

2. **放蜂场地选择与蜂群的摆放**　选择白刺花面积大、芽期无霜冻、生长旺盛、小气候和生态环境好、山间有马茹、牛奶子等山花的地方放蜂，在牛奶子开花时进场。蜂群摆放在通风向阳处。

（二）管理要点

1. **花前、中期**　结合换王断子取蜜，介绍蜂王时，可采用对蜂脾喷洒白酒（50g白酒对100g水）的方法介绍蜂王。在高寒地区采白刺花的蜂场可利用主、副群，组织采集蜂进行生产，实行大群生产，小群繁殖，后期调整蜂群共同发展。

2. **花后期**　应留足饲料，调整群势，促进繁殖，及时把蜂场转到有山花的山上或平原有瓜花的地方繁殖蜂群，为荆条花期培育采集蜂。

（三）病虫防治和注意事项

防止苦树皮花粉中毒，如发现蜜蜂花粉中毒，要进行脱粉，并及时转场。防治蜂螨。

蜂群转场后要注意为蜂群遮阴，水源不好的地方蜂场设喂水池。严防味苦的花粉进箱。

十八、枇杷花期

（一）主要放蜂地点与场地选择

1. **主要放蜂地点**　长江中下游及其以南地区，如江苏苏州地区、福建莆田涵江、浙江台州地区都是重要的放蜂场地。

2. **放蜂场地选择与蜂群的摆放**　枇杷花期一般从10月下旬至12月中下旬，蜜粉充足。场地应选在背风、向阳、高燥和离花源近的地方。当年夏季雨水充足，枇杷长势好。

蜂箱排列宜朝向南或东南，下午要有充足的阳光，蜂箱底垫一层干草。

（二）管理要点

1. **管理原则**　在枇杷花期，大年以采蜜为主，兼顾繁殖，小年以繁殖为主。有些枇杷场地，其花前期有茶花开花，因此在管理上，在前期积极进行茶花粉和蜂王浆的生产，奖励饲喂，防止茶花期发生的烂子现象。

2. **繁殖**　在气候正常的情况下，加脾扩巢，促进蜂王产卵，为翌年早春繁殖作准备。

3. **生产**　流蜜盛期，在蜜蜂刚出巢时，抽摇边脾和封盖子脾上的枇杷蜜。

4. **花后期**　枇杷花后期要留足饲料，摇蜜时应多留少取，防寒潮袭击。在流蜜中断或花期结束后，调整群势，抽出多余的旧巢脾，保持蜂脾相称，并及时迁到早油菜春繁场地越冬，防止零星枇杷花引蜂飞翔。

（三）病虫防治和注意事项

防治蜂螨和茶花烂子病。在枇杷花期，勤晒箱内保温物，防止箱内潮湿。

十九、野坝子花期

（一）主要放蜂地点与场地选择

1. 主要放蜂地点　云南楚雄州、大理州，贵州，四川凉山州。野坝子花期，天气干旱、风大、粉源较缺，昼夜温差大，常有寒流。

2. 放蜂场地选择与蜂群的摆放　野坝子花期在9月中旬至12月上旬，其泌蜜有大、小年之分，而且没有一定的规律。若当年春雨早，野坝子发芽早，3～4月雨水适中，雨季结束早，野坝子当年流蜜就会好。选择背风、向阳场地，如雨水充足，选在干燥的地方；如气候干旱，蜂场选在湿润的沟谷旁；若在山区，场地选在山腰。如伴有野紫苏蜜源或蚕豆花期较早的野坝子蜜源场地更好。蜂箱巢门朝东。

（二）管理要点

1. 花期前　野坝子花期前应育一批新王。

2. 花中期　在流蜜好的情况下，利用强群取蜜，盛期多取，中期抽取，后期不取，留足饲料，抽出空脾，调整群势。双群同箱的小群进行繁殖，注意喂粉。流蜜不好的年份，以繁蜂为主，保证群内蜜粉充足，蜂多于脾，加强保温，培育越冬蜂。

3. 花后期　留足饲料，加强保温，组织一批双王群，繁殖越冬蜂。花期结束，及时把蜂场迁入越冬场地，或采用暗室等方法迫使蜂王停产，或利用寒潮撤除保温物，迫使蜂群停止育虫。

（三）病虫防治和注意事项

预防下痢病和食物中毒，若蜂群采集甘露蜜，应及时转场，更换饲料。防止偏集，预防盗蜂，防治蜂螨。

二十、橡胶树花期

（一）主要放蜂地点与场地选择

1. 主要放蜂地点　云南南部的西双版纳、思茅、红河和西部的德宏州，海南岛。

2. 放蜂场地选择与蜂群的摆放　橡胶花流蜜量大，流蜜涌，流蜜期气温高，花后期湿度大。蜂群要摆放在树阴下，地势要高，通风，避免日光直晒。

（二）管理要点

1. 花期前　繁殖采集蜂，在进入橡胶场地前彻底治螨。

2. 花期前、中期　在橡胶花期前期育王，以主群为交尾群，在大流蜜期换王。利用主、副群，组织强群生产，采用多箱体贮蜜，减少取蜜次数，提高蜂蜜浓度。

加强副群的繁殖，补充花粉，保证蜜粉充足，为生产蜂群补充子脾作好准备。

3. 花后期　流蜜后期，调整群势，强、弱群子脾互补，让弱群尽快恢复群势。流蜜结束，立即转场到海拔较高地区，利用山花恢复群势。

（三）病虫防治和注意事项

预防烂子病、农药中毒和胡蜂危害。

二十一、野藿香花期

（一）主要放蜂地点与场地选择

1. 主要放蜂地点　云南东南的八寨、麻栗坡、马关和云南东北的永善、巧家、东川等地，青海海北州，贵州省的关岭、册享，甘肃。

2. 放蜂场地选择　选择土壤肥沃长势好的地方放蜂。

（二）管理要点

野藿香花期为10月下旬至12月初，是晚秋蜜源，其花期结束后即进入越冬期。在管理上应繁蜂取蜜并重，前期生产蜂蜜，后期抽取蜂蜜，留足饲料。

在歉年或灾年里，箱内留足饲料，合并弱群，保持蜂脾相称，加强保温，促进繁殖。

在西北海拔2 500m的地方，蜂群蜂数要足，8月中旬扣王，留足饲料或提前喂好越冬饲料。

（三）病虫防治和注意事项

预防大肚病、幼虫病，防治蜂螨。经常翻晒箱内保温物，预防盗蜂。

二十二、黄芪花期

（一）主要放蜂地点与场地选择

1. 主要放蜂地点　甘肃的陇南、陇西、天水等地区，以陇南地区的武都县分布最广，米仓山区最为集中。还有河南西部山区，山西北部。

2. 放蜂场地选择与蜂群的摆放　黄芪开花期为6月下旬至8月下旬，种植的黄芪头年不流蜜，第二年开始大流蜜，第三年流蜜最好。连作的黄芪流蜜差。黄芪花前期是炎热的夏季，而后期进入秋季，气温降低，相对湿度升高，有时还有暴雨。蜂场应选在通风、排水好的地方，蜂群摆在路旁的小树林中或有树木的田埂上，巢门口对着宽阔的一面，蜂箱呈月牙形摆放。

（二）管理要点

1. 组织生产蜂群　在流蜜前半个月用正出房的老蛹脾补充生产蜂群，流蜜开始后采取集中外勤蜂的方法壮大生产蜂群。生产蜂群的继箱多加空脾，巢箱放5张小子脾。

2. 生产　流蜜盛期采取强、弱互补子脾和换新王等措施维持强群。以生产蜂蜜为主，兼顾生产王浆，积极造脾。黄芪流蜜前期取蜜要狠，后期要稳，早上取蜜。

3. 养王　在黄芪花期养一批王，适时更换老劣王。

4. 繁殖　黄芪流蜜末期，留够蜜粉饲料，促进蜂群繁殖，为下一个蜜源做准备。小群组成双王群进行繁殖。

若黄芪花流蜜不好，应积极繁殖。

（三）病虫防治和注意事项

预防和治疗白垩病、蜂螨。预防因刮大风造成的蜜蜂偏集。防洪水冲蜂箱。

二十三、五倍子花期

（一）主要放蜂地点与场地选择

1. 主要放蜂地点　五倍子（*Rhus chinensis* Mill）又称盐肤木。花期8月中旬至9月中旬。江南山区，如湖北咸宁以东山区、江西永休山区等。

2. 放蜂场地选择与蜂群的摆放　选山上杂木多、松杉少和有茶树、地势开阔的向阳缓坡，或运输方便的山间盆地放蜂。蜂箱巢门向南。

（二）管理要点

1. 繁殖　花期前奖励饲喂，使开花时每群有一定数量的小子脾。

2. 调整群势　在花前10d紧脾，做到蜂脾相称，继箱群达到上5脾下5脾，平箱群抽出较强群势的老子脾补给弱群。

花前期大群以脱粉为主，小群补空脾贮粉，抓紧取浆。大流蜜开始停止脱粉，贮备饲料。

3. 育王　在五倍子花前期，育一批王，10d后再育一批王。新王产卵后繁殖越冬蜂。或进入茶花蜜源场地后进一步进行秋繁。

（三）病虫防治和注意事项

利用换王断子期治螨。花期养王换王，留足饲料。

二十四、菊花花期

（一）主要放蜂地点与场地选择

1. 主要放蜂地点　湖南、湖北、江西、河南。9月上旬始花，10月下旬末花。

2. 蜂群的摆放　蜂群摆放在背风向阳、交通便利的地方，忌摆放在风口上。

（二）管理要点

组织有 10 框蜂左右的强群生产蜂蜜和贮存花粉脾，防止粉压卵圈。各群群势基本平衡，加强保温，促进繁殖。如当地无野桂花蜜源，在菊花后期要留足越冬饲料，并扣王断子，抽出粉脾，减脾缩巢，促蜂排泄。

在河南采菊花并越冬的蜂群，取蜜时只摇子脾上的蜜，不摇蜜脾，以贮备饲料。小雪来临转场囚王，拿出粉脾，待蜜蜂排泄后抽出空脾，撤回保温物，对巢门遮光。

（三）病虫防治和注意事项

花期结束就进行越冬的蜂场，待子脾出完后治螨。防除胡蜂、蟾蜍等的危害。利用晴暖天气促蜂排泄。

一般年份，养西方蜜蜂的蜂场应放弃该花期。

二十五、胡枝子花期

（一）主要放蜂地点与场地选择

1. 主要放蜂地点　东北、华北、山东。黑龙江省的小兴安岭和完达山脉的浅山区。

2. 放蜂场地选择与蜂群的摆放　选择黑土层深厚、土质肥沃、水分充足的地方放蜂，不宜在高山密林、沟深坡陡地放蜂。该花期蜜粉丰富，2～3 年生的主干分枝多、枝条长、花序多、花蜜集中、开花早、泌蜜量大。蜂群摆放在通风向阳处。

（二）管理要点

1. 强群生产　群势要求在 12 框足蜂以上，群势不足，应从副群提老子脾补给生产蜂群，弱群组成双王群进行繁殖。

2. 育王　7 月底育王，控制蜂王产卵，提高蜂蜜产量。8 月 15 日前后放王或更换老劣蜂王，利用新王产卵，繁殖越冬蜂。调整蜂群，注意保温。

（三）病虫防治和注意事项

防治蜂螨。椴树花期结束即进场，抓紧繁殖一批蜂以充实群势。胡枝子流蜜后期，要做好越冬蜂的繁殖工作。

二十六、茶花花期

（一）主要放蜂地点与场地选择

浙江杭州，花期 10～12 月。场地要求宽敞，地势平坦，背风。

（二）管理要点

1. 生产与饲喂　以生产蜂王浆和茶花粉为主。防止茶花烂子，喂酸饲料，也可喂1:1.2的稀蜜水，大群每晚1kg，小群每晚0.5kg。茶花蜜进蜜越多，喂得越多。积极生产花粉，蜂群进粉量够蜂群消耗即可。

2. 育王与繁殖　抓好秋季繁殖。茶花前狠治螨，预防白垩病。9月下旬培育一批新蜂王，组织双王群，进行繁殖和生产。加强管理，做好保温工作。

3. 越冬　茶花后期扣王停产，保护好越冬蜂，待子脾全部封盖后停止饲喂。调入茶花期前贮备的蜜脾，抽出茶花期的饲料，或喂糖浆。保持蜂脾相称。采取暗室越冬，保持蜂群安静和环境凉爽。

（三）病虫防治和注意事项

防治蜂螨，时间在9月中旬，可用螨扑，也可用升华硫每群3~5g刷脾。防止盗蜂，预防幼虫病。

二十七、紫花苜蓿花期

（一）主要放蜂地点与场地选择

1. 主要放蜂地点　新疆、内蒙古、陕西、甘肃的通渭、山西、宁夏。

2. 放蜂场地选择与蜂群的摆放　选择茎秆粗壮、叶色翠绿、无蚜虫和浮尘子等病虫害的紫花苜蓿场地放蜂。该蜜源粉少蜜多，有辅助蜜源的地方蜂群群势稳定，在离水源近和有辅助蜜源的地方摆放蜂群。

（二）管理要点

取蜜为主，保持蜂、脾相称，注意喂水，对缺粉的场地要人工饲喂花粉，促进繁殖。生产蜂王浆时要喂花粉。

（三）病虫防治和注意事项

花中期注意防治烂子病，注意其他病虫动态，防洪水冲蜂。

二十八、光叶苕子花期

（一）主要放蜂地点与场地选择

1. 主要放蜂地点　江苏、陕西、云南盘县、贵州省黔西南州及广西。

2. 放蜂场地选择与蜂群的摆放　苕子3~5月开花，选择成片的留种苕子场地放蜂，周围有丰富的辅助蜜源。在背风、向阳并有天然屏障的地方摆放蜂群。

（二）管理要点

1. 花前期 苕子开花前治螨 1 次，开花即进入场地，利用始花期和辅助蜜源繁殖一批采集蜂。若有寒流，应加强保温，喂足饲料。

2. 组织生产 在盛花期前半个月，利用副群中的封盖子脾补充主群，巢箱内的封盖子脾也提到继箱，巢箱内加空脾供蜂王产卵。或利用主、副群的飞翔蜂补充主群。或流蜜开始后，把主群的蜂王连脾带幼蜂提出，另组小群繁殖；在原群诱入 1 个成熟王台。

当蜜装满巢房即可在 10 时以前进行生产。积极生产蜂王浆。苕子流蜜后期，主、副群子脾互调，均衡群势，留足饲料，更换老劣王，为下一个蜜源的生产做准备。

（三）病虫防治和注意事项

预防烂子病，防水冲、防火灾。

二十九、草木犀花期

（一）主要放蜂地点与场地选择

1. 主要放蜂地点 草木犀 6 月上旬开花，7 月下旬终花。主要分布在西北、华北、东北。

2. 放蜂场地选择与蜂群的摆放 在山边、路边、河边花多的地方放蜂。蜂群摆放在通风好和遮阴好的树下，远离公路、学校等公共场所，以防蜂蜇人。

（二）管理要点

组织采蜜群应在开花前 1 周进行，对达不到采蜜群要求的可采取集中老蛹脾和合并弱群的方法来组织。巢箱放 3 ~ 4 张子脾，继箱放老蛹脾和空脾。加础造脾，花期育王。该花期花蜜浓度低粉足，是繁殖蜂群的好蜜源。

草木犀花后期防盗蜂，做好转场工作。

三十、桉花期

（一）主要放蜂地点与场地选择

1. 主要放蜂地点 广东、广西、云南、四川、福建。

2. 放蜂场地选择与蜂群的摆放 小叶桉、大叶桉花期在 7 ~ 10 月，昆明开源在 11 ~ 12 月。选择阴凉通风的地方摆放蜂群。

（二）管理要点

小叶桉花期，要做好防暑降温工作，在花前繁殖蜂群，花前、中期限王产卵，花后期留足饲料，保持蜂脾相称，治好蜂螨，为越夏或为田菁、大叶桉蜜源繁殖适龄蜂。小叶桉结束后进行越夏的蜂场，应及时将蜂转到越夏场地。

大叶桉蜜源适合中蜂生产。

桉树上有一种小虫，在蜜蜂采集时能附在蜜蜂体上，使蜜蜂寿命缩短，子脾孵化差，群势下降。

三十一、密花香薷花期

（一）主要放蜂地点与场地选择

1. 主要放蜂地点　宁夏南部山区、青海东部、甘肃的河西走廊、新疆的天山北坡。

2. 放蜂场地选择　密花香薷是油菜后期蜜源，一般就原场地不动。

（二）管理要点

以繁殖越冬蜂为主，蜂群的蜂数要足，饲料要好。防治蜂螨。预防盗蜂和天气突变。

三十二、党参花期

（一）主要放蜂地点与场地选择

1. 主要放蜂地点　甘肃陇西、甘谷、渭源、临洮和天水等县，山西、陕西、宁夏。

2. 放蜂场地选择与蜂群的摆放　党参花期在8月至9月下旬，一般在8月初进场。选择党参面积大、长势好、周围杂花少的场地放蜂。蜂箱摆放在通风向阳处，巢门向南。

（二）管理要点

蜂箱要前低后高，蜂群排列好后即着手党参花粉的生产。生产的同时要兼顾繁殖。生产党参花粉，12时以后的党参花粉纯度高，在1d之内可分批收集，收获的花粉争取1d晒干。

整个花期，蜂数要足或蜂、脾相称，根据流蜜情况生产蜂蜜，留足饲料。

防治蜂螨，预防烂子病发生，防止蜜蜂偏集和盗蜂。

三十三、小茴香花期

（一）主要放蜂地点与场地选择

内蒙古托克托县、山西朔州，花期在7月中旬至8月上旬。蜂群摆放在通风好的树阴下。

（二）管理要点

蜂数足，以生产蜂蜜、蜂王浆为主，兼顾生产花粉，适时加脾，生产繁殖两不误，为向日葵等下一个蜜源做好准备。

加脾不宜过快，防止白垩病和烂子病。防水冲蜂箱，雨水多的年份及早转场，严防农药中毒。

三十四、益母草花期

（一）主要放蜂地点与场地选择

1. 主要放蜂地点 湖北洞庭湖区、长江沿线以及云南等地，在紫云英花尾期开花；分布在山西阳泉地区的平定县、盂县等黄河以北地区的，其花期在7月中旬至9月上旬，是当地主要蜜源荆条与野菊花之间的重要辅助蜜源。

2. 放蜂场地选择与蜂群的摆放 益母草花期气温高、干燥，蜂群应放在遮阴好、附近水源充足的地方，尽可能离蜜源近些。通风向阳，适当遮阴。

（二）管理要点

1. 花期前 南方可在紫云英花期育王，北方在荆花期育王，更换老劣王。抽出强群的封盖子脾补助弱群。

2. 花期中 合并弱群，组织强群进行生产，预防分蜂热。选育良种，培育蜂王。做好防暑降温工作，适时治螨。

三十五、荷花花期

（一）主要放蜂地点与场地选择

1. 主要放蜂地点 荷花（*Nelumbo nucifera* Gaertn）又称莲花、莲，水生草本植物，在南方花期6～9月，北方花期7～8月。籽（开花结果）莲以湖南、湖北、江西、福建等省为主。洪湖地区种植面积达3 400hm^2，野生的有80hm^2，主要分布在大沙、大同、里湖、小港、大口、沙口、瞿家湾和螺山等地；河南信阳地区的潢川、固始等县也有大面积栽培。

2. 放蜂场地选择与蜂群的摆放 蜂群摆放在树阴下，通风，放高忌低。

（二）管理要点

1. 花前、中期 根据附近地区的辅助蜜源情况，采集的花蜜不够用时，每群每晚奖励饲喂1∶1的糖浆0.5kg，同时生产王浆和花粉，生产的花粉应1d之内晾干。适时养王、换王和分群。

2. 花后期 停止生产，蜂稠不宜稀，繁殖好越冬蜂。

防治蜂螨，防水淹蜂箱。大雨过后及时退场。

三十六、洋麻花期

（一）主要放蜂地点与场地选择

1. 主要放蜂地点 全国各地均有栽培，河南主要集中在正阳、潢川、息县等地区，其花期在7~8月。在黄土、黑黏土地上，株高30~50cm时即开始泌蜜，一般在50~150cm高时泌蜜丰富，茎、叶、花都有蜜腺泌蜜。高温多雨天气泌蜜多。

2. 放蜂场地选择与蜂群的摆放 选在通风、遮阴较好、地势高的地方摆放蜂群，蜂群摆放成圈。如兼有芝麻、玉米等蜜粉源的地方更好，以弥补洋麻花粉的不足。受水淹的洋麻不宜放蜂。

（二）管理要点

以生产蜂蜜为主，蜂数要足，花期大流蜜过后及时退场，培育越冬蜂。预防缺粉，防治蜂螨，防止甘露蜜中毒。

雨水过多或低温的年份最好放弃该花期。防止盗蜂，忌用升华硫治螨。

三十七、泡桐花期

（一）主要放蜂地点与场地选择

1. 主要放蜂地点 河南省的兰考、睢县、民权、宁陵、杞县、巩义、荥阳等地。花期4月上旬至5月中旬。

2. 放蜂场地选择与蜂群的摆放 选择背风、向阳和地势高燥的地方放蜂。避西北风，巢向东、南为宜，定地养蜂以巢向东为好。

（二）管理要点

前期以繁殖为主，后期以生产为主。泡桐花期蜂群繁殖较快，前期以弱补强，中后期以强补弱。边繁殖边造脾，视天气进行蜂蜜生产，在中期生产王浆。为刺槐花期培育采集蜂。泡桐花中后期，缩小繁殖区，加大蜂子比例，同时，要勤取蜜和少取蜜，交替取成熟蜜，留够饲料而又不影响繁殖，防止分蜂热。

南繁返回的蜂场，要做到蜂、脾相称，在生产桐花蜜的同时抓紧繁殖，或根据管理目标，决定以繁为主还是以采蜜为主。

风多的年份，应喂爬蜂灵预防爬蜂病。预防小麦田施药造成的蜜蜂中毒。

三十八、苹果花期

（一）主要放蜂地点与场地选择

山东烟台、安徽、陕西、河南北部、河北全境、山西南部和甘肃等地。

以授粉和繁殖为目的，进行场地选择，以果园近旁为宜。以地形摆放蜂群或散放。

（二）管理要点

以繁殖或授粉为主，分别参见本章第一节“春夏管理”和第十四章“蜜蜂与农业”。

防爬蜂病。注意花尾时期喷施农药，及早退场。

三十九、水锦树花期

（一）主要放蜂地点与场地选择

该蜜源在云南、广西、广东的花期为2~4月。选择背风向阳、离水源近的地方放蜂。蜂群摆放在蜜源的下风向，巢门朝向西南。

（二）管理要点

1. 生产与繁殖　组织继箱群进行蜂蜜生产，在流蜜好的情况下，平箱群可对着巢门加脾贮蜜，气温高放大蜂路。小群以繁殖为主，为大群准备封盖子脾。花后期，大群的封盖子脾返还弱群，促进弱群的发展；弱群的小子脾调给强群。花前期注意保温，后期逐渐撤去保温物。

蜂蜜生产要稳，每次取蜜要留够饲料，忌一扫光的取蜜方式。花中、后期，蜂群强壮后进行王浆生产，注意箱内喂水，流蜜后期进行治螨。

2. 育王　在天气稳定后进行育王，更换老劣王，或组织新王小群进行繁殖。

四十、柳树花期

（一）场地选择

柳树是北方早春蜂群繁殖和培育刺槐、狼牙刺等采集蜂的辅助蜜源，场地应选择在背风、向阳处，如果附近有油菜和果树更好。

（二）管理要点

柳树花期气温逐渐转暖，第一批新蜂不断出房，哺育力日渐增强，蜂群要在蜂脾相称的条件下继续加脾扩巢。盛花期可加脾至蜂脾比为1∶0.7，天气和蜜源不好时应缓加。柳树花期要求箱内喂水。

强、弱群互调子脾，达到同步发展的目的。在蜜源好、气温稳定的条件下，抽强群的幼蜂补弱群。预防寒流侵袭，当寒流到来时，夜间可用塑料布覆盖蜂箱，喂足饲料。

为防止粉压卵圈，在不宜加脾的情况下，可在隔板外侧正对巢门处加深色脾，贮存蜜粉。天气好的年份，要适时取蜜，预防分蜂热的发生。

注意防治因饲料、潮湿、温度等引起的大肚病。

四十一、其他

1. 薄荷花期　主要分布在河南永城、邓州、西峡，安徽、广西、甘肃等地。一般花期在8月份。注意适时繁殖、采蜜，抓好越冬蜂的繁殖；蜜要取出，换喂白糖，预防盗蜂，防治蜂螨。

2. 山楂花期　主要分布在河南太行山区，山西沁水、阳城以及山东等。以生产花粉和繁殖为主，为枣花期繁殖采集蜂或贮备花粉脾。花期防止农药中毒和甘露蜜中毒。

3. 沙枣花期　主要分布在甘肃民勤，河南登封及太行山区，新疆，宁夏。该蜜源花期生产要兼顾繁殖，为向日葵花期培育采集蜂。防治蜂螨，防黑蜂病。注意喂水，防风、防沙。

4. 茶花期　又称油茶。花期10～11月，主要生长于江西、四川、湖南、广东和贵州。茶花期强群以采蜜为主，喂糖产浆，弱群以繁殖为主。喂“蜜蜂营养解毒冲剂”，防止油茶花期中毒。油茶蜜源结束转到桂花场地。防烂子病，防天敌捕食蜜蜂。繁殖好越冬蜂。

5. 漆树花期　主要生长在陕西秦岭、甘肃南部、河南西部、四川东部，小麦成熟时开花。漆树蜜源对蜂群繁殖好。随地势摆放蜂群。

蜂群蜂数要足，以繁殖蜂群为主，兼顾生产蜂王浆和花粉。养王换王。治螨防胡蜂，防山洪冲蜂箱，防晚间气温陡降蜂团收缩晾子。

6. 芸芥花期　生长在陕西北部、山西北部、内蒙古大青山以南等地区。选择有向日葵花的地方放蜂，场地不得选在洼地，两蜂场不可相距太近。蜂群管理以生产花粉、加强繁殖、为葵花期积累工作蜂为主，同时做好治螨工作。

7. 板栗树花期　主要分布在河南确山、泌阳、信阳，陕西太白山。该花期在5月中旬至6月底，花粉充足。选择水源好、通风向阳的地方放蜂，以野生板栗多的场地为佳。以脱粉为主的蜂场，蜂群巢门向东。把蜂群摆放在山南侧背风向阳处，地势要高，随地形排列蜂群或摆成圆圈形。

蜂数要足，以脱粉为主，加强繁殖。强群以生产为主，弱群产、繁结合。预防烂子病和农药中毒，防治胡蜂。防山洪冲蜂箱。

8. 女贞树花期　湖南黔阳县、江西南昌市，花期5～7月。选择开花齐整、集中连片且遮阴面大、水源干净充足的地方放蜂。

进场前，调整群势，强弱互补，更换老劣王，饲料充足，促进繁殖。花期中，组成强群进行生产。后期以强补弱进行繁殖。

9. 桔梗［*Raelix platy coeli*，（英）**Balloon Flower Doat**］　安徽亳州及河南、山东、湖北、江苏都有集中分布，花期6月下旬至8月下旬，头年播种的比当年播种的早20d左右。桔梗花期常伴随着芝麻及玉米、高粱、瓜类等植物开花。

花期中以弱补强调整群势，以生产花粉、王浆为主，兼顾生产蜂蜜，上午取蜜、脱粉，下午取浆，多造新脾，淘汰旧脾。适当取蜜，留足饲料。

桔梗花期育王换王，促进繁殖。治螨，以挂螨扑为佳。

10. 枸杞花期　主要放蜂地点是宁夏的固原、内蒙古的黄河河套区以及新疆等地。选地势高的旷野放蜂。枸杞开花在6月至7月上旬，蜂群要摆放在通风向阳的地方，成排摆放蜂群巢门向东为宜，也可把蜂群成圈摆放。

枸杞花期以生产蜂蜜和王浆为主，蜂脾相称，加强繁殖。注意治螨，山区防洪水冲蜂箱，防农药中毒。

第六章　蜜蜂育种

蜜蜂育种学是研究蜜蜂良种选育理论和方法的一门科学，是蜂学领域重要的分支科学。其所研究的主要内容包括：蜜蜂遗传学基础，蜜蜂育种技术，人工育王技术，蜂种鉴定，选种、引种、保种方法，蜜蜂人工授精等。

深入研究蜜蜂育种理论，提高蜜蜂育种技术，对促进养蜂生产发展有着不可低估的作用。例如，由于浆蜂种的培育，使我国蜂王浆单产提高 5 ~ 10 倍，全国蜂王浆年产量由 20 世纪 70 年代的 500t 迅速提高到目前的3 000t左右。

第一节　蜜蜂遗传学基础

蜜蜂遗传学是蜜蜂育种工作的理论基础，它揭示了蜜蜂遗传和变异现象及其表现的规律。没有遗传，就没有稳定的蜂种；没有变异，就没有新的蜂种产生。蜜蜂良种的培育就是通过各种手段，将蜜蜂自然变异和人为促成的变异，通过人工选择，定向保留适合养蜂生产需要的性状。

获得性状稳定的优良种蜂，需要研究亲代的性状传递给子代的途径，蜜蜂个体间产生差异和同一群蜜蜂在不同环境下所表现的不同性状等问题。

一、遗传的细胞学基础

细胞是构成生物体形态结构和生命活动的基本单位。蜜蜂各系统的器官和组织均由细胞组成，蜜蜂的形态、行为、遗传、变异等一切生命活动都与细胞有关。

（一）细胞构造

不同组织的细胞形状、大小差异很大，但大多数细胞都是由细胞膜、细胞质和细胞核等组成的。在细胞质中有很多形态各异、功能不同的细胞器（图 6 – 1）。

1. 细胞膜　蜜蜂的细胞与多数动物细胞一样，最外层由一层膜包围。这层膜称为细胞膜。蜜蜂细胞膜的化学成分主要为类脂质、蛋白质和少量的碳水化合物。细胞膜是生物膜的一种，除细胞膜外，细胞中的细胞核及许多细胞器均存在生物膜。从某种意义上，生物膜的生成是生命形成的起点。

细胞膜是细胞与外界联系的惟一途径，是细胞进行生化反应的表面。细胞膜能够有选择地让一些物质通过，也能阻止细胞内有机物质的渗出，即能调节细胞外营养物质的渗入及细胞内代谢物质的排出。细胞膜的这一功能主要由细胞膜中的蛋白质与某些物质结合，改变膜的通透性所致。细胞膜还有保持细胞的形状、保护细胞免受外界环境损害等功能。

2. 细胞质　细胞膜与细胞核中间的物质，称为细胞质。细胞质由呈胶体溶液的基质和形态功能各异的细胞器构成。基质是未分化的细胞质，内含许多蛋白质和脂肪在内的氨基酸分子和电解质。细胞器是指细胞质中除了细胞核以外的一些具有一定形态、结构和功能的物质，包括线粒体、质体、内质网、核糖体、高尔基体、溶酶体、中心粒等。细胞器在细胞机能中起着重要的作用。

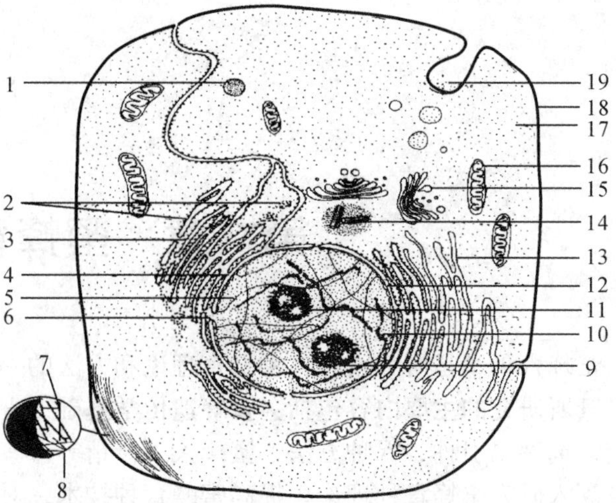

图 6－1　动物细胞模式（仿翟中和，1995）

1. 溶酶体　2. 核糖体　3. 粗面内质网　4. 核纤维　5. 核基质　6. 核孔　7. 微管　8. 微丝　9. 核仁　10. 染色体　11. 细胞核　12. 核膜　13. 光面内质网　14. 中心粒　15. 高尔基体　16. 线粒体　17. 细胞质　18. 细胞膜　19. 吞噬泡

（1）线粒体：线粒体是蜜蜂细胞一种重要和独特的细胞器，通过细胞内氧化磷酸化作用进行能量转换，提供细胞进行各种生命活动所需的能量。线粒体将糖、脂肪和氨基酸最终氧化并释放能量的共同途径为三羧酸、电子传递和氧化磷酸化。

线粒体的形态多种多样，多呈圆柱形和椭球形，由 1 层内膜和 1 层外膜构成。线粒体的内膜向内折叠形成褶脊，将其内部分隔成许多小室。

（2）内质网和核糖体：内质网是由 1 层膜质形成的囊状、泡状和管状结构，由于它靠近细胞质的内侧，所以称其为内质网。细胞质中的内质网有两种：无核糖体颗粒附着的称为光面内质网，在内质网的膜表面附着核糖体颗粒的称为粗面内质网。

光面内质网通常为小管和小囊状结构，广泛存在于能合成胆固醇的细胞中，是脂类合成的重要场所。其主要功能有三方面：脂类的合成与转运，解毒作用，离子调节作用。

粗面内质网多呈扁囊状，排列整齐，是核糖体和内质网共同构成的复合机能结构，普遍存在于分泌蛋白质的细胞中。其主要功能有四方面，都与蛋白质的生成和运输有关：参与蛋白质的合成，蛋白质的运输，蛋白质的修饰与加工，新生肽的折叠与组装。

（3）高尔基体：高尔基体是由扁平囊泡、小囊泡、大囊泡组成，是具有极性的细胞器。靠近细胞中心的一面称为顺面，或称形成面；远离细胞中心的一面称为反面，或成熟面。这两个面的形态、化学组成和功能都不同。

扁平囊泡是高尔基体主体部分，一般由 3～10 层扁平膜囊平行排列在一起组成 1 个扁平膜囊堆。小囊泡着生在扁平囊泡周围，多集中于高尔基复合体的形成面。小囊泡不断地与高尔基体的扁平囊融合，使扁平囊泡的膜得到补充。大囊泡也称为浓缩泡或分泌泡，多见于扁平囊泡扩大的末端，主要位于成熟面。

高尔基体的主要功能是参与细胞分泌活动，将内质网合成的多种蛋白质进行加工、分类与包装，然后分门别类地运送到细胞的特定部位或分泌到细胞外。高尔基体是细胞内物质运输的交通枢纽。

（4）溶酶体：溶酶体是细胞中小球状的细胞器，外面由1层膜包被，膜内含有多种水解酶，在细胞内起消化和保护作用。溶酶体内含有60多种酶，酸性磷酸酶是其中的标志酶。

溶酶体的两大主要功能是自噬和异体吞噬。自噬作用是溶酶体对自身结构的吞噬降解。通过溶酶体的自噬作用，不断地清除细胞内有害物质，来维持细胞内环境的稳定，是细胞为生存做出的一种自我保护性反应。异体吞噬作用是将侵入细胞的病毒、细菌等异物吞噬，防御细胞受到损害。外来异物进入细胞后，在异物周围很快形成由膜包围的吞噬小体，溶酶体与吞噬小体融合后，将吞噬物水解消化。

（5）中心粒：中心粒是呈圆筒形的细胞器，其壁由9根细管组成，每根细管由3根更细的微管组成。每个细胞的核膜外都有2个中心粒，互成直角。中心粒多在有丝分裂时显现较清楚。中心粒在细胞分裂时起重要作用，构成纺锤丝的微小管就是从中心粒长出的。

3. 细胞核　细胞核由核膜、染色体、核基质和核仁组成（图6－2），是遗传物质脱氧核糖核酸（DNA）复制和核糖核酸（RNA）转录中心。细胞核有两个主要功能：一是通过DNA的复制和细胞分裂，保持细胞世代间的连续性；二是通过基因的选择性表达，控制细胞的代谢活动，以适应外界环境。

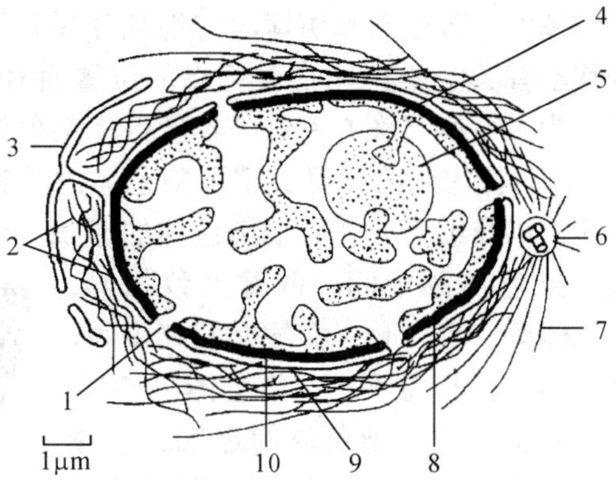

图6－2　细胞核

1. 核孔　2. 中间纤维　3. 内质网　4. 染色质　5. 核仁　6. 中心体　7. 微管　8. 核纤维　9. 外膜　10. 内膜

核膜由2层膜组成，内外膜之间有极薄的透明腔，称为核周腔。核膜上有孔，由内、外膜融合而成，可能是细胞核与细胞质进行物质交换的渠道之一。核仁是细胞核中匀质的球体，由纤维区、颗粒区、核仁染色质、基质四部分组成。核仁周围无膜结构。核仁的化学成分主要是蛋白质和RNA。核仁的主要功能是进行核糖体RNA的合成。核膜以内核仁以外的物质为核质，核质由染色质和核液组成。细胞分裂间期，在光学显微镜下观察，核质是均匀的。细胞经染色处理后，核质部分染色较深，部分未染色或染色较浅。核质染色较深部分的物质称为染色质，较浅部分的为核液。染色质在细胞核中呈粒状、丝状或结成网状而散布于核液中。在细胞分裂过程中，染色质聚缩成棒状结构，形成染色体。染色质和染色体在化学本质上没有差别，只是构型上有所不同，是遗传物质在细胞周期不同阶段的不同表现形式。染色质主要成分为DNA和组蛋白组成的复合物。

(二) 染色体

染色体是细胞核中最重要而稳定的成分，具有特定的形态结构和一定的数目，主要由 DNA 和组蛋白组成。在有丝分裂后期的染色体一般呈圆柱形，外有表膜，内有基质。在基质穴中有 2 根蜷曲相互缠绕的染色线，贯穿整个染色体。在染色线上常出现有一定排列顺序的许多小颗粒，称为染色粒。同一染色体上染色粒大小不匀，以不规则的间隔排列着。在染色体上的某一位置有一不易着色的区域，称为着丝点。每一条染色体只有 1 个着丝点。当细胞分裂时，在着丝点上附着纺锤丝。着丝点和纺锤丝与细胞分裂时染色体的移动有关。染色体在着丝点的位置直径较小，也称为主缢痕（图 6－3）。着丝点将染色体分成 2 个臂，着丝点的位置决定了染色体两条臂的长短比例以及细胞分裂后期染色体的形状。着丝点位于染色体的中间，两臂大致相等，染色体呈“V”形；着丝点偏离中间，染色体两臂长短不一，染色体呈“L”形；着丝点位于染色体的近端，呈棒状；染色体的两臂皆很短，则呈粒状（图 6－4）。

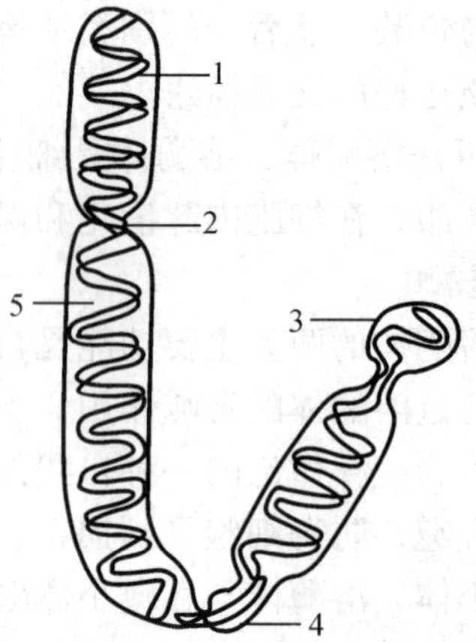

图 6－3 染色体后期形态结构（引自 E. D. P. 戴罗伯底斯，1961）
1. 染色丝 2. 次缢痕 3. 随体 4. 着丝点 5. 染色体基质

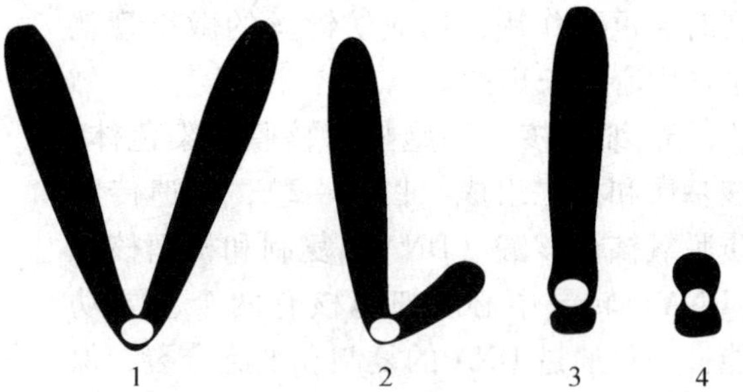

图 6－4 有丝分裂后期染色体形态（引自 E. D. P. 戴罗伯底斯，1961）
1. “V”形染色体 2. “L”形染色体 3. 棒形染色体 4. 粒状染色体

染色体具有自我复制能力，它在控制蜜蜂性状的遗传和变异上具有极其重要的作用，是蜜蜂遗传物质的主要载体。遗传学中常把控制生物性状的遗传物质单位，叫做基因。基因实际就是染色体的 DNA 分子的小片段。因此，每条染色体上都排列着许多基因，蜜蜂形态和行为等每一性状都是由相应的基因控制。例如，蜜蜂的体色、吻长、王浆腺小囊数、分蜂性、采集力、盗性等都是由一定基因控制的。

一般动物的正常细胞中，染色体都是成对的，一部分来源于父亲，另一部分来源于母亲。成对的 2 个染色体称为同源染色体。蜜蜂属各种蜜蜂体细胞的染色体数目，雌性蜂（包括蜂王和工蜂）16 对，为二倍体；雄性蜂 16 条，为单倍体。蜜蜂的未受精卵和精子等生殖细胞各有 16 条染色体，也为单倍体。蜜蜂雌性成虫的体细胞多为二倍体，但某些组织器官的体细胞存在多倍体。

在研究染色体形态时，常把细胞分裂中期的全部染色体按各对同源染色体的长度、着丝粒的位置以及随体的有无依次排列，并顺序编号，形成染色体组型，或称为核型。

蜜蜂的染色体组型还未完全清楚，现有的报道略有不同。西方蜜蜂（*Apis mellifera*）雄蜂的染色体组型中 8 条为中着丝粒染色体，8 条是近中着丝粒染色体，染色体长为 1.3～4.3μm。用秋水仙素处理单倍体雄蜂有丝分裂的精原细胞，采用 G－带和 C－带技术鉴定，西方蜜蜂和日本蜂（*Apis cerana japonica*）的染色体组型相同，其中 4 条为中着丝粒染色体，12 条为亚端着丝粒染色体。云南农业大学汪霞等对东方蜜蜂（*Apis cerana*）雄蜂染色体进行组型分析，其中 2 条为中着丝粒染色体，5 条为亚中着丝粒染色体，7 条为亚端着丝粒染色体，2 条为端着丝粒染色体（表 6－1），并认为东方蜜蜂存在着性染色体，分别命名为 Z 和 W。东方蜜蜂细胞分裂中期的染色体长度为 1.3～6.3μm。

表 6－1 东方蜜蜂雄蜂染色体形态 （单位：μm）

编号	1	2	3	4	5	6	7	8	9	10	11	12	13	14	15	16
相对长度	11.2	8.8	7.6	7.3	7.3	6.8	6.8	6.5	6.1	5.5	5.2	5.1	4.7	4.6	3.9	2.7
长臂或短臂	1.1	2.9	6.8	2.8	14.0	3.7	3.4	2.9	1.1	3.8	5.6	4.2	5.0	8.4	1.8	2.5
着丝粒位置	中着丝粒	亚中着丝粒	亚端着丝粒	亚中着丝粒	端着丝粒	亚端着丝粒	亚端着丝粒	亚中着丝粒	中着丝粒	亚端着丝粒	亚端着丝粒	亚端着丝粒	亚端着丝粒	端着丝粒	亚中着丝粒	亚中着丝粒

注：引自汪霞（1988）

（三）细胞分裂

蜜蜂个体的产生和生长发育均与细胞的分裂有关。通过细胞的有丝分裂，使细胞的数量增多，蜜蜂才能够生长发育；通过细胞的减数分裂，产生了雌雄生殖细胞，使得蜜蜂新的个体产生。

1. 有丝分裂 蜜蜂体细胞的分裂均为有丝分裂。有丝分裂包含紧密相连的两个过程，一是细胞核分裂，二是细胞质分裂。根据核分裂的变化特征，可将有丝分裂过程分为 4 个时期：前期、中期、后期、末期。在细胞 2 次分裂之间还有 1 个间期。

（1）间期：间期是细胞 2 次分裂之间的一段时间，在光学显微镜下观察，细胞核均匀一致，看不见染色体。间期是细胞为有丝分裂进行物质准备的阶段，在此期间细胞中主要成分及细胞体积都增加 1 倍。

根据 DNA 合成特点，可将间期分为三个时期：合成前期 G_1、合成期 S 和合成后期 G_2。G_1 主要合成 RNA 及核糖体；S 是 DNA 的主要合成期，同时还合成组蛋白和 DNA 复制所需的酶；G_2 大量合成 RNA 和蛋白质，包括微管蛋白和促成熟因子。

（2）前期：染色体逐渐明显，可见每一染色体纵向分裂为 2 个染色单体。中心粒一分为二，向核的两极移动，在其周围出现纺锤丝。核仁和核膜逐渐消失。

（3）中期：核膜完全消失。染色体向赤道板移动，最后在赤道板上排成一圈。着丝点与纺锤丝连接。此时的染色体缩短到比较固定的状态，适合进行染色体形态和数目的观察。

（4）后期：染色体从着丝点分裂为二，2套子染色体被纺锤丝分别拉向两极。由于各染色体上着丝点位置的不同，使后期的染色体呈现出“V”形、“L”形、棒形和粒形。

（5）末期：分裂后期2套染色体开始各在一极聚集，并变细变长，纺锤丝逐渐消失，核仁和核膜重新出现，逐渐形成2个子细胞。

2. 减数分裂 减数分裂又称成熟分裂，是动物产生配子的细胞分裂方式。细胞减数分裂后，每一配子细胞的染色体数量比母细胞减少一半。一般动物的减数分裂过程为连续2次分裂，分别为减数第一分裂（分裂Ⅰ）和减数第二分裂（分裂Ⅱ）（图6－5）。

（1）减数第一次分裂：可分为4期，即前期Ⅰ、中期Ⅰ、后期Ⅰ和末期Ⅰ。

①前期Ⅰ：前期Ⅰ较复杂，呈现许多减数分裂特征变化，进一步又可分为5期。细线期染色体形状逐步明显，染色体细长如线，分散在整个细胞核内。偶线期同源染色体并联配对，这种现象称为联会。粗线期染色体缩短变粗，每条染色体分裂成2条姊妹单体，因着丝点未分裂，故2条染色单体还连在一起。双线期染色体继续变短，2条配偶染色体间只有1处或几处连接，形成交叉状，染色体在交叉处将产生交换。终变期染色体向赤道移动，纺锤丝开始出现。

②中期Ⅰ：核膜、核仁消失，染色体排列于赤道板上，2个配偶染色体的着丝点向着两极逐渐远离。

③后期Ⅰ：同源染色体分开向两极移动。同源染色体中的1条染色体移向哪一极则是随机的。姊妹染色体也有分开的趋势，但由于着丝点还未分开，故暂时还连在一起。

④末期Ⅰ：纺锤丝开始消失，核膜出现，核仁形成。细胞质分裂，形成2个子细胞。

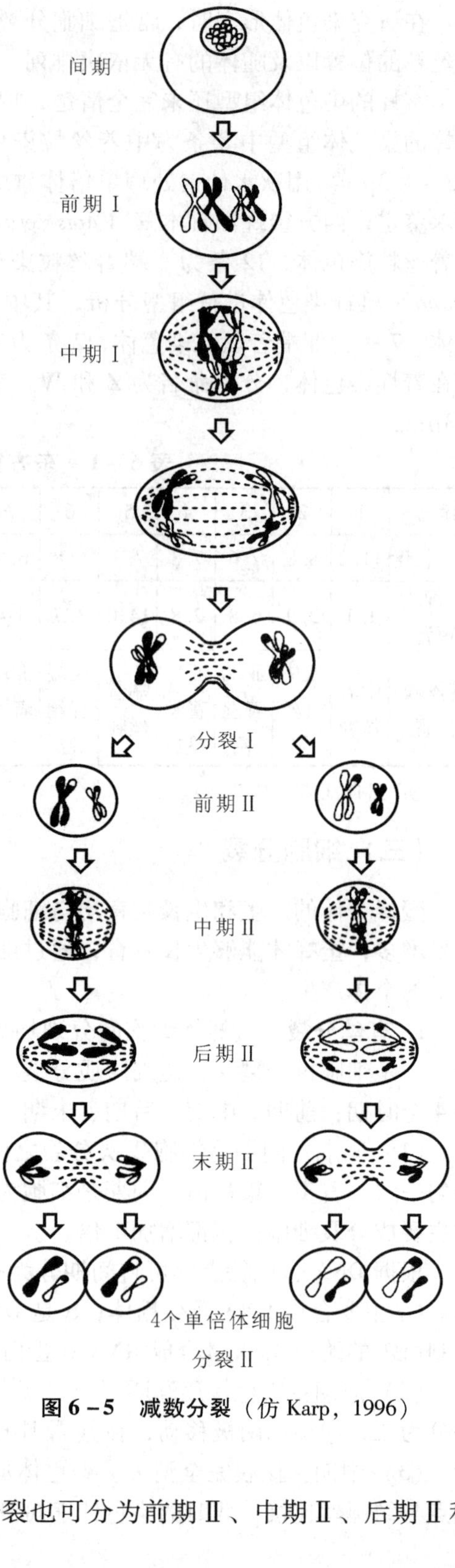

图6－5 减数分裂（仿 Karp，1996）

（2）减数第二次分裂：虽然减数第二次分裂也可分为前期Ⅱ、中期Ⅱ、后期Ⅱ和末期Ⅱ，但比减数第一次分裂简单。

前期Ⅱ每条染色体有2条染色单体，2条染色单体分散得很开，但着丝点还未分开。中期Ⅱ每条染色体的着丝点整齐地排列在赤道板上，然后着丝点开始分裂。后期Ⅱ染色单体分别由纺锤丝拉向两极。末期Ⅱ拉到两极的染色体形成新的子核，同时细胞质分为两部分。

(3) 蜜蜂配子的形成：

①精子形成：多数昆虫雄虫的精原细胞为二倍体，经减数分裂后形成4个精子。蜜蜂与一般昆虫有所不同，雄蜂本身就是单倍体，其精原细胞、初级精母细胞和次级精母细胞的染色体数目均为单倍数，两次分裂均为有丝分裂（图6-6）。

精原细胞在睾丸精小管中分裂增殖。其中部分精原细胞停止分裂，细胞体增大，进入成熟期，成为初级精母细胞。初级精母细胞连续进行2次成熟分裂，形成2个精子。第一次成熟分裂的精母细胞分裂产生1个具有原细胞核的次级精母细胞和1个小的无细胞核的“质体”。次级精母细胞经第二次成熟分裂产生2个精细胞，但在分裂过程中，2个精细胞的细胞质分裂却不等量。其中1个精细胞含有较多的细胞质，经变态后形成精子；而含细胞质较少的精细胞，需再经数天的发育才变态形成精子。

②卵子形成：卵原细胞在卵巢管的卵原区分裂增殖，其中部分卵原细胞停止分裂，进入生长期，细胞体增大成为初级卵母细胞，其染色体组型与雌性蜂体细胞的染色体组

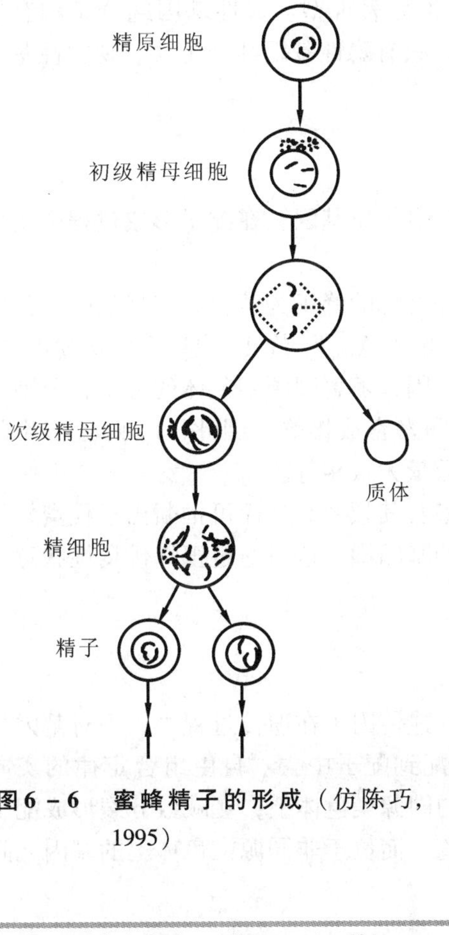

图6-6　蜜蜂精子的形成（仿陈巧，1995）

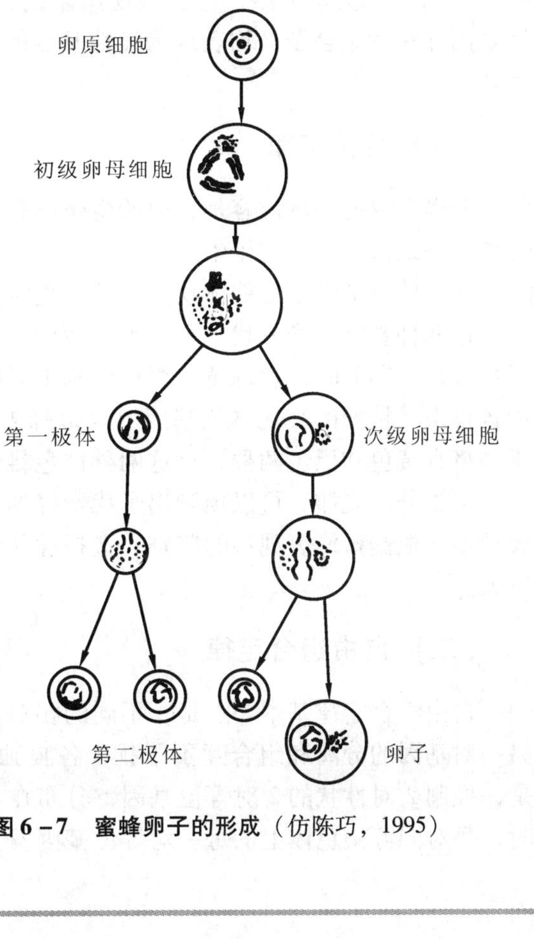

图6-7　蜜蜂卵子的形成（仿陈巧，1995）

型相同，为 32 条染色体。

一个卵原细胞在发育完全的卵内进行成熟分裂。卵原细胞连续 2 次成熟分裂，第一次成熟分裂的卵母细胞称为初级卵母细胞，第二次成熟分裂形成卵子。初级卵母细胞第一次分裂后，由于细胞质分裂不均等，产生 1 个染色体减半的次级卵母细胞和 1 个小细胞，称为第一极体。次级卵母细胞再进行第二次成熟分裂，产生 1 个成熟卵子和 1 个第二极体。第一极体也可能再次分裂成 2 个第二极体。在卵子发生的过程中，1 个卵母细胞只产生 1 个有效的卵核，所有的极体最终退化，不参与受精（图 6－7）。

二、遗传的基本规律

遗传学把生物体所表现的形态特征和生理特性等，统称为性状。研究蜜蜂遗传和变异的内在规律，应根据连续世代之间性状的表现进行分析。蜜蜂所表现的性状，与其他生物一样，很多都是由基因控制的。所以，蜜蜂的性状遗传也符合生物的遗传规律。在生物遗传的基本规律中，最主要的有分离定律、自由组合定律和连锁定律。

由基因控制的性状有显性和隐性的现象，控制显性性状的基因称显性基因，控制隐性性状的基因称隐性基因。一般显性基因用大写的英文字母表示，隐性基因用小写的英文字母表示。同源染色体相同位点的基因，称等位基因；等位基因共同控制该位点的性状。等位基因相同，如 CC 或 cc，称为纯合子；等位基因不同，如 Cc，称杂合子。CC、cc、Cc 等，称为基因型；它们表现出来的性状，称为表现型。显性基因纯合子和有显性基因存在的杂合子，均表现为显性基因的性状；只有隐性基因纯合子才表现隐性基因性状。

（一）分离定律

分离定律的基本内容是，原始生殖细胞中的 1 对等位基因，在配子形成过程中发生分离，分别进入 2 个配子中。

蜜蜂体色的性状最能体现典型的分离定律。如意蜂的蜂王为黄色，喀蜂的蜂王为黑色，这两种蜜蜂杂交一代（F_1）蜂王为黄黑相间的杂色。F_1 蜂王在卵子形成过程中，减数分裂后期Ⅱ时，表现黄、黑性状的 1 对等位基因，随着同源染色体的分离，分别成为各自未受精卵的表现体色基因。因蜜蜂未受精卵发育成雄蜂，因此，F_1 蜂王产生的雄蜂将有黄色和黑色两种，且这两种体色雄蜂的数量大致相等。

根据分离规律，可以预测出子代蜜蜂的基因型及其频率，从而可推断出子代蜜蜂的表现型。根据蜜蜂表现型的鉴别，选择性状优良的基因型，这对稳定蜜蜂优良性状意义重大。

（二）自由组合定律

自由组合定律基本要点是，不同的相对性状的遗传因子在遗传过程中，一对基因与另一对基因的分离和组合互不干扰，各自独立分配到配子中去。自由组合定律的实质是，控制 2 对性状的 2 对等位基因，分布在不同的同源染色体上，在减数分裂形成配子时，每对同源染色体上的每一对等位基因发生分离，而位于非同源染色体上的基因之间可以自由组合。这一过程始于减数分裂中期Ⅰ，完成于减数分裂末期Ⅰ（图6－8）。

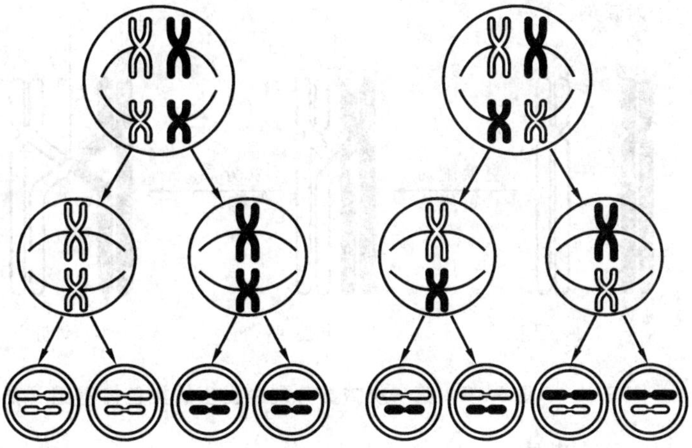

图6－8　第一次减数分裂中染色体自由组合（仿胡玉佳，1999）

蜜蜂的“卫生”行为表现型有两种：一是将已病死幼虫的封盖巢房打开，另一是将打开房盖的死虫清除，这种行为由2对等位基因控制。不打开房盖的为显性基因A，打开房盖的为隐性基因a；不清除死虫的为显性基因B，清除死虫的为隐性基因b。如果既不打开房盖又不清除病虫的纯合子蜂王（基因型为AABB）与既打开房盖又清除病虫的基因型（ab）雄蜂交配，产生的F_1代蜂王的基因型为AaBb，其表现型均为既不打开房盖又不清除病虫。F_1代蜂王减数分裂时根据自由组合定律将产生4种配子（受精前的卵），其基因型分别为AB、Ab、aB、ab。F_1蜂王再与基因型ab雄蜂交配（回交），产生的F_2代蜂王将有4种基因型，AaBb、Aabb、aaBb、aabb。相应的表现型也有4种：既不打开房盖又不清除病虫（AaBb），不打开房盖但清除病虫（Aabb），打开房盖但不清除病虫（aaBb），既打开房盖又清除病虫（aabb）。

（三）连锁和重组定律

1. 连锁遗传　亲本所具有的2个不同性状，或2个不同的基因，在子代F_2中往往还连在一起遗传。连锁遗传的原因是，这2个性状的基因位于同一条染色体上。蜜蜂有些突变性状就存在连锁遗传现象。如黄绿眼突变基因与无毛突变基因就位于同一条染色体上，其性状表现为黄绿眼的蜜蜂就一定无毛，反之无毛的蜜蜂也一定是黄绿眼。

全面了解蜜蜂基因连锁遗传规律，在蜜蜂育种工作中，便可由一个较直观的性状推断另一个相连锁的性状。这样可有效地选择所需要的基因型，提高蜜蜂育种效率。

2. 染色体重组　染色体重组就是在减数分裂的过程中，同源染色体的某些片断发生互换，使得某些性状的基因从一条染色体转移到另一同源染色体上（图6－9）。这一过程发生在减数分裂前期Ⅰ。染色体重组现象导致在单条染色体上同时存在父本和母本基因，有助于产生的配子多样化。

三、遗传与变异

遗传和变异是生物普遍存在的现象。生物有了遗传特性，世界上才有稳定的物种存在；而变异的特性使得世界上的生物丰富多样。例如，现在有的学者认为蜜蜂有7种，每种蜜蜂还有许多地理亚种，人们根据需要还培育出很多优良品种。

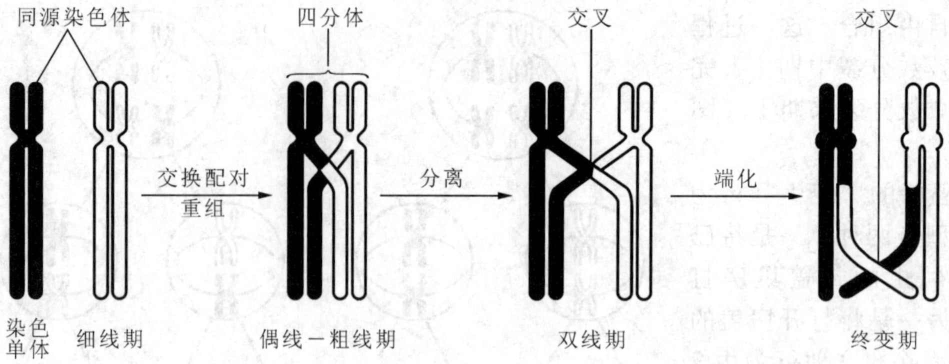

图6－9　第一次减数分裂中发生的染色体重组（仿胡玉佳，1999）

（一）遗传

遗传就是子代与亲代基因、性状的相似性。如在分蜂性强的蜂群培育出来的蜂王，其所在蜂群分蜂性也强烈。蜜蜂的遗传表现，主要有显性、隐性遗传和中间遗传两种形式。

显性、隐性遗传在等位基因不同时，只显示1种基因（显性基因）性状的遗传方式，隐性基因只在完全纯合时才表现其性状。蜜蜂卫生行为的基因就是由显性基因和隐性基因控制的。中间遗传是双亲的某一等位基因性状在子代蜜蜂上均有反映。如意蜂和喀蜂杂交产生中间体色。

杂种优势是指不同纯种双亲的某一个性状在子代中的表现超过了父本和母本的现象。

（二）变异

变异是指同一类生物类型（主要指同一物种）之间显著或不显著的个体差异。蜜蜂的变异不仅发生于形态构造，也发生在生理生化和行为特点等方面。例如，有的蜜蜂个体更耐寒，就是因为体内脂肪含量高所致；有的蜜蜂个体采蜜能力更强等。根据变异是否能够遗传，可分为遗传变异和非遗传变异；根据一定范围的蜂群中蜜蜂个体发生变异的相似性，可分为一定变异和不定变异。

1. 遗传变异和不遗传变异　遗传变异属于基因型变异，也就是遗传物质染色体发生了突变。这种变异可通过有性繁殖，将这种变异遗传给后代。在自然界，蜜蜂个体发生的这种变异如果有利于其生存，通过自然选择将此基因保留下来，否则就被淘汰。在人工育种过程中，发现有利于养蜂需要的变异，并采取相应的育种手段，就能培养出某一性状突出的蜜蜂品种。而近年来在养王过程中，出现的侏儒蜂王，要及时淘汰。

不遗传变异主要由环境引起的形态或外表的变化，这种变异一般是不能直接遗传的。例如，蜜蜂在蜜粉源丰富的季节发育个体大、寿命长。在蜜蜂育种工作中，选种时首要的就是对发现蜜蜂新的性状应准确判断是否是遗传变异。

2. 一定变异和不定变异　一定变异也称为定向变异，是指同一种蜜蜂在相似的条件下发生的相似变异。如中华蜜蜂，分布在较冷的地区，其群势较强，蜜蜂体色较深。

不定变异也称为不定向变异，是指同一种蜜蜂在相似的条件下，所发生的不同方向的变异。如同一批培育的蜂王，初生重、产卵力等都有所差异。

一般认为，遗传的不定变异是蜜蜂进化的动力，不定变异通过自然选择或人工选择，才发生定向变化，导致新的蜜蜂类型产生。

3. 变异原因 性状（表型）是由遗传和环境相互作用的产物。基因型 + 环境→表型，由此可知，生物表型发生变化，其原因主要有二：基因型的变异和环境条件的变化。因为环境型的变异不具遗传性，所以，在蜜蜂育种中我们更关注基因型的变异。

遗传物质基础的变化主要有两种类型，一是基因重组，二是突变。

基因重组发生在有性生殖过程中细胞减数分裂的前期Ⅰ，杂交产生的杂种，杂种在形成配子时，同源染色体配对时发生 DNA 交换。这种遗传重组过程产生的单个染色体中既有父本的，也有母本的基因，使每个细胞都含有新重组的遗传信息（图 6-9）。雌雄配子的融合，把不同遗传特征的父母本的遗传物质混在一起，既能够稳定蜜蜂的遗传性，又能为子代增强适应环境的能力。

突变包括基因重组和基因突变。基因突变是染色体某一位点的化学变化。DNA 是染色体的主要成分，DNA 分子中某一段碱基的排列顺序改变，基因的性质也就随之改变。染色体的畸变是指染色体数目的改变或染色体结构的改变。突变可自发产生，也可诱发产生。自发产生的突变与诱发产生的突变没有质的区别，只是后者的数量比前者多得多。用物理或化学方法可诱发产生突变，称人工诱变。人工诱变可大大提高蜜蜂育种突变率。

四、蜂群成员的血缘和作用

由于同一蜂群的工蜂来自同一母本蜂王和不同父本雄蜂的基因，蜂群中工蜂之间的血缘关系比较复杂。

在蜜蜂群体中，由于蜂王一雌多雄的交配方式，在蜂群中出现了由同父同母生育的子代超同胞和由同母异父生育子代的全同胞和半同胞的关系。于是一个蜂群中也就出现了多个“小家庭”。利用 DNA 指纹技术现已能准确对蜂群中小家庭的成员进行识别。研究表明，西方蜜蜂同一个小家庭的工蜂在行为上趋同，不同小家庭的工蜂在行为上有较大的差异。但是，欧阳燕等利用寡聚核苷酸 DNA 指纹研究表明，中蜂一雌多雄的蜂群，同一特定行为组的工蜂并不是来源于同一个小家庭。

1. 蜂王与来自不同蜂群的雄蜂交配 自然条件下，与蜂王交配的雄蜂大部来自不同的蜂群，即雄蜂有不同的母亲。自由交配的蜂王所产的受精卵，有些是与来自同一雄蜂的精子受精的，有些是以不同雄蜂的精子受精的。所以，蜂群可以认为是一个大家庭，它是由几个小家庭组成的。在这个大家庭里，蜂王是整个家庭的母亲，而与蜂王交配的每一只雄蜂只是其中一个小家庭的父亲。由于一只雄蜂是由未受精卵发育而成的单倍体，它的遗传物质来自蜂王，而与跟蜂王交配的父本雄蜂无关，因此，一只雄蜂所产生的精子在遗传性上是一致的。在蜂群大家庭内，同一个小家庭的两只工蜂要比不同小家庭的工蜂彼此之间的血缘关系更近。同一个小家庭的工蜂称为“超同胞”，不同小家庭的工蜂是“半同胞”。

2. 蜂王同时与来自本群和不同蜂群的数只雄蜂交配　这种情况下，蜂王的雌性后代将由超同胞、全同胞和半同胞组成。其中，由一只雄蜂授精产生的全体雌性蜂是超同胞，由来自同一群不同雄蜂授精产生的全体雌性蜂，彼此之间是全同胞；由来自不同群不同的雄蜂授精所产生的后代雄蜂，彼此之间是半同胞。

3. 蜂王与来自同一群的数只雄蜂交配　这种交配方式在自然情况下很少发生，但在蜜蜂人工授精中常被采用。这种交配方式可产生超同胞和全同胞，但没有半同胞。

4. 蜂王与1只雄蜂交配　这种交配多在人工授精中出现。由这种交配所产生的雌性蜂，具有同一个母亲和同一个父亲，它们彼此之间都是超同胞。

五、遗传的性别决定

蜜蜂以群体为单位生存和发展，社会性程度较高。蜂群中任何个体都不能离开群体独立生活。蜂群通常由2种性别的3种类型蜜蜂个体组成，即蜂王、工蜂和雄蜂。这3种类型蜜蜂，在养蜂学中统称为“三型蜂”。以昆虫学和生物学的观点，蜂群仍是由两性蜂组成的，即雌性蜜蜂和雄性蜜蜂。在雌性蜜蜂中又分化出2种级型：蜂王和工蜂。

（一）蜜蜂的性别决定机制

为什么蜜蜂卵有些发育成雄蜂，而有些则发育成雌蜂？这就是蜜蜂性别决定机制的问题。

最初发现，受精的二倍体卵发育成雌蜂，而未受精的单倍体卵发育成雄蜂，因此认为，蜜蜂性别是由卵的受精与否所决定的。这一蜜蜂性别决定的理论在养蜂生产中得到了普遍的应用。例如，利用处女王产下的卵生产雄蜂蛹，培育种用雄蜂等。但是，随着对蜜蜂研究的深入，发现特殊情况下受精卵也能发育成雄蜂，孤雌生殖的未受精卵也可能发育成雌性蜂。这些个别现象的出现，对卵的受精与否决定蜜蜂性别的理论提出了挑战。如在蜜蜂育种过程中，高度近交的蜂群中出现了二倍体雄蜂；海角蜜蜂的处女王，以及用秋水仙素处理的意大利蜜蜂处女王，孤雌生殖的卵可培育出部分雌性蜂。

蜜蜂的性别决定机制问题，至今尚未完全解决。只是根据一定的事实，提出了许多解释这些现象的科学假说。

1. 基因平衡假说　这种假说认为，蜜蜂染色体中存在2种性别决定基因：雄性决定基因和雌性决定基因。前者存在于常染色体中，后者存在于性染色体中。蜜蜂的性别，就是由这两种性别决定基因的力量平衡决定的。雌性决定基因有相加作用，而雄性决定基因没有相加作用。假如雌性决定因素（f）的力量是40，雄性决定因素（m）力量是50，那么，单倍体蜜蜂的性别决定力量为m（50）$>f$（40），雄性力量大于雌性力量，显示雄性；二倍体蜜蜂的性别决定力量为ff（40+40）$>mm$（50），雌性力量大于雄性力量，显示雌性。但是，这一假说很难解释二倍体雄蜂的存在。

为弥补上述缺陷，Chau－Netto对基因平衡假说进行了修正。他认为，蜜蜂的雄性决定因素具有微小的累加效应。单倍体雄蜂的性别决定力量为$m_1+m_2>x_1+f$，二倍体雄蜂的性别决定力量为$2m_1+2m_2>x_1x_1+ff$，二倍体雌蜂的性别决定力量为$x_1x_2+ff>2m_1+2m_2$。因此，蜜蜂性别决定可以看作是无累加（或极小累加）效应的雄性基因，与全部有累加（或几乎全部）效应的雌性基因平衡的结果。X等位基因纯合时，雌性决定基因无累加效应；而杂合时，具有累加效应。

2. 多等位基因假说　认为蜜蜂性别是由1对性等位基因决定的。在性染色体的性位点（X）上具有许多复等位基因（X_1、X_2、X_3…）。在蜜蜂染色体上，现已发现12个性等位基因。如果蜂王（X_1X_2）与1只雄蜂（X_3）交配，产生的后代在性位点上性等位基因是杂合体（X_1X_3 或 X_2X_3），所以发育出来的均是雌蜂。当 F_1 代处女王（X_1X_3）与其一兄弟（X_1）雄蜂交配时，则产生两种类型的卵：杂合体（X_1X_3）发育成雌蜂，纯合体（X_1X_1）发育成二倍体雄蜂。如果 F_1 代处女王与其另一兄弟（X_2）交配，则后代为 X_1X_2 和 X_2X_3，均为杂合体，即可全部发育成雌蜂。单倍体蜜蜂由于只有1个性位点，不可能是杂合的，所以，单倍体蜜蜂只能是雄性的。

这一假说能够很好地解释二倍体雄蜂的现象。在一般情况下，由于一只蜂王与多只雄蜂交配，所以，受精卵的性等位基因多为杂合，故发育成雌性蜂。在高度近亲交配的情况下，受精卵的性等位基因往往纯合，从而出现二倍体雄蜂。这一假说在麦蜂性别决定的研究中得到了部分证实。

3. 多杂合基因假说　主要论点是，性别决定至少涉及2个基因位点，每一基因位点都是复等位基因，复等位基因可以多达十几个等位基因；当2个等位基因都为纯合时，才表现雄性，如果2个位点都是杂合的，或1个位点纯合和1个位点杂合，则表现雌性。按照这一假说，正常情况下出现二倍体雄蜂的可能性非常小。

4. 多杂合基因和基因平衡的综合假说　依然承认蜜蜂细胞中分别存在雌性和雄性决定基因，但雄性决定基因只有在2对雌性等位基因均为纯合时，才能表达出来；在2对雌性等位基因均为杂合子，或1对雌性等位基因为杂合子时，雄性决定基因不能表达出来。

5. 雄性因素表达控制基因假说　中国现代养蜂家周崧曾用秋水仙素处理处女王，得到部分纯合子二倍体雌蜂，这一现象无法用上述假说解释。张宗炳提出，除了具有雄性决定因素（m_1m_2）和雌性决定因素（2个性位点，至少有2对等位基因）之外，还存在雄性表达和控制基因。雄性表达基因为 E，雄性控制基因为 e。雄性表达和控制基因，只有在雌性等位基因纯合时才起作用。雄性控制基因 e 具有相加性，单个 e 无法控制雄性基因的表达，只有在 ee 的情况下，才能抑制雄性基因的表达。

6. 多等位基因的基因平衡假说　为了解释纯合子二倍体雌蜂的存在，张宗炳吸取了多杂合基因假说、多等位基因假说及基因平衡假说等3个理论的长处，又综合提出了该假说。

蜜蜂的雌性决定基因有2个位点，每个位点有不同数目的等位基因。每一位点上的不同等位基因性别表达的能力有所不同，但是这些等位基因所表达的雌性力量均大于雄性表达力量。如果卵细胞内的雌性基因表达力量的总和大于雄性基因表达力量的总和，将发育成雌性蜜蜂；反之，就发育成雄性蜜蜂。

若出现雌雄决定因素的力量相等时，按此假说推理是完全可能的，其解释只能是中性。如果这一假说成立，等位基因的雌雄决定力量要比我们假设的复杂得多。因此，实际出现中性蜜蜂的概率并不大。在现实中，确有养蜂学家观察到一些近似中性的蜜蜂个体。

（二）蜜蜂的孤雌生殖和二倍体雄蜂

蜜蜂的生殖方式兼有两性生殖和孤雌生殖的特点，两性生殖的二倍体受精卵发育成雌性蜂，孤雌生殖的单倍体未受精卵发育成雄性蜂。在一定的条件下，蜂群中也会出现未受精的二倍体卵发育成雌性蜜蜂和受精的二倍体卵发育成雄性蜜蜂的现象。另外，用秋水仙素处理处女蜂王，能使其产下少量未受精的纯合子二倍体卵，并发育成雌蜂。

1. 蜜蜂的孤雌生殖　孤雌生殖（parthenogenesis）就是未经受精的卵也能发育成正常的新个体的生殖方式。孤雌生殖在昆虫学中有 3 种类型：偶发性孤雌生殖、经常性孤雌生殖和周期性孤雌生殖。一般情况下，雌性蜜蜂产下的未受精卵发育成雄蜂，这种孤雌生殖方式属经常性孤雌生殖。但是在极个别的情况下，蜜蜂的未受精卵也能发育成雌性蜂，这一现象带有偶发性孤雌生殖的性质。蜜蜂偶发性孤雌生殖最典型的例子是海角蜜蜂的孤雌生殖产雌现象。

不同蜂种的蜜蜂，其孤雌生殖产雌的能力是不同的。海角蜜蜂的产卵工蜂所产下的未受精卵，几乎 100% 能够发育成雌性蜂；海角蜜蜂蜂王产下的未受精卵，有 70% 发育成了雌性蜂；卡尼鄂拉蜜蜂孤雌生殖的未受精卵约有 1% 发育成雌性蜂；高加索蜜蜂 23% 、意大利蜜蜂 9% 的处女王产生的未受精卵中有少于 1% 的卵可发育成工蜂；中蜂未受精卵的成雌率高于意大利蜜蜂；欧洲黑蜂的产卵工蜂产下的未受精卵，有 2% 可发育成工蜂。蜜蜂的产雌孤雌生殖能力，可通过选择得到加强。

关于蜜蜂孤雌生殖产雌的机制，即未受精卵发育成雌性蜂的细胞学机制，有许多学者进行了深入研究。通过大量的实验，1975 年以前就已证实，孤雌生殖的雌性蜂都是二倍体。以前人们曾认为，未受精的卵能发育成雌性蜂的原因，是由于 2 个单倍体的卵原核自体融合的结果，这种单倍体核是通过完全的减数分裂形成的。特里亚斯科则认为，这种双核卵的形成是由于卵中具有未成熟的细胞质，影响了引移原生质的形成，从而阻碍了成熟分裂的正常进行所致。

Verma 等成功地对海角蜜蜂孤雌生殖产雌进行了细胞学分析，证实了海角蜜蜂产卵工蜂产生的雌蜂是正常的二倍体。通过对工蜂成熟卵巢的解剖和组织切片，研究卵形成前后的细胞学现象。卵母细胞在第一次减数分裂期间形成了 1 个次级卵母细胞核和第一极体，这相当于蜂王卵的正常减数分裂，但是纺锤体的位置与正常的减数分裂有所不同。在第二次成熟分裂的后期形成了 4 个单倍体的核，它们排列成一条直线，与卵的表面平行（正常减数分裂的 4 个核也排列成一条直线，所不同的是这 4 个核形成的直线与卵的表面垂直）。这 4 个核其中有 1 个是卵细胞核，1 个来源于第一极体的第二极体，1 个来源于次级卵母细胞核的第二极体。稍后，2 个中间的核，即卵细胞核与来源于第一极体的第二极体融合，形成了二倍体的合子核。另外 2 个端核（1 个是来源于第一极体的第二极体，1 个是来源于次级卵母细胞的第二极体）随后降解。由此证明，海角蜜蜂工蜂产下的卵，在卵的形成过程中，确实经过了减数分裂，但是最终以卵细胞核与不同来源的第二极体核的融合，重新恢复了二倍体。至于为什么这两个核能融合，还没人对此做出解释。

2. 二倍体纯合子雌蜂　20世纪70年代末，我国著名的养蜂家周崧，用秋水仙素处理处女王的方法培育出雌性蜜蜂。在细胞的有丝分裂过程中，秋水仙素能阻止纺锤丝的形成，造成复制后的2个姊妹染色体单体不能向两极分离，使细胞中的染色体数目加倍。处女王在出台后第七、第八天，分别用0.02%秋水仙素20μl、0.04%秋水仙素10μl，从第三节和第四节腹部背板注入体腔。单交第一代处女王的母本是东北黑蜂，父本是黄色意大利蜜蜂。处女王在处理后第六至第十二天开始产卵。在开始产卵后第二十一天，工蜂羽化出房，第二十四天雄蜂开始出房。羽化工蜂的数量，第一天8只，第二天3只，第三天1只，以后出房的蜜蜂中再也没有工蜂出现。在此后的重复实验中也是表现出雌蜂只出现在蜂王刚开始产卵的最初几天，且出现雌蜂的数量逐日递减。处理后的蜂王开始产卵的第四天和第六天，移虫育王，能培育出蜂王的概率为2.5%和0.5%。

为了验证秋水仙素在这次实验中的作用，同时尝试用二氧化碳等一般方法刺激处女王，从其产下的卵中和从普通未受精的卵中培育出雌蜂，但都未成功。说明秋水仙素对处女王卵发育成雌蜂起到了一定的作用。雌性蜂只出现在产卵后的最初几天，也能说明秋水仙素对此项实验的作用。在周崧的研究中，值得注意的是，在培育出的雌性蜂中，无论是工蜂还是蜂王，都有体色分离的现象。秋水仙素在卵发育过程中的哪一阶段起作用，是关注的焦点。

如果秋水仙素作用于初级卵母细胞的第一次减数分裂，使其在细胞分裂中期Ⅰ纺锤丝不能形成，那么，产生的雌蜂应是保留母亲全部性状的杂合子二倍体。但是，实验中出现的雌蜂体色的性状分离现象，很难用杂合子二倍体来解释。

还有一种可能，秋水仙素作用于次级卵母细胞的第二次分裂，使其在减数分裂的中期Ⅱ中不能形成纺锤丝，阻止了来源于同一亲本的姊妹染色体分离。这样产生的雌蜂，应是纯合的二倍体。

张宗炳对此现象的可能性提出了不同的解释。他认为处女王经秋水仙素处理后，培育出体色性状分离的雌蜂，除了是纯合子二倍体外，还有两种可能：第一，基本上是纯合子，但是由于在第一次减数分裂的前期Ⅰ中双线期性等位基因在同源染色体中发生交换，而在性等位基因上杂合；第二，基本上是杂合子，所见到的体色基因由于交换而成为纯合，也就是只这一性状或少数的连锁性状是纯合的，大多数基因都是杂合的。

用秋水仙素处理处女王得到的雌蜂，究竟是不是纯合子二倍体，还有待于进一步的研究证实。如果确能通过孤雌生殖的方法，培育出纯合子二倍体雌蜂，不但对现有的蜜蜂性别决定理论提出严竣的挑战，而且对于蜜蜂育种技术的改革和蜜蜂遗传学理论研究都具有重要意义。

3. 二倍体纯合子雄蜂　20世纪40年代，为了用几个不同的蜜蜂近交系组配杂交以后，培育出具有各种优势的蜜蜂杂交组合，蜜蜂育种学家们采用了蜜蜂人工授精技术，培育高度近交的蜜蜂品系。在这项研究过程中发现，同一近交系的蜂王与其同胞雄蜂交配后，其产在工蜂巢房内的受精卵，孵化成幼虫后，约有一半不久就消失了。最初人们以为，这些消失的幼虫是因为近交造成的“生活力减弱”、“生理缺陷”或存在着“致死基因”所致。后来，对这些幼虫进行组织学和细胞学的研究，证明了它们是由受精卵发育而成的二倍体雄性蜜蜂幼虫。

在自然条件下，工蜂能够识别二倍体雄蜂幼虫，并将它们吃掉或拖弃。因此，在西方蜜蜂的蜂群中几乎是不会出现二倍体雄蜂的。波兰的蜜蜂育种学家 Woyke 观察到，西方蜜蜂的二倍体雄蜂幼虫通常是在孵化后 6h 内被哺育蜂取食，而印度蜜蜂则晚几天才会被清除。印度蜜蜂清除二倍体雄蜂幼虫的时间受外界蜜粉源条件的影响。蜜粉缺乏时，多数的二倍体雄蜂幼虫在 2 日龄时被取食，有一些甚至可存活到 5 日龄；在蜜粉源丰富的条件下，少数的二倍体雄蜂幼虫可达到成虫阶段。李位三等观察，中蜂产生二倍体雄蜂，幼虫多，存活时间长，成虫率高，这与 Woyke 报道的印度蜜蜂略有不同。二倍体雄蜂现象更接近蜜蜂的祖型，西方蜜蜂和东方蜜蜂培育二倍体雄蜂的特性，从另一侧面表明了东方蜜蜂比西方蜜蜂处于更早期的进化阶段。

Woyke 在一系列的研究中，确认这些“无生活力”的二倍体雄蜂，从卵孵化出来后并不是由于“生理缺陷”或“致死基因”而死亡，而是在幼虫期分泌了一种“同类相残的物质”，能被工蜂识别而被取食。通过人工培养，使它们与工蜂隔离，这些二倍体雄蜂幼虫就可以发育成雄蜂成虫。有人认为这种“同类相残物质”是戊烷类化合物。西方蜜蜂二倍体雄蜂幼虫的这种物质，主要在幼虫期的第一天产生，有少量的在第二天产生。如果将刚孵化的二倍体雄蜂小幼虫，与工蜂隔开 1 ~ 2d，再送回蜂群，就能被正常培育。如果将二倍体雄蜂小幼虫放入一种可溶性的类脂中处理，去除虫体上的“同类相残物质”，也不会被工蜂取食。印度蜜蜂二倍体雄蜂幼虫在第一天分泌很少或不分泌“同类相残物质”，但随后分泌这种物质的时间比西方蜜蜂长。李位三等认为，中蜂二倍体雄蜂幼虫，分泌的这种物质可能更少或没有，延续的时间更长。仅从这一点判断，中华蜜蜂可能比印度蜜蜂更原始。

二倍体雄蜂的发育和形态与单倍体雄蜂基本相同。西方蜜蜂的二倍体雄蜂比正常的雄蜂重，蜂体的某些部位比正常雄蜂大，具有超雄特性。李位三等对中蜂二倍体雄蜂的形态和习性进行了较细致的观察。中蜂二倍体雄蜂的体重、体长、翅长、翅展等均比正常雄蜂小，其体重为 80 ~ 102mg（正常雄蜂为 145mg，工蜂为 83mg），甚至有的比工蜂还小，并有随着培育的代数增加而继续减小的趋势（表 6 – 2）。

表 6 – 2　中蜂不同代数的二倍体雄蜂和正常雄蜂形态比较

雄蜂类型	测定蜂数/只	体重/mg	体长/mm	右前翅长/mm	右前翅宽/mm	翅展/mm
单倍体雄蜂 1*n*	20	145	13.615	10.370	3.751	23.338
二倍体雄蜂 F_1	25	102	12.583	9.77	3.687	22.166
二倍体雄蜂 F_2	45	98	11.375	8.775	3.250	20.235
二倍体雄蜂 F_3	40	80	11.914	9.343	3.024	21.428
工　蜂	50	83	11.640	8.963	3.046	19.929

中蜂二倍体雄蜂爬行灵活迅速，飞翔像工蜂一样轻巧、快速；平时在巢脾上簇拥一起，尤其边脾上簇拥更为明显，少数二倍体雄蜂与工蜂混栖；易受惊骚动，怕光，提脾检查时，很快爬到巢脾背光的一面躲避，常挤成一团。二倍体雄蜂的生殖器官与单倍体雄蜂相似，但其睾丸太小，只有正常雄蜂的 1/10。精小管是弯曲的，比单倍体雄蜂短得多。但其精子发生过程与单倍体雄蜂一样，都不经过减数分裂。所以，二倍体雄蜂的

精子也为二倍体。在研究不同品种蜜蜂的精巢时，发现非洲蜂（*Apis mellifera adansenii*）二倍体雄蜂的精巢最大。已发现有极少量的精液从精巢中转移到生殖器的其他部分中。精巢中的精液是具有活力的，7 日龄的二倍体雄蜂精子的活力最高。Woyke 曾试图用二倍体雄蜂的精液给蜂王进行人工授精，但毫无结果。中蜂二倍体雄蜂有出游的欲望，在蜂王婚飞的时间内出巢飞翔表现兴奋和活跃，能否与处女王交配尚不清楚。出游归巢的二倍体雄蜂，手压腹后外生殖器迅速外翻，排出少量精液。中蜂二倍体雄蜂能产生精子，形态与正常精子一样，但精子活力较差，死精率高。体型较小、与工蜂体重接近的二倍体雄蜂所产生的精子，均为死精。

第二节　蜜蜂育种技术

蜜蜂育种技术是指在培育蜜蜂优良新品种过程中，所应用的基本技术方法，包括选择育种、杂交育种、近交育种等。

一、选择育种

蜜蜂的选择育种就是利用蜜蜂自发突变和基因重组等现象产生的变异，并通过选择和繁育，将有利于养蜂生产的蜜蜂变异保存并扩大，使某些变异性状稳定地遗传，形成新种的蜜蜂育种方法。因此，蜜蜂的选择育种包括三方面的工作：一是发现蜜蜂有益的自然变异性状；二是通过系统选育繁殖的方法，严格控制交配，扩大含这些基因性状的蜂群数量；三是连续选育，使这些优良性状得以稳定遗传。

选择育种的关键是存在有益突变性状的个体蜂群。这些变异个体蜂群的来源主要有三种可能：自然杂交、杂交品种的性状分离和基因突变。处女王在空中交配时，雄蜂的种性复杂，因此后代所携带的基因组合类型非常丰富，不同后代蜂群的性状表现也各异，其中就可能出现对人类有益的变异。非纯系蜂王，其后代的性状继续分离，也就是后代的性状表现有所不同，分离出具有某种特点的变异蜂群可能成为系统选育的材料。某种诱因可能致使染色体中某一位点的基因突变，造成蜜蜂某些性状表现改变，这些突变有利于蜜蜂生存，自然选择的作用使蜜蜂将这一变异保留下来。如果对人类有益，通过人工选择，也可使变异性状稳定下来。

根据含有新优良性状变异的蜂群数量，蜜蜂的选择育种可分个体选育和集团选育两种方法。

（一）个体选育

个体选育也称为单群选育，适用于只发现 1 ~ 2 群出现同一有益的变异性状蜜蜂的选择育种。在个体选择育种时，发生变异的个别蜂群作为种用群，既作父群同时也作母群，最好通过人工授精的手段，严格控制交配。培育出一批后代蜂群后，对后代蜂群进行系统考察测定，区分变异性质。如果后代蜂群中变异性状不明显或消失，说明这一变异不是由基因控制，而是环境造成的，个体选择也就没有必要再进行下去；如果后代蜂群中仍出现这些变异性状，可再继续选择变异性状突出的蜂群作为种用群，扩大培养，进行系统选育。如此反复选择繁育，经若干代的个体选育，种群数量达到一定量后，就可能将这些变异性状保留下来，形成具有某些独特优良性状的蜜蜂新品种。

（二）集团选育

具有同一类变异性状的蜂群数量较多时，可采用集团选育的方法进行选择育种。经过系统考察和鉴定，选择具有相同类型有益变异性状的蜂群作为种用群。将选出的种用群分为两组：一组作为母群，用来移取卵或小幼虫培育处女王；另一组作为父群，培育种用雄蜂。种用雄蜂和处女王放在具有严格隔离条件的交尾场所进行自然交配，或利用人工授精技术控制授精。然后选择具有相同变异性状的子代蜂群，继续分为母群和父群进行繁殖。经过若干代的集团选育，使这类变异性状在后代蜂群中不断地巩固和加强。这类性状的蜂群繁殖到一定数量，并能够稳定遗传后，就可能形成一个蜜蜂新品种。

二、杂交育种

蜜蜂杂交育种就是通过2个或2个以上的蜜蜂品种或蜜蜂品系间的交配，培育蜜蜂新品种的育种方法。不同品种或品系间蜜蜂的杂交，实际上是遗传基因发生重组和染色体片段的交换，是扩大蜜蜂遗传变异范围最有效的方法，可以获得新的变异杂种。通过选育技术，对优良性状的杂种进行选择和繁殖，使后代有益的杂种基因得到纯合，使其优良性状具有稳定的遗传能力，就可培育出蜜蜂新品种。蜜蜂杂交种后代由于杂合的位点多，子代蜂群的性状表现，包括生活力、群势发展、生产性能等方面往往超过双亲，这就是杂种优势。以种性纯的母本和父本作为育种素材，不同的杂交组合很可能表现不同的杂种优势。

与选择育种相比，蜜蜂杂交育种可使性状表现改良的幅度较大，育种时间短。但是，杂交育种因种性丰富，等位基因较多，杂交后代性状的稳定较困难。

（一）杂种优势利用

蜂群的经济性状是由蜂王和工蜂共同表现的，蜂王主要表现在产卵力和控制分蜂能力上，工蜂则主要表现在哺育力、采集力和抗逆力等方面。蜜蜂性状多由1对或数对相应的等位基因控制，在纯种蜜蜂中，这些等位基因多为同质的，使得有些隐性基因控制的性状得以表现。

在物种长期自然选择中，不利于物种生存的显性基因大多被自然淘汰，相对而言，隐性基因含有更多的不良基因。在杂合子中，隐性基因不表现性状，所以，不良的隐性基因才能得以保留。

杂种蜂群的等位基因多为异质的，有益的显性基因可以抑制有害的隐性基因。通过优良显性基因间的互补作用和蜂群中杂合子频率的增加，从整体上抑制或减弱不良隐性基因的作用。在杂种蜂群性状的表现上体现出杂种优势，使杂种蜜蜂的生活力、繁殖力和生产力都能获得提高。

并不是所有的蜜蜂杂交组合都能明显地表现出杂种优势，有些蜜蜂杂交组合的杂种优势并不明显，甚至出现相反的结果。其原因有两种可能，一是某些非等位基因间的相互作用产生了有害效应，二是某些显性基因在经济性状上表现为低值。一些蜜蜂的性状对其物种的生存和繁荣有利，而对养蜂生产却是有害的，例如分蜂性、盗性等。分蜂性强的蜂群有利于蜜蜂种群数量的增多和分布区域的扩展，盗蜂则是在外界食物资源不足时蜜蜂优胜劣汰的种内竞争的方式。从总体上说，蜜蜂杂种优势现象远多于杂种“劣势”。

存在杂种优势不明显或杂种“劣势”的现象，表明杂交育种工作不仅是杂交问题，更重要的是杂交亲本的选优提纯和杂交组合的选择。蜜蜂杂种有无优势，优势的大小，优势体现的方面等，主要取决于杂交亲本蜜蜂的品质及其配合力。如果亲本缺乏优良基因，或亲本纯合度不高，或两个亲本主要经济性状的基因频率差异不大，或两个亲本主要性状基因的显性和显性优势很小，以及缺乏表现杂种优势的环境条件等，杂种都不能表现出理想的优势性状。

（二）杂交组配形式

蜜蜂杂交组配通常有单交、双交、三交、回交和混交等几种杂交育种形式。

1. 单交　单交育种就是使一个品种的纯种处女王与另一个品种的纯种雄蜂交配产生杂种后代的杂交育种方法。与其他蜂种雄蜂交配的蜂王称为单交王，但是单交王本身仍是纯种蜂王。单交王产生单倍体卵发育的雄蜂，仍是与蜂王同一品种的纯种，产生的二倍体卵发育的工蜂或子代蜂王是双亲基因的第一代杂种。由第一代杂种工蜂和单交王组成的蜂群称为单交种蜂群。单交种蜂群，因蜂王和雄蜂均为纯种，所以不具杂种优势。工蜂是杂种一代，具有杂种优势。

2. 三交　三交育种，也称为三元杂交，就是用一个单交种的处女王与一个不含单交种处女王蜂种相同的纯种雄蜂交配，产生杂种后代的杂交育种方法。组成三交群的蜂王为三交王，但其蜂王本身仍是单交种，雄蜂与母亲蜂王一样，也为单交种，而工蜂和子代蜂王为含有3个蜂种血统的三交种。三交群中蜂王和工蜂均为杂种，均能表现杂种优势，所以三交后代所表现的总体优势比单交种好。

3. 双交　一个单交种处女王与另一个“单交种”的雄蜂交配称为双交。双交后的蜂王所组成的蜂群中，蜂王仍为单交种，遗传含有2个种的基因；产下的未受精卵发育成的雄蜂与蜂王一样也是单交种；产下的受精卵发育的工蜂和蜂王含有4个蜂种的基因，为双交种。由双交种工蜂组成的蜂群为双交群。双交种的杂种遗传基础更丰富，有更多的优良显性基因互补，可以产生较大的杂种优势。

4. 回交　采用单交种与亲本品种间的杂交称为回交，其子代称为回交种。回交育种的目的，是通过增加杂种中某一亲本的遗传成分，以改善后代蜂群性状。在蜜蜂杂交育种中，常用的回交形式有两种，一是与其父代雄蜂之间的交配，一是与其母代处女王之间的交配。

5. 混交　一个蜂种的处女王同时与几个蜂种的雄蜂交配，这种形式的杂交称为混交。由混交蜂王发展的蜂群，称为混交群。如果处女王和雄蜂均为不同品种的纯种，其混交群中的蜂王和雄蜂仍为纯种；工蜂和子代蜂王则为不同的单交种蜜蜂。

（三）杂交种的特点

蜜蜂是以蜂群为生存单位，任何一型蜜蜂都不可能离开蜂群单独地正常生活。杂交种的经济性状主要通过蜂王和工蜂共同表现。

1. 杂交种蜂群中蜂王和工蜂的基因性状不同　蜂群由亲代蜂王和子代工蜂和子代雄蜂组成，在纯种蜂群中，亲代和子代的遗传基因是相同的，但在杂交种中亲代蜂王和子代工蜂所携带的基因性状不完全相同。因为子代杂种工蜂的基因中除了保留一半亲本蜂王的基因外，还有一半为不同血统的父本基因。因此，杂交种的蜂群中蜂王和工蜂所表现的杂种优势不可能完全相同。

2. 杂交种蜂群的蜂王和工蜂均应体现杂种优势　蜂群的经济性状由蜂王的产卵力、控制分蜂能力和工蜂的哺育力、抗逆力和生产能力等共同体现。所以，要充分体现杂交种蜂群的杂种优势，除了子代工蜂为杂种外，亲本蜂王也应为杂种。但是，种性过于混杂会产生杂种性状的分离和退化现象。三交种和双交种蜂群中，亲本蜂王均为单交种，子代工蜂则为三交种和双交种。最理想的杂交种蜂群应为三交种和双交种，其蜂群中的亲本蜂王和子代工蜂均能表现杂种优势。

（四）杂交育种方法

蜜蜂杂交育种工作可划分为三个阶段：杂交育新阶段、选择纯化阶段和繁殖种群阶段。

1. 杂交育新阶段　蜜蜂杂交育种第一阶段的工作就是要通过 2 个或 2 个以上的品种杂交，培养出新的具有理想经济性状类型和获得亲本基因重组类型，为下一个阶段的优良杂种的选择奠定种质基础。

杂交育种首先应明确育种目标，也就是希望通过杂交育种预期改良蜂种的哪些性状。根据培养杂交种的目标性状，做好亲本蜂种的纯化、鉴定、选种和选配工作。为了使培育的杂交种能适应当地自然环境条件，应以当地蜂种选择出来的蜂种作为一个杂交的亲本。

在杂交育种的亲本品种确定后，选择种性纯，性状表现良好的蜂群作为种用群。如果亲本蜂种的种性纯度不高，必要时还须进行蜂种的纯化，也就是通过近交手段提高亲本蜂种等位基因的纯合度。在适宜人工育王的季节，为种用群提供良好的饲养条件，培育出优质的杂交组合亲本蜂王和亲本雄蜂。通过自然隔离或人工授精的方法，培育出杂交种。

通过杂交，并对杂交蜂群的经济性状考察鉴定，从杂交蜂群中选择出具有理想性状类型的蜂群，确定杂交组合。

2. 选择纯化阶段　从杂交组合中选择理想性状类型的蜂群后，通过自群繁殖，巩固和稳定后代的遗传基因，使杂种中理想的优良性状固定下来，以获得具有稳定遗传性状的类群。杂交育种工作，杂交是基础，选择是关键。这个阶段的主要任务就是优良性状杂种的选择和杂种的纯化定型。

（1）优良性状杂种的选择：蜜蜂杂交后，由于不同亲本基因重组和基因片段的交换，在后代杂种中表现出很多性状类型。必须通过选择才能将为数不多的真正具有优良特性的杂交种的单群选择出来，及早淘汰表现不理想的杂交群。在淘汰不良杂交群时，应注意保留具有个别特殊且突出的优良性状杂交群。

杂种后代的选择，须建立在对杂种蜂群的经济考察、记录、鉴定、评价的基础上。对第一个杂交组合后代蜂群的主要性状都应有详细记录。杂交后代蜂群考察记录的主要项目应包括亲本、组合、系统、蜂群号、蜂箱号、形态指标、生物学指标（蜂王产卵力、哺育力、分蜂性、盗性、温顺性）、生产性能指标（抗病敌能力、抗逆力、蜂蜜生产力、蜂王浆生产力等）。

杂种的性状分离多从第二代开始，杂种第二代的选择仍很重要。选择保留优良的杂交单群应把握以下原则：

第一，注重优良性状突出的杂交组合。在选择过程中，从优良组合中多选留单群，从中等组合中少选择成绩突出的单群，不从成绩差的组合中选留单群。

第二，从亲缘关系较远的双亲杂交组合中多选留性状优的单群，因其相对性状差异较大，后代性状变异多。在复杂的杂交组合中多选单群，简单的杂交组合中少选单群。

第三，在早期世代的选择中，对受环境条件影响相对较小的性状，如形态等重点选择；易受环境条件影响的数量性状，如繁殖力、采蜜力、产浆力等，在早期的选择中可适当放宽。

（2）优良性状杂种的纯化定型：优良性状的杂交单群选择后，采用近交的育种手段稳定杂种的优良种性。近交的结果使杂种的等位基因纯合，一方面可使杂种单群中不良的隐性基因表现出来，另一方面可以使有益的基因纯合。通过淘汰不良的隐性基因，纯合有益的优良基因，就可使杂种单群的优良性状不再分离，稳定地遗传。

在杂种后代纯化中，尽量考虑在优良性状单群间相互交配。对于个别具有某一重要性状而且表现突出的单群，应建立蜜蜂品系。同时还应尽可能建立几个相互配合的品系，以避免不必要的近交。

3. 繁殖种群阶段　优良性状的杂种单群纯化定型后，数量很少。达不到一个新品种所需要的基本蜂群数量，就可能因长期的自交导致蜂种的退化。因此，在杂交育种过程中，杂种的性状基本稳定纯化后，就应有计划地扩大繁殖，增加其种群数量。在扩大繁殖的同时，还需进一步的选择，并通过良种的推广，扩大饲养范围，增强新种的适应性。

新蜂种育成后，可以采用闭锁繁育的手段，进行蜂种的保存和繁育。

三、近交育种

近交，是使亲缘关系很近或较近的处女王和雄蜂交配，以纯化蜜蜂种性的育种方法。近交育种是蜜蜂育种最基本的方法之一，是培养杂交种蜂种的基础。只有种性较纯的蜂种之间杂交才可产生明显的杂种优势。但是，累代的高度近交，将导致蜂种的退化，甚至将会产生50%的二倍体雄蜂，使近交系的蜂群生活力严重下降。所以，近交系蜂群不能直接用于生产，有的近交系蜂群维持自身的生活都困难。

近交育种要解决的问题是，高效培育遗传性状稳定、纯度高的近交系和有效保存近交系蜂群的方法。

蜜蜂的近交形式有很多，包括母子交配、父女交配、兄妹交配、表兄妹交配、姨甥交配、舅甥交配等。母子交配、父女交配是效率最高也是最常用的近交形式。近交系的培育，需要严格控制蜂王和雄蜂的交配。控制蜂王和雄蜂交配主要采取人工授精和交配场隔离两种手段。母子交配和父女交配这两种近交育种方式，需要人工授精技术支持。

（一）蜜蜂近交的形式和近交系的培育方法

蜜蜂与一般动物有所不同，雄蜂基本由单倍体未受精卵发育而成，所以子代雄蜂从遗传的角度，相当于亲本蜂王的一个配子。蜂王具有雌雄同体遗传特性，这在近交系培养中，要比一般动物优越。

1. 母子交配　母子交配就是处女王产下的未受精卵发育成的子代雄蜂，与亲本蜂王交配的近交育种方法。

在组织母子交配前，为促进处女王提早产未受精卵，可参照蜜蜂人工授精麻醉蜂王的方法，用二氧化碳气体隔天处理性成熟的处女王。二氧化碳处理方法，一般为每次处理10min，隔天处理1次，连续2~3次。处女王产卵后，将这些未受精卵培育成雄蜂，至雄蜂性成熟。人工取精后，为该处女王进行人工授精。因为雌雄配子均来自同一只蜂王，所以这种形式的近交相当于植物的自体受精。母子交配的近交形式，蜂种的纯化速度快，可以缩短纯系培育时间。如果从随机群体开始，只需5个世代的连续近交，就可使后代工蜂的纯度达到96%。

采用母子交配，每一个世代固定下的纯合基因既可来自外祖父，也会来自外祖母，其概率相等。

用人工授精方法进行母子交配，比较容易操作，在近交育种技术中是难度相对较小的近交系培育方法。除此之外，还有人提出，通过培育未受精的种王所产生的雄蜂，用该雄蜂的精液为该处女王产下的未受精卵进行注射授精，以达到培养近交系的目的。但该方法的关键卵注射技术还不完善。

2. 父女交配　父女交配也称女父回交，是用一只雄蜂精液的一部分给亲本蜂王授精，待亲本蜂王产下受精卵时培育蜂王，再用其另一部分为子一代蜂王授精，如有可能这只雄蜂的精液还可为子二代蜂王，甚至子三代蜂王授精。这种用一只雄蜂精液为连续几代的处女王授精的近交育种方法，称为父女交配。父女交配的关键在于雄蜂精液的保存。这种近交方法的基因纯合速度与母子交配相同，不包括预备世代，其后代工蜂的纯度达到96%时，也只需5代。

父女交配的方法有两种：一种是将一只雄蜂所有精液全部注射到一只处女王体内，待培育子代处女王后，从亲本蜂王的受精囊中取出精液为子代处女王授精，如有可能还可在子一代蜂王的受精囊中再次继续取出精液为子二代的处女王授精。这种父女交配的方法，关键在于如何有效地从受精囊中取出精液。这种近交方法比母子交配难度大，受到精液基数的局限，并且上下代之间均为单传，没有后备余地，如果在某一环节出现问题，将前功尽弃。另一种方法是，将一只雄蜂的精液取出后，只将部分的精液注射到亲本蜂王体内，剩余的精液人工保存，等子一代处女王性成熟后，再取另一部分保存的精液为其人工授精。这种父女交配的形式，其关键在于雄蜂精液保存技术。

3. 兄妹交配 兄妹交配是指同一只蜂王产生的处女王与雄蜂间交配的近交育种方法。从遗传学的角度，兄妹交配相当于母女回交。兄妹交配最好应用人工授精技术，但在交配场地能够严格控制交配的前提下，也可以自然交配。交配场地一般设在无蜂的岛上或深山中，隔离半径应超过 15km。

兄妹交配的基因纯合速度低于母子交配和父女交配，建立遗传性能稳定、种性纯度高的近交系，所需要的世代数比母子交配和父女交配多。在兄妹交配最初的几个世代，可进行系内选择。

4. 表兄妹交配 表兄妹交配是指姐妹蜂王产生的处女王与雄蜂间交配的近交育种方法。从遗传学的角度，表兄妹交配相当于姨甥女回交。表兄妹交配也应用人工授精技术，但在交配场地能够严格控制交配的前提下，也可以自然交配。超同胞姐妹蜂王（两只蜂王均为同一父母）产生的处女王和雄蜂交配，其超同胞姐妹蜂王的产生则需要用人工授精技术进行单雄授精。

表兄妹交配的基因纯合速度低于母子交配和父女交配，也低于兄妹交配。获得遗传性能稳定、种性纯度高的近交系，所需要的世代数比母子交配、父女交配和兄妹交配多，而其近交衰退的速度比兄妹交配低。在表兄妹交配最初的几个世代，可进行系内选择。

5. 姨甥交配 姨甥交配是指处女王与姐妹蜂王产生的雄蜂交配的近交育种方式。在遗传学上，姨甥交配相当于姐妹交配。姨甥交配的实施可采取严格控制自然交配措施或采用人工授精技术。如果处女王同超同胞姐妹蜂王产生的雄蜂交配，同样需要用人工授精技术进行单雄授精产生超同胞姐妹蜂王。

姨甥交配的基因纯合速度高于表兄妹交配。获得遗传性能稳定、种性纯度高的近交系，所需要的世代数比母子交配、父女交配和兄妹交配多，但少于表兄妹交配。近交衰退的速度比兄妹交配低。可进行系内选择。

6. 舅甥交配 舅甥交配是指处女王与舅父雄蜂交配的近交育种形式，这种交配形式在遗传学上相当于外祖母与外孙女间的交配。舅甥交配可采用严格控制下的自然交配和人工授精技术，其蜂种的纯合速度低于表兄妹交配。获得遗传性状高度稳定的高纯度的蜜蜂近交系所需要的世代较多，近交衰退的速度较慢，可在较多的世代中进行选择。

（二）蜜蜂近交系的保存方法

由于种性的退化和二倍体雄蜂的产生，近交系蜂群很难独立生存，这就给近交系蜂种的保存带来困难。一个育种场需要数个不同种性的近交系，才能满足蜜蜂育种的需要，如果近交系的保存问题没有解决，就需要不断地进行近交系的培育。这样既增加了蜜蜂育种的成本，也不能随时满足蜜蜂育种中对近交系的需要。

长期保存蜜蜂近交系，是蜜蜂育种工作者需要努力解决的难题，中国农业科学院蜜蜂研究所刘先蜀等设计的蜜蜂嵌合育种法，是解决这一问题最理想的方法。

1. 蜜蜂嵌合育种的原理和条件 在自然交配状态下，1 只蜂王可以与多只雄蜂交配。因为蜂王是多雄授精的，所以在蜂王的受精囊中，贮存着多只雄蜂的精子。在一个蜂群中，由于蜂王产下的受精卵来自父本基因的不同，工蜂之间的血统存在着显著差异。蜂群中工蜂之间的不同关系，组成了不同的小家庭。蜜蜂嵌合育种就是使一个蜂群中既有近交小家庭，也有杂交小家庭。利用近交小家庭保存纯系，利用杂交小家庭维持蜂群的生存。

蜜蜂嵌合育种的实施，需要五个必备的条件：

第一，蜂王必须是近交系纯种的后代；

第二，在与蜂王交配的雄蜂中，必须含有与该处女王同属于一个近交系的雄蜂；

第三，蜂群中各个小家庭的工蜂数量比例在任何时候都保持不变，即在任何时候都有近交小家庭的成员存在，以便在育王期间随时培育出近交处女王；

第四，蜂群中，近交小家庭的成员与杂交小家庭的成员从感官上容易区分，以便能从培育出的处女王中非常容易地识别出近交小家庭的处女王；

第五，蜂群中杂交小家庭的工蜂数量必须占绝对多数，以便能够用杂种优势弥补因高度近交所造成的近交衰退的不良影响，从而使嵌合蜂群能正常生活和发展。

2. 父本的选择 嵌合育种是将近交系雄蜂的精液按比例与血缘关系较远的雄蜂精液混合后给近交系蜂王授精的育种方法。嵌合育种须应用人工授精技术。

用作父本的近交系蜂群，称主题父本。用作父本的与近交系无亲缘关系的其他种系蜂群，称为背景父本。嵌合蜂群中近交小家庭的工蜂为主题工蜂，杂交小家庭的工蜂为背景工蜂。由近交小家庭产生的处女王，称为主题处女王。由杂交小家庭产生的处女王，称为背景处女王。在任何时候都有主题工蜂和背景工蜂存在的蜂群，就是嵌合蜂群。

有保存价值的近交系单群既可以作母群，也可以作主题父本。背景父本的选择应满足两个条件：一是与主题父本蜂群无亲缘关系，二是背景父本与蜂王的后代在感官上应与主题父本的后代有明显的区别。一般来说，背景父本多从体色上与主题父本相区别。例如，近交系是黄色蜂种，可选黑色的蜂种（卡尼鄂拉蜜蜂、高加索蜂、欧洲黑蜂、东北黑蜂、新疆黑蜂等）为背景父本；如果近交系为黑色蜂种，背景父本可选择黄色的蜂种（意大利蜜蜂）。

3. 嵌合精液的制备和嵌合蜂群的组配 嵌合精液的制备是嵌合育种的关键技术之一。分别采集主题父本雄蜂和背景父本雄蜂的精液，按1∶2的比例将精液混合均匀。在嵌合精液中，各父本雄蜂的精子是均匀分布的，这一点应特别注意。

嵌合蜂群的组配，用近交系母本蜂群培育处女王，用嵌合精液作常规剂量的人工授精注射。该蜂王产卵后调整为正常蜂群。在这样的蜂群中，蜂王是近交系的纯种后代；主题工蜂与背景工蜂同时存在，且背景工蜂应达到80%以上。主题工蜂或主题处女王应在体色上与背景工蜂或背景处女王有明显的区别。

4. 子代嵌合蜂群的培育 用嵌合蜂群培育主题父本雄蜂，用背景父本培育背景父本雄蜂。待雄蜂将要出房时，用嵌合蜂群的卵虫培育处女王。子代处女王出台后，选择与近交系体色一致的子代主题处女王，淘汰与近交系体色不一致的背景处女王。子代主题处女王性成熟后，用嵌合精液进行人工授精。子代蜂王产卵后，独立培养成群。如此一代一代地繁育，就可妥善地将近交系的蜂种保存下来。

第三节 人工育王技术

蜂王，是蜂群中惟一能够正常产卵的雌性蜂，它通过释放群体信息素控制和维持蜂群的生活秩序。在养蜂生产中，蜂王直接影响着蜜蜂的群势、采集力、抗逆力以及蜜蜂产品的产量和质量等。人工育王技术是现代养蜂重要的技术手段，蜜蜂良种的繁育也是通过人工育王进行的。

一、育王原理和育王条件

（一）人工育王原理

1. 蜂群培育蜂王的特性 蜂群通常只允许 1 个蜂王存在，一般不随意培育蜂王。蜂群大量培育蜂王主要发生在繁殖阶段后期，准备自然分蜂期间。此外，当蜂王老残或蜂群失王时，也会培育蜂王。所以，促进蜂群积极培育蜂王，应保证育王群的群势强盛，巢内蜜粉充足，蜂群有一定程度的分蜂热。在蜂群中用隔王栅隔离出无王的育王区，以防止蜂王对王台的破坏和造成育王区的无王感，促使工蜂对王台中幼虫的哺育。通过奖励饲喂，使蜂群产生有蜜源的错觉，加强哺育蜂王幼虫的积极性，有助于培育出高质量的蜂王。

2. 蜂王和工蜂的分化 蜂王和工蜂均由受精的二倍体卵发育，发育成蜂王、工蜂的卵和初孵化的蜂王、工蜂的小幼虫完全一样。随着蜂王和工蜂幼虫在不同巢房中生长发育，其食物发生分化。蜂王幼虫始终取食蜂王浆，而工蜂幼虫的食物由最初的纯蜂王浆，逐渐增加蜂蜜和花粉的比例，从 4 日龄起停止取食蜂王浆。蜂王幼虫与工蜂幼虫的生理发育由最初完全相同，逐渐分化。因此，可以利用蜂群中大量的小幼虫作为培育蜂王的材料。

只要在人工制作的王台中，移入工蜂巢房中的卵或小幼虫，放入适宜培育蜂王的蜂群中，辅之必要的蜂群管理措施，就能培育出优质蜂王。

（二）人工培育优质蜂王的条件

优质蜂王对养蜂生产非常重要，人工培育优质蜂王必须具备以下条件。

1. 蜜粉源丰富 自然条件下，蜂群大量培育蜂王都是在蜜粉源丰富的时期。从蜂群繁殖高峰起，经过造台基、台基内产卵、哺育蜂王幼虫、王台封盖、处女王出台、蜂王交尾、产卵，大约需要 35d。蜜粉源的充足与否对培育的蜂王质量有直接的影响，因此，人工育王应有连续 40d 左右的蜜粉源。

如果外界蜜粉源不足，应采取饲喂的方法保证育王群饲料充足；连续奖励饲喂对培育优质蜂王必不可少。

2. 温暖而稳定的气候 蜂王和雄蜂的生长发育，以及飞翔交配都需要温暖而稳定的气候。人工育王最好在 20～30℃，无寒流、酷暑的季节进行。

3. 大量适龄的种用雄蜂　蜂群所需要的蜂王为交配后的产卵蜂王，未与雄蜂交配的蜂王在生产上是没有意义的。雄蜂性成熟是在羽化后 12 ~ 27d，此期称为雄蜂的青春期。蜂王性成熟是在出台 5d 以后，多为 8 ~ 9d，如果从移虫起，蜂王的性成熟需 20d 左右。因此，在人工育王实践中，见到种用雄蜂出房才开始移虫育王，以此保证培育的新蜂王在性成熟时有处于青春期的雄蜂。

蜂王和雄蜂的交配是在空中进行的，大量的适龄种用雄蜂是保证新蜂王充分交配的基本条件。

4. 强大群势的蜂群　只有强盛的蜂群才能培育出大量的优良蜂王。培育蜂王的蜂群要求健康，群内具有各龄期的工蜂，特别是大量适龄哺育蜂。在春季培育蜂王，应在全场蜂群平均群势至少超过 6 足框以后，才可组织强群培育蜂王。

5. 生产性能优良的种用群　蜜蜂的优良生产性状具有一定的遗传力，通过在生产中观察，有目的地选择生产性能好、抗逆力强的蜂群培育种用雄蜂或移虫育王，就能使该性状得到保留，提高蜂王的种质。

二、人工育王的质量

蜂王质量的优劣，主要表现在蜂王的产卵力和控制分蜂能力。蜂王的产卵力和控制分蜂能力是维持蜂群强大群势的首要条件，而强群是养蜂优质高产的基础。培育出产卵力强的蜂王，是人工育王的主要目标。

测定蜂王质量，主要靠经验进行外观判断。一般认为，质量好的蜂王应该是体大匀称，体色鲜亮，行动稳健，发育良好无异常。经验感官判断不易掌握，缺乏严密的科学性。如果采用测定蜂王产卵力的方法，则工作量大，花费时间多，往往蜂王被明确鉴定后，该蜂王在生产上使用的年限也到了。国内外许多学者，从蜂王的体重、卵巢管数量、卵的大小以及育王条件，对预测蜂王的产卵力、评价蜂王的方法等进行了探索。

（一）体重与蜂王质量的关系

不同蜂种的蜂王，体重有所不同，同一蜂种的蜂王体重差异也很大。同一蜂种蜜蜂的蜂王最重和最轻的体重分别为：意大利蜂 291mg 和 176mg，灰色高加索蜜蜂 233mg 和 165mg，卡尼鄂拉蜜蜂 251mg 和 142mg，中华蜜蜂 202mg 和 148mg。同蜂种间蜂王各体段的重量，头部和胸部差异不大，其体重差异主要是由腹段重量不同造成的。蜂王腹部充满了卵巢，卵巢的重量影响了蜂王的体重。

国内外很多文献对不同蜂种的蜂王体重与卵巢管数量、产卵量、封盖子数量等进行了深入探讨。文献中研究证实，初生重大的蜂王，卵巢管数量多，性成熟早，交配和产卵开始的时间提早，新蜂王较易诱入蜂群，产卵力强，封盖子数量多，产蜜量高。蜂王初生重与产卵力等诸因素呈显著正相关关系。这与养蜂者在长期生产实践中，喜欢选择个体大的蜂王是一致的。蜂王初生重是判断新蜂王优劣的重要依据。相关的研究还表明，在交尾群中提出的新产卵王的体重（1 周后的体重）也与产卵量和产蜜量呈正相关，但其他时期的蜂王因体重变化较大，所以，蜂王体重与产卵量、封盖子数量间的相关性不显著。也就是说，在需要的时候新产卵王体重也可以作为衡量蜂王质量的指标。

蜂王初生重的标准因蜂种而异，有的还须考虑分布区域的差别。意大利蜜蜂蜂王初生重，200mg 为合格，超过 220mg 为优质；高加索蜜蜂 190mg 为合格；卡尼鄂拉蜜蜂 180mg 为合格。中华蜜蜂在我国分布广泛，各地中蜂在生物学特性及形态上有较大的差异，因此蜂王初生重的标准需要在深入研究各地中蜂的相关生物学后再定。中蜂蜂王的初生重标准初定为：北京中蜂 175mg，福建中蜂 170mg。

（二）蜂卵的大小与蜂王质量的关系

卵的大小相差较大，大的蜂卵重 0.16mg，而小的蜂卵重仅 0.09mg。用不同重量的卵培育出来的蜂王质量差异很大。苏联曾用同一只蜂王产的大卵（0.131mg）和小卵（0.118mg）在同一哺育群中，分别培育 50 只蜂王。结果大卵培育的蜂王，初生重平均为 209.7mg，卵巢管数平均为 181.6 条；小卵培育的蜂王，初生重平均为 204.3mg，卵巢管数量平均为 172.4 条。大卵培育的蜂王比小卵培育的蜂王，产卵量平均多11.4% ~ 25.0%；在大流蜜期到来前，每群多培育 1kg 蜜蜂，产蜜量提高 30%，产浆量提高 15% 以上。因此，培育优质蜂王时应充分考虑蜂卵大小对蜂王质量的影响。

同蜂种的蜂王产的卵大小取决于蜂王产卵速度，产卵速度越快卵越小。在蜂王产卵高峰期，蜂卵只有 0.092mg；当蜂王产卵明显减少时，卵的重量可增加到 0.16mg。中国农业科学院蜜蜂研究所袁耀东等分别采用控制强群蜂王产卵的方法，使产出的受精卵从长 1.41 ~ 1.71mm、宽 0.32 ~ 0.38mm，增加到卵长 1.48 ~ 1.85mm、宽 0.36 ~ 0.43mm；由小卵培育的蜂王，初生重 169 ~ 197mg，大卵培育的蜂王初生重 215 ~ 256mg，差异极显著。陈世璧等在秋季育王实验中，采用控制蜂王产卵的方法，培育的蜂王初生重平均达 262.64mg，全部达到优质蜂王标准。其中，初生重在 240mg 以上的蜂王占 92.31%，270mg 以上的占 46.15%。对照组不采用控制蜂王产卵的方法，培育的蜂王初生重平均 250mg，未达到优质标准的蜂王占 10.35%，初生重在 240mg 以上的蜂王只占 75.86%，270mg 以上的仅占 3.45%。

由此可见，采用控制蜂王产卵的方法，可获得较大的蜂卵；用较大的蜂卵培育的蜂王初生重大，卵巢管数量多，蜜蜂群势强，产蜜量提高。

（三）育王条件与蜂王质量的关系

除了蜂王体重和蜂卵的大小对培育蜂王质量有密切关系外，在人工育王过程中的各因素都可能对培育蜂王的质量造成影响。这些因素包括所移幼虫的日龄、状态、移虫时王台中的饲料、同批培育蜂王的数量、人工台基的状况、哺育群是否存在封盖王台以及哺育群内的状态等。

1. 幼虫虫龄与蜂王质量 用不同日龄的工蜂幼虫培育蜂王，其体重、卵巢管数量、受精囊直径等随着所移幼虫的日龄增加而减少，进入受精囊中的精子数量也降低。分别用 1 日龄、2 日龄、3 日龄工蜂幼虫培育的蜂王，其平均初生重分别为 189mg、172mg、147mg。陈世璧等在育王过程中发现，用刚孵化的工蜂小幼虫培育蜂王，初生重明显高于用孵化后 24h 工蜂幼虫培育的蜂王。分别用产下 3d 的卵和 1 日龄、2 日龄、3 日龄工蜂幼虫培育的蜂王，其卵巢管数量分别平均为 315 条和 299.5 条、293.7 条、264.8 条；

超过 300 条卵巢管的蜂王分别占 80% 和 51%、39%、12%。

用不同日龄的工蜂幼虫培育出的蜂王，其质量不同的原因主要是，随着日龄增大，工蜂和蜂王幼虫的食物成分的分化越来越大。也就是说，随着工蜂小幼虫日龄的增长，其食物由蜂王浆逐渐增加蜂蜜和花粉。因此，在生理上，移取的工蜂小幼虫日龄越大，其生殖系统的发育就越趋向工蜂。

移卵培育的蜂王质量优于移虫育王，而所移幼虫的虫龄越小培育的蜂王质量越好。采用移虫育王法，移入台基中的工蜂小幼虫，其虫龄应小于 12h。

2. 幼虫状态与蜂王质量　工蜂幼虫在封盖前蜕皮 4 次。幼虫在蜕皮过程中，外表由鲜亮到逐渐失去光泽。幼虫在脱皮前不但表皮失去光泽，而且停止取食。分别用工蜂巢房中有光泽和无光泽的小幼虫育王，移虫接受率分别为 79.0% 和 35.6%；蜂王初生重分别为 195.9mg 和 190.5mg；蜂王平均卵巢管数分别为 176.5 条和 157.7 条。所以，移虫育王时，应避免移入表皮无光泽的小幼虫。

3. 幼虫饲料与蜂王质量　为了使移入王台后的小幼虫能及时得到饲料，以防在蜂群接受前小幼虫饥饿而影响其生长发育，往往移虫前在王台中点少许蜂王浆。但俄罗斯养蜂家塔兰诺夫发现，移虫前台基中点入少许蜂王浆和点入一小滴蜂蜜进行比较，培育出的蜂王平均体重分别为 187.5mg 和 199.0mg，点蜜移虫培育的蜂王比点浆移虫好。这一结果与想像的有所不同，很多人都相信，移虫育王时点浆有助于提高蜂王质量。实验证明，移虫前王台中点浆处理是不妥当的。

塔兰诺夫在进一步的实验中，分别于不同的台基中点入工蜂幼虫浆、蜂蜜和 12h 龄内蜂王幼虫的蜂王浆，培育出的蜂王初生重分别为 183.4mg、187.3mg、193.1mg。

陈世璧等育王时在台基中分别采取复式移虫、点蜂蜜、干移、点浆等方法，其结果培育的蜂王初生重分别为 250.52mg、250.21mg、228.21mg、226.07mg。复式移虫和点蜂蜜培育的蜂王比点蜂王浆和干移培育的蜂王好。其他的实验也证实复式移虫培育的蜂王，初生重最大、最稳定。

点入蜂王浆使培育的蜂王质量下降，可能因不同日龄蜂王的食物有所差别所致，点入的蜂王浆（往往是 72～96h 蜂王幼虫的食物）不适合小幼虫的需要。王台中点少许巢房中的新鲜蜂蜜后再移虫，育王框放入育王群后，哺育蜂很快就会将台中的蜂蜜吸尽，随后在台内小幼虫的刺激下，立即对幼虫进行饲喂。此外，蜂蜜增加了王台中蜂王浆糖的成分，有助于刺激和增大蜂王幼虫的取食量，促使蜂王幼虫发育更完善。

4. 育王数量与蜂王质量　一次培育蜂王的数量与蜂群哺育蜂的数量有关，数量过多影响蜂王质量。陈世璧等用 85 个条件相似的哺育群育王，每个哺育群分别培育 20 个、30 个、40 个、50 个、60 个王台，其初生重分别为 236.86mg、234.84mg、223.23mg、211.0mg、196.94mg。

一个 12～15 足框蜂的哺育群，一次以培育 20～30 个王台为宜，一般不超过 40 个王台。

5. 台基状态与蜂王质量　根据蜜蜂对人工台基的修理情况，可以判断哺育群是否已做好接受培育蜂王的准备。用 21 个哺育群进行育王实验，每个育王框有 24 个王台。与未修整过的王台相比，修整过的王台幼虫提前 1h 被接受。幼虫被接受得越早，培育成的蜂王质量越高。移虫后4h内被接受，比5~6h被接受的所培育出来的蜂王重10~20mg。在培育蜂王的过程中，移虫前应将人工台基放入蜂群充分修整。王台修整约需要3h。

6. 封盖王台的存在对育王的影响　在人工育王时，为了提高育王效率，往往在第一个育王框封盖后和不取出的情况下，又放入已移虫的新育王框。认为王台封盖后就不再需要蜂王浆饲料。但是实验证明，育王群中有封盖王台，培育的蜂王质量下降。在没有封盖王台的蜂群中育王，比有封盖王台蜂群中培育的蜂王初生重多15mg。

7. 哺育群对育王的影响　哺育群内的状况对培育蜂王的质量影响较大。在哺育蜂多、封盖子多、卵虫少的蜂群中培育蜂王，蜂王质量好。

三、人工育王的计划和记录

制定严密的人工育王计划，有利于使育王工作有条不紊地进行，避免出差错造成损失。做好人工育王记录有助于总结经验和教训，不断地提高育王质量。

1. 人工育王的主要环节　人工育王计划的制定，就是确定人工育王各环节的操作时间。它包括选择和组织父群、培育雄蜂、选择和组织母群、培育移虫用的小幼虫、初移、复移、组织交尾群、分配王台、蜂王出台、提用蜂王等。

在这些人工育王环节中，提用蜂王、蜂王出台、复式移虫是制定人工育王计划的基本环节。首先制定提用蜂王时间，蜂王出台时间由提用蜂王的时间推断，移虫时间根据蜂王出台的时间决定。其他操作环节的时间都根据基本环节确定（表6-3）。

表6-3　人工育王各环节与基本环节的时间关系

人工育王环节	选择、组织父群	培育雄蜂	选择、组织母群	培育移虫用小幼虫	初移	复移	组织交尾群	分配王台	蜂王出台	蜂王交尾	蜂王产卵	提用蜂王
各环节的时间关系	培育雄蜂前1~3d	复移前16~31d	复移前8~10d	复移前4~5d	复移前1d	蜂王出台前12d；见到雄蜂出房	蜂王出台前2d，即复移10d后	蜂王出台前1d	复移12d后	出台后8~9d	交尾2~3d后	产卵2~3d后

2. 人工育王计划制定方法　人工育王计划主要包括移虫的数量和确定各人工育王环节的时间两方面。

王台育成率包括移虫接受率和育成王台的合格率，即诱入交尾群中的王台数与移虫数的百分比。蜂王交尾成功率为提用蜂王数量与诱入交尾群的王台数量的百分比。因此，移虫的数量用式（6-1）计算：

$$X = N \div (A_1 \times A_2) \tag{6-1}$$

式中：

X——人工育王移虫的数量；

N——需要培育蜂王的数量；

A_1——王台育成率；

A_2——蜂王交尾成功率。

人工育王各环节时间的确定，依据基本环节由后向前推算。如果需要的蜂王数量多，可分批培育。后面几批蜂王的培育计划就考虑合理地利用前一批育王的哺育群和未交配成功的交尾群，以及重复利用交尾群。人工育王计划在各环节数量上，应根据环境条件和技术手段留些余地。

假如蜂场计划在4月底和5月初进行人工分群或更换蜂王，共需新产卵王65只。根据条件可分为两批育王，第一批计划在4月24~28日培育成功25只新蜂王，第二批40只新蜂王在5月1~5日提用。人工育王工作应在2月初开始选择父群，3月5~25日使父群大量产下未受精卵，培育种用雄蜂。3月24日组织母群，进行限王产卵。3月28日在母群中加入有200~300个空巢房并适合移虫的巢脾，使蜂王在其上产卵。3月30日组织2个哺育群，3月31日进行第一次移虫，分2个育王框共移虫60个王台，4月1日进行复式移虫，2个育王框共40个台。4月10日组织交尾群30~35个，4月11日将王台诱入交尾群，4月24~28日提用蜂王。第二批育王，3月30日组织母群，限王产卵。4月7日对第二批育王框进行初移虫，两个育王框各移虫40个台，将第一批育王框从哺育群中提出寄放在其他强群中，放入第二批育王框。4月8日复式移虫各约35个台。4月18日组织交尾群50~55个（如果第一批有未成功的交尾群，组织交尾群的数量可酬情减少）。4月19日将王台诱入交尾群。5月1~5日提用蜂王。

3. 人工育王记录　在人工育王过程中，为了积累育王经验，总结教训，应将有关事项进行详细记录。人工育王记录，可参考表6-4进行。

表6-4　人工育王记录

父系			母群		育王群			移虫									交尾群/只					育王完成日期
品种	群号	育雄日期	品种	群号	品种	组织日期	群号	阴晴	气温/℃	湿度/%	移虫方式	日期	时刻	移虫数/个	接受数/个	封盖日期	组织日期	分配台数	出台数	交尾数	新王数	

四、种用蜂群的选择和组织

种用蜂群是指与培育优质蜂王有关的蜂群，包括父群、母群和哺育群。父群是指提供种用雄蜂的蜂群，母群是为人工育王提供卵或小幼虫的蜂群，哺育群是为培育蜂王提供生长发育环境的蜂群。在小规模育王中，母群和哺育群可兼用。种用群的性状表现直接影响培育蜂王的质量，所以人工培育优质蜂王需要选择生产性能优良、易管理、抗病敌的蜂群作为种用群。在一个蜂群中表现所有的优良性状是不可能的，父群和母群的优良性状应各有所侧重。

（一）父群的选择和雄蜂的培育

1. 父群的选择 选择父群就是将具有优良性状和生产性能稳定、突出的蜂群选出来，作为提供种用群。考察父群需全面衡量蜂群的各方面性状，包括蜂群的繁殖速度、分蜂性、抗逆力、盗性、温驯性、生产性能等，一般需要 1 年以上。在全面考察的同时，父群的选择应侧重于蜂群采集力和生产性能。

2. 培育优质雄蜂的条件 在培育优质蜂王中，种用雄蜂的培育与处女王的培育同等重要，这一点往往被养蜂生产者所忽视。种用雄蜂对后代蜂群的生活力和生产力起着关键作用。在培育种用雄蜂时，应注意以下条件：

（1）父群强盛：蜜蜂的生物学特性决定了只有在蜜粉充足、群势强盛的条件下，蜂群才会积极大量地培育健康的雄蜂，否则即使勉强培育出雄蜂也会因发育不良而影响蜂王交配。培育种用雄蜂的父群，一般应达到 13～15 框足蜂的群势。

（2）充足的粉蜜饲料：培育优质的种用雄蜂，必须粉蜜饲料充足。巢内粉蜜不足时，不仅影响蜂王产未受精卵的数量和蜂群培育雄蜂幼虫，还会影响种用雄蜂的发育，降低雄蜂的精液量和精子密度，致使雄蜂产生无精症。在粉蜜饲料严重缺乏时，蜂群甚至清除雄蜂幼虫和驱赶雄蜂。因此，培育种用雄蜂最好选择外界蜜粉源丰富的季节，如果蜜粉源不足，就应及时饲喂。

（3）适宜的温湿度：雄蜂虫蛹发育的适宜温度为 34～35℃，相对湿度为 70%～80%。当外界气温较低时，应对父群进行保温；气温较高时，应采取遮阴、扩大巢门、喷洒清水等降温措施。空气过于干燥的地区可以给父群饲喂较低浓度的糖饲料，以增加巢内的湿度。

（4）优良的雄蜂脾：雄蜂巢房较分散地分布在子脾的下缘和侧缘，有的旧巢脾因茧衣过多使雄蜂巢房缩小，影响批量培育健壮的种用雄蜂。专业育王场应修造新的专用雄蜂脾培育种用雄蜂，以保证培育种用雄蜂的数量和质量。

（5）无螨害：雄蜂发育期长，蜂螨多集中在雄蜂巢房中繁殖生长。由于蜂螨的寄生，造成雄蜂幼虫和蛹发育不良。螨害较重的蜂群培育不出健康的种用雄蜂，所以父群必须无螨害。

3. 雄蜂的保存 当繁殖季节已结束，外界蜜粉源减少时，蜂群将驱杀雄蜂。如果育王继续需要雄蜂，可用无王群保存种用雄蜂。正常情况下，1 个无王群可保存种用雄蜂1 500～2 000只。保存的雄蜂数量过多，或无王群的粉蜜饲料不足时，工蜂对不同日龄雄蜂的照料是不同的，往往幼雄蜂比老雄蜂得到更多的照顾。

（二）母群的选择和组织

1. 母群的选择 母群的选择要通过 1 年以上的观察和比较，全面考察母群的种性和生产性能。在各方面性状表现比较好的前提下，母群应侧重选择繁殖力强、分蜂性弱、能维持强群以及具有稳定的特征和最突出的生产性能的蜂群。

2. 母群的组织 母群应有充足的粉蜜和良好的保温条件。在移虫前 8～10d，将母群的蜂王用隔王栅限制在巢箱的中部。在此限制区内，排放 2 张大面积的幼虫脾和 1 张大面积的粉蜜脾，这3张巢脾很少有供蜂王产卵的空巢房，以此限制蜂王产卵。

在复式移虫前4d，在限王区内查找蜂王，并将其中无王的1张幼虫脾抽出，将1张仅有200～300个巢房、适合移虫的浅褐色巢脾放入限王区的中间，以供蜂王在其上产卵。

大批连续人工育王，可将母群的蜂王放入小核群内饲养，限制母群蜂王的产卵量为每天200～300粒。

（三）哺育群的选择、组织和管理

哺育群的任务是哺育和培养蜂王幼虫和蛹，将蜜蜂幼虫培育成蜂王，所以哺育群也称为育王群。

1. 哺育群的选择　哺育群应选择高产、健康的优良强群。母群兼作哺育群可以更好地将其优良性状遗传给后代，同时，也缩小了人工育王的工作范围。但是母群数量有限，在大批育王时，都用母群作哺育群是不够的。需要再挑选几群哺育力强并具有父群和母群优良性状的强群作哺育群。有强烈分蜂热的蜂群不宜作为哺育群。

哺育群的群势应达到13～16足框，其中哺育蜂应占30%～40%。在组织哺育群前15d，应检查哺育群的封盖子数量。如果封盖子脾不足3足框时，应从其他已被选定的哺育群中提脾补充。哺育群中积累大量的哺育蜂，对培育优质蜂王是有利的。

哺育群中还应有5%～10%的雄蜂，这符合蜂群生物学要求，能提高移虫后的接受率和处女王的质量。如果哺育群中雄蜂很少，可从父群中提出1张在移虫育王前2～3d出房的雄蜂封盖子，放入哺育群中。

哺育群应为有王群。实验研究表明，用无王群作为哺育群，在最初时王台中的幼虫接受率较高，但由于无王群处于非正常状态，王台的封盖提前，所以培育出来的蜂王初生重普遍降低。

2. 哺育群的组织　哺育群无论是继箱群还是横卧式蜂箱群，首先用隔王栅将蜂箱内分隔成2个区：是有正常产卵王的繁殖区和无王的育王区。育王区中间放3张小幼虫脾，以吸引哺育蜂在此聚集，形成哺育区。育王框移虫后，先抽出育王区中间的小幼虫脾，然后将育王框放在2张小幼虫脾中间。育王框两侧分别依次放小幼虫脾、大幼虫脾、封盖子脾、粉蜜脾。哺育群的繁殖区，应有足够供蜂王产卵的空巢房和适当的粉蜜贮备。

哺育群的蜂、脾关系应根据季节和当地的气候条件决定，在春季或昼夜温差大的地区，应蜂略多于脾，其他较温暖的季节可保持蜂脾相称，甚至脾略多于蜂。在哺育群的组织过程中，应检查蜂群并彻底毁弃分蜂王台。在组织哺育群后的7～9d，应将育王区所有子脾脱蜂检查，毁弃所有改造王台。

3. 哺育群的管理　哺育群组织后，每天傍晚用0.5～0.75kg的糖液进行奖励饲喂，连续奖励饲喂至王台全部封盖。奖励饲喂时，只宜掀开覆布的一角，不可全部揭开，以防巢内温湿度的散失和引起蜜蜂的骚乱。外界粉源不足时还需要饲喂花粉，以保证哺育群蛋白质饲料充足。

在低温季节育王，应做好哺育群的保温工作；高温季节育王则须遮阴降温。

哺育群在放入育王框后除了必要的检查外，尽量减少开箱，更不能随意将育王框提出。因为蜂王幼虫对育王区的温湿度变化和机械震动都十分敏感，易使蜂王幼虫发育不良，甚至造成蜂王幼虫的死亡。

五、移虫育王方法

移虫育王是一种计划性强、效率高、育王效果好、比较常用的人工育王方法。其具体步骤如下：

1. 蘸制蜡碗　蜡碗就是用蜂蜡制成的人工台基。在蘸制蜡碗之前，先将蜡碗棒放入冷水中浸泡半小时以上。选用蜜盖蜡或赘脾蜡，放入熔蜡罐中，或放入双重水浴的熔蜡壶中加热。待蜂蜡完全熔化后，将熔蜡罐置于约75℃的热水中，以稳定蜡液温度。

蘸制蜡碗时，蜡碗棒垂直浸入蜡液10mm处，立即取出，稍等片刻再浸入蜡液中，如此操作2～3次，且蜡碗棒浸入一次比一次浅，使蜡碗从上至下逐渐增厚。最后在冷水中冷却，用手指轻旋将蜡碗从蜡碗棒上脱下。蘸制蜡碗时动作要轻快，蜡碗棒浸入蜡液中的时间不宜过长。蜡碗棒浸入蜡液中的次数依蜡液的温度而定，蜡液温度高，蜡碗棒则须多浸入几次。

制好的蜡碗放在清洁的大口容器中备用。

2. 粘装蜡碗　蜡碗按移虫的数量均匀地用蜡液粘在育王框的台基条上。为了在诱入王台时割台方便，避免损坏王台，在将蜡碗粘在台基条前，应先用蜂蜡加厚台基条的粘蜡碗部位，然后再将蜡碗粘附在加厚的蜂蜡上。蜡碗应粘结牢固，以轻微震动育王框，蜡碗不脱落为准。

3. 修台　粘装好蜡碗的育王框，随即放入哺育群中育王区两张小幼虫脾中间，让工蜂清理修整蜡碗。新粘装蜡碗的育王框放入哺育群3～4h，蜡碗被蜂群加工成近似自然台基，蜡碗口略显收口时，即可将育王框提出准备移虫。蜡碗放入蜂群中修整的时间也不可过长，否则工蜂会将空蜡碗破坏。

4. 移虫　移虫是人工育王的重要环节，移虫操作对环境要求比较严格。移虫尽可能在气温20～30℃、相对湿度75%～80%的明亮干净的室内进行。如果湿度低，可在地面适当喷洒温水，以增加室内空气湿度。如果不具备室内移虫条件，也可在室外移虫。但应选择晴暖无风的天气，移虫时应避免阳光直接照射小幼虫。移虫后的台基条上覆盖湿毛巾，以防台内小幼虫脱水。

移虫工作准备好后，从母群中脱蜂取出小幼虫脾。小幼虫脾脱蜂不能用硬抖的方法，以防脾中小幼虫移位，给移虫带来困难。小幼虫脾平放在清洁的隔板上，脾上平放待移虫的育王框。除了待移虫的台基条上的蜡碗口朝上外，其他台基条的蜡碗口朝向侧面。

从脾中选择有光泽、巢房底部王浆充足、孵化约12h的幼虫，用移虫舌从工蜂巢房中移出。移虫时，将移虫舌的舌端部沿工蜂巢房壁插入巢房底部，使移虫舌的端部从王浆底部通过，待越过小幼虫后，便可原路退回移出小幼虫。将移虫舌的端部放入蜡碗底部，轻推移虫舌的推杆，将小幼虫放在蜡碗的底部。

在移虫时应注意不能碰伤小幼虫，也不能使小幼虫翻转，应保持小幼虫始终浮在王浆上的状态。

为了提高移虫的接受率，培养初生重的优质新蜂王，应采用复式移虫。复式移虫的方法是：复移前 1d 从一般蜂群中挑选出孵化后约 12h 的工蜂小幼虫。然后将育王框放到育王群中培育。第二天小心取出育王框，细心地用镊子清除台中的小幼虫，不能将小幼虫底部的王浆搞散。在第一次移虫的幼虫位置，再移入母群的小幼虫。

移虫后尽量减少开箱，在育王期间，必要的开箱管理操作只有 3 次。第一次检查在移虫后第二天，主要检查移虫接受率和幼虫的哺育情况；第二次检查在移虫后的第六天，主要检查王台封盖情况，如果仍有未封盖王台应将其毁弃；第三次检查在移虫后第八天，主要清点王台数量，以便组织交尾群。

六、交尾群的组织和管理

交尾群，是在交配期间为提供处女王生活和活动而组成的特殊蜂群。在蜜蜂数量一定的前提下，为满足更多的处女王交配，交尾群的群势往往较弱，尤其是专门提供处女王交配的蜂群。生产群、换王或失王的繁殖群，也可以兼作交尾群，其群势较强。

（一）交尾箱的类型

组织和饲养交尾群的蜂箱称交尾箱。交尾箱可分为两大类：一类用标准蜂箱直接作为交尾箱，或经闸板分隔成 2 个以上交尾区；另一类比标准蜂箱小得多，专门制作的小型或微型交尾箱。各类型的交尾箱各有其特点，在育王实践中，可根据气候条件、蜂群状况以及使用目的等进行选择。

1. 标准蜂箱分隔交尾箱　利用普通巢箱作交尾箱，用闸板将巢箱平分为 2～4 区，分别方向开设巢门。这类交尾箱无须专门制作，节省成本，多为非专业育王的生产蜂场采用。标准蜂箱分隔主要有双区交尾箱和四区交尾箱两种形式。

（1）双区交尾箱：用闸板将巢箱平分为 2 个区，分别在蜂箱的前面和侧面开巢门。每区通常以 2 足框蜜蜂附 1 张封盖子脾、1 张卵虫脾和 1 张粉蜜脾组成。双区交尾群的群势相对较强，适应期长，新王交尾成功，产卵后稍加管理就能成为正常的繁殖群。但是，若处女王交尾失败，蜜蜂的利用就不经济了。

（2）四区交尾箱：用闸板将巢箱平分为 4 区，分别在蜂箱的前、后和两侧开巢门。每区放脾 2 张，巢脾中应包含封盖子、卵虫和粉蜜，群势为 1.0～1.5 足框。四区交尾群的群势中等，也可用于贮备蜂王或重复交配使用。新王交配成功，产卵后稍加补充调整就成为正常的繁殖群。处女王交配未成功，在同箱内交尾群的合并也方便。四区交尾箱的不足之处在于：管理不善易发生盗蜂；巢门多向，交尾群排列不便；巢门日照不一，影响处女王出巢。

2. 小型和微型交尾箱　此类交尾箱是提供处女王交配所使用的专用蜂箱，比正常蜂箱小得多，一般呈正方形或长方形。在交尾箱中用闸板从中分隔成 2 区，分别在前面和侧面开巢门。每区放 2 张含有卵虫、封盖子和粉蜜饲料，一般保持蜂脾相称。小型和微型交尾箱巢脾面积小，在同等群势下更有利于交尾群的保温。交尾群中蜂数量少，在同样数量的蜜蜂中可供更多的处女王同时交配，多适用于专业育王场。不足之处在于需要制作专用交尾箱，增加蜂场投资，不利于转地蜂场使用；因其群势弱，对外界不良环境抵抗力弱，易发生盗蜂。

根据交尾箱和巢脾的大小，此类交尾箱可分为1/2型交尾箱、1/4型交尾箱和微型交尾箱。

（1）1/2型交尾箱：巢脾只有标准蜂箱巢脾的1/2，2张巢脾可拼接成1张标准巢脾，在组织交尾群前放入正常蜂群中造脾、产卵、育虫、贮粉蜜。每区交尾群的群势约1足框蜂，在此类交尾群中群势较强。

（2）1/4型交尾箱：巢脾为标准蜂箱巢脾的1/4，4张巢脾可拼接成1张标准巢脾，在组织交尾群前同样需放入正常蜂群中造脾、产卵、育虫、贮存粉蜜。每区交尾群的群势约0.5足框蜂，在此类交尾群中群势较弱，适应期短，仅用于气温适宜而稳定的季节。

（3）微型交尾箱：为了更经济地利用蜜蜂，交尾箱向更小的微型化发展。在国内外的育王实践中，出现了1/8交尾箱，甚至有的蜂场使用1/20交尾箱。每个交尾群只有100～200只蜜蜂。例如，有一种用绝热性较好的聚乙烯材料制成的高115mm、长和宽各75mm的微型交尾箱，可放入2个70mm×70mm的小巢脾。微型交尾箱的优缺点比1/4交尾群更突出。

3. 原群分隔交尾区 在正常的繁殖群或生产群中，用闸板和覆布隔出1～2脾的空间，作为交尾区，蜜蜂由侧门出入。这类交尾箱不需要特制，方法简便灵活，交尾区内的蜜蜂群势可随时调整，在低温季节保温好。处女王交配失败，交尾区的蜜蜂易并回原群；交配成功亦方便更换原群蜂王。但如果新王交配归巢时发生错投，常发生淘汰原群或邻群的产卵王。此方法适用于少量育王，或更替老劣蜂王。

4. 强群交尾箱 利用正常的繁殖群或生产群，提出原王，或利用失王的蜂群，诱入成熟王台成为交尾群。此类型交尾群多为结合配套的蜂群管理措施，以达到治螨、换王以及蜂蜜高产等目的。这类交尾箱也无须特制，处女王的生活环境优越，培育的产卵王质量较高，运用得当还可达到饲养管理的整体目标。但是运用此法专门供处女王交尾效率太低，处女王交配失败经济损失也大。

（二）交尾群的组织

用标准蜂箱组织交尾群，应在诱台前1d的午后进行，强群交尾群也应在诱台前1d的午后提出蜂王。

小型和微型交尾群的组织，应在育王移虫前10～12d修造相应的交尾箱巢脾，并分别使蜂群在脾上产卵、育虫和贮粉蜜。脾中的粉蜜和蜂子应各占一半。交尾群的组织可在诱台的当天或前1d的傍晚进行。

在组织交尾群时要防止将蜂王随蜂、脾调入交尾群。

1. 标准蜂箱分隔交尾群的组织 有原场组织和外场组织两种方式。

（1）原场组织：在蜜蜂出巢活动时组织，可减少交尾群中外勤蜜蜂的数量。从各强群中提取所需要的封盖子脾、粉蜜脾和脾上的工蜂，在检查毁弃王台后分配到各交尾箱中。组织交尾群时，保持蜂多于脾，以防外勤蜂飞返原巢过多，使交尾群的群势过弱。可能的情况下，也可在组织交尾群时，交尾箱中多放 1 ~ 2 张带蜂巢脾，等交尾群中的蜜蜂稳定后再脱蜂提出余脾。如果交尾群中蜂量不足，可将幼虫脾连蜂提起，轻抖数下，使外勤蜂离脾，将脾上的内勤蜂抖入交尾群中。

交尾群组织后，最好能在暗室中关闭 24h，或在交尾箱排列后开巢门前采取巢门塞茅草等方法，促使蜜蜂重新认巢。诱台前还需再次检查毁弃改造王台。如果飞返原巢的蜜蜂过多，还应再补入幼虫脾上的内勤蜂。处女王出台后，交尾群的群势不足，一般不宜直接补蜂，以防处女王受惊被围。可抽出空脾使蜂密集，或用正在出房的老封盖子调换交尾群中的巢脾。

（2）外场组织：在诱台前 1d 的 15 ~ 16 时，从各强群中抽出所需的成熟封盖子脾、粉蜜脾和工蜂，混合组成 10 框的无王群。组成的无王群在当晚或第二天清晨，随同成熟王台一起运往交尾场。成熟王台可放在 5 框的无王群中，或将整个育王群运到交尾场。

交尾场已排列好空的交尾箱，蜂群运到场地后，先在巢门和纱盖上喷水使蜂安定，再打开巢门，拆除装钉。开箱后立即组织交尾群和诱入王台。交尾场距蜂场的直线距离应超过 5km，蜜蜂一般不会再回原场。外场组织的交尾群不存在群势因回蜂减弱的现象，蜂群各龄期蜜蜂比例正常，蜂王交尾往往比原场组织的提早。

2. 小型或微型交尾群的组织　小型或微型交尾群的蜂数少，如果与正常蜂群排放在一起，由于群势相差悬殊，易引起盗蜂、处女王错投、工蜂偏集到强群等问题。所以，小型或微型交尾群应原场组织外场使用。

在诱台的当天组织交尾群。组织时，将标准蜂箱中准备的子脾和粉蜜脾拆开，带蜂放入交尾箱中，并直接诱入王台，如果蜂数不够，可从幼虫脾上补入内勤蜂，然后用铁钉固定巢脾。组织好的交尾群暂放在暗室中，等交尾群全部组织完毕，将交尾群运到交尾场。

3. 原群分隔交尾小区的组织　诱台前 1d 午后，将 1 框粉蜜脾和 1 框老熟封盖子脾带蜂放入用闸板分隔出一侧的交尾区。毁尽脾上的王台，防止蜂王隔在小区内。由于交尾区侧面开巢门，所以，交尾区的外勤蜂从侧门出巢后将从正门进入强群区，可能导致交尾区内蜂数不足。可在组织时使交尾区内的蜜蜂多于脾，并多补入内勤蜂。

交尾区多设在巢箱内，也可设在强群的继箱上。不管设在巢箱还是继箱，都应用闸板和覆布将交尾区与原群隔绝。

4. 利用强群作交尾群的组织　利用强群交尾的蜂群排列不宜太整齐，尽量分散排列。在提出蜂王的第二天诱入王台。在诱台前彻底毁尽分蜂王台和改造王台。

（三）成熟王台的诱入

移虫后，在气温较高的季节应在第十天诱台，在气温低的季节育王应在第十一天诱台。诱台时应防冻、防震，王台始终保持垂直状态，不可横放，更不可倒置。从哺育群取出育王框，不可用抖蜂的方法脱除蜜蜂，必要时只能用蜂刷扫落框上蜜蜂。

诱台时一般不必脱去育王框上的蜜蜂，在育王框上带蜂割下王台后，直接诱入交尾群。王台诱入的位置与交尾群的群势和气温有关。强群，气温较高，王台可放在中间蜂路的两脾上梁间；群弱，气温低，应将王台放在脾的中间。诱台时，先将巢脾中部靠近子脾的地方用手指压入，使脾面凹陷，王台与地面呈垂直状态嵌入凹陷处。

将王台诱入较强群势的交尾群，王台易被工蜂破坏，可用铁丝绕成弹簧形的王台保护圈从王台的侧面加以保护。也可用香烟包装的锡箔纸代替王台保护圈，包在王台的侧面。

（四）交尾群的排列

交尾群的排列直接影响蜂王交尾成功率。排列不当易引起盗蜂，新王错投，造成交尾失败。交尾场地应开阔，远离繁殖群和生产群。交尾群间不能紧靠，至少应有2m以上的距离，并使巢门朝不同的方向。如果场地较大，交尾群也可单箱整齐排列，箱距和行距分别为3m和5m。

为了增强出巢交配蜂王的认巢能力，可在蜂箱巢门附近用蜜蜂能明显分辨的颜色和图形作标志，相邻蜂箱的标志应区别明显。专门使用的交尾箱，特别是小型和微型交尾箱，还可以将箱的四壁涂以不同的颜色，以帮助蜜蜂和处女王认巢。交尾箱附近的单株小灌木和单株大草等不要去除，可作为交尾箱的自然标记。

交尾箱应编号，并绘制交尾箱分布图，以方便管理。

（五）交尾群的管理

交尾群的管理工作，应围绕着保证处女王出台前后良好的发育条件，尽快地使处女王顺利交尾产卵。

1. 检查交尾群及蜂王情况　自诱台、蜂王出台、交尾、产卵，到取用新王，应尽可能少开箱干扰蜂群。

（1）诱台前1d：检查交尾群中有无王台、蜂王，以及蜂、子、蜜、粉是否正常。

（2）诱台后2～3d：检查诱入王台接受情况，出台蜂王的质量。蜂王出台后及时取出台壳，以防蜂王钻入，自囚致死。

（3）处女王出台后5～10d：检查交尾、产卵及损失情况。检查一般在10时前或17时以后进行，避开交配时间检查。

（4）出台后12～13d：检查新王产卵。如果气候、蜜源、雄蜂等条件都正常，但蜂王仍未交尾产卵，应将未产卵或产卵不正常的蜂王淘汰。

2. 新蜂王的取用　新蜂王交配成功后，最好能在交尾群中观察蜂王产卵情况，以判断新蜂王的质量，同时新王产的卵对维持交尾群也有利。新王产卵3～5d，或交尾群中巢脾已产满卵，就应及时提用蜂王。小型或微型交尾群，巢脾小，新王交配成功后，很快就能将所有的巢房产满。长期将新王留在小群中，限制其产卵，造成腹部收缩，影响新王的卵巢发育，也增加了诱王的难度。所以，更应注意及时取用新王。

新王取用后，交尾群在进行调整补充后，再诱入王台重复使用。

3. 交尾群的管理特点　交尾群是特殊的蜂群，多数交尾群的群势弱，生活能力差，所以交尾群的管理更要细心。

（1）巢门管理：交尾群的守卫能力差，特别是小型或微型交尾群。为防盗蜂，巢门应关小，以仅能容 1 ~2 只蜜蜂同时出入即可，在天气炎热的午后可适当放大。新王交配成功，开始产卵，应在巢门口加隔王栅片，以阻止其他错投的蜂王进入。中蜂交尾群巢门加隔王栅片，还可预防蜂群飞逃。

(2) 饲喂：交尾群因群势弱，易缺饲料，对巢内贮粉蜜不足的交尾群应及时补饲。奖励饲喂有助于促进蜂王出巢交配，在处女王交配期应适量地连续饲喂糖液。

(3) 防盗：交尾群发生盗蜂常是毁灭性的，在管理中，一切可能引发盗蜂的因素，都应严密控制。如果发现交尾群有盗蜂迹象，应立即采取止盗措施。

(4) 保温遮阴：小交尾群调节巢温能力弱，在气温较低的季节，应采取适当的保温措施；在高温季节应避免阳光直射，加强通风遮阴。

(5) 扑灭敌害：因交尾群抵抗力弱，常受到胡蜂和蚂蚁等敌害毁灭性的为害。在管理中，应注意采取措施，扑灭敌害。

(6) 交尾群的处理：蜂王交尾成功后，应及时处理交尾群，充分利用交尾群中的蜜蜂进行生产或繁殖，防止因蜂群抵抗力弱而沦为蜂场的病源和盗蜂源。

交尾群使用后的处理，可根据情况采取合并、调整或补强方法。标准蜂箱交尾群中蜂王未取用，群势较强，采用合并的方法，或适当带蜂补入封盖子脾和粉蜜脾，使其成为正常的繁殖群。无王的交尾群，应将蜂和脾调入正常蜂群中。小型交尾群的处理，多采用合并方法。交尾群任务结束后，将巢脾拼装成标准巢脾，放到正常蜂群的边脾位置。待脾中的蜂子全部羽化和贮蜜被吸食完后，提出妥善保存。微型交尾群在完成任务时，已基本没有子脾。拆除微型交尾群，根据交尾群中蜜蜂总数，可在交尾场放置 1 ~ 3 群弱群，将交尾群的蜜蜂直接脱除后，撤走交尾箱，使交尾群的蜜蜂投入弱群中。

七、邮寄蜂王

蜂王的引进和交换，通常采用把蜂王装入邮寄王笼里邮寄，用炼糖作为饲料，王笼内放蜜蜂饮水用的小水壶，在正常情况下，路程在 15d 内比较安全。

(一) 邮寄王笼

邮寄王笼是蜂王邮寄的工具，对保证蜂王安全运输起着重要作用。

制作邮寄王笼，需要选用无异味、质地细腻的木材，如椴木、杉木等。先将木料加工成长 80mm、宽 35mm、厚 18mm 的长方形木块，在木块上钻 3 个直径 25mm、深 15mm 未钻透的圆孔，3 个圆孔形成相互连通的 3 个圆形小室。第一小室为装炼糖的饲料室，第二小室和第三小室为蜂王的活动室。在邮寄王笼的两侧的中间各横开 1 条宽 4mm、深 2mm 的槽，在槽中钻几个直径 3mm 的小孔，直通蜂王活动室，作为在邮寄过程中辅助的通风设施。在蜂王活动室的一端钻 1 个直径 9 ~ 10mm

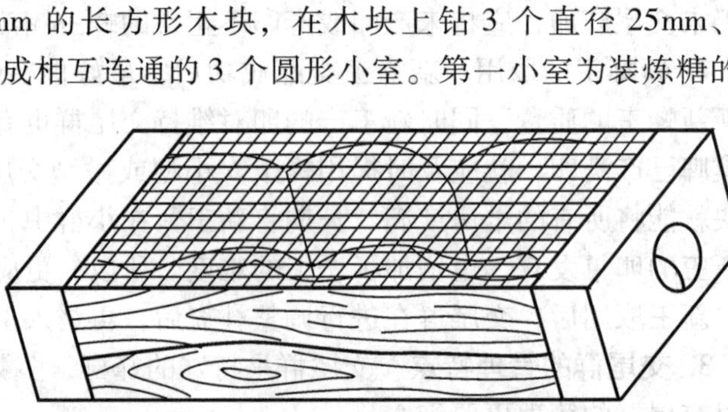

图 6 - 10 蜂王邮寄笼

的圆孔，是蜂王和侍从工蜂进出王笼的通道。用蜂蜡作防水材料，将邮寄王笼的饲料室放入熔蜡中浸一下，以防炼糖水分被王笼的木料吸收。将炼糖放入邮寄王笼的饲料室中，上面覆盖一层无毒塑料薄膜，防止炼糖吸湿或干燥。将铁纱盖在3个小室上，用钉书机固定（图6－10）。

（二）炼糖的配制与蜂王的邮寄

炼糖是蜂王邮寄过程中，邮寄王笼内蜂王和侍从工蜂的饲料。炼糖的制作方法：将蔗糖置于50～60℃的干燥箱中烘2～3h，粉碎后过100目筛。蜂蜜隔水加热至60℃，全部解晶后，自然冷却至38℃。按1份蜂蜜加4份糖粉的比例，将糖粉加入蜂蜜中，搅拌均匀，用手揉合，直到炼糖软硬适度，不粘手为止。如果在搅拌过程中加入5%的新鲜蜂王浆，有利于提高蜂王在邮寄途中的生活力。制作好的炼糖可装在大口密封容器中避光存放。

蜂王从邮寄王笼的蜂王活动室一端的圆孔放入笼内，同时放入从小幼虫脾上捕捉的10～15只哺育蜂（介绍蜂王时，须先放走侍从工蜂）。将蜂王邮寄笼的进出圆孔封闭后，放入牛皮纸袋中糊严密封，用特快专递寄出。

八、蜜蜂人工授精

蜜蜂人工授精是使用人工授精仪等器械将雄蜂精子注入到蜂王的侧输卵管中，最终使精子进入蜂王受精囊的技术。蜜蜂人工授精技术使严格控制蜂王与雄蜂的交配成为可能，是蜜蜂纯种选育、近交系培育、杂交组配和蜜蜂遗传学研究等方面的重要手段。

（一）蜜蜂人工授精的仪器设备

蜜蜂人工授精设备包括蜜蜂人工授精仪、精液注射器、蜂王麻醉装置、体视显微镜和实验室常规设备。

1. 蜜蜂人工授精仪及其附件　蜜蜂人工授精仪由底座、蜂王固定器、三向导轨以及背钩、腹钩的操纵杆、固定柱等组成（图6－11）。

蜜蜂人工授精仪的附件有背钩、腹钩、阴道探针等。这些附件可用牙科使用的直径为0.8～1.0mm的不锈钢丝加工而成（图6－12）

2. 精液注射器　精液注射器的类型很多，有膜片式、微调螺旋式、水压式、柱塞式等微量进样器。

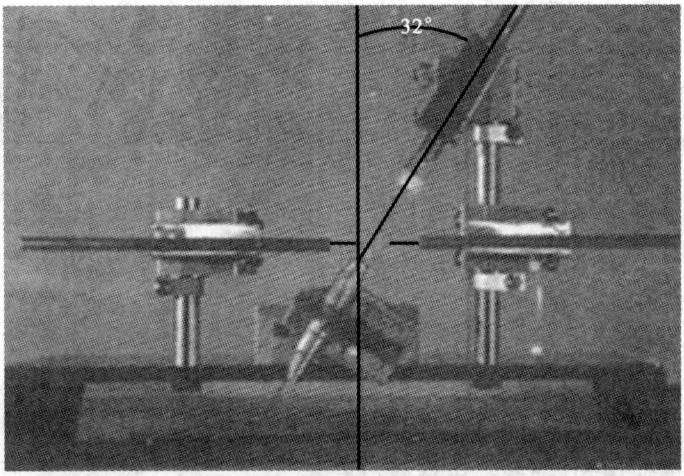

图6－11　蜜蜂人工授精仪（仿 Harry H.，1993）

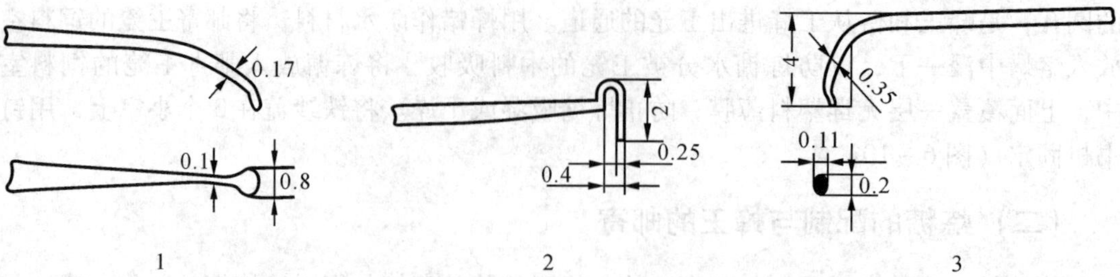

图 6-12　钩针和探针（仿薛运波，2000）（单位：mm）

1. 背钩　2. 腹钩　3. 探针

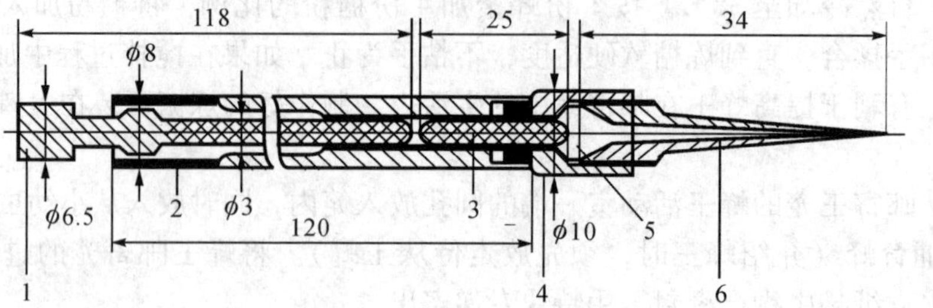

图 6-13　麦肯森隔膜式注射器（仿薛运波，2000）（单位：mm）

1. 螺杆　2. 针筒　3. 顶针　4. 接头　5. 橡胶模片　6. 授精针头

国外蜜蜂人工授精最普遍使用的是麦肯森隔膜式注射器（图 6-13）。麦肯森隔膜式注射器由螺杆、针筒、顶针、接头、橡胶膜片、授精针头等组成。针筒用有机玻璃经机器加工制成，螺杆、顶针等均由不锈钢加工。授精针头是采集雄蜂精液和给蜂王注射精液的工具，可用有机玻璃、不锈钢、玻璃毛细管、聚乙烯等材料制作。授精针头的针尖外径不超过 0.3mm，内径不小于 0.17mm。

福建农林大学蜂学学院与中国农业科学院蜜蜂研究所联合研制出 CH—1 型微量注射器。CH—1 型微量注射器用透明有机玻璃加工而成，针头内最大贮精量为 10～12μl，针头上标有刻度，每 1 个刻度示 1μl。

3. 蜂王麻醉系统　在蜜蜂人工授精操作中，二氧化碳的作用主要是麻醉蜂王，使蜂王在人工授精操作时保持静止；此外，二氧化碳还能够降低蜂王的发情反应，促进人工授精后的蜂王提早产卵。蜂王麻醉系统由二氧化碳气体钢瓶、气体减压表、气体洗瓶、蜂王麻醉室、诱王管等组成（图 6-14）。作为蜂王麻醉剂的二氧化碳可从消防器材门市部购买，一般使用 3L 钢瓶。在钢瓶口安装一个气体减压表（可用氧气减压

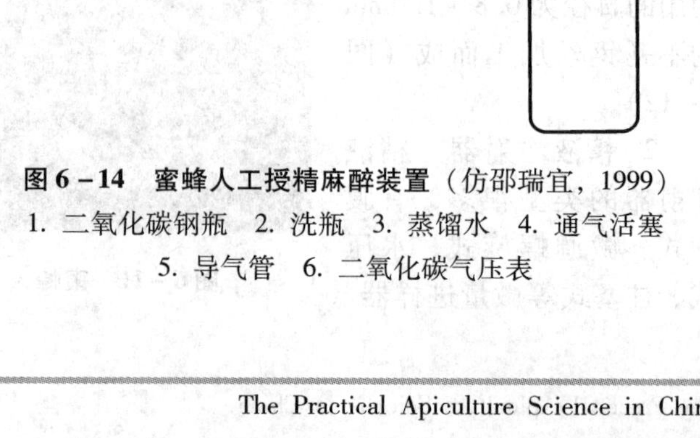

图 6-14　蜜蜂人工授精麻醉装置（仿邵瑞宜，1999）

1. 二氧化碳钢瓶　2. 洗瓶　3. 蒸馏水　4. 通气活塞　5. 导气管　6. 二氧化碳气压表

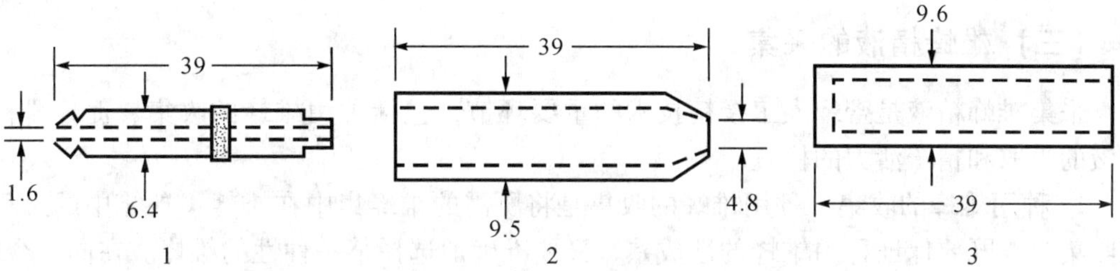

图 6-15　蜂王麻醉室（仿邵瑞宜，1999）（单位：mm）
1. 通气活塞　2. 固定管　3. 诱王管

表），二氧化碳经气体减压表由导管通入气体洗瓶。去除二氧化碳气体中所含的氯化氢等有害杂质后，再由导管将气体导入蜂王麻醉室。气体洗瓶除了净化气体外，还可以用于观察气体的流量。

蜂王麻醉室由 1 个固定管和 1 个通气活塞组成（图 6-15）。蜂王麻醉室多用有机玻璃制作。通气活塞一端与二氧化碳气体导管连接。

4. 显微镜　蜜蜂人工授精所需的显微镜包括生物显微镜和体视显微镜。生物显微镜主要用于观察精子密度和活力，判断所采精液的质量。生物显微镜的放大倍数应为 1 600倍。

体视显微镜的工作距离为 100mm，最小不应低于 90mm。在蜜蜂人工授精操作时，还须配置具有 15W 可调光源的显微镜灯（或冷光源），作为照明光源。照明光源不宜用普通白炽灯替代，以防过热造成授精蜂王损伤。

5. 雄蜂飞翔笼　雄蜂飞翔笼是收集种用雄蜂的工具，并可使雄蜂在蜂笼中排泄。在人工授精时，先将性成熟的种用雄蜂收集到飞翔笼中，然后进行取精操作。雄蜂飞翔笼为 330mm × 280mm × 250mm 的木制框架，两侧及后面钉铁纱，其余三面钉纤维板，正面纤维板的正中，开一直径 100mm 的孔，以便从笼中取雄蜂。用布帘遮严圆孔，以防雄蜂从此处逃逸。

（二）生理液的制备

蜜蜂人工授精生理液具有两种功能：一是作为蜜蜂人工授精器皿和器具的冲洗液，二是作为蜜蜂精液的稀释液。生理液须使用双蒸馏水或三蒸馏水配制，并事先调整 pH 值。蜜蜂人工授精生理液按配方配制后，经灭菌，放入冰箱中冷藏保存。生理液配方如下。

1. 基辅生理液　2-羟基柠檬酸三钠 2.43g，碳酸氢钠 0.21g，磺胺 0.30g，丁维葡萄糖 0.30g，氯化钾 0.04g，蒸馏水 100ml（pH8.4）。

2. 亥斯（Hyes）氏液　氯化钠 0.9g，氯化钙 0.02g，氯化钾 0.02g，碳酸氢钠 0.01g，蒸馏水 100ml。

3. 甘氨酸生理液　甘氨酸 0.75g，氯化钠 0.58g，蒸馏水 100ml（pH8.6）。

4. 氯化钠生理液　氯化钠 3.5g，双参链霉素 1.0g，蒸馏水 400ml（pH8.4）。

（三）雄蜂精液的采集

采集雄蜂精液是蜜蜂人工授精技术的重要环节，包括种用雄蜂的收集、促蜂排精、精液的吸取和精子活力的检查。

1. 种用雄蜂的收集　种用雄蜂的收集是将所需的雄蜂集中在雄蜂飞翔笼中的过程。在收集时，既要保证种用雄蜂的性成熟，又要准确地选择某一种性的雄蜂。在同一个蜂场中，同时饲养不同种系的父群时，尤其要注意雄蜂的种性，因为雄蜂无群界。

雄蜂出房时，用丙酮胶标记，既可准确标注日龄，也准确标注了种用雄蜂的种性。不同颜色的丙酮胶，可以表示不同的出房日期和来源于不同的父群。在近交系的培育过程中，雄蜂的标记更为重要。种用雄蜂标记时，丙酮胶应点在胸部背板，不能粘在头部、腹部和翅上。

育种场只有一个品系的父群，且不进行近交育种时，可不进行种用雄蜂的标记。性成熟的雄蜂腹部环节收缩较紧，较坚硬，行动敏捷，可在边脾、隔板、箱壁等处捉取。在蜂箱中捉取性成熟的种用雄蜂，应避开雄蜂出游时间，选择在8～11时和16～17时为宜。也可在晴暖的天气雄蜂大量出巢时（一般在午后），在巢门口捉取出游归巢的雄蜂。出游归巢的雄蜂多已充分排泄。

为了减少标记捕捉雄蜂所花费的时间，可将出房不久的种用雄蜂放入雄蜂饲养笼中集中饲养。雄蜂饲养笼规格为100mm×80mm×30mm，两面用隔王栅阻止雄蜂出来，但工蜂可自由进出雄蜂饲养笼，饲喂笼中的雄蜂。每个笼内放入25只雄蜂，每10笼放入一个特制的巢框内，再放入12足框蜂以上的强群中饲养。待性成熟后，在取精前将雄蜂放入飞翔笼内，使其充分排泄。

种用雄蜂在取精前必须进行充分排泄，以防取精时雄蜂粪便污染精液。雄蜂进入雄蜂飞翔笼后，放在室内，用60～100W白炽灯照明15～20min，即可完成排泄。

2. 促蜂排精　用左手的拇指和食指捏住雄蜂的头部和胸部，使雄蜂的腹面朝向拇指。再用右手的拇指和食指反复轻压雄蜂腹部的第二至第四节背板，并略向腹部末端挤压，在腹腔血淋巴的压力下，促使雄蜂的内阳茎外翻。最先翻出的是阳茎基，接着是1对角囊和穗状突，最后翻出的是阳茎球。射精管开口于阳茎球上。当射精孔排出土黄色的精液时，停止挤压（图6－16）。

在挤压雄蜂腹部促蜂排精时，用力应轻稳，不可用力过大，否则易使雄蜂的精液快速冲出造成损失，或使阳茎球破裂，造成体液污染精液。在雄蜂阳茎外翻过程中，还应注意不能使外翻的阳茎球及排出的精液接触到雄蜂体表、操作者的手指等，以防污染精液。

3. 吸取精液　吸取精液前将消毒过的注射器或毛细管先吸入一小滴生理液，再吸入一个小气泡，以隔离精液和生理液。

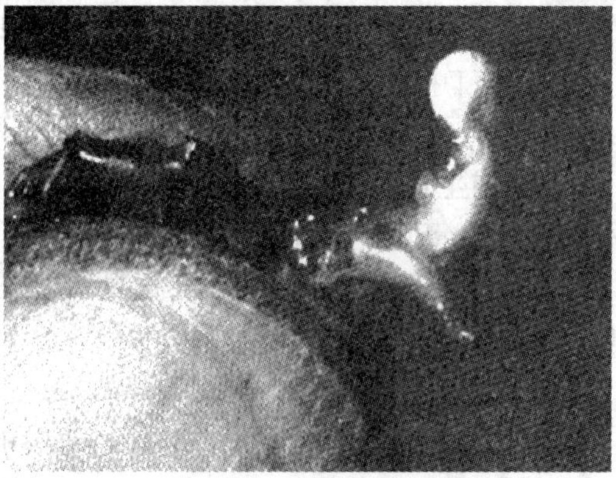

图6－16　促蜂排精（仿 Harry H.，1993）

将此注射器固定在蜜蜂人工授精仪上。经人工促蜂排精后，将雄蜂移到体视显微镜下，使土黄色雄蜂精液接触注射器的针头上后，稍拉开，使雄蜂的阳茎球与针头间以拉出很短的一小条精丝相连（图6－17）。吸取精液时不能将针头深入精液里面，以免吸入白色的黏液堵塞针头，或在人工授精时堵塞蜂王的侧输卵管，影响人工授精后侧输卵管的精子向受精囊转移，严重的还会造成人工授精蜂王的死亡。

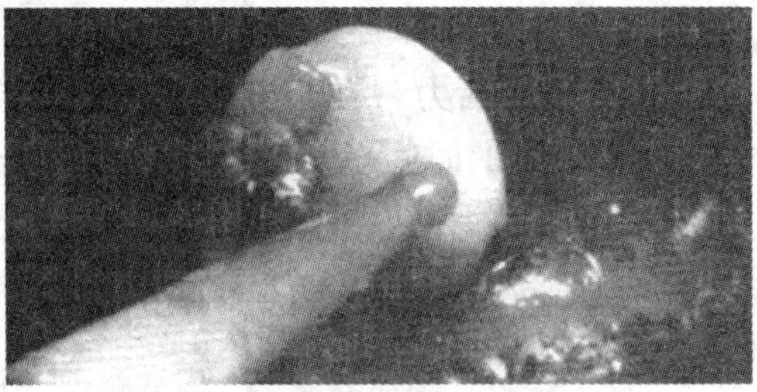

图6－17 吸取精液

吸取精液后，在针头的末端再吸入一个小气泡和一小滴生理液，封住针头的末端，以防精液在注入蜂王阴道前干燥和被细菌污染，确保精子的活力。凡是与人的手或与雄蜂体接触过的精液均不宜使用。

4. 漂洗精液 蜜蜂精液漂洗技术可以大量、快速地收集雄蜂精液，还可以用于收集异种雄蜂的混合均匀的精液。精液漂洗技术对中华蜜蜂的人工授精更有利，因为中华蜜蜂雄蜂性敏感强烈，往往刚捉住，阳茎就外翻射精。并且黏液紧随其后与精液混合排出，使精液黏稠度加大，造成采集精液困难。用常规方法采集中华蜜蜂的精液，每只雄蜂只能采到0.16μl（西方蜜蜂1只雄蜂可采精液1μl）。但精液漂洗技术存在着一定的缺陷。用漂洗精液授精的蜂王，受精囊内的精子数少于常规取精授精的蜂王，始卵时间也比后者推迟。由于受精囊中的精子量不足，用漂洗精液授精的蜂王在产卵后期易出现工蜂与雄蜂子脾混杂。在西方蜜蜂中最早采用漂洗技术采收雄蜂精液的是柯夫坦诺哥鲁和彭氏，福建农林大学蜂学学院苏荣茂于1989年将该技术成功地应用于中华蜜蜂雄蜂的精液采集。

精液漂洗的主要工具，是雄蜂精液采集器（图6－18）。雄蜂精液采集器由玻璃漏斗、聚乙烯接管、精液采集管三部分组成。玻璃漏斗长73mm，阔口一端外径为10mm，内径8mm，末端外径4mm，内径1.8mm；聚乙烯接管长15mm，外径4mm，内径2.5mm；精液采集管外径4mm，内径1.8mm，底部封口。

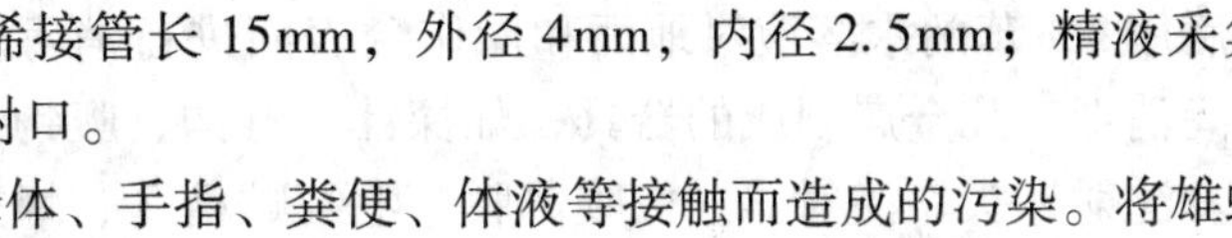

图6－18 雄蜂精液采集器（仿薛运波，2000）

1. 玻璃漏斗 2. 聚乙烯接管 3. 精液采集管

采精过程中也应避免精液与蜂体、手指、粪便、体液等接触而造成的污染。将雄蜂精液采集器垂直固定在支架上，采集管内装有七分满的稀释漂洗液，用消毒的玻璃棒将雄蜂的精液及黏液刮到稀释漂洗液中。利用精液采集器1次可以采集数十只雄蜂精液。当稀释漂洗液内的精液足够时，将采集器放入离心机的离心管内，以2 500r/min的速度分离10min。离心后，无色的稀释液位于精液的上面，乳白色的黏液处于精液的下面，浅灰色的精液在二者中间。用刀片将聚乙烯接管切断，使采集管与漏斗分开。离心分离后如果在当日用此漂洗后的精液为蜂王授精，将精液采集管的封闭端切开，用注射器把精液吸入或注入授精针头。离心分离后如果需要在常温下贮存2d以上，需将采集管的开口端在酒精灯火焰上封闭。

5. 检查精子活力 在蜜粉源丰富的季节，采精后的蜜蜂精液很快用于蜂王授精，精子在体外滞留的时间短，污染少，对精子的活力影响不大，所以一般不需要检查精子活力。如果利用贮存或漂洗的精液为蜂王授精，或在外界蜜粉源不足的季节采精，在人工授精前就必须对精子活力进行检查。精子活力的检查有两种方法：一是估测法，二是血球计数器法。

（1）估测法测定：用估测法检查精子的活力，快速简便，但误差较大。取雄蜂精液1μl，置于凹玻片上，用稀释液20倍稀释，盖上盖玻片。在27～32℃的气温下，将光学显微镜调至400倍，进行蜜蜂精子的活力观察。精子呈圆周或直线快速运动，说明精子的活力较强；如果精子运动速度较缓慢，有40%以上的精子不活动（不包括打转和尾部摆动的精子），说明精子活力不合格，该精液不宜再用于蜜蜂人工授精。

（2）血球计数器测定：将精液用生理盐水稀释，用红血球吸管将之打散，导入计算室中，在光学显微镜下先检查不活动的死精数（n_1）。再将血球计数板放入100℃恒温干燥箱中2min，活精子被杀死后，再放在光学显微镜下计算精子总数（n），精液的死精率（X）如式（6－2）计算：

$$X = (n_1 \div n) \times 100\% \qquad (6-2)$$

（四）授精操作

蜜蜂人工授精操作包括选择处女王、麻醉处女王、打开螫针腔、注射精液等步骤。初学者可用红墨水替代雄蜂精液进行人工授精练习。注射后，用昆虫针将蜂王固定在蜡盘上，用眼科手术剪刀剪去翅和足，沿腹部的背面中线由后向前将腹部剪开，再用昆虫针将剪开的腹部背板打开并固定在蜡盘上。在体视显微镜下观察注入侧输卵管液体的情况，如果两侧输卵管均膨大，充满红墨水，说明注射成功；如果只有一边侧输卵管充满红墨水，说明注射时进针偏位，或进针过深，针尖直接进入一边的侧输卵管；如果侧输卵管中注入的红墨水较少，或侧输卵管中有气泡，说明注射的技术还不过关；如果腹腔中有红墨水，则说明针尖刺破阴道等，将红墨水注入了腹腔。

在人工授精前，须对人工授精室、人工授精的器皿和器具等严格消毒，否则易造成授精蜂王因病原菌的感染而大量死亡。人工授精室彻底清扫和冲洗，操作台擦洗干净，然后用3%苯酚水溶液对地面和操作台表面进行消毒。再用紫外灯照射30min，对室内空间消毒。凡金属制成的器具，如探针、背钩、腹钩、镊子、眼科手术剪等均应高温灭菌。注射针头、注射器、橡胶薄膜、毛细贮精管、蜂王麻醉室等不耐高温的塑料或有机玻璃等材料制成的器具，可先用75%的医用酒精初步消毒后，再分别经过3～4次的生理盐水和含有0.25%硫酸双氢链霉素溶液冲洗。注射针头和蜂王麻醉室在连续授精5～6只蜂王后，就须更换1套消毒过的注射针头和蜂王麻醉室。当天授精工作结束后，如果第二天还需要继续授精操作，可将塑料和有机玻璃材料的器具，经无菌水数次清洗后，浸泡在3%～6%的次氯酸钠溶液中，第二天经生理盐水和稀释液冲洗后便可继续使用。

1. 处女王的选择 人工授精的处女王必须性成熟，最佳人工授精日龄为蜂王出台后 8～10d。为了保证人工授精蜂王的质量，选择体大健壮的处女王非常重要。一般要求人工授精蜂王的初生重，意大利蜂为 220mg 以上，中华蜜蜂 180mg 以上。

蜂王出台前将王台放入贮王框中，在蜂王出台时用分析天平或扭力天平称重，将合格蜂王及时诱入核群。也可以在蜂王出台前 1d，将王台诱入核群中，并在巢门前安装隔王栅片，以防蜂王飞出自然交配和其他蜂王误入该核群。新王出台第二天根据经验感官检查蜂王质量，淘汰劣质蜂王。

2. 蜂王麻醉 用右手拇指和食指捉住蜂王双翅，左手持诱王管，使蜂王的头部对准诱王管口，诱导蜂王进入诱王管。待蜂王进入诱王管后，立即使固定管口与诱王管口对接。蜂王进入诱王管后，多继续向前爬动，爬到诱王管的顶端便马上后退倒行。两个管口对接后，蜂王便会退入固定管中。当蜂王退到固定管后，将二氧化碳的通气活塞插入固定管中，塞入的深度以能使蜂王腹部末端伸出固定管 3～4 个腹节为宜。

将装有蜂王的固定管安放在蜜蜂人工授精仪上，开启二氧化碳钢瓶阀门，给蜂王麻醉室通入二氧化碳。从洗瓶冒出的气泡数量判断二氧化碳的流量。通过调节阀门，控制在 30 个/min 气泡为宜。一般经 30s 蜂王麻醉，随后便可进行雄蜂精液的注射操作。

3. 打开螫针腔 蜂王麻醉后，腹部末端的背板和腹板会稍微张开。将人工授精仪置于体视显微镜下，打开显微镜灯。先在低倍视野下，用腹钩钩住蜂王末端腹板，移动腹钩操纵杆，将其稍向左边拉开。在探针的配合下使背钩端部的三角铲伸至螫针鞘的基部，钩住蜂王腹末端背板（图 6－19）。同时移动背钩和腹钩的操纵杆，将蜂王腹部末端的背板和腹板拉开 5～6mm。在操作中应保证背钩、蜂王阴道口、腹钩在一条直线上（图 6－20）。调整体视显微镜的视野，在显微镜中可清晰看到蜂王的螫针腔。阴道口被拉向腹背方向，在螫针腔中呈“V”形，几乎露出阴道褶瓣。

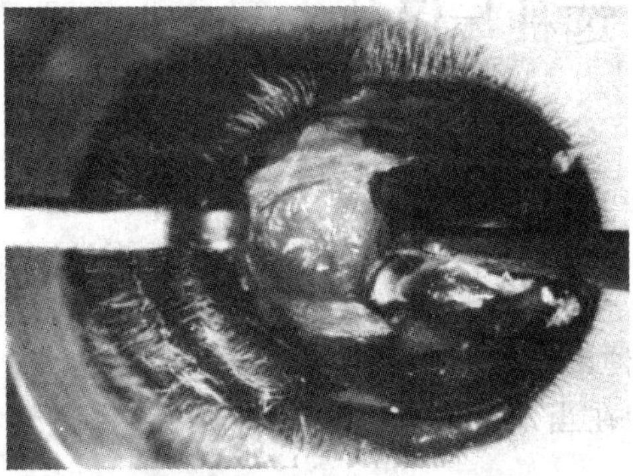

图 6－19 背钩和腹钩钩在螫针腔的背板和腹板上（仿 Harrry H.，1993）

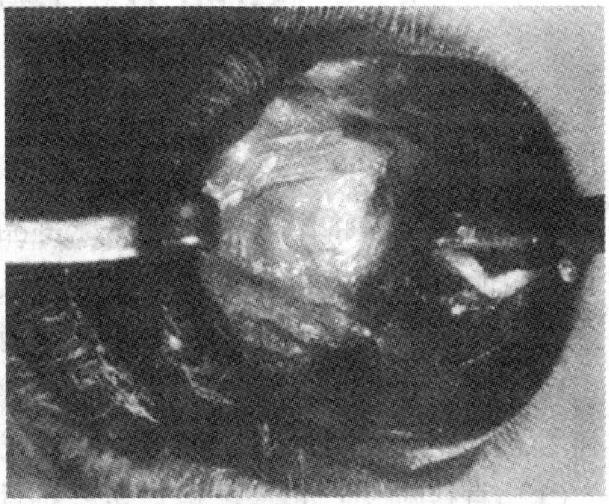

图 6－20 打开螫针腔（仿 Harrry H.，1993）

4. 进针注射 调整蜂王，使蜂王的纵轴线与注射器的纵轴在同一平面上。将注射器针头端部的生理液和小气泡排出。调节人工授精仪的三向导轨螺旋，使注射器针头对准蜂王的阴道口（图 6－21）。将阴道探针沿阴道口的腹背一侧慢慢插入阴道 1.2～1.5mm，探针略微钩起后再轻轻将阴道褶瓣压向腹面一侧。将注射针头沿着探针的右侧插入阴道 1.5～1.7mm，退出探针。旋动注射器活塞，把 4～6μl 的精液注入蜂王体内（图 6－22）。注射完毕数秒后，关闭二氧化碳阀门，退出注射器，松开并取下背钩和腹

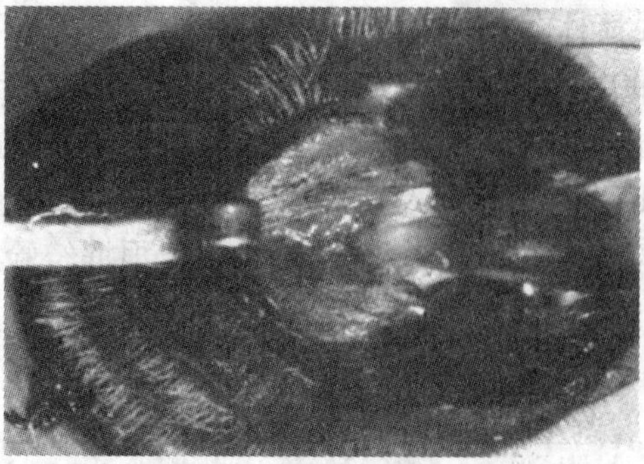

图 6－21 注射器端部进入阴道口（仿 Harry H.，1993）

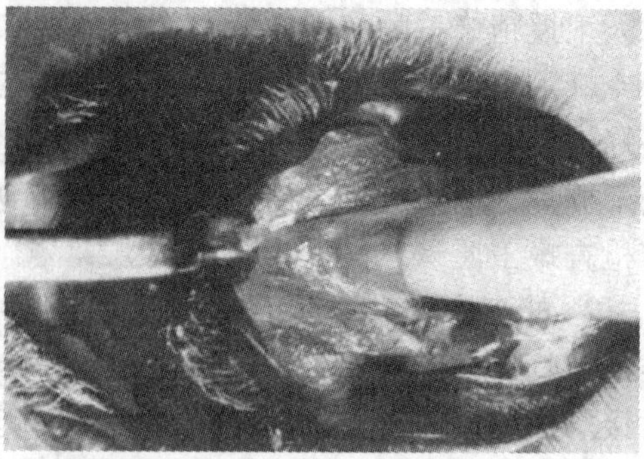

图 6－22 注射精液（仿 Harry H.，1993）

钩，从固定管中退出蜂王。在蜂王苏醒前，对蜂王进行剪翅处理，以防蜂王可能发生的自然交配，同时在蜂王的胸部背板作标记。蜂王苏醒后，放回原核群。

人工授精蜂王可在数天内进行小剂量精液的重复注射，如此操作可增加人工授精蜂王体内受精囊中的精子数量。

5. 人工授精蜂王的管理 是指蜂王人工授精结束后，到蜂王开始产卵前这一阶段的管理。将苏醒后的蜂王放回原核群时应防止围王，一旦围王应立即解救。人工授精蜂王的核群巢门应用隔王栅片阻隔，预防人工授精蜂王飞出和他群蜂王误入。小核群的工蜂数量应适当密集，以维持群内的正常温度，这有利于提高精子从侧输卵管向受精囊中的转移率，为人工授精王提供良好的条件。

第四节 引种、选种与保种

一、引种

蜂蜂引种就是将国内外的蜜蜂优良品种、品系，或类型引入本地，经严格考察后，对适应当地的良种在养蜂生产中推广，或作为蜜蜂育种素材。引种是丰富蜜蜂育种素材的重要手段，引进和合理地利用外来的蜜蜂育种素材是提高育种效果的重要措施。

1. 引进蜂种的利用方式 根据引进的蜂种在当地适应程度和表现，可将引进蜂种的利用分为直接利用和间接利用两种方式。

（1）直接利用：是在严格对蜜蜂种性考察鉴定后，对引进的蜂种不进行任何改良，直接在生产上应用和推广的引种方式。直接利用必须满足两个条件，一是引进的蜂种能适应当地环境，二是明显表现出良好的经济性能。如意大利蜜蜂和卡尼鄂拉蜜蜂引入我国后，在很多地区直接用于养蜂生产。

（2）间接利用：是指不将引进的蜂种直接用于生产，而作为育种素材加以利用的方式。有些引入后的蜂种，经试养和严格考察后，发现不适应我国的气候和蜜粉源等环境条件，或不符合生产上要求，但是又具有某种突出的优良性状。这样引入的蜂种虽然不宜直接在养蜂生产中推广，但作育种素材，在蜜蜂新品种的培育上还是有利用价值的。如我国引入的安纳托利亚蜜蜂和塞浦路斯蜜蜂，就是作为育种素材加以利用的。

2. 蜜蜂引种方法　对引进的蜂种应详细地登记编号，建立引种档案。引种登记编号的内容包括引进蜂种的名称、原产地、引进地、引种方式、引进数量、收到蜂种的日期、引种后蜂种的处理方法、蜂种的主要特点和经济性状等。在随后的试养观察鉴定期间，应对引进的蜂种隔离饲养，严格控制雄蜂、处女王和自然分蜂，以防蜂病的传播和不良蜂种基因的扩散。

蜜蜂引种可采用引进蜂群、蜂王、卵、虫、精液等方式。蜜蜂引种多以引进蜂王为主。

（1）引进蜂群：是一种最直接的蜜蜂引种方法。这种方法可立即对引进蜜蜂的种性进行观察、鉴定，了解其经济性状和生产性能，以便更快地判断其利用价值。但是，此法引种的费用较高，随蜂群带来疫病的可能性较大。有蜜蜂的种蜂场一般不采用此方法引种。

（2）引进蜂王：是较常用的引种方法。用这种方法引种简便、快速、安全、经济。引入后诱入蜂群成功率较高。国内种蜂场大多承诺蜂王邮寄中死亡可补寄，所以邮寄蜂王引种的风险较小。引进的蜂王诱入蜂群50d后，其子代工蜂基本取代了原群工蜂，就可以对该蜂种进行观察、鉴定。

（3）引入卵虫：是一种经济、快速、高效、大面积推广和引进良种的方法。20世纪70年代，我国著名的养蜂家马德风研究员发明了卵虫输送法，进行蜜蜂良种的推广。仅在黑龙江、吉林、湖北三省3年间就推广和改良蜂种近20万群，产生了巨大的经济效益。这种引种方法，是将良种的卵虫引入蜂场后，通过移虫育王，大量培育出良种蜂王的得力措施之一。引入卵虫受到运输途中时间的限制，最多不能超过3d。运输时，对卵虫脾应严格保温，最好用特制的手提蜂群转运箱带蜂运输。采用引进卵虫的方法引种，有利于减少蜂病的传染，不足之处是从引种到育王时间限制严格，多适用于周边地区的引种。

（4）引进雄蜂精液：也是引种的一种方法，用引进良种蜂群的雄蜂精液作为育种素材，给种蜂场现有的纯种处女王进行人工授精，培育良种。这种引种方法可避免蜂病的传播，在有效的精液贮存技术的支持下，对引进精液的使用时间限制性不强。但是，这种引种方法也有很大的局限：第一，必须掌握蜜蜂人工授精技术；第二，只能作为育种素材，而不能直接利用；第三，对蜜蜂精液的贮存技术提出较高的要求。

3. 蜜蜂引种应注意的问题　生物引种具有很大的风险性，历史上由于不当引种造成生态灾难的事例很多，且消除不当引种的影响往往要付出巨大的代价。从澳大利亚的仙人掌，到20世纪80年代初福建沿海引进的大米草，都给人类造成严重的经济损失。蜜蜂引种不当的最典型的例子，就是危害南北美洲的非洲化蜜蜂，俗称“杀人蜂”。所以，引种必须要考虑周全，同时还应随时做好防范和消除不良引种后果的准备。

（1）引种目的明确：如果是直接利用，应对蜂种的生物学特性和生产性能均提出较高的要求。若是间接利用，则应明确所需引入蜂种的何种突出性状。

（2）防止蜂种混杂：如果引种不当，又无防范蜂种混杂的措施，引入蜂种的雄蜂、处女王飞出交配，或蜂群发生分蜂摆脱人的控制，就可能造成危害。非洲化蜜蜂就是因非洲蜜蜂分蜂群的飞离，后与当地蜂种杂交产生了“杀人蜂”。引入蜂群或有引入蜂群基因的杂交群，在观察鉴定期间，应在巢门前安装隔王栅和雄蜂幽杀器，严防引种群的雄蜂、处女王飞出蜂巢和发生自然分蜂。如果能够预见引种的危害，应采取措施消灭引种群和与引种群有关的杂交群。

(3) 防止蜂病的传入：原产地的蜜蜂病敌害与当地蜂种相互适应，一般不会成为严重灾害。如蜂螨原主要寄主为中华蜜蜂，但蜂螨对中蜂的危害不大。蜂螨转寄生到西方蜜蜂后，却产生了严重危害。所以，防止新病敌害的传入是种植业和养殖业都必须重视的问题。在蜜蜂引种过程中，不从疫区引种，必须严防外来病敌害的侵入。蜂种引进后，应进行严格的隔离饲养观察，密切注意有无新的病敌害发生。一旦发现应立即报告动植物检疫部门，及时销毁，进行无害化处理。

(4) 适应引进地的自然环境条件：蜜蜂的优良性状须在一定的环境条件下才能良好表现。例如，抗寒的蜂种不一定能适应热带地区，蜜源条件较好地区的良种不一定能适应零星蜜源条件等。引种时，应考虑蜂种原产地与引入地的环境差异，尤其是为直接利用的引种。判断引进蜂种能否适应本地区的环境条件，可比较蜂种原产地和引入地的温、湿图线作为初步判断的依据。如果两地的温、湿图线大部重合，则引种成功的可能性较大。也可以应用模糊数学原理，对两地的气候环境条件进行相似性分析，其分析结果可作为引种的参考依据。

(5) 引种的数量：先少量引种，经初步鉴定后，对有价值的蜂种应继续引进，使之形成一定规模的种群。少量引种不能引进该优良蜂种的全部基因，且在引进蜂种的保存上也存在困难。原则上，引进的蜂种数量越多越好，至少应达 20 群。引种时尽可能从同品种的不同种蜂场引入，以增加该蜂种的基因种类，减少二倍体雄蜂携带的优良基因丢失。

引进的原种蜂王数量多，可采用闭锁繁育技术进行保种；如果引进的数量少，则只能将引进的蜂种作为杂交亲本加以利用，但不能只用 1 ~2 只引进的蜂王作亲本自交繁殖，否则就会造成性等位基因的大量丢失，出现生产性能迅速衰退的现象。

二、选种

选种就是将具有某些优良性状的蜂群选出作为种用群，通过人工育王的手段保留和强化这些性状的育种方法。蜜蜂的性状，是由基因和环境共同作用的结果，只有基因型的性状才能较好地在子代中表现。在选择育种中，应考虑蜂群性状遗传的稳定性。

蜜蜂的性状，主要分为质量性状和数量性状。质量性状，是指变异不连续的性状，各变异间差别明显，如蜜蜂的体色等。数量性状，为变异连续的性状，各变异间难以简单区分，如蜂王产卵量、采蜜量、蜂群繁殖速度、蜂群产浆量等。

质量性状的基因，一般由 1 对或几对基因控制，其性状的表现受环境影响不大。控制质量性状的基因多有显性和隐性，显性纯合子与杂合子在性状表现上一致，不易区分。如果只根据性状表现将隐性纯合子淘汰，而不注意淘汰杂合子，选种的效果就会受到影响。

数量性状多由 1 ~2 个主基因和多个微效基因控制，比较复杂，其性状表现易受环境影响。数量性状的改良，应利用数量遗传学和生物统计的原理与方法，进行基因型的选择。

（一）个体选择

个体选择是根据蜂群的某一数量性状选择蜜蜂种用群的方法。这是一种最简单的选种方法。在一定数量的蜂群中，将某一性状表现最好的蜂群保留下来，作为种用群培育处女王和种用雄蜂。在子代蜂群中继续选择，使这一性状不断加强，就可能选育出该性状突出的良种。浙江平湖浆蜂，就是采用这种方法选育出来的蜂王浆高产蜂种。

例如图 6－23 所示，在 *A*、*B*、*C*、*D*、*E* 5 个家系的 *a*、*b*、*c*、…、*x*、*y* 25 群蜂中，用个体选择的方法，将优良性状表现最好的 *f*、*u*、*v*、*g*、*a*、*h*、*w*、*x*、*b*、*i* 10 群蜜蜂作为种用群。

个体选择适用于遗传力高的性状选择，如果性状的表现主要是由于环境影响所致，而遗传基因为次要因素，也就是说性状遗传力低，个体选择的方法就不适用了。

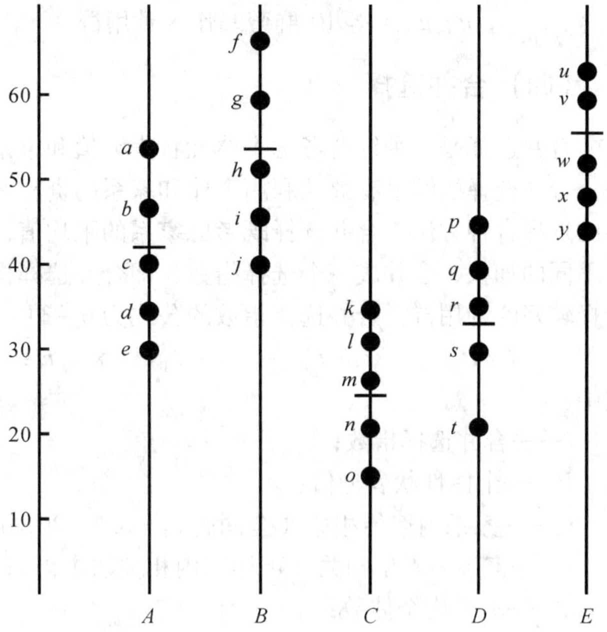

图 6－23　5 个家系蜂群的性状分布（仿邵瑞宜，1995）

●：个体性状值；—：家系性状平均值

（二）家系选择

由一个种群中培育的蜂王为一个家系，也就是家系中的蜂王间为超同胞、全同胞和半同胞的关系。以家系为单位，根据家系的平均性状值的高低为依据，保留平均性状值最高的家系，淘汰其他所有家系。家系选择适合于遗传力低的性状（如蜂王初生重等）、家系大和极少由共同环境造成的家系间差异等情况的选择。由于个体间环境差异在家系性状平均值中相互抵消，家系的性状平均值接近于平均育种值。但是，如果家系成员的共同环境与家系间环境差异较大时，则家系选择的方法无效。从理论上讲，在家系选择中，超同胞和全同胞的家系优于半同胞的家系。但在实际中，超同胞和全同胞的遗传相关常被共同的环境所加大，并且超同胞和全同胞家系比半同胞家系小得多。

例如，在图 6－23 中 5 个家系的 *a*、*b*、*c*、…、*x*、*y* 等 25 群中选出 10 群作为种用群。用家系选择的方法，就是将家系平均性状表现最高的 *B* 和 *E* 2 个家系的全部蜂群（*f*、*g*、*h*、*i*、*j*、*u*、*v*、*w*、*x*、*y*）作为种用群。

（三）家系内选择

家系内选择是根据每群蜜蜂性状的表现与家系平均性状表型值的差进行的选择育种方法，即是从每个家系中选出超过该家系性状表型平均值的蜂群作为种用群。家系内选择适用于家系间表型相关较大、而性状遗传力很低的情况。这种选择方法还可以减少近交的机会。

例如，在图6－23中5个家系的 *a*、*b*、*c*、…、*x*、*y* 25群蜂中选出10群作为种用群。用家系内选择的方法，就是将各家系中性状表现最好的2群蜜蜂，也就是 *a*、*b*、*f*、*g*、*k*、*l*、*p*、*q*、*u*、*v* 等10群蜜蜂作为种用群。

（四）合并选择

合并选择是一种综合考虑个体性状表型值和家系平均值，而进行的蜜蜂选择育种方法。合并选择能够最有效地利用个体和家系的资料。因此，合并选择的准确性超过前3种的选择育种方法。合并选择既考虑家系的平均值，也考虑家系内的偏差，但对二者给予不同的加权，合并成一个选择指数，即合并选择指数。根据合并选择指数，从总体上选择较好的种用群。合并选择指数的公式为6－3：

$$I = P + \{(r_A - r) \div (1 - r_A)\} \times \{n \div [1 + (n-1) \times r]\} \times P_f \quad (6-3)$$

式中：

I——合并选择指数；

P——个体性状表型值；

r_A——家系内遗传相关（全同胞 $r_A = 0.5$，半同胞 $r_A = 0.25$）；

r——家系内表型相关（可用组内相关法求得）；

n——家系内个体数；

P_f——家系个体表型值的平均值。

假设种蜂场采用人工授精技术进行母子交配，产生出4个家系的子代蜂群。从每个家系中各选取5个蜂群，共20群，放在同一蜜源场地。15d中的蜂王浆产量列于表6－5中。根据产浆量的测定结果，从中选择5群蜜蜂作为种用群。

表6－5　4个家系蜂群的产浆记录　（单位：g）

家系	各单群产浆量					家系平均值
A	*a* 150.0	*b* 156.0	*c* 163.5	*d* 176.5	*e* 161.5	161.5
B	*f* 140.0	*g* 169.0	*h* 175.0	*i* 184.5	*j* 160.0	167.5
C	*k* 126.5	*l* 130.0	*m* 135.0	*n* 176.5	*o* 145.0	142.5
D	*p* 157.0	*q* 160.0	*r* 165.5	*s* 173.5	*t* 164.0	160.0

注：引自邵瑞宜（1999）。

同样的材料，采用不同的选择育种方法，所选取的种用群也不同。

采用个体选择的方法，则在20群中选择产浆量最高的 *i*、*n*、*d*、*h*、*s* 5群蜜蜂作为种用群。

采用家系选择的方法，则选择产浆量平均值最高的 B 家系（f、g、h、i、j）中所有蜂群作为种用群。

采用家系内选择的方法，则在各家系中选出产浆量最高的 d、i、n、s、h 5 群蜜蜂作为种用群。

采用合并选择的方法，则需先计算合并选择指数，选择指数高的 5 个蜂群作为种用群。以表 6－5 为例，产浆量较高的蜂群选择指数计算如下。

先计算家系内个体间的表型相关系数。在本例中，表型相关系数的计算结果 $r=0.09$，将其代入合并选择指数公式：

$$I=P+\{(r_A-r)\div(1-r_A)\}\times\{n\div[1+(n-1)\times r]\}\times P_f$$
$$=P+\{(0.5-0.09)\div(1-0.5)\}\times\{5\div[1+(5-1)\times 0.09]\}\times P_f$$
$$=P+0.3\times P_f$$

产浆量较高的 10 群蜜蜂的合并选择指数：

$I_i=184.5+0.3\times 167.5=234.75$　　$I_d=176.5+0.3\times 161.5=224.95$

$I_n=176.5+0.3\times 142.5=219.25$　　$I_h=175.0+0.3\times 167.5=225.25$

$I_s=173.5+0.3\times 160.0=221.50$　　$I_g=169.0+0.3\times 167.5=219.25$

$I_r=165.5+0.3\times 160.0=213.50$　　$I_t=164.0+0.3\times 160.0=212.00$

$I_c=163.5+0.3\times 161.5=211.95$　　$I_e=161.5+0.3\times 161.5=209.95$

从计算结果，合并选择指数依次为 I_i、I_h、I_d、I_s，I_n 和 I_g 的合并选择指数相同，比较而言，n 蜂群的产浆量的表型值高于 g 蜂群。因此，通过合并选择的方法，选择 i、h、d、s、n 5 群蜜蜂为种用群。

三、保种

保种，就是用人工的方法保持蜂种的种性不变，也就是保持蜂种基因库中的基因频率不变。既要有效地防止种外基因的渗入，又要防止蜂种基因库中的基因丢失。为防种外基因的渗入，可采用人工授精和控制自然交配的方法进行近交，但高度的近交又会因性等位基因的纯合，产生的二倍体雄蜂死亡而造成基因库中的基因丢失。所以，蜜蜂的保种工作具有一定的难度。

闭锁育种，既可有效地防止种外基因的渗入，又能最大限度地避免基因丢失，是现阶段蜜蜂保种最理想的方法。其方法是，尽可能选取亲缘关系远且具有优良种性的同蜂种蜂群，组成种群组。种群组内的所有种群都同时既作父群也作母群，使种群组内培育的处女王和种用雄蜂在隔离条件良好的场地自然交配，或在种群组内随机提取雄蜂，并将多雄蜂的精液混合后给种群组内培育的处女王人工授精。闭锁育种的种群组内所有蜂群放置在同一场地。

闭锁育种方法要尽可能减少基因的丢失，就必须尽可能地增大种群组的蜂群数量。种群组内性等位基因的数量决定了该种群组内基因丢失的概率大小，种群组内性等位基因数量越少，蜜蜂性等位基因纯合的概率就越大，其产生二倍体雄蜂死亡的蜜蜂就越多，所以，种群组内的基因丢失的可能性就越大。计算机模拟计算表明，种群组内幼虫平均成活率降为 85% 时所需要闭锁育种的世代为：种群组由 25 群蜜蜂组成，需要 10

代以后；种群组35群时，需要20代后；种群组50群时，需要40代后。

1. 种群组的组成　主要把握两个要点：一是种群的数量必须多，最好能达50群以上，最少不能低于25群；二是在种群组内的基因库中，性等位基因的数量要多。在组建闭锁育种的种群组时，种群组的蜂群尽可能从不同蜂场、不同地区同一蜂种的蜂群中，挑选性状优良的蜂群。

2. 交配　种群组内的蜜蜂交配是随机的，交配的方式主要有隔离随机自然交配、混合精液人工授精和顶交3种。

（1）隔离随机自然交配：是在隔离条件良好的交尾场进行。闭锁育种的交尾场应保证在处女王和雄蜂交配期间，能与非种群组的雄蜂隔离。交尾场可设在没有蜜蜂，且远离大陆的海岛或湖岛上；西方蜜蜂的闭锁育种交尾场也可以设在无饲养西方蜜蜂的深山区。交尾场的隔离距离应大于15km。

（2）混合精液人工授精：是闭锁育种中最常用的方法，这种方式不需要交尾场，但需要成熟的蜜蜂人工授精技术。将种群组内每个蜂群中的雄蜂等量地收集，进行人工取精，并通过精液的漂洗技术使精液混合均匀。再通过人工授精技术将采收、漂洗、混合均匀的精液注射到种群组培养的处女王中。

（3）顶交：只能在种群组蜂群数量多于50群时才能采用，且1只蜂王只能作1次顶交亲代。顶交有两种方法。

方法一，在种群组内选出1只性状表现最优秀的蜂王作为父群，用其大量培育种用雄蜂，同时将种群组内所有蜂群的雄蜂去除。只有挑选出来的父群培育的种用雄蜂才能与种群组培育的所有处女王交配。这种顶交方法既可通过隔离交尾场进行，也可通过人工授精的方法实施。

方法二，在种群组内选出1只性状表现最优秀的蜂王，用其大量培育种用雄蜂，同时也允许种群组内其他蜂群培育雄蜂。当雄蜂性成熟后，将挑选的最优秀蜂王产出的雄蜂与种群组中其他雄蜂按比例混合，同放在一个蜂笼中。然后从蜂笼中随机取出雄蜂为种群组内的所有处女王进行多雄人工授精。

3. 选择　闭锁育种的蜂群在换王时，面临着种群组内的每群蜜蜂后代蜂王的选择问题。闭锁育种的选择方法主要有母女顶替法和择优选留法。

（1）母女顶替法：在种群组内每个蜂群至少培育3只蜂王，同时大量培育雄蜂。通过隔离自然交配或混合精液人工授精，产生的产卵蜂王各自组成蜂群，以母系为单位编组。在组内进行蜜蜂性状的考察鉴定，从中挑选出性状最优良的蜂群替代原母群进入种群组。也就是由性状最优秀的女儿蜂王替代种群组中母亲蜂王。种群组内所有蜂群都换王后，蜂群的总数不变。

这种方法适用于蜂群数量较少的种群组换王。

（2）择优选留法：与母女顶替法相似，也是在种群组内每个蜂群至少培育3只蜂王，同时大量培育雄蜂。通过隔离自然交配或混合精液人工授精，产生的产卵蜂王各自组成蜂群。与母女顶替法不同的是在所有的子代蜂王中选择出与种群组内蜂群数量相同的优秀蜂王，取代原有的老蜂王。

择优选留法，要求种群组内的蜂群必须达到35群以上。

第五节　形态鉴定

形态鉴定，是蜜蜂育种材料鉴定的重要内容。蜜蜂形态鉴定的主要指标，包括体色、肘脉指数、绒毛、吻长、跗节指数、背板长、前翅长和宽等。这些指标是鉴定蜜蜂品种的重要依据。确定蜜蜂品种的形态特征及其变化范围，需要进行大量的测定工作，并需通过生物统计分析，才能得到客观的测定结果。

蜜蜂形态鉴定的取样，应能反映蜂种的总体。在取样总体蜂群中随机确定 5 群蜜蜂作为取样群，将较新的巢脾加入取样群中培养工蜂，工蜂羽化时，随机取样，样本总数为 50～100 只。取样时，为了使工蜂的口喙充分伸出，应先用乙醚将蜂麻醉，然后再将样本放入 75% 的酒精中。如有条件，在取样时还应随机捉取雄蜂样本 50 只以上，并在总体蜂群范围内收集所有可能得到的蜂王标本。雄蜂和蜂王标本也放在 75% 的酒精中保存。

（一）体色

体色的鉴定分定性法和定量法。

1. 体色定性测定法　目测蜂王、工蜂和雄蜂身体几丁质的颜色，特别是腹节背板的几丁质的颜色和雄蜂胸部绒毛的颜色。

2. 体色定量测定法　用镊子将全部工蜂样本的第二腹节背板取下，平放在载玻片上，用体视显微镜和测微尺测定第二腹节背板前缘的黄色区和黑色区的宽度，并逐一绘制工蜂背板体色图。也可以根据体色的形式，将工蜂第二腹节背板的体色合成分为0～10 级（图6－24），统计每个级别体色的工蜂数量。

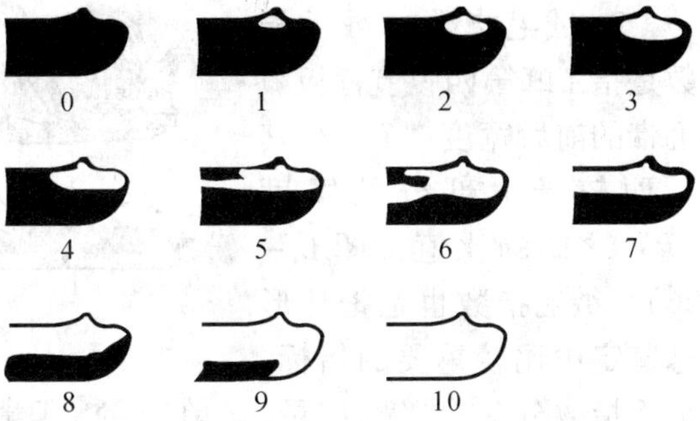

图 6－24　工蜂第二腹节背板体色分级（仿邵瑞宜，1999）

（二）肘脉指数和翅的长宽测定

1. 肘脉指数　前翅第二回脉将第三亚缘室的肘脉部分，分为 *a* 和 *b* 两段（图6－25），*a* 和 *b* 的比值为肘脉指数。肘脉指数是品种纯度鉴定的重要指标，也是蜂种分类的重要依据。将所有样本工蜂和雄蜂的右前翅取下，平放在载玻片上。肘脉 *a* 段和 *b* 段的长度可在体视显微镜下用测微尺测定，也可以用映像器将放大的翅脉图像投射到影屏上，再用直尺测量。

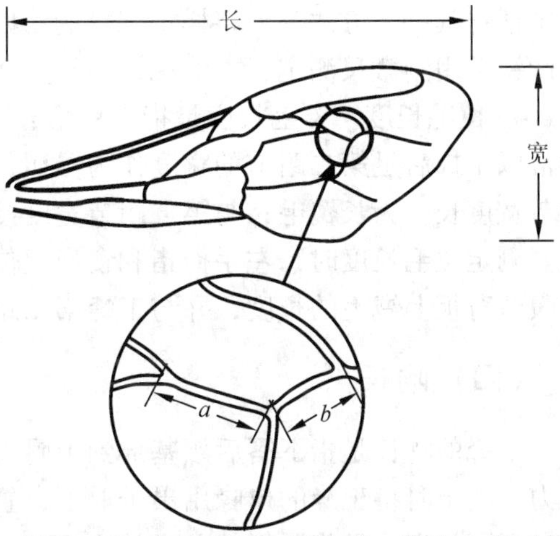

图 6－25　蜜蜂前翅，示肘脉 *a* 段和 *b* 段（仿李盛东等，1981）

2. 翅长和翅宽的测定　将蜜蜂右前翅取下，平置于载玻片上，在体视显微镜下用测微尺测定（图6-25）。

（三）绒毛

对蜜蜂样本的绒毛鉴定，包括绒毛的颜色、绒毛带、绒毛指数和覆毛长度等指标。

西方蜜蜂在绒毛的特征上有明显的特点：卡尼鄂拉蜜蜂和高加索蜜蜂的绒毛带宽而密；欧洲黑蜂的绒毛带窄而疏，覆毛长；突尼斯蜜蜂的绒毛带几乎看不出来。

1. 绒毛的颜色　三型蜂都应鉴定绒毛颜色，但重点在于测定雄蜂胸部背板绒毛的颜色。蜜蜂绒毛的颜色主要有黄色、棕色、灰色、黑色4种。工蜂的毛色决定于蜂种所表现的色型。

2. 绒毛带　绒毛带位于工蜂第三至第五腹节背板的前段，是一条明显着生绒毛的带状区域（图6-26）。不同蜂种的工蜂，绒毛带宽窄和疏密均有不同。测定时，同样需要将样本工蜂的第三至第五腹节的背板取下，平置于载玻片上，在体视显微镜下用测微尺测定。

3. 绒毛指数　绒毛指数是指工蜂第四腹节背板绒毛带的前后宽度“T”与其后面较光滑部分的宽度“R”之间的比值（图6-26）。绒毛指数也是蜜蜂形态鉴定中比较重要的指标。绒毛指数分3个级别记录，即$T>R$、$T=R$和$T<R$。绒毛指数的测定可在两种方法中任选其一。方法一，将样本工蜂的第四腹节的背板取下，平置于载玻片上，在体视显微镜下用测微尺测定；方法二，用放大镜目测估计。

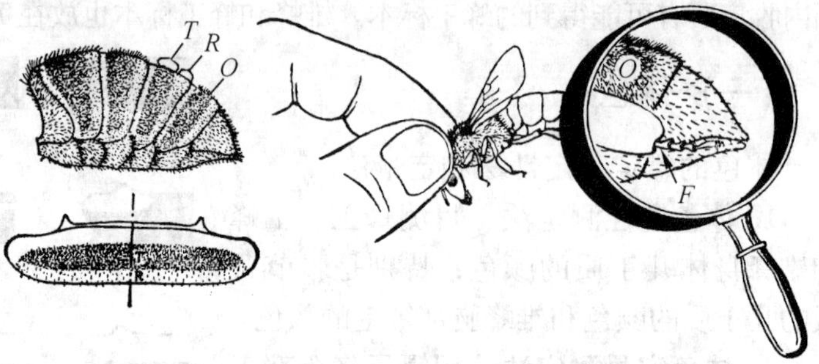

图6-26　工蜂绒毛带和覆毛长度的测定（仿李盛东等，1981）

T. 绒毛带长度　*R*. 绒毛带后面较光滑的部分

F. 第二跗节　*O*. 第五节背板

4. 覆毛长度　覆毛长度是指工蜂第五腹节背板上绒毛的长度。在蜜蜂形态鉴定中，通常以工蜂后足第二跗节的宽度作为参照，将其分为长、中、短3个级别。绒毛比第二跗节宽度长，为长覆毛；与第二跗节宽度接近，为中覆毛；比第二跗节宽度短，为短覆毛。测定覆毛长度时，左手拇指和食指捉住工蜂胸部的两侧，右手持放大镜观察工蜂第五腹节背板上绒毛的长度，并与工蜂第二跗节的宽度比较（图6-26）。

（四）吻长

工蜂的吻长是指下唇后颏基部到中唇舌端部的长度，反映了蜜蜂采集深花管蜜源的能力。测定时将工蜂的口喙用镊子取下，置于载玻片上（图6-27）。如果蜜蜂的口喙不易摆平放直，可将取下的口喙放入10%的氢氧化钠溶液中煮沸数分钟，待口喙周边的结缔组织脱落，口喙软化后，在体视显微镜下用测微尺进行测定。

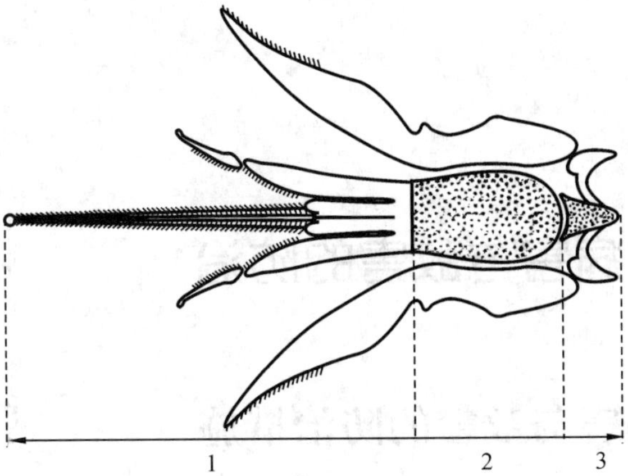

图 6－27　蜜蜂吻长测定示意图（仿李盛东等，1981）

1. 中唇舌　2. 前颏　3. 后颏

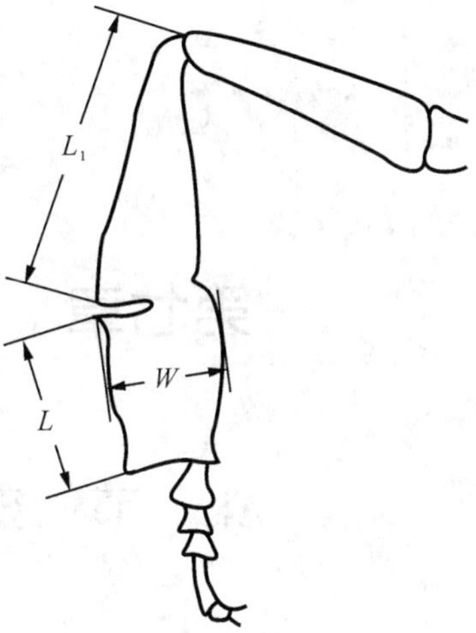

图 6－28　工蜂后足跗节指数的测定

（仿李盛东等，1981）

W. 基跗节宽　*L*. 基跗节长　L_1. 胫节长

（五）跗节指数

跗节指数为工蜂右后足基跗节的宽（*W*）与长（*L*）比值的百分数。跗节指数的测定方法是，将样本工蜂的右后足用镊子取下，平置于载玻片上，在体视显微镜下用测微尺测定（图 6－28）。

（六）背板长度

背板长度可能反映出蜜蜂个体大小的相对标准，通常以工蜂第三和第四腹节背板长度的和表示（图 6－29）。背板长度的测定，将样本工蜂的第三和第四腹节的背板分别取下，同一工蜂取下的背板成对地分别平置于载玻片上，在体视显微镜下用测微尺测定。

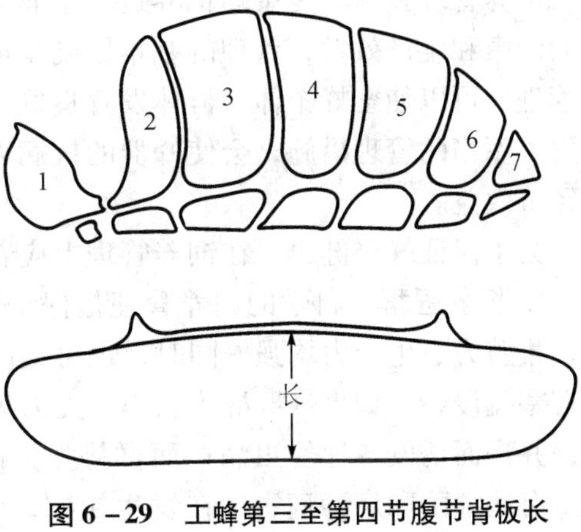

图 6－29　工蜂第三至第四节腹节背板长

（仿李盛东等，1981）

第七章　蜜蜂病害与敌害的防治

第一节　蜜蜂病害与敌害的防治措施

一、蜜蜂保健

（一）饲养管理

饲养管理技术，是蜜蜂饲养过程中非常重要的内容，蜂群管理的好坏直接影响到蜂群的健康和生产效益，管理的基本原则是依据蜜蜂的生物学规律来实施管理。科学的饲养管理，可以使蜜蜂个体、群体发育良好，提高蜜蜂的抗病能力，减少病害的发生及其损失。不当的管理措施，会使蜂群的抗病力下降，患病率增高，生产能力下降，从而影响经济效益。

为了保证蜂群健康，在饲养管理上应着重注意如下几个问题。

1. 饲养强群　科学的饲养管理是保证蜂群强盛的首要措施。强群蜂多子旺，采集力、繁殖力、生产力均强，同时，也可提高蜂群的抗病害能力。如春繁时，气温低，且常有寒流侵袭，如果蜂群群势弱小，无力为子脾提供足够的温度，则蜂子就容易发生冻害，并进而诱发各种幼虫病；而群势强大的蜂群，就不易发生冻害，其抗病能力也较强。有些细菌和病毒病害，在发生初期，病虫数量有限，强群蜂多，清理能力强，因此，可以及时清除掉病虫，减少病原数量，阻止病害的进一步传染和蔓延。强群抗病能力强，患病治疗后，恢复较快。在许多病害的预防当中，强群有着明显的抗病优势。

2. 充足、优质的饲料　蜂群的生存和繁殖都需要消耗大量的营养物质，而营养来源于饲料。当蜂群缺乏饲料时，成年蜂及蜂子便处于饥饿状态，正常的生理机制被破坏，抵抗力降低，病原就容易侵入体内而引起病害。同时，由于营养不良，致使蜜蜂早衰，而蜂子要么死亡，要么羽化出的蜜蜂不健康，寿命短。因此，生产中应注意给蜂群充足的饲料，特别是在早春繁殖时，蜂群由于繁殖和保温的需要，消耗饲料增多，更应及时供给。在缺蜜时期，应补喂蜂蜜或糖浆；在缺粉季节，补喂花粉或代用饲料，时时保证饲料充足。

饲料品质的好坏对蜂群的健康也有很大影响。例如，发霉、营养不全的饲料都会影响蜂群的健康，尤其是受病原体污染的饲料危害性更大，它是许多传染病传播的媒介，有些蜜蜂的大肚、下痢就是由于采食了被病原体污染的饲料引起的。因此，在饲喂前一定要弄清饲料有无病原体或其他污染物；特别是对花粉更要注意，对不明来源的花粉应作简单消毒处理后再饲喂，或先对个别蜂群进行试喂，喂后没有病害发生，确信不带病原菌时，再大面积使用，以确保蜂群的健康。

3. 优质的蜂王 蜂王是蜂群种性的载体，优质蜂王是培养强群的基本条件之一。一个好的蜂王应该是产卵力强和抗病力也强的蜂王。新蜂王一般带病原体的机会较少，在养蜂生产中常用新王替换老王的方法来控制病毒病害，并已成为主要措施之一。例如，囊状幼虫病通过换王后，能保证1~2子代不发病或仅少数幼虫发病。同时，换王也是养蜂生产管理中维持蜂群强盛的需要。

（二）抗病育种

不同种的蜜蜂抗病性不同，同种的蜜蜂之间也有不同的抗病表现，而且许多抗病性是可遗传的，这就是蜜蜂抗病选育的基础。在生产过程中，养蜂者应注重选择抗病力强、繁殖力强和生产性能好的蜂群来培育蜂王；既不能只注重生产能力而不注重抗病能力的选育，也不能单纯追求抗病性而忽视其他性状，如温驯性、气候适应性等。不少养蜂者经长期对蜂群进行选育，已获得对某些病害具有明显抗性的蜂群，例如，抗中蜂囊状幼虫病的中蜂。除了常规的育种方法外，运用基因工程技术，转移抗虫抗病基因并使之得以表达的一系列方法，早已成为抗病育种的研究热点和重要技术手段，随着基因工程技术的进一步成熟和广泛应用，我国也将进行该方面的蜜蜂抗病育种研究。

（三）蜂场卫生

搞好蜂场的环境卫生，也是预防蜜蜂疾病的一个重要措施。不卫生的环境往往是病菌的发源地。因此，蜂场在选址时要注意选择环境较好的地方，及时填平蜂场边的污水坑，以防蜜蜂去采水，并在蜂场中设饲水器。清除蜂箱前和蜂场周围的杂草、脏物和蜂尸，及时淘汰霉变、虫蛀和被染病的巢脾，可以有效减少蚂蚁等敌害的滋生，并可减少传染源。当有传染性病害发生时，要及时做好蜂箱等蜂具和蜂场的消毒工作。

二、蜂病预防

任何蜜蜂病害的发生都会造成一定的蜂群损失，尤其一些危险性病害的暴发与流行，更会造成巨大的经济损失。预防工作做得好，可以有效地防止病害的发生与流行。因此，蜜蜂病害的防治工作原则应是：以防为主，防重于治，防治结合。预防工作主要有如下几个方面。

（一）检疫

蜜蜂检疫，是控制病害流行扩散的最有效途径。特别是产地检疫工作，能将病害限制在发生地，并使病害及时地得到处理而不致蔓延。由于我国许多蜂场转地放蜂，蜂群全年活动范围遍布全国，若检疫不严，很容易造成病害的发生和传播。意蜂爬蜂病、白垩病等病害的流行都曾造成我国蜂业的很大损失。因此，一方面检疫部门应严格检疫，发现疫病，及时作扑灭处理；另一方面，养蜂者也应认识到检疫是事关我国养蜂业全局利益及养蜂者个人利益的大事，主动接受检疫，严防病害扩散。

（二）消毒

消毒是指用物理、化学或其他方法杀灭外界环境中的病原体。

1. 消毒的种类 根据消毒的目的，分为预防消毒、紧急消毒和巩固消毒3类。预防消毒，是在疫病未发生前，为了预防感染而进行的经常性的定期消毒。紧急消毒，是指从疫病发生到扑灭前所进行的消毒，目的是为了尽快彻底地消灭外界的病原体。巩固消毒，是指在疫病完全扑灭之后对环境的全面消毒，目的是为了消灭可能残存的病原体，巩固前期消毒结果。

2. 消毒的方法 有机械、物理和化学3种消毒方法。

（1）机械消毒：是指用清扫、洗刷、刮除、通风换气等机械方法清除病原体。如对蜂箱内和蜂场的清扫，减少蜂箱和蜂场内的病原物；铲刮蜂具表面污物可清除病原体。

（2）物理消毒：即用阳光、紫外线、灼烧和煮沸等方法杀灭病原体。

①阳光：阳光中的紫外线有较强的杀菌作用，一般的病毒和非芽孢病原体，在阳光直射下几分钟到几小时即死亡，有的细菌芽孢在连续几天的强烈曝晒下也会死亡。此法经济实用，可用于保暖物、蜂箱、隔板等蜂具的消毒。

②火焰：用酒精或煤油喷灯灼烧蜂箱、巢框等蜂具表面至焦黄。火焰消毒是简单有效的消毒方法，应坚持每年秋季1次，消毒要彻底，不留死角。缺点是对器具有损害。

③煮沸：大部分非芽孢细菌在100℃沸水中迅速死亡，芽孢一般仅能耐受15min，若持续1h，则可消灭一切病原体。常用于覆布、工作服、不明饲料、金属器具等耐煮沸物品的消毒。水面应高于消毒物品。

④蒸汽：用高压锅、笼屉或流通蒸汽消毒，由于温度更高，所以消毒效果更好。如金属和玻璃器具、盖布等物品，放在蒸锅中蒸15～30min即可达到消毒目的。若在水开后加入2%的福尔马林，消毒效果更佳。

⑤紫外线：使用紫外线灯（低压水银灯）进行消毒。其消毒效果与照射距离、照射时间长短有关，用30W的紫外线灯1～2只对2m处的物品照射30min即可达到消毒效果。该法常用于巢脾等蜂具的表面及空气消毒。

（3）化学消毒：是使用最广的消毒方法，常用于场地、蜂箱、巢脾等的消毒，液体消毒剂可用喷洒、浸泡的方式消毒，熏蒸或熏烟则要在密闭空间里消毒蜂具。表7－1中为几种常用消毒剂及使用方法。

表7－1 常用消毒剂使用浓度和特点

名称	浓度与配制	消毒范围、方法及时间
乙醇（C_2H_5HO）	70%～75%	人体皮肤、花粉、工具。喷雾或擦拭，喷洒后蜜闭12h
高锰酸钾（$KMnO_4$）	0.1%～3%	可杀灭病毒、细菌，用于蜂具消毒。浸泡

续表

消毒剂	使用浓度	特点
食用碱（Na_2CO_3）	3%～5%	细菌、病毒、真菌。用于蜂箱洗涤、巢脾（2h）、蜂具和衣物浸泡（0.5～1h）和地面、墙壁喷洒
甲醛（HCHO）溶液	40%原液	细菌、芽孢、病毒、孢子虫和阿米巴。每箱体 8～10 张脾，用甲醛 10ml + 热水 5ml + 高锰酸钾 10g；室内消毒每立方米用甲醛 30ml + 热水 30ml + 高锰酸钾 18g，密闭 12～24h
生石灰（CaO）	10%～20%	病毒、真菌、细菌、芽孢。蜂具浸泡消毒。悬浮液须现配，用于洒、刷地面、墙壁；石灰粉撒场地
漂白粉 [$Ca(OCl)_2$]	5%～10%	能杀灭病毒、真菌、细菌营养体和芽孢。用于蜂箱洗涤，巢脾和蜂具浸泡（1～2h）；$1m^3$ 水 + 6～10g 漂白粉，0.5h 后可以饮用
喷雾灵（2.5%的聚维酮碘溶液）	500 倍液	杀灭病毒、霉形体、真菌、衣原体、细菌及其芽孢。喷雾、冲洗、擦拭、浸泡，作用时间≥10min；5 000 倍作饮水消毒
冰乙酸（CH_2COOH）	80%～98%	蜂螨、孢子虫、阿米巴、蜡螟的幼虫和卵。每箱体用 10～20ml，以布条为载体，挂于每个继箱，密闭 24h，气温≤18℃，熏蒸 3～5d
二硫化碳（CS_2）	原液	对蜡螟有杀伤力。1.5～3ml/箱，密闭 24～48h
硫磺（燃烧产 SO_2）	3～5g/箱	蜂螨、蜡螟、真菌。用于花粉、巢脾的熏烟消毒

注：①除硫磺、二硫化碳外，其他均为水溶液。②CS_2、SO_2、HCHO 和 CH_2COOH 对人体有害，使用时注意安全。③针对疫情选择消毒剂。浸泡和洗涤的物品，用清水冲洗后再用；熏蒸的物品，须置空气中 72h 才可使用。

三、药物防治

（一）治疗原则和选用药物

1. 治疗原则　发现疫情，立即报告当地动物检疫部门，同时逐个检查蜂群，把发病群和可疑病群送到不易传播病原体、消毒处理方便的地方隔离治疗，有病蜂群的蜂具和产品未经消毒处理不得带回健康蜂场。如果是恶性或国内首次发现的传染病，或已失去经济价值的带菌（毒）群，都应进行就地焚烧处理。对被隔离的蜂群，经过治疗且经过该传染病 2 个潜伏期后，没有再发现病蜂症状，才可解除隔离。

2. 选用药物　药物治疗，是目前消灭蜜蜂病虫害的主要手段，针对病原体类型科学地选用高效药物是取得良好疗效的前提。因此，在治病之前，应先作出诊断，确定病原的类别，然后再对症下药。概括说来，对细菌病，常选用盐酸土霉素可溶性粉、红霉素和氟哌酸等药物；对真菌病，则选用杀真菌药物，如制霉菌素、二性霉素 B 和食醋等；对病毒病，则选用抗病毒药，如病毒灵、盐酸金刚烷胺粉（13%）、肽丁胺粉（4%）和抗毒类中草药糖浆等；对原虫病，可选用甲硝唑片等杀原虫药物；对螨类敌害，可选用氟氯苯氰菊酯条、甲酸乙醇溶液、双甲脒条（500mg）、氟胺氰菊酯条等杀螨剂。

（二）用药注意事项

1. 避免病原体、螨产生抗药性　为防止病原体、螨产生抗药性，不宜长期使用1种抗生素或杀螨药物，而应选用2种以上药物交替使用。

2. 准确配制、使用药剂　配制药物时，要准确掌握用量，用量大不仅易使蜜蜂发生中毒，也容易造成蜂产品污染；用量小则无疗效，促使病原体产生抗药性。

3. 掌握用药时间　抓住关键时机用药，可以省工省力，提高疗效。例如，在蜂群断子期治螨，效果特别好，只要连续用药2～3次，即可全年免生螨害。

4. 切实利用药效　抗生素糖浆，有效时间短，应随配随用，每次饲喂量以蜂群当天吃完为宜，不可剩余。

5. 防止污染蜂产品　在流蜜期，不得使用抗生素或其他可能造成蜂产品污染的药物，以免造成污染，降低产品品质。蜂蜜的抗生素污染，一直是影响我国蜂蜜品质和价格的重要原因，应予以足够重视。

第二节　蜜蜂病害

一、蜜蜂病毒病

蜜蜂病毒病现已发现20多种，英国的贝利（Bailey L.）在这方面做出了突出的贡献，多种蜜蜂病毒都是被他分离出来的，从而使病原得以确证，如慢性麻痹病病毒、急性麻痹病病毒、囊状幼虫病病毒（意蜂）。随着研究的深入，又不断有新的蜜蜂病毒病发现，如我国境内发生的中蜂囊状幼虫病病毒、蜂蛹病病毒、中蜂大幼虫病毒；1995年波兰学者Topolska等人又报道了一种蜜蜂残翅病毒（Deformed wing virus，DWV）等。

我国先后出现过中蜂和意蜂的囊状幼虫病、意蜂死蛹病、慢性麻痹病等多种蜜蜂病毒病，给养蜂业造成了很大损失。近几年，囊状幼虫病和死蛹病虽已很少发生，但由于这些病害的危害性大，且目前病毒病尚无特效药物，因此在饲养管理过程中仍应注意防范。

（一）囊状幼虫病

囊状幼虫病（Sacbrood Disease），是一种常见的蜜蜂幼虫病毒病，具传染性。中蜂、意蜂都有发生，只是病原不同。主要引起蜜蜂大幼虫或前蛹死亡，而受病毒感染的成年蜂不表现任何症状。囊状幼虫病有两种：一种是西方蜜蜂的囊状幼虫病，一种是东方蜜蜂的囊状幼虫病。大蜜蜂（*Apis dorsata*）和小蜜蜂（*Apis florea*）也有囊状幼虫病，但幼虫死亡率较活框饲养的印度蜜蜂小（Shankar et al.，1993）。

1. 病原　从意蜂囊状幼虫病病虫中分离得到的病原为蜜蜂囊状幼虫病毒（Sacbrood

virus，SBV），是非包涵体病毒，病毒粒子为正二十面体，平均直径 30nm；核酸为单链 RNA，相对分子质量为 2.8×10^{6}D。由东方蜜蜂的囊状幼虫病病虫中分离得到的病毒与西方蜜蜂病虫中的 SBV 核酸大小、性质基本一样，只是在多肽相对分子质量上略有差别，东方蜜蜂的比西方蜜蜂的略大些（见表 7－2）。二者血清学反应也不同，说明二者是不同的毒株。

表 7－2　囊状幼虫病病毒的分类

病毒	核酸类型	核酸分子量	蛋白质相对分子质量/（$\times10^{3}$D）
囊状幼虫病病毒（SBV）	单链 RNA	2.8×10^{6}	26，28，31
囊状幼虫病病毒中国毒株（CSBV）	单链 RNA	2.8×10^{6}*	27，29，39
囊状幼虫病病毒泰国毒株（TSBV）	单链 RNA	2.8×10^{6}	30，34，39

*非精确值。

2. 传播　病死幼虫是主要的传染源，受病毒污染的花粉、巢脾等器具是重要的传播媒介，携带病毒的工蜂则是主动的传播者。TSBV 还可由大蜂螨所携带并传播（Abrol，1996）。

当工蜂用上颚拖拽、啃咬的方式清除病虫时，有时会把病虫表皮扯破，这时病虫的体液会被工蜂吮吸清理，同时大量的病毒也就由口腔进入体内，再去饲喂幼虫时，就可能把病毒直接传给其他健康幼虫。由于病毒可以在蜜蜂的脑、脂肪、肠、肌肉和腺体等诸多组织内繁殖，而幼蜂对病毒又较敏感，所以蜜蜂在进行饲喂、清巢、贮粉等巢内活动时就会将病毒直接或间接地传递给健康的个体。带毒蜜蜂不表现症状，但病毒很难从其体内清除，它在蜜蜂体内长期存在，直至其死亡。

病害在蜂群之间的传播途径主要有：人为的不当操作（如病群和健康蜂群的子脾互调、分蜂、蜂具混用等）、盗蜂和迷巢蜂。转地放蜂是病害远距离传播的一种重要方式。由于我国现在大量的蜂群是以转地放蜂的方式饲养，检疫工作一旦有纰漏，病群便会很快地把病害在省际间扩散开来，这也是许多流行病害常在较短时间内在全国范围流行的主要原因。

3. 症状　病虫主要在封盖后 3～4d 的前蛹期表现症状。初期，由于病虫不断被清除，导致脾面上呈现卵、小幼虫、大幼虫、封盖子排列不规则的现象，即“花子”症状。当病害严重时，病虫多，工蜂清理不及，脾面上可见典型病状：前蛹期病虫巢房被咬开，呈“尖头”状；幼虫的头部有大量的透明液体聚积，用镊子小心夹住幼虫头部将其提出，幼虫则呈囊袋状。死虫逐渐由乳白变至褐色。当虫体水分蒸发，会干燥成一黑褐色的鳞片，头尾部略上翘，形如“龙船状”；死虫体不具黏性，无臭味，易清除。

中蜂成年蜂被病毒感染后无明显外部症状，但肠腔及中肠细胞中均有大量的病毒粒子，中肠细胞明显受损，消化吸收功能失控，寿命缩短。

4. 诊断　根据典型症状诊断。

5. 防治　以抗病育种为主，结合饲养管理，辅以药物治疗。

（1）每次育王时只选取抗病群作父、母群，经连续选种可逐渐获得抗病力强的蜂群。

（2）早春注意加强饲喂和保温，防止饲喂受污染的花粉。

（3）病群换王断子，短期内可有效控制病情发展。

（4）有些中草药对抗病毒有一定的效果。如半支莲，用药汁配成浓糖浆后，灌脾或于上框梁上饲喂，饲喂量以每次吃完为度，连续多次。

（5）13%盐酸金刚烷胺粉2g，加50%糖水1L，每10框蜂喂250ml/次，每3d喂1次，连喂6次，采蜜期停止用药。或每10框蜂用金刚烷胺片0.05g，加250ml糖水喂蜂，也可加25%的糖水250ml喷脾，每2d喷1次，连用5~7次。

（二）慢性麻痹病

慢性麻痹病（Chronic Paralysis Disease），是一种常见的西方蜜蜂成年蜂病，具传染性。患病蜂群群势逐渐减弱，严重的整群死亡。该病在世界各地广泛发生。在我国，该病是引起春秋二季蜜蜂死亡的主要原因之一。

1. 病原 蜜蜂慢性麻痹病的病原为慢性麻痹病病毒（Chronic Paralysis Virus，CPV），Bailey于1963年首先分离出。有4种长度不同的椭圆形病毒颗粒，直径均为22nm，长度分别为30nm、40nm、55nm、65nm。核酸为单链RNA，相对分子质量分别为1.35×10^6D、0.9×10^6D、0.35×10^6D，蛋白质相对分子质量为23.5×10^3D。

2. 传播 病蜂是主要传染源，受污染的花粉、蜂具等是主要的传播媒介，携带病毒的蜜蜂则是主动的传播者。传染途径主要有两种：口、伤口。经伤口感染是一高效的传染途径，只需100个病毒粒子即可，而经口感染则需10^{10}个病毒粒子。

病毒可在蜜蜂的脑、神经节、上颚腺、咽下腺等许多组织内增殖。与囊状幼虫病毒不同，CPV不侵染肌肉组织和脂肪组织。在病蜂的蜜囊、上颚腺及咽下腺中有大量的病毒粒子，这使得病蜂吐出的蜜或处理过的花粉都会被污染，因此病蜂的互哺、饲喂活动都等于是在扩散病毒，病蜂也就成为蜂群中的病害传播者。蜂群间的传播者主要是迷巢蜂和盗蜂。

慢性麻痹病的易感性受遗传及其他多种因素的严格制约。抗感染的遗传性可长期稳定存在，所以侵染虽十分普遍，但发病却有限度。许多外观上正常的蜂群，可能是隐性带毒者，其中被感染的个体数可达总数的30%。另外，由于绝大多数病蜂死于距蜂群较远的地方，所以很多病群可能会被误认为健康群。

3. 症状 慢性麻痹病有两种症状，一种为大肚型，一种为黑蜂型。

（1）大肚型：病蜂双翅颤抖，腹部因蜜囊充满液体而肿胀，不能飞翔，在蜂箱周围爬行，有时许多病蜂在箱内或箱外聚集。患病个体常在5~7d内死亡。

（2）黑蜂型：病蜂体表绒毛脱落，腹部末节油黑发亮，个体略小于健康蜂。刚被侵染时还能飞翔，但常被健康蜂啃咬攻击，并逐出蜂群。几天后蜂体颤抖，不能飞翔，并迅速死亡。

4. 诊断 根据蜜蜂的症状可作出初步判断。再进行电镜检查或血清学检查确诊。

（1）电镜检查法：将可疑的病蜂收集在一起，加缓冲液研磨后，经高速离心和蔗糖梯度离心制成病毒悬浮液，再经磷钨酸负染，用透射电镜观察，若见到大小不等的椭圆形病毒粒子，即可确诊为慢性麻痹病病毒感染。

（2）血清学检查：用提纯的病毒制作兔免疫抗体血清，与可疑的蜂病毒悬浮液作琼脂免疫扩散电泳，出现沉淀线的为阳性，即判断为有病。

5. 防治

（1）选育抗病品种：将蜂场中最具抗病性的蜂群留作种用群，培育抗病品种，经多代选育后可获得抗性。

（2）更换蜂王：用抗病蜂王更换病群蜂王。

（3）加强饲养管理：春季选择高燥地区，夏季选择阴凉场所放蜂。及时清除病、死蜂。

（4）用升华硫驱杀病蜂：用升华硫 4～5g/群，撒在蜂路、巢框上梁、箱底，每周 1～2 次。

（5）用核糖核酸酶防治：此酶能分解肠道中该病毒的核酸。国外用法是将药加入糖浆饲喂，或喷脾。不间断地饲喂才能保护健康蜂不染病，对已感病者无效。

（6）用抗蜂病毒一号：其主要成分是酞丁胺粉（4%），对蜂安全，对病毒有明显抑制效果，能保护健康蜂。4% 酞丁胺粉 12g，加 50% 糖水 1L，每 10 框蜂每次喂 250ml，每 2d 喷 1 次，连喂 5 次，采蜜期停用。

（7）用盐酸金刚烷胺片：每 10 框蜂每次用药 0.05g，用糖浆配制后喂蜂或喷脾，每 2d 喷 1 次，连用 5～7 次。

（三）急性麻痹病

急性麻痹病（Acute Paralysis Disease），为西方蜜蜂的一种成年蜂病害，首次在英国发现，我国也有发生。

1. 病原 为蜜蜂急性麻痹病病毒（APV），病毒颗粒为直径 30nm 的等轴粒子，单链 RNA，蛋白质相对分子质量为 23×10^3D、31×10^3D。

2. 传播 急性麻痹病病毒可通过成年蜂唾液腺分泌物、被污染的花粉传播，而大蜂螨是该病毒高效的传播媒介。

3. 症状 病毒可在蜜蜂的脂肪体细胞的细胞质、脑部及咽下腺增殖，但并不表现明显症状。当病毒被注射进蜜蜂血腔中，则会在 5～9d 内死亡，死前蜂体颤抖，并伴有腹部膨大症状。

4. 防治 由于蜂螨是该病的主要媒介，故以治螨为主。另外，用药治疗与“慢性麻痹病”相同。

（四）蜂蛹病

蜂蛹病（Honeybee Pupa Disease），又称“死蛹病”，为蜜蜂蛹期的一种病毒病。该病可造成蜂蛹大量死亡，蜂群群势迅速削弱。1982 年在我国云南、四川等省爆发此病，并很快流行全国，20 世纪 80 年代中后期给养蜂业造成巨大损失。在四川、安徽的中华蜜蜂也发现有蜂蛹病。目前仅有我国报道发生该病。

1. 病原 该病由蜜蜂蛹病毒（Honey bee Pupa Virus）引起。据梁勤等（1987）报道，病毒粒子椭圆形，大小约 33nm×42nm。冯峰等（1992）则报道，病毒粒子球形，直径约20nm，核酸为双链RNA，病毒核酸分子有6个组分，其相对分子质量分别为0.944×10^6D、0.836×10^6D、0.825×10^6D、0.754×10^6D、0.713×10^6D、0.675×10^6D，蛋白质相对分子质量为25 800D。病毒可在病蛹中肠、头部及病蜂王卵巢中增殖，与蜜蜂其他病毒无血清学关系。

2. 传播　病死蜂蛹是主要的传染源，被污染的巢脾是主要的传播媒介。病群蜂王卵巢中有大量病毒粒子，推测病毒可经卵传播，病群的蜂王可能也是一个重要传染源。

3. 症状　工蜂封盖蛹房穿孔或开盖，露出白色或褐色的蛹头。病蛹体瘦小，死亡后颜色变深，不腐烂，无臭味和黏性，病害终年可见，但以春、秋两季为重。由于蜂蛹大量死亡，病群群势衰减迅速，直至全群灭亡。

4. 诊断　蜂群群势迅速削弱，见子不见蜂。箱前或箱底有残断蜂蛹。出房工蜂体质虚弱。封盖子不整齐，有“花子”现象，许多蛹房开盖，露出白色或褐色蛹头，呈典型的“白头蛹”状。可初步诊断为死蛹病。

5. 防治　以综合防治为主。

（1）育王：换王并进行抗病品种选育。

（2）加强饲养管理：早春注意保暖，饲喂优质饲料，增强蜂群抵抗力。

（3）中草药治疗：柴胡、板蓝根对病毒有一定的抑制作用，用其药汁配成浓糖浆饲喂蜂群，每次少量，连续多次。

（4）用盐酸金刚烷胺片：用法与慢性麻痹病的防治“（7）”相同。

二、蜜蜂细菌病

（一）美洲幼虫腐臭病

美洲幼虫腐臭病（American Foulbrood Disease，AFB），简称美幼病，是西方蜜蜂一种常见的恶性幼虫病，现已传播到世界各地，我国也常有发生。据报道，该病在印度蜂（*Apis cerana indica*）中曾有发生，而中华蜜蜂尚未见患病报道。

1. 病原　美洲幼虫腐臭病由幼虫芽孢杆菌（*Bacillus larvae* White）引起，菌体杆状，大小为（2～5）μm×（0.5～0.8）μm，革兰阳性菌。能形成椭圆形的芽孢，其大小约1.3μm×0.6μm，中生至端生，孢囊膨大。芽孢对热、化学消毒剂、干燥等不良环境有很强的抵抗力，芽孢在100℃的沸水中能活13min，1‰的升汞水中能存活5d，在自然界中则能生存35年，可见其抗逆性之强。因此，要完全杀灭蜂具中存在的芽孢实非易事。

2. 传播　病虫是该病的主要传染源，病脾、带菌花粉等被污染物是主要的传播媒介。幼虫因食入染菌的食物而感染。芽孢进入幼虫的消化道后很快萌发，在幼虫化蛹前，病菌随其粪便一同排出，污染巢房，烂虫携带更多的病菌同样会污染巢脾，用这样的病脾贮粉、贮蜜、育虫，就会污染食物和感染幼虫。内勤蜂的清巢、饲喂等活动也是群内传播的方式。群体间传播主要由盗蜂、迷巢蜂、得病群与健康群之间巢脾等蜂具调整、带菌花粉的饲喂等造成的。

3. 症状　1日龄幼虫最易被感染，只有芽孢才能感染健康幼虫。感病幼虫约在封盖后3~4d死亡（即前蛹期），少数在幼虫期或蛹期死亡。于蛹期死亡的，尽管虫体部已腐烂，但其口喙朝巢房口方向前伸，形如舌状。病虫体色变化明显，逐渐由正常的珍珠白变黄、淡褐色、褐色直至黑褐色。病脾封盖子蜡盖下陷、颜色变暗，呈湿润状，有的有穿孔。烂虫具黏性，有腥臭味，用竹签挑，可拉出长丝。随虫体不断失水干瘪，最后会变成工蜂难以清除的黑褐色鳞片状物。

4. 诊断

（1）根据典型症状诊断：烂虫腥臭味，有黏性，可拉出长丝。死蛹吻前伸，如舌状。封盖子色暗，房盖下陷或有穿孔。

（2）牛乳试验诊断：鳞片状物上加6滴74℃的热牛奶，1min后牛奶凝结，随即凝乳块开始溶解，15min后，全部溶尽。这是由于幼虫芽孢杆菌在形成芽孢时产生了蛋白水解酶，此酶可使牛乳悬浮液澄清。欧洲幼虫腐臭病和囊状幼虫病尸体无此特点。但巢内贮存的花粉也有这种反应，应注意区别。

（3）荧光检查诊断：将干燥的鳞片状物置紫外灯下，能产生强烈的荧光。

（4）染色检查：将鳞片状物或病虫作番红染色，然后置于600~1 000倍显微镜下观察，可见到大小为（2~5）μm×（0.5~0.8）μm的椭圆形杆菌。

5. 防治　该病危害较大，做好预防工作非常重要。

（1）培育抗病品种：研究表明，一些蜜蜂对美幼病所表现的抗性是因其有较强的清巢能力，它包括两种独立行为：工蜂咬开房盖的行为和清理房中病虫的行为。这些行为是可遗传的，由3种独立的基因控制；当一个蜂群中的工蜂同时或分别携带有3个基因时，这个蜂群则表现抗性。现代转基因技术的应用有望成为将来蜜蜂抗病育种的主要方向。美国在此之前曾用常规方法培育出抗美幼病的“褐系”（Brown line）蜜蜂。

（2）防止传染：加强检疫，禁止病群的流动。

（3）患病蜂群少时宜果断作扑灭处理，并对蜂箱等蜂具彻底消毒。当患病群数多时，宜隔离治疗，并做好消毒工作。

（4）防治蜂螨：因蜂螨能携带、传播幼虫芽孢杆菌，所以对蜂群及时治螨，可切断这一传播途径。

（5）药物治疗：每10框蜂用红霉素0.05g，加250ml 50%的糖水喂蜂，或250ml 25%的糖水喷脾，每2d喷1次，5~7次为1个疗程；也可用盐酸土霉素可溶性粉200mg（按有效成分计），加1:1的糖水250ml喂蜂，每4~5d喂1次，连喂3次，采蜜之前6周停止给药。上述药物还可加入花粉中喂蜂，先将药物研碎，再调入花粉中，制成花粉饼或花粉脾饲喂蜂群，不易造成蜂蜜污染。要随配随喂，防止失效。

注意事项：抗生素加入糖浆中饲喂，易造成抗生素污染蜂蜜，故不宜在流蜜期使用。抗生素使用量应根据具体情况增减，过量易产生药害，不足则降低疗效。而且不能长期使用同一种抗生素，以免产生抗药性。

（二）欧洲幼虫腐臭病

欧洲幼虫腐臭病（European Foulbrood Disease，EFB），简称欧幼病，是一种常见的蜜蜂幼虫病害，最早在欧美的西方蜜蜂中流行，后来东方蜜蜂也发生感染，如今世界各养蜂地区都有分布。在我国，中华蜜蜂多发，意蜂则较少发生。

1. 病原　为蜂房球菌（*Melissococcus pluton*），革兰阳性菌，但有时染色不稳定。无芽孢，披针形，直径 0.5～1μm，菌体常结成链状或成簇排列。厌氧或需微量的氧。34～35℃下用马铃薯培养基厌氧培养（10%二氧化碳），生长良好。

从病虫中常可分离出几种次生菌，这些次生菌能加速幼虫的死亡。最常见的次生菌为尤瑞狄斯杆菌（*Bacterium eurydice*），在成年蜂和幼虫消化道中有少量发现。大小为（0.8～2.5）μm×（0.5～1）μm，革兰染色阴性，易培养。菌体具多型性，单个或呈链状，或似链球状，随不同培养基而定，易与蜂房球菌相混淆。

另一个常见的次生菌是粪链球菌［*Streptococcus faecalis*（*Streptococcus apis* Maassen)］，菌体直径 0.8～1μm，呈链状排列，菌落小，白色，表面凸起，形态与蜂房球菌十分相似，但培养特性不同。该菌系蜜蜂从野外带入蜂箱。它寄生病虫后，在其生长过程中产生酸味。

再一个常见的次生菌是蜂房芽孢杆菌（*Bacillus alvei*），菌体杆状，（0.6～0.8）μm×（2.2～4.5）μm，革兰染色不稳定。芽孢椭圆形，中生、亚端生或端生，孢囊膨大，在生孢培养基中培养后涂片，常常发现长列状并排的芽孢。该菌寄生病虫后，产生难闻的臭味。

除了以上几种细菌外，Gonzalez 等（1985）在患欧幼病的幼虫中还同时分离到 *B. apiarius*，*B. orpheus*，*B. butlerovii* 和蜂房哈夫尼菌（*Hafnia alvei*）。

2. 传播　病虫是重要的传染源，病脾是主要的传播媒介。病菌经消化道传染。小幼虫取食被污染的食物后，该菌在中肠迅速繁殖，大多数病虫迅速死亡，但有少量幼虫化蛹，在化蛹前，肠道内的细菌随粪便排出而污染巢房。其中的蜂房球菌和蜂房芽孢杆菌能保留数年的侵染性。内勤蜂的清洁、饲喂活动是群内传播的途径，群间传播主要是由于调整群势、盗蜂、迷巢蜂等引起。

3. 症状　一般小于 2 日龄的幼虫易被感染，4～5 日龄时死亡。病虫移位，体色变深，由珍珠白变为淡黄色、黄色、浅褐色，直至黑褐色。当工蜂不及时清理时，幼虫腐烂，并有酸臭味，稍具黏性，但拉不成丝，易清除。由于幼虫大量死亡，巢脾上“花子”严重，蜂群中长期只见卵、虫不见封盖子，群势下降快。

4. 诊断

（1）根据典型症状诊断：先观察脾面是否有“花子”现象，再仔细检查是否有移位、扭曲或腐烂于巢房底的小幼虫。

（2）显微检查诊断：挑出可疑病虫少许，简单染色后，在1 000倍显微镜下观察，如见到大量单个或成对、成堆、成链状的球菌，可初步判断为欧幼病。进一步确诊，须作病菌的分离纯化和生理生化鉴定，或血清学鉴定。

5. 防治　由于病原对抗生素敏感，故主要依靠药物治疗。但须注意合理用药，严防抗生素污染蜂蜜。

（1）选育抗病品种。

（2）加强饲养管理：如蜂多于脾，供给充足饲料，彻底消毒病群换出的蜂箱、蜂脾等。

(3) 换王：因换王期间幼虫减少，内勤蜂有足够时间清除病虫，从而减少传染源。

(4) 药物治疗：参考美洲幼虫腐臭病防治。

(三) 败血病

败血病（Septicemia），是西方蜜蜂的一种成年蜂病害，目前广泛发生于世界各养蜂国。在我国北方沼泽地带，此病时有发生。

1. 病原　病原为蜜蜂假单胞菌（*Pseudomonas apisepticus*）。该菌为多形性杆菌，大小为（0.8～1.5）μm×（0.6～0.7）μm，革兰阴性菌，周生鞭毛，运动力强，兼性厌氧，无芽孢。

此菌对外界不良环境抵抗力弱，在阳光和福尔马林蒸汽中可存活7h，在蜂尸中可存活30d，100℃沸水中只能存活3min。

2. 传播　蜜蜂假单胞菌广泛存在于自然界，如污水、土壤中，污水是主要传染源。蜜蜂在采集污水或接触污水后即感染病菌，并将病菌带入蜂巢。病菌主要通过接触，由蜜蜂的节间膜、气门侵入体内。

3. 症状　病蜂烦躁不安，不取食，不飞翔，在箱内外爬行，最后抽搐而死。死蜂肌肉迅速腐败，肢体关节处分离，即死蜂的头、胸、腹、翅、足分离，甚至触角及足的各节也分离。病蜂血淋巴变为乳白色，浓稠。

4. 诊断

(1) 根据典型症状诊断：死蜂迅速腐败，肢体分离。取病蜂数只，摘取胸部，挤压出血淋巴呈乳白色。据此可作初步判断。

(2) 显微检查：取病蜂血淋巴涂片镜检，有多形态杆菌，且革兰染色阴性。

5. 防治　由于污水坑为主要的病菌之源，故防止蜜蜂采集污水为主要预防手段。为此，蜂场应选在干燥处，并设置清洁水源；蜂群内注意通风降湿。对于患病蜂群，可选用盐酸土霉素可溶性粉和氟哌酸，每10框蜂用氟哌酸0.025g，加入250ml 50%或25%的糖水后喂蜂或喷脾，每2d喂（喷）1次，连用5～7次为1个疗程；每10框蜂用盐酸土霉素可溶性粉200mg（按有效成分计），加250ml 1∶1的糖水喂蜂，每4～5d喂1次，连喂3次，该药在采蜜之前6周停止使用。上述药物还可加入花粉脾（饼）中喂蜂。

(四) 蜜蜂副伤寒病

蜜蜂副伤寒病（Honeybee Paratyphoid Disease），是西方蜜蜂的一种成年蜂病害。世界许多养蜂国家都有发生。我国东北地区较多，常在冬末发生，特别是阴雨潮湿天气较重，严重影响蜂群越冬和春繁。

1. 病原　病原为蜂房哈夫尼菌（*Hafnia alvei*），菌体为两端钝圆的小杆菌，大小为（1～2）μm×（0.3～0.5）μm，革兰染色阴性，不形成芽孢。在肉膏蛋白胨培养基上培养24h，菌落针尖大，浅蓝色，半透明；在马铃薯培养基上形成淡棕色的菌落。

2. 传播　污水坑是箱外的传染源，病原菌可在污水坑中营腐生生活。蜜蜂沾染或饮用了含菌的污水后感病。病蜂粪便污染的饲料和巢脾是巢内主要的传播媒介。实验研究表明，从寄生病蛹上的大蜂螨的血淋巴及唾液腺中均检查到哈夫尼菌，大蜂螨还可将病菌传染给健康蛹，健康蛹感病的概率随蛹体上寄生螨数的增多而提高，当有 1 只螨寄生时，有 16.7% 的蛹感染；2 只的为 30.7%，4 只的达 81.8%，7 只的达 95.0%。

3. 症状 病蜂腹胀，行动迟缓，不能飞翔，下痢。拉取病蜂消化道观察，中肠灰白色，中、后肠膨大，后肠积满棕黄色粪便。

4. 诊断 由于病蜂无特殊的症状，很难从外表直接诊断。须结合显微观察和分离培养出病原菌才能确诊。取病蜂消化道内容物作简单染色显微观察，如见有许多小型多形态的杆菌，可作出初步诊断。

5. 防治 以预防为主。

（1）加强饲养管理：选择高燥的地方放置蜂群，留足优质越冬饲料，蜂场设置清洁的水源，晴暖天气促蜂排泄。

（2）药物治疗：参考蜜蜂败血病防治。

（五）蜜蜂螺原体病

蜜蜂螺原体病（Honeybee Spiroplasmosis），是西方蜜蜂的一种成年蜂病害。1976 年在美国马里兰州首次发现，随后在北美洲、欧洲、亚洲也发现。1988 年以来在我国各地广泛流行。长期转地蜂群发病重，定地或小转地蜂群发病轻；阴雨天或寒流后严重；使用代用饲料、劣质饲料越冬的蜂群发病严重。南方 4～5 月为发病高峰期，东北一带 6～7 月为高峰期。

1. 病原 为蜜蜂螺原体（*Spiroplasma melliferum*），属柔膜菌纲（Mollicutes）。是一种螺旋形、能运动、无细胞壁的原核生物，菌体直径约 0.17μm，能通过 0.25μm 孔径的滤膜。其长度在不同生长时期有很大变化，一般生长初期较短，呈单条丝状，生长后期螺旋性减弱，出现分枝，结团，丝状体上有泡囊产生。固体培养基中菌落直径 75～210μm，呈煎蛋形；在液体培养基中菌体能做快速的扭曲和旋转运动。

此菌需要在含核苷、甾醇等成分的特殊培养基中生长，如 R－2、C－3G 培养基等。

2. 传播 病死蜜蜂是主要传染源。病蜂和无症状的带菌蜂是病害的传播者。病菌污染的巢脾、饲料等是传播媒介。成年蜂经饲喂和注射病菌均可感染。

从十几种植物花上也分离到螺原体，如刺槐花、荆条花等，它们对蜜蜂也有致病性。蜜蜂的采集活动有可能也是病害在蜂间传播的原因之一。

3. 症状 病蜂腹部膨大，行动迟缓，不能飞翔，在蜂箱周围爬行。病蜂中肠变白肿胀，环纹消失，后肠积满绿色水样粪便。病蜂感染 3d 后，血淋巴中可检测到菌体，约感病 7d 后死亡。此病原与孢子虫、麻痹病病毒等混合感染蜜蜂时，病情严重，爬蜂死蜂遍地，群势锐减。

4. 诊断 由于病蜂表现症状特征不明显，所以依症状只能作出初步诊断，要确诊须进一步检查。

（1）显微检查：取可疑病蜂 5 只，用 1% 升汞水表面消毒，再用无菌水冲洗 2～3 次，加少量水研磨，1 000r/min 离心 5min，取一滴上清液于载玻片上，加盖片，在 1 500倍暗视野显微镜下检查，见到晃动的小亮点，并拖有 1 条丝状体，可作原地旋转或摇动，即确诊。也可作电镜检查来确诊。

（2）血清学检查：Jordan 等（1989）用特异性的鼠单克隆抗体（Mab）可检测多种螺原体，包括蜜蜂螺原体。

5. 防治

（1）预防：选择干燥通风的场所越冬，加强保温，留足优质饲料，不用代用品。培育强壮的越冬蜂。

（2）治疗：病群换箱、换脾，旧箱、脾等蜂具作消毒处理。每 10 框蜂用红霉素 0.05g，加入 250ml 50% 的糖水中喂蜂，或 25% 的糖水喷脾，每 2d 喂（喷）1 次，5～7 次为一疗程。

三、蜜蜂真菌病

（一）白垩病

白垩病（Chalk brood），是西方蜜蜂的一种幼虫病，由 Massen 于 1913 年首次报道，现已广泛分布于各养蜂地区。我国自 1991 年首次报道以来，危害一直较严重，给我国养蜂生产造成很大损失。该病在我国台湾省虽有发生，但不严重。本病为进口蜜蜂的检疫对象。

1. 病原　根据 Skou（1972）的分类，白垩病病原菌有两种，一种是大孢球囊霉（*Ascosphaera major*），另一种是蜜蜂球囊霉（*Ascosphaera apis*），它们不能杂交。两菌的孢囊均为深墨绿色，主要区别在于成熟的滋养细胞和孢囊的大小不同。蜜蜂球囊霉的孢囊直径通常为 32～99μm，平均为 65.5μm，孢子为 33.8μm×（1.5～2.3）μm；大孢球囊霉的孢囊直径一般为 88.4～168.5μm，平均 128.4μm，孢子比前者约大 10%。此菌在马铃薯培养基上即可生长，若加入 0.4% 的酵母膏则生长更好。

蜜蜂球囊霉为异宗结合菌，有菌丝生长和孢囊生长两个阶段。为有隔菌丝，菌丝细胞多核。菌丝分两类：单性菌丝生长只能形成白色菌丝体，短绒状，无子囊果产生；老菌丝会渐渐变成土黄色。两性菌丝先进行菌丝生长，后期进入有性阶段，形成子囊果。子囊果球形，自外向内有 3 层结构：最外一层是深绿色的闭囊壳，其内包裹着许多球形子囊，又称孢子球，在子囊内有大量的椭圆形子囊孢子。不同子囊果中的子囊大小和数目也有不同。形成子囊果的区域近黑色，成熟的子囊果会自行破裂，释放出孢子球和子囊孢子。

2. 传播　病虫和病菌污染的饲料、蜂具是主要的传染源。菌丝和孢子均有侵染性，它们可由成年蜂或蜂螨体表携带并在蜂群内或群间传播。病蜂群生产的花粉带有病菌，这种花粉的广泛流通和使用是此病在我国快速蔓延的重要原因之一。高温高湿或连续阴雨天气，该病发生严重。

3. 症状　子囊孢子被 4～5 龄幼虫（最敏感时期）摄入后，进入中肠，孢子萌发，尽管菌丝并不在肠道中大量生长，但却直接穿过围食膜和中肠上皮细胞，进入血腔大量生长，3d 后，幼虫体表可见菌丝体。幼虫在封盖后的头 2d 或在前蛹期死亡。

病虫软塌，后期失水缩小成较硬的虫尸。体表呈白色（仅有单性菌丝生长）或黑白两色（有深色子囊果形成）。由于雄蜂幼虫常分布在脾的外围，易受冻，故而雄蜂幼虫比工蜂幼虫更易受到感染。

4. 诊断

（1）典型症状诊断：在病群的巢门前、箱底或巢脾上见到长有白色菌丝或黑白两色的幼虫尸，即可确诊。

（2）显微诊断：取虫尸，刮取体表黑色物，置载玻片上做水浸片，在400倍显微镜下观察，见到闭囊壳、孢子球及孢子的形态可确诊。

5. 防治 蜜蜂白垩病是一种较顽固的真菌性病害，易复发，因此不能只依赖药物，要采取综合防治措施。

（1）选育和使用抗病蜂王。

（2）春季做好保温，保持放蜂场地和蜂箱内通风干燥。

（3）不饲喂带菌的花粉，应消毒后再饲喂。可喂茶花粉预防白垩病的发生。

（4）防治蜂螨，减少病原传播者。

（5）病群换下的蜂箱须经彻底消毒后才能使用，巢脾化蜡或烧毁。

（6）药物治疗：

①每10框蜂每次用制霉菌素200mg，加入250ml 50%的糖水中饲喂，每3d喂1次，连喂5次；或用制霉菌素（1片/10框），碾粉掺入花粉饲喂病群，连续7d，均可获得较好的疗效，且不伤蜂。

②用喷雾灵稀释500倍液喷洒病脾和蜂巢，每2d喷1次，连喷3次。空脾用该溶液浸泡0.5h。

（二）黄曲霉病

黄曲霉病又称石子病，是一种罕见的西方蜜蜂真菌病。幼虫、蛹和成年蜂均可感染，但以幼虫及蛹的感染较多。主要分布于欧洲、北美及委内瑞拉、中国。

1. 病原 蜜蜂黄曲霉病由黄曲霉（*Aspergillus flavus* Ling）引起。偶尔有烟曲霉（*Aspengillus fumigatus*）引起。黄曲霉菌落呈绒状黄绿色，分生孢子梗棒状，不分枝；顶囊球形；分生孢子小梗不分枝，呈紧密放射状排列于顶囊上；分生孢子大多呈球形，直径5～6μm。

2. 传播 黄曲霉的孢子广泛存在于土壤、谷类作物等环境中，在霉变的花粉中也可能存在。孢子可随风飘散，污染花蜜、花粉等。蜜蜂因取食了被污染的饲料而感染。黄曲霉的孢子在蜜蜂肠道中萌发，形成菌丝，穿透肠壁，释放毒素，最后菌丝长出体表而呈黄绿色。

3. 症状 病虫在封盖前或封盖后死亡。染病初期幼虫变软，死时体表长满绒毛状黄绿色菌丝，虫尸因失水而变得十分坚硬。有的虫尸与巢房壁会被菌丝紧连在一起。

少数成年蜂感病，病蜂表现出腹大、无力、瘫痪症状。死蜂体躯干硬，不腐烂，体表上有黄绿色孢子。

4. 诊断

（1）根据症状诊断。虫尸坚硬，虫体长满绒毛状黄绿色菌丝；病死蜂体表有黄绿色孢子，干硬。

（2）挑取病虫表面黄绿色物质，置载玻片上做成水浸片，于400倍显微镜下观察，见到黄曲霉即可确诊。

5. 防治 可参照白垩病的防治方法。因黄曲霉毒素对人有毒，操作过程中应注意自我防护。从病群取得的花蜜、花粉应作毁弃处理。

（三）卵巢黑变病

卵巢黑变病（Ovary Melanosis Disease），是一种发生于西方蜜蜂蜂王生殖系统的偶发性真菌病。目前分布于欧洲、加拿大等地，我国尚未发现。

1. 病原 为黑色素沉积菌（*Melanosella morsapis*），孢子褐色，大小为12.4μm×14.2μm。

2. 传播 病原由蜂王的螫针腔和生殖孔侵入卵巢和输卵管，并在生殖器官中寄生。通过生殖道注射可使蜂王感染，而工蜂和雄蜂若进行胸部注射也会发生感染。据推测，在蜜蜂采集甘露蜜时，将生活在其中的病原菌带回蜂巢，偶然的情况下该菌侵染了蜜蜂。

3. 症状 蜂王卵巢失去光泽，变黑，毒囊、直肠也会受到感染，产生大量黑色肿胀物，阻塞输卵管，卵巢逐渐萎缩，蜂王停卵，1~2个月后死亡。若工蜂被侵染，最显著的标志就是后肠外翻。

4. 诊断 取病蜂王，解剖其腹部，若发现卵巢及直肠变黑即可作初步判断。取一小块组织于载玻片上，加水，盖上盖玻片，于200~400倍显微镜下观察，若发现大量褐色孢子，大小如上所述，即可确认。

5. 防治 对该病的研究很少，一般采取更换蜂王的方法。药物治疗使用制霉菌素，用法参照白垩病的用药方法。

四、蜜蜂原虫病

（一）蜜蜂微孢子虫病

蜜蜂微孢子虫病（Nosema disease），是一种常见的成年蜂病。世界各养蜂地区均有发生。在我国也广泛发生，且发病率较高，造成成年蜂寿命缩短，春繁和越冬能力降低。孢子虫经常与其他病原物一起侵染蜜蜂，造成并发症。该病在西方蜜蜂和东方蜜蜂上均有发生，但东方蜜蜂尚未见流行。工蜂、雄蜂和蜂王均可感病。

1. 病原 为蜜蜂微孢子虫（*Nosema apis*）。孢子大小为（3~8）μm×（1~3）μm，椭圆形，两端钝圆，内有2个细胞核，1根长度为230~400μm的螺旋形极丝。孢子前端有1个胚孔，为放射极丝的孔道，以侵入细胞。

蜜蜂微孢子虫有两种生殖方式：无性裂殖和孢子生殖。前者为母孢子从中间横分裂为2个新的孢子虫；后者有一过程，即孢子放射极丝形成：游走体→单核裂殖体→双核裂殖体→多核裂殖体→双核裂殖子→初生孢子→成熟孢子。

成熟孢子虫对外界不良环境有很强的抵抗力。在蜜蜂的粪便中可存活2年，在

25℃、4%的甲醛中可存活1h。但在1%的石炭酸溶液中，10min即可杀死；在2%的氢氧化钠溶液中15min可杀死。

2. 传播　孢子通过被污染的食物进入蜜蜂中肠，在消化液的刺激下，放射出中空的极丝，通过极丝，将两细胞核及少量细胞质注入中肠上皮细胞，在其中增殖。1周后，中肠细胞脱落，释放出大量孢子虫，随粪便排出体外，污染箱、脾、粉、蜜，特别是当病蜂有下痢症状时，污染更为严重。内勤蜂因清理受污染的巢脾、取食受污染的蜜粉而感染。

群间传播主要是由迷巢蜂、盗蜂及不卫生的蜂群管理行为造成的。孢子能随风到处飘落，造成大面积、大范围的散布；当病蜂、健康蜂在同一区域采集同一蜜源时，病蜂会污染花及水源，健康蜂便会感染发病。

3. 症状　病蜂无明显的外部症状，只是行动迟缓，腹部末端呈暗黑色。当外界连续阴雨潮湿，蜜蜂无法外出排泄时，会有下痢症状。

健康蜂的中肠环纹清晰，弹性良好；而病蜂中肠环纹消失，失去弹性，极易破裂。雄蜂及蜂王对孢子虫也敏感，蜂王若被侵染，很快停止产卵，并在几周内死亡。

4. 诊断　由于病蜂在外观上没有明显的症状，须作如下诊断：

（1）用拇指和食指捏住成年蜂腹部末端，拉出中肠，观察中肠的环纹、弹性。病蜂中肠环纹消失，失去弹性。

（2）挑取可疑病变中肠组织一小块，置载玻片上，加少量蒸馏水捣碎，盖上盖玻片置于400~600倍显微镜下观察，若有大量大小一致的椭圆形粒子存在，即可确诊。

5. 防治

（1）蜂具的消毒：换下的蜂箱、巢脾等蜂具用冰醋酸、福尔马林加高锰酸钾熏蒸消毒，方法详见消毒部分。空箱、空脾也可用热消毒法，即将温度升到49℃，维持24h，即可杀死孢子虫。

（2）饲喂酸饲料：由于孢子虫在酸性溶液中会受到抑制，因此在每升饱和糖浆或蜂蜜中加入1g柠檬酸或4ml食醋，提高饲料的酸度，每10框蜂每次喂250ml，每2~3d喂1次，连喂4~5次，可抑制孢子虫的侵入与增殖。

（3）药物防治：国外用烟曲霉素（Fumagillin）加入糖浆（25mg/L）中喂蜂治疗，效果良好。用甲硝唑片500mg，加50%的糖水1L，3d喂蜂1次，连喂7次，该药在采蜜期禁用。

（二）阿米巴病

阿米巴病（Amoeba Disease），即蜜蜂马氏管变形虫病，是西方蜜蜂的一种成年蜂病害，常与蜜蜂微孢子虫病并发，造成的危害也较单一发病严重。每年的4、5月份是发病高峰期。

1. 病原　为蜜蜂马氏管变形虫（*Malpighamoeba mellificae*），有变形虫（阿米巴）和孢囊两种形态。变形虫是一形状可变的单细胞，表面有许多突起和凹陷，并有灵巧的伪足，以吞噬作用和胞饮作用取食；当环境不良时，形成厚壁的球形或近球形的孢囊，大小为5~8μm。

2. 传播　孢囊被成年蜂吸食后，在肠道内释放出营养体，进入变形虫阶段，依靠伪足钻入马氏管上皮细胞里繁殖。受侵染的马氏管上皮细胞刷状缘肿胀、破裂，细胞核消失，丧失排泄功能。蜜蜂被孢囊侵染后22～24d，变形虫营养体又形成许多新的孢囊，随粪便一起排出。

病蜂是主要的传染源。其粪便中含有大量的孢囊，当巢脾等蜂具和饲料被污染后，便成为病害在群内传播的主要媒介。群间传播是由盗蜂、迷巢蜂、污染器具和饲料的混用造成的。

马氏管变形虫病与蜜蜂微孢子虫病并发的原因是它们传播途径相同，发病季节也相同，但这两种病害并不互相依赖。这两种病混合感染后危害增大，极易造成蜂群暴死。

3. 症状　病蜂腹部膨大，有时下痢，无力飞行。拉出中肠，可见中肠末端变为红褐色；显微镜下，马氏管变得肿胀、透明。后肠膨大，积满大量黄色粪便。

4. 诊断

（1）拉出中肠观察其颜色，病蜂中肠末端红褐色，后肠积满黄色粪便，可作初步诊断。

（2）显微检查：取可疑病蜂的马氏管，置载玻片上，滴加蒸馏水，盖上盖片，在400倍显微镜下检查，若马氏管膨大，近于透明，管口破裂处有大量球形孢囊逸出，即可确诊。

5. 防治　与孢子虫防治方法相同。

（三）爬蜂病

爬蜂病（Crawling－bee Disease），是仅发生在我国境内的一种西方蜜蜂成年蜂病害。20世纪80年代末至90年代初曾广泛流行，给养蜂业造成巨大损失。该病有明显的季节性，4月为发病高峰期，秋季病害基本自愈。病害与环境条件密切相关，当温度低、湿度大时，病害重。

1. 病原　爬蜂病的病原十分复杂。研究表明，该病是多种蜜蜂病原物混合感染的结果，已发现的病原有：蜜蜂微孢子虫、蜜蜂马氏管变形虫、蜜蜂螺原体、奇异变形杆菌（*Proteus mirabilis*）。病蜂至少有3种病原同时感染，4种病原同时检出率达85.2%。奇异变形杆菌为第一次从蜜蜂中分离到，其病理作用尚不清楚。

2. 传播　病蜂是主要的传染源，其排泄物含有大量病菌，会污染箱内蜂具及饲料，使之成为传播媒介。盗蜂、迷巢蜂、人为的子脾互调和蜂具混用等操作会使病害在群间蔓延。

3. 症状　病蜂多在凌晨爬出箱外，行动迟缓，腹部拉长，有时下痢，翅微上翘。病害前期，可见病蜂在巢箱周围蹦跳，无力飞行，后期在地上爬行，于沟、坑处聚集，最后抽搐死亡。病害严重时，大量幼蜂和青壮年蜂爬出蜂箱，死于蜂箱周围。死蜂伸吻，张翅。病蜂中肠变色，后肠膨大，积满黄或绿色粪便，有时恶臭。

4. 诊断　根据症状可作初步判断，但须结合显微检查才能确诊。具体方法参见蜜蜂螺原体、孢子虫及变形虫部分。

5. 防治方法

（1）选择高燥、避风向阳的越冬及春繁场地。

（2）适时停产王浆，培育适龄的越冬蜂。

（3）供给蜂群充足的优质饲料，不用代用品。

（4）早春及越冬时，做好蜂群的通风降湿及保温物的翻晒工作。

（5）抓紧有利晴暖天气，促蜂排泄。

（6）饲喂酸饲料，抑制病原物的繁殖。

（7）病群换下的箱、脾等器具须经消毒后才能使用。

（8）药物防治：氟哌酸加甲硝唑片（各1片/10框蜂），碾细末，配制成含药糖浆或花粉饼饲喂，在采蜜期停止用药。

五、非传染性病害

（一）卷翅病

卷翅病（Coiled wing Disease），是我国长江以南地区西方蜜蜂中一种常见的非传染性病害。多在7~8月气候炎热时发生。江浙地区多发生于芝麻花期，福建则多发生于瓜花期。若不及时采取措施，由于新老蜂衔接不上，会导致群势迅速下降，造成蜂群越夏失败或秋衰。若群内饲料缺乏，发病会更严重。

1. 症状 初羽化出房的患病幼蜂，轻者翅尖卷曲或翅面折皱，重者四翅卷曲。不能飞翔，爬出巢外而死。由于边脾或巢脾外围巢房的封盖子易受气温变化影响，因此，该处的幼蜂更易得病。

2. 诊断 当气候异常炎热时，同场多数蜂群均出现不同程度的卷翅现象，且蜂群中无蜂螨危害时，即可判断为卷翅病（大、小蜂螨病也会出现卷翅缺翅现象）。

3. 防治 此病重在预防。

（1）注意蜂群的防暑降温工作。将蜂箱置于阴凉处，避免阳光直射，经常洒水降温，及时喂水，以免群内过热。

（2）强行限王产卵，保持巢内糖饲料充足，使蜂群安全度夏。

（3）尽量少开箱，以免影响群内的正常温度。

（二）幼虫冻伤

幼虫冻伤（Chilled brood），是一种常见的非传染性病害。卵、幼虫、蛹均可受冻，多在蜂群春繁时，尤其是寒流突然来临时发生。一般说来，外界气温持续低于14℃时就很可能造成虫卵冻伤。

1. 病因 外界气温过低时，蜂群无法维持卵、幼虫、蛹正常发育所要求的温度（34.5℃），便会发生本病。另外，蜂群群势弱时更易发生本病，所以，当蜂群由于杀虫剂毒害或人为分蜂后部分老蜂返回原巢，造成群势突然下降时，易造成冻伤。

2. 症状 当寒流过后，蜂群内突然出现大批卵、幼虫、蛹死亡的现象，死虫多出现在巢脾的边缘，尤其以弱群为重。受冻卵呈干枯状，无法孵化。受冻幼虫一般呈奶黄色，腹部边缘呈现黑色或褐色。幼虫质地干脆，无黏稠物，易清除。气味一般较淡，有时也有令人作呕的腐败酸味。封盖子死亡的有时会出现封盖穿孔现象。

3. 防治 为了避免蜂子冻伤现象，主要应做好蜂群管理。春繁期间，注重保持蜂多于脾，蜂多于子；群内饲料充足，弱群合并，调整群势；蜂王限产；加强保温等。采取上述措施，可有效提高蜂群的抗寒能力，防止蜂子冻伤的发生。

（三）卵枯病

由于蜂卵不孵化而出现卵干枯的现象称卵枯病（Shrivelled egg disease）。

1. 病因 可能有多种原因：

（1）由于蜂王近亲交配，导致其产下的卵不孵化而逐渐干枯。

（2）由于高、低温伤害而造成。

（3）药物使用不当也可造成卵中毒死亡而干枯。

2. 症状

（1）由蜂王近亲交配造成的卵干枯，死卵分散不成片，卵小，色暗，着房位置各异。

（2）由于高、低温造成的卵干枯，死卵成片，着房位置一致，多位于巢脾边沿。

（3）由于药害造成的卵干枯，发生于药物处理过的蜂群中，幼虫也可能同时出现中毒症状，死卵成片，色暗。如用升华硫抹脾不当所引起的卵不孵化、幼虫死亡等。

3. 防治 根据发生的原因采取相应措施。

（1）及时淘汰劣王，换成生活力强的蜂王。

（2）蜂群易受冻时期，及时保温，合并弱群，使蜂脾相称；盛夏时节，做好蜂群遮阴、通风降温等工作。

（3）病群使用药物时，要严格掌握用量、用法和用药时间，防止发生药害。

（四）蜜蜂营养代谢病

1. 病因 在蜜蜂饲料中，糖类、脂类、蛋白质、维生素、微量元素等缺乏或过多，都会引起蜜蜂营养代谢紊乱而发病。多由蜜蜂营养不良引起，如早春繁殖时缺花粉、蜂王浆产量高而营养补充不足，平日蜂群饥饿，蜂群中子多蜂少哺育力不足和不良饲料等。

巢温过高或过低，会造成蜜蜂各虫期生理代谢紊乱，以及蜂离脾而哺育力相对不足而造成的幼虫营养不良症。

2. 症状 蜜蜂营养代谢病的症状主要表现在工蜂早衰、蜂王浆产量下降、幼蜂爬死、消化不良或消化道无食物等。由于营养不良，劳役过重，蜜蜂体质弱。患该病的蜂群常易并发孢子虫病、病毒病而大批死亡。

3. 防治 因营养不良引发的代谢病，应把蜂群及时运到蜜源丰富的地方放养或补充饲料，在恶劣条件下，应暂停蜂王浆、蜂蛹等消耗营养大的生产活动；在蜜蜂活动季节，要根据蜂数、饲料等具体情况来繁殖蜂群，并保持巢温稳定。

第三节　蜜蜂敌害

一、螨类敌害

据报道，全世界与蜜蜂有关的螨类达28科83种，但大多数为无害螨，只有少数几种严重危害蜜蜂，如大蜂螨、小蜂螨、武氏蜂盾螨（*Acrapis woodi*）。蜂螨属于无脊椎动物门（Arthropods），蛛形纲蜱亚纲（Acari），寄螨目（Parasitiformes），中气门亚目（Mesotigmata）。

（一）大蜂螨

1. 分布　大蜂螨（*Varroa jacobsoni* Oudemans），又称雅氏瓦螨、亚洲螨、大螨（图7－1）。属瓦螨科。Oudemans首次于1904年在爪哇的东方蜜蜂上发现，后来大蜂螨传染到西方蜜蜂上，成为西方蜜蜂的主要寄生性敌害，而且西方蜜蜂受害严重；其原始寄主东方蜜蜂却无明显受害现象，只有少量寄生。大蜂螨自从传染给西方蜜蜂之后，逐渐在世界各养蜂地区传播开来。目前除大洋洲尚未报道大蜂螨危害以外，亚洲、非洲、欧洲、美洲地区都有发生。

2. 危害　尽管东方蜜蜂是大蜂螨的原始寄主，但由于工蜂在被寄生后表现出强烈

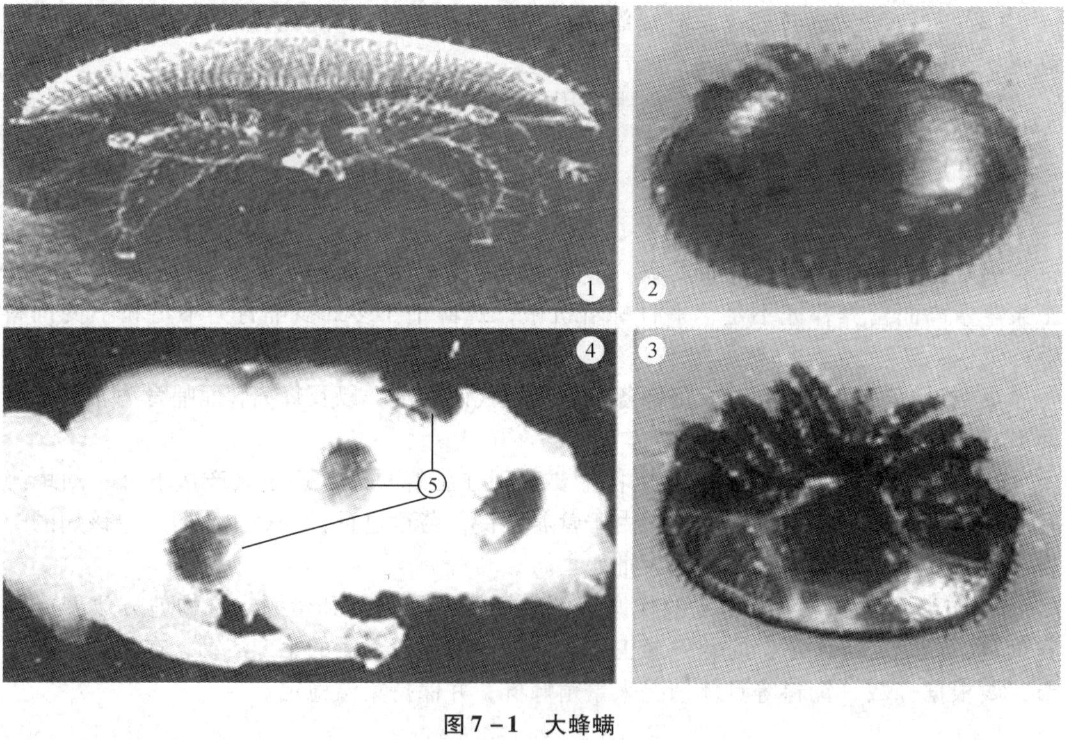

图7－1　大蜂螨

1. 正面观　2. 背面　3. 腹面　4. 被寄生的蛹　5. 蛹体上的螨

的同伴清理和自我清理等行为特点而具有显著的抗螨特性。而西方蜜蜂受侵染后，若不加治疗，蜂群很快衰亡。我国于1955年在江浙一带的意蜂上发现大蜂螨，其后逐渐向其他省份扩散。至1960年，全国大部分地区都爆发了大蜂螨。

病蜂的主要症状有：被寄生的成年蜂，体质衰弱，烦躁不安，体重减轻，寿命缩短。幼虫受害后，发育不正常，出房的蜜蜂畸形，翅残，失去飞翔能力，四处乱爬。受害蜂群，哺育力和采集力下降，成年蜂日益减少，群势迅速下降，甚至全群死亡。

大蜂螨除了吸食蜜蜂血淋巴造成危害外，它还是多种病原体的携带和传播者。已知其体内可携带的有：急性麻痹病病毒、蜜蜂克什米尔病毒、残翅病毒（Deformed Wing Virus）、慢性麻痹病病毒、云翅粒子病毒、蜂房哈夫尼菌；体表可携带的有：蜜蜂球囊霉、曲霉、孢子虫。当以上某种病害和螨同时发生在蜂群中时，螨就可以通过吸食和活动在群内甚至群间传播病害。因此，在治疗以上病害的同时，要彻底治螨。

3. 形态特征 大蜂螨有卵、若螨、成螨3个发育阶段。

（1）卵：乳白色，卵圆形，长0.60mm，宽0.43mm。卵膜薄而透明，产下时已发育，可见4对肢芽，形如紧握的拳头。

（2）若螨：分为前期若螨和后期若螨。前期若螨近圆形，乳白色，体表着生稀疏的刚毛，具有4对粗壮的附肢。体形随时间的延长而由近圆形变为卵圆形；大小也由体长0.63mm、宽0.49mm，增至体长0.74mm、宽0.69mm。后期若螨体呈心脏形，长0.87mm、宽1.00mm。随着横向生长的加速，体由心脏形变为横椭圆形，体背出现褐色斑纹，增至体长1.09mm，宽1.38mm。腹面骨板已形成，但尚未骨化。

（3）成螨：雌成螨呈横椭圆形，棕褐色，长1.11～1.17mm、宽1.60～1.77mm。

①颚体：是重要的分类特征，位于躯体前端，由颚基、1对螯肢、1对须肢、口下板、头盖组成。螯肢是摄食器官，原为钳状，但背侧的定趾已退化，仅余腹侧具齿的动趾，动趾尖锐，前端如刺，适于刺吸。须肢1对，着生于螯肢外侧，由于趾节退化为叉毛（指分枝相同的毛）而只有5节；叉毛分2叉，须肢上有趋触毛，是感觉器官，同时又可用于抱握食物帮助摄食。口下板1对，三角形，位于颚体中央下方，一般不易见到。口下板外侧有1对颚角。口器由口下板、下咽、上唇、涎针等组成，可刺破幼虫表皮吸食血淋巴。大、小蜂螨均无眼，由须肢及足上的感器执行感觉功能。

②躯体：由1块背板、7块腹板及4对足组成。背板覆盖整个背面，密布刚毛。腹板由1块胸板、1块生殖腹板、2块腹侧板、2块足后板、1块肛板组成。胸板位于颚体后方，略呈半月形，前缘与足基部相连。生殖腹板紧接于胸板之后，五角形，长655μm、宽463μm，生殖孔被此板块所覆盖。肛板位于生殖腹板后方，呈倒三角形，长135μm、宽246μm，肛孔位于肛板后半部。腹侧板位于第四对足基外侧，近三角形。足后板略呈三角形，板上有很多刚毛，位于腹侧板的后侧。气门特化成中空的盲管状结构，称为气门沟，1对，是呼吸器官，具一纵向长缝，为进气口，内腔长有许多齿状结构，具有加大呼吸面积的功能，着生于腹面第三、第四对足的基部外侧，平时被第三、第四对足所覆盖。成螨与若螨有4对足，均粗短，每只足有6节，为基节、转节、腿节、膝节、胫节与跗节，跗节末端均有一爪垫，可伸缩如吸盘，无爪。

雄成螨与雌成螨的形态显著不同。雄成螨较雌成螨小，体呈卵圆形，长0.88mm，宽0.72mm。背板1块，覆盖体背的全部。背板上的刚毛末端不弯曲。螯肢较短，骨化弱。不动趾退化，短小，动趾特化为生殖器官——导精趾（spermatodactyl），作用是把雄性生殖孔中排出的精包移入雌性生殖孔中。颚体的腹面结构与雌成螨相同。腹面各板块除肛板明显外，其余各板块骨化弱，界线不清。生殖孔位于第一对足基节间，凸出于板前缘。肛板盾形，刚毛3根，肛孔位于肛板之后半部，有密集的短小针状刚毛。足4对，第一对足较短粗，第二至第四对足较长。跗节末端具钟形爪垫，无爪。

4. 生物学特点

在东方蜜蜂中，雌成螨只在雄蜂房内产卵；在西方蜜蜂中，雌成螨可寄生于成年蜂、幼虫和蛹体上。其个体生活史分为5个阶段（表7－3）。

尽管雌螨有产多粒卵的能力，但由于卵发育成成螨的时间有限，所以随卵产出时间的推后，存活的可能性也逐渐降低。蜜蜂封盖子期的长短对育出的成螨数量有极大影响。封盖子期越长，成活率越高，育成螨数量越多。因此寄生在雄蜂房中要比寄生于工蜂房中成活率高，这与大蜂螨喜欢寄生雄蜂房的习性是一致的。由于海角蜜蜂工蜂的封盖子期（11.1d）要比其他种的西方蜜蜂（如喀蜂工蜂的封盖期为12.1d）短，因此，海角蜂群中的蜂螨寄生率较其他西方蜜蜂要低。

表7－3　大蜂螨的生活阶段及特点

生活阶段	生理分期	主要活动	寄　主
第一阶段	滞留期	蜂体上取食	成蜂
第二阶段	卵黄形成前期	潜入巢房，僵状	5～7日龄幼虫至封盖前
第三阶段	首次卵黄形成期	苏醒，取食，产2粒卵	6～9.75日龄，前蛹
第四阶段	二次卵黄形成期	取食，又产3～5粒卵	9.75日龄至出房前
第五阶段	成熟、交配期	新螨交配，随蜂出房	成蜂出房

大蜂螨的生活史归纳起来可分为2个时期，一个是体外寄生期，一个是蜂房内的繁殖期。大蜂螨完成1个世代必须借助于蜜蜂的封盖子来完成。因此大蜂螨在我国不同地区的发生代数有很大差异。对于常年转地饲养和终年无断子期的蜂群，蜂螨整年均可危害蜜蜂。北方地区的蜂群，冬季有长达几个月的自然断子期，蜂螨就寄生在工蜂和雄蜂的胸部背板绒毛间，翅基下和腹部节间膜处，与蜂群一起越冬。

越冬雌成螨在第二年春季外界温度开始上升，蜂王开始产卵育子时，从越冬蜂体上转移，进入幼虫房，开始越冬代螨的危害。以后随着蜂群发展，子脾的增多，螨的寄生率迅速上升。据北京地区观察，大蜂螨自3月中旬蜂王产卵后即开始繁殖，到4月下旬，蜂螨的寄生率可上升至15%～20%，寄生密度可达0.25螨/蜂。大（小）蜂螨的寄生率和寄生密度可用式（7－1）、式（7－2）计算。

$$\text{寄生率（\%）}=\frac{\text{有螨蜂数（或有螨蜂房数）}}{\text{检查蜂数（或检查蜂房数）}}\times 100 \tag{7-1}$$

$$\text{寄生密度}=\frac{\text{蜂螨总数}}{\text{检查蜂数（或检查蜂房数）}}\times 100 \tag{7-2}$$

大蜂螨的发育历期分别为：卵期20～24h，前期若螨54～58h，后期若螨82～86h。

雌螨的发育历期为7d，雄螨的发育历期为6.5d。

成螨寿命因性别不同差异较大。雄螨寿命很短，只有0.5d左右，它在巢房内与雌螨交配后很快死去。因而在巢脾和蜂体上很难找到雄螨。雌成螨的寿命较长，且受季节影响较大。春夏繁殖期，雌螨寿命平均为43.5d，最长可达2个月；在冬季越冬期，雌螨靠自身贮存的营养和吮吸少量蜜蜂的血淋巴在越冬蜂团上生活，寿命可达6个月以上。

5. 传播途径

蜂场内蜂群间的传播，主要通过带螨蜂和健康蜂的相互接触。盗蜂和迷巢蜂是主要传播者。其次，病群、健康群的子脾互调和子脾混用等不当操作也可造成场内螨害的迅速蔓延。另外，采蜜时有螨工蜂与无螨工蜂通过花的媒介也可造成蜂群间的相互传染。

大蜂螨的跨国传播由蜜蜂的进出口贸易造成，不同地区螨类的传播是由蜂群频繁转地造成的。

6. 防治方法　通常采取化学防治、物理防治、综合防治等措施。每年用药1～3次，大流蜜期前蜂螨寄生率不超过5%，在生产期之前1个月停止用药。

（1）化学防治：使用化学药物杀螨，要求药物对蜂螨毒力强，伤蜂轻；对蜂产品污染小，对人无毒、无致畸致癌作用。目前，国外只有极少的杀螨药物获准在蜂群中使用，如氟胺氰菊酯（Fluvalinate）、蝇毒磷（Coumaphos）。

①氟胺氰菊酯条：又称马扑立克（Mavrik），国内俗称螨扑，为拟除虫菊酯类杀虫剂，有胃毒、触杀作用，残效期长。由国外进口原药。使药物依附于板条后，将板条挂于蜂路间，巢箱对角放置2片，1周后继箱加1片。当蜜蜂爬过时触杀其体上的蜂螨。可用2周以上。由于杀螨力持久，又省工省力，已成为目前国内主要的杀螨用药。该药在采蜜期禁用。

氟氯苯氰菊酯条的用法用氟胺氰菊酯条。

②蝇毒磷：为有机磷杀虫剂，对双翅目昆虫有显著的毒杀作用，残效期长，对蜂安全，作喷雾剂使用。国外进口药。

③甲酸溶液：为熏蒸性药物。先将甲酸与乙醇按7∶3的比例混合，将封盖子脾脱蜂后置于箱中，每箱体7～8框，用培养皿等大口容器盛药液10ml，在22℃的气温下密闭5～6h。这种方法应与杀螨剂喷雾防治蜂体上的成年蜂螨相结合，可收到事半功倍的效果。甲酸有腐蚀性，不可接触皮肤，使用时应注意人身防护。

④硫磺：硫磺燃烧能产生二氧化硫气体，透过封盖杀死封盖子房内的螨。特别是繁殖期螨害严重的时候，子脾内存有大量的螨，用硫磺熏脾治螨，可以保住子脾。具体做法：将封盖子脾集中于空箱中，4～5个箱一叠，用报纸糊严箱外缝隙，巢箱不放巢脾。在巢箱底放一块15cm大小的瓦片，上面加上一折成波浪形的铁纱网，在网上放一棉花块，硫磺粉撒在棉花上，熏脾时点燃棉花四周，使硫磺燃烧成烟。要特别注意的是，过量的二氧化硫对蜜蜂子脾有伤害，因此，要严格控制硫磺用量及熏烟时间，一次投入硫磺粉不能超过25g，封盖子脾熏烟不超过5min，卵脾、虫脾熏烟不超过1min，达到保住蜜蜂封盖子、卵、虫80%～90%，消灭封盖子房内的大蜂螨50%左右和小蜂螨全部死亡的效果，然后再结合其他药物消灭寄生在成年蜂体上的大、小成螨。

⑤马拉硫磷：每箱用2g 0.1%或5g 0.05%的马拉硫磷进行喷治，对蜜蜂无任何副作用，蜂蜜中很少有残留。每隔2d治1次，连治4~5次，杀螨率可达98%。

⑥双甲脒条：每群1条，悬挂于蜂群空隙处，点燃密闭熏烟15min，1周1次，3周为1个疗程。该药休药期为7d以上。

此外，苦楝素、冬青油等从植物中提取的杀虫、杀螨药，有望成为将来安全性较高的药物，但目前应用还不成熟。

（2）综合防治：当蜂群内无封盖子时，蜂螨只能在成年蜂体上寄生。利用此特点，抓住群内无封盖子的时机或人为创造无子蜂群进行药物治螨，可达到事半功倍的效果。

①断子治螨：在蜂群越冬或越夏前自然断子时，或采用人工扣王断子的方法，使群内无封盖子和大幼虫，蜂螨无处藏身，完全暴露，选择杀螨剂连治3次，可取得良好的治螨效果。

②繁殖期分巢治螨：当蜂群繁殖期出现螨害，可将蜂群的蛹脾和大幼虫脾带蜂提出，组成无王群。蜂王、卵脾和小幼虫脾留在原箱，蜂群安定后，用药治疗。无王群可诱入王台，先用药物治疗1~2次，待新蜂全部出房后，再继续用药治疗1~2次，可达到治螨的目的。

③切除雄蜂封盖子：利用蜂螨喜欢在雄蜂封盖子中寄生的特点，当蜂群内出现成片的雄蜂封盖子时，连续不断地切除雄蜂封盖子。也可以从无螨群调进雄蜂幼虫脾，诱引大蜂螨到雄蜂房内繁殖。通过不断地切除雄蜂封盖子，同时配合药物治疗，可以有效减轻螨害。

④毁弃子脾：对螨害严重的蜂群，多数蜂蛹不能羽化，出房的亦残翅无用。可集中所有封盖子脾烧毁，再对原群进行药物治疗，并补充无螨老熟子脾，可以恢复蜂群生产力。

（二）小蜂螨

1. 分布 小蜂螨（*Tropilaelaps clareae*）属寄螨目，厉螨科，热厉螨属，俗称小螨。1961年首次在菲律宾的东方蜜蜂死蜂标本上发现，后在蜂箱附近的野鼠身上也找到这种螨。小蜂螨分布范围比大蜂螨小，主要在亚洲一些国家发生，如菲律宾、缅甸、泰国、阿富汗、越南、巴基斯坦、印度、中国。非洲、美洲、欧洲和大洋洲均未见报道。在发生地区，小蜂螨常和大蜂螨一起危害西方蜜蜂。

小蜂螨的寄主广泛，它可在东方蜜蜂、西方蜜蜂、大蜜蜂、黑色大蜜蜂和小蜜蜂上寄生。

小蜂螨在我国发现的时间比大蜂螨略迟。1958年在江西少量蜂群上发现小蜂螨，1960年江西和广东开始出现小蜂螨危害成灾。此后小蜂螨逐渐向其他地区传播蔓延，目前已遍及全国有蜂群地区。

2. 危害 小蜂螨主要寄生在老熟幼虫房和蛹房中，很少在蜂体上寄生。靠吸食幼虫和蛹的血淋巴生存，造成幼虫和蛹大批死亡或腐烂。个别出房的幼蜂翅残缺不全，体弱无力。封盖子房盖有时会出现小穿孔。小蜂螨繁殖速度比大蜂螨快，造成烂子也比大蜂螨严重，若防治不及时，极易造成全群烂子覆灭。

3. 形态特征

（1）卵：近圆形，腹部膨大，中间稍下凹，形似紧握的拳头，卵膜透明，长0.66mm、宽0.54mm。经15～30min孵化为幼虫。

（2）幼螨：破壳而出的幼螨为椭圆形，体白色，3对足，体长0.6mm、宽0.38mm。经20～24h后伸出第四对足，进入若螨期。

（3）若螨：若螨分为前期若螨和后期若螨。前期若螨呈椭圆形，乳白色，长0.54mm、宽0.38mm，体背有细小的刚毛，螯肢也逐渐形成。经44～48h进入后期若螨。后期若螨为卵圆形，长0.90mm、宽0.61mm。经48～52h进入成螨期。

（4）成螨：雌螨呈长椭圆形，浅褐色，前端略尖，后端钝圆，体长0.97mm、宽0.49mm。螯肢钳状，具小齿，钳齿毛短小，呈针状。背板覆盖整个背面，其上密布光滑刚毛。胸板马蹄形；生殖腹板棒状，前端紧接胸板，后端紧接肛板，长596.7μm、宽117.5μm；肛板前缘钝圆，后端平直，长230μm、宽150μm，具刚毛3根。气门沟前伸至基节Ⅰ、Ⅱ之间。气门板向后延伸至基节后缘。足4对。

雄螨呈卵圆形，淡棕色。体长0.92mm、宽0.49mm。螯钳具齿。导精趾狭长，卷曲。须肢叉毛不分叉，背板与雌螨相似。胸板、生殖腹板与足内板合并成全腹板，与肛板分离。肛板卵圆形，前端窄，后端宽圆，具3根刚毛。

4. 生活习性　小蜂螨主要寄生在子脾上，靠吸食幼虫和蛹的血淋巴生活，很少吮吸成蜂的血淋巴，当一只幼虫或蛹被寄生死亡后，雌螨就从封盖房的穿孔中爬出，重新潜入其他幼虫房内繁殖。小蜂螨整个生活史几乎都在封盖房内完成，在蜂体上只能存活2d。在南方蜂群终年不断子地区，小蜂螨伴随子脾终年危害。北方地区，当蜂群停卵进入越冬阶段，小蜂螨转移到成年蜂体上越冬。

雌成螨选择即将封盖的6日龄幼虫为寄生对象。幼虫封盖后1d，雌螨开始产卵。每只雌螨可产卵4粒，隔天1粒，产卵持续4d。

小蜂螨对光敏感，当巢脾对着光线时，它会从巢房中爬出来，在巢房间迅速爬动。

5. 传播途径　小蜂螨在蜂群间的传播主要因饲养管理不当造成，如病群与健康蜂群的合并、子脾互调，蜂具混用，以及盗蜂和迷巢蜂的活动。蜂场间的螨害传播可能是蜂场间距离过近，蜜蜂相互接触引起的，也可能是购买有螨害的蜂群造成的。

6. 防治方法　与大蜂螨防治法相同。

二、昆虫类敌害

（一）大蜡螟

1. 分布　大蜡螟（*Galleria mellonella*），俗称大巢虫。是一种很常见的鳞翅目害虫，属螟蛾科（Pyralidae），蜡螟亚科（Galleriinae）。大蜡螟属世界性害虫，几乎遍及全世界的养蜂地区。它的分布主要受气候限制。寒冷的地区，大蜡螟生活受限，分布少，危害很小；而在气候温暖的地区，大蜡螟繁殖迅速，分布广，危害较严重。

2. 危害　大蜡螟的危害主要包括两方面：一方面是对仓贮巢脾、蜂箱、花粉等的危害，另一方面是对蜂群的危害。大蜡螟只在幼虫期危害，其幼虫主要以含蜂蜡的产品为食料，如巢脾。由于在西方蜜蜂饲养过程中，有大量的巢脾需要贮存待用，而在贮存过程中容易受到大蜡螟的侵袭。如果未得到及时的处理，大蜡螟会很快将大量的贮存巢脾吃净。受害的巢脾，脾面凹凸不平，使许多巢脾失去使用价值。贮存的巢蜜和花粉，也可能受到大蜡螟侵袭而丧失其商品价值。当老熟幼虫将要化蛹时，会用上颚在巢框或蜂箱等木质的蜂具上咬出小槽或钻蛀其中吐丝结茧，而使蜂具损坏。

对于蜂群来说，只要蜜蜂数量减少到足以暴露巢脾，蜡螟的滋长将不受阻碍，而东方蜜蜂受害远较西方蜜蜂严重。西方蜜蜂有较强的护脾和清巢能力，除一些弱小群或无王群外，大蜡螟很少造成危害。东方蜜蜂护脾力差，不论蜂群大小都可能受到相当严重的侵袭。由于大蜡螟幼虫在子脾房底部蛀食，工蜂为驱逐大蜡螟幼虫而咬开封盖子房盖，使蜂群中大量封盖子被开盖呈“白头蛹”状，封盖子因此而损失，群势迅速下降，最终导致蜂群死亡或逃亡。大蜡螟的危害，是东方蜜蜂蜂群逃亡的主要原因之一。

大蜡螟每年都给全世界专业养蜂者造成严重的损失。据调查，美国由于大蜡螟造成的损失，1973 年达 300 万美元以上，1976 年约 400 万美元，蜡螟造成的损失接近美幼病所造成的损失。在美国得克萨斯州，估计每年被大蜡螟毁掉巢脾的蜂群接近总群数的 5%，达 1.4 万群。在南非，大蜡螟的危害是造成塞内加尔蜂群逃亡的重要原因。

在菲律宾群岛，大蜡螟也出现在野生蜂群和大蜜蜂、小蜜蜂遗弃的巢脾，并大量繁殖，造成蜂群经常性的逃亡。

大蜡螟给我国养蜂业造成的损失虽无统计，但中蜂饲养者大都有较深的感受。据徐祖荫等 1979～1980 年对贵州锦屏县的中蜂群调查，受大蜡螟危害的蜂群占全县总群数 3/4以上，其危害致逃的蜂群数量约占逃亡总群数的 90%。大蜡螟只在幼虫期取食巢脾，危害蜂群封盖子，经常造成蜂群“白头蛹”，严重时白头蛹可达子脾面积的 80% 以上，勉强羽化的幼蜂也会被房底的丝线困在巢房内。

3. 形态特征　大蜡螟是全变态昆虫，一生要经历卵、幼虫、蛹、成虫 4 个阶段。

（1）卵：在缝隙中的卵一般呈扁圆形，0.3～0.4mm，但若在裸露场所产的卵则不太规则，多数呈圆球形。卵表面不光滑，在放大镜下可见表面雕纹。卵浅黄色，有的呈粉红色；将孵化的卵呈暗灰色。卵块一般为单层，卵粒紧密排列。雌蛾后期产的卵分散，形状多样。

（2）幼虫：初孵幼虫头大尾小，呈倒三角形；灰白色。2 龄以后，虫体呈圆柱形，浅黄色。老熟幼虫体长可达 28mm，重量可达 240mg。

（3）蛹：幼虫在茧中化蛹。茧通常裸露，白色；常有许多茧并列在一起，形成茧团。茧长 12～20mm，直径 5～7mm。常在箱底和副盖处结茧。

（4）成虫：雌蛾体大，平均重可达 169mg，体长 20mm 左右。下唇须 1 对，水平向前延伸，使头前部成短喙状突出。前翅的前端 2/3 处呈均匀的黑色，后部 1/3 处有不规则的灰色和黑色区域。前翅顶端外缘较平直。从背面看，胸部与头部色淡。

雄蛾体较小，重量也较轻。下唇须紧贴额部，故头前部不呈短喙状突出，而呈圆弧形。体色比雌蛾淡，前翅顶端外缘有一明显的扇形内凹区。雌雄蛾的大小和颜色深浅，随幼虫期食料的变化差异很大。蜡质巢础培育出的二性蛾，颜色呈银白色，而以虫脾为食的蜡螟则呈褐色、深灰或黑色。若幼虫饲料不好，培养出的成虫个体很小。

4. 生物学特点

(1) 生活史：大蜡螟的发育从卵到成虫需2个月左右；若发育条件不佳，则可长达6个月。年世代数受气温影响很大，在福建福州、贵州锦屏，室内以旧巢脾饲养，大蜡螟1年发生3代，且有世代重叠现象；而在广州可发生5代。在福州，到11月底，室内饲养的大蜡螟开始以老熟幼虫越冬，要到次年的3月底才开始羽化。若将其放入温箱中饲养，则可打破越冬期，周年繁殖。

(2) 习性：羽化出来的雌蛾，一般经过5h以上才能交尾，最短的在羽化后1.5h即可交尾。一般在夜间交尾，但白天亦可进行。交尾前，雄蛾不停地扇动翅膀追逐雌蛾。成虫可交尾1~3次，每次交尾历时几分钟，长的可达3h。

交尾后，雌蛾寻找合适的场所产卵。雌蛾喜在1mm以下的缝隙间产卵，蜂箱体上有许多这样的缝隙，这有利于保护卵不受其他动物的侵害。雌蛾也可在裸露场所产成片的卵块，如蜂箱内外表面的破损处。成虫在白天常静止不动；室内饲养的成虫对黄昏或黎明两时间段反应强烈，表现出激烈的振翅、飞翔、跑动等行为。据报道，这两时间段是成虫进出蜂群的主要时间。

羽化后的成虫无须取食。多数在羽化后4~10d内才开始产卵。产卵期平均3.4d。产卵量600~900粒，个别可产1 800粒卵。雌蛾寿命3~15d，在30~32℃条件下，多数交尾过的雌蛾会在7d内死亡。

卵期一般6~9d。在29~35℃范围内，温度越高，发育越快。在18℃下卵的孵化期可延至30d。湿度对卵的孵化影响也很大，湿度高于94%卵易发霉，低于50%时卵易干枯，最适湿度为60%~85%。

幼虫期一般45~63d，共6~8龄。幼虫发育最低温度为18℃，最适温度30~35℃。相对湿度80%有利于幼虫发育。初孵幼虫活泼，爬行迅速，2龄以后的幼虫活动性明显减弱。在中蜂群中，幼虫有上脾危害的习性。初孵幼虫个体小且爬行迅速，工蜂对其明显无反应，上脾率可高达90%。上脾的幼虫以巢脾为食，1~2龄幼虫食量小，且可在巢脾中隔钻蛀，对蜂子影响不大；3~4龄食量大，在巢脾底部钻蛀隧道，蜜蜂已能觉察，故咬开封盖子的房盖，拖出蜂蛹，驱逐大蜡螟幼虫，未及时拖走的蜂蛹则呈“白头蛹”状，使蜂蛹大量损失。5~6龄幼虫个体大，易被工蜂咬落箱底，不再上脾。由于工蜂不断咬开巢脾以驱逐大蜡螟幼虫，使受害的巢脾脾面凹凸不平，尤其老脾更是如此。

大蜡螟幼虫抗饥饿能力很强，在食物短缺的情况下，也能长期存活，不过幼虫不会长大。在食物短缺而同居的幼虫较多时，幼虫会变成肉食性，互相争斗，取食同类。在无蜂护脾的情况下，幼虫可取食蜂群里除蜂蜜外的所有蜂产品，特别嗜好黑色巢脾。在巢础等纯蜂蜡制品上，幼虫是无法完成生活史的。

老熟幼虫停止取食后，寻找适宜的场所结茧。幼虫在巢框、箱体表面蛀槽并钻入其中结茧，许多幼虫喜欢集结在巢脾中央、箱体边角处结茧；茧团中少则几十只，多则有成百只茧，茧呈圆柱形。前蛹期的幼虫体显著缩小，体色加深。通常以老熟幼虫越冬。

5. 防治方法

(1) 中蜂群内的防治：由于大蜡螟幼虫主要是在有蜂子的巢脾上危害和藏匿，故用一般药物难以奏效，且还有污染蜂产品的危险。根据大蜡螟的生活习性，应采取“以防为主，防治结合”的方针，在饲养管理上采取适当措施，可遏制其发生发展。

①经常清理箱底蜡屑、污物，防止蜡螟幼虫滋生。

②根据中蜂喜爱新脾的特点，及时造新脾更换老旧脾，利用新脾恶化其食物营养，阻止其生长发育。

③旧脾及时化蜡处理，蜂场中不随意放置蜡屑、赘脾，以防大蜡螟滋生。

④保持强群，调整群势，做到蜂多于脾或蜂脾相称，加强护脾能力，阻止幼虫上脾危害。

⑤扑杀成蛾与越冬虫蛹：当子脾中出现少量“白头蛹”时，可先清除“白头蛹”，寻找房底的大蜡螟幼虫，加以挑杀。若“白头蛹”面积过大，可提出曝晒或熔蜡处理。

⑥防治病虫害，避免群势过弱而易受侵害。

⑦生物防治：将苏云金杆菌的芽孢晶体1∶1混合物加入蜂蜡中造中蜂巢础，可起到有效的防治作用。

⑧使用框耳阻隔器，对防止小幼虫上脾危害也有一定效果。

（2）仓贮巢脾的大蜡螟防治：贮存的巢脾和巢蜜是大蜡螟经常侵袭的对象。首先要做到严密保存，并且要常检查是否有蜡螟危害的迹象，一旦发现，及时采取措施，减少损失。

①物理方法：优点是无污染，但要求有一定的设备条件。常见的是冷处理、热处理、清水浸泡处理、阳光曝晒等方法。因冷处理不易损坏处理物，故较热处理更为常用。

冷处理：－6.7℃冷冻4.5h，－12.2℃3h，－15℃2h，可杀死各期大蜡螟，巢蜜上的大蜡螟也可用此法防除。

热处理：处理巢脾时，温度不能超过49℃，40～60min即可杀死各期大蜡螟。

此外，Flint等人（1983）用20krad γ射线对未交配的雌、雄蛾进行辐射处理，释放后与正常蜡螟交配，可使下一代的卵不能孵化。辐射处理仓贮巢脾，既能杀虫又能杀菌。控制剂量的辐射对箱、脾和蜂产品完全安全，且不会有任何污染。

②化学防治：许多用于仓贮食物保存的熏蒸熏烟杀虫剂都可以用于空巢脾的保护。使用前只要将巢脾通风24h即可。熏杀蜡螟常用的药物有二硫化碳、二氧化碳、冰醋酸、二氧化硫、氰化钙、溴甲烷、苯及对二氯苯（樟脑精）。用法如下：

二硫化碳（CS_2）：每个箱体用10ml，将药液滴在滤纸上，置于上框梁，密闭熏蒸24h。

二氧化硫（SO_2）：每个箱体用3～5g硫磺，充分燃烧，密闭熏蒸24h以上。每隔15d熏1次，共熏蒸3～4次。

二氧化碳（CO_2）：往密闭空间中灌入98%的二氧化碳气体，在37℃、相对湿度50%时，熏蒸4h以上。二氧化碳可在二氧化碳发生器中用碳酸钙加盐酸的方法制取。或直接用市售的液化二氧化碳钢瓶。

氧化乙烯（EO）：又称环氧乙烷，是一种极易挥发和穿透力很强的液体，剂量为36mg/L，密闭熏蒸1.5h即可。

二溴乙烯（EDB）：剂量为0.02mg/L，因其蒸汽比空气重，应将盛药器皿放在箱子最上部，密闭熏蒸巢脾24h。

56%磷化铝（Alp）：每箱体1片，密封熏蒸15d。

（3）生物防治：现已发现多种微生物、寄生昆虫、捕食性昆虫均可用于大蜡螟的防治。如苏云金芽孢杆菌（*Bacillus thuringiensis*）中的蜡螟亚种（GAL）和鲇泽亚种（AIZ）、核型多角体病毒（NPV）、DD－136线虫（*Neoaplectana carpocapsae* Weiser）、蜡螟绒茧蜂（*Apanteles galleriae* Wilrlnson）、麦蛾绒茧蜂（*Bracon hebetor* Sny）、仓蛾姬蜂、蜡螟大腿小蜂（*Brachymoria* sp.）、红火蚁（*Solenopsis invicta*）和大头蚁（*Pheidole megacephala* Fabricius）等。

尽管有多种生物有望用于大蜡螟的防治，但目前除苏云金芽孢杆菌之外，多属探索性研究，离实际应用尚有一定距离。由于苏云金芽孢杆菌对蜜蜂和人无任何不良影响，是世界上应用最广泛的生物杀虫剂，美国、德国等国家已获准苏云金芽孢杆菌在蜂脾上使用，以防治大蜡螟的危害。通常采用其芽孢晶体悬浮液喷脾或浸脾的方法来保护巢脾。

（二）小蜡螟

1. 分布　小蜡螟（*Achroia grisella* Fabricius）属鳞翅目，螟蛾科，俗称小巢虫。主要分布在亚热带地区，我国南方气候温暖地区较常见。

2. 危害　小蜡螟的危害不如大蜡螟严重。它主要破坏贮藏的巢脾；在中蜂群中，多数小蜡螟幼虫只是在箱底取食蜡屑。只在群势很弱、巢脾无蜂防护时才有少数小蜡螟幼虫上脾蛀食。因此，在蜂群中小蜡螟的危害远不如大蜡螟严重。

3. 形态特征

（1）卵：初产水白色，后渐变黄色。卵圆形，长0.39mm、宽0.28mm。卵块单层，常有数十粒至百余粒。

（2）幼虫：初龄幼虫水白色，圆筒形，长1～1.3mm；老龄幼虫蜡黄色，体长13～18mm。是主要的危害虫态。

（3）蛹：蛹纺锤形，腹面褐色，背面深褐色。雌蛹长8～12mm、宽2.3～3.1mm；雄蛹长7～10mm。茧长11～20mm、宽3.2～4.8mm，长椭圆形。茧白色，但其表面有黑色粪粒包裹。

（4）成虫：雌蛾头部橙黄色，体呈银灰色，被有深灰色鳞片。体长10～13mm，触角丝状，长接近蛾体长1/2。复眼近球形，呈浅蓝色至深蓝色。雄蛾体长8～11mm。体色比雌蛾略浅，触角长为蛾体长1/2以上。

4. 生活史及习性

小蜡螟是全变态昆虫，有卵、幼虫、蛹、成虫4个发育阶段。在福建1年可发生4～5代，每代历时2～2.5个月。每年3月初，越冬代幼虫开始羽化，11月底至12月初进入越冬休眠阶段。一般雌蛾蛹期7～9d，雄蛾蛹期短1d左右。

小蜡螟的羽化主要在下午，尤其以16～20时为羽化高峰，午夜后至次日午前一般不羽化。羽化后的雌蛾，一般经过2～3h即可交尾，最早只经0.5h左右。交尾前雄蛾追随并围绕雌蛾转动，振翅，吸引雌蛾，30～40min 后，与其交配。交配中的雌雄蛾体不易离开。雌雄蛾交尾一般在 17 时至次日 4 时，以 19～23 时为交配高峰，一般交尾仅 10～15min。在正常情况下，雌蛾一生只交尾 1 次，个别雌蛾有多次交尾现象；雄蛾也有多次交尾的现象。

交尾成功的雌蛾，往往都在当晚开始产卵，最快可在交尾 1h 后开始产卵。雌蛾一生可产卵 3～5 次，产卵 278～819 粒，以第一次产卵量居多，通常为 200～400 粒。

雌蛾寿命 4～11d，平均 6d；雄蛾 6～31d，平均 14.8d，约是雌蛾的 2 倍。未交尾的雌蛾寿命有延长的现象。雄蛾体重 11.3mg，雌蛾 20.3mg。

初产的卵为水白色，2～3d 后转成淡黄色。卵期 4d。孵化后幼虫即在蜂箱底板的蜡屑中生活，少数爬上巢脾危害粉脾和子脾。不同日龄的幼虫，其食量差异较大。1～2 日龄的幼虫食量微小，5 日龄以上的幼虫食量大增，占其一生总食量的 88% 以上。幼虫的发育历期受外界气温与食料质量的影响，气温高，饲料为老旧脾，历期短；气温低，饲料为新脾或蜂蜡，发育迟滞，世代数减少。幼虫常在蜡屑覆盖的丝裹隧洞内独自生活，不像大蜡螟幼虫喜欢群居。

小蜡螟越冬多在保温物与箱底间和箱内各角落，以老熟幼虫越冬。某些大蜡螟天敌，如核多角体病毒、蜡螟绒茧蜂也会感染或寄生于小蜡螟。

5. 防治方法　与大蜡螟防治方法相同。

（三）胡蜂

胡蜂，隶属膜翅目（Hymenoptera），胡蜂总科（Vespoidea），胡蜂科（Vespidae）。危害蜜蜂的主要是胡蜂属的种类。

1. 分布　胡蜂是蜜蜂的主要敌害之一，世界性分布。我国南部及东南亚一带种类较多，危害也较重。据记载，我国胡蜂属有 14 个种和 19 个变种。捕食蜜蜂的胡蜂常见的有：

金环胡蜂（*Vespa mandarinia* Smith）、墨胸胡蜂（*Vespa nigrithorax* Buysson）、基胡蜂（*Vespa basalis* Smith）、黑尾胡蜂（*Vespa ducalis* Smith）、黄腰胡蜂（*Vespa affinis* L.）、黑盾胡蜂（*Vespa bicolor* Fabricius）。此外还有黄边胡蜂（*Vespa crabro*）、凹纹胡蜂（*Vespa auraria* Smith）、大金箍胡蜂、小金箍胡蜂（*Vespa tropisca baematodes*）等种类。

2. 危害　在我国南方，自四五月份起，胡蜂就陆续开始捕食蜜蜂，到气候炎热的 8～10 月，胡蜂危害最为猖獗，常常造成蜜蜂越夏困难。在山区，胡蜂种类和数量较多，蜜蜂受害也较严重。像墨胸胡蜂体形大小的中小型胡蜂一般不敢在巢门板上攻击蜜蜂，而是常在蜂箱前 1～2m 处飞行，寻找捕捉机会，抓捕进出飞行的蜜蜂；而像金环胡蜂和黑尾胡蜂一类体大的胡蜂，除了在箱前飞行捕捉外，还能伺机上巢门口处直接咬杀蜜蜂，若有多只胡蜂，还可攻进蜂群中捕食，造成全群飞逃，中蜂受到攻击后尤其容易发生飞逃。全场蜂群均可受害，外勤蜂损失可达 20%～30%。

3. 形态特征　下面介绍几种常见种类成虫的形态特征。

（1）金环胡蜂：体大型，雌蜂体长 30～40mm。头宽大于复眼宽，头部橘黄色至褐色，中胸背板黑褐色，腹部背、腹板呈褐黄与褐色相间。上颚近三角形，橘黄色，端部呈黑色。雄蜂体长约34mm。体呈褐色，常有褐色斑。可根据头部大小和腹部背板颜色特征作简易识别（图7-2）。

图7-2 金环胡蜂（引自《点点虫》）

（2）墨胸胡蜂：体中小型，雌蜂体长约20mm。头宽等于复眼宽。头部呈棕色，胸部均呈黑色。腹部第一至第三节背板为黑色，第五、第六节背板呈暗棕色，上颚红棕色、端部齿呈黑色。雄蜂较小。可根据头部大小和胸部颜色特征作简易识别。

（3）黑盾胡蜂：体中小型，雌蜂体长约21mm。头宽等于复眼宽，头部呈鲜黄色，中胸背板呈黑色，其余呈黄色，翅为褐色，腹部背、腹板呈黄色，其两侧各有1个褐色小斑。上颚鲜黄色，端部齿黑色。雄蜂体长24mm，唇基部有不明显突起的2个齿。可根据蜂体除中胸背板外通身鲜黄的特点来简易识别。

（4）基胡蜂：体中型，雌蜂体长19~27mm。头部浅褐色。中胸背板黑色，小盾片褐色。腹部除第二节黄色外，其余均为黑色。上颚黑褐色，端部4个齿。可根据腹部颜色来简易识别。

（5）黑尾胡蜂：体中到大型，雌蜂体长24~36mm。头宽略大于复眼宽，头部橘黄色。前胸与中胸背板均呈黑色，小盾片浅褐色。腹部第一、第二节背板褐黄色，第三至第六节背、腹板呈黑色。上颚褐色、粗壮近三角形，端部齿黑色。可根据头部大小和腹部颜色来简易识别。

（6）黄腰胡蜂：雌蜂体长20~25mm。头部深褐色。中胸背板黑色，小盾片深褐色。腹部除第一、第二节背板黄色外，第三至第六节背、腹板均为黑色。上颚黑褐色。雄蜂体长25mm，头胸黑褐色。可根据腹部颜色特征来简易识别。

4. 生物学特点 由于胡蜂均为野生，观察和研究有一定难度，因此，到目前为止，胡蜂的许多生物学资料还不够细致完整。仅就一些已知的特性作如下介绍。

（1）生活史：据观察，福建南部山区黑盾胡蜂1年可发生5~6代，东部地区的墨胸胡蜂1年4~5代。由于种类及气候的差异，各地的胡蜂世代数可能会有所不同。

（2）习性：每个胡蜂群至少有蜂王和工蜂二型蜂，雄蜂只在交配季节出现，这与蜜蜂相似。每一只越冬后的蜂王都独自营巢，承担巢内外的一切工作，包括筑巢、产卵、捕食、哺育等。新工蜂出房后，开始承担除产卵以外的工作，一些卵巢发育的雌性蜂交配后可发育成新的产卵王，与老王一起产卵。雄蜂是由蜂王产的未受精卵发育而来的。在交尾季节，一个蜂群中可能出现上百只雄蜂，可能与雌蜂数量不相上下。据报道，墨胸胡蜂的雄蜂可与同巢或异巢的少数雌蜂交尾，亦可与同代或母一代雌蜂交尾，交尾后不久死亡。最后一代的雌蜂交尾后，寻找暖和、气温较稳定且干燥避风的屋檐下、墙洞裂缝、树洞孔隙等处越冬。黑盾胡蜂、墨胸胡蜂和基胡蜂通常弃巢集结越冬。

胡蜂一般在冬暖夏凉、温湿度适宜而又较隐蔽的场所营巢。营巢地点有的在大树洞内或在屋檐下、小灌木上、高大的树干、电线杆上营巢，如墨胸胡蜂、黑盾胡蜂、黑尾胡蜂；有的在土洞中筑巢，如金环胡蜂。蜂巢圆球形或长圆球形，大小似水桶。蜂巢外都有一虎斑纹的外壳包裹，巢内巢脾单面，巢口向下，可有数层巢脾，脾数依蜂群大小而异。巢房六角形，房底较平。

胡蜂是杂食性昆虫，但山区的蜜蜂是其主要的捕食对象，特别在食物短缺季节，更是如此。据观察，在有东方蜜蜂和西方蜜蜂的蜂场里，胡蜂更偏向进攻西方蜜蜂。若有两种胡蜂存在，个体较大的胡蜂进攻西方蜜蜂，个体小的胡蜂则捕食东方蜜蜂。

5. 防除方法

（1）“毁巢灵”防除法：将约1g的“毁巢灵”药粉装入带盖的广口瓶内，在蜂场用捕虫网网住胡蜂后，把胡蜂扣进瓶中，立即盖上盖，因其振翅而使药粉自动敷在身上，稍停几秒钟后迅速打开盖子，放其飞走。敷药处理的胡蜂归巢后，自然将药带入巢内，起到毒杀其他个体的作用。此法称为“自动敷药法”，简单快速，但药量不定。亦可用人工敷药器，给捕捉到的胡蜂胸背板手工敷药，此法用药位置和药量均较准确，但操作时间较长。

胡蜂巢距离蜂场越近，敷药蜂回巢的比例就越大，反之越少。处理后归巢的胡蜂越多，全巢胡蜂死亡就越快。采用自动敷药法，一般在敷药处理后1～3h后，胡蜂出勤锐减，大多数经1～2d，最长8d全巢胡蜂中毒死亡，遗留下的子脾也中毒或饥饿而死。由于胡蜂巢的远近不明，最好能多处理一些胡蜂或两种方法兼用，以保证有一定数量的敷药蜂回巢，确保达到毁除全巢的效果。

（2）人工扑打法：当蜂场上发现有胡蜂危害时，可用薄板条进行人工扑打。

（3）诱引捕杀法：用少量敌敌畏拌入少量咸鱼碎肉里，盛于盘内，放在蜂场附近诱杀。日本学者Okada（1980）曾使用杀蟑螂的粘虫纸放在蜂场，先在纸上粘上一只已死的胡蜂，可诱引其他胡蜂，被粘上的胡蜂还有互相咬食的现象。

（4）巢穴毒杀法：已知胡蜂巢穴时，可在夜间用吸饱农药的布条或棉花塞入巢穴，可以毁掉整群胡蜂。

（5）防护法：胡蜂危害时节，在蜜蜂巢口安上金属隔王板或毛竹片，可防胡蜂侵入。

（四）蚂蚁

蚂蚁是人们非常熟悉的昆虫，它也是蜜蜂的常见敌害之一，属膜翅目的蚁科（Formicidae）。

1. 分布　蚂蚁分布极广，以高温潮湿地区分布最多，全世界已知有5 000多种。在我国，攻击危害蜜蜂的常见种类有：大黑蚁（*Camponotus japanicus* Mayr.）和棕色黄家蚁（*Monomorium pharasonis* L.）。国外报道的种类：在欧洲、北美洲等地有 *Formica integra* Nylander 和红褐林蚁（*Formica rufa* L.），分布于南非、美国等地的 *Iridomyrmex humilis* Mayr，分布于美国、印度、英国等地的丝蚁（*Zformica fusca* Ibid）、火蚁（*Solenosis geminata*）等。

2. 危害　尽管蚂蚁个体小，但其数量众多，捕食能力很强。蜂群前或蜂箱内总是能见到蚂蚁的活动。有的是在蜂巢内外寻找食物，有的则在蜂箱内或副盖上建造蚁巢。

蜂群由于受到蚂蚁的攻击而变得非常暴躁，易蜇人，给蜂群管理造成很多麻烦。由于蚂蚁经常性的骚扰，还可能导致蜂群弃巢飞逃。

3. 形态特征　蚂蚁是全变态社会性昆虫。蚁群中有细致的分工，有雌蚁、雄蚁、工蚁和兵蚁4种。工蚁上颚发达，无单眼。膝状触角，柄节特长。胸腹间有明显的细腰节。雌蚁和雄蚁有翅2对。蚁体多呈黄色、褐色、黑色或橘红色。由卵至成虫要经卵、幼虫、蛹和成虫4个阶段。幼虫白色，无足；化蛹于茧中。

4. 生物学特点　常在地下空洞、石缝等地方营巢，食性杂，有贮食习性。喜食带甜味或腥味的食物。工蚁嗅觉灵敏，找到食物后，靠分泌的示踪激素给其他成员指示路线和传递信息。有翅的雌雄蚁在夏季飞出交配，交配后雄蚁死亡，雌蚁脱翅，寻找营巢场所，产卵育蚁。一个蚁群工蚁可达十几万只。

5. 防治方法

（1）拒避法：将蜂箱放在钉好的木桩上，在木桩周围涂上凡士林、沥青或加有滴滴涕的润滑油等黏性物，可防止蚁上蜂箱。用氟化钠、硼砂粉、粉状硫等也可以拒避蚁类侵入。若用铁架为箱架，可用废旧的矿泉水瓶的底部盛水后放在4个架脚底下，亦可防止蚂蚁上箱。

（2）捣毁蚁巢：找到蚁穴后，用火焚毁或用煤油或汽油灌入毒杀。

（3）药剂毒杀：在蚁类活动的地方，采用硼砂、白糖、蜂蜜的混合水溶液作毒饵，可收到良好的诱杀效果。

此外，清除蜂场周围的灌木、烂木和杂草也可减少蚂蚁筑窝。

（五）蜂虱

1. 分布　蜂虱并不是真正的虱子，而是双翅目蜂虱蝇科（Braulidae）的 *Braula* 属一种高度特化的无翅蝇。*Braula* 属据知有5个种和2个亚种。*Braula coecacoeca* Nitzsch 分布在欧洲、非洲、澳大利亚和美国，*Braula cangulata* Orosi 广泛分布在南非的纳塔耳、津巴布韦的罗德西亚南部和意大利，*Braula schmitzi* Orosi 分布于亚洲、欧洲和南美洲、*Braula orientalis* Orosi 分布于俄罗斯、土耳其、阿拉伯国家和以色列，*Braula pretoriensis* Orosi 则分布于南非、坦桑尼亚和刚果等，*Braula kohli* Schmitz 分布于刚果。

我国尚未发现蜂虱，为检疫性虫害。

2. 危害　蜂虱常栖息于工蜂和蜂王的头部，胸部和腹背的绒毛处。它们并不吸取蜜蜂的血淋巴，而是在工蜂和蜂王头部分食蜜蜂的饲料，并使蜜蜂烦躁不安，体质衰弱，蜂王产卵力下降，从而导致群势削弱和采集力下降。严重时，也可造成蜂群死亡。

3. 形态特征　成虫无翅，体长1.5mm、宽1mm。体扁平，红褐色，具有稠密的黑色绒毛。头扁，呈三角形；触角小，3节，生于喙基部且不易见。腹部卵圆形，5节。足3对，腿节粗，跗节末端有齿状梳，用于抓住蜂体。幼虫椭圆形，乳白色，行动活泼。卵椭圆形，乳白色，长0.77mm、宽0.37mm。

4. 生物学特点　雌性蜂虱产卵于半封盖房封盖下、房壁、蜡屑以及蜂箱的缝隙中。幼虫孵出后，就在蜡盖下穿蛀隧道，不断取食蜂粮和蜂蜜，末龄幼虫就在隧道末端化蛹。成虫羽化后，会从隧道钻出巢脾表面，用梳状的爪抓住蜂体，并常聚集在蜂王体上。当蜂王接受工蜂饲喂时，蜂虱常从蜂体胸腹爬向头部，在张开的上颚和下唇旁获取食物，或在蜜蜂中唇舌腹面获取涎腺分泌物。从卵到成虱需要16～23d。

蜂虱在蜂群间的传播，主要是通过蜜蜂间相互接触传染，如盗蜂、迷巢蜂和随意调换巢脾等。而蜂虱的远距离传播，则主要通过蜂群、蜂王的出售以及蜂群的转地饲养等。

5. 防治方法

（1）饲养强群，经常淘汰陈旧巢脾。

（2）切除蜜盖，并立即化蜡处理。

（3）受害严重的蜂群用药物熏杀，可采用茴香油、烟叶、三氯杀螨砜等药治疗。

（六）驼背蝇

1. 分布与危害 驼背蝇（*Phora incrassata* Meisen）是双翅目蚤蝇科（Phoridae）的一种，主要危害蜜蜂幼虫，在我国偶尔有危害蜜蜂的情况发生，不是重要的敌害。在巴西，蚤蝇科中的另一种 *Pseudohypocera kerteszi* 的幼虫也是蜜蜂的寄生虫，并可寄生野生蜂，它们也常取食死蜂为生。

2. 形态特征 体黑色，胸部大而隆起，个体较小，体长3～4mm。腹部可见3节。卵暗红色。幼虫蛆形。

3. 生物学特点 成蝇从巢门潜入箱内，在较老熟的幼虫体上产卵。卵约3h后孵化，幼虫咬破蜜蜂幼虫的体壁，进入体内取食体液。6～7d后，幼虫就离开寄主尸体，咬破房盖，爬出巢房，潜入箱底脏物中或土中化蛹。蛹期12d。

4. 防治方法 加强蜂群的饲养管理，经常保持蜂多于脾或蜂脾相称，以抵御驼背蝇的侵入；保持蜂箱内清洁卫生，随时将箱底的脏物清除烧毁。

（七）芫菁

1. 分布 芫菁俗称地胆，造成的病害也称地胆病。芫菁属鞘翅目芫菁科（Meloidae），常见危害蜜蜂的有两种：复色短翅芫菁（*Meloe variegatus* Donovon）、曲角短翅芫菁（*Meloe proscarabaeus* L.），分布在北美洲、欧洲及亚洲。我国安徽、新疆、黑龙江等地有过危害报道。此外，*Meloe cavensis*、*Meloe hungarus*、*Meloe faveolatus* 等种类也有侵害蜜蜂的记录。

2. 危害 该病是一种季节性病害，常在芫菁幼虫出现的时节发生，即每年5～6月，有时在7～8月。复色短翅芫菁危害较重。成虫植食性，不危害蜜蜂；幼虫期危害蜜蜂。当蜜蜂在花上采集时，爬上蜂体，由节间膜处吸食蜜蜂血淋巴，使蜜蜂迅速死亡。被蜜蜂携带回巢的芫菁幼虫可危害巢内其他蜜蜂，有时蜂王也难幸免。

受芫菁幼虫侵袭的蜂群，常见蜂箱前有大量蜜蜂跳跃，翻滚，打转，最后痉挛而死。严重时，采集蜂大量死亡，巢门口死蜂成堆，群势迅速下降。

3. 形态特征 复色短翅芫菁成虫体为铜绿、紫红等色，长19～33mm；幼虫黑色，头三角形，体长3.0～3.8mm。曲角短翅芫菁成虫体为黑色或蓝色，体长16～33mm；幼虫黄色，头圆形，体长1.3～1.8mm。

4. 生物学特性 芫菁是复变态昆虫。1龄幼虫有3对发达的胸足，称三爪蚴，非常活泼，能主动搜索寄主，是主要的危害期。2龄以后成为胸足不发达、行动缓慢的蛴螬型幼虫，最后在土中化蛹。成虫常栖息于草地、田园、果园等地，以植物为食。雌成虫产卵于土中，可产1 000～4 000粒。1龄幼虫孵出后，常栖息十字花科、菊科、豆科、蝶形花科和唇形花科等植物的花上，当蜜蜂在花上采集时，三爪蚴就爬上蜂体，吸食血淋巴。进入蜂巢的幼虫还可危害其他成蜂。

5. 防治方法

（1）清扫蜂箱、蜂场，收集箱内及周围的死蜂烧掉。

（2）用萘或烟叶熏杀：傍晚在箱底铺上1张纸，撒上3～5g萘粉，次日取出，烧毁芫菁幼虫。或在箱底铺张纸，把烟叶放入喷烟器，点燃后，向巢口喷烟3～5min，立刻取出纸张，烧毁芫菁幼虫。

（八）天蛾

天蛾（Hawk moth）属鳞翅目天蛾科（Sphingidae），成虫大型，可侵袭蜂群。常见的有芝麻鬼脸天蛾（*Acherontia styx* L.）、胡麻鬼脸天蛾（*Acherontia lachesis* F.）、鬼脸天蛾（*Acherontia atropos* L.）。

1. 分布 天蛾在中国、印度、缅甸、日本等国均有分布。我国的河北、山东、河南、广东、广西、福建等省区均有。

2. 危害 幼虫以植物为食，只有成虫期才侵害蜜蜂。天蛾夜间飞出取食花蜜时，闻到蜂箱内的蜜香，即钻入蜂群中盗蜜，一只成虫一次可取食3～4ml。由于巢门较小，天蛾往往扑打翅膀以进出巢门，骚扰蜂群，有时天蛾因出不了巢门而死于巢门内，蜜蜂还得分解搬运。中蜂、意蜂均可受害，但中蜂受害严重时易飞逃。

3. 形态特征 成蛾体粗壮，纺锤形，末端尖。喙发达。前翅顶角尖而外缘倾斜。幼虫第八腹节背面有一角状突起。芝麻鬼脸天蛾体长46mm，宽15mm，翅展98～120mm。两种天蛾胸背部的骷髅头似的斑纹，为简易识别的特征。

4. 生物学特点 天蛾1年发生1代或几代。幼虫危害茄科、豆科、木犀科、唇形科等植物。蛹在土中越冬。成虫5～9月出现，即为侵袭蜜蜂的主要季节。成虫夜间活动，觅食蜂蜜。虽不伤害蜜蜂，但可引起蜜蜂骚动不安。

5. 防治方法

（1）在其成蛾发生高峰期，场址尽可能避免在芝麻地附近。

（2）晚间将巢门高度缩小至8mm之下，避免天蛾侵入。

（3）夜间在蜂场周围放置含少量农药和糖浆的海绵，以毒杀天蛾，早晨取回即可。

三、其他敌害

（一）蟾蜍

蟾蜍（Toad），俗称癞蛤蟆，属两栖纲蟾蜍科（Bufonidae），是蜜蜂夏季的主要敌害之一。

1. 分布 蟾蜍科除多见于新几内亚、澳大利亚、波里西亚和马达加斯加以外，分布于世界各地。这一科有10个属，以 *Bufo* 属的蟾蜍对蜜蜂危害最大。国外报道，取食蜜蜂的蟾蜍主要有 *Bufo marinus*、*Bufo boreas*、*Bufo bufo*、*Bufo spinosus*、*Bufo viridus* 等。我国仅有 *Bufo* 一属，共有6种，蜂场中常见的有：中华大蟾蜍（*Bufo gargarizans* Cantor）、黑眶蟾蜍（*Bufo Melanostictus* Schneider）、华西大蟾蜍（*Bufo andrewsi* Schmidt）、花背蟾蜍（*Bufo raddei* Strauch）。此外，我国南方还有一些常见的蛙类，如狭口蛙（*Kaloula borerealis*）、雨蛙（*Hyta chinengunther*）、林蛙（*Ranajaponica gunther*）也会捕食蜜蜂，但危害不如蟾蜍大。

2. 危害 每只蟾蜍一晚上可吃掉数十只甚至100只以上蜜蜂。若每晚都在蜂群前捕食，会使群势下降，严重时蜂群被毁。

3. 形态特征 比蛙属动物大，一般黄棕色或浅绿色，间有花斑。身体宽短，皮肤粗糙，布有大小不等的疣粒。腹面乳白色或乳黄色。四肢几乎等长，趾间有蹼，擅长跳跃行动。

4. 生物学特点 蟾蜍多在陆地较干旱的地区生活，白天隐藏于石下、草丛、石穴中，黄昏时爬出觅食，捕食包括蜜蜂在内的各种昆虫、蠕虫等。在热天的夜晚，蟾蜍会呆在巢门口捕食蜜蜂，雨后尤甚。

5. 防治方法

（1）注意蜂场卫生：铲除蜂场周围的杂草，减少蟾蜍藏身之处。

（2）垫高蜂箱：使蟾蜍无法接近巢门捕捉蜜蜂。

（3）开沟捕捉：在蜂群巢门前开一条长50cm、宽30cm、深50cm的深沟。白天用草帘等物将坑口盖上，不伤蜜蜂。夜间打开，当蟾蜍前来捕食蜜蜂时，就会掉入坑内，爬不出来。一早一晚黄昏时分，用手灯照捕，放生远处。

（二）鼠

鼠属啮齿目鼠科或松鼠科。是蜜蜂越冬季节的重要敌害。

1. 分布 鼠已遍布亚洲、欧洲、美洲。危害蜂群鼠可分为家栖鼠和野栖鼠两大类。家栖鼠主要有小家鼠（*Mus musculus*）、褐家鼠（*Rattus norvegicus*）、黄胸鼠（*Rattus flavipectus*）、屋顶鼠（*Rattus rattus*）。野栖鼠主要有乌尔达黄鼠（*Citellus dauricus*）、黑线姬鼠（*Apodemus aqrarius*）、森林鼠（*Apodemus sylvaticus*）。在我国，小家鼠各地均有，黄胸鼠在长江以南和西藏东南部，屋顶鼠分布在南方地区和北方沿海。

2. 危害 在蜂群越冬季节，蜂团收缩，巢脾部分裸露，鼠钻入蜂箱或咬破箱体，进入蜂箱中，一方面取食蜂蜜、花粉，啃咬毁坏巢脾，并在箱中筑巢繁殖，使蜂群饲料短缺。鼠的粪便和尿液的浓烈气味，使越冬蜂骚动，离开蜂团而死，严重影响蜂群越冬，同时也污染了蜂箱、蜂具；另一方面，鼠还啃啮蜜蜂头、胸，把蜜蜂腹部遗留在箱底。

3. 形态特征 鼠为哺乳动物，个体小，全身被毛，尾长。雌鼠胸、腹部具成对的乳头，以乳汁育仔。上下颌有1对异常发达的凿状门齿，门齿能不断生长，有磨牙习性。

4. 生物学特点 家鼠常栖息于仓库、杂物堆和墙体等阴暗角落。野鼠多栖息于田埂、草地。食性杂，家鼠以人的各种食物为食，野鼠以植物种子、草根等为食，也食昆虫。鼠性成熟快，繁殖力强，一年多胎，一胎多仔。

5. 防治方法

（1）蜂箱防鼠：将蜂箱架高，箱体及架子离墙30cm。在巢门前加上铁丝网防鼠入箱。发现鼠迹（无头蜂尸），即开箱捉鼠。

（2）器具捕鼠：在鼠经常出没的地方放置鼠夹、捕鼠笼等器具杀鼠。

（3）药物毒杀：市售毒鼠药有灭鼠优、杀鼠灵、杀鼠迷、敌鼠等，按说明书使用。

（三）青鼬

1. 分布　青鼬又称黄喉貂（*Martes flavigula*），是蜜蜂的一种次要敌害，属哺乳纲，鼬科。广泛分布在俄罗斯、朝鲜、印度和东南亚地区。我国各地山区均有分布。

2. 危害　在冬春季节，食物缺少时，黄喉貂为获取蜂箱内食物而推倒蜂箱，或用利爪抓破纱窗，取食蜜粉和蜂子，有时一夜间可推倒好几箱蜂，蜂群散乱，损失严重。如果蜂群无人看管，则损失更重。

3. 形态特征　黄喉貂体形与家猫相似，体长450~600mm，尾巴长，相当于体长的3/4。体重1.5~3kg。头部较细长，四肢较短，爪异常锋利。头部背面、侧面、颈面、四肢和尾巴呈黑色，自肩上部到臀部为黄色至棕色，下颌到嘴角为白色，喉部为黄色，喉边具有黑带，腹部呈灰棕色或黄色。

4. 生物学特点　黄喉貂穴居于树洞、山洞内。嗅觉灵敏，行动敏捷，夜间常成对外出觅食，可取食各种食物，如鼠类、鸟类、幼小动物、水果等。每当冬春季节，食物稀少，黄喉貂就集中危害蜜蜂。

5. 防治方法　对黄喉貂防治，可因地制宜采用以下方法：

（1）养狗护蜂，器具猎捕。

（2）网栏保护：用带刺的枝条绑在蜂箱周围，或用铁丝网将蜂场圈起，尖角朝外，可起到一定的防护作用。

第四节　蜜蜂中毒

蜜蜂中毒，是指蜜蜂由于自然或人为的原因，摄取了蜜蜂无法利用或有毒的物质，引起机体功能紊乱甚至死亡的现象。蜜蜂中毒可分为花蜜花粉中毒、农药中毒和环境污染三大类。

一、花蜜花粉中毒

在众多蜜粉源植物中，少数花蜜或花粉中含有某些蜜蜂无法消化或对蜜蜂直接产生毒性的物质，这些物质导致蜜蜂中毒。我国常见的对蜜蜂有毒的蜜粉源植物有20多种，如油茶（*Camellia oleifra*）、茶（*Camellia sinensis*）、枣（*Ziziphus jujuba*）、藜芦（*Veratum nigrum*）、苦皮藤（*Celastrum angulatus*）、喜树（*Camptoheca acuminata*）等。

（一）茶花蜜中毒

茶树是我国南方广泛种植的重要经济作物，开花期9～12月，花期长达50～70d，花粉多且流蜜量大，是蜜蜂秋末冬初的上好蜜粉源；而且茶花粉还是经济价值不错的蜂产品，因此，茶花期是许多养蜂人都喜欢的花期。但是，茶花期常常造成蜜蜂烂子现象，给蜂群越冬造成困难，成为养蜂生产的障碍之一。

1. 中毒原因 研究表明，引起中毒的是茶花蜜而不是茶花粉。因为茶花蜜中含有14.2%的寡糖成分，其中主要是三糖和四糖。这些寡糖中的半乳糖成分，以及在蜜蜂肠道中经酶解后产生半乳糖，是蜜蜂所不能消化的，因而造成蜜蜂幼虫营养生理障碍中毒。此外，茶花蜜中还含有微量的咖啡因和茶皂甙，尚不明确是否会造成幼虫中毒。

2. 中毒症状 成年蜂一般不表现症状，主要是大幼虫成片出现腐烂，严重时有酸臭味。但茶花蜜中毒只在茶花期出现，据此，可与美洲幼虫腐臭病相区别。

3. 预防和治疗措施 在茶花期，将蜂群内的幼虫脾和蜜脾用隔王板隔开，分区放置；同时每隔1～2d在子区饲以稀糖水，以减少幼虫取食茶花蜜的量，降低中毒程度。

（二）油茶中毒

油茶，是我国长江中下游地区以及南方各省区种植的重要油料作物。开花期9～11月，花期长达50～60d，蜜粉丰富，是晚秋良好的蜜粉源，但花期蜜蜂中毒明显。

1. 中毒原因 一种观点认为，蜜蜂中毒是由油茶蜜中的咖啡因造成的；另一种观点认为是由于花蜜中的寡糖成分过高，其中的半乳糖成分无法被利用而中毒。

2. 中毒症状 花期间，成年蜂采集花蜜后腹胀，无法飞行，最后死亡；幼虫中毒表现为烂子。

3. 预防和治疗措施 方法同茶花蜜中毒，也可用中国林业科学院研制的“油茶蜂乐”解毒。

（三）枣花蜜中毒

枣树是我国重要果树之一，也是北方夏季主要蜜源植物。5～6月或6～7月开花，花期长达30d以上。泌蜜量大，花粉少。成蜂采集后易中毒，严重时死亡率达30%以上，尤以干旱年份较重。

1. 中毒原因 一种观点认为是枣花蜜中所含生物碱引起中毒，另一种观点认为是由于蜜中有过高含量的钾离子引起中毒。

2. 中毒症状 成年蜂采集后，腹胀，失去飞翔能力，只能在箱外作跳跃式爬行；死蜂呈伸吻钩腹状。主要是成年蜂中毒，未见幼虫中毒的报道。另外，气候干燥、花期缺粉也是造成蜂群势下降的原因之一。

3. 预防和治疗措施 放蜂场地要通风，并有树木遮阴。采蜜期间，做好蜂群的防暑降温增湿工作，扩大巢门，蜂场增设饲水器及在场地喷水增湿。保持场地清洁、巢内花粉充足，可减轻发病。

(四)甘露蜜中毒

在外界蜜粉源缺乏时，蜜蜂会采集某些植物幼叶及花蕾等部位分泌的甘露或蚜虫、介壳虫分泌的蜜露，有时蜜蜂会出现中毒症状。

1. 中毒原因 在甘露蜜或蜜露蜜中可能含有较多的无机盐和糊精，蜜蜂因无法消化吸收和排泄而胀死。

2. 中毒症状 成年蜂腹部膨大，无力飞翔。拉出消化道观察，可见蜜囊膨大，中肠环纹消失，后肠有黑色积液。严重时幼蜂、幼虫、蜂王也会中毒死亡。

3. 预防和治疗措施 当外界没有蜜源时，不要将蜂群放在松柏类植物较多的地方，防止蜜蜂采集。如果蜜蜂已采集，要及时取出贮蜜，并给蜂群补喂含有复合 V_B 或酵母片的糖浆。

(五)有毒蜜源的花蜜和花粉中毒

1. 中毒原因 我国常见的有毒蜜源植物主要有：藜芦、苦皮藤、博落回、曼陀罗、毛茛、乌头、白头翁、喜树、羊踯躅、杜鹃等。有毒蜜源植物的花粉或花蜜含有对蜜蜂有毒物质生物碱、糖甙、毒蛋白、多肽、胺类、多糖、草酸盐等，蜜蜂采集后，受这些毒物的作用而发生中毒。

2. 中毒症状 因花蜜而中毒的多是采集蜂，中毒初期，蜜蜂兴奋，进而身体失去平衡，逐渐进入抑制状态，行动呆滞，身体麻痹，吻伸出；中毒后期，蜜蜂在箱内、场地艰难地爬行，最后死亡。因花粉而中毒的多为幼蜂，其腹部膨胀，中、后肠充满黄色花粉糊，并失去飞行能力，落在箱底或爬出箱外死亡。花粉中毒严重者，幼虫也中毒死亡，虫体呈灰白色烂在巢房内。

3. 诊断方法 调查了解周围的蜜源植物种类，提取蜜囊或巢房中的花蜜或花粉，用显微镜观察其中的花粉粒，根据有毒蜜源植物的花粉形态，鉴定是哪些有毒植物造成的蜜蜂中毒。

4. 防治措施 选择没有或少有有毒蜜源（2km 内）的场地放蜂，或根据蜜源特点，采取早退场、晚进场、转移蜂场等办法，避开有毒蜜源的危害。如在秦岭山区狼牙刺场地放蜂，早退场可有效防止蜜蜂苦皮藤中毒。

发现蜜蜂蜜、粉中毒后，首先，须及时从发病群中取出有毒的花蜜或花粉脾，并给喂酸饲料（如在糖水中加食醋、柠檬酸，或用生姜 25g + 水 500g 煮沸后再加 250g 白糖喂蜂）。若确定花粉中毒，加强脱粉可减轻症状。其次，如中毒严重，或该场地没有太大价值，应权衡利弊，及时转场。

二、农药中毒

(一)农药中毒的危害

由于各种农药的广泛大量使用，蜜蜂农药中毒一直是困扰各国养蜂生产的一大问题。蜜蜂农药中毒主要是在采集水果、蔬菜等人工种植植物的花蜜花粉时发生。如我国南方的柑橘、荔枝、龙眼本是春季非常好的主要蜜源，不仅流蜜量大，品质也很好，可是由于农药中毒，每年春季都有大量蜜蜂死亡，许多蜂农常常不得不提早退出场地，以减少蜜蜂损失。尽管我国已有相关的法规保护蜜蜂授粉行为，但是对种植者缺乏约束力，加之蜜蜂授粉的知识不够普及，种植者对授粉的益处了解甚少，少有主动配合者。因此，蜜蜂中毒仍时有发生，不仅给养蜂者造成较大的经济损失，也对果农带来经济损失。

（二）农药的种类和作用方式

对蜜蜂危害较大的农药主要是有机杀虫剂，而杀菌剂、除草剂、生物农药等的危害相对较小。有机杀虫剂中又以人工合成的对蜜蜂毒性较大，如敌敌畏；天然的植物杀虫剂毒性较小，如鱼藤。有机杀虫剂按化合物类型可分为：有机氯类杀虫剂，如林丹；有机磷类杀虫剂，如甲胺磷；氨基甲酸酯类杀虫剂，如西维因；拟除虫菊酯类，如氟氰菊酯；有机氮类杀虫剂，如双甲脒。

农药对蜜蜂的毒杀方式主要有触杀、胃毒和熏蒸。它们分别由体壁、口腔和气门进入体内，或作用于神经系统，或作用于呼吸系统，破坏蜜蜂正常的生理机能而发生毒害作用。不同的农药，杀虫效果不一样，为了区别它们的毒力，用致死中量（LD_{50}）来表示。根据 Atkin（1973）的分类方法，将农药分为 3 个等级：高毒、中毒、低毒。高毒农药的 $LD_{50}=0.001\sim1.99\mu g$/蜂，中毒类的 $LD_{50}=2.00\sim10.99\mu g$/蜂，低毒类的 $LD_{50}>11.0\mu g$/蜂。在考虑到杀虫效果的前提下，应尽量使用低毒农药，这样，既可保护农作物，又可降低对蜜蜂的杀伤力。

一般来说，药剂颗粒越小，悬浮率越高，在空中飘浮的时间也越长，毒力也越强。因此，喷雾或喷粉比其他施用方法对蜜蜂的危害更大。如果是毒力较高的农药，在大田中施用，对蜜蜂产生的危害就会很大。因此，种植者应尽量采用对蜜蜂安全的施药方式，如能用颗粒剂的就不选用粉剂和乳油。

在蜜蜂采集时喷施农药，蜜蜂会被农药直接毒杀，中毒死亡更严重。如果蜜蜂在已施用过农药而农药的残效期未过的花上采集，蜜蜂也会因接触或采集受污染的花蜜花粉而中毒。在施用过内吸性农药的开花植物中，各种器官都含有农药成分，蜜蜂采集时也可能中毒。因此，蜂农在放蜂前要时刻了解农林作物的施药情况。

（三）中毒症状与诊断

农药中毒的主要是外勤蜂，有些在飞回蜂巢途中死亡，有些在回巢后出现中毒症状。成年蜂中毒后，变得爱螫人，蜂群很凶。大批成年蜂出现肢体麻痹、打转、爬行，无法飞翔。死蜂多呈伸吻、张翅、钩腹状，有些死蜂还携带有花粉团；严重时，短时间内在蜂箱前或蜂箱内可见大量的死蜂，全场蜂群都如此，而且群势越强的死亡越多。有时幼虫也会因中毒而剧烈抽搐滚出巢房。当发现上述现象时，根据对花期特点和种植管理方式的了解，就可判断是农药中毒。

当外勤蜂中毒较轻而将受农药污染的食物带回蜂巢时，巢内的幼虫可能会中毒。中毒的幼虫可能在发育的不同时期死亡。即使有一些羽化，出房后也常残翅或无翅，体重变轻。不同的农药，引起蜜蜂中毒的症状差别不大，很难从中毒蜂的表现和死蜂的状态来推断中毒农药的类别。

（四）预防措施

一旦蜜蜂发生农药中毒，造成的损失很难挽回，因此，要做好预防工作，尽量避免发生农药中毒现象。

1. 依法保护蜜蜂　制定相关的法规来保护蜜蜂的授粉采集行为，大力宣传蜜蜂授粉知识。

2. 采取预防措施　养蜂者和种植者密切合作，协调好双方关系。尽量做到花期不喷药，或在花前、花后喷药。若必须在花期喷药的，应尽量在清晨或傍晚喷施，以减少对蜜蜂直接的毒杀作用，使治虫与授粉采集两不误。尽量选用对蜜蜂低毒和残效期短的农药，在不影响药效和不损害农作物的前提下，在农药中添加适量驱避剂，如杂酚油、石炭酸、苯甲醛等，以驱避蜜蜂采集。

3. 做好隔离工作　地面喷药，当风速超过3m/s时，蜂群的相隔距离至少要在5m以上。在习惯施药的蜜源场地放蜂，蜂场以距离蜜源300m为宜。若花期大面积喷施对蜜蜂高毒的农药，应及时搬走蜂群。如蜂群一时无法搬走，就必须关上巢门幽闭，并进行遮盖，幽闭期间，注意通风降温，保持蜂群环境黑暗，且最长不超过2～3d。对不宜关巢门的蜂群必须对蜂巢门口连续洒水。

（五）急救措施

第一，若只是外勤蜂中毒，及时撤离施药区即可。若有幼虫中毒现象，则须摇出受污染的饲料，清洗受污染的巢脾。

第二，给中毒的蜂群饲喂1∶1的糖浆或甘草糖浆。对于确知有机磷农药中毒的蜂群，应及时配制0.1%～0.2%的解磷定溶液或用0.05%～0.1%的硫酸阿托品喷脾解毒。对有机磷或有机氯农药中毒，也可在20%的糖水中加入0.1%食用碱喂蜂解毒。

三、污水、毒气中毒

在工业区（如化工厂、水泥厂、电厂、铝厂、药厂、冶炼厂等）附近，烟囱排出的气体中，有些含有氧化铝、二氧化硫、氟化物、砷化物、臭氧、臭氟等有害物质，随空气（风）漂散并沉积下来。这些有害物质，一方面直接危害蜜蜂，另一方面它沉积在花上，被蜜蜂采集后危害蜜蜂的健康，还对植物的生长和蜂产品质量造成威胁。受这些毒物的危害，成年蜜蜂表现在体质衰弱，寿命缩短，采集、哺育和抗逆力下降；幼蜂发育不良，甚至死亡，从而造成群势下降，严重者全群死亡，而且无药可治。除工业区排出的有害气体外，其排出的污水也时刻威胁着蜜蜂的安全。

因污水、毒气造成蜜蜂的中毒现象，雨水多的年份轻，干旱年份重，并受季风的影响，在污染源的下风向受害严重，甚至数十千米的地方也难逃其害。只要污染源存在，就一直对该范围内的蜜蜂造成毒害。

一旦发现蜜蜂因有害气体而中毒，首先清除巢内饲料，喂给糖水，然后转移蜂场。

如果是污水中毒，应及时在箱内喂水或巢门喂水，在落场时，做好蜜蜂饮水工作。由环境污染对蜜蜂造成毒害有时是隐性的，且是不可救药的。因此，选择具有优良环境的场地放蜂，是避免因环境污染造成蜜蜂中毒的惟一好办法，同时也是生产无公害蜂产品的首要措施。

第五节　蜜蜂检疫

一、蜜蜂检疫的意义及作用

蜜蜂检疫是动物检疫的一部分，是根据国家或地方政府规定要控制的蜜蜂疫病，对蜜蜂及其产品的移动加以限制的一种措施。检疫的目的，是为了预防和消灭蜜蜂传染病，防止危险性病虫害的扩大蔓延。随着商品经济的日益发展，蜂群及其产品流动性加大，蜜蜂疫病的传播机会也增多，为保障蜂业的健康发展，必须对流通的蜜蜂及其产品加强检疫，以防止疫病的传入或传出，保护广大蜂农的利益。

不注重蜜蜂检疫工作，使许多种蜜蜂病虫害都能够暴发流行，并造成巨大的经济损失。如 20 世纪 50 年代末的螨害流行，70 年代末的中蜂囊状幼虫病，以至 90 年代的“爬蜂病”、白垩病等，都曾从小范围发生而迅速蔓延全国，造成的经济损失难以计数，教训深刻而惨痛。因此，为维护我国养蜂业的利益、信誉和形象，促进蜂业贸易和经济交流，进行蜜蜂检疫是非常必要的。为了做好检疫工作，一方面检疫机关要严格执法，另一方面要求受检蜂场主积极配合。

二、检疫的种类

我国动物检疫，总体上分为外检和内检，各自又包括若干种检疫形式。

（一）外检

对出入国境的动物及其产品进行的检疫，叫国境检疫，又叫进出境检疫或口岸检疫，简称外检。蜜蜂外检的目的，是为了保护国内的蜜蜂不受外来蜜蜂疫病的侵袭和防止国内蜜蜂疫病的传出。我国在海、陆、空各口岸设立了动植物检疫机关，代表国家执行检疫，既不允许外国蜜蜂疫病的传入，也不允许国内蜜蜂疫病的传出。外检又分为：进出境检疫、过境检疫、携带和邮寄物检疫、运输工具的检疫等。只有受检蜜蜂及其产品不带有检疫对象时，方准许输入或输出。当受检蜜蜂及其产品带有检疫对象时，则作退回或销毁处理。对来自疫区的蜜蜂及其产品不论带菌与否，都予以退回或销毁，禁止入境。

（二）内检

对在国内流通的动物及其产品作为检疫对象的检疫，叫国内检疫，简称内检。蜜蜂的国内检疫主要是对转地蜂群、邮寄或托运的蜜蜂及蜂产品等进行检疫。蜜蜂内检的目的是为了保护各省、市、自治区、县的蜜蜂不受邻近地区蜜蜂疫病的传染，防止蜜蜂疫病的扩散蔓延。内检包括产地检疫、运输检疫等。蜜蜂的产地检疫是在蜜蜂饲养地进行的检疫，是蜜蜂检疫最基层的环节，因此，搞好产地检疫是直接控制蜜蜂疫病扩散的一种好方法。蜜蜂的运输检疫，是指蜜蜂在起运之前的检疫，若受检蜂场主持有有效的检疫证明则可免检。

三、检疫对象

检疫对象，是指检疫中政府规定的动物疫病。这些疫病往往传染性强，危害性较大，一旦传出或传入都可能造成较大的经济损失。因此，国家制定相应的法令法规，并由农业部的相关部门或其委托部门来强制执行。蜜蜂病虫害种类较多，但只有一小部分疫病为检疫对象。检疫对象的确立，主要考察两方面的因素：第一，危害性大而目前防治有困难或耗费财力的蜜蜂疫病，如美幼病、白垩病和蜂螨；第二，国内尚未发生或已消灭的蜜蜂疫病，如壁虱、蜂虱。

外检的检疫对象，由农业部确定。我国自 1974 年以来先后公布过 5 次蜜蜂检疫对象名单，1992 年 6 月农业部公布的《进口动物检疫对象名单》中关于蜜蜂病虫害的检疫对象有：美洲幼虫腐臭病、欧洲幼虫腐臭病、壁虱病、瓦螨病、蜜蜂微孢子虫病。依照农业部 1992 年发布的《家畜家禽防疫条例》及其实施细则的规定，蜜蜂的国内检疫对象可由各省、自治区、直辖市根据当地实际情况，自行规定，亦可参照外检对象名单进行检疫。根据目前蜜蜂疫病的情况，蜜蜂病虫害的检疫对象，主要是美幼和欧幼腐臭病、蜂螨、囊状幼虫病、白垩病、孢子虫病、爬蜂病。

由于随地域、年份的不同，疫情也会有变化，因而各省区市的检疫对象不是一成不变的，各地的农牧主管部门可根据当时当地的情况确定合理的检疫对象。

四、检疫的方法

（一）抽样方法

对数量不多的蜂群、引种蜂王、蜂产品，应进行逐箱逐件检疫。但对于数量太大而无法做到逐件检疫时，可采取抽样检疫的办法。抽样的比例和方法要求尽量客观、具代表性。一般说来，100 件（群）以下不低于 15% ~20%，101 ~200 件（群）不低于 10% ~15%，201 ~300 件（群）不低于 5% ~10%。引进的种用蜂在 100 件以内要逐件检疫。

（二）检疫方法

检疫方法、手段要求尽可能灵敏、准确、简易、快速。应尽量避免误检和漏检。蜜蜂检疫方法主要有临场检疫、实验室检疫。

1. 临场检疫 临场检疫是指能够在现场进行并得到一般检查结果的检疫方法。通常以蜜蜂流行病学调查和临诊检查为主。这是基层检疫工作中最常用的方法。具体内容为：

（1）调查当前蜜蜂疫病流行情况，包括病害种类、发病时间、地点、数量等。

（2）临诊检疫：对待检的所有蜂群进行箱外观察，从中把可疑有病的蜂群挑出来，进一步进行箱内检查。具体方法是，先经箱外观察后，进一步进行箱内检查和实验室检查以作确诊。临诊检疫主要是查看箱内外有无异常的拖弃物，蜜蜂是否有行为、形态等方面的异常，巢脾上的幼虫是否有病态表现，幼虫或成年蜂身上是否携带有寄生物，以此对蜂群的健康状况做出初步的判断。

①白垩病：箱外如果有白色、黑色或黑白杂色的虫尸，提脾可见到巢房中有死亡虫尸，且虫尸体表长有白色或黑色短绒状菌丝，即可明确判断有白垩病的发生。

②囊状幼虫病：提脾观察，若巢脾上有成簇的开了房盖的前蛹期幼虫（呈尖头状），幼虫头部表皮内有液化现象，用镊子小心地将幼虫提出时呈囊状，则可判断是囊状幼虫病。

③欧洲幼虫腐臭病：提幼虫脾观察，若脾上有典型虫、卵、蛹巢房相间的“花子”，病虫主要是2～4日龄，甚至虫体组织分解并发出酸臭味，则可初步判断为欧洲幼虫腐臭病。

④美洲幼虫腐臭病：提幼虫脾，脾上呈现“花子”，封盖子房盖下陷、湿润，颜色变暗，有的有孔洞，临近封盖或已封盖的大幼虫明显变色，甚至呈咖啡色。用竹签或镊子挑死虫易拉出细丝。死虫发出腥臭味。有上述现象，即可判断为美洲幼虫腐臭病。

⑤孢子虫病：巢门口处可能有排泄物污染的痕迹，成年蜂的腹部膨大，腹末端颜色发暗。从腹末端轻轻拉出其消化道观察，若中肠暗灰色，环纹不清，且膨胀松软，容易破裂，则可基本断定为孢子虫寄生。

⑥大蜂螨：观察箱外，有残翅的幼蜂爬行；提脾观察，成年蜂体上有棕褐色的1mm大小的横椭圆形体外寄生物。随机挑开20～30个雄蜂或工蜂封盖房，可见一些蜂蛹体上有大蜂螨寄生。

⑦小蜂螨：观察箱外，有残翅的幼蜂爬行；仔细观察巢脾，有小蜂螨在巢房间迅速爬动；一些封盖房上出现小孔，挑出虫蛹可见体上有小螨寄生。严重时，出现封盖子腐烂，有腐臭味。

⑧蜂虱：注意观察，可见有蜜蜂骚动不安的，认真观察它们的头部、胸部背面绒毛处，有红褐色并着生稠密绒毛的体外寄生物，有3对足，但无翅。抽取将要封盖的蜜脾，仔细观察半封盖蜜房盖下或巢房壁上，见有虫蛀的细小隧道、乳白色的卵和幼虫。据此可初步判断有蜂虱寄生。蜂虱在国内尚无发生，属对外检疫对象。

⑨壁虱病：成年蜂体衰弱，失去飞翔能力，前后翅错位，翅呈“K”形。据此，可初步断定为壁虱病。我国尚未发生壁虱病，为外检对象。

2. 实验室检疫 实验室检疫，是采用实验室手段确定检查结果的检疫方法，要依据病原物特征作微生物学、病理学、免疫学等方面的检查，它是检疫工作中确定检疫对象的主要方法。除了白垩病、美洲幼虫腐臭病具有典型症状或已经直接找到病原物或寄生物，可以确诊外，欧洲幼虫腐臭病、孢子虫病、壁虱病、蜂虱等还必须在现场检查它们症状的基础上，取回可疑材料，进一步进行实验室检验。

（1）欧洲幼虫腐臭病：挑取2～4日龄的病死幼虫，制片镜检，若发现略呈披针形的蜂房链球菌，有时还有杆菌、芽孢杆菌时，即可初步确定为欧洲幼虫腐臭病。为进一步确定病原，可作实验室培养：在普通马铃薯－琼脂培养基和酵母浸膏－琼脂培养基平面上，蜂房球菌和蜂房芽孢杆菌均生长良好。置 32 ~ 35℃恒温箱内培养 24 ~ 36h 后，蜂房芽孢杆菌在酵母浸膏－琼脂培养基平面上菌落低平而有光泽，直径 1 ~ 1.5mm。蜂房球菌在马铃薯－琼脂培养基平面上生长，菌落淡黄色，边缘光滑，直径 0.5 ~ 1.5mm。蜂房芽孢杆菌能液化明胶，分解蛋白胨产生腐烂气味，能利用葡萄糖、麦芽糖、糊精和甘油产酸产气，不发酵乳糖。

（2）美洲幼虫腐臭病：可从封盖子脾上挑取病虫涂片，加热固定，然后加数滴孔雀绿于涂片上，再加热至沸腾，维持3min 后水洗。加番红水溶液染色30s，水洗后吸干镜检。在 1 000 ~ 1 500 倍的显微镜下进行检查，若发现有大量呈游离状态的芽孢（芽孢呈绿色，营养体染为红色）存在，即可初步确定是美洲幼虫病。

为进一步确定病原，可作实验室培养：

从可疑为患美洲幼虫腐臭病的蜂群病脾上挑取病幼虫 5 ~ 10 只，经镜检发现有大量芽孢后，即可将死幼虫置研钵中研磨，加无菌水稀释，制成细菌悬浮液，在 80℃水浴中保温 30min，以杀死营养细胞，然后接种到胡萝卜培养基（马铃薯培养基或酵母浸膏培养基）上，置 30 ~ 32℃下培养 24h。再将待定菌株分别移至胡萝卜培养基斜面和牛肉汁培养基斜面培养，若在胡萝卜培养基斜面上生长良好，而在牛肉汤培养基斜面上不能生长或生长很差，则可确定为美洲幼虫腐臭病病原菌。

（3）蜂虱：可将蜂虱用酒精杀死，在解剖镜下观察，如果确证了其形态、色泽、大小等与现场观察无异，并有在蜜房封盖下穿成隧道的典型症状，即可确定为蜂虱。

（4）蜜蜂孢子虫病：可从蜂群中取病蜂 2 ~ 3 只，用镊子或两手指捏住蜜蜂尾部，连同螯针，轻轻地拉出其消化道，然后取一载玻片，于其中央加一滴灭菌水，再用解剖剪剪下一小块中肠壁，在水滴中轻轻捣碎，盖上盖片，放在 400 ~ 600 倍显微镜下镜检。如发现有大量大小一致的椭圆形孢子，即可确定为孢子虫。须进一步确诊，可根据孢子虫在酸性溶液里溶解消失的特性，用 10% 盐酸滴加在上述涂片上（从盖玻片边缘滴入），置于温箱 30℃下保温 10min。再进行镜检，若是蜜蜂孢子虫，则大部分溶解消失，而酵母菌及真菌孢子仍然存在。对蜂王的检疫，可采集蜂王的排泄物涂片镜检。

（5）壁虱病：从蜂群中取病蜂，进行解剖后镜检。操作方法：用左手捏住双翅，右手持解剖剪在紧靠第一对胸足基部的后方和头部上方，将其与头部一起剪掉，然后腹部朝上，用昆虫针固定在蜡盘上。在解剖镜下，用尖的小镊子将切口处残余的前胸背板（如衣领似的围在切口处）顺时针方向撕掉，细心观察，可见 1 对“人”字形气管于胸腔内。注意观察紧贴体表处的胸部气管有无异常变化。正常气管为白色，透明，富有弹性。若发现前胸气管内出现褐色或更深的斑点，或看到任何发育阶段的壁虱，即可确定为壁虱病。

（6）大小蜂螨：取 1 ~ 2 只可疑蜂螨，用酒精杀死，置于解剖镜下观察。大蜂螨棕褐色，横椭圆形，长 1.01 ~ 1.05mm、宽 1.45 ~ 1.75mm；小蜂螨呈卵圆形，长 0.98 ~ 1.05mm、宽 0.54 ~ 0.59mm，棕黄色。

（三）隔离检疫

隔离检疫，是将蜜蜂隔离在相对孤立的场所进行的检疫。这是一种在进出境检疫、运输前后及过程中发现有或可疑有传染病时，或为建立健康群体时所采取的检疫方式。一般隔离时间为30d。隔离期间，须经常进行临诊检查，并做好管理记录，一旦发现异常，立即采样送检。隔离期满，经检疫合格，凭检疫放行通知单，才可运出隔离场。不合格的，按规定作退回或销毁处理。

第八章 蜂场经营管理

第一节 蜂业生产资源的合理投入

一、蜂业资源与蜂产品的关系

（一）投入与产出的关系

蜂产品由多种生产资源配合转化而成。这些生产资源是指进行蜂业生产必须具备的自然资源、物质资源和人力资源。蜂产品生产的投入，是指生产过程中生产资源的占用和消耗费用；产出，是指蜂产品的产量或价值量。在养蜂生产中，由于投入的生产资源数量不同，产出的蜂产品数量也不同。这种投入资源与产出产品之间的数量关系，通常表现为一种函数关系，这种函数叫生产函数，用公式（8－1）表示为：

$$y=f(x) \tag{8-1}$$

式中：

y——蜂产品产出量；

x——投入资源量；

f——函数关系的符号。

上述函数式表示一种生产要素与产品产量的关系，是最简单的函数式。由于蜂业生产是在多种资源因素同时参与下进行的，考虑到多种资源因素，应当用（8－2）函数式表示：

$$y=f(x_1, x_2, \cdots, x_n) \tag{8-2}$$

在投入蜂业生产的多种资源中，依据实际情况，可把资源分为可变资源（如饲喂白糖量）、固定资源（如蜂箱、摇蜜机）、不可控资源（如气候条件）3类。

为了便于研究和分析，通常把不可控资源因素舍去，同时由于固定资源产出量为常量，因此把固定资源因素也从自变量中舍去。这样生产函数中自变量（x）仅剩下可变资源因素。

如果只分析一种可变资源因素变化对产量的影响，则函数式可写为（8－3）：

$$y=f(x_1, x_2, \cdots, x_n) \quad 或\ y=f(x) \tag{8-3}$$

（二）资源报酬变动规律

蜂业生产过程是物质循环和能量转换的过程，因而要受物质守恒和能量守恒规律的制约。蜂产品产出量必须以相应的生产资源投入为基础。但不是说，投入越多，产出就一定越多。因为产出水平的高低不仅受投入资源的影响，而且还与蜜蜂对资源的转化率紧密相关。而资源的转化率又由一定的技术条件所决定。在蜂业生产中资源报酬变动呈以下规律：随着某项可变资源投入量的不断增加，产品产量先以递增比率增加，当投入量增加到一定限度后，产品产量就将以递减比率增加，最后呈负值增加。根据资源报酬递增、递减的变动规律，研究生产资源投入的生产经济效果最佳值的方法，叫边际分析方法。边际分析是指对连续追加单位生产因素的作用及其所产生的影响程度的分析。边际分析的产品产量包含总产量、平均产量和边际产量。

总产量是指在生产过程中，施用一定量的可变资源所引起的产出总量，常用T或TPP表示。

平均产量指单位可变资源所平均引起的产出量，以APP表示，

$$APP = \frac{y}{x} \quad 或 \ APP = \frac{f(x)}{x} \tag{8-4}$$

边际产量指连续追加一单位可变资源所引起的总产量的增加（或减少）额，用MPP表示，

$$MPP = \frac{\Delta y}{\Delta x} \quad 或 \ MPP = \frac{d_y}{d_x} \tag{8-5}$$

二、最佳投入与产出水平的确定

为了更具体地说明最佳投入产出水平的确定方法，不妨举一例。假定某一定地蜂场，饲喂蜂群白糖量（即资源投入量）与产浆量（即产品产出量）存在表8－1中关系。根据表8－1的资料，通过计算可形成表8－2。根据表8－2可以绘制图8－1。从表8－2和图8－1可以看出总产量、平均产量、边际产量都有从递增到递减的变化趋势，但由于具体指标不同，由递增到递减的转折点不同。

表8－1　饲喂白糖量（x）与产浆量（y）的关系

资源投入量（x）	1	2	3	4	5	6	7	8	9	10
产品产出量（y）	8	23	44	70	93	107	115	119	113	103

表8－2　总产量、平均产量、边际产量及效益

X		MPP	TPP	APP	PX 资源单价	PY 产品单价	$\Delta x \cdot PX$ 边际费用	$\Delta y \cdot PY$ 边际收益	$PY \cdot Y - PX \cdot X$ 纯收益
第一阶段	0	0	0	0	1.6	0.2	0	0	0
	1	8	8	8	1.6	0.2	1.6	1.6	0
	2	15	23	11.5	1.6	0.2	1.6	3	1.4
	3	21	44	14.6	1.6	0.2	1.6	4.2	4
	4	26	70	17.5	1.6	0.2	1.6	5.2	7.6

续表

X		MPP	TPP	APP	PX 资源单价	PY 产品单价	$\Delta x \cdot PX$ 边际费用	$\Delta y \cdot PY$ 边际收益	$PY \cdot Y - PX \cdot X$ 纯收益
第二阶段	5	23	93	18.6	1.6	0.2	1.6	4.6	10.8
	6	14	107	17.8	1.6	0.2	1.6	2.8	11.8
	7	8	115	16.4	1.6	0.2	1.6	1.6	11.8
	8	4	119	14.8	1.6	0.2	1.6	0.8	11
第三阶段	9	−6	113	12.6	1.6	0.2	1.6	−1.2	8.2
	10	−10	103	10.3	1.6	0.2	1.6	−2	4.6

从图 8-1 还可看出，M 点是 TPP 曲线递增增加转入递减增加的转折点。当 MPP=0 时，TPP 值达到最高（即 D 点）。MPP 曲线与 APP 曲线的交点，正是 APP 值最高点。

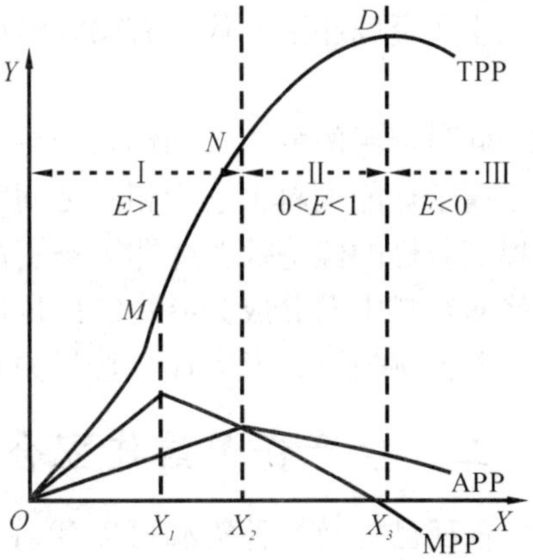

图 8-1 蜂业生产三个阶段

根据投入与产出的关系，可把坐标图 8-1 的生产函数曲线划分为 3 个生产阶段：即自 APP 曲线最高点作直线垂直于横轴，上与 TPP 曲线相交 N 点，坐标原点到 N 点，称为第一阶段；自边际产量等于 O 点处作垂直于横轴直线，上与 TPP 曲线相交 D 点，从 N 到 D 阶段，称为第二阶段；D 点以后，称为第三阶段。

在第一阶段中，每增加一定量变动资源因素的投入，APP 和 TPP 值都不断上升，故应尽可能投入到其最大报酬点，否则是不经济的。

在第二阶段中，随着资源投入，TPP 值有一定量的增加。当变动资源价格低，且比较充分时，为了多生产出产品，可尽可能投到总产量的最高点。所以该阶段称为合理生产阶段。经济效果最佳资源投入量肯定在第二阶段中。

在第三阶段中，MPP<0，APP 值与 TPP 值都在下降，显然继续投入是不经济的。因此，第三阶段称为不合理生产阶段。

上面的分析是单纯从资源和产品量的实物形式考虑。但事实上，在研究分析经济效益时，还必须考虑资源和产品的价格．然后来确定最佳的投入与产出量。这种最佳投入与产出量计算可以依据边际平衡原理，即当 $\Delta x \cdot PX = \Delta y \cdot PY$ 时，为资源投入最佳量，此时的产出量则为最佳产出量。

例如表 8-2 中，在第二阶段中，当 $X=7$ 时，$\Delta x \cdot PX = \Delta y \cdot PY = 1.6$，这说明最佳投入量为 7，此时总产出量为 16.4，纯收益最高。

第二节　蜂业生产资源的合理配置

蜂业生产是多种资源同时配合使用，其中有些生产资源之间往往具有相同的使用价值，因而相互之间具有替代性。例如天然花粉、代用花粉都可用于饲喂蜂群，给蜂群提供蛋白质，同时生产出一定量的蜂产品。如何用低价的饲料去替换高价饲料，如何寻求成本最低的饲料配合方案，以取得最佳经济效果，这正是本节所要阐述的中心内容。

一、生产资源相互替代关系

生产资源相互替代，有两种情况：一种是同类资源替代，另一种是非同类资源的替代。

同类资源的替代，如饲料资源中，油菜蜂蜜、紫云英蜂蜜、野桂花蜂蜜、荞麦蜜等都是属于热能饲料，它们相互之间替代比率不变，只是以低价饲料代换高价饲料，以此来提高养蜂的经济效益。非同类资源的替代，如蛋白饲料花粉、豆饼之间的替代，由于蜜蜂对饲料中营养成分有一定的比例要求，因而当一种饲料代换另一种饲料时，往往由于营养比例失调，形成递减替代关系。这种现象在蜂业生产中十分普遍。

二、生产资源最佳配合比例

前面已提及一种资源可以代替另一种资源，当一种生产资源投入量增加 1 个单位时，则另一种生产资源应当相应减少投入量。如何调整两种资源替代率，使饲料既能满足蜜蜂营养需要，又能使生产资源成本降低，这种生产资源要素最佳比例的确定必须借助边际替代原理，即当边际替代率与其资源要素单价反比相等时，总可变成本最低。用数学公式表示为：

$$\frac{\Delta x_1}{\Delta x_2}=\frac{Px_2}{Px_1} \tag{8-6}$$

式中：

x_1、x_2——指两种生产资源；

Px_1、Px_2——分别表示 x_1、x_2 的单价。

以表 8－3 中的资料来具体说明。表 8－3 中资源 x_1、资源 x_2 的单价分别为 2 元和 5 元。

将资源单价代入公式：

$$\frac{\Delta x_1}{\Delta x_2}=\frac{2}{5}=0.4$$

从表 8－3 中可知，配方 10 替代率为 0.45，最接近边际替代率 0.40，因此，配方 10 为最佳方案，其成本最低，即为 9.5 × 2 + 2.7 × 5 = 32.5。其他配方计算出来成本都高于 32.5。

表 8-3 某产量水平上两种资源最佳配合

配方号	资源 x_1	资源 x_2	替代率$\left(\frac{\Delta x_1}{\Delta x_2}\right)$
1	5	6.125	—
2	5.5	5.45	1.35
3	6	4.925	1.05
4	6.5	4.45	0.54
5	7	4.05	0.80
6	7.5	3.7	0.70
7	8	3.41	0.58
8	8.5	3.16	0.50
9	9	2.525	0.47
10	9.5	2.7	0.45
11	10	2.54	0.32
12	10.5	2.4	0.28

三、各种产品最佳配合比例的确定

在蜂业生产中，经常遇到如何利用一种有限资源生产多种产品，从而取得最大经济收益的问题。也就是说，在生产资源一定的条件下，如何充分利用这一资源，生产什么，生产多少，才能取得最大的技术经济效果。

评价这个问题，可以借助均等边际收益原理，即当产品边际替代率等于产品价格反比率时，效益最高。均等边际收益原理用公式表示为：

$$\frac{\Delta y_1}{\Delta y_2}=\frac{PY_2}{PY_1} \tag{8-7}$$

式中：

Δy_1、Δy_2————分别代表两种产品的增量；

PY_1、PY_2————分别代表 Y_1 和 Y_2 两种产品的单价。

表 8-4 产品间最适比例确定

方案编号	蜂群的分配方案		产品生产量		产品边际替代率/%
	生产分离蜜群数（Y_1）	生产巢蜜群数（Y_2）	分离蜜（Y_1）/kg	巢蜜（Y_2）/kg	
1	60	0	1 600	0	—
2	55	5	1 500	110	-1
3	50	10	1 350	200	-1.67
4	45	15	1 260	310	-0.82
5	40	20	1 140	400	-1.33

续表

方案编号	蜂群的分配方案		产品生产量		产品边际替代率/%
	生产分离蜜群数（Y_1）	生产巢蜜群数（Y_2）	分离蜜（Y_1）/kg	巢蜜（Y_2）/kg	
6	35	25	1 000	480	-1.75
7	30	30	880	550	-1.71
8	25	35	700	620	-2.57
9	20	40	500	700	-2.5
10	15	45	340	760	-2.67
11	10	50	200	810	-2.8
12	5	55	140	890	-2.0
13	0	60	0	950	-2.33

例如，某蜂场有 60 群生产群，每一群的群势相当，计划用于生产一般的分离蜜（Y_1）和巢蜜（Y_2）两种产品，分离蜜与巢蜜的价格分别是 3.5 元/kg 和 5 元/kg，试问表 8－4 中哪种资源分配方案取得的技术经济效果最佳。

由以上可知：

$$\frac{PY_2}{PY_1}=\frac{5}{3.5}=1.43。$$

又由表 8－4 中可知，方案 5 的产品边际替代率为 1.33，最接近产品价格反比率 1.43。因此，方案 5 为产品最佳配合比例方案，它能取得最大总收益，即为：$3.5\times1\,140+5\times400=5\,990$元。

第三节　蜂业生产的经营方式和饲养方式

一、蜂业生产经营方式和合理规模

（一）经营方式和规模的含义

养蜂生产的经营方式有专业蜂场、兼业蜂场和业余养蜂。经营规模指蜂业生产单位所拥有的各种生产要素的聚集程度及其组合比例。经营规模一般可分为投入规模与产出规模。投入规模包括：生产蜂群、劳力、资金、技术等各项生产要素的规模。产出规模包括：蜂产品的产量、商品量、纯收入等产出指标的数量规模。

经营规模的大小取决于当时生产力水平。若盲目地扩大经营规模，造成了规模超越了现有的生产水平，技术跟不上，劳力、资金不足，规模效益就不能实现。当然，规模太小，也会限制生产力水平的发挥，阻碍生产的发展。研究合理的经营规模的目的，在于使经营规模与生产力发展水平相协调，以期得到最佳的规模效益。

（二）确定最佳经营规模的主要指标和步骤

在养蜂生产中，可把人均饲养的蜂群数量作为经营规模主要指标。在蜂产品加工业中，则可把产品数量作为经营规模的主要指标。

确定最佳经营规模，一般可按下列步骤进行：

第一，考察经营生产单位所处的自然、经济、技术、社会环境条件，找出影响规模效益的主要因素。

第二，确定评价经营规模的条件和评价规模的主要指标。

第三，搜集相关材料，建立数学模型，然后进行分析和评价。

第四，提出实现最佳经营规模的措施，并预测其经济效益。

（三）最佳经营规模的确定方法

最佳经营规模的确定方法有比较分析法、模糊数学法。

1. 比较分析法　是对每组的经营规模指标进行比较，然后作出判断。此法较简单，只能看到趋势，准确性不高，但很实用。例如从表 8－5 可知，*C* 组的群纯收入和群成本赢利率高，说明生产技术较好，经营规模适当。由此可认为，在现阶段，我国养蜂生产者应以每个劳动力饲养 40～50 群蜂为最佳生产规模。

表 8－5　不同饲养水平的经济指标

分组代号	饲养蜂群数量/（群/人）	群产蜜量/kg	工日净产值/元	群纯收入/元	群成本赢利率/%
A	30 以下	50.94	10.63	39.36	24.89
B	30～40	51.37	12.95	42.29	28.22
C	40～50	39.11	14.58	56.13	41.3
D	50～60	28.88	20.22	31.55	28.45

2. 模糊数学法　从表 8－5 可以看出，若以群产量或日工净产值作为主要指标进行比较分析，会得出 *B* 组或 *D* 组生产规模最佳。这与前面分析的 *C* 组最佳发生了矛盾。到底哪一组为最佳生产经营规模呢？这一问题似乎又显得模糊了。其实，这一问题用模糊数学理论可以得到圆满准确的回答。

首先把表 8－5 中的资料进行量值化，即把每一个指标的最大值除以 *A*、*B*、*C*、*D* 每一组的同一指标值，则可得表 8－6。

表 8－6　量值化后的指标值

分组代号	群产蜜量	工日净产值	群纯收入	群成本赢利率
A	0.99	0.52	0.70	0.6
B	1	0.64	0.75	0.68
C	0.76	0.72	1	1
D	0.56	1	0.56	0.69

然后根据每一个指标作用大小，为每一个指标给定一个权重值，所有指标的权重值之和必须等于 1。

我们依据实际情况给群产蜜量、工日净产值、群纯收入、群成本赢利率几个指标给定的权重值分别为0.2、0.2、0.3和0.3。

之后计算每组的综合评价值：综合评价值等于每一指标量化值乘以各自权重值之和。哪组综合评价值最高，说明该组为最佳经营规模。

*A*组综合评价值 =0.99×0.2+0.52×0.2+0.7×0.3+0.6×0.3=0.692

*B*组综合评价值 =1×0.2+0.64×0.2+0.75×0.3+0.68×0.3=0.757

*C*组综合评价值 =0.76×0.2+0.72×0.2+1×0.3+1×0.3=0.896

*D*组综合评价值 =0.56×0.2+1×0.2+0.56×0.3+0.69×0.3=0.677

由以上计算可知，*C*组综合评价值最高，因此*C*组为最佳生产规模，即在目前生产力水平下，每人饲养40～50群蜂为宜。

但在技术好、资金足的情况下，适当地扩大经营规模，提高生产水平，增强抗灾能力和市场竞争能力，可以得到规模经济效益。

二、不同饲养方式的经济效益

选择合适的饲养方式从事养蜂生产，对提高蜂业经济效益至关重要。饲养方式可以分为大转地、小转地及定地3种蜂群饲养类型。

蜂业经济效益不仅与饲养方式有关，而且与气候、蜜源条件及管理技术水平等因素相联。在现阶段，哪一种饲养方式更适应我国多数养蜂者，中国农业科学院蜜蜂研究所叶振生等专家对此问题进行了详细调查研究，并取得了很有指导性的成果。

（一）不同饲养方式产量和产值的比较

产量是产值的构成部分，而产值却包含了产量和售价。在目前各地蜂产品价格不一的情况下，要衡量哪种饲养方式好，必须同时从群产量和群产值两方面入手。

表8－7　不同饲养方式蜂产品产量和产值

饲养方式	人均饲养量/群	群产量/kg		群总产值/元
		产蜜量	产浆量	
定地	31.88	36.03	0.76	186.07
小转地	39.01	46.36	0.49	202.38
大转地	31.49	56.26	0.50	203.58

表8－7是171个3种不同饲养方式蜂场3年的经济数据统计结果。从表8－7可知，3种不同饲养方式各自存在不同的优势。人均饲养群数，小转地的优势明显；群产蜜量和群总产值，以大转地为高；群产浆量，定地为高。但综合人均饲养群数、群产量和群总产值3项指标可以看出，在这3种饲养方式中，以小转地为好，原因是它的群产值与大转地相差很小，可人均饲养数却较多于大转地，由于人均饲养较多则可弥补群产值稍低的欠缺，因而每个劳力的净产值也自然高。

（二）不同饲养方式成本比较

不同饲养方式成本，见表8－8。成本可以分为生产成本和产品成本两个方面。从表8－8可知，群总生产成本，定地饲养最低，大转地饲养最高，原因是运费开支很大。产品成本，小转地饲养方式最低。从有利于价格竞争和多赢利的角度来看，产品成本低最有利。

表8－8　不同饲养方式的成本

饲养方式	生产成本/元					产品成本/（元/kg）				
	群总生产成本	运费	饲料费	人工费	其他费	蜂蜜	蜂王浆	蜂花粉	蜂蜡	蜂胶
定地	132.41	0	94.21	36.18	2.02	2.46	110.23	6.85	6.85	29.08
小转地	145.68	32.69	74.86	36.33	1.80	2.17	100.85	6.27	6.68	23.46
大转地	165.72	70.97	42.28	48.6	3.87	2.05	101.72	7.09	8.07	29.27

（三）饲养方式综合经济效益比较

综合经济效益（表8－9）是蜂业生产活动最终经济效果的体现。由表8－9可见，虽然定地饲养群纯收入高，但小转地每百元产值的物质费用和生产成本最低，而每一养蜂劳力的净产值纯收入，从经济效益看，小转地最好。

表8－9　不同饲养方式的综合经济效益　（单位：元）

饲养方式	群纯收入	每百元产值		每一劳力净产值
		物质费用	生产成本	
定地	46.11	56.19	91.04	2 645.81
小转地	42.60	56.00	81.26	3 677.43
大转地	31.66	63.53	91.27	2 401.40

终上所述，养蜂生产中，最佳效益与合理的饲养规模、生产方式等是联系在一起的，受很多因素影响，不能千篇一律。一般说来，浆、蜜生产并举的蜂场，因生产王浆耗工多，以每个劳力养30～50群为宜（其中与劳力强弱、技术熟练程度不同而又有差别）。长途转地，追花夺蜜，以取蜜、脱粉为主生产方式的蜂场，则可一人多养，每个劳力以养50～70群为宜，贵州有些转地蜂场，3个劳力可养200群左右。

小转地蜂场以及生产蜂王浆的蜂场收入较稳，而有些以取蜜、脱粉为主的蜂场，只要路线对头，不遇灾害，其效益也是可观的。

另外，选择什么样的生产方式，应根据所跑场地、主攻产品和蜂种等来考虑。例如，贵州省大蜜源周年轮供不均衡，雨水多，主攻蜂蜜，收入不稳，因此，绝大多数蜂场多采取蜜、浆生产兼顾的方式，甚至以取浆、脱粉为主。云南省气候干燥，不利于蜂王浆的生产，但有助于生产蜂蜜，故云南的蜂场（包括贵州省到云南省放蜂的蜂场）多以取浆为主。江浙一带的蜂场，主攻王浆生产，收入相当可观。

第四节 蜂产品成本与利润

一、蜂产品成本的概念

成本是指生产和销售某种商品时所投入的劳动、资金、土地和管理等费用，又称生产费用。蜂产品成本，是指养蜂者在生产和销售蜂产品过程中所消耗的各种费用的总和，它包括生产资料和劳动报酬等开支。它是蜂产品价值的重要组成部分，是衡量养蜂者经营管理水平的重要经济指标。

在正常的生产和市场环境下，养蜂者在出售蜂产品时，必须收回蜂产品成本，否则难以进行养蜂再生产。

二、蜂产品成本的组成及计算

前面已经指出，蜂产品成本是由物质费用和人工劳动报酬两部分组成。那么，物质费用、人工劳动报酬又是由哪几部分组成的，如何进行计算？具体可用图 8－2 表示。

- 蜂产品成本
  - 物质费用
    - 蜂群购置费
    - 饲料费
    - 防疫费
    - 运费
    - 固定资产折旧费
    - 管理费
    - 低值易耗品费
  - 人工劳动报酬
    - 养蜂者的工资
    - 雇用学徒、临时工的费用

图 8－2 蜂产品成本组成

（一）物质费用

1. 蜂群购置费 蜂群购置费又可分为购买蜂群及蜂箱两部分。对于刚开始养蜂的人来说，蜂群、蜂箱都要购置，购买的蜂群应按实际购入价年折旧 50% 计算；购买新蜂箱应按实购入价年折旧 15% ~20% 计算，购买旧蜂箱应按实际购入价年折旧 30% ~40% 计算。例如，购买一箱蜂，蜂群价为 80 元，旧蜂箱的价为 50 元，则当年蜂群的购置费应记为：80 ×50% +50 ×40% =60 元。

对于老蜂场来说，为了扩大养蜂生产购买的蜂箱，原有的蜂箱可按上述方法进行折旧计算。虽然不需要购买蜂群，但购买蜂王的费用应按 50% ~100% （每年换王按 100%，2 年换王按 50%）记入当年蜂群的购置费。即使养蜂者自己育王，由于育王时对蜂产品生产有影响，因此，也应按购置蜂王的费用记入当年的蜂群购置费。

另外，不管是新蜂场，还是老蜂场，当年繁殖增加的蜂群数应记入当年的收入中，增殖蜂群所花费的人工（人工养王、分群、管理等）、饲料消耗和固定资产的占用（如蜂箱等）应打入当年养蜂生产的成本中去。

2. 饲料费 蜂群在缺蜜的季节，应进行补助饲喂；在繁殖季节，进行奖励饲喂；在繁殖缺粉季节，则用花粉或花粉代用品进行饲喂。以上这些饲喂所需要的饲料（蜂蜜、白糖、花粉、花粉代用品等）投资，则为饲料费。饲料费是物质费用中一项主要支出（尤其是定地养蜂者）。但有的养蜂者，用自产的蜂蜜、花粉喂蜂，既要记作收入（但不能作为纯收入），又要记作支出，在计算当年纯收入时，二者相抵为零，在喂蜜取浆核计成本时必须考虑。

3. 防疫费 防疫费包括治疗蜜蜂疾病而实际支出的各种诊断费、药物费、检疫费等。

4. 运费 运费包括蜂群转运费及交售蜂产品时的运输费。

5. 固定资产折旧费 固定资产包括除蜂箱的各种生产设备、野外放蜂生活设备等，一般按实际价格的10%计算记入当年的物质费用中。

6. 管理费 管理费包括联系蜜源、销售蜂产品的车旅费，以及场地费、招待费等。

7. 低值易耗品费 低值易耗品费包括巢础、铁丝、铁钉等费用。

（二）人工劳动报酬

人工劳动报酬，包括养蜂者工资和雇用学徒、临时工费。

1. 养蜂者工资 养蜂者工资一般以日工资乘以养蜂者年参加养蜂生产的天数。参加养蜂生产的天数可由统计实际劳动天数得到。日工资可以参照全国职工劳动力平均日均收人来计算。

2. 雇用学徒、临时工费 许多蜂场都雇有学徒工，学徒费视学徒的技术高低决定。有些蜂场在生产季节雇用临时工搬运蜂群、取蜜等，其费用也应记入人工劳动报酬中。

三、蜂产品成本核算

蜂产品成本核算，是指考核养蜂生产中各项消耗，并分析各项消耗和成本增减变化的原因，从而为降低生产成本、提高经济效益提供科学依据。

由于养蜂生产的劳动对象是有生命的蜜蜂，加上养蜂生产受自然因素影响较大，因此，蜂产品成本核算具有以下特点。

第一，复杂性。在养蜂生产中，可以同时生产多种蜂产品，而这些产品的劳动消耗常常交织在一起，很难划分得十分清楚，因此在计算各种蜂产品成本时，必须科学地分摊。

第二，区域差异性。在养蜂生产中，由于地区、蜂场、自然条件不同，因而在同一年中同类的蜂产品成本也有很大差异。

第三，时间划分特异性。由于蜂产品的生产有较强的季节性，在一年中获得的蜂产品是不均衡的，而劳动的耗费是经常性的，因此，蜂产品核算时应以年度为单位。根据养蜂生产的特点，养蜂生产年度应以春繁开始为新的养蜂年度开始，以越冬结束为前一年生产结束。

前面已经叙述了蜂产品成本组成以及蜂产品成本核算特点、原则。在了解这些内容后，进行具体蜂产品成本核算的关键是要坚持填写养蜂生产情况统计表（表8－10），然后应用公式（8－8）计算每种蜂产品成本。

$$\text{某种蜂产品成本} = \frac{\text{某种蜂产品产值}}{\text{总产值}} \times \begin{matrix}\text{蜂产品生}\\\text{产总成本}\end{matrix} \div \text{某种蜂产品产量} \qquad (8-8)$$

例如某蜂场年蜂产品生产总成本为8 437元，总产值为6 314元。其中蜂蜜产值为5 218元，产量为2 179kg；王浆产值为1 346元，产量为12kg。则，

$$\text{每千克蜂蜜成本} = \frac{5\ 218}{6\ 314} \times 8\ 437 \div 2\ 179 = 3.12\ (\text{元})$$

$$每千克王浆成本 = \frac{1\ 346}{6\ 314} \times 8\ 437 \div 12 = 149.9\ （元）$$

同理可以算出其他蜂产品成本。

表 8－10 养蜂生产情况统计

	产品名称	蜂蜜	王浆	花粉	蜂蜡	蜂胶	蜂毒	雄蜂蛹
养蜂产值	出售数量/kg							
	销售价格/（元/kg）							
	各产品产值/元							
	总产值/元							
物质费用	蜂群购置费							
	饲料费							
	防疫费							
	运费							
	固定资产折旧费							
	管理费							
	低值易耗品费							
	总物质费用							
人工劳动报酬	养蜂者工资							
	雇用学徒、临时工的费用							
	总人工报酬							
蜂产品生产总成本								

四、降低蜂产品成本的主要途径

通过蜂产品成本组成和核算的分析可以看以，影响蜂产品成本高低的因素是多方面的，除价格因素外，蜂产品生产成本的高低主要取决于蜂场的产量和物资投入。因此，降低蜂产品成本，要从增加产量和节约开支两方面入手。具体说来，降低蜂产品成本的主要途径有：

第一，提高养蜂者的素质。养蜂者的素质提高了，则能相应提高劳动生产效率和工作效率，从而能够节约活劳动的消耗，达到降低蜂产品成本的目的。

第二，实行科学养蜂。采用先进的养蜂技术和设备，同时有计划地引进优良品种，这是降低蜂产品成本的有效途径。

第三，搞好蜂产品销售工作。蜂产品销售价格高低及时间长短都对蜂产品成本有影响。产品销售快，资金周转快，可以达到降低蜂产品成本的目的。

第四，提高固定资产的利用率。采取避免浪费、厉行节约等措施，都对降低蜂产品成本有重要的作用。

中编

蜂产品加工与经营

第九章　蜂产品知识

蜂产品，是来源于蜜蜂的产品，根据其来源和生产的过程将其分为三大类：第一类是由工蜂采集植物上产生的天然物质，经过一系列的生理、生化和物理作用加工而成，包括蜂蜜、蜂花粉、蜂粮和蜂胶；第二类是工蜂体内某些特殊的腺体分泌出来的，包括蜂王浆、蜂蜡、蜂毒等；第三类为蜜蜂胚后发育期的幼虫、蛹、成虫 3 种躯体，它们是通过从食物中摄取养料，经新陈代谢形成的生物有机体。这 3 类物质因其生物来源相关，其组成的化学成分、理化特性和生物学功能也有较大的相关性，而且，在生态反应上相辅相成。比如，蜂产品是天然的生物产品，一般都怕热、怕光；对人类而言，蜂产品大都可以被直接利用，一般都具有补充营养、辅助疗效和机体调节作用，都具有抗辐射、抗炎症、抗肿瘤、抗疲劳和抗衰老的五抗效应，对神经系统（如神经衰弱）、消化系统（如肠胃病）、内分泌系统、造血系统（如贫血、肝脏病）、心血管系统（高血压、高血脂）等病症都有一定的医疗保健作用。

我国是养蜂大国，蜂产品的产量和出口贸易量均居世界第一位。准确掌握各种蜜蜂产品的概念、质量等级标准，深入了解蜜蜂产品的生物学来源、理化特性和化学成分，对蜂产品进行合理的加工、市场流通和更有效地利用具有重要意义。

第一节　蜂　蜜

一、蜂蜜的概念与分类

（一）蜂蜜的概念

我国商业部 1982 年颁布的蜂蜜暂行标准中对蜂蜜下的定义是：“蜂蜜（honey）系蜜蜂采集植物的花蜜或分泌物，经过充分酿造而贮藏在巢脾内的甜物质。”

（二）蜂蜜的分类

根据花蜜的来源，蜂蜜可分为单花蜜和杂花蜜。蜜蜂采自同一种蜜源植物的花蜜并酿造成的蜂蜜为单花蜜，而采自两种以上蜜源植物的花蜜酿造的蜂蜜为杂花蜜。杂花蜜在商品中也称为百花蜜。一般情况下，单花蜜比杂花蜜价格高，采收蜂蜜时应注意将不同种的蜂蜜单独采收和单独存放。

单花蜜，多以蜜源植物的名称命名，如荔枝蜜、刺槐蜜、油菜蜜、椴树蜜等。不同单花蜜的色泽与香味不同，色泽浅的蜂蜜气味多清香，色深的蜂蜜气味多浓郁。蜂蜜市场和国家行业标准多以浅色蜂蜜等级高，价格也往往高于色泽较深的蜂蜜。近年来，蜂蜜市场的发展趋势，蜂蜜色泽不再是决定价格的主要因素，更看重蜂蜜的天然成熟性、蜂蜜的含水量和蜂蜜的品质特色。

有些地方对某些蜂蜜习惯以采收的季节命名，如闽南的八叶五加蜜称为冬蜜，乌桕等山花蜜称为小暑蜜等。因不同地区在同一季节生产的蜂蜜种类可能不同，因此以采收季节为蜂蜜命名是不科学的，容易造成混乱，不宜提倡，如有些地方将柃蜜（野桂花蜜）也称为冬蜜。

二、蜂蜜的成分与理化特性

（一）蜂蜜的主要成分

蜂蜜的成分复杂，迄今为止，已从蜂蜜中鉴定出180多种不同的物质。不同来源、不同品种的蜂蜜，所含成分不尽相同。即使同一来源或同一种蜂蜜，因受各种因素的影响，其成分也有差别。一般说来，蜂蜜的主要成分是果糖和葡萄糖，占蜂蜜总量的65%～80%；其次是水分，占16%～25%；蔗糖含量不超过5%。另外，蜂蜜中还含有其他糖类、粗蛋白、维生素、矿物质、酸类、酶类、色素和芳香物质等。

1. 水分　蜂蜜中都含有一定的水分，来源于花蜜，其含量高低是蜂蜜成熟度的标志之一。通常蜂蜜的含水量为12%～27%，封盖后的蜂蜜含水量不超过20%。在生产实践中，蜂蜜含水量受所采集的蜜源植物种类及其流蜜快慢、蜜蜂群势、酿蜜时间的长短、气候和蜂蜜的贮藏方法的影响而有变化。蜂蜜的水分含量多用波美比重计在蜜温20℃的条件下测定，以波美度（符号为°Bé）来表示。

蜂蜜中的水分是其干物质的溶剂，对蜂蜜的贮藏、结晶和黏稠度影响较大。

2. 糖类　糖是蜂蜜的主要成分，约占蜂蜜总量的80%，其中果糖和葡萄糖占总糖量的85%～95%，蔗糖占5%左右。除此之外，蜂蜜中还含有麦芽糖、曲二糖、异麦芽糖、黑曲霉二糖、α海藻糖、β海藻糖、龙胆二糖、昆布二糖、松三糖、麦芽三糖、松二糖、1－蔗果三糖、6－α葡萄糖麦芽糖、异麦芽三糖、果糖麦芽糖、异6－α葡萄基麦芽糖、异麦芽四糖和麦芽五糖等。

蜂蜜中的果糖和葡萄糖，来源于花蜜以及花蜜在被酿造成蜂蜜的过程中蔗糖的转化。通常果糖含量高于葡萄糖，如刺槐蜜中的果糖与葡萄糖的比例约为3∶2；而油菜蜜中果糖与葡萄糖的比例约为17∶18。

糖是蜂蜜中的致甜物质，同时也是能量物质，它赋予蜂蜜甜味，对蜂蜜的吸湿性等有较大影响。

3. 酸类　蜂蜜中含有有机酸和无机酸两类。有机酸平均含量0.1%，主要有葡萄糖酸、柠檬酸、苹果酸、琥珀酸、醋酸、蚁酸、乳酸、草酸、酒石酸、丁酸、戊酸、己酸等；无机酸含量极少，主要有磷酸、盐酸、硼酸和碳酸。另外，蜂蜜中还含有0.1%～0.78%的氨基酸，约有17种。

正常蜂蜜的酸度在 4 以下，众多的酸赋予了蜂蜜独特的风味。

4. 蛋白质及氨基酸　蜂蜜中蛋白质含量为 0.1% ~2.42%。蜂蜜中的蛋白质有 4 ~ 7 种，其中 3 种来源于花粉，另外 4 种来源于蜜蜂。

氨基酸是构成蛋白质的基本单位。蜂蜜中的游离氨基酸约 17 种，包括人体所必需的 8 种氨基酸。蜂蜜中氨基酸的含量为 0.000 8% ~0.037 5%，平均 0.004 76%。脯氨酸是蜂蜜中含量最高的游离氨基酸。

5. 酶类　蜂蜜中含有转化酶、淀粉酶、葡萄糖氧化酶、过氧化氢酶、磷酸酯酶、还原酶、类蛋白酶和酯酶等。这些酶主要来自蜜蜂本身及其采集物。

蜂蜜中最重要的酶是转化酶，它能把花蜜中的蔗糖转化为葡萄糖、果糖；其次是淀粉酶，它的作用是水解淀粉、糊精、糖原和麦芽糖。葡萄糖氧化酶催化葡萄糖氧化成葡萄糖酸内酯和过氧化氢，进而过氧化氢酶把过氧化氢分解为水并释放氧气，磷酸酯酶水解磷酸酯类。

未经充分酿造的蜂蜜，淀粉酶含量低；经过高温加热处理或贮藏过久的蜂蜜，淀粉酶会受到破坏；不同的单花种蜂蜜，淀粉酶值不同，同一种蜂蜜淀粉酶值相似。由于淀粉酶易测定量化，所以淀粉酶值被世界各国作为蜂蜜质量的主要指标之一，其高低标志着蜂蜜质量的优劣。

6. 维生素　蜂蜜中以 B 族维生素最丰富，维生素 C 含量相对较高（表 9 -1）。蜂蜜中的维生素主要来自花粉，少量来源于花蜜。在蜂蜜中弱酸环境条件下的维生素，有助于减缓其损失。但不当的过滤会使花粉流失；随着贮存时间的延长，蜂蜜中维生素的含量降低；高温使维生素遭到破坏。

表 9 -1　蜂蜜中维生素的含量及其作用　（单位：μg/100g）

蜂蜜中维生素的种类	蜂蜜中维生素的含量	维生素缺乏症（人）
硫胺素（B_1）	2.100 ~9.100	脚气病
核黄素（B_2）	35.000 ~145.000	口腔炎、阴囊炎
抗坏血酸（C）	500.000 ~6 500.000	坏血病
吡哆醇（B_6）	227.000 ~480.000	皮炎、痉挛、贫血
泛酸（B_5）	25.000 ~192.000	糙皮病
叶酸（B_C）	3.0（平均值）	代谢障碍
烟酸（PP）	63.000 ~590.000	糙皮病
生育酚（E）	3.000（平均值）	
生物素（H）	0.066（平均值）	毛发脱落、皮肤发炎、体重减轻
凝血维生素（K）	25.000（平均值）	具有凝血作用

7. 糊精及胶体物质　蜂蜜中有 0.37% ~1.4% 的糊精和 0.2% ~1.0% 的胶体物质，所以蜂蜜的黏稠性比一般糖液大。

胶体物质主要由部分蛋白质、蜡类、戊聚糖类及无机物质组成，一般不易过滤或沉降分离出来。浅色蜜的胶体物质含量为 0.2% 左右，深色蜜的可高达 1.0%。蜂蜜中胶体物质含量的高低，决定着蜂蜜的色泽、浑浊度和起泡性。特别是当蜂蜜中糊精和胶体物质含量较高时，被加热的蜂蜜中会出现悬浮物。

8. 花粉　蜂蜜中花粉的含量因蜜源植物不同而有很大差别。一般来说，浅色蜜中花粉含量低，如刺槐蜜；深色蜜中花粉含量较高，如荞麦蜜。在蜂蜜检验中，花粉含量是鉴别蜂蜜真假和单花种蜂蜜纯正的一项重要指标。

9. 芳香物质　蜂蜜中的芳香物质主要来源于蜜源植物花瓣或油腺分泌的挥发性香精油和其酸类，另外，在蜂蜜成熟过程中所发生的一系列生化反应也产生香味物质。其主要成分是醇和醛及其衍生物、酮、游离酸和酯类等。

芳香物质赋予蜂蜜独特的香味，不同花种的蜂蜜，其气味和味道有较大差异。蜂蜜的风味与其蜜源植物和蜂蜜自然成熟度有直接关系。

10. 矿物质　蜂蜜中矿物质总含量一般在0.03%～0.9%，深色蜜比浅色蜜含量高。主要有铁、铜、钾、钠、镁、钙、锌、硒、磷、碘、硫、硅、锰、镍、钛、硼、铝、锇、锡、铅、铬、钴、氯等20多种。蜂蜜中的矿物质主要来自花蜜，其种类和含量多少受植物生长地的土壤成分影响。

尽管蜂蜜中矿物质含量不高，但其含量与人体血液中的矿物质含量接近（表9－2），这有助于提高人体对矿物质的摄取量和新陈代谢。

表9－2　人体血清与蜂蜜所含矿物质对照（据Sherman分析）　（单位:%）

名称	镁（Mg）	硫（S）	磷（P）	钙（Ca）	铁（Fe）	氯（Cl）	钾（K）	碘（I）	钠（Na）
人体血清	0.18	0.04	0.05	0.011	微量	0.360	0.030	微量	0.320
蜂蜜	0.18	0.001	0.019	0.004	0.000 7	0.029	0.386	微量	0.001

引自王贻节等，1994。

（二）蜂蜜的物理、化学特性

纯正优良的新鲜蜂蜜是具有浓厚香味、味甘甜、浓稠的液体或结晶体，质量低劣的蜂蜜常带有苦味、涩味、酸味或臭味。虽然蜂蜜来自于不同的植物，但其具有相同的理化特点。

1. 色泽、气味和味道　不同蜜源花种的蜂蜜具有不同的色香味，且三者有一定的相关性。一般来讲，颜色越浅，其香气越清淡，味道也越甜润适口。长期贮存或加热不当，会使蜂蜜的颜色加深，香气减退并带有怪味。

蜂蜜的色泽从水白色到深琥珀色，这是由花蜜中的色素所致，也与蜂蜜中的矿物质、糊精、花粉含量以及旧脾取蜜有关，经过加热的蜂蜜颜色变深，随着贮藏时间的延长，羟甲基糠醛含量增加，蜂蜜的颜色就逐渐转深。来自同种蜜源的蜂蜜色泽基本一致，如刺槐蜜呈水白色且清澈透明，枣花蜜呈琥珀色，荞麦蜜呈深琥珀色等。河南省的荆条蜜源，在流蜜好的年份，其蜂蜜是白色的，贮藏3个月后，其色略带“红头”；在流蜜不好的年份，其蜜色呈浅琥珀色。

多数蜂蜜都具有香气，但其香型不同，从淡淡的清香到浓厚的芳香。一般来说，蜜香与花香是一致的。如枇杷蜜具有杏仁香气，刺槐蜜气息清香，酷似槐花香气，芝麻蜜具有浓厚的酯香气，荆条蜜味带荆花芳（草）香，椴树蜜具有薄荷香气，枣花蜜略带中药材香气，而荞麦蜜具臭气，椿树蜜具有坏红薯香气。蜂蜜的香气是由其散发出来的酯类、醇类、酚类和酸类等挥发性物质所形成，温度高时香气浓，温度低时香气淡；新鲜蜂蜜香气浓，结晶的蜂蜜香气淡；长期贮存或加热不当，香气减退甚至有焦糊气。正常蜂蜜嗅不到酸气。

蜂蜜是果糖和葡萄糖的过饱和溶液，故味道以甜为主，其甜度约是蔗糖的1.25倍，从甘甜可口，辣喉，到浓甜而腻。如刺槐蜜味甜而不腻，少数蜂蜜口味特别，如芝麻蜜酸味较重，八叶五加蜜味较苦，棉花蜜略显咸味，荞麦蜜和地椒蜜有强烈的刺激味。加热不当或发酵变质的蜂蜜会带有怪味，被铁污染的蜂蜜冲水后铁锈味明显。

2. 黏滞性　又称抗流动性、黏度。决定蜂蜜黏度大小的主要因素是水分含量，水分含量越低，其黏度越大，流动速度就越慢，反之流动速度就越快；此外，蜂蜜的黏度与温度呈负相关，即温度高时，黏度降低，温度低时，黏度增加。蜂蜜在结晶状态下黏度大，不流动。有些蜂蜜在剧烈搅动和振动下，黏度会降低，但静止后蜂蜜的黏滞性又可恢复正常。

3. 相对密度和缓冲性　蜂蜜的相对密度与含水量（表9－3）及蜜温（表9－4）呈负相关，蜜温20℃时，含水量17%～23%的蜂蜜，其相对密度为1.423～1.382，波美度为43～40 °Bé。

表9－3　20℃时蜂蜜的相对密度与含水量的关系

含水量/%	13.2	14.0	15.4	15.8	17.0	17.4	18.0	18.6	19.0	20.2	21.0
相对密度	1.451 0	1.445 3	1.435 2	1.432 4	1.423 9	1.421 2	1.417 1	1.412 9	1.410 1	1.402 0	1.396 6

引自王贻节等，1994。

缓冲性也即蜂蜜的吸水与失水特性，由其糖分和水分含量决定。蜂蜜既不吸水也不失水的环境湿度称为蜂蜜的相对湿度平衡点。蜂蜜含水量越高，其相对湿度平衡点越低，若暴露在相对湿度较低的空气中就越容易失水，反之越容易吸水。蜂蜜失水，蜜液上层会形成一薄层“蜜膜”，阻止下层水分散失；吸水时，上层蜜液变稀引起发酵。贮藏于同一容器的蜂蜜，密度大的位于下层。

表9－4　含水量17.4%的蜂蜜在不同温度下与其相对密度的关系

蜜温/℃	5	10	15	20	25	30	35	40	45	50
相对密度	1.430	1.427	1.424	1.421	1.418	1.415	1.412	1.409	1.406	1.403

引自王贻节等，1994。

4. 折光性、旋光性　光线由空气进入蜂蜜时发生方向改变，即是蜂蜜的光折射。蜂蜜的折射率与蜂蜜含水量、蜜温、光的波长等因素有关，蜂蜜含水量减小、蜜温降低，其折射率也相应提高。一般规定以20℃为标准温度，以单色钠光为标准光波。

在20℃时，含水量17%～23%的蜂蜜，折射率为1.494 1～1.478 5。测定蜂蜜的折射率是测定蜂蜜含水量的一种简单方法，其仪器主要有阿贝折射仪、手持糖量计等。

蜂蜜具有旋光性，葡萄糖为右旋+52.8°，果糖为左旋－92.0°。纯正蜂蜜多数应为左旋。如果蜂蜜中掺入蔗糖或葡萄糖，蜂蜜的左旋度减小，甚至呈右旋现象。甘露蜜的旋光性为右旋。

根据国际规定，测定蜂蜜旋光度要求在20℃下，采用200mm长的旋光管和通过重铬酸盐过滤的白光，26g蜂蜜样品用水定容至100ml。

5. 结晶　新鲜成熟的蜂蜜是黏稠透明或半透明的胶状液体，是果糖和葡萄糖的过饱和溶液，一般在较低温度下放置一段时间后，凝结成固体，这就是蜂蜜的自然结晶。蜂蜜结晶的实质是葡萄糖结晶，是一个物理现象。蜂蜜结晶以后，从液态变成固态，颜色变浅，但其含水量、成分均未改变，在较高温度下又变为原来的液态。

蜂蜜结晶及结晶快慢、状态与蜜源花种、结晶核（葡萄糖微结晶粒、花粉粒等）含量、含水量、贮藏条件及贮藏时间等有关。蜂蜜中结晶核多，含水量低，贮藏温度在5～26.7℃，并与空气接触的机会多，则蜂蜜结晶速度快。温度在13～14℃时，蜂蜜结晶的速度最快，超过40℃时，结晶的蜂蜜将完全溶化成液态；精细过滤可延缓结晶。刺槐蜜、枣花蜜、党参蜜等少数蜜源花种的蜂蜜不结晶，但大多数蜂蜜都有结晶特性，特别是油菜蜜、野坝子蜜等更易结晶。

表9－5是美国的White等将蜂蜜经加热解晶处理后，在23～28℃贮存6个月，说明了蜂蜜结晶特性与其所含葡萄糖和水的比值的关系。

表9－5　葡萄糖和水的比值与蜂蜜结晶的关系

结晶状态	无结晶	少许游离结晶	1.5～3.0mm层结晶	6.0～12mm层结晶	少许块状结晶	1/4深度结晶	1/2深度结晶	3/4深度结晶	完全柔软结晶	完全坚硬结晶
样品数量	96	114	67	68	19	32	19	16	18	28
葡萄糖与水的比值	1.58	1.76	1.79	1.83	1.86	1.89	1.98	2.06	2.16	2.24

引自张复兴等，1998。

蜂蜜中葡萄糖含量高，结晶速度快，则结晶呈油脂状，如紫苜蓿蜜、油菜蜜；结晶速度较慢，则形成细粒结晶，如荆条蜜；结晶速度慢，则形成粗粒或块状结晶，如芝麻蜜为粗粒结晶，野坝子蜜结晶呈固体硬块状。

一般情况下，成熟度高的蜂蜜，若结晶速度快或较快，则形成整体结晶；而含水量高的蜂蜜或结晶速度慢的蜂蜜，则易形成分层结晶。分层结晶的蜂蜜，由于结晶部分只含水9.1%，液态部分含水量相应升高，更易引起蜂蜜发酵；如若蜂蜜在结晶过程中伴随着发酵，或瓶装结晶蜂蜜在保存期间发酵，其产生的二氧化碳气体，常将结晶部分的蜂蜜（由发酵造成结晶部分形成多孔蜂蜜）顶向上方，则会出现上部和底层结晶，而中间是液态的分层结晶现象。分层结晶现象，影响蜂蜜的美观，还易造成蜂蜜发酵变质，在生产实践中应避免之。

6. 蜂蜜的发酵　蜂蜜中含有耐糖酵母菌，在浓度、温度适宜的情况下，这些微生物就生长繁殖，产生酒精和二氧化碳气体，在有氧的情况下，酒精分解成醋酸和水，这就是蜂蜜的发酵酸败。蜂蜜发酵后，失去固有的滋味，并带有酒味和酸味，蜜汁变得更加稀薄，同时出现大量泡沫，蜜汁苍白且浑浊。蜂蜜发酵及发酵的快慢，与其所含水分、耐糖酵母菌基数、贮藏温度呈正相关，也与卫生条件有关。防止发酵的方法是提高蜂蜜浓度或隔水加热杀死蜂蜜中的酵母菌。

二、蜂蜜的等级和质量标准

我国普遍采用的蜂蜜质量标准，是由原商业部颁布的《蜂蜜》试行标准（标准号为 GH012—82）、对外贸易部规定的蜂蜜质量标准以及中华全国供销总社的《预包装食用蜂蜜》标准（标准号为 GH/T1001—1998）。

（一）《中华人民共和国商业部标准，GH012 -82，蜂蜜》

1. 蜂蜜的等级规格　根据蜜源花种的色、香、味分成三等（表 9 -6）和浓度高低分为四级（表 9 -7）。

表 9 -6　蜂蜜的分等

等级	蜜源花种	颜色	状态	味道	杂质
一等	荔枝、柑橘、椴树、刺槐、紫云英、白荆条等	水白色、白色、浅琥珀色	透明、黏稠的液体或结晶体	滋味甜润，具有蜜源植物特有的花香味	无死蜂、幼虫、蜡屑及其他杂质
二等	油菜、枣花、葵花、棉花等	黄色、浅琥珀色、琥珀色	透明、黏稠的液体或结晶体	滋味甜，具有蜜源植物特有的花香味	
三等	乌桕等	黄色、浅琥珀色、深琥珀色	透明或半透明黏稠液体或结晶体	味道甜，无异味	
等外	荞麦、桉树等	深琥珀色、深棕色	半透明状黏稠液体或结晶体	味道甜，有刺激味	

注：①凡未列入表内的蜂蜜品种可参照表内所列色、香、味等特点由各省自定。
②凡在同等蜜中混入低等蜜时，按低等蜜定等。
③凡用旧式取蜜法（如压榨法、锅熬法等）取蜜，蜜液浑浊不透明，色泽较深；有刺激味的蜂蜜可作为等外蜜。

表 9 -7　蜂蜜的分级

级别	一级	二级	三级	四级
波美度（20℃）/°Bé	42 以上	41	40	39

注：最低收购起点，黄河流域以北地区为 40 °Bé，黄河以南地区为 39 °Bé。

2. 蜂蜜的理化指标　对合格蜂蜜规定的理化指标，如表 9 -8 所列。

表 9 -8　蜂蜜的理化指标

指标名称	水分	还原糖类	蔗糖	酶值	酸度	费氏反应	发酵特征	掺入可溶物质
指标要求	25% 以下	65% 以上	5% 以下	8 以上	4 以下	负	不允许	不允许

注：①酶值：即淀粉酶值，指 1g 蜂蜜所含淀粉酶在 40℃下，于 1h 内转化 1% 淀粉标准溶液的毫升数。
②酸度：指中和 100g 样品蜜所需 1mol/L 氢氧化钠溶液的毫升数。

（二）对外贸易部规定的蜂蜜质量标准（WM21—65—蜂蜜）与补充规定（含商业部）

1. 对外贸易部对出口蜂蜜的技术条件　见表 9－9。

表 9－9　出口蜂蜜的技术条件

项目	技术条件
色泽	水白色，特白色，白色，特浅琥珀色，浅琥珀色，琥珀色，深色
气味和味道	应具有蜂蜜本身所具有的正常气味和味道，不得含有其他不正常的气味和味道
水分（最高）%	18 以下
费氏反应	负
酸度	4 以下

注：①上述技术条件，不适于特种蜂蜜、杯装或瓶装蜂蜜和未经处理的蜂蜜。

②凡合同另外规定的，应符合合同规定的技术条件。

2. 出口蜂蜜标准的补充规定

（1）色泽：按照普方特比色计相应的波长分级（表 9－10）。

表 9－10　出口蜂蜜的色泽范围和掌握标准　（单位：mm）

蜂蜜色泽	水白	特白	白	特浅琥珀	浅琥珀	琥珀	深琥珀
波长范围	<8	8～17	17～34	34～50	50～85	85～114	>114
掌握标准		13	29	45	76	107	

（2）花粉含量：单花种蜂蜜，要求代表该花种的花粉含量在蜂蜜检样的花粉总量中占绝对优势。

（3）含糖量：除要求蔗糖不超过 5% 外，还规定果糖占还原糖 50% 以上。

（4）羟甲基糠醛含量：20×10^{-6}以下或 60×10^{-6}以下。

（5）脯氨酸：200×10^{-6}以上。

（6）抗生素含量：四环素族、青霉素族抗生素 0.05×10^{-6}以下。

（7）微量元素含量：铅 1×10^{-6}以下，锌 50×10^{-6}以下，铁 50×10^{-6}以下。

（8）杀虫脒含量：10×10^{-6}以下。

（9）掺入可溶性物质：不允许掺入淀粉、糊精、高果糖、饴糖、葡萄糖、明矾、尿素、米浆及蔗糖等可溶性物质。

（三）预包装食用蜂蜜标准（GH/T1001—1998）

1998 年中华全国供销总社颁布预包装食用蜂蜜的国家行业推荐标准（表 9－11）。

（四）蜂蜜的卫生标准（GB14963—1994）

1994 年国家质量技术监督局颁布蜂蜜卫生国家推荐标准（表 9－12）。该标准对蜂蜜的感官要求是无异味、死蜂、幼虫、蜂蜡和其他杂质。

表 9－11　预包装食用蜂蜜标准

理化指标	优等品	合格品
感官	应符合蜂蜜特有的色泽、气味、味道、滋味及状态等，无肉眼可见杂质	
水分/%	≤20	≤24
还原糖/%	≥70	≥65
蔗糖/%	≤5	
酸度（1mol/L 氢氧化钠）/（ml/100g）	≤4	
羟甲基糠醛/（mg/kg）	≤20	≤40
淀粉酶值（1% 淀粉溶液）/（ml/g · h）	≥8	≥4
亚热带植物的单花种蜂蜜的淀粉酶值不作要求		

表 9－12　蜂蜜卫生标准

指标名称	铅（以 Pb 计）/（mg/kg）	锌（以 Zn 计）/（mg/kg）	菌落总数/（个/g）	大肠菌群/（个/100g）	致病菌（系指肠道致病菌或致病性球菌）	霉菌总数/（个/g）
指标要求	≤1	≤25	≤1 000	≤30	不得检出	≤200

三、蜂蜜的检验方法

蜂蜜检验是确定蜂蜜种类、评定等级、辨别真伪的重要手段。蜂蜜检验方法包括感官鉴别、物理检测和化学分析等。

（一）待检蜂蜜的抽样

抽样就是获取蜂蜜样品，以备蜂蜜检验之用。待检样品的抽取必须具有科学性和代表性，也就是合理地抽取必要的样品数量，并且抽取的样品能够客观地反映蜂蜜总体质量现状。

1. 抽样数量　蜂蜜检验中，一般以不超过 25t 为一取样单位，100 件以下抽取 10%，但不得少于 5 件；101～500 件，增加部分抽取 5%；500～1 000 件，增加部分抽取 4%；1 000 件以上，于增加部分抽取 2%。

每件抽取蜂蜜样品的数量不少于 100g。在同一取样单位的蜂蜜中，如果生产蜂蜜的产地、生产批次或生产蜂场不同，蜂蜜抽样时应按产地、生产批次和生产蜂场逐批分别取样。

2. 抽样工具　蜂蜜抽样工具应坚固耐用，便于清洗消毒，保持蜂蜜的原有感官理化特征，便于观察和存放。抽样工具包括抽样管、混样器、单套杆、样品瓶等，多以不锈钢、玻璃材料制成，以防污染样品。

抽样管为一根长115cm、直径2.5cm的不锈钢管，也可用同样规格的比较坚固的有机厚玻璃管代替。混样器可选用不锈钢、搪瓷、玻璃等直筒高壁的容器。容器的大小依需要混合蜜样的数量而定，需混合的蜜样只占混样器的1/2～2/3。单套杆也称为单套探子，是抽取结晶蜂蜜的工具，多由不锈钢制成。蜂蜜样品瓶容量多为500ml的磨砂塞广口玻璃瓶。

3. 抽样方法　在抽样前，应先按报检单开列的蜂蜜品种、产地、包装规格、数量和批次等进行核对，核对无误后，按规定抽样件数量进行取样。在液态蜂蜜抽样时，打开抽检的蜂蜜包装，将取样器缓缓放入样蜜中，以保证能够抽取到容器中不同部位的蜜样，倾入混样器中，经充分混合均匀后，装入洁净干燥的样品瓶中，贴上标签，注明产品名称、生产批号、取样日期及取样人等，必要时，还须封样。

（二）蜂蜜的感官检验

蜂蜜的感官检验就是通过人眼、鼻、舌等感觉器官，对蜂蜜的色、香、味及外观特征通过看、闻、尝等，判断蜂蜜质量的检验方法。蜂蜜的感官检验包括视觉检验、嗅觉检验、味觉检验和触觉检验，在检验过程中这4种方法相互配合，综合判断。蜂蜜的感官检验是基层蜂蜜收购人员最常采用的基本检验方法，其准确度与检验人员的经验和嗅觉灵敏度有关，因此，较准确的感官判断需要在长期的实践中积累经验，并在检验过程中采取必要的措施，如不对样品进行连续的品尝与嗅闻等。

1. 视觉检验　根据蜂蜜的色泽、透明程度、结晶状态、流动性、有无杂质和气泡等判断蜂蜜的质量和真伪。视觉检查需要良好的光线，不宜在夜晚灯光下进行。

打开蜜桶后，观察蜂蜜表面有无蜂尸、蜂蜡、幼虫、草棍等比蜜轻的杂质，如果蜂蜜表面有泡沫或结晶浮在蜂蜜表面，说明蜂蜜已发酵；蜂蜜表层或桶壁上有薄冰状的结晶，有掺蔗糖的嫌疑。

未结晶的蜂蜜，可用采样管或木棒等能伸入到蜜桶底部的工具，缓慢搅动蜂蜜，通过感觉搅动时的阻力判断蜂蜜含水量及异物。含水量低的蜂蜜搅动时阻力较大。搅动后，在将采样管或木棒提出时顺便将蜜样放入50～100ml的玻璃烧杯中，同时观察采样管或木棒外表面粘附的蜂蜜向下流淌的速度和滴下蜂蜜的状态。采样管或木棒外表面的蜂蜜流淌缓慢，滴下的蜂蜜呈拉丝状，落到蜜桶中的蜂蜜表面呈堆叠状，说明蜂蜜的含水量较低；反之，蜂蜜的含水量较高。上述现象与气温有关，气温高时，蜂蜜的流动状态会显示出含水量偏高的误差。

来自不同蜜源的蜂蜜均有其独特的色泽，通过色泽可判断蜂蜜种类。正常的蜂蜜光泽油亮，透明度好。贮存过久和加工浓缩的蜂蜜色泽加深。掺淀粉的蜂蜜显得浑浊，透明度很差；掺蔗糖的蜂蜜有些青绿色，桶底部有未溶化的蔗糖粒；掺入化学颜料的蜂蜜色泽异常鲜艳，但光亮度差；掺入增稠剂的蜂蜜其状态黏稠、韧性过强；掺入饴糖的蜂蜜色深，光泽度也差；白色的玉米糖浆光泽过亮或带有青色。

2. 嗅觉检验　用于判断蜂蜜香、臭、酸及其他一些异常气味，以确定蜂蜜的品种和品质。蜂蜜气味的挥发与气温有关，在低温时或结晶的蜂蜜气味较淡。可将蜂蜜稍加热，或将蜂蜜数滴放于手心，双手相对揉搓后再用鼻嗅。

新鲜蜂蜜气味明显，单花种蜜有该蜜源花种本身独特的气味，混合蜜应有纯正良好的气味，否则为劣质或伪蜜。如刺槐蜜有槐花的清香气，枇杷蜜具有杏仁香气，枣花蜜则略带中药材香气；荞麦蜜、百里香蜜、椿树蜜则有难闻的香气。蜂蜜的香气较淡，则蜂蜜中有掺入高果糖浆等异物的嫌疑；蜂蜜气味不纯，则为数种蜂蜜混合的杂花蜜；如有呛鼻酸味则是蜂蜜发酵的标志，或是掺有柠檬酸的假蜜；高果糖浆有浓厚的爆玉米花的香气。蜂蜜出现其他怪异的气味，多为掺杂造成。值得注意的是，有些蜜气味浓郁，能掩盖掺入物质的气味，如枣花蜜、小茴香蜜、荔枝蜜等。

3. 味觉检验　与嗅觉配合，品尝蜂蜜味道，用于判断甜、咸、香、臭、苦、涩等滋味，并通过滋味确定蜂蜜自然品质的优劣、种类或真伪。尝时，取少许蜜样放在舌头上，用舌头抵触上腭，闭上嘴，让蜜慢慢溶化，仔细体会其味道和口感；然后咽下，体会喉感；最后由喉部向鼻腔缓缓送气，体会蜂蜜的余味。纯蜂蜜味甜而微酸，口感绵软细腻，喉感略带麻辣，余味轻悠长久，且独具风格。掺假蜜上述特点会减弱或完全消失，尝之会感到蜜味平淡不足，喉感弱，余味淡薄短促，同时夹杂有糖品的味道。“蜜是蜜味，糖是糖味”，须仔细品尝。发酵的蜂蜜酸味重；掺蔗糖的蜂蜜有蔗糖味；掺高果糖浆的蜜甜度高但蜜味淡，有熟玉米的味道；掺淀粉的甜度和蜜味均较差；掺食盐的蜜味较咸；掺明矾的蜜味涩；掺尿素的蜜有氨味；受铁污染的蜜有铁锈味；但蜜味较重的枣花蜜等对感官刺激较强烈，容易掩盖掺入物的味道，所以要少尝、细品、慢回味。

味觉检验时，蜂蜜样品的温度应在 20～45℃，为了保持味觉的灵敏性，在验蜜前不得吸烟、喝酒、吃麻辣等刺激性强的食物。味觉检验 1 个蜜样后，应用温开水充分漱口，再检验下一个蜜样。

4. 触觉检验　通过手的触感判断液态蜂蜜的含水量和结晶蜜的真伪。用采样管或木棒插入蜜桶中，顺时针搅动，阻力大则含水量低。迅速提起采样管或木棒，若蜜液下流成线，断头有珠，回弹力好，则黏度大；若流不成线，断头无回弹力或回弹力弱，则该蜜含水量高或掺有糖；若下流成团为掺杂蜜，用木棒一搅带团，则是掺糖稀之蜜。

以触觉鉴别晶态蜜真伪的方法是：取少许样品置于拇指和食指间搓压，自然结晶蜜手感细腻，并能搓化结晶粒：掺糖“晶态蜜”手感粗糙，结晶粒难化。

（三）蜂蜜的简易检验

1. 杂质检验　样蜜经过 60 目滤蜜器，其上不得有死蜂、幼虫、蜡屑以及其他杂质。或将蜜样放入烧杯或其他透明的玻璃杯中，加入 5～6 倍纯净水搅拌均匀，净置 1d 后进行观察，无沉淀物的蜜质优。

2. 掺淀粉糊精类的检验　蜂蜜中掺有面粉、甘薯粉、马铃薯淀粉、木薯粉、米糊等淀粉或糊精，遇碘会变色。取蜂蜜 2g，放入试管或小烧杯中，加蒸馏水 20ml，搅拌均匀后煮沸，自然冷却至室温，滴入 2 滴 0.1mol/L 的碘－碘化钾溶液，如果出现蓝色、绿色或红色，则表明蜜样中掺有淀粉或糊精类的物质。

3. 掺入饴糖的检验　取蜜样约 5ml，放入试管或小烧杯中，加蒸馏水 20ml，搅拌均匀，再加入 95% 的酒精 2ml。无饴糖的蜂蜜浑浊但无白色絮状物产生。产生絮状物则说明蜜样中掺有饴糖，掺入的饴糖量越大絮状物就越多。

4. 大量掺入蔗糖的检验

方法一：将蜜样0.5～1.0g放入蒸发皿中，置酒精灯上缓慢加热至蜜样中水分基本蒸发干，然后自然冷却至室温。掺有大量蔗糖的蜜样加热干燥后变硬且很脆，纯蜂蜜则较柔软。

方法二：取蜜样约5ml，放入试管或小烧杯中，加蒸馏水10～20ml，搅拌均匀。纯蜂蜜加水稀释后透明，无浑浊，不沉淀。如浑浊，滴加数滴硝酸银，有絮状物产生者即掺有蔗糖。

5. 金属污染的检验　取蜜样（如蜂蜜结晶，应先置60℃水浴中解晶）5ml，加入30ml的茶水中，如果蜜样金属离子含量过高，茶水颜色会变深，甚至成棕褐色。

（四）蜂蜜的理化检验

理化检验是通过仪器和试剂对蜂蜜的化学成分含量进行测定，定量地检验蜂蜜的色泽、水分和蜂蜜主要的化学成分。待检蜂蜜样品出现结晶的，除了检验淀粉酶值可直接混匀取样外，都应将蜜样置于60℃的水浴中解晶，自然冷却至室温后备用。

1. 色泽　用普方特比色计法测定蜂蜜的色泽，是目前国际上通用的方法。

该仪器主要由标准玻璃色块和装蜂蜜样品的玻璃槽组成，当蜜样和标准玻璃色块的颜色一致时，装在机顶的刻度尺便会标出色值。

2. 含水量的测定　蜂蜜含水量的测定，主要有比重法和折光法两种。

（1）波美计测定法：主要工具有波美计（刻度为35～45或40～50，最小分度0.1，标准温度20℃），温度范围0～50℃的温度计，容量为1 000ml的量筒。

测定时，将被测蜜样移入量筒中混匀，待气泡消失后，将波美比重计轻轻插入蜜样中央，任其自然下沉。测定也可在原包装蜜桶中进行，如果蜂蜜表面有泡沫等杂质，可用竹圈将其圈出（或顺一个方向搅动，荡开泡沫），再放入波美计，同时用温度计测出蜜温。15min以后作平视观察，读取蜂蜜弯月面的上缘刻度数，若蜜温为20℃时，该度数即为该蜜样的波美度，查对表9－13可换算出蜜样的含水量。

待测蜂蜜的温度低于20℃时，须加热到标准温度后再进行测定；高于20℃时，按式（9－1）计算修正。

$$实际浓度（°Bé）=实测浓度（°Bé）+\Delta t\times 0.0477 \qquad (9-1)$$

式中：

Δt＝蜜温－20℃

表9－13　蜂蜜波美度、含糖量、含水量和折光指数对照表

波美度/°Bé（20℃）	含糖量/%（20℃）	含水量/%	折光指数	
			20℃	40℃
38.0	71.1	27.0	1.468 0	1.464 0
38.5	72.2	26.0	1.470 6	1.466 4
39.0	73.2	25.0	1.473 3	1.469 1
39.5	74.2	24.2	1.475 8	1.471 2

续表

波美度/°Bé（20℃）	含糖量/%（20℃）	含水量/%	折光指数	
			20℃	40℃
40.0	75.4	23.1	1.478 5	1.474 0
40.5	76.2	22.3	1.480 6	1.476 1
41.0	77.2	21.2	1.483 3	1.478 8
41.5	78.1	20.2	1.485 7	1.481 4
42.0	79.1	19.2	1.488 3	1.484 1
42.5	80.3	18.1	1.491 2	1.486 8
43.0	81.3	17.0	1.494 1	1.488 9

本表允许误差，含水量 ±0.1%、含糖量 ±0.17%；浓度测定发生争议时，以波美比重计测定法为准。

（2）折光测定法：根据蜂蜜中水的含量与折光率的关系，通过测定蜂蜜的折光率来换算蜂蜜的含水量。折光测定法有阿贝折光计法和手持糖量仪法两种，前者需要阿贝折光计和超级恒温箱，后者只需阿特戈手持糖量仪。下面是手持糖量仪测定蜂蜜水分的方法，用该法测定蜂蜜的含水量，快速、简便，测定结果比较准确，所需仪器“阿特戈手持糖量仪”携带方便。

测定时，先用蒸馏水校正糖量计，再打开光线板，在洁净的棱镜面上滴 1～2 滴蜜样，然后关上光线板，将镜面对准光源，眼睛对准目镜，用手转动镜头至最清晰时，看到明暗临界线的刻度值即为该蜜样的含糖百分比，然后查表 9－13 得出蜂蜜的含水量。

使用糖量仪的标准温度是 20℃，如蜜温高于或低于此温度时，则需查表 9－14 后加或减一个适当的校正值，即式（9－2）：

$$A = B \pm C \qquad (9-2)$$

式中：

A——蜂蜜实际含糖量，%；

B——蜂蜜在某一温度下测定的含糖量，%；

C——糖量计温差校正值，%。

表 9－14　糖量计温差校正表

蜜温/℃	10	11	12	13	14	15	16	17	18	19
校正值/%	−0.79	−0.71	−0.63	−0.55	−0.48	−0.40	−0.32	−0.24	−0.16	−0.08
蜜温/℃	21	22	23	24	25	26	27	28	29	30
校正值/%	+0.08	+0.16	+0.24	+0.32	+0.40	+0.48	+0.56	+0.64	+0.72	+0.81

3. 蜂蜜中还原糖的测定　蜂蜜中的还原糖主要是指葡萄糖、果糖和少量的麦芽糖。其测定方法主要有斐林氏（Fehling）容量法和铁氰化钾法。

（1）斐林氏法：操作简单、迅速，试剂稳定，是国家行业标准的推荐方法，但反应复杂、影响因素较多，因此必须在同样的操作条件下进行。

①原理：当斐林氏A、B液相混合时，生成天蓝色氢氧化铜沉淀，并立即与酒石酸钾钠反应，生成深蓝色的氧化铜和酒石酸钾钠的络合物——酒石酸钾钠铜。在滴定时，酒石酸钾钠铜被样液中的葡萄糖和果糖还原，生成红色的氧化亚铜沉淀。滴定达到终点时，稍微过量的还原糖将蓝色的次甲基蓝指示剂还原为无色的隐色体，而显出氧化亚铜的鲜红色。

②试剂：斐林氏A液（硫酸铜溶液）：称取结晶硫酸铜（$CuSO_4 \cdot 5H_2O$）34.639g，溶解于少量蒸馏水中，然后定容至500ml。

斐林氏B液（酒石酸钾钠溶液）：称取173g酒石酸钾钠（$C_4H_4O_6KNa \cdot H_2O$）及50g氢氧化钠溶解于少量蒸馏水中，然后定容至500ml。

10%氢氧化钠溶液。

0.5%葡萄糖溶液：准确称取0.5g（精确至0.000 2g）无水葡萄糖，加水至100ml。

0.1%次甲基蓝指示剂：称取0.1g次甲基蓝粉末溶解于100ml蒸馏水中，贮于有色瓶中备用。

斐林氏溶液效价的标定：精确吸取斐林氏A及B液各5ml于125ml的三角烧瓶中，加0.5%葡萄糖液2ml，煮沸，若蓝色不变，继续用葡萄糖液滴至浅蓝色，加0.1%次甲基蓝指示剂2滴，再继续用葡萄糖液滴定至蓝色消失为止。整个过程都应在不断沸腾的条件下操作。记录所消耗的标准葡萄糖溶液的毫升数（A）

10ml斐林氏溶液相当于还原糖/g = 0.5% × A

样液的制备：称取蜜样1g，溶入少量蒸馏水中，用10%氢氧化钠溶液调至呈弱碱性，用蒸馏水定容至100ml，摇匀后待测。

③测定方法：准确吸取斐林氏A和B液各5ml，放入125ml三角瓶中，摇匀后煮沸。用滴定管加入2ml制备好的样液，再煮沸。若不褪色，则继续用滴定管趁沸腾将样液一滴滴加入，直至蓝色快消失时，加入0.1%次甲基蓝指示剂2滴，继续用样液滴定至蓝色消失为止。记录所用样液毫升数（B）。

④计算：按式（9-3）计算。

$$还原糖（\%） = [A \times 0.5\% \div (m \times B/100)] \times 100 \qquad (9-3)$$

式中：

m——蜜样质量，g；

B——样液用量，ml。

（2）铁氰化钾法：本法操作简便，容易掌握，结果准确。

①原理：还原糖在碱性溶液中能把铁氰化钾还原为亚铁氰化钾，根据铁氰化钾溶液和蜂蜜样液的滴定量，计算出蜂蜜中还原糖的含量。以葡萄糖为例，其反应式为：

$$C_6H_{12}O_6 + 6K_3Fe(CN)_6 + 6KOH = (CHOH)_4 \cdot (COOH)_2 + 6K_4Fe(CN)_6 + 4H_2O$$

滴定终了时，稍微过量的还原糖即将指示剂次甲基蓝还原为无色。

②试剂：1%铁氰化钾溶液：溶解10g铁氰化钾（分析纯）于蒸馏水中，转移至1 000ml的棕色容量瓶中，用蒸馏水定容。临用前按下法标定其滴定度。

称取真空（≤50毫米汞柱、70℃）干燥至恒重的纯蔗糖1g（精确至0.000 2g），用蒸馏水溶解后，移入250ml的容量瓶中，定容并摇匀。用移液管吸取25ml，移入100ml的容量瓶中，加入25ml蒸馏水和5ml浓盐酸（密度1.19g/ml，分析纯）。再将容量瓶置于70℃的水浴中，使瓶中溶液在2～2.5min内热至67～69℃，并在69℃保持7.5～8min，使全部加热时间为10min。取出容量瓶，置流水下迅速冷却至室温。滴加1～2滴酚酞醇溶液，并加入30%的氢氧化钠溶液约7ml，然后用5%的氢氧化钠溶液中和至恰呈微碱性，用蒸馏水定容、摇匀。

吸取已配制好的铁氰化钾溶液10ml于250ml三角瓶中，加入10%氢氧化钠溶液2.5ml，水12.5ml和玻璃珠数粒。置石棉网上加热至沸，保持1min。再加入1滴次甲基蓝指示剂，立即用糖液滴定至蓝色褪去为止。正式滴定时，先加入较预滴定时少0.5ml左右的糖液，煮沸1min后，加入1滴次甲基蓝指示剂，再用糖液滴定至蓝色褪去。记下此次滴定所消耗糖液的毫升数（V），计算出铁氰化钾溶液的滴定度（T），即每10ml 1%铁氰化钾溶液相当于转化糖的克数。

$$T = G \times V/1\,000 \times 0.95 \qquad (9-4)$$

式中：

G——纯蔗糖的量，g；

V——滴定所消耗糖液量，ml；

0.95——换算系数，即0.95g蔗糖可转化成1g转化糖；

1 000——稀释比。

5%、10%和30%氢氧化钠溶液（分析纯）。

1%次甲基蓝指示剂：溶解1g次甲基蓝于100ml蒸馏水中。

盐酸：分析纯，密度1.19g/ml。

③测定方法：

Ⅰ.样液的制备：称取蜂蜜样品5g（精确至0.000 2g）于小烧杯中，用适量蒸馏水溶解并移入1 000ml的容量瓶中，用蒸馏水定容，摇匀后用干燥滤纸过滤到干燥的烧杯中。用移液管吸取此液25ml移入100ml容量瓶中，混匀备用。

Ⅱ.样液的预滴定：用移液管吸取10ml 1%的铁氰化钾溶液和2.5ml 10%氢氧化钠溶液，置于100ml三角烧瓶中，用蒸馏水稀释1倍（此时可在瓶中加入几粒玻璃珠），置石棉网上煮沸。煮沸后加1滴次甲基蓝指示剂，用小火继续加热，保持沸腾，不得搅拌。将滴定管移至三角烧瓶上方，在沸腾条件下，用样液滴定至蓝色消失为止，记录样液用量。

Ⅲ.样液滴定：用移液管吸取10ml 1%的铁氰化钾溶液和2.5ml 10%氢氧化钠溶液，置于100ml三角烧瓶中，用蒸馏水稀释1倍（此时可在瓶中加入几粒玻璃珠），从滴定管中放入较预滴定量少0.2～0.3ml的蜂蜜样液，然后置石棉网上将瓶中溶液迅速煮沸，持续1min。加入1滴次甲基蓝，立即用蜂蜜样液趁热滴定至蓝色消失为止。记下所耗蜂蜜样液的毫升数。

④计算：按式（9-5）计算。

$$\text{还原糖含量（以转化糖计）}\% = [4\,000 \times T/(m \times V)] \times 100 \qquad (9-5)$$

式中：

T——滴定度；

m——蜂蜜试样质量，g；

V——滴定 10ml 1% 的铁氰化钾溶液所耗蜂蜜样液的毫升数，ml；

4 000——稀释倍数。

注：平行试验结果的允许误差为 0.5%。

4. 蜂蜜中蔗糖的测定（斐林氏容量法）

①原理：蔗糖在酸性条件下，可水解为葡萄糖和果糖。每 0.95g 蔗糖可以转化为 1g 单糖（转化糖），分别测定水解前后还原糖的含量，根据二者差数，即可换算出蔗糖含量。

$$C_{12}H_{22}O_{11}\text{（蔗糖）}+H_2O \xrightarrow{\text{酸}} C_6H_{12}O_6\text{（葡萄糖）}+C_6H_{12}O_6\text{（果糖）}$$

②试剂：斐林氏 A、B 液，配法与标定同前；10%、20% 氢氧化钠溶液；20% 盐酸溶液；0.1% 次甲基蓝指示剂。1% 甲基橙指示剂（称取 1g 甲基橙，溶解于 100ml 蒸馏水中）。

③测定方法：称取蜜样 1g（精确至 0.000 2g），溶于少量蒸馏水中，用 10% 氢氧化钠溶液调至弱碱性，再用蒸馏水定容至 100ml，待测。

准确吸取上述蜂蜜样液 50ml 于 100ml 容量瓶中，加入 20% 盐酸溶液 10ml，置水浴中加热至 70℃，保温 10min。取出容量瓶迅速冷却到室温（20℃），加甲基橙指示剂 1 滴，用 20% 氢氧化钠溶液中和，然后加蒸馏水稀释至刻度，摇匀，即为测定蔗糖含量的待检液，倒入滴定管内备用。

准确吸取斐林氏 A 及 B 液各 5ml 于 125ml 的三角烧瓶内，放在石棉网上加热煮沸。趁沸腾从滴定管加入 2ml 待检液。煮沸，如蓝色不变，继续滴加待检液至浅蓝色，加 2 滴次甲基蓝指示剂，继续趁热滴定至蓝色消失为止。记下所耗待检液毫升数。

④计算：按式（9-6）、式（9-7）计算。

$$\text{转化糖\%} = [A/(m \times 50/100 \times V/100) \times 100] \quad (9-6)$$

式中：

A——10ml 斐林氏液相当于还原糖的质量，g；

V——滴定时消耗蜂蜜检液的毫升数，ml；

m——蜜样质量，g。

$$\text{蔗糖\%} = (\text{转化糖\%} - \text{还原糖\%}) \times 0.95 \quad (9-7)$$

式中：

0.95——0.95g 蔗糖可以转化 1g 单糖的系数。

5. 蜂蜜淀粉酶值的测定　蜂蜜的淀粉酶值是指以每克蜂蜜中所含的淀粉酶，在 40℃的条件下，1h 内能转化 1% 淀粉溶液的毫升数。正常情况下蜂蜜的淀粉酶值都在 8 以上。蜂蜜淀粉酶值的测定有试管比色法和分光光度法两种。

（1）试管比色法：

①原理：淀粉和游离碘在水溶液中能够产生蓝色反应。蜂蜜中的淀粉酶分解淀粉溶液后，向淀粉溶液中滴入碘液，根据加入蜂蜜样液和淀粉溶液的量计算蜂蜜的酶值。

②试剂：配制试剂所用的蒸馏水，应煮沸冷却后备用。

0.05mol/L 氢氧化钠溶液：溶解 2g 氢氧化钠于 1 000ml 蒸馏水中。

0.1mol/L 氯化钠溶液：溶解 0.59g 氯化钠（分析纯）于 100ml 蒸馏水中。

0.2mol/L 乙酸溶液：吸取 0.6ml 的 20% 乙酸溶液于 100ml 容量瓶中，用蒸馏水稀释至刻度线。

1% 淀粉溶液：准确称取 1.00g（以干态计）可溶性淀粉（分析纯）于烧杯中，加入少量蒸馏水使成薄浆，加入 60ml 沸腾蒸馏水，在搅拌下煮沸 1～2min，使其透明。稍冷，用蒸馏水清洗，使淀粉溶液全部移入 100ml 容量瓶中，冷却后用蒸馏水定容，摇匀备用。淀粉溶液应在测定前配制，其 pH 值为 4.8～5.5，取 0.2ml 溶液，用蒸馏水稀释至 30ml，加 1 滴 0.1mol/L 碘溶液试验时，应显纯蓝色。

0.1mol/L 碘溶液：把 12.69g 升华碘和 18.00g 碘化钾溶解于 1 000ml 蒸馏水中。

酚酞指示剂：溶解酚酞粉末 1.0g 于 100ml 的 95% 乙醇溶液中。

③测定方法：称取蜂蜜样品 10.00g，溶解于约 60ml 蒸馏水中，加入酚酞指示剂 2～3 滴，用 0.05mol/L 氢氧化钠溶液中和，再转移至 100ml 的容量瓶中，用蒸馏水定容。

取标有序号的相同试管 12 只，按表 9－15 序号分别加入蜂蜜样液、蒸馏水、0.1mol/L 氯化钠溶液、0.2mol/L 乙酸溶液和 1% 淀粉溶液，摇匀后，立即将所有试管同时浸入 45～50℃ 水浴中，使试管液面浸入水浴水面下约 3cm，在此温度下放置 1h。

表 9－15　蜂蜜淀粉酶值

试管序号	蜂蜜试样溶液/ml	蒸馏水/ml	0.2mol/L 乙酸溶液/ml	0.1mol/L 氯化钠溶液/ml	1% 淀粉溶液/ml	总容积/ml	淀粉酶值
1	10.0	0.4	0.5	0.5	1.0	16	1.0
2	10.0	2.5	0.5	0.5	2.5	16	2.5
3	10.0	0	0.5	0.5	5.0	16	5.0
4	7.7	2.3	0.5	0.5	5.0	16	6.5
5	6.0	4.0	0.5	0.5	5.0	16	8.3
6	4.6	5.4	0.5	0.5	5.0	16	10.9
7	3.6	6.4	0.5	0.5	5.0	16	13.9
8	2.3	7.2	0.5	0.5	5.0	16	17.9
9	2.1	7.9	0.5	0.5	5.0	16	23.8
10	1.7	8.3	0.5	0.5	5.0	16	29.4
11	1.3	8.7	0.5	0.5	5.0	16	38.5
12	1.0	9.0	0.5	0.5	5.0	16	50.0

酶值＝淀粉溶液毫升数×10/蜂蜜样液毫升数

取出试管时应立即在冷水中冷却，并给每个试管中加 1 滴 0.1mol/L 碘溶液，摇匀后立即观察。此时，各试管的颜色顺次由黄色经红色、紫红色、紫色至蓝色，根据紫红色试管号数，由表 9－15 查出该蜂蜜样品的淀粉酶值。必要时可多加 1 滴碘溶液后观察。

（2）分光光度计法：即蓝值法，是国际上通用的一种方法。对蜜样的淀粉酶值如有争议，应以本方法测定的为准。

①原理：一定量的蜂蜜样品与醋酸等形成的缓冲溶液，当其 pH 值为 5.3（一般酶的活性 pH 值为 4 ~ 7 时活力最大）时，加入一定量的标准淀粉溶液，经酶一定时间的水解，再用碘液使剩余的淀粉显蓝色，于 660nm 波长处测定其吸收值（即蓝值），并记录其吸收值降低至 0.235 时所耗的时间，从而计算出蜂蜜中的淀粉酶值。

②试剂配制和仪器：

碘贮备液：准确称取 22.00g 碘化钾（分析纯），置于 50ml 的烧杯中，加入约 30ml 的蒸馏水混合均匀。在烧杯中再加入 8.80g 碘（分析纯），搅拌均匀后将烧杯中的溶液移至 1 000ml 的容量瓶中，加蒸馏水定容。

0.000 7mol/L 碘溶液：用蒸馏水溶解 20.00g 碘化钾（分析纯）于 500ml 的容量瓶中，加入 5ml 碘贮备液，然后用蒸馏水定容至刻度，混匀。此液有效期为 2d，超过 2d 应重新配制。

乙酸缓冲溶液（pH 值 5.3，1.5mol/L）：将 87.00g 三水合乙酸钠（分析纯）置于 500ml 容量瓶中，加约 400ml 蒸馏水使其溶解，再加入 10.50ml 乙酸（分析纯）。混合均匀后，通过加入乙酸钠和醋酸将缓冲液调整至 pH 值 5.3。最后用蒸馏水定容至 500ml。

0.5mol/L 氯化钠溶液：称取 14.50g 氯化钠溶于煮沸过的蒸馏水中，并定容至 500ml。此液保存时间以长出霉菌为限。

可溶性淀粉：使用前应测定其蓝值。准确称取可溶性淀粉（分析纯）1.00g（以干态计），放入 250ml 的三角烧瓶中，加入 80ml 蒸馏水，边搅拌边迅速加热至沸腾。然后以小火保持微沸 3min，加盖并冷却至室温。100ml 的容量瓶中加入 2.5ml 乙酸缓冲溶液，再将煮沸冷却后的淀粉液移入此三角瓶中。三角瓶放入 40℃ 水浴中恒温，并用蒸馏水定容。此淀粉溶液置于 40℃ 恒温水浴中供测定样品用。

酚酞指示剂：溶解酚酞粉末 1.0g 于 100ml 的 95% 乙醇溶液中。

恒温水浴锅 40℃ ±0.2℃，分光光度计（在 660nm 处进行测定）；酸度计及 50ml 具塞试管等。

③测定方法：

Ⅰ. 样液的制备：称取蜂蜜 10.00g 于 50ml 烧杯中，加 5.0ml 乙酸缓冲液和 20ml 蒸馏水，搅拌混合，使样品完全溶解。然后移入已加有 3.0ml 氯化钠溶液的 50ml 容量瓶中，用蒸馏水定容（注意，缓冲溶液一定要加在蜂蜜与氯化钠溶液混合之前）。

Ⅱ. 淀粉溶液的标定：取上述已配制好的淀粉溶液 5.0ml 于 10ml 40℃ 的蒸馏水中，充分混合。取此溶液 1.0ml 加入已盛有 10ml 0.000 7mol/L 碘溶液的试管中，用 35ml 蒸馏水稀释并充分混合，于分光光度计 660nm 波长处，用 1cm 的比色池，以蒸馏水为空白对照，读取吸光度。吸光度应为 0.760 ±0.020，必要时调节加蒸馏水的量，使吸光度达到要求，并记下加水总量 V（ml）。

Ⅲ. 样液的测定：准确吸取 10ml 蜂蜜样液于试管中，置于（40 ±0.2）℃ 的水浴中，15min 后取 5.0ml 40℃ 的淀粉溶液于蜂蜜样液中，混匀（并开始记时，每隔 5min，吸取此液 1ml，加入事先盛有 10ml 0.000 7mol/L 碘溶液和 *V*ml 蒸馏水的试管中)，立即于 660nm 波长处，以蒸馏水为空白对照，用 1cm 比色池测定其吸光度并记录读数。继续每隔 5min 取 1ml 重复上述操作测定其吸光度，直至吸光度低于 0.235。

④计算：将吸光度（*A*）和对应的时间（*t*）（min）在坐标纸上标出。连接各点（至少要最后 3 点）作出标准曲线。从曲线上查出吸光度（*A*）降至 0.235 时所需要的时间，再根据式（9-8）计算蜂蜜中淀粉酶值。

淀粉酶值 = 300/吸光度达到 0.235 时所需的时间　　(9-8)

6. 酸度测定　指中和 100g 样品蜜所需 1mol/L 氢氧化钠溶液的毫升数。

（1）原理：蜂蜜中的酸类主要是有机酸，用氢氧化钠溶液滴定蜂蜜样品后，有机酸被中和生成盐和水。为判定中和反应的终点，用酚酞作指示剂。

$$R-COOH + NaOH \longrightarrow R-COONa + H_2O$$

（2）试剂：0.1mol/L 氢氧化钠标准溶液：称取 4.00g 氢氧化钠（分析纯），加入 1 000ml 经煮沸后冷却的蒸馏水中，用邻苯二甲酸氢钾标定其规定浓度。

准确称取 0.8～0.9g（精确至 0.000 2g）经 100～125℃干燥后的邻苯二甲酸氢钾（分析纯），置于 250ml 三角烧瓶中，用 50ml 蒸馏水溶解，再加入 2～3 滴酚酞指示剂，用 0.1mol/L 氢氧化钠溶液滴定至粉红色，按式（9-9）计算氢氧化钠溶液的标定浓度（*C*）。

$$C = m/V \times 0.204\ 2 \qquad (9-9)$$

式中：

C——氢氧化钠标准溶液的标定浓度，mol/L；

m——邻苯二甲酸氢钾质量，g；

V——滴定所耗氢氧化钠标准溶液的体积，ml；

0.204 2——邻苯二甲酸氢钾的质量，kg/mol；

酚酞指示剂：0.1%乙醇溶液。

（3）操作程序：称取蜜样 10g（精确至 0.001g），溶于 75ml 经煮沸而冷却的蒸馏水中，加入酚酞指示剂，用 0.1mol/L 氢氧化钠标准溶液滴定至淡粉红色为止（10s 不褪色）。

（4）计算：按式（9-10）计算蜜样的酸度。

$$\text{酸度} = V \times C/m \times 100 \qquad (9-10)$$

式中：

V——滴定所耗氢氧化钠标准溶液的体积，ml；

C——氢氧化钠标准溶液的标定浓度，mol/L；

m——试样质量，g。

7. 蜂蜜中羟甲基糠醛（HMF）含量的测定　羟甲基糠醛通常由果糖脱水生成，葡萄糖受酸和热的影响也能产生此物质。新鲜优质的蜂蜜中不含羟甲基糠醛，它是在加工、贮存过程中或人为掺入的转化糖产生的。

羟甲基糠醛是衡量蜂蜜质量的重要指标，一般不应超过 40×10^{-6}。检测它的方法主要有定性分析和定量分析两种。

（1）费氏反应：

①原理：利用乙醚萃取蜂蜜样品，然后与间苯二酚盐酸溶液反应，如反应后有樱桃红色出现，则证明有羟甲基糠醛存在，费氏反应为正，否则为负。

②试剂：1%间苯二酚盐酸溶液：将0.1g间苯二酚放入烧杯中，加入10ml浓盐酸（相对密度1.19）。间苯二酚盐酸溶液应为无色液体，在测定前配制。

乙醚（分析纯）：滴入间苯二酚盐酸溶液后应为无色，挥发后应无残留物。必要时，用氯化钙干燥、蒸馏，加入金属钠备用。处理乙醚时不能使蒸馏瓶蒸干；加入金属钠的乙醚必须为无水乙醚，否则有爆炸的危险。

③检测方法（研磨法）：置5.0g蜜样于研钵中，加3ml乙醚后，用钵槌研磨至乙醚完全挥发（约1.5min），然后每次加入3ml乙醚研磨1min（约60次），使剩余乙醚约1ml，倾入洁净的瓷蒸发皿中，如此反复3次，将所有收集到的乙醚萃取物在室温下任其挥发，如有水滴残留，可加微热（不超过40℃）后再使其挥发冷却。滴加3～4滴间苯二酚盐酸溶液，立即旋摇，使残留物全部润湿，静置1h后观察，如有樱桃红色出现，即为正反应，反之为负。

（2）定量测定：定量测定羟甲基糠醛的方法主要有分光光度计法和紫外分光光度计法。

①分光光度计法：羟甲基糠醛遇对甲基苯胺和巴比妥酸能产生红色，颜色的深浅与羟甲基糠醛的含量呈正相关。用分光光度计在550nm波长处测定其光密度值，即可计算出羟甲基糠醛含量。

采用此方法测定时应注意，对甲苯胺为有毒物质，操作中应小心；羟甲基糠醛与对甲苯胺和巴比妥酸产生的红色化合物很不稳定，因此，最好将试管浸在5～10℃冷水浴中显色。测定时动作要快，并避免一系列样液都显色好后进行测定，以防止误差过大。

Ⅰ. 试剂和仪器：

ⅰ. 巴比妥酸溶液：将500mg巴比妥酸（分析纯）溶解于70ml蒸馏水中，置水浴上加热搅拌使其溶解。冷却，移入100ml容量瓶中，用蒸馏水定容。

ⅱ. 对甲苯胺溶液：称取10.0g对甲苯胺（分析纯），溶解于50ml的异丙醇（分析纯）中，温热溶解后用异丙醇转移至100ml的容量瓶中，加入10ml冰醋酸，冷却后再用异丙醇定容，置暗处24h后备用。

ⅲ. 无氧蒸馏水：经煮沸后冷却的蒸馏水。

ⅳ. 分光光度计。

Ⅱ. 测定方法：称取蜂蜜样品10g，溶于20ml无氧蒸馏水，转移至50ml容量瓶中，再用无氧蒸馏水定容，并混合均匀。分别吸取样液2.0ml于2个试管中，在每个试管中加入5.0ml对甲苯胺溶液，之后，在一个试管中加入1ml无氧蒸馏水（作参比液），另一试管中加入1ml巴比妥酸溶液，两试管立即振荡混匀。用1cm比色池，以参比液作对照，于分光光度计550nm波长处测定样液的光密度，读取最大光密度值。

Ⅲ. 计算：按式（9－11）计算。

$$\text{羟甲基糠醛 (mg/100g)} = \text{光密度值} \times 19.2 \qquad (9-11)$$

式中：

19.2——测定HMF值的经验换算系数。

②紫外分光光度计法：在蜂蜜溶液中加入亚硫酸氢钠，使蜂蜜中羟甲基糠醛与亚硫酸氢钠发生加成反应。加成产物破坏了羟甲基糠醛的284生色团。用此液作参比液，蜂蜜的透明液为样液，在波长为284nm条件下测定其吸光值，可抵消蜜样中其他杂质的干扰，提高测定的灵敏度。

Ⅰ.试剂与仪器：澄清剂A｛溶解15g亚铁氰化钾［$K_4Fe(CN)_6\cdot3H_2O$，分析纯］于蒸馏水中，并定容至100ml｝，澄清剂B｛溶解30g乙酸锌［$Zn(CH_3COO)_2\cdot2H_2O$，分析纯］于蒸馏水中，并定容至100ml｝。0.20%亚硫酸氢钠溶液［溶解0.20g亚硫酸氢钠（分析纯）于蒸馏水中，并定容至100ml，临用时配制］。另外，还有紫外分光光度计。

Ⅱ.测定方法：用蒸馏水将5g（精确至0.001g）蜂蜜样品转移至50ml容量瓶中，加入0.5ml澄清剂A混合，再加入0.5ml澄清剂B混合，用水稀释至刻度（必要时可加入1滴乙醇以消除表面的泡沫）。混匀后过滤，弃除最初的10ml滤液。

吸取滤液各5ml于2个试管中，在一个试管中加入5ml 0.20%亚硫酸氢钠溶液，混匀，作参比液；在另一试管中加入5ml蒸馏水，混匀，作待测液。然后用参比液为对照，在紫外分光光度计波长284nm和336nm处，测定待测液的吸光度（如果吸光度大于0.6，则用蒸馏水稀释待测液，用0.20%亚硫酸氢钠溶液同样稀释参比液，在计算时将吸光度乘以稀释倍数）。

Ⅲ.计算：按式（9-12）计算。

$$\text{羟甲基糠醛}(mg/100g)=(A_{284}-A_{336})\times14.97\times5/m \qquad (9-12)$$

式中：

14.97——为系数；

A_{284}——波长284nm处测得的吸光度；

A_{336}——波长336nm处测得的吸光度；

m——样品质量，g。

四、蜂蜜的包装、贮存和运输

蜂蜜采收后，在酶的作用下蜂蜜中的蔗糖继续转化。但若贮藏、运输不当，在干燥环境中蜂蜜的含水量会降低，反之会增加；温度偏高加快羟甲基糠醛的产生，色泽加深；在微生物的作用下会发酵、变酸等，发酵蜂蜜产生的二氧化碳气体，易胀裂封闭的贮蜜容器，甚至引起爆炸；蜂蜜还吸收异味。此外，蜂蜜属弱酸性食品，易与金属发生化学反应，造成蜂蜜被金属污染；蜂蜜的密度大，易渗透，在贮存和运输过程中易造成损耗。

（一）蜂蜜的盛装

1. 蜂蜜容器　一般采用内涂防酸食品涂料的黑皮铁桶，少数交通不便的地区可用食品级塑料桶，有条件的也可用合金铝或氧化铝桶，桶身标明“蜂蜜专用桶”。大型蜂蜜收购、销售或蜂蜜加工企业库存蜂蜜可用不锈钢制成的大容器罐，或密封的贮蜜池贮存，小型企业或养蜂场可用陶制的大缸加盖密封贮存蜂蜜。其他容器均不宜用于盛装蜂蜜。

2. 蜂蜜专用桶的使用 蜂蜜专用桶不得挪做他用，使用的蜂蜜专用桶应无破损及桶内表面食品漆完好，在装入蜂蜜前，要彻底清洗并晾干。

蜜桶装蜜的量以桶容积的 80% 为宜，以防在运输时发生渗溢，或受热蜜桶膨胀或爆裂。蜂蜜装桶完毕后，应旋紧桶盖，并在桶身贴上标签，注明蜜种、波美浓度、皮重、毛重、产地、收购地点和生产蜂场等。

（二）蜂蜜的贮存

1. 贮蜜仓库要求 蜂蜜贮存应设专用库。专用仓库要具备阴凉、干燥、通风等条件。库温最好保持在 10℃以下，最高不超过 20℃。库内相对湿度不超过 75% 。

2. 存放蜂蜜要求 蜂蜜不得露天存放，也不能与有异味（油漆、煤油等化工产品）、有毒（农药等）、腐蚀性（化肥、石灰、酸、硝等）、有污染的物品（废品、畜产品等）存放在一起。

3. 减少金属污染 除了在蜂蜜装桶前认真检查蜜桶外，应尽可能缩短蜂蜜在铁桶中贮存的时间。有条件的蜂蜜主要产销区或大型的蜂蜜加工销售企业，最好修建贮蜜池。

（三）蜂蜜运输

1. 运输工具的准备 运输蜂蜜主要使用火车（含集装箱）、汽车和船等。凡装运过有毒、有异味、有腐蚀性物质的运输工具必须认真彻底清洗消毒，而且蜂蜜不得与上述物质同车运输。

2. 发运前的检查 在蜂蜜装运前，应对蜜桶作最后一次检查。要求桶盖旋紧、标签贴牢、标注清楚、蜜桶无渗漏，装垛稳当，不松散碰撞。

3. 运输途中的管理 蜂蜜在运输过程中，应苫好、垫好，避免日晒雨淋，尽可能缩短运输时间。

五、我国主要蜂蜜品种的特点

我国生产的主要单花种蜂蜜有 30 多种。来自不同蜜源植物的蜂蜜，其色泽、香味、口感、结晶状态等感官特点均有所不同，其化学成分含量也有差异，下列数据仅供参考。

1. 刺槐蜜 又称洋槐蜜或槐花蜜，主产区在河南、山东、河北、辽宁、山西、陕西、甘肃、安徽、江苏等省，生产季节 5～6 月。刺槐蜜呈水白色，清澈透明，不结晶，气息清香，酷似槐花花香，味甜而不腻。刺槐蜜含有刺槐甙和挥发油，可用于止咳、防腐和抗菌，也用于镇静安眠。

主要化学成分含量：葡萄糖 30.1% ，果糖 44.7% ，蔗糖 2.3% ，粗蛋白 0.2% 。水分 17.0% ，灰分 0.03% 。酸度 1.546，酶值 13.9。

2. 油菜蜜　油菜是我国分布面积最大、连续花期最长的一个蜜源，生产季节在春、夏两季，主产区为新疆、甘肃、青海、陕西、四川、湖北、江西、浙江、黑龙江、内蒙古、河北、山西等省区。新生产的液态油菜蜜呈特浅琥珀色，有油菜花香味（青气味），味甜而不爽，极易结晶，结晶后呈白色油脂状。

主要化学成分含量：葡萄糖 36.90%，果糖 40.60%，蔗糖 3.50%，粗蛋白 0.56%。酸度 3.85，酶值 10.70。

3. 紫云英蜜　主产于我国长江流域、华南、西南各省区，春季生产。紫云英蜜呈特浅琥珀色，微现青色，味鲜洁、清淡芳香，甜而不腻，不易结晶，结晶后呈乳白色细粒状。

主要化学成分含量：葡萄糖 35.19%，果糖 39.79%，蔗糖 0.76%，粗蛋白 0.50%。酸度 1.84，酶值 13.36。

4. 荔枝蜜　为我国南方特有的蜜种，主产区在福建、广东、广西、台湾等省区，2~4 月生产。荔枝蜜呈特浅琥珀色，气息芳香馥郁，带荔枝果酸味，甘甜而略有辣感。结晶粒较细，色微黄。

主要化学成分含量：葡萄糖 34.87%，果糖 34.68%，蔗糖 0.35%，粗蛋白 0.44%。酸度 2.34，酶值 9.62。

5. 龙眼蜜　为我国南方特有的蜜种，主产区在福建、广东、广西、台湾等省区，主要生产期 4~5 月。龙眼蜜呈琥珀色，质地细腻，味甘甜，气息浓郁，有龙眼干的气味，容易结晶，结晶颗粒较大。龙眼蜜是我国生产单花蜜种中蛋白质含量最高的。

6. 柑橘蜜　为我国南方特有的蜜种，主产区在四川、湖南、湖北、福建、广东、广西、浙江、江西等省区，生产季节 4~5 月。柑橘蜜呈浅琥珀色，透明度较高，具浓郁的柑橘香气，味甘甜微酸，鲜洁爽口，结晶乳白色、细腻。

主要化学成分含量：葡萄糖 36.10%，果糖 36.08%，蔗糖 0.73%，粗蛋白 0.2%。酸度 1.73，酶值 13.9。

7. 荆条蜜　主产区在山东、河南、河北、山西、湖北和北京等省市，生产季节 6~7 月。纯荆条蜜呈白色，贮放一段时间后则稍带“红头”，透明，有荆花的芳香气味，甜爽而不腻，结晶粒细腻、白色。同一地点，在流蜜差的年份，生产的荆条蜜呈浅琥珀色。

主要化学成分含量：葡萄糖 32.41%，果糖 39.28%，蔗糖 0.88%，粗蛋白 0.07%。酸度 1.71，酶值 18.20。

8. 椴树蜜　主产区为东北长白山、完达山、兴安岭林区，7 月生产。椴树蜜呈特浅琥珀色，具浓郁的薄荷香味，口感清润，无刺激感，结晶洁白细腻。

主要化学成分含量：葡萄糖 33.72%，果糖 38.18%，蔗糖 2.22%，粗蛋白 0.44%。酸度 1.44，酶值 10.67。

9. 枣花蜜　主产区在河南、山东、河北、陕西等省，生产季节 5~6 月。枣花蜜呈琥珀色，透明，黏稠，有中草药的芳香气味，味浓甜，久藏不坏，不结晶，是配制中药的一个上好蜜种。

主要化学成分含量：葡萄糖 29.07%，果糖 40.04%，蔗糖 1.92%，粗蛋白

0.96%。酸度1.09，酶值32.68。

10. 棉花蜜　主产区为新疆、陕西、山西、河南、山东、河北、江苏、安徽、湖南、湖北等省区，生产季节多在夏末和秋季。棉花蜜呈浅琥珀色，透明，味甜而轻微涩口，香气淡，带有乳酸气息，易结晶，结晶后呈白色，颗粒较粗，质较硬。

主要化学成分含量：葡萄糖35.29%，果糖41.71%，粗蛋白0.20%。酸度3.75，酶值10.90。

11. 芝麻蜜　主产区为河南、湖北、安徽、江西、河北、山东等省，生产季节7~8月。芝麻蜜呈浅琥珀色，气味芳香，甘甜，略有酸味，泡沫多，易膨胀，粗粒结晶，色白微黄。

主要化学成分含量：葡萄糖33.00%，果糖37.60%，粗蛋白0.27%。酸度3.76，酶值19.71。

12. 荞麦蜜　主产区有内蒙古、宁夏、甘肃、陕西等省区，8~10月生产。荞麦蜜呈深琥珀色，味甜而腻，有浓烈的刺激气味（臭），结晶粒粗。荞麦蜜蛋白质和铁的含量高于浅色蜜，营养价值高，对神经衰弱及贫血疗效较好，因该蜜含有芸香甙，对软化血管有益。

主要化学成分含量：葡萄糖33.55%，果糖37.18%，蔗糖3.45%，粗蛋白0.41%。酸度0.59，酶值8.3。

13. 葵花蜜　主产区为我国东北、西北和华北各省区，7~8月生产。葵花蜜呈黄色，蜜液浓稠，气味芳香，易结晶，结晶后呈乳白色，蜜质优良。

主要化学成分含量：葡萄糖33.63%，果糖39.11%，蔗糖0.41%，粗蛋白0.52%。酸度2.49，酶值19.71。

14. 白刺花蜜　又称狼牙刺蜜，主产区为陕西、甘肃、四川、云南、山西等省，4~6月生产。白刺花蜜呈浅琥珀色，不易结晶，结晶细腻、质硬，近似白色，味甘甜芳香，口感好。

主要化学成分含量：葡萄糖32.10%，果糖34.00%，蔗糖1.50%，粗蛋白0.16%。酸度3.45，酶值29.10。

15. 草木犀蜜　主产区为云南、新疆、陕西、甘肃、宁夏、内蒙古等省区，6~8月生产。草木犀蜜呈浅琥珀色，浓稠透明，气味芳香，蜜质优良。

主要化学成分含量：葡萄糖32.07%，果糖43.95%，蔗糖3.05%，粗蛋白0.25%。酸度1.59，酶值17.90。

16. 苕子蜜　又称蓝花草蜜，主产区为江苏、四川、云南、贵州、陕西、安徽、湖北、湖南、广西等省区，3~5月生产。苕子蜜呈特浅琥珀色，清香甜润，结晶细腻而洁白，蜜质上乘。

主要化学成分含量：葡萄糖32.10%，果糖42.24%，蔗糖3.31%，粗蛋白0.19%。酸度1.46，酶值10.90。

17. 紫苜蓿蜜　主产区为陕西、新疆、甘肃、山西、河北、山东等省区，5~6月生产。紫苜蓿蜜的色泽从白色到琥珀色，其色泽的深浅主要取决于产地的湿度、季节和土壤等特性。如雨量充沛或沙质土壤地区生产的紫苜蓿蜜呈白色，而冲积土壤或地表水缺乏地区所产的紫苜蓿蜜呈浅琥珀色至琥珀色。新蜜味芳香，易结晶，结晶白色。

主要化学成分含量：葡萄糖 31.43%，果糖 43.57%，蔗糖 3.48%，糊精 3.41%，粗蛋白 0.22%。酸度 1.80，酶值 18.90。

18. 胡枝子蜜　又称苕条蜜，主产区为我国东北三省，7～8 月生产。胡枝子蜜呈浅琥珀色，结晶细腻、洁白。

主要化学成分含量：葡萄糖 29.40%，果糖 41.54%，蔗糖 3.70%，粗蛋白 0.20%。酸度 0.79，酶值 10.90。

19. 毛水苏蜜　主产区为黑龙江、辽宁、吉林，6～8 月生产。毛水苏蜜水白色，透明，有浓郁的水苏花香味，结晶细腻、洁白。

主要化学成分含量：葡萄糖 35.06%，果糖 41.69%，蔗糖 1.22%，粗蛋白 0.14%。酶值 8.30。

20. 鹅掌柴蜜　又称鸭脚木蜜、八叶五加蜜、正冬蜜。主产区为福建、广东、广西、江西和台湾等省区，9 月至次年 1 月生产。鹅掌柴蜜初呈浅琥珀色，气味浓郁，苦味较浓，随贮存时间延长，蜜色逐渐呈深琥珀色，苦味减轻。结晶乳白色，颗粒较细。

主要化学成分含量：葡萄糖 30.13%，果糖 44.41%，蔗糖 2.27%，粗蛋白 0.19%。酸度 1.60，酶值 6.50。

21. 柃蜜　又称野桂花蜜，主产区为长江流域及以南各省区，10 月至次年 2 月生产。柃蜜水白色，接近无色透明，气息清香，味道鲜洁甜润，非常爽口，不易结晶，结晶洁白、细腻。

主要化学成分含量：葡萄糖 34.40%，果糖 36.03%，蔗糖 0.50%，粗蛋白 0.09%。酸度 3.96，酶值 8.8。

22. 野坝子蜜　主产区为云南、四川、贵州 3 省，10～12 月生产。野坝子蜜呈浅黄绿色，具清香味，甜而不腻，极易结晶，结晶粒粗（“沙蜜”）或细腻似油脂状（“油蜜”），结晶后呈乳白色，质地坚硬，素有“云南硬蜜”之称。

主要化学成分含量：葡萄糖 41.43%，果糖 31.94%，蔗糖 1.17%，麦芽糖 0.87%，粗蛋白 0.56%。酶值 10.99。

23. 乌桕蜜　又称小暑蜜，为我国特有的蜜种，主产区是湖北、贵州、浙江及福建、广东等省，6～7 月生产。乌桕蜜呈浅琥珀色，气息浓香，略有酸味，口感甜且带微酸，回味较重。结晶粒粗，色黄而略暗。

主要化学成分含量：葡萄糖 33.56%，果糖 35.07%，蔗糖 0.8%，粗蛋白 0.3%。酸度 2.77，酶值 10.90。

24. 桉树蜜　主产区为广东、广西、福建等省区，生产季节大叶桉 9～10 月，窿缘桉 5～6 月。桉树蜜呈深琥珀色，桉醇味浓，味甜腻辣喉，稍有咸味，适口性差。桉树蜜易结晶，结晶粒粗，色泽暗黄。

主要化学成分含量：葡萄糖 31.11%，果糖 42.40%，蔗糖 3.83%，粗蛋白 0.22%。酸度 0.79，酶值 17.90。

25. 老瓜头蜜　为我国特有的蜜种，主产区为宁夏、内蒙古、陕西和甘肃等省区的沙漠地区，6～7 月生产。老瓜头蜜呈浅琥珀色，蜜液浓稠，甜度大，结晶后呈乳白色，略有饴糖味并稍涩口。

主要化学成分含量：葡萄糖 29.40%，果糖 35.80%，蔗糖 0.97%，粗蛋白 0.41%。酸度 3.95，酶值 8.80。

26. 党参蜜 主产区为甘肃、陕西、四川、河南、山西等省，7～9 月生产。党参蜜呈浅琥珀色，质地黏稠，不易结晶，具有党参的药用价值。

主要化学成分含量：葡萄糖 33.90%，果糖 40.70%，蔗糖 4.30%，粗蛋白 0.67%。pH 值 3.90，酶值 15.00。

第二节 蜂王浆

一、蜂王浆的概念、来源和分类

（一）蜂王浆的概念与来源

蜂王浆（Royal Jelly），是由青年工蜂舌腺和上颚腺分泌出来的一种乳白色或淡黄色、略带甜味并有较强酸涩辛辣气味的、专门喂饲蜂王和 3 日龄内小幼虫的黏稠浆状物质。

蜂王浆是由青年工蜂食用蜂蜜和蜂粮后，经舌腺和上颚腺转化、合成而来。

（二）蜂王浆的分类

我国的蜂王浆主要以生产时开花的主要蜜源植物、蜂种等为依据进行分类。如在油菜花期生产的蜂王浆叫油菜浆，在刺槐花期采集到的蜂王浆称做刺槐浆，同理，还有荆条浆、紫云英浆、椴树浆、葵花浆、茶花浆、芝麻浆和杂花浆等。蜂王浆中的特色成分 10－HDA（10－羟基－α－癸烯酸）在不同植物类型的蜂王浆中，其含量变化范围为 1.4%～2.5%，且蜂王浆的色泽和味道也与之相关。

根据产浆蜂种不同，又可把蜂王浆分为中蜂浆和西蜂浆，前者来自中华蜜蜂，后者来自西方蜜蜂。与西蜂浆相比，中蜂浆呈淡黄色，浆体更加黏稠，其中所含的 10－HDA 量也略低，产量也远低于意蜂浆。本书述及的蜂王浆除特别指明的外均指意蜂浆。

二、蜂王浆的理化特性与化学成分

（一）蜂王浆的理化特性

1. 蜂王浆的状态、相对密度、pH 值、色、香、味 新鲜的蜂王浆是黏稠的浆状物，多呈朵块状，有光泽感。长时间冷冻贮存，解冻后蜂王浆表面有少量析出的水分。

蜂王浆的颜色以乳白色为主，个别的呈淡黄色或微红色，这主要与产浆时的主要开花粉蜜源植物和产浆蜂种有关。如油菜浆以白色为主略带浅黄色，刺槐浆、椴树浆、白荆条浆、芝麻浆、棉花浆以乳白色为主，紫云英浆浅黄色，红荆条浆和葵花浆为较深的黄色，荞麦浆略呈粉红色，山花椒浆略显黄绿色，紫穗槐浆略带浅紫色。

蜂王浆的气息与酚或酸相似，具辛香气。味道复杂，酸、涩、辣、甜四味俱全，以酸、辣为主，有较强烈的刺激感。

蜂王浆的相对密度为1.08，pH值3.5~4.5。

2. 溶解性　蜂王浆不溶于氯仿；部分溶于水，形成悬浊液，伴有沉淀物；部分溶于乙醇，并产生白色浑浊物，久置分层；全溶于浓酸和浓碱溶液。

3. 光、热、氧化性质　蜂王浆对热敏感，130℃时很快失效；低温环境中，蜂王浆性质比较稳定，在0~5℃密封的条件下可存放2~3个月；在-18℃的条件下可存放1年以上。光照能使蜂王浆中的醛基和酮基还原，空气易使蜂王浆氧化，水蒸气对蜂王浆有水解作用，也怕微生物分解，能腐蚀金属并被其污染。

蜂王浆的折射率为1.379 3~1.399 7。将其放在偏振光显微镜下，可看到淡黄、红、绿、蓝、紫等鲜艳色彩，这种双折射的特性非常稳定，冷冻或一般加热都不会使其受到破坏。

（二）蜂王浆的化学成分

蜂王浆的基本化学成分包括水、蛋白质、碳水化合物、脂类、矿物质等，此外还有未确定物质。

1. 水分　62.5%~70.0%。

2. 蛋白质　新鲜蜂王浆中蛋白质含量为11%~14%，占蜂王浆干物质的38%~50%。其中，2/3为白蛋白（水溶性），1/3为球蛋白（α、β、γ），与人体血液中的血清蛋白、球蛋白相似。蜂王浆中的蛋白质由水溶性蛋白和非水溶性蛋白组成，两者含量之比为9:1。

3. 游离氨基酸　约占蜂王浆干重的0.8%，其中含有人体所必需的7种氨基酸。除表9-16中所列的氨基酸外，蜂王浆中还有少量的半胱氨酸、色氨酸等。

表9-16　蜂王浆中游离氨基酸的种类和含量　（单位：mg/g）

氨基酸种类	样品含量			氨基酸种类	样品含量		
	样品1	样品2	样品3		样品1	样品2	样品3
赖氨酸	0.009 62	0.024 3	0.029 2	组氨酸	0.003 34	0.010 1	0.010 1
苯丙氨酸	0.009 19	0.007 3	—	酪氨酸	0.004 63	0.006 5	0.006 5
亮氨酸	0.010 86	0.014 9	0.014 9	丙氨酸	0.004 45	—	—
异亮氨酸	0.007 27	0.009 0	0.009 0	甘氨酸	0.004 58	0.008 2	0.008 0
蛋氨酸	0.002 86	0.003 5	0.003 5	脯氨酸	0.006 81	—	0.002 0
缬氨酸	0.008 12	0.011 1	0.011 1	谷氨酸	0.013 25	0.028 9	0.018 9

续表

氨基酸种类	样品含量			氨基酸种类	样品含量		
	样品 1	样品 2	样品 3		样品 1	样品 2	样品 3
苏氨酸	0.009 59	0.012 3	0.012 3	丝氨酸	0.007 57	—	0.015 3
精氨酸	0.006 58	0.018 5	0.018 5	天门冬氨酸	0.024 14	0.040 4	0.040 4
胱氨酸	0.001 29	—	—				

注：样品 1 由中国农业科学院蜜蜂研究所测定（引自史满田，1993），样品 2 由日本深尺光一测定（引自史满田，1993），样品 3 为北京第三制药厂化验报告（引自张复兴，1998）。

4. 脂类　新鲜蜂王浆的脂类物质约占 6%，其中 90% 为脂肪酸，10% 为中性类脂。

蜂王浆中含有 26 种以上的脂肪酸，最重要的是 10 – HDA，约占新鲜蜂王浆总量的 2%，是蜂王浆特有的物质，也称为王浆酸。10 – HDA 是分析鉴定蜂王浆质量的重要指标。此外，蜂王浆的脂肪酸还有癸二酸、癸烯 – 2 – 酸、10 – 羟基癸酸、对羟基苯甲酸、琥珀酸、油酸、软脂酸、8 – 羟基辛酸、3 – 羟基癸酸、己二酸、庚二酸、辛二酸、壬二酸、9 – 氧代 – 反式 – 2 – 癸烯酸等。

中性类脂主要为苯酚类和蜡类（脂肪酸一元醇酯），分别占中性类脂的 40% 和 35%，此外，还有甘油酯、磷脂、糖脂、2，4 – 亚甲基胆固醇、甾醇类等物质。

5. 糖类　糖类物质占鲜蜂王浆总重的 15% 以下。其中 45% 为葡萄糖，52% 为果糖，麦芽糖、龙胆二糖、蔗糖各占 1%。

6. 维生素　蜂王浆中含有多种维生素，以 B 族最为丰富。主要有乙酰胆碱、泛酸、肌醇、维生素 PP、维生素 B_2、维生素 B_6、维生素 B_1、维生素 H、维生素 M、维生素 B_{12}、烟酸等，此外，蜂王浆中还可能存在维生素 A、维生素 K、维生素 D、维生素 E 等。由于蜂王浆中含有抗坏血酸氧化酶，所以维生素 C 的含量极少。

7. 矿物质　每 100g 蜂王浆干物质中含矿物质 0.9g，其中钾 650mg、钠 130mg、镁 85mg、钙 30mg、铁 7mg、锌 6mg、铜 2mg，此外，还有微量的锰、镍、钴、铬、铋、硅、汞、砷等元素。

8. 活性物质　主要包括核苷酸、酶类、激素、生物蝶呤、黄酮类化合物。

（1）核苷酸类：每 100g 干蜂王浆中约含 2.3g 核苷酸，其中每克干蜂王浆含黄素单核苷酸 9.41μg，黄素腺嘌呤二核苷酸 0.58μg，二磷酸腺苷 185.2μg，三磷酸腺苷 302.1μg。

（2）酶类：蜂王浆含有抗坏血酸氧化酶、葡萄糖氧化酶、胆碱酯酶、酸性磷酸酶、碱性磷酸酶、脂肪酶、淀粉酶、醛缩酶、转氨酶等。葡萄糖氧化酶的含量随贮存期的长短而变化。

（3）激素类：蜂王浆中激素类物质均由蜜蜂分泌，主要是蜜蜂的幼弱激素，对雌蜂级型分化起关键作用。每克新鲜蜂王浆分别含有肾上腺素 0.414μg，去甲肾上腺素 1.46μg，17 – 酮固醇（皮质酮）11μg，17 – 羟固醇（皮质醇）41μg，雌二醇

$E_2$4.167ng，睾酮 T 1.082ng，孕酮 P 3.50ng。

此外，蜂王浆中还含有类似胰岛素的多肽物质。这种多肽在溶解性、免疫学性质和生物学性质等方面都类似于脊椎动物的胰岛素，但其含量很微，1g 蜂王浆冻干粉中含有相当于 25μg 猪胰岛素的量。

（4）生物蝶呤类：每 100g 蜂王浆含有生物蝶呤约 3mg。

9. R 物质（未确定物质）　2.84% ~3.00%。目前还不能确定其化学成分，生理机能也都不清楚，很可能为蜂王浆中重要而有效的成分。这类物质的总称用蜂王浆（Royal Jelly）的第一个英文字母表示。

（三）影响蜂王浆成分的因素

蜂王浆中各化学成分所占的比例，因产地、蜜源、蜂种、取浆时台内的虫龄、季节和生产周期等而略有差异，且生物学活性也不同。例如，从 3 日龄幼虫的王台中所取的蜂王浆，其活性远高于 1 ~2 日龄幼虫王台中的蜂王浆。同时还受巢房种类、泌浆蜂日龄、所移幼虫的虫龄等的影响。

三、蜂王浆的质量标准与感官检验

（一）蜂王浆的质量标准

蜂王浆的质量标准包括感官指标、理化指标和卫生指标等内容。我国于 1988 年由国家标准局颁发了《中华人民共和国国家标准 GB9697—88——蜂王浆》，并于 1989 年 3 月 1 日起实施。该标准包括对蜂王浆的质量要求和等级划分、检验方法、验收规则、包装标准、贮存与运输，并附注采收要求及蜂王浆卫生指标等。

1. 感官指标　蜂王浆的感官指标包括颜色、状态、气味和滋味等，根据感官指标和理化指标的含水量差异，将蜂王浆划分为优等品、一等品和合格品（表 9 - 17）。

2. 理化指标　在标准中，对蜂王浆中的水分、粗蛋白、酸度、灰分、总糖、淀粉、10 - HDA 等理化指标做出规定，除了水分外，其他各项理化指标 3 个等级的蜂王浆均相同（表 9 - 17）。

3. 卫生指标（暂定）　杂菌总数不得超过 300 个/g，霉菌不得超过 100 个/g，致病菌不得检出。

4. 蜂王浆的采集要求（补充件）

（1）采集蜂王浆应在人工移虫后 68h 左右为宜，不得在露天、阳光直射和有苍蝇、灰尘和有污染的环境下进行采集。

（2）采集蜂王浆的工具和盛装蜂王浆的容器，必须用清洁水刷洗干净，并用 75% 食用酒精消毒。不得由患传染病的人采集蜂王浆。采集前要洗手并消毒，采集时要戴口罩。

（3）王台从蜂箱取出后必须用消毒的纱布覆盖。取出的蜂王浆要保持朵块形状（用吸浆器采的浆除外）。取蜂王浆的工具不得沾水和唾液。

（4）一个花期必须更新 1 次王台（塑料王台，一个花期消毒 1 次）。

（5）蜂王浆必须用无毒塑料瓶盛装，装好后要盖紧瓶盖，用医用橡皮膏封口，瓶外要注明移虫日期、花种、采集时间、采集地点和采集人员姓名，立即贮存于温度不高于4℃的冷藏器内，或在48h内送交收购部门。

表9－17　蜂王浆感官指标

<table>
<tr><th colspan="2">项目</th><th>优等品</th><th>一等品</th><th>合格品</th></tr>
<tr><td rowspan="4">感官指标</td><td>颜色</td><td>乳白色</td><td>乳白至淡黄色</td><td>淡黄色至黄红色</td></tr>
<tr><td>状态</td><td>浆状朵块形，微黏，光泽明显；无幼虫、蜡屑等杂质；无气泡</td><td>乳浆状，微黏，朵块状不得少于1/3，有光泽；无幼虫、蜡屑等杂质；无气泡</td><td>乳浆状，微黏，有光泽；无幼虫、蜡屑等杂质；无气泡</td></tr>
<tr><td>气味</td><td colspan="2">蜂王浆香气浓，气味纯正</td><td>有蜂王浆香气，气味纯正</td></tr>
<tr><td>滋味</td><td colspan="2">有明显的酸、涩带辛辣味，回味略甜，不得有发酵、发臭等味</td><td>有酸、涩带辛辣味，回味略甜，不得有发酵、发臭等味</td></tr>
<tr><td rowspan="7">理化指标</td><td>水分/%</td><td colspan="2">62.5～67.5</td><td>67.6～70</td></tr>
<tr><td>粗蛋白/%</td><td colspan="3">≥11</td></tr>
<tr><td>酸度（1mol/L NaOHml/100g）</td><td colspan="3">30～53</td></tr>
<tr><td>灰分/%</td><td colspan="3">≤1.5</td></tr>
<tr><td>总糖/%</td><td colspan="3">≤15</td></tr>
<tr><td>淀粉</td><td colspan="3">不得检出</td></tr>
<tr><td>10－HDA/%</td><td colspan="3">1.4以上</td></tr>
</table>

注：①蜂王浆香气，即略带花蜜香和辛辣气；

②用吸管采的浆，不要求有朵块形，如有争议，以理化指标测定结果为准。

（二）蜂王浆的验收

验收是保证蜂王浆收购质量的关键环节，快速准确地鉴别蜂王浆品质优劣的方法是蜂王浆收购和销售人员必须掌握的技术。蜂王浆的验收技术包括抽样、感官检验和简易测定。

1. 取样方法　蜂王浆验收取样以一个单位或个人一次交售的蜂王浆为一批，感官检验应逐瓶（壶）打开检验，理化检验则需要采取随机取样的方法，抽样比例以不少于总量（件数）的20%为宜，取样总量不超过1kg。

取样时，用内径约5mm、长300mm，两端开口平齐的玻璃管，插到蜂王浆的底部，用手指压住玻璃管的上方开口，提出玻璃管将蜂王浆移入烧杯中，松开玻璃管的上口让管内蜂王浆流入烧杯中。一般取样3份，取出的蜂王浆样品经充分搅拌均匀后留1份备检，另2份作为检测和备用。每份样品的质量取决于所需检测项目，但不得少于20g。

2. 感官检验　蜂王浆的感官检验应在清洁卫生、光线良好的环境中进行。盛装蜂王浆的容器须完整无损，合乎食品卫生要求（以采用聚乙烯原料制成的包装最好），否则应拒收。

启开盛浆容器，先观察蜂王浆表面的状态是否符合鲜王浆要求，然后把消毒过的玻璃棒（或取样玻璃管或不锈钢条）从容器上口中插入到底部，转动玻璃棒，随后抽出，观察蜂王浆上下是否一致，并通过眼看、鼻嗅、口尝和手捏等方式，依据蜂王浆的颜色、状态、气味、口味，从观感、嗅感、味感和手感来判别蜂王浆的质量优劣。

感官检验蜂王浆需要丰富的经验，只有反复实践，比较各花种、各种质量甚至各种掺假蜂王浆的感官特点，才能胜任此项工作。

（1）眼看：如果蜂王浆是用透明或半透明的容器盛装，可从包装外观察蜂王浆的色泽是否上下一致，是否有杂质点。如果外观色泽不一或暗，即有不同花期生产的蜂王浆或新浆和陈浆混装、掺杂、贮藏久等嫌疑。

新鲜蜂王浆以乳白色或淡黄色为好，只有少数蜜源花期（如荞麦、桉树）所生产的蜂王浆呈微红色，冻结的蜂王浆色泽略微黄。表面光泽明显。颜色变浑、发暗或呈灰黄，均是不正常现象。同一容器的蜂王浆颜色上下应一致。由贮藏时间和浆温过高造成的浆色变深，说明蜂王浆质量下降。

纯洁的鲜蜂王浆呈半透明的乳浆状，半流体，稀、稠相间，朵块（俗称“浆花”）明显，不含幼虫、蜡屑等杂质。经过滤、剧烈振荡、搅动、吸管采收、长时间贮存和加工的蜂王浆，朵块消失。长期冷冻贮藏的蜂王浆在解冻后会出现少部分蛋白、水分离现象，冻结的蜂王浆表面有小冰晶。

新鲜蜂王浆具有一定的黏度，从蜂王浆中抽出玻璃棒（管）时有挂棒现象为适中，若有较多的王浆挂棒、向下流动慢，表明蜂王浆黏稠，反之，蜂王浆含水量高。蜂王浆黏稠度大，一是由于虫龄特大或已封盖时取的浆稠，其色泽深、水分少、糖分多；二是掺杂，两者浆质均差。蜂王浆含水量大，一是由于幼虫日龄小时取的浆稀，水分多，浆质较好；二是掺水，打开容器盖，用手抓挤，则水从器壁周围冒出，即浆水分离。但遗留有少量酒液的蜂王浆，久置，蜂王浆朵块不明显，光泽差，浆黏稠。

纯正的蜂王浆无气泡。贮存温度偏高，促使蜂王浆发酵并产生馊气味，或采收蜂王浆时割破幼虫体壁，被虫体液污染所致。掺杂的蜂王浆会有很多气泡，并会很快发臭。无论何原因引起蜂王浆出现大量气泡，都应视为劣质或伪品。

因此，伪品或腐败变质的蜂王浆，色暗、无光泽，有气泡或其他发酵现象。过稠或过稀都有掺假嫌疑。

（2）鼻嗅：新鲜蜂王浆有其独特的清香气味（即花蜜香和辛辣气），香气浓而纯正，略带清香，不得有腐败和刺激气味。假浆色特白，有柠檬酸、滑石粉、奶粉等不良气味，质硬。

（3）口尝：口尝时，舌尖有涩味，略带麻辣感，后味长，咽喉部有辛辣刺激感，回味稍甜。伪品蜂王浆气味平淡，后味短；涩、酸味浓厚，则有变质的可能；口感太甜，说明该浆已掺入蜂蜜、蔗糖或葡萄糖。为保证味觉灵敏，在检验蜂王浆前不宜食用辛辣等刺激食物，也不宜吸烟喝酒等，在检验时还应备漱口用的清水，以保持口腔清洁和味觉敏锐。

（4）手感：手感检验应在气温高于 20℃、无风的环境中进行。玻璃棒（管）从蜂王浆中搅动抽出后，从其上取少量蜂王浆，放在手指尖部和手背捻动或搓揉。

优质的蜂王浆有细腻感，稍有黏性。贮藏一段时间或经冷藏、冻结的蜂王浆，因 10－HDA 结晶析出，还有细颗粒感，但随搓揉时间延续，结晶粒易溶化，细颗粒感逐渐减弱。如果被检蜂王浆无细颗粒感，除新取出不久的蜂王浆外，即可能是假蜂王浆或是已被过滤的蜂王浆，被过滤的蜂王浆 10－HDA 含量降低，质量受到严重影响。

3. 简易测定　简易测定就是用简单的物理和化学方法，通过水分、溶解度、pH 值等测定，快速检测蜂王浆中是否掺有水、乳制品、蛋白、脂类、淀粉等。

（1）水分测定：用阿贝折光计测定蜂王浆的水分。正常的蜂王浆折光指数为 1.356 0～1.395 0。

（2）溶解度测定：取蜂王浆样品 0.1g 放入试管中，加蒸馏水 1～2ml 后，摇匀，加入 0.1mol/L NaOH 溶液至 pH 值 6～9，则浆、水混合液中的悬浮物即被溶解。加热溶液，未出现沉淀或分层现象，就证明蜂王浆中未掺入乳制品、蛋白或脂类等物质。

（3）碘试验：取蜂王浆样品 0.1g，放入小烧杯中，加蒸馏水 1～2ml，搅拌均匀，再加入 0.1mol/L 碘液 2 滴，若呈现绿色、浅绿色、蓝色等，则证明该蜂王浆中已掺杂淀粉物质。

（4）pH 值测定：取蜂王浆样品 0.5g 于烧杯中，再加入新煮沸后冷却至室温的蒸馏水 10ml，搅拌均匀后用酸度计或 pH 试纸测定蜂王浆的 pH 值。正常蜂王浆 pH 值为 3.5～4.5，若样品酸度超出此范围，都有掺杂的可能；蜂王浆 pH 值过小，还有可能为发酵所致。

四、蜂王浆的成分测定

（一）水分和干物质的测定

1. 减压加热干燥法

（1）主要仪器：感量为 0.000 1g 的分析天平、减压干燥箱、称量瓶（高 20mm，直径 35mm）、干燥器（内置硅胶干燥剂）。

（2）测定方法：准确称取蜂王浆样品 1～2g，置于已恒重的称量瓶中，放进减压干燥箱，在温度为 75℃、压力为 －0.097～－0.100MPa（－730～－760mm 汞柱）下，干燥至恒重（约需 4h），取出称量瓶，置于干燥器中，冷却 30min 后称重。

平行试验允许误差不超过 0.5%，取平均值确定结果。

（3）计算方法：用式（9－13）、（9－14）计算。

$$水分（\%）=[(m_1-m_2)\div(m_1-m_3)]\times 100 \quad (9-13)$$

$$干物质（\%）=[(m_2-m_3)\div(m_1-m_3)]\times 100 \quad (9-14)$$

式中：

m_1——称量瓶和样品质量，g；

m_2——称量瓶和样品干燥至恒重后的质量，g；

m_3——称量瓶质量，g。

2. 快速测定法 将普通滤纸剪成 1.5～2.0cm^2 大小，用250W 红外线烘干箱在约90℃下烘 15min，置于干燥器中备用。测定蜂王浆水分时，称重备用滤纸（精确至0.001g），然后在此滤纸上准确称取约 0.200g 蜂王浆样品，置 90℃红外线烘干箱中烘15min，取出置于干燥器中，冷却后称重，其减少的质量即为蜂王浆样品中水分含量。

（二）灰分测定——硫酸盐法

1. 主要仪器 30ml 瓷坩埚、干燥器（内置硅胶干燥剂）、分析天平（感量为0.000 1g）、高温电炉。

2. 试剂 浓硫酸（分析纯）、稀盐酸（1∶4）。

3. 测定方法

（1）用稀盐酸洗净瓷坩埚后，放入550～600℃高温电炉中焙烧30min，稍冷却后取出，置于干燥器中冷却，称重。

（2）准确称取新鲜蜂王浆样品 1.5g（精确至 0.000 1g）于瓷坩埚中。缓缓灼烧至完全炭化，冷却至室温。

（3）加入浓硫酸 0.5～1ml，使其湿润，低温加热至硫酸蒸汽除尽，放入高温炉，700～800℃灼烧至完全灰化（无烟），再置于干燥器中冷却 30min 称重，反复焙烧和称重，直至恒重为止。

4. 计算 用式（9－15）计算。

$$灰分（\%）=[(m_2-m_3)\div(m_1-m_3)]\times100 \quad (9-15)$$

式中：

m_1——坩埚和样品质量，g；

m_2——坩埚和灰分质量，g；

m_3——灼烧至恒重坩埚质量，g。

（三）粗蛋白测定——凯氏定氮法

1. 原理 以浓硫酸消化分解蛋白质，其中的氮变成氨，再与硫酸化合生成硫酸铵。生成的硫酸铵与氢氧化钠反应再生成氨，用蒸馏法使氨蒸出，用标准浓度的硫酸溶液与其反应，剩余的硫酸再经氢氧化钠标准溶液滴定，从实际消耗的酸量可推算出生成的氨量。

2. 仪器与试剂

（1）仪器：分析天平（0.000 1g）、50ml 凯氏烧瓶、凯氏定氮半微量蒸馏装置 1 套、滴定装置 1 套。

（2）试剂：

浓硫酸（分析纯，密度 1.84）。

硫酸铜与硫酸钾混合试剂：称取 5 水硫酸铜 1g、硫酸钾 10g，置于研钵中混合均匀，研细备用。

混合指示剂：量取 0.1% 次甲基红乙醇溶液 2 份和 0.1% 溴甲酚绿乙醇溶液 3 份，临用时混合。

2% 硼酸溶液：称取硼酸 2g，量取混合指示剂 2ml、乙醇 20ml，置于锥形瓶中，加蒸馏水溶解并稀释至 100ml，摇匀备用。

40% 氢氧化钠溶液：称取氢氧化钠 40g，加蒸馏水溶解并稀释至 100ml。

稀硫酸：量取浓硫酸 5.7ml，加蒸馏水稀释至 100ml。

0.1mol/L 盐酸标准溶液的配制和标定：

配制：量取浓盐酸溶液 9ml，加蒸馏水稀释至 1 000ml，摇匀备用。

标定：准确称取在 270～300℃干燥至恒重的基准无水碳酸钠约 0.15g，置于 150ml 锥形瓶中，加蒸馏水 50ml 使其溶解，滴入混合指示剂 10 滴，用被标定的盐酸溶液滴定，至溶液由绿色变为紫红色时，煮沸 2min，冷却至室温，继续滴定至溶液由绿色变为暗紫色为终点。

使用前，用蒸馏水将 0.1mol/L 盐酸溶液准确稀释 10 倍，配制成 0.01mol/L 的盐酸溶液。

$$C = m \div (V \times 0.0530) \qquad (9-16)$$

式中：

C——盐酸标准溶液的物质的量浓度，mol/L；

m——无水碳酸钠的质量，g；

V——滴定所耗盐酸溶液的体积，ml；

0.053 0——1mmol 碳酸钠的质量，kg/mol。

3. 测定方法

（1）消化：准确称取蜂王浆样品约 1g，放入干燥的凯氏烧瓶内，加入 2g 硫酸铜与硫酸钾混合试剂，再沿瓶壁缓缓加入 61ml 浓硫酸，在瓶口放一小漏斗，使烧瓶成 45°斜放，在通风橱内置于电炉上加热消化（先小火缓缓加热，使溶液温度保持在沸点以下，等暴沸停止后，逐步加大火力）。待消化液呈清澈的亮绿色后，再继续加热 30min，消化即可完毕（消化时间约为 1h），冷却后备用。

（2）蒸馏：量取 2% 硼酸溶液 10ml 置于 100ml 的锥形瓶中，加入混合指示剂 2 滴和少量稀硫酸，将冷凝管尖端浸入液面下。然后，将凯氏烧瓶中的消化液经由漏斗移入蒸馏器中，用少量蒸馏水淋洗凯氏烧瓶和玻璃漏斗数次。向蒸馏器中加入 40% 氢氧化钠溶液约 25ml 之后，再加入 5ml 蒸馏水（一半流入蒸馏器，一半在玻璃杯中作水封）。用调温电炉加热开始蒸馏。待锥形瓶内溶液的颜色由酒红色变为蓝绿色时，继续蒸馏 10min，将冷凝管尖端提出液面，使蒸汽继续冲洗 1min，用少量蒸馏水淋洗尖端，停止蒸馏。

（3）滴定：用 0.01mol/L 的盐酸溶液滴定锥形瓶中吸收的氨量，滴定至溶液由蓝绿色变为灰紫红色为终点，并作空白试验校正。

4. 计算　用式（9－17）计算。

$$\text{粗蛋白}(\%) = [(V_1 - V_2) \times C \times 0.014 \times 6.25 \times 100] \div (m \times D) \qquad (9-17)$$

式中：

V_1——样品消耗0.01mol/L盐酸标准溶液的体积，ml；

V_2——空白试验消耗0.01mol/L盐酸标准溶液的体积，ml；

C——盐酸标准溶液的物质的量浓度，mol/L；

m——样品质量，g；

D——样品的稀释倍数；

0.014——1ml 1mol/L盐酸标准溶液相当于氮的质量，g；

6.25——氮换算为蛋白质的系数。

平行试验允许误差不超过±0.2%，取平均值确定结果。

(四) 总酸度测定——电位滴定法和中和滴定法

用氢氧化钠中和蜂王浆中的游离酸，用pH计或酸碱指示剂确定滴定终点。电位滴定法测定蜂王浆总酸度，以pH计确定滴定终点。

1. 电位滴定法

(1) 仪器及试剂：电位滴定计、10ml滴定管、100ml烧杯、分析天平（0.000 1g）。基准邻苯二甲酸氢钾、酚酞混合指示剂（1%乙醇溶液）、0.1mol/L氢氧化钠标准溶液。

(2) 0.1mol/L氢氧化钠标准溶液的配制和标定：

配制：称取氢氧化钠适量，加蒸馏水振荡，使其溶解成饱和溶液，冷却后，置于能密闭的聚乙烯瓶中，静置数日，取上清液5.6ml，加刚沸腾并冷却后的蒸馏水，稀释至1 000ml，摇匀后密闭保存。

标定：准确称取105℃下干燥至恒重的基准邻苯二甲酸氢钾约0.6g，置于150ml锥形瓶中，加刚沸腾并冷却的蒸馏水50ml，振动使其溶解，滴入酚酞混合指示剂2滴，用氢氧化钠溶液滴定至溶液显粉红色为终点。用式（9-18）计算氢氧化钠溶液的摩尔浓度。

$$C = m \div (V \times 0.2042) \qquad (9-18)$$

式中：

C——氢氧化钠标准溶液的摩尔浓度，mol/L；

m——邻苯二甲酸氢钾的质量，g；

V——滴定消耗氢氧化钠溶液的量，ml；

0.204 2——邻苯二甲酸氢钾的毫摩尔。

(3) 测定方法：准确称取蜂王浆样品约1.2g，置于100ml的烧杯中，加入刚煮沸并冷却的蒸馏水75ml，用0.1mol/L氢氧化钠标准溶液滴定至样液pH值8.3，并以1min内不变色为终点。

(4) 计算：以式（9-19）计算。

$$\text{酸度} = (V \times 10) \div m \qquad (9-19)$$

式中：

V——滴定样品所消耗的氢氧化钠标准溶液毫升数，ml；

m——样品质量，g。

平行试验结果允许误差 ±0.5ml。

2. 中和滴定法　中和 100g 蜂王浆所消耗的 1mol/L NaOH 溶液的毫升数。

（1）方法：准确称取蜂王浆样品 0.5g，置于 50ml 烧杯中，加蒸馏水 10ml 搅拌溶解，加甲基红（0.1% 的乙醇溶液）指示液 1～2 滴，以 0.1mol/L NaOH 溶液滴定到变为黄色为终点。

（2）计算：根据式（9－20）计算。

$$酸度 = (C \times V \times 100) \div m \qquad (9-20)$$

式中：

C——氢氧化钠标准溶液的物质的量浓度，mol/L；

V——滴定消耗 0.1mol/L 标准氢氧化钠溶液的体积，ml；

m——蜂王浆样品质量，g。

（五）10－HDA 的测定

10－HDA 的测定方法主要有气相色谱法和紫外测定法。蜂王浆国家标准中主要采用气相色谱法。

1. 气相色谱法

（1）气相色谱装置及实验条件：色谱柱（固定液：3% 硅油 SE－30；载体：Chromosrb、WAW－DMCS、60～80 目；酸洗，硅化烷处理）。玻璃柱（3mm×200mm）。柱温 190℃，进样口温度 250℃，氮气流量 40ml/min，氢气流量 50ml/min，空气流量 1L/min。检测器：氢离子火焰检测器。

（2）试剂：乙醚（分析纯）、1mol/L 盐酸。

硅烷化试剂：取 BSA〔N，O－双（三甲基硅烷）乙酰胺〕和 TMCS（三甲基氯化硅烷）以 2∶1混合。使用前配制。

标准溶液：取 10－HDA 标准品于浓硫酸干燥器中减压干燥 24h，用三氯甲烷配制成 0.2mg/ml 溶液备用。

内标准溶液：准确称取十七烷酸（棕榈酸）50mg，用三氯甲烷定容于 100ml 容量瓶中，含量为 0.5mg/ml。

（3）测定方法：

①标准曲线绘制：准确吸取标准溶液 1ml、2ml、3ml、4ml、5ml 于小锥形烧瓶中，再各加入 2ml 内标准溶液，除去溶媒，最后分别加入硅烷化试剂 0.5ml。瓶口塞紧后剧烈振荡，放置 10min。准确吸取 4μl 注入色谱仪。由所得到的色谱图求得峰面积比，以峰面积比对质量比绘成标准曲线。

②样品处理：精确称取蜂王浆 0.5g 于小烧杯中，加 30% 氢氧化钠溶液 2 滴，并加少量蒸馏水使其溶解，移入 100ml 容量瓶中，用蒸馏水定容，摇匀，精确吸取此溶液 10ml 置于 150ml 分液漏斗中。蒸馏水 10ml，加 1mol/L 盐酸数滴，使其呈酸性（pH 值在 3 以下），用乙醚振荡抽提 4 次。乙醚抽提液合并于另一分液漏斗中，用蒸馏水洗 3 次，每次 20ml。静置片刻，将乙醚层移入 200ml 梨形蒸馏烧瓶中，用旋转式蒸发器在 40℃下蒸发去除乙醚。准确加入 2ml 内标准溶液，再用旋转式蒸发器在约 65℃下蒸发

掉三氯甲烷。然后通干燥氮气流除尽溶媒及水分，以下按标准曲线绘制方法进行硅烷化及气相色谱分析，由所得的峰面积比，从标准曲线求得相应的质量比，并换算为质量，按公式（9-21）计算试样中10-HDA的百分含量。

$$10-HDA（\%）（按干燥品计算）=（100\times m_1）\div（100\times m_2-m_2\times A）\quad (9-21)$$

式中：

m_1——由标准曲线求得的10ml样品溶液中10-HAD的质量，mg；

m_2——样品质量，g；

A——样品中的水分含量,%。

平行试验允许误差不得超过0.1%，取平均值确定结果。

2. 紫外测定法

（1）仪器和试剂：UV-3 000紫外分光光度计。甲醇（分析纯）。

（2）测定方法：准确称取蜂王浆7份，每份100~200mg，以甲醇溶液定容100ml。用干燥滤纸滤入预先干燥的150ml具塞三角烧瓶中，分别吸取1ml，以甲醇稀释至10ml。以甲醇为空白，1cm厚石英池在（205±1）nm处测定吸收度。

（3）计算：用式（9-22）计算。

$$10-HDA（\%）=（Y\times A\times 10）\div m \quad (9-22)$$

式中：

m——样品质量，mg；

A——稀释倍数；

Y——10-HDA甲醇溶液浓度为2~20μg/ml，用最小乘法求得的回归方程：Y（μg/ml）=18.68X-0.513 6。

（六）总糖测定——斐林氏法

1. 主要仪器　分析天平（0.000 1g）、水浴锅、温度计。

2. 试剂及配制

（1）斐林氏A液和斐林氏B液的配制和标定：

①斐林氏A液：准确称取5水硫酸铜（$CuSO_4\cdot 5H_2O$）34.64g，溶解于少量蒸馏水中，然后用蒸馏水稀释至500ml，摇匀过滤后备用。

②斐林氏B液：准确称取酒石酸钾钠173g及氢氧化钠50g溶解于少量蒸馏水中，然后用蒸馏水稀释至500ml。放置2d后备用。

③斐林氏溶液效价的标定：准确吸取A及B液各5ml，置于125ml三角烧瓶中，加蒸馏水10ml，放在电炉石棉网上加热至沸腾。用0.5%无水葡萄糖溶液趁热滴定至蓝色即将褪尽，加入0.1%次甲基蓝指示剂2滴，继续加热至沸腾。再趁热继续用葡萄糖溶液滴定至蓝色消失为终点。

④计算：按式（9-23）计算。

$$m_1=m_2\times V_1\div V_2 \quad (9-23)$$

式中：

m_1——10ml 斐林氏溶液相当于葡萄糖的质量，g；

m_2——无水葡萄糖的称取质量，g；

V_1——滴定消耗无水葡萄糖溶液的体积，ml；

V_2——无水葡萄糖定容的体积，ml。

（2）0.5%葡萄糖溶液：准确称取在105℃干燥至恒重的无水葡萄糖0.5g，放入100ml 容量瓶中，加蒸馏水定容。

（3）0.1%次甲基蓝指示剂：准确称取0.1g 次甲基蓝，放入100ml 容量瓶中，加蒸馏水定容。贮存于有色试剂瓶中备用。

（4）浓盐酸（分析纯）。

（5）28%氢氧化钠溶液：取氢氧化钠饱和溶液40ml，置于100ml 容量瓶中，用蒸馏水定容，摇匀，移入聚乙烯瓶中，静置数日后取上清液备用。

3. 蜂王浆样液制备　准确称取蜂王浆样品约3g，置于100ml 容量瓶中，加入50ml 蒸馏水，再加入5ml 浓盐酸。将容量瓶置于68～70℃的水浴中水解10min，置流水下迅速冷却至室温。用28%的氢氧化钠溶液中和至 pH 值6～8，用蒸馏水定容至刻度。摇匀后，用4层纱布过滤，滤液待测。

4. 测定方法　准确吸取斐林氏 A 及 B 液各5ml 于250ml 的三角烧瓶中，摇匀后加蒸馏水10ml，放在电炉石棉网上加热至沸。用滴定管趁沸腾滴入蜂王浆样液直至蓝色消失，加入0.1%次甲基蓝指示剂2滴。再加热至沸，用蜂王浆样液继续滴定至蓝色消失为终点。

5. 计算　按式（9-24）计算。

$$\text{总糖（以转化糖计\%）} = m_1 \div (m \times V \div 100) \qquad (9-24)$$

式中：

m——样品质量，g；

V——滴定时消耗蜂王浆样液的体积，ml；

m_1——10ml 斐林氏试液相当于葡萄糖的质量，g。

平行试验允许误差为±0.2%，取平均值确定结果。

（七）淀粉测定（定性分析）

1. 试剂　1.3%碘液：称取碘1.3g、碘化钾3.6g，置于200ml 烧杯中，加蒸馏水50ml，再加盐酸1滴溶解后加蒸馏水至100ml，摇匀，置于棕色瓶中密闭备用。

2. 测定方法　称取蜂王浆样品约0.2g，置于50ml 烧杯中，加入蒸馏水10ml，加热至沸腾。冷却至室温后加入1.3%碘液数滴。

3. 测定结果　不显蓝色为合格；如有蓝色出现，则证明蜂王浆中掺有淀粉类物质。

五、蜂王浆的贮存和运输

鲜蜂王浆易被温度、光照、空气、酸碱、金属和微生物等污染或破坏；另外，蜂王浆在经常冻结、解冻以及震动、换瓶过程中也易败坏；长期保存，随着时间的延长，对保持蜂王浆的质量也不利。因此，在生产、贮藏、加工和流通过程中要尽可能避免上述不利因素产生。

（一）蜂王浆的包装

被包装的蜂王浆不得含有蜡屑、浆垢和蜂王幼虫体液、组织，盛装蜂王浆必须用无毒塑料容器，且尽可能装满容器。装瓶前必须用清洁水刷洗干净，用75%的酒精消毒，晾干后方能使用。每瓶定量装净重1kg。装瓶后用医用橡皮膏（GB2771—81）贴封瓶盖。目前，也用无毒塑料壶盛装蜂王浆，每壶定量6kg。

装蜂王浆的瓶外要标明“蜂王浆专用”、防震动以及“↑”等，同时用小标签注明花种、产地、收购单位、检验员姓名、收购日期和空瓶重量，贴在瓶下部。

蜂王浆外用木箱或瓦楞纸箱包装，每箱定量15瓶（用塑料壶盛装的蜂王浆，可4壶一个包装）。在箱外要印上防雨、防震、防高温及“↑”等标志，并标明箱的大小规格。

（二）蜂王浆的贮藏与运输

一般情况下，-5～-7℃可较长期贮存蜂王浆，-2℃可存放1年，而在5℃条件下贮存1年的蜂王浆不能培育出蜂王。蜂王浆长期贮存，温度以-18℃为宜。生产收购和销售过程中短期存放，温度不得高于4℃。蜂场生产出来的蜂王浆，应在24h内交售，否则应挖地洞或放井下暂时贮存。不同产地、不同花种、不同时间生产的蜂王浆要分别（装瓶、装箱）存放。蜂王浆不得与有异味、有毒、有腐蚀性和可能产生污染的物品同库存放。

蜂王浆应低温运输，不得与有异味、有毒、有腐蚀性和可能产生污染的物品同装混运。

第三节　蜂花粉

一、蜂花粉的概念和分类

（一）蜂花粉的概念

1990年7月1日颁布的《中华人民共和国国家标准GB/T11758—89》中对蜂花粉的定义是：蜂花粉（Bee Pollen）是蜜蜂从被子植物雄蕊花药和裸子植物小孢子叶上的小孢子囊内采集的花粉粒，经蜜蜂加工而成的花粉团状物。

（二）蜂花粉的分类

蜜蜂采集的植物花粉，有虫媒花粉，也有风媒花粉。虫媒花粉的花粉粒较大，质重，外壁有突起或黏质，有的还带有小刺，易粘在蜜蜂体上；虫媒花大都有集中成簇的花序，花被发达，颜色鲜明，有香气和蜜腺，用以招蜂引蝶。如刺槐、油菜、桃等。风媒花粉的花粉粒较小，质轻，花粉外壁光滑；风媒花花小，不鲜艳，花被退化或消失，一般无香气和蜜腺，如松、玉米、杨等。

蜜蜂采集的多是虫媒花粉，也采集少数的风媒花粉。在实际蜂花粉分类中，只分"纯花粉"和"百花粉"（杂花粉、混合粉）。纯花粉是指蜜蜂采集同一种植物的花粉，色泽一致，杂色极少或没有，纯花粉又根据泌蜜散粉的植物对应命名，如油菜蜂花粉、芝麻蜂花粉、茶花蜂花粉、向日葵蜂花粉等；百花粉是指蜜蜂采集 2 种以上植物的花粉，杂色。

二、蜂花粉的理化性质和化学成分

（一）蜂花粉的理化性质

蜂花粉团由众多花粉粒聚合而成。每一个花粉粒都是一个完整的植物生殖细胞。花粉粒的大小、形状、颜色等依植物的种类不同差异很大。如勿忘草的花粉粒直径不足 10μm，而南瓜花粉粒直径可达 250μm，大多数植物的花粉粒直径在 15～50μm。花粉粒的形态各异，多为辐射对称或完全对称，常呈球形、近球形、扁球形等。花粉粒的外壳称孢壁，由内壁和外壁等多层组成；孢壁表面有刺状、条纹状、颗粒状、网状、疣状、柱状等雕纹图案，还有孔、沟、裂缝等萌芽器官，花粉的营养成分也由此渗出

表 9－18　部分花粉、形状、大小、萌发孔、纹饰和色泽

名称	形态	大小/μm	萌发孔	表面纹饰	颜色
乌　桕	长球形	直径 35～40	具 3 孔沟	细网状	深黄色
荞　麦	长球形	直径 31.0～43.9	具 3 孔沟	网状	暗褐色
紫云英	长球形	13.8×15.8	具 3 孔沟	颗粒状	橘红色
棉　花	球形	直径 100～133	散孔	刺状	金黄色
玉　米	长球形	76.8×90.0	单孔	颗粒状	米黄色
芝　麻	扁球形	38.8×60	11～12 沟	网状	粉白色
茶　树	近扁球形	36.1×43.7	具 3 孔沟	条状至拟网状	橘红色
南　瓜	球形	直径 137.7～200	11～13 沟	刺状	浅黄色
向日葵	球形	直径 22.1～27.3	具 3 孔沟	刺状	橘红色
罂　粟	球形	直径 31.2～37.7	具 3 沟	颗粒至网状	深褐色
油　菜	扁球形	直径 25～32	具 3 沟（55%）或 4 沟（45%）	粗网状	金黄色
刺　槐	长球形	28.4×33.4	具 3 孔沟	颗粒状	白色
鸭脚木	近球形	21×23.8	具 3 孔沟	细网状	
荆　条	长球形	23.4×28.4	具 3 沟	细网状至颗粒	灰绿色
草木犀	长球形	21.7×25.1	具 3 孔沟	细网状	浅黄色
西　瓜	近球形	56.6×59.4	具 3 孔沟	网状	

（表9－18）。花粉孢壁很坚硬，具有抗酸、抗碱、抗生物分解的特性。

蜂花粉团的形状多为扁球形、长扁球形或近圆形，并有工蜂后足镶嵌的痕迹，其大小受蜂种、蜜粉源、气候等影响，直径为2.5～3.5mm。一般西方蜜蜂采集的花粉团比东方蜜蜂略大，意大利蜜蜂新采集的花粉团多为6～15mg，而中华蜜蜂采集的花粉团平均6mg。据杨冠煌在玉米花期测定，中华蜜蜂所采集的花粉团质量为意大利蜜蜂的83%。

蜂花粉的颜色和花粉粒的颜色一致，与蜜粉源植物种类有关。有白色、黄色、黄绿色、橘红色、褐色等，甚至有的花粉呈暗黑色。除表9－18列出的外，紫穗槐蜂花粉呈鲜红色，苹果、板栗、党参、黄瓜蜂花粉呈浅黄色，椴树蜂花粉呈淡绿色，半支莲和马鞭草蜂花粉呈紫色，虞美人蜂花粉呈暗黑色，泡桐、野桂花和茗子蜂花粉呈白色，荷花、柳的蜂花粉呈金黄色，松、艾、蒿、枇杷的蜂花粉呈米黄色，野皂荚蜂花粉呈暗黄色，野菊、水稻的呈橘红色等。

鲜蜂花粉一般都有其特殊的辛香气息，味道各异，多有苦涩味。如荞麦蜂花粉有微臭香气、味甜；油菜蜂花粉芳香，但味稍苦涩；野皂荚蜂花粉香气扑鼻，味香甜可口；荷花和茶花蜂花粉味清香甜；芝麻蜂花粉味微甜、苦并辣喉；桐树、台湾相思树蜂花粉则苦涩难咽。

（二）蜂花粉的化学成分

蜂花粉中所含营养成分大致为：蛋白质20%～30%、糖40%～45%、脂肪5%～10%、矿物质2%～3%、木质素10%～15%、未明物质10%～15%。其中，含有19～22种氨基酸、27种常量和微量元素、11种维生素等。蜂花粉是一种完全营养食品，而且高度浓缩，它含有人体所必需的一切营养要素。

蜂花粉的化学成分，因蜜蜂采集的植物种类、地区和季节的不同而有差异。不同的花粉含有该植物的特殊成分，临床上可用来治疗不同的疾病。如罂粟花粉含有鸦片的有效成分“蒂巴因”，而其他花粉并不含有。

1. 水分 新鲜蜂花粉的水分含量多在15%～20%，有的可达40%，在常温下极易发霉变质，还有利于某些昆虫的生长而引起虫蛀。采集来的蜂花粉应及时干燥至含水量2%～8%，干燥过分的蜂花粉其营养成分和色、香、味都会有不同程度的破坏。

2. 蛋白质和游离氨基酸 蜂花粉中含有丰富的蛋白质和多种游离氨基酸，含量为8%～40%（多在20%左右），其中蛋白质含量一般在7%～30%。花粉中的20种游离氨基酸，平均含量一般占氨基酸总量的4%～7%，人体所必需的8种氨基酸全部含有。

江月仙等对38个蜂花粉样品测定的结果，平均氨基酸含量为（170.50±39.58）mg/g。同一粉源植物的蜂花粉，因产地不同蛋白质含量差异较大，但其氨基酸含量基本无差别。如浙江和青海生产的油菜蜂花粉氨基酸含量分别为198.60mg/g和199.55mg/g。一般来说，采自虫媒植物的蜂花粉（如油菜、蚕豆等）氨基酸含量比采自风媒植物（如玉米、松树等）的高。罗马尼亚的研究还证实，春季生产的蜂花粉，其蛋白质和氨基酸的含量高于夏季生产的蜂花粉。

人工采集的栎属花粉游离氨基酸含量平均为2.02%，而蜜蜂采集的同种蜂花粉游离氨基酸含量平均为5.11%。

3. 糖类　蜂花粉的糖类约占其干物质的1/3，主要包括葡萄糖和果糖，此外，还有蔗糖、淀粉、纤维素、半纤维素等。玉米蜂花粉含淀粉量为22.4%，松树蜂花粉只有2.6%。蜂花粉中碳水化合物的总量以杜鹃花科植物最高，为42.4%；以十字花科植物最低，为22.4%。

4. 脂类　脂类是脂肪和类脂的总称。蜂花粉中的脂类物质占干物质的15%~20%，包括游离脂肪酸、磷脂（包含脑磷脂和卵磷脂）、糖脂、固醇、固醇酯、芳香油及有机酸等。

蜂花粉中的14种不饱和脂肪酸（如亚油酸、亚麻酸和花生烯四酸为人体必需的脂肪酸等）含量占脂类物质的60%~90%，占脂肪含量的64.52%；7种饱和脂肪酸占脂肪含量的25.23%。

蜂花粉中类脂含量从三叶草的1.5%到蒲公英的18.9%，平均含量9.2%。

5. 维生素　蜂花粉中含有15种以上的维生素，每100g花粉含维生素0.05~590mg，是一天然维生素的浓缩物。其中以B族维生素最为丰富，还含有胡萝卜素、类胡萝卜素、维生素C、维生素E、维生素P和维生素D等（表9-19）。

6. 微量元素　蜂花粉中除含有氮、氢、氧、碳、钙、磷、钾、钠、镁、氯、硫、硅等常量元素外，还含有碘、锶、锌、铜、铁、锰、钴、钼、铬、锡、钒、硒、氟、镍、钡、铝、镓、硼、锑、锆、铍、铅、砷、铀等多种微量元素。分析结果显示，蜂花粉中钾的含量最高，为2 180~11 800μg/g，钠的含量为13.4~569.0μg/g，钙522~5 470μg/g，镁153~3 600μg/g，铜2.43~21.6μg/g。

蜂花粉中微量元素的种类和含量，与蜜粉源植物及其生长的环境有关，如枣花花粉

表9-19　混合蜂花粉维生素含量　（单位：μg/100g）

种类	含量	种类	含量	种类	含量
维生素 B_1（硫胺素）	1 000~10 000	维生素 B_2（核黄素）	6 000~10 000	维生素A	230~45 000
维生素 K_1（植基甲萘醌）	10~400	维生素 B_5（尼克酸）	7 000~120 000	维生素 D_2	200~53 980
维生素 B_6（吡哆醇）	500~5 000	维生素A原（胡萝卜素）	15 000~50 000	维生素Bc（叶酸）	500~5 000
维生素C（抗坏血酸）	70 000~80 000	维生素 B_7（生物素）	5 000~10 000	维生素 B_3（烟酰胺）	5 000~20 000
维生素E（生育酚）	500~100 000	维生素P（芸香甙）	15 000~50 000		

参考王贻节等，1994。

中铁的含量高达1 534μg/g，是一般花粉的3倍；锰的含量高达44.26μg/g，是一般花粉的2倍；江西的高粱花粉中锌的含量高于一般蜂花粉3倍。

7. 生物活性物质　蜂花粉中生物活性物质包括黄酮类化合物、酶类、激素、核酸、有机酸等，这些生物活性物质，在人体保健方面有着特殊的功效。

（1）黄酮类化合物：花粉是色素累积的特殊细胞，所含类胡萝卜素及黄酮类化合物尤为丰富。从蜂花粉中已分离鉴定的黄酮类化合物有槲皮素－3－鼠李葡萄糖甙、槲皮素－3－葡萄糖－鼠李糖葡萄糖甙、异鼠李素－3－鼠李糖葡萄糖甙、山萘酚－3－鼠李糖葡萄糖、山萘酚－3－木糖鼠李糖葡萄糖、异鼠李素－3－木糖鼠李糖葡萄糖等。来源于不同植物的蜂花粉，黄酮类化合物的种类和数量有差异。

黄酮类化合物在蜂花粉中的含量为0.12%～9%，是一类具有很强生物活性的化合物，对抗动脉硬化、降低胆固醇、缓解疼痛以及防辐射等有积极的作用。

（2）酶：蜂花粉中含有80多种酶，其中包括蔗糖转化酶、淀粉酶、纤维素酶、蛋白酶、磷酸酶、葡萄糖氧化酶、磷酸酯酶、超氧化歧化酶等。

（3）激素：花粉是植物的种质，含有植物各个阶段生理活动所需要的激素，1960年埃及人从去脂枣椰花粉中提取到的促性激素，经精制后得到促滤泡激素和黄体生成素，可以用于治疗不孕症；花粉中的生长素（吲哚乙酸）、赤霉素、乙烯、芸薹素等对植物的生长发育起调节作用。

（4）核酸：每100g蜂花粉中含有2 120mg核酸。核酸与维生素在一起可产生相长作用，由于蜂花粉中含有高含量的核酸和丰富的维生素，故对人体强身抗衰老有明显的功效。

据Jackson 1982年报道，矮牵牛属植物花粉中的植酸含量高达2.1%。

（5）有机酸：在蜂花粉中能够分离出多种有机酸，如羟基苯甲酸、原儿茶酸、没食子酸、香英兰酸、阿魏酸、三萜烯酸、对羟基桂皮酸等。柳属花粉含绿原酸547.5～801.2mg/100g，荞麦、鼠李等花粉中含三萜烯酸8 570～11 060mg/100g。此外，还有甲酸、乙酸、丙酮酸、苹果酸、琥珀酸、柠檬酸、α－酮戊二酸等。蜂花粉中各类有机酸对强壮毛细血管、加强肾功能、调节甲状腺功能、促进创伤愈合、抗炎和抗动脉硬化等有重要的作用。

三、蜂花粉的等级质量标准与验收

（一）蜂花粉的质量等级标准

1989年11月国家技术监督局发布《中华人民共和国国家标准——蜂花粉GB/T11758—89》（表9－20），并于1990年7月1日起实施。其内容包括对蜂花粉的质量要求、等级划分、检验方法、验收规则、包装标准、贮存运输、生产要求等进行了规定。

1. 蜂花粉质量技术指标　见表9－20。

2. 卫生指标　国家尚未对蜂花粉的卫生指标做出规定，只是在蜂花粉国家标准中作为附录提出参考性卫生指标：细菌总数（个/g）≤20万，大肠菌群（个/100g）≤

表 9－20　蜂花粉质量指标

项目		优等品	一等品	合格品
感官指标	颜色	各种花粉固有的色泽，均匀一致	各种花粉固有的色泽，基本均匀一致	杂色
	状态	不规则的扁圆形，并带有工蜂后肢嵌入花粉痕迹的团粒，无霉变		
	气味	有明显的单一花种清香气	有单一花种的清香气	有花粉的清香气
	滋味	香甜带辛，无异味		香甜，有涩的回味，无异味
理化指标	杂质/%	≤0.5	≤1	≤1.5
	单一花粉团率/%	≥95	≥85	不要求
	水分/%	≤5	≤6	≤8
	碎团率/%	≤1	≤2	≤3
	蛋白质/%	≥15		
	维生素 C/（mg/100g）	≥4		
	过氧化氢酶	≥500 单位		
	灰分/%	≤4		

500，致病菌不得检出，农药残留不得超过国家有关标准规定的允许范围。

（二）蜂花粉的感官质量检验与验收

1. 取样方法　产品以批为单位，同批产品的品质规格和包装应一致。以同一产区、同一品种和同一销售单位同时交售的蜂花粉为一批次，每批抽检样品不少于总件数的 20%，对 500 件以上者可减半抽取。从被检验蜂花粉包装的上、中、下 3 个方位抽取样品25～250g。倒在洁净的白瓷盘内，混合均匀后铺平，用对角线法将样品分为 2 份，1 份作检验使用，1 份备用。蜂花粉抽样总的数量不得超过 1kg。

2. 感官检验　用眼看、鼻嗅、口尝、手捏，对蜂花粉的颜色、状态、气味、滋味和其坚度做出判断。质量好的蜂花粉应是色泽新鲜、颜色一致、团粒整齐、无杂质、无异味、无虫迹、无霉变、干燥好、品种纯，颗粒直径 2.5～3.5mm，大小基本一致。色泽暗淡即是贮存过久或烘干温度过高所致。

新鲜的蜂花粉有浓厚的天然辛香气息；霉变的蜂花粉无香气味或有一股难闻的气味，甚至有恶臭气味；长期贮藏的香气淡，有酸气。

除荷花、茶花、野皂荚、杏花等蜂花粉有甜味外，一般味苦涩，品尝后给人留下一种浓厚味。咀嚼花粉粒时有硬脆感，则表明蜂花粉干燥较好；碜牙的，则表明含有泥沙。

用手抓挤或轻搓蜂花粉，应有坚硬感和有“唰唰”的响感；一捏即碎或扁的，是含水量高。

基层收购单位常使用“手抄法”来简易测定蜂花粉的质量：用手插入包装袋内，弯回手指慢慢提出，体会手感，抄起部分蜂花粉，可观察手指间有无蜂尸、沙粒、细尘土等杂质情况。

（三）理化检验

蜂花粉的理化检验所使用的化学试剂均为分析纯，所用的水为蒸馏水或同等纯度的水。

1. 杂质含量测定

用托盘式扭力天平（感量0.01g）准确称取蜂花粉样品约100g，放入搪瓷盘内，拣出杂质并准确称量，用式（9－25）计算杂质含量。

$$杂质（\%）=（m_1 \div m_2）\times 100 \qquad (9-25)$$

式中：

m_1——杂质质量，g；

m_2——样品质量，g。

2. 单一花粉团率测定——计数法　随机从蜂花粉包装内取出蜂花粉团数克，拣出其中同一蜜源植物蜂花粉团粒，用式（9－26）计算。

$$单一花粉团率（\%）=（C_1 \div C_2）\times 100 \qquad (9-26)$$

式中：

C_1——拣出同一蜜源植物蜂花粉团数，粒；

C_2——蜂花粉团总数，粒。

3. 碎团粒测定　用架盘天平（感量0.1g）称取蜂花粉样品约50g，用20目分样筛，筛出碎粒及粉末并称重。按式（9－27）计算。

$$碎团粒（\%）=（m_2 \div m_1）\times 100 \qquad (9-27)$$

式中：

m_1——蜂花粉样品质量，g；

m_2——筛出物质量，g。

4. 水分测定——烘箱干燥法　准确称取蜂花粉样品约10g（精确至0.001g），置于已干燥至恒重的培养皿中，样品厚度约为5mm，放入电热鼓风干燥箱中，在105℃下干燥2～4h后取出。置干燥器中冷却至室温后称重，在同一温度下重复干燥1h左右，直接恒重（两次质量差不超过2mg），用式（9－28）计算。

$$水分（\%）=[（m_2 - m_3）\div（m_2 - m_1）]\times 100 \qquad (9-28)$$

式中：

m_1——容器质量，g；

m_2——样品与容器质量，g；

m_3——样品与容器恒重后的质量，g。

平行试验结果允许误差±0.4%。

5. 灰分测定——灼烧法 用分析天平（感量0.000 1g）准确称取蜂花粉样品约10g，放入坩埚中于105℃烘箱中干燥至恒重；在300℃下灼烧至完全炭化，再移入高温炉中，在600℃灼烧至完全灰化，冷却至200℃以下后放入干燥器内冷却至室温，称重，再次灰化，冷却，称重，直至恒重。按式（9－29）计算灰分含量：

$$灰分（\%）=[(m_2-m_3)\div(m_1-m_3)]\times 100 \qquad (9-29)$$

式中：

m_1——坩埚和样品质量，g；

m_2——坩埚和灰分质量，g；

m_3——灼烧至恒重后的坩埚质量，g。

平行试验结果允许误差为±0.3%。

6. 蛋白质测定——凯氏定氮法

（1）原理：用浓硫酸消化分解蜂花粉中的蛋白质和游离氨基酸等含氮物质，使这些有机物中的碳和氢元素被氧化成二氧化碳和水，而氮被转化成氨。氨再与浓硫酸化合成硫酸铵。

消化后生成的硫酸铵和剩余的浓硫酸存在于消化液中，这时加入浓氢氧化钠溶液，一部分用于中和剩余的浓硫酸，另一部分则与生成的硫酸铵反应生成氨。反应生成的氨通过蒸馏用硼酸溶液来吸收，生成四硼酸铵。

所生成的四硼酸铵可用标准盐酸溶液滴定，即可测得蜂花粉样品中氮的含量，再乘以系数6.25就可得出蜂花粉中总蛋白质的含量。

（2）仪器及装置：分析天平（感量0.000 1g），凯氏定氮半微量蒸馏装置1套，消化管、容量瓶、锥形瓶、移液管、25ml滴定管、量筒等玻璃器皿，调温式远红外消毒用电炉。

（3）试剂：浓硫酸（分析纯，浓度98%），硫酸铜硫酸钾混合试剂（称取5个结晶水的硫酸铜3g、硫酸钾9g，置研钵中混合均匀，研细），田氏混合指示剂（量取0.1%次甲基蓝乙醇溶液50ml和0.1%甲基红乙醇溶液200ml混合均匀，贮存于棕色瓶中），2%硼酸溶液（称取硼酸2g，加蒸馏水50～60ml，使之溶解并稀释至100ml后摇匀，然后滴加田氏混合指示剂，振荡至溶液呈紫红色），40%氢氧化钠溶液（称取40g氢氧化钠，用蒸馏水准确稀释至100ml），0.1mol/L盐酸标准溶液配制（量取浓盐酸9ml，加蒸馏水并稀释至1 000ml，摇匀）。

标定：准确称取经270～300℃干燥至恒重的无水碳酸钠0.15g（精确至0.000 1g），置于150ml锥形瓶中，加蒸馏水50ml使其溶解，滴入田氏混合指示剂2滴，用上述盐酸溶液滴定至溶液由绿色变为紫红色为终点。按式（9－30）计算盐酸的物质的量浓度。

$$C=m\div(V\times 0.053\,0) \qquad (9-30)$$

式中：

C——盐酸标准溶液的物质的量浓度，mol/L；

m——无水碳酸钠的质量，g；

V——滴定所消耗盐酸溶液的体积，ml；

0.053 0——1mmol 碳酸钠的质量，g。

使用前，用蒸馏水将 0.1mol/L 盐酸溶液准确稀释 10 倍，配制成 0.01mol/L 的盐酸溶液。

（4）测定方法：

①消化：准确称取已研细混匀的蜂花粉样品约 50mg，置于消化管内，加入 300mg 硫酸钾与硫酸铜混合试剂和 3ml 浓硫酸，将消化管插入调温式远红外消毒电炉孔中，接通电源，在通风橱内进行消化。待消化液呈清澈的亮绿色时即消化完毕（消化时间约需 1h）。

②蒸馏：待消化液冷却后，将其定量转移到蒸馏器中，并用少量蒸馏水冲洗消化管数次，冲洗液并入蒸馏器中。向蒸馏器加入氢氧化钠溶液 11～12ml，再加入 5ml 蒸馏水（一半流入蒸馏器，一半在玻璃杯中作水封），用调温电炉加热开始蒸馏。用盛有 10ml 硼酸溶液的锥形瓶吸收蒸馏放出的氨，待锥形瓶内的溶液颜色由紫红色变为绿色时，继续蒸馏 3min，停止蒸馏。

③滴定：用 0.01mol/L 的盐酸溶液滴定锥形瓶中吸收的氨量，滴定至溶液由绿色变为淡紫红色为终点，同时做空白滴定。

（5）计算：按式（9－31）计算。

$$\text{蛋白质（\%）} = [(V_1 - V_2) \times C \times 0.014 \times 6.25 \times 100] \div m \qquad (9-31)$$

式中：

V_1——滴定样品消耗的盐酸标准溶液的体积，ml；

V_2——滴定空白消耗的盐酸标准溶液的体积，ml；

C——盐酸标准溶液的物质的量浓度，mol/L；

m——蜂花粉样品的质量，g；

0.014——1mmol 氮的质量，g；

6.25——氮换算为蛋白质的系数。

平行试验结果允许误差 ±0.6%。

7. 维生素 C 测定——2，6－二氯酚靛酚钠盐滴定法

（1）原理：氧化型的 2，6－二氯酚靛酚在酸性溶液中呈粉红色，在中性或碱性溶液中呈蓝色（以 2，6－二氯酚靛酚钠盐形式存在）。维生素 C 具有强还原性，在中性或酸性条件下，还原型的维生素 C 则被 2，6－二氯酚靛酚氧化成脱氢型的维生素 C，而 2，6－二氯酚靛酚则被还原成无色的还原型的 2，6－二氯酚靛酚，红色消失。在没有杂质干扰时，一定量的样液中所含的维生素 C 量与已标定的 2，6－二氯酚靛酚溶液的量成正比，据此可以测定蜂花粉中的维生素 C 含量。

测定时，一般用已标定的 2，6－二氯酚靛酚溶液来滴定样品溶液，初滴入的 2，6－二氯酚靛酚被样品中的维生素 C 全部还原，再加入稍过量的 2，6－二氯酚靛酚就能使溶液呈现淡红色，此时即为滴定反应终点。

（2）仪器设备：减压抽滤装置 1 套，5ml 微量滴定管（最小刻度值 0.02ml）、研钵、烧杯、锥形瓶、容量瓶、移液管等，托盘式扭力天平（感量 0.01g）。

(3) 化学试剂：2% 草酸溶液（称取草酸 2g，用蒸馏水溶解并稀释至 100ml），15% 亚铁氰化钾溶液（称取亚铁氰化钾 15g，用蒸馏水溶解并稀释至 100ml），30% 醋酸锌溶液（称取醋酸锌 30g，用蒸馏水溶解并稀释至 100ml）；标准维生素 C 溶液［准确称取维生素 C 约 20mg（精确至 0.1g），置于 100ml 容量瓶中，用 2% 草酸溶液定容，并摇匀（使用前配制）］。

2，6 – 二氯酚靛酚钠溶液的配制和标定：称取 2，6 – 二氯酚靛酚钠约 50mg，置于 50ml 热蒸馏水中，冷却后定量移入 250ml 容量瓶中，用蒸馏水定容，贮存于棕色试剂瓶中，置冰箱中保存。

准确吸取标准维生素 C 溶液 2ml，加 2% 草酸溶液 5ml。用 2，6 – 二氯酚靛酚钠溶液滴定至桃红色，在 15s 内不褪色为终点，按式（9 – 32）计算。

$$m_1 = (A \times 2) \div V_2 \qquad (9-32)$$

式中：

m_1——1ml 2，6 – 二氯酚靛酚钠溶液相当于维生素 C 的质量，mg；

A——1ml 维生素 C 标准溶液所含维生素 C 的质量，mg；

V_2——滴定 2ml 维生素 C 标准溶液所消耗 2，6 – 二氯酚靛酚钠溶液的体积，ml。

(4) 测定方法：

①样品配制：称取蜂花粉样品约 10g（精确至 0.01g），置于研钵中，加少许 2% 草酸溶液，研细，定量移入 100ml 容量瓶中，加 2% 草酸溶液定容，将其全部移入到 200ml 锥形瓶中后，加入 15% 亚铁氰化钾溶液数毫升，再加 30% 醋酸锌溶液数毫升（以使溶液不沉淀为止），过滤备用。

②样品滴定：准确吸取样液 10ml 置于锥形瓶中，用 2，6 – 二氯酚靛酚钠溶液滴定至呈桃红色，在 15s 内不褪色为终点，记下 2，6 – 二氯酚靛酚钠溶液的毫升数。

(5) 计算：按式（9 – 33）计算。

$$m = [(V - V_1) \times m_1 \times v \times 100] \div (V_3 \times m_2) \qquad (9-33)$$

式中：

m——100g 蜂花粉样品中含维生素 C 的质量，mg；

V_1——滴定空白所消耗的 2，6 – 二氯酚靛酚钠溶液的体积，ml；

V——滴定样液所消耗的 2，6 – 二氯酚靛酚钠溶液的体积，ml；

m_1——1ml 2，6 – 二氯酚靛酚钠溶液相当于维生素 C 的质量，mg；

V_3——滴定所取样品溶液的体积，ml；

m_2——样品质量，g；

v——样品溶液的总体积，ml。

平行试验结果的允许误差为 0.3mg/100g。

8. 过氧化氢酶测定——气量法

(1) 原理：蜂花粉中含有的过氧化氢酶，能利用过氧化物使各种多酚类及芳香胺类化合物发生氧化而产生颜色，根据颜色反应就可测定过氧化氢酶。

(2) 仪器与试剂：Xu – Hu 型气量法蜂花粉活性检测仪。

3%过氧化氢溶液（取30%的过氧化氢溶液准确稀释至10倍）。

（3）测定方法：将洁净水倒入水浴槽至产气管架处，接通电源，调节控温器使指示灯亮度达到最大。当水槽内水温达到38℃时，调节控温器使指示灯熄灭，待水温恒定在37℃并保持5min后再用。

准确称取蜂花粉样品0.5g于小烧杯中，加入1ml蒸馏水，用圆头玻璃棒将蜂花粉碾成均匀的蜂花粉水悬液。用带三通阀的5ml产气管，吸取全部蜂花粉水悬液，排除空气，关闭阀门，置于水槽中（水温在37℃已保持5min）（简称A管）。

用另一气管吸取3%过氧化氢溶液5ml，排除空气，关闭阀门，置于水槽中（简称B管）。

10min后，把A管和B管取出，打开B管阀门，排除空气，将A管和B管接口连好，然后从B管向A管中注入1ml过氧化氢溶液，关上阀门，把A管放入37℃恒温水槽中，同时计时，记录2min内的产气量（ml）。

（4）计算：按式（9-34）计算。

$$\text{过氧化氢酶单位} = 1\,268 \times V \qquad (9-34)$$

式中：

1 268——37℃下1ml氧气的质量，mg；

V——37℃下1g蜂花粉1min内所产生的氧气体积，ml。

平行试验结果允许误差，为50过氧化氢酶单位。

四、蜂花粉的包装、贮存及运输

1. 蜂花粉的包装和包装标志　蜂花粉须用双层食品塑料袋密封包装，外加编织袋或布袋等保护，每袋定量净重为12.5kg或25.0kg。

包装外标明蜂花粉的名称、皮重、净重、花种、等级、产地、生产和经营单位、包装日期和检验员姓名以及必要的防范标记。

2. 蜂花粉的贮存与运输　生产、收购和销售过程中短期存放，必须经干燥处理和密封包装贮存。长期贮存蜂花粉温度须在-5℃以下，若无低温冷藏条件，宜采用真空充氮贮存或用除氧剂封存。据报道，在常温下贮藏蜂花粉，随着时间的延长，其维生素、黄酮类物质、氨基酸和H_2O_2等有不同程度的下降。因此，生产出的蜂花粉应选择合适的贮藏方法，并及时加工使用。

不同产地、不同花种、不同等级、不同时间生产的蜂花粉，应分别堆放，并作详细的记录。最好用专用库房存放蜂花粉，环境要求干燥、清洁、无异味，不得与有毒、有腐蚀性和可能产生污染的物品同库存放，并要求库房无鼠、无虫。蜂花粉应低温运输，也不得与有异味、有毒、有腐蚀性和可能产生污染的物品同装混运。

第四节 蜂 胶

一、蜂胶的概念与质量标准

（一）蜂胶的概念与分类

蜂胶（Propolis）是蜜蜂从植物幼芽和树干破伤处采集来的树脂或树胶，并混入蜜蜂上颚腺的分泌物和蜂蜡等形成的具有芳香气味和黏性的胶状固体物质。

目前，蜂胶多以某个季节主要胶源物质的名字分为几个类型，如桦树型、杨树型、桦树杨树混合型等多种；因胶源植物分布地区的不同，有时也以地区名来分。我国常见的胶源物质主要有杨柳科、松科、桦木科、柏科和漆树科中的多数树种，以及桃、李、杏、栗、橡胶、桉树和向日葵等植物。

（二）蜂胶的质量标准

我国商业部《中华人民共和国行业推荐标准——蜂胶 SB/T10096—92》于 1993 年 6 月 1 日起实施。其感官指标和理化指标，见表 9－21。

表 9－21 蜂胶质量等级要求

项目		等级		
		优等品	一等品	合格品
感官和组织状态	状态	呈不透明固体团块状或碎渣状		
	颜色	棕黄、棕红，有光泽	棕褐带青绿色，光泽较差	灰褐色，无光泽
	气味	有芳香气味，燃烧时有树脂乳香气，口尝味苦、略带辛辣味		
	结构	断面结构紧密，呈黑大理石花纹状	断面结构密实不一，呈沙粒状	断面结构粗糙，有明显杂质
	硬度	20～40℃时，胶块变软，有黏性，20℃以下胶块变硬、脆		
理化指标	乙醇提取物含量/%	≥75	≥65	≥55
	杂质和蜂蜡含量/%	≤25	≤35	≤45
	碘值/%	≥35		
	氧化时间/s	≤22		
	酚类化合物含量/%	≥12		≥15
	黄酮类化合物定性反应	阳性反应		

二、蜂胶的理化性质与化学成分

（一）蜂胶的理化性质

在常温下蜂胶呈不透明固体，表面光滑或粗糙，折断面呈沙粒状，切面与大理石外形相似；呈黄棕色、棕褐色或灰褐色，有时带青绿色，少数色深近似黑色；具有浓郁和令人愉快的芳香、清香气味，燃烧或加热时发出类似乳香的气味。嚼之粘牙，味微苦，有明显的辛辣味。蜂胶的颜色、气味和味道等随蜜蜂采集的树种、保存期的长短和保存条件等而有差异。

用手捏搓能软化蜂胶，36℃时软化，有黏性和可塑性，60～70℃时熔化成黏稠的半流体，并可分离出蜂蜡；温度低于15℃时变硬、变脆，易破碎。蜂胶的相对密度与蜂胶的来源有关，一般为1.120～1.136，优质的多为1.127。

蜂胶不溶于水，微溶于松节油，部分溶于乙醇，极易溶于乙醚、丙酮、苯和2%氢氧化钠溶液。蜂胶溶于95%乙醇中呈透明的栗色，并有颗粒沉淀。

（二）蜂胶的化学成分

蜂胶的化学成分随蜜蜂采胶的季节、地区和蜜源植物不同而有差异，一般含有大约55%树脂、30%左右的蜂蜡、10%芳香挥发油和5%的花粉等杂物，其化学成分有黄酮类化合物、酸、醇、醛、酯、酚、醚、萜、烯、甾类化合物和多种氨基酸、脂肪酸、酶类、维生素、多种微量元素等。

1. 黄酮类化合物　欧洲产的蜂胶多来自杨树，从中分离的黄酮类化合物与杨树腋芽树脂内含物是一致的，称杨树型蜂胶。此型蜂胶以含有白杨素、杨芽黄素、高良姜素、良姜素和乔松素等为特征。在俄罗斯境内采集的蜂胶多来自桦树，称其为桦树型蜂胶。桦树型蜂胶含有与疣枝桦幼芽中的黄酮类化合物10余种和乙酰氧基－α－桦木烯醇等相同。

蜂胶中的黄酮类物质可分为三大类，即黄酮化合物、黄酮醇类物质和双氢黄酮类化合物。其中5，7－二羟基－3′，4′－二甲基黄酮和5－羟基－4′，7－二甲氧基双氢黄酮为首次从自然界中发现的物质，是蜂胶中独特有效成分。

（1）黄酮化合物：白杨素、杨芽黄素、刺槐素、芹菜素、柳穿鱼素、金合欢素、5，7－二羟基－3′，4′－二甲基黄酮、七甲醚芹菜精漆树黄酮等。

（2）黄酮醇类物质：良姜素、高良姜素、三甲醚高良姜素、鼠李素、异鼠李素、鼠李柠檬素、山柰素、岳桦素、槲皮素等及其衍生物。

（3）双氢黄酮类化合物：二氢黄酮素、乔松素、松球素、生松素3－乙酸酯、生松素－3－丁酸酯、生松素－3－己酸酯、生松素醇－3－甲酯、生松素－3－戊酸酯、生松素－3－戊烯酸酯、短叶松素、短叶松素醇基－3－丙烯酸酯、樱花素、异樱花素、柚皮素、5－羟基－4′，7－二甲氧基双氢黄酮等。

2. 酸类化合物　蜂胶中有机酸类化合物主要有苯甲酸、对羟基苯甲酸、咖啡酸、阿魏酸、异阿魏酸、3－甲基－3－丁烯基阿魏酸、对香豆酸、对茴香酸、肉桂酸、4－

甲基肉桂酸、羟基肉桂酸、安息香酸、没食子酸、琥珀酸、当归酸、棕榈酸、巴豆酸、山嵛酸、油酸、亚油酸、肉豆蔻醚酸、富马酸、原儿茶酸、香草酸、藜芦酸、乙酸、丁酸、异丁酸、二甲基丁酸、严胡索酸、硬脂酸、二十四烷酸、龙胆酸、水杨酸、3，4－二甲氧基肉桂酸等。

3. 酯类化合物　主要有乙酸苄酯、乙酸异丁酯、乙酸异戊酯、乙酸异戊烯酯、苯甲酸苄酯、苯甲酸甲酯、苯甲酸乙酯、苯甲酸肉桂酯、苯甲酸香豆酯、苯甲酸咖啡酸酯、水杨酸甲酯、水杨酸苄酯、咖啡酸苄酯、2－甲基－3－丁烯基咖啡酸酯、异戊烯基咖啡酸酯、3－甲基－3－丁烯基咖啡酯、肉桂基咖啡酸酯、苄基－3，4－二甲氧基肉桂酯、香豆酸肉桂酯、香豆酯、香豆酸苄酯、异戊烯基香豆酯、3－甲基－3－丁烯基香豆酯、异阿魏苄酯、2－甲基－2－丁烯基异阿魏酸酯、异戊烯基异阿魏酸酯、3－甲基－3－丁烯基异阿魏酸酯、苯甲酸异阿魏酸酯、异阿魏肉桂酯、阿魏苄酯、异戊烯基阿魏酸酯等。

4. 醇类化合物　有苯甲醇、2，5－二甲氧基苯甲醇、3，5－二甲氧基苯甲醇、桉叶醇、松柏醇、α－桦木烯醇、乙酰氧基－2－桦木烯醇、异戊二烯醇、异丁醇、苯乙醇、氢醌、肉桂醇、丙三醇、甜没药萜醇、愈疮木醇、倍半萜烯乙醇、倍半萜烯二醇、α－萜品醇、萜品－4－醇、α－布藜醇等。

5. 醛类化合物　蜂胶中含有苯甲醛、原儿茶醛、对羟基苯甲醛、香草醛、异香草醛、香荚兰醛、异香荚兰醛、已醛、β－环柠檬醛等醛类化合物。

6. 酮、醚、酚类化合物　4，5－二甲基－4－苯－Δ^2－环已烯酮、山姜素查耳酮、乔松素查耳酮、松属素查耳酮、生松素查耳酮、生松素－3－乙酸查耳酮、柚配基查耳酮、樱花素查耳酮、兰羟查耳酮、2′，6′－二羟基－4－甲氧基二羟查耳酮、2′，4′，6′－羟基二羟查耳酮等。苯乙烯醚、对甲氧基苯乙烯醚。丁香酚。

7. 萜、烯、烃类化合物　α－蒎烯、β－蒎烯、α－甜没药萜醇、α－雪松烯、α－萜品烯、α－依兰油烯、鲨烯、杜松烯、异长叶烯、石竹烯、甲基4－（1－甲乙基）环己烯、苯己乙烯、α－葎草烯、α－玷巴烯、桉树脑等。

8. 碳水化合物类　D－古洛糖、D－呋喃核糖、D－山梨糖醇、塔罗糖、果糖、葡萄糖、蔗糖等。

9. 氨基酸类　蜂胶中含有精氨酸、赖氨酸、组氨酸、苯基丙氨酸、酪氨酸、亮氨酸、异亮氨酸、蛋氨酸、缬氨酸、丙氨酸、甘氨酸、脯氨酸、谷氨酸、丝氨酸、苏氨酸、天冬氨酸、色氨酸、胱氨酸等。经测定分析，精氨酸含量最高，占游离氨基酸总量的34.3%；脯氨酸次之，约占19.5%；有14种氨基酸的含量分别占1.0%～5.7%；其他氨基酸痕量（不足1.0%）。

10. 酶类物质　蜂胶中含有组织蛋白酶、胰蛋白酶、淀粉酶、脂肪酶等酶类物质。

11. 矿物元素　蜂胶中含常量和微量元素30多种，如钾、钠、钙、镁、钴、铜、铁、锰、锌、铝、钼、锡、钛、铬、镍、钡、锆、锑、镉、银、铅、锶、钒、氧、氢、氮、氟、氯、碳、磷、硅、砷、硒等。

12. 维生素　维生素PP、维生素A原、肌醇、维生素B_6、维生素B_2、维生素B_1、维生素E、烟酰胺、泛酸、微量的维生素H和叶酸等。

三、蜂胶的质量检测

（一）取样方法

一个单位或个人一次交售的蜂胶为一批，每批20件以下者，抽样件数不少于5%；20件以上者，每增加10件，增抽样品1件。随机从包装中抽取蜂胶若干块，用刀从不同蜂胶块上取下样品5～10g，每批取样总量不得超过300g。将取下的样品放在3～10℃冰箱中1h，取出样品立即用电动粉碎机粉碎成末，分成两份：一份放入玻璃瓶中，密封后加挂标签，备查；另一份供检测使用。

（二）蜂胶的感官检验

在阳光充足的场所，依照现行行业推荐标准对蜂胶的外观、颜色、气味、黏性和纯度等进行感官鉴定。

1. 眼观　将蜂胶块放在15℃以下2～3h，用锤敲开蜂胶块，断面结构呈粒状，紧密一致，无明显杂质，用刀切面呈大理石花纹的蜂胶质量好。断面结构粗糙，有明显的霉迹、蜂尸、木屑、泥沙等杂质的蜂胶质量差。棕黄色和棕红色，有光泽的蜂胶质量较好。棕褐色、青绿色、灰褐色，无光泽的蜂胶质量较差。不得有胶包蜡等人为掺假现象出现。

2. 鼻嗅　蜂胶具有树脂特有的芳香气味，气味较淡的蜂胶多为贮存过久或杂质含量过高，质量较差。在低气温检验时，蜂胶气味不明显的情况下，还可将少量的蜂胶样品放在玻璃板上，用火点燃再闻其气味。

3. 口尝　咀嚼之有粘牙感，蜂胶味微苦，有辛辣味。

4. 手感　将蜂胶块（沫）加热到35～60℃，用手搓揉成条，再慢慢向两端拉伸。含胶量越多，黏性越大，拉伸长度也越长；蜂蜡含量高或掺杂的蜂胶黏性降低。

综上所述，感官以棕黄色或棕红色、香气浓、质重、黏性大、无夹杂物、有光泽和油腻感的蜂胶为佳。

（三）蜂胶的理化检验

在蜂胶理化检验过程中，所使用的化学试剂均为分析纯，所用的水为蒸馏水或同等纯度的水。

1. 蜂胶中乙醇可溶物的含量、杂质和蜂蜡含量的测定

（1）原理：蜂胶原料中含有的主要生物活性和药理作用成分能溶于75%的乙醇，以此作为评定蜂胶原料质量的一个指标。测定时称量试样中不溶于75%乙醇部分的质量，用减量法可得到溶于75%乙醇液的质量，计算其在试样中的百分含量。乙醇不溶物中的蜂蜡可溶于四氯化碳中，用称量四氯化碳不溶物的质量，以减量法获得四氯化碳提取物（蜂蜡）质量，计算其占样品重量的百分比。

（2）仪器与试剂：95%乙醇，分析纯；四氯化碳；蒸馏水；定量滤纸；天平（感量0.001g）；电动粉碎机；鼓风干燥箱；自动振荡器；瓷研钵；250ml具塞磨口锥形瓶；

波纹漏斗（∅12cm）；容量瓶（100ml、500ml）；烧杯（100ml、500ml）。

（3）测定方法：配制75%乙溶液。

称取10g（精确到0.001g）蜂胶试样放入研钵中，并加入500ml乙醇液，研磨成糊状物后移到锥形瓶中，用少量乙醇液分3次冲洗研钵，冲洗液合并入锥形瓶中，使乙醇液的体积达到150ml，盖好瓶盖，将此瓶置于振荡器上，在室温条件下每隔1h振荡30min，浸提24h。

取1张预先称重的滤纸置于漏斗中，将上述提取液过滤于另一个锥形瓶中，再用少量乙醇分3次冲洗原锥形瓶及滤纸，不溶物及滤纸室温晾干后，放入鼓风干燥箱内50℃干燥至恒重，称重，即为蜂胶中蜡和杂质含量。计算乙醇提取物的质量，在相同条件下做3次平行试验。

将蜂胶中蜡和杂质用四氯化碳提取，蜂蜡溶于四氯化碳中，剩余不溶物即为杂质，乙醇液提取不溶物总量减去四氯化碳不溶物的量即为蜂蜡含量。

平行试验允许的误差不超过1.5%，取平均值为测定结果。

（4）计算：按式（9－35）、式（9－36）、式（9－37）、式（9－38）分别计算蜂胶样品中的乙醇提取物、乙醇不溶物、蜂蜡和除蜂蜡外的杂质含量。

$$X_1(\%)=[(m-m_1)\div m]\times 100 \quad (9-35)$$

$$X_2(\%)=100\%-X_1 \quad (9-36)$$

$$X_3(\%)=[(m_1-m_2)\div m]\times 100 \quad (9-37)$$

$$X_4(\%)=(m_2\div m)\times 100 \quad (9-38)$$

式中：

X_1——样品中乙醇提取物含量,%；

X_2——蜂蜡和不溶物含量,%；

X_3——样品中蜂蜡的含量,%；

X_4——样品中除蜂蜡外的不溶物含量,%；

m——蜂胶样品质量，g；

m_1——乙醇不溶物质量，g；

m_2——样品中除蜂蜡外的不溶物质量，g。

2. 碘值的测定　蜂胶碘值系指100g蜂胶样品中不饱和物质所吸收的碘的克数（I_2g/100g或I_2%）。

（1）原理：用溴化碘与蜂胶中含不饱和烃化合物起加成反应，然后用硫代硫酸钠标准溶液滴定过剩的溴化碘和碘分子。计算起加成反应所消耗的溴化碘相当于硫代硫酸钠标准溶液的体积，计算出碘值。

（2）仪器与试剂：天平（感量0.001g），250ml碘量瓶，25ml棕色滴定管，10ml移液管，1 000ml棕色容量瓶。三氯甲烷，0.1mol/L硫代硫酸钠标准溶液（按GB601配制、标定和计算），10%碘化钾溶液（在测定的当日配制：称取10g碘化钾置于100ml容量瓶中，加水定容），0.1mol/L溴化碘溶液（称取13g研细的碘，先将1 000ml冰醋酸微热，使碘溶于冰醋酸中，冷却至室温后再加入3ml溴素，摇匀备用），1%淀粉指示剂（在测定的当日配制，称取 1g 可溶性淀粉，加少许水，搅拌成糊状，再加 100ml 新煮沸的蒸馏水，迅速搅拌，冷却至室温后备用）。

（3）测定方法：准确称取 0.1g 蜂胶样品（精确至 0.001g），置于 250ml 碘量瓶中，用 10ml 三氯甲烷溶解，摇匀。用滴定管向碘量瓶中缓慢滴加 10ml 溴化碘溶液，边滴边摇动碘量瓶。然后盖上瓶塞放在暗处 1h，再加入 10ml 碘化钾溶液及 50ml 经煮沸冷却后的蒸馏水，摇匀。用硫代硫酸钠标准溶液滴定，当碘量瓶中的液体呈淡黄色时，加 4~6 滴 1% 淀粉指示剂，继续滴定至蓝色消失。记录硫代硫酸钠的用量，并在相同条件下做空白试验。平行试验允许误差不超过 1.5%，取平行试验的平均值作为测定结果。

（4）计算：按式（9-39）计算。

$$X_5 = [(V_2 - V_1) \times C \times 0.1269 \times 100] \div m \qquad (9-39)$$

式中：

X_5——样品碘值,%；

V_1——空白试验所耗用硫代硫酸钠标准溶液的体积，ml；

V_2——样品试验所耗用硫代硫酸钠标准溶液的体积，ml；

C——硫代硫酸钠标准溶液的物质的量浓度，mol/L；

m——样品的质量，g；

0.126 9——1ml 1mol/L 硫代硫酸钠相当于碘的质量，g。

3. 蜂胶中酚类化合物含量的测定

（1）原理：用氧化铝吸收蜂胶的三氯甲烷－丙酮提取液，并与空白试验对照，称重。其重量差为蜂胶中含酚类化合物的含量。

（2）仪器与试剂：三氯甲烷－丙酮混合液（2∶1），氧化铝，直径 12.5cm 定性滤纸。天平（感量 0.001g），100ml 具塞磨口锥形瓶，直径 60mm 波纹漏斗。

（3）测定方法：称取 1g 蜂胶样品（精确至 0.001g），置于 100ml 具塞磨口锥形瓶中，加入三氯甲烷－丙酮混合液 15ml，摇匀，静置 1h，过滤，并用 15ml 三氯甲烷－丙酮混合液冲洗锥形瓶，收集滤液。用每份 10g 的氧化铝 2 份，称量 2 张重量相等的滤纸做对照试验。

第一份氧化铝加入 15ml 三氯甲烷－丙酮混合液中，摇匀，用 1 张滤纸过滤，收集滤渣为空白试验。

第二份氧化铝加入含有蜂胶样品的滤液中，摇匀，用另 1 张滤纸过滤，并以少量的三氯甲烷－丙酮混合溶液冲洗数次，直到氧化铝完全洗入为止。

将 2 份试验滤渣连同滤纸在水浴中蒸发至近干后，放在 80℃ 的干燥箱中干燥 1h，然后取出放入干燥器中冷却至室温，称重。

在相同条件下进行平行试验。平行试验允许误差不超过 1.5%，取平均值为测定结果。

（4）计算：按式（9-40）计算。

$$X_6 (\%) = [(m_2 - m_1) \div m] \times 100 \qquad (9-40)$$

式中：

X_6——样品中酚类化合物含量,%；

m——样品质量，g；

m_1——第一份空白试验，吸附后氧化铝重 + 滤纸重，g；

m_2——第二份样品试验，样品吸附后氧化铝重 + 滤纸重，g。

4. 蜂胶氧化时间的测定

（1）原理：高锰酸钾是一种强氧化剂，在强酸条件下其氧化能力最强，MnO_4^- 离子在溶淮中呈紫红色，被还原后生成 Mn^{2+}，溶液的色泽消失，其反应式如下：

$$MnO_4^- + 8H^- + 5e = Mn^{2+} + 4H_2O$$

（紫红色）　　　　（无色）

蜂胶中已分离并鉴定出的 300 多种物质中，具有还原能力的不饱和醇、醛、酮、酸、黄酮、萜烯类等化合物就有 100 多种，这些化合物与高锰酸钾发生氧化—还原反应后，高锰酸钾被还原，从而使溶液的颜色由紫红色变成无色。利用这一特性，每次测定同等质量的蜂胶，使浓度和体积都固定的紫红色高锰酸钾液的颜色完全消退所需的时间(用秒计)，我们将其规定为该样品的氧化时间。氧化时间短的蜂胶具有较强的抗氧化能力，比较所测定蜂胶的抗氧化时间即可对它们的质量做出相应的判断。

（2）试剂与仪器：乙醇（95%）：分析纯。高锰酸钾：分析纯；配制成 0.01mol/L 的高锰酸钾液（准确称取 3.160g 的高锰酸钾，用水稀释至 1L)。硫酸（95% ~98%)：分析纯；配制成 20% 的硫酸液。蒸馏水。

天平（感量 0.001g)。电动粉碎机。振荡器。秒表。250ml 带塞磨口锥形瓶若干。50ml、100ml、1 000ml 容量瓶若干。50ml 锥形瓶若干。0.2ml、1.0ml、2.0ml、5.0ml、10.0ml 移液管若干。漏斗、定量滤纸若干。

（3）步骤：在室温下，称取 1g（精确到 0.001g）新鲜样品，放入 250ml 带塞锥形瓶中，加入 25ml 乙醇，盖好瓶盖，置于振荡器上低速振荡 1h，然后加入 100ml 蒸馏水，充分摇匀后，过滤，收集滤液。

用移液管吸取 0.5ml 上述滤液，放入 50ml 的容量瓶中，用蒸馏水定容。

用移液管吸取 10ml 稀释液，置于 50ml 的锥形瓶中，再加入 2.0ml 20% 的硫酸液，振荡 1min，然后，用 0.2ml 的移液管加入 0.05ml 0.01mol/L 的高锰酸钾液，在加入高锰酸钾液的同时，开动秒表，当溶液的紫红色完全消退时，停止秒表，记录溶液的紫红色完全消退所需用的时间（以秒计)，即是该样品的抗氧化时间。每一个样品同时平行测定两次，取算术平均值作为该样品的测定值。

5. 蜂胶总黄酮含量的测定

（1）原理：母核上羟基、甲氧基、糖甙元的个数不同，而形成一系列黄酮和黄酮甙。蜂胶中常见的黄酮是高良姜素、槲皮素、芦丁、杨梅酮、莰菲醇、芹菜素、松属素、柯因，在紫外线波长 270nm 处均有吸收。这 8 种黄酮的分子中因含有羟基的数量不同因而极性不同，在反向 C_{18} 柱上的保留时间也不同，随着羟基个数的减少其保留时间增加。因此 8 种黄酮出峰的顺序是芦丁→杨梅酮→槲皮素→莰菲醇→芹菜素→松属素→柯因→高良姜素。用反向高效液相色谱柱法测定蜂胶中的黄酮含量，快速、准确、精密度高。

（2）试剂与仪器：高良姜素、槲皮素、芦丁、杨梅酮、莰菲醇、芹菜素、松属素、柯因（色谱纯，Sigma 公司），甲醇（优级纯，并经 0.5μm 滤膜过滤）、乙醇、磷酸（优析纯）、蒸馏水（重蒸，并经 0.45μm 滤膜过滤），超声波水浴、振荡器、高效液相色谱仪（紫外检测器）、天平。

（3）色谱条件：色谱柱：Kromasil – C_{18}（0.4cm × 25cm）；流动相：65% 甲醇 – 35% 水（用磷酸调 pH 值至 3）；流速：0.7ml/min；检测器：UV270nm × 0.1AUFS；定量方法：外标法（峰面积）。

（4）步骤：

①配制标准溶液：准确称取高良姜素，槲皮素，芦丁，杨梅酮，莰菲醇，芹菜素，松属素，柯因标样各 2.0mg 于 50ml 的容量瓶中，用甲醇溶解并定容，摇匀备用。

②样品溶液的制备：称取蜂胶样品 0.1g（精确到 0.001g），置于 50ml 的容量瓶中，加入 40ml 甲醇，在超声波水浴中加热至 60℃，振荡 30min，待样品溶解后，用甲醇定容，再用 0.5μm 的滤膜过滤，滤液用做上机分析。

③测定：在上述色谱柱条件下，取 10μl 标准溶液进行分析，得到色谱图，重复进行 6 次，计算峰面积的平均值；在同一色谱条件下，取 10μl 样品溶液进行分析，外标法计算样品中各种黄酮的含量。

④计算：按式（9 – 41）计算。

$$C = (M \times A_2 \times V_2 \times 100) \div (W \times A_1 \times V_1) \quad (9-41)$$

式中：

C——每 100g 样品中各种黄酮的含量，mg；

M——10μl 标准样品中各种黄酮的含量，μg；

A_2——10μl 样品溶液中各种相应黄酮的峰面积平均值；

V_2——样品定容的体积，μl；

W——样品的称取量，g；

A_1——10μl 标准溶液中各种黄酮的峰面积平均值；

V_1——样品的进样体积，μl。

四、蜂胶的包装、贮存和运输

（一）蜂胶的包装

1. 蜂胶的内、外包装 蜂胶内包装用蜡纸或较厚的食品塑料袋密封包装。定量净重 1kg。蜂胶外包装用纸箱包装。

2. 蜂胶的包装标志 在蜂胶的外包装纸箱上注明商品名称、等级、皮重、净重、生产日期、生产单位、产地和经销单位、验收人姓名等。

（二）蜂胶的运输和贮存

1. 蜂胶的运输 蜂胶运输严禁烈日曝晒、雨淋，避免与有毒、有异味的物品同装混运。

2. 蜂胶的贮存　蜂胶应贮藏在低温或干燥、通风、避光、20℃以下的环境中，严禁与有毒和有异味的物品同库堆放。生产单位不长期存放蜂胶，应及时交售。

第五节　蜂　　蜡

一、蜂蜡的概念与分类

蜂蜡（beeswax），又叫黄蜡，是蜂群中工蜂腹部4对蜡腺分泌出来的一种脂肪性物质，蜜蜂用它来修筑蜂巢。蜜蜂分泌的新蜡是纯蜂蜡，修筑成巢脾育虫后则使其成分复杂化；由利用人工巢础造的脾所生产的蜂蜡，一般含有矿蜡。

在我国，按生产蜂蜡的蜂种可把蜂蜡分成中蜂蜡和西蜂蜡两种，西蜂蜡主要指意蜂分泌的蜂蜡。按生产蜂蜡的原料可分为小脾蜡（包括蜜盖蜡、赘脾蜡、采蜡框采的蜡）和脾蜡，前者蜡质纯净、颜色鲜艳，后者含有一定量的矿蜡等，且颜色深暗。

二、蜂蜡的理化性质与化学成分

（一）蜂蜡的理化性质

1. 颜色　蜜蜂分泌出来的蜡磷呈白色，筑成巢脾后，因花粉中油溶性类胡萝卜素等色素使新筑巢脾多显黄色；巢脾在使用过程中，因蜜蜂幼虫在发育过程遗留的茧衣碎屑和蜂胶等，使其颜色由浅逐渐变成褐色。因此，由不同蜂巢作原料提炼出的蜂蜡，其颜色有乳白、鲜黄、黄、棕、褐。

2. 状态　常温下，蜂蜡呈固体，具有其独特的香气、可塑性和润滑性。咀嚼纯蜂蜡不粘牙，咀嚼后成白色，没有油脂味。将蜂蜡剖开，断面有很多微细颗粒状晶体。贮存在较低温度下的蜂蜡，其表面常有一层粉状物质，有人称之为“蜡被”。

3. 密度　蜂蜡在20℃时的密度为0.956～0.970。熔化后的蜂蜡密度稍低，故加热时未熔化的蜂蜡常沉入蜡液中。

4. 熔点和沸点　蜂蜡的熔点一般为62～68℃，熔化后的蜂蜡在比熔点低0.1～2℃时，复转变为固体状态，此时的温度称为硬化温度。熔化后蜂蜡温度达90～100℃时，蜡液表面将出现泡沫。

蜂蜡的沸点约为300℃。处于沸腾状态的蜂蜡，易分解成二氧化碳和乙酸等物质。

5. 折射率　蜂蜡的折射率为1.44～1.46。

6. 碘值和皂化值　碘值为6～13。皂化值为75～110。

7. 溶解性　蜂蜡不溶于水，微溶于冷乙醇，完全溶于氯仿、四氯化碳、乙醚、苯（30℃）、二硫化碳（30℃）、松节油等有机溶剂。

8. 热量值　燃烧1kg蜂蜡可产生4 250kJ热量。

(二) 蜂蜡的化学成分

蜂蜡是一种复杂的有机物混合体，并因产地、蜂种、类别、加工方法等不同而各异（表9－22)。蜂蜡的主要成分为脂肪酸酯类、饱和脂肪酸和碳氢化合物，此外还有少量的着色剂、水和矿物质等。

表9－22　不同蜂种的蜂蜡化学成分及其特点（%）

化学成分	中华蜜蜂	意大利蜜蜂	高加索蜜蜂
烃类化合物	14.6	12.6	12.0
单酯化合物	38.5	42.0	44.5
游离酸	1.6	9.0	9.1
碳氢化合物	50.3	36.4	34.5

蜂蜡中脂肪酸酯类物质包括单酯类和羟基酯类。单酯类中有棕榈酸蜂花醇酯、棕榈酸虫漆醇、蜡酸蜂花醇酯、焦性没食子酸蜂花酯等。羟基酯类中有羟基棕榈酸蜡醇酯、双酯和酸酯，此外，还有脂肪酸胆固醇酯、游离脂肪醇、游离脂肪酸等。

蜂蜡中饱和脂肪酸有木焦油酸、蜡酸、褐煤酸、蜂花酸、叶虱酸、焦性没食子酸等。

蜂蜡中碳氢化合物有15～31碳原子链的饱和烃、30碳原子链的不饱和烃。

三、蜂蜡的质量标准与检验

(一) 蜂蜡的感官和理化指标

蜂蜡是养蜂的传统产品，俄罗斯、罗马尼亚、保加利亚、坦桑尼亚等许多国家对蜂蜡制定了质量标准。《中华人民共和国行业标准——蜂蜡》（SB/T 10190—93）（表9－23）于1994年6月1日实施。

表9－23　蜂蜡分等质量要求

<table>
<tr><th colspan="2">项目</th><th>优等品</th><th>一等品</th><th>合格品</th></tr>
<tr><td rowspan="4">感官和组织状态</td><td>颜色</td><td>乳黄、浅黄、鲜黄（中蜂蜡一般比西蜂蜡鲜艳）</td><td>黄色</td><td>棕黄、灰黄、黄褐</td></tr>
<tr><td>表面</td><td colspan="3">无光泽、有波纹、中间一般有突起</td></tr>
<tr><td>气味</td><td colspan="3">有蜂蜡香气味</td></tr>
<tr><td>组织状态</td><td>结构紧密、颗粒细腻、上下颜色一致</td><td>结构紧密、颗粒较细、下部颜色略暗</td><td>结构紧密、颗粒较粗、下部颜色较暗，但不得超过1/3</td></tr>
</table>

续表

项目		优等品	一等品	合格品
理化指标	杂质（苯不溶物）/%	≤0.3	≤1.0	≤2.0
	密度（20℃）	0.954～0.964		
	熔点/℃	62.0～67.0		
	折光率（75℃）	1.441 0～1.443 0		
	酸值（KOH mg/g）	中蜂蜡 5.0～8.0，西蜂蜡 16.0～23.0		
	碘值（I g/100g）	8.0～13.0		
	皂化值（KOH mg/g）	75.0～110.0		

国家行业推荐标准规定，不允许对天然蜂蜡人为添加其他物质。蜂蜡掺入不同比例的石蜡、硬脂酸、地蜡、牛油、松香等异物，其皂化值、酸值、碘值、熔点等理化指标都相应变化（表 9－24）。

表 9－24　蜂蜡掺入异化物后理化指标的变化（SB/T10190—93）

异物种类及含量	皂化值/（KOH mg/g）	酸值/（KOH mg/g）	碘值/（g/100g）	熔点/℃
无	87.01	22.48	11.51	63.0
10%石蜡	76.10	3.72	10.66	62.0
20%石蜡	70.49	3.25	9.06	61.0
30%石蜡	70.94	2.80	7.07	60.0
10%硬脂酸	101.77	7.73	10.70	61.0
20%硬脂酸	120.08	11.60	8.29	60.5
30%硬脂酸	141.28	15.85	7.58	59.8
10%地蜡	83.41	3.60	10.82	64.0
20%地蜡	69.46	3.30	9.74	66.0
30%地蜡	44.23	2.82	6.29	70.0
10%牛油	105.09	3.81	13.33	61.3
20%牛油	112.04	3.37	15.78	60.5
30%牛油	125.96	2.98	18.17	59.5
10%松香	101.16	33.88	26.00	61.5
20%松香	262.12	48.06	31.01	60.0
30%松香	301.98	62.45	32.33	59.0

（二）蜂蜡的检验

一个出售单位或个人一次交售的蜂蜡为一批，按感官特征逐块验收蜂蜡，并定分等级，有条件的可检测熔点。在流通环节中成批购销，应逐块检验感官特征，理化指标可随机取样检验。

1. 抽样和取样 每批20件以下者，抽样件数不少于50%；20件以上者，每增加10件，增抽样品1件。

随机从包装中取出蜡块，用小刀从蜡块的中心上、中、下取50～100g样品，每批取样总量不超过1 000g。将取的样品放在一起熔化，从中取400～500g样品供理化检验，剩余蜂蜡样品留存备查。

2. 感官检验

（1）颜色和表面检验：纯蜂蜡颜色鲜艳而无光泽，掺有石蜡的蜂蜡有光泽、发亮；纯蜂蜡表面常凸起有波纹，掺假的蜂蜡表面平滑凹陷，无波纹；纯蜂蜡断面结构紧密，结晶粒细，无光泽，掺假蜂蜡断面结构松散，结晶粒粗糙，呈现有光泽的白色颗粒状、针状或斜纹状。

（2）气味检验：将蜂蜡块敲开，嗅其新断面。纯蜂蜡散发出怡人的香味（蜂蜜和花粉味），掺假的蜂蜡有异味或气味淡。中蜂蜡比西蜂蜂蜡香味更浓。

（3）组织状态检验：将蜂蜡块从中间敲开，观察断面状态。断面观无异物，结构紧密，结晶粒细腻程度和颜色上中下均一致为优质蜂蜡。

（4）耳闻：有木棒敲击蜡块，或将蜡块从高处摔在硬地上。纯蜂蜡声音闷（哑），掺假的蜡声音清脆。

（5）咀嚼：取蜂蜡一小块，放入口中反复咬嚼。纯蜂蜡不碎、不散、不粘牙，能咬成透明的薄片不穿孔；掺假蜂蜡易碎、易散、易粘牙，咬成薄片时易穿孔。

（6）手感：用拇指肚在蜡块表面推进。纯蜂蜡表面发涩，掺假的蜂蜡表面光滑，或发黏、发腻、发软等。

用指甲在蜡块表面向前起，纯蜂蜡起不出蜡花，掺石蜡的易刨出蜡花。用指甲掐进蜡块，纯蜂蜡粘指甲、无白印，掺石蜡的滑溜、不粘指甲、有白印。

将小块蜡用手温软后，捻成细条，捏住蜡条的两端向外拉。纯蜂蜡易拉断，断头整齐，将拉断的两部分重合，易捻在一起；掺石蜡的拉时伸长，拉断后断头尖，两段重合捻不到一起，有重皮分层现象。

（7）火烧：火烧蜡块，纯蜂蜡蜡珠滴在草纸上，珠成片、匀薄，不浸草纸，无杂渣；滴入水中成均匀的薄片，透明，手不易捻碎。掺石蜡的，蜡珠滴在草纸上，成堆；掺油的浸纸；掺淀粉的蜡珠成堆有杂渣。蜡珠滴水中凝固快，边缘薄中间厚并带尖，不透明，手捻即碎。

3. 理化检验 按蜂蜡国家行业标准，蜂蜡理化检验所使用的化学试剂均为分析纯，所用水为蒸馏水或同等纯度的水。用小刀将蜂蜡样品削成小薄片，装入样品瓶中备用。

（1）杂质（苯不溶物）测定：

①仪器和试剂：烧杯，垂熔坩埚，烘箱，分析天平，干燥器。苯。

②测定方法：将热垂熔坩埚清洗干净后，放入100～105℃的烘干箱中干燥至恒重。称取蜡样1g（精确至0.001g）置于烧杯中，加入苯30ml，用水浴稍加热使其充分溶解。在通风柜中，用热垂熔坩埚过滤，再使用热苯冲洗烧杯和热垂熔坩埚数次至洗净为止。将坩埚在100～105℃的烘箱中干燥，称重。反复烘干、称重，直至恒重。

③计算：按式（9－42）计算。

$$X_1(\%) = [(m_1 - m_2) \div m] \times 100 \qquad (9-42)$$

式中：

X_1——样品中杂质（苯不溶物）含量，%；

m_1——坩埚及苯不溶物质量，g；

m_2——坩埚质量，g；

m——蜡样质量，g。

平行试验允许误差不超过0.04%，取平均值为测定结果。

（2）密度测定：

①仪器和试剂：0.750～1.000液体比重计，500ml量杯，恒温箱。95%乙醇。

②测定方法：在500ml量杯中按1∶2的比例加入95%乙醇和蒸馏水，混合均匀，放入20℃恒温箱中，待用。同时将95%乙醇和蒸馏水也分别放入20℃的恒温箱中。

将蜡样用小刀切成约1cm^{3}的小方块，放入乙醇和蒸馏水的混合液中。用20℃的95%乙醇或20℃的蒸馏水调节混合液的相对密度。如果蜡样块上浮，向量杯中加入乙醇；如果下沉，加入蒸馏水，直至蜡样块可停留在混合液中的任一点为止。

用液体比重计测定混合液的密度，蜡样的密度等于混合液在20℃时比重计测出的密度。

（3）熔点测定：

①仪器与样品制备：0～100℃分浸式水银温度计，分度1℃，分浸线距汞球末端75mm；提勒熔点测定管；毛细管长90～100mm，内径0.8～1.2mm，管壁厚0.2～0.3mm；酒精灯、坩埚、烘干箱、搅拌器、放大镜、秒表等。

②样品制备：取少量蜡样放在坩埚中，在100℃左右的烘箱中熔化（或隔水加热熔化）后吸入两端开口的毛细管达10mm，在室温下冷却2h以上至完全凝固，用小刀刮除毛细管壁外粘的蜡。

③检测方法：将提勒熔点测定管装置固定，温度计插入熔点测定管内，使温度计汞球的底端与容器底部距离25mm以上。向熔点测定管中加预先煮沸过的冷却蒸馏水至温度计分浸处，用酒精灯加热，并不断搅拌，使温度保持均匀。当温度上升至离预计熔点15℃时，将毛细管用橡皮筋附在温度计上，毛细管的内容物部分与温度计汞球持平，调节升温速度，保持1℃/min。当温度上升至离预计熔点5℃时，升温速度不超过0.5℃/min。

当蜡在毛细管中开始上升时，温度计显示的温度即为蜡的熔点。

平行试验允许误差不超过1℃，取平均值为测定结果。

（4）折光率测定：

①仪器：阿贝折光仪，超级恒温器。

②测定方法：将蜡样放入烧杯中，置75℃水浴上熔化，备用。将阿贝折光仪与超级恒温器连接好，调节超级恒温器中水的温度至75℃，校正折光仪。用玻璃棒蘸取熔化的蜡样1～3滴，滴加在折射棱镜表面，迅速将进光棱镜盖上，用手轮锁紧。要求液层均匀，充满视场且无气泡。稍倾，蜡样温度达75℃时，打开遮光板，合上反光镜，调节目镜视度，使十字线成像清晰。旋转折射率刻度调节手轮，并在目镜视野中找到明暗分界线的位置，再旋转色散调节手轮，使分界线不带任何彩色，微调手轮使分界线位于十字线的中心，再适当转动聚光镜，读出目镜视野下方显示的示值，即为蜂蜡的折光率。

（5）酸值测定：

①仪器与试剂：250ml 磨口具塞三角瓶，25ml 碱式滴定管，100ml 和 1 000ml 容量瓶，球形冷凝管（下口为磨口，其口径应与250ml 磨口具塞三角瓶的口径一致），烧杯，恒温水浴箱等。1:2中性乙醇和乙醚混合液，1%酚酞指示剂（称取酚酞1g，放入100ml 容量瓶中，用95%乙醇定容），0.05mol/L 氢氧化钾标准溶液（称取氢氧化钾3g，置于1 000ml 容量瓶中，用蒸馏水定容，过滤备用，按 GB601 中 4.1 标定和计算）。

②测定方法：称取蜡样1g（精确至0.001g），置于250ml 三角瓶中，加中性乙醇和乙醚混合液25ml，在水浴上溶解蜡样至清澈透明。加入2滴酚酞指示剂，在水浴上迅速用氢氧化钾溶液滴定至淡红色，1min 内不褪色为滴定终点。同时做空白试验。

③计算：按式（9－43）计算。

$$X_2 = [(V - V_1) \times C_1 \times 56.11] \div m \qquad (9-43)$$

式中：

X_2——蜡样中的酸值，mg/g；

V——滴定样液消耗氢氧化钾标准溶液体积，ml；

V_1——空白试验消耗氢氧化钾标准溶液体积，ml；

C_1——氢氧化钾标准溶液的物质的量浓度，mol/L；

m——蜡样质量，g；

56.11——1ml 1mol/L 氢氧化钾标准溶液相当的氢氧化钾的质量，mg。

平行试验允许误差不超过±0.2mg/g，取平均值为测定结果。

（6）碘值测定：

①仪器与试剂：250ml 碘量瓶，25ml 棕色滴定管，10ml 和 25ml 移液管，1ml、10ml、25ml 刻度移液管，球形冷凝管（下口为磨口，其口径与250ml 碘量瓶的口径应一致），电炉，烧杯等。四氯化碳或氯仿，10%碘化钾溶液（称取碘化钾10g，用蒸馏水定容至100ml，限当日配），0.1mol/L 硫代硫酸钠标准溶液（按 GB601 中 4.1 配制、标定和计算），1%淀粉指示剂（称取可溶性淀粉1g，与蒸馏水混后合，加沸腾蒸馏水至100ml，同时煮沸搅拌2min。静置冷却，倾出上清液作指示剂，并加入2ml 氯仿防腐），0.1mol/L 溴化碘溶液（称取研细的碘13g，置于干燥的具塞棕色玻璃瓶中，加冰

乙酸1 000ml，在水浴中微热使碘完全溶解，另用移液管吸取溴 2. 5ml，加入碘溶液瓶中，摇匀备用）。

②测定方法：称取蜡样 0. 5g（精确至 0. 001g），置于 250ml 碘量瓶中，加入 100ml 四氯化碳，使其在水浴上溶解。以适当速度用滴定管加入 10ml 溴化碘溶液（速度不宜太快）。盖好瓶塞猛摇数下后置于暗处 30min。加入碘化钾溶液 10ml 及煮沸冷却的蒸馏水 25ml。振摇后，用硫代硫酸钠标准溶液滴定至淡黄色。加淀粉指示剂 1ml，摇匀，继续用硫代硫酸钠标准溶液滴定至蓝色消失，记录硫代硫酸钠标准溶液的消耗量。同时做空白试验。

③计算：按式（9 - 44）计算。

$$X_3(\%) = [(V_2 - V_3) \times C_2 \times 0.1269 \times 100] \div m \qquad (9-44)$$

式中：

X_3——蜡样中碘值，g/100g；

V_2——空白试验硫代硫酸钠标准溶液体积，ml；

V_3——滴定所耗硫代硫酸钠标准溶液体积，ml；

C_2——硫代硫酸钠标准溶液的物质的量浓度，mol/L；

m——蜡样质量，g；

0. 126 9——与 1ml 1mol/L 硫代硫酸钠相当的碘的质量，g。

平行试验允许误差不超过 ±0. 2g/100g，取平均值为测定结果。

（7）皂化值测定：

①仪器与试剂：250ml 磨口具塞三角瓶，球形冷凝管（下口为磨口，其口径与 250ml 磨口具塞三角瓶的口径应一致），恒温水浴箱，25ml 酸式滴定管，25ml 移液管，1 000ml 容量瓶，分析天平。0. 5mol/L 氢氧化钾乙醇溶液（称取 28. 055g 氢氧化钾，置于 1 000ml 容量瓶中，用无水乙醇定容），0. 5mol/L 盐酸标准溶液（按 GB601 中 4. 2 配制、标定、计算），1% 酚酞指示剂（称取酚酞 1g，放入 100ml 容量瓶中，用 95% 乙醇定容）。

②测定方法：称取蜡样 1g（精确至 0. 001g），置于 250ml 三角瓶中，加入氢氧化钾乙醇溶液 25ml。在 250ml 磨口具塞三角瓶口部装上球形冷凝管，在沸水浴中加热 30min，并随时摇动三角瓶，促使蜡样皂化，在三角瓶中溶液澄清透明时，表明已完全皂化。用少许中性乙醇洗涤冷凝管，取下三角瓶，趁热迅速加入酚酞指示剂 3 滴，用盐酸标准溶液滴定至粉红色消失为终点。同时做空白试验。

③计算：按式（9 - 45）计算。

$$X_4(\%) = [(V_5 - V_4) \times C_3 \times 56.11] \div m \qquad (9-45)$$

式中：

X_4——蜡样中的皂化值，mg/g；

V_4——滴定样液消耗盐酸标准溶液体积，ml；

V_5——空白试验消耗盐酸标准溶液体积，ml；

C_3——盐酸标准溶液的物质的量浓度，mol/L；

m——蜡样的质量，g；

56. 11——1ml 1mol/L 氢氧化钾标准溶液相当的氢氧化钾的质量，mg。

平行试验允许误差不超过 ±0. 2mg/g，取平均值为测定结果。

四、蜂蜡的包装、贮存和运输

蜂蜡是医药、化妆品和制作巢础等的原料，在包装、贮存和运输过程中，必须符合卫生要求，避免被腐蚀或被有毒、有异味物品和微生物等污染。

（一）包装与包装标志

蜂蜡长途运输需用双层麻袋或双层聚丙烯编织袋包装，缝口整齐牢固，每件定量净重 50kg。蜂蜡应按产地、等级分别包装。

在蜂蜡包装的明显处，应写明商品名称、等级、皮重、净重、日期、生产或经销单位，保管或验收人姓名等。

（二）贮存与运输

在运输蜂蜡过程中，应避免曝晒、高温、雨淋，严禁与有毒、有异味以及可能产生污染的商品混装同运。

蜂蜡应在通风、干燥的仓库中存放，不得露天堆放。严禁和有毒、有异味和可能产生污染的商品混存。蜂蜡易被虫蛀和鼠咬，应勤检查，发现问题及时处理。

为了防潮，用枕木等垫高 15 ~ 30cm，枕木上铺木板或竹条，蜂蜡堆放其上，并按等级、产地、品种等分类整齐堆垛，做好记录。

蜂蜡为易燃物质，应做好安全防火工作。在仓库须配备灭火工具和设备，严禁将火种带入仓库。

第六节 蜂 毒

蜂毒（bee venom），通常是指蜜蜂工蜂毒腺和副腺分泌出的具有芳香气味的透明毒液。毒腺的酸性分泌物贮存在毒囊中，在蜜蜂螫刺时与副腺的碱性分泌物混合，由螫针排出，并很快干燥成针状或粉末状固体。

蜂毒是宝贵的药物资源，具有亲神经、抗凝血、降血压、抗炎、增加免疫活性、辐射防护、抑制肿瘤等作用，主要应用于风湿性关节炎、类风湿性关节炎、神经炎和神经痛、心血管疾病、支气管哮喘等疾病的治疗。

一、蜂毒的理化性质和化学成分

（一）蜂毒的理化性质

蜂毒是一种具有特殊芳香气味的透明液体，苦味，呈酸性反应，pH 值为 5. 0 ~

5.5，密度 1.131 3。液体蜂毒也称全蜂毒，在常温下很快挥发干燥而成结晶体。干燥的蜂毒称为干毒，只有原液态蜂毒重量的 30%～40%。液态蜂毒的挥发物用气相色谱分析鉴定，至少有 12 种化学成分，包括作为蜜蜂报警激素的乙酸异戊酯。这些挥发性物质在蜂毒的采集和精制过程中散失贻尽，一般在述及蜂毒的化学成分时被忽略。蜂毒易溶于水、甘油和酸，不溶于酒精。

蜂毒溶液富含蛋白质和多肽，且含水量高，容易染菌和变质；在 100℃下 15min 蜂毒组分被破坏，至 150℃毒性完全丧失。蜂毒可被消化酶类和氧化物破坏，在胃肠消化酶的作用下，很快失去活性；氧化剂如高锰酸钾、氯和溴能迅速破坏之；醇能降低其活性，碱与蜂毒有强烈的中和作用，苦味酸、酪酸、苯酚及某些防腐剂、所有生物碱沉淀剂也都能与蜂毒发生作用。

干燥蜂毒性能稳定，在 100℃下 10d 仍不失其生物活性，冰冻也不减其作用，在密闭干燥的条件下，能保持活性数年。

（二）蜂毒的化学成分

蜂毒含水分 80%～88%，干物质中蛋白质类占 70%～80%，灰分 3.7%，含有钾、钠、镁、铜、钙、硫、磷、氯等，以及蛋白质、多肽类、酶类、生物胺、胆碱、甘油、磷酸、蚁酸、脂肪酸、酯类、碳水化合物和 19 种游离氨基酸。蜂毒的活性成分与生理作用，见表 9－25。

二、蜂毒的质量标准与检验

（一）蜂毒的质量标准

根据我国起草的蜂毒国家行业标准待批稿，将蜂毒质量的参考标准和等级规格阐述如下。

1. 感官指标

（1）色泽：米黄色、乳白色、浅褐色，色泽一致。

（2）状态：呈粉状、晶片状、针状或块状。

（3）气味：具有蜂毒所特有的刺鼻芳香气味，略带腥味。

（4）滋味：有明显苦味，回味略鲜。

2. 理化指标　蜂毒的理化指标要求：水分≤10%，总蛋白质≥60%，水溶物≥60%，磷酸酯酶 A_2 活性（单位）≥20%，溶血活性浓度≤20μg/mg，pH 值 5.5±1，蜂毒肽≥40%。

表 9－25　蜂毒的活性成分及生理作用

名称		含量/%	生理作用或组分名称	备　注
多肽类	蜂毒肽	50	主要生物活性物质，对细胞进行干扰，具有直接溶血作用	蜂毒肽Ⅰ、Ⅱ具有强碱性，已人工合成
	原蜂毒肽		活性不如蜂毒肽强	从蜜蜂毒腺中分离出的蜂毒肽前体物质

续表

名称		含量/%	生理作用或组分名称	备　注
多肽类	赛卡品	1	与蜂毒肽类似	疏水的强碱性多肽
	蜂毒肽 F	<1		强碱性多肽
	蜂毒明肽	2	神经毒素，引起各种神经症状	已人工合成
	托肽品	<1		
	MCD－多肽	2～3	使动物肥大细胞脱颗粒，释放组织胺和5－羟色胺，具有抗炎作用	具有碱性，人工合成品与天然品类同
	安度拉平		具很强的镇痛和抗炎作用	由葡聚糖凝胶过滤从蜂毒中分离出来
	心脏肽		抗心律失常和β－肾上腺素样活性	毒性较低
	含组织胺肽	1.4		具两种分子结构，已人工合成
酶类（55种以上）	透明质酸酶	2～3	促使蜂毒成分在局部组织渗透扩散	无直接毒性
	磷酸酯酶 A_2	12	能迅速水解磷酸酰磷酯，具有强溶血作用	
	酶抑制剂		耐热，不被胃蛋白酶分解，保护透明质酸酶、磷酸酯酶 A_2 和多种活性多肽不被蛋白酶分解	碱性，低分子多肽
	其他酶类		酸性磷酸脂酶、碱性磷酸酯酶、C_4 和 C_6 脂肪酶等	
非肽类物质	组织胺	0.1～1.5	引起平滑肌和横纹肌紧张收缩，使皮肤灼痛	
	儿茶酚胺类		多巴胺0.3～5.4μg/蜂、去甲肾上腺素0.1～0.7μg/蜂、5－羟色胺，是蜂毒的抗炎物质	多巴胺是去甲肾上腺素的前体物质
	其他生物胺		腐胺、精胺、精脒，与致痛有关	
	氨基酸		甘氨酸、精氨酸、胱氨酸、脯氨酸、谷氨酸、组氨酸及γ－氨基丁酸（0.04%）和β－氨基异丁酸（0.002%）	
	碳水化合物	2	果糖、葡萄糖	
	内酯类	5		5～6种磷酸酯类化合物
其他化合物			乙酰胆碱、甘油、磷酸、蚁酸、变应原A和C	

3. 蜂毒的等级要求　根据蜂毒的色、香、味、状态和理化指标，把其分为一等品和合格品两个等级（表 9－26）。

表 9－26　蜂毒等级质量参考

项目		一等品	合格品
感官指标	颜色	呈米黄色、乳白色、浅褐色，色泽一致	褐色、深褐色
	状态	呈松散的晶片状或针状	块状
	气味	具有蜂毒特有的刺鼻芳香味、略带腥味	
	滋味	有明显苦味，回味略鲜	
理化指标	水分/%	≤6	≤10
	总蛋白质/%	≥80	≥60
	水溶物/%	≥80	≥60
	磷酸酯酶 A_2 活性单位	≥30	≥20
	溶血活性浓度/（μg/ml）	≤20	
	pH 值	5.5 ±1	
	蜂毒肽/%（melittin）	≥55	≥40

（二）蜂毒的检验

蜂毒精制后，呈白色粉末，味苦涩略腥，易溶于水和酸溶液，不溶于醇、丙酮和碱溶液。

蜂毒的理化检验所使用的化学试剂和水除特殊要求外，均为分析纯和蒸馏水、同等纯度的水。

1. 取样方法　同一出售人或单位一次交售的蜂毒为一批。每批蜂毒均应逐件进行感官检查和理化指标的测定。如果批量大，也可抽样检查。

抽样比例一般不少于总件数的 20%，对 200 件以上者，多出部分可以减半抽取。从被检蜂毒包装中的上、中、下 3 个位置抽取样本为 200～500mg 置白纸上混合均匀，用四分法将蜂毒样品分为 2 份，1 份用于检测，另 1 份备查。抽样总量不大于 5 000mg。

2. 水分测定

（1）仪器设备：低称量瓶，分析天平（感量 0.001g），真空干燥箱。

（2）测定方法：在常温下，真空干燥箱的压力调至 －0.09MPa～－0.10MPa，干燥剂为变色硅胶。将称量瓶放入真空干燥箱中干燥至恒重。称取约 0.1g 蜂毒（精确至 0.001g），放入干燥至恒重的称量瓶中，平铺在底部，置于真空干燥箱中，瓶盖斜支在称量瓶的边上，常温干燥至恒重，盖上瓶盖，称重。

（3）计算：按式（9－46）计算。

$$X_1 = [(m_2 - m_3) \div (m_2 - m_1)] \times 100 \qquad (9-46)$$

式中：

X_1——蜂毒中所含水分，%；

m_1——称量瓶质量，g；

m_2——样品和称量瓶质量，g；

m_3——干燥至恒重后样品和称量瓶质量，g。

3. 蛋白质含量测定——紫外分光光度法

（1）仪器和试剂：紫外分光光度计或紫外－可见分光光度计。标准蛋白溶液（准确称取经微量凯氏定氮法校正的标准蛋白质，配成浓度为1mg/ml 的溶液），待测样品（配成浓度为1mg/ml 的蜂毒液）。

（2）样品测定：按表9－27 分别向每支试管中加入试剂，摇匀。选用光程为1cm 的石英吸光池，在280nm 处分别测定各管溶液的吸光度（A_{280}值），并将A_{280}值填入表9－27 中。以A_{280}为纵坐标，蛋白质浓度为横坐标，绘制标准曲线。

表9－27　蛋白质标准曲线溶液的配制

管号	标准蛋白溶液/ml	蒸馏水/ml	蛋白浓度/（mg/ml）	吸光度
1	0	4.0	0	
2	0.5	3.5	0.125	
3	1.0	3.0	0.250	
4	1.5	2.5	0.375	
5	2.0	2.0	0.500	
6	2.5	1.5	0.625	
7	3.0	1.0	0.750	
8	4.0	0	1.000	

取待测蜂毒溶液1ml，加入蒸馏水3ml，摇匀。按上述方法在280nm 处测定吸光度，并从标准曲线上查出待测蛋白质浓度。

4. pH 值测定

（1）仪器和试剂：pH 计，pH4、pH6、pH9 的标准缓冲液。

（2）测定方法：用当天煮沸并经冷却的蒸馏水配制50mg/100ml 的蜂毒水溶液，其pH 值应为5.5～7.0。使用新配制的pH6 标准缓冲液校准pH 计，再用pH4 和pH9 的标准缓冲液校正，误差应小于±0.1。用pH 计测定蜂毒水溶液，在1min 内读数变化不超过0.05 时，读取pH 值。测定2 次，取平均值。

5. 磷酸酯酶 A_2 活性测定

（1）原理：根据磷酸酯酶 A_2 能将卵磷脂水解为脂肪酸，利用电位滴定法测定蜂毒中的磷酸酯酶 A_2。磷酸酯酶 A_2 活力单位以每分钟、每毫克蜂毒样品可水解卵磷脂所释放的脂肪酸计。

（2）仪器与试剂：pHS－3A 型酸度计，微量滴定管，磁力加热搅拌器，秒表。1mol/L 氯化钠溶液，0.01mol/L 氯化钙溶液，0.01mol/L 脱氧胆酸钠溶液，0.02mol/L 氢氧化钾溶液。

（3）测定方法：

①制备蛋黄液：取新鲜蛋黄 1 个于烧杯中，加入氯化钠溶液 20ml，氯化钙溶液 20ml，脱氧胆酸钠溶液 20ml，蒸馏水适量，混合均匀。调节 pH 值至 8.0，稀释至 200ml 备用。

②制备蜂毒液：称取蜂毒样本 50mg，置于 50ml 容量瓶中用蒸馏水定容，配成 1mg/ml 的标准溶液。

③滴定：吸取 50ml 蛋黄液于烧杯中，准确记录 pH 值后，用磁力棒搅拌，再加入 1ml 蜂毒溶液。然后立即用氢氧化钾溶液滴定，用秒表计时，至 pH 值回到起始值时停止滴定，记录消耗氢氧化钾的体积和所用时间。平行试验允许误差≤ ±5%。

（4）计算：按式（9 -47）计算。

$$X_2 = C \times V \times 1\,000 / (t \times m) \qquad (9-47)$$

式中：

X_2——磷酸酯酶 A_2 活力单位；

C——氢氧化钾的物质的量浓度，mol/L；

V——滴定消耗氢氧化钾的体积，ml；

t——pH 值回到初始值所用的时间，min；

m——蜂毒质量，mg。

6. 蜂毒溶血活性测定

（1）仪器与试剂：1 000 ~4 000r/min 离心机，恒温培养箱，紫外 - 可见分光光度计。5% 柠檬酸钠溶液，pH 值 7.2 磷酸盐缓冲液，0.85% 生理盐水。

（2）测定方法：从兔颈部取血 10ml，加入 1ml 柠檬酸钠溶液，洗涤。放入离心机中用 2 500r/min 离心 20min，吸去上清液，加生理盐水洗涤。反复离心洗涤操作，至上清液不出现红色，即得洗涤红血球。用生理盐水配制 2% 的洗涤红血球混悬液。

称取一定量的蜂毒，用 pH 值 7.2 磷酸盐缓冲液溶解，配成 1mg/ml 的标准溶液。1 000r/min 离心 5min，取上清液，再用 pH 值 7.2 磷酸盐缓冲液稀释，得到浓度分别为 5μg/ml、10μg/ml、12.5μg/ml、15μg/ml、20μg/ml、25μg/ml、50μg/ml 的样品液。

取上述样品液各 0.5ml，加 2ml 生理盐水和 2% 洗涤红血球 2ml，摇匀，37℃ 培养 30min，冰浴中止反应。2 500r/min 离心 15min，取上清液，在紫外 - 可见分光光度计上波长 540nm 处测定吸光度。

使用蒸馏水调 0，用 pH 值 7.2 磷酸盐缓冲液作空白对照。比吸光度为纵坐标，蜂毒浓度为横坐标，制成蜂毒溶血图。根据溶血图曲线上 100% 的溶血位点，即可在横坐标上找到蜂毒样品的最低溶血活性浓度。

7. 蜂毒肽测定——高效液相色谱法

（1）原理：蜂毒组分依分子量由大到小依次洗脱，通过凝胶色谱分离定量。

（2）仪器设备与试剂：高效液相色谱仪（配置紫外检测器、记录仪或数据处理机），色谱柱（protein - pak125，10μm，7.8mm × 300mm），色谱条件（检测波长 254nm，柱温度为室温，流动相：水 - 甲醇 - 三氟乙酸为 98∶2∶2；流动相流速为 0.65ml/min）。

甲醇（优级纯），三氟乙酸，高纯水，蜂毒肽对照标准品。

（3）测定方法：

①标准测定：准确称取蜂毒肽对照标准品 100mg，溶于 20ml 蒸馏水中，用 0.45μm 的膜过滤。准确移取 0.4ml、0.6ml、0.8ml、1.0ml、1.2ml、1.5ml 蜂毒肽标准液于 10ml 容量瓶中，用蒸馏水定容，0.45μm 膜过滤，分别进样 10μl，作出标准曲线，定量计算结果。

②样品测定：取样品 30mg，溶于 50ml 蒸馏水中，经 0.45μm 膜过滤后，进样 10μl（方法与标准测定同）。

（4）计算：按式（9－48）计算。

$$X_3 = (X \times V_2 \times 100) \div (m_4 \times V_1) \qquad (9-48)$$

式中：

X_3——样品中蜂毒肽的含量，%；

X——样品进样体积中被测组分含量，%；

m_4——样品称样质量，mg；

V_1——样品进样体积，μl；

V_2——样品定容体积，ml。

三、蜂毒的包装、贮存和运输

（一）蜂毒的包装及包装标志

无论是粗蜂毒还是精制的蜂毒，都须经干燥后用无毒塑料瓶或棕色玻璃瓶密封包装，外加白布袋或牛皮纸袋保护。根据包装的大小，每瓶定量净重 10、50 或 100g。

包装外标明名称、皮重、蜂种、产地、生产和经营单位以及包装日期等。检验合格后应附上合格证，注明等级、检验日期、检验员姓名等。

（二）蜂毒的贮存与运输

干燥的蜂毒一般可在室温下放于干燥容器中保存，或低温冷藏。不同产地、不同蜂种、不同等级和不同季节采集的蜂毒应分别存放。蜂毒不得与有毒、有腐蚀性和可能产生污染的物品同库存放。

蜂毒在常温干燥条件下或低温运输，不得与有毒、有腐蚀性和可能产生污染的物品同装混运。

第七节　蜜蜂虫、蛹

蜜蜂虫、蛹是蜜蜂生长发育过程中幼虫和蛹阶段的虫体。目前开发利用的主要是蜂王幼虫和雄蜂蛹、虫。蜜蜂虫、蛹可直接作为食品或药品使用，其成分和应用效果取决于虫体的新鲜度，虫体越新鲜，活性越高，效果就越好。蜜蜂虫、蛹的成分易受空气、光线、温度、微生物和酶等的破坏而丧失其商品价值，因此，在生产、加工、流通过程中，除要求高质量的虫、蛹外，还应时刻注意卫生和保鲜工作。

一、蜂王幼虫

蜂王幼虫，是生产蜂王浆的副产品，我国每年生产蜂王幼虫达300t以上。

（一）蜂王幼虫的成分

蜂王幼虫的成分与蜂王浆接近，平均含水量约77.0%、蛋白质15.4%、脂肪3.2%、糖原0.4%、矿物质3.0%。蜂王幼虫含有18种氨基酸，其中天门冬氨酸和谷氨酸的含量最高，每100g干物质中分别含5.710g和6.825g，这两种氨基酸具有健脑作用。蜂王幼虫还含有多种维生素、酶、激素（以保幼激素、蜕皮激素为主）以及其他活性物质。

（二）质量要求

蜂王幼虫的开发利用还处于初级阶段，所以目前尚无统一的质量标准，根据产品的特性初步提出以下参考指标。

1. 感官指标

（1）色泽：虫体乳白色，不得呈微红色、褐色、黑色或其他颜色。

（2）气味：具有新鲜幼虫特有的腥气味，不得有酸味、腐臭等其他异味。

（3）形态：虫体完整，无破损，保持正常形状，具有一定的光泽和新鲜感，不得有起泡、变糊和虫体变形现象。

（4）纯洁度：不得有蜡屑等杂质，不得用白酒或酒精冲洗。

2. 理化指标

（1）含水量：<80%。

（2）总氮含量：冷冻干燥的蜂王幼虫干粉中，总氮含量≥8%。

（3）总重金属含量：冷冻干燥的蜂王幼虫干粉中，总重金属含量≤10mg/kg。

（4）抗生素、蜂药残留不得检出。

3. 卫生指标

（1）细菌总数：≤1 000个/g。

（2）霉菌：≤100个/g。

（3）致病菌不得检出。

（三）包装、贮存和运输

蜂王幼虫的内外包装，均应明显标注产品名称、重量、生产日期、产地、保质期和有效期、厂商名和地址等。

蜂王幼虫用无毒塑料袋封装，每袋定量1 000g±5g。在封口前将塑料袋内的空气挤出，有条件的可在封口时进行抽真空、充二氧化碳或充氮处理。外包装用隔热的发泡塑料箱再外套瓦楞纸箱，每箱20袋。瓦楞纸箱应符合GB6543规定。

为抑制酶的活性和微生物的生长，防止蜂王幼虫变色和腐烂，装袋后应置于-18℃下冷冻贮存。贮存环境要求不得有毒、污染、刺激性气味，不得与非食品同库贮存。在贮存过程中不得反复解冻。蜂王幼虫的运输也应在冷冻条件下进行。

二、雄蜂幼虫

（一）理化性质和营养成分

不同日龄的雄蜂幼虫其体重、含水量、营养成分含量均有所不同。一般情况下，自卵孵化后第七天，处于正封盖状态的雄蜂幼虫体重最大、含水量最低、营养成分含量最高。7日龄雄蜂幼虫平均含水量约73%，在其干物质中蛋白质约占41%，脂类26%，碳水化合物15%，以及钾1.32%、钠625mg/kg、钙775mg/kg、铁65mg/kg、锌73.4mg/kg、铜17.5mg/kg、镁775mg/kg、磷610mg/kg、锰50mg/kg。100g雄蜂幼虫干物质中含维生素$B_2$2.74mg、维生素C 3.72mg、维生素E 10.40mg、维生素A 1 050国际单位、维生素D 1 760国际单位。

雄蜂幼虫还含有酶类、激素及其他活性物质。氨基酸含量与蜂王幼虫相似，含有18种氨基酸，其中包括8种人体必需的氨基酸。

（二）质量要求

雄蜂幼虫作为商品还尚未形成规模，也没有统一的质量标准，根据产品的特性提出以下参考指标。

1. 感官指标

（1）色泽：呈乳白色，不得呈微红色、褐色、黑色或其他颜色。

（2）气味：具有鲜幼虫特有的气味，不得有其他异味。

（3）形态：虫体完整，无破损，具有一定的光泽和新鲜感，不得有起泡、变糊和虫体变形现象。

（4）纯洁度：雄蜂幼虫中不得有蜡屑、死蜂等杂质。

2. 理化指标

（1）含水量：新鲜雄蜂幼虫的含水量<75%。

（2）总氮含量：冷冻干燥的雄蜂幼虫干粉中，总氮含量≥6.5%。

（3）总重金属含量：冷冻干燥的雄蜂幼虫干粉中，总重金属含量≤10mg/kg。

（4）抗生素、农药残留不得检出。

3. 卫生指标

（1）细菌总数：≤1 000个/g。

（2）霉菌：≤100个/g。

（3）致病菌不得检出。

（三）包装、贮存和运输

雄蜂幼虫的内外包装，均应明显标注产品名称、重量、生产日期、产地、保质期和有效期、厂商名和地址等。

剔除破损的雄蜂幼虫后，用无毒塑料袋封装，每袋定量 1 000g ± 5g。在封口前将塑料袋内的空气挤出，有条件的可在封口时进行抽真空、充二氧化碳或充氮处理。外包装用隔热的发泡塑料箱再外套瓦楞纸箱，每箱 20 袋。瓦楞纸箱应符合 GB6543 规定。

为抑制酶的活性和微生物的生长，防止雄蜂幼虫变色和腐败，装袋后应置于 - 18℃ 下冷冻贮存。贮存环境要求不得有毒、污染、刺激性气味，不得与非食品同库贮存。在贮存过程中不得反复解冻。雄蜂幼虫的运输也应在冷冻条件下进行。

三、雄蜂蛹

雄蜂蛹因营养丰富、形态完整、不易破损、口感佳，常被用作营养食品开发利用。

（一）理化性质和营养成分

雄蜂蛹的日龄不同，体内的营养成分随之变化（表 9 - 28），一般随着日龄的增长，体内的营养成分降低。但作为食品，除了营养因素外，还必须兼顾商品的外形和口感。商品雄蜂蛹的采收多在羽化前 2 ~ 3d 进行，即西方蜜蜂雄蜂蛹为自封盖后 11 ~ 12d，中华蜜蜂为 10 ~ 11d 采收。

表 9 - 28　西方蜜蜂雄蜂蛹营养成分含量与日龄的关系

雄蜂蛹封盖后日龄	雄蜂蛹体重/mg	含水量/%	占干物质/%		
			粗蛋白	粗脂肪	碳水化合物
3	303.86	74.63	41.90	25.86	14.66
5	296.35	76.36	41.50	26.14	10.94
8	285.45	78.43	48.18	24.24	
10	274.20	79.66	53.58	21.54	6.86
12	258.28	80.02	63.10	15.74	3.68

注：引自邵有全等，1987。

新鲜雄蜂蛹的含水量为 73.23% ~ 80.16%。在雄蜂蛹的干物质中含粗蛋白 41.50% ~ 63.10%、粗脂肪 15.71% ~ 26.14%、碳水化合物 3.68% ~ 11.60%。雄蜂蛹含有 20 多种氨基酸，其中包括 8 种人体必需氨基酸，其含量在 18 日龄后随蛹龄增长而增加。

雄蜂蛹含有丰富的矿物质元素，封盖后 12d 的西方蜜蜂雄蜂蛹中含钾 1.43%，每千克含钠 575mg、钙 500mg、镁 1 050mg、铜 22.5mg、铁 82.5mg、锌 104.6mg、锰 3.2mg、磷 700mg。此外，雄蜂蛹还含有多种维生素、酶类、激素等活性物质。

（二）质量标准

综合雄蜂蛹的特性和国内外对雄蜂蛹的质量要求，对雄蜂蛹提出参考性的质量指标。

1. 鲜雄蜂蛹的质量指标

（1）感官指标：

①色泽：复眼浅棕色、浅蓝色或蓝紫色；腹部颜色应均匀一致，乳白色或淡黄色；背部呈浅咖啡色。

②气味：正常无异味，不得有酸败腐臭味。

③形态：雄蜂蛹体无破碎，头、胸、腹、附肢等完整无缺。蛹体的3对足已基本形成，翅还未分化，体表的几丁质尚未硬化。

④杂质：雄蜂蛹应纯净，无蜂螨、幼虫、死蜂、蜡渣、泥沙等杂质。

（2）理化指标：水分 < 80%，蛋白质≥12%，铅含量 < 1mg/kg。抗生素、蜂药残留不得检出。

（3）卫生指标：细菌总数≤20 000个/g，大肠杆菌≤40个/100g，霉菌≤10个/g。致病菌不得检出。

2. 盐制雄蜂蛹的质量指标（Q/YF26—89）

（1）感官指标：

①色泽：复眼浅蓝色，蛹体为乳白色或淡黄色。

②气味：正常无异味。

③形态：蛹体基本保持完整。

④杂质：不允许掺入或混入任何杂质。

（2）理化指标：水分≤45%，氯化钠≤35%，铅含量 < 1mg/kg，挥发性盐基氮≤25mg/100g，亚硝酸盐含量≤20mg/kg。抗生素、蜂药残留不得检出。

（3）卫生指标：细菌总数≤30 000个/g，大肠杆菌≤450个/100g，霉菌≤10个/g。致病菌不得检出。

3. 雄蜂蛹粉的理化指标　细度100目，水分≤5%，总氮≥4%，重金属含量 < 1mg/kg。抗生素、蜂药残留不得检出。

（三）包装、贮存和运输

鲜雄蜂蛹、盐制雄蜂蛹和雄蜂蛹粉的包装、贮存、运输的要求略有不同，总的要求应保证雄蜂蛹不变质和有效营养成分不被破坏。

1. 包装　雄蜂蛹的内外包装，均应明显标注产品名称、重量、生产日期、产地、保质期和有效期、厂商名和地址等。

（1）鲜雄蜂蛹和盐制雄蜂蛹的包装：内包装用聚乙烯透明塑料袋，塑料袋应符合GB4456规定；外包装用隔热的发泡塑料箱再外套瓦楞纸箱，瓦楞纸箱应符合GB6543规定。雄蜂蛹装袋后，须及时密封，有条件的在包装时还可采取抽真空、充氮、充二氧化碳等防氧化措施。

内包装每袋定量 1 000g ± 5g，每箱 10 袋。

在内外包装上，还应注明防热、防雨、避光、向上、轻放、防重压等提示性标志。

（2）雄蜂蛹粉的包装：内包装用铝塑复合薄膜食品包装袋，抽真空无菌包装。雄蜂蛹粉吸湿性较强，包装场所应清洁干燥，相对湿度低于 20%，且包装封口应严密。外包装用瓦楞纸箱，瓦楞纸箱应符合 GB6543 规定。

内包装每袋定量 1 000g ± 5g，每箱 20 袋。

在内外包装上还应注明防潮、防雨、避光、向上、轻放、防重压等提示性标志。

2. 贮存　雄蜂蛹易受微生物、有毒物质等污染，易吸附异味，因此各类雄蜂蛹的贮存环境要求不得有毒、污染、刺激性气味，不得与非食品同库贮存。

鲜雄蜂蛹和盐制雄蜂蛹长期贮存应置于 -18℃以下的冷库中。在贮存过程中不得反复解冻。贮存期暂定为鲜雄蜂蛹不超过 1 年，盐制雄蜂蛹不超过 1.5 年。

雄蜂蛹粉经真空密封包装后，可贮存在清洁、干燥、阴凉处，贮存期不超过 0.5 年；低于 5℃的环境下，贮存期不超过 3 年；-18℃冷冻条件下，贮存期不超过 7 年。

3. 运输　鲜雄蜂蛹和盐制雄蜂蛹的运输须具备冷藏条件，尤其鲜雄蜂蛹在运输途中不得解冻。雄蜂蛹冻干粉可在常温下运输，在运输途中应采取避光、防热等措施。

雄蜂蛹装运前，应仔细检查运输工具，以保证无毒、无味、无污染，避免与有毒、有污染的农药、化工原料等同车船装运。

第十章　蜂产品加工

蜂产品就是来源于蜜蜂的产品。凡是以蜂产品为原料的加工制成品，统称为蜂产品制品，简称蜂制品。对蜂产品采用物理、化学、生物等手段，使其原有性状发生变化而达到规定要求的工作，称为蜂产品加工。根据规定要求的不同，可以将蜂产品加工分为初级加工和深加工两大类。只是为了达到改善品质、方便贮运与使用的基本要求的加工，称为蜂产品的初级加工，简称初加工。除了要达到上述的基本要求外，还要达到扩大应用范围、增强应用效果、提高使用价值等更高要求的加工，称为蜂产品的深层加工，简称深加工。

第一节　蜂产品加工概述

我国是世界第一养蜂大国，有蜂群650多万群，年产蜂蜜约20万t、蜂王浆约3 000t、蜂花粉5 000t、蜂蜡3 000t、蜂胶300t，此外，蜂毒、雄蜂蛹和蜂王幼虫等蜂产品的产量也相当可观。它们共同构成了我国蜂产品加工业充足、可靠的原料来源。

蜂产品加工业是一个附加值比较高的产业。我国的蜂产品加工业起步较晚，工业化规模生产始于20世纪50年代末60年代初，当时只有北京、天津、上海、江苏、浙江、江西、福建7个省（市）的几个厂家生产浓缩蜂蜜和蜂王浆制剂，但发展很快，到80年代初，仅蜂王浆制剂厂家全国就有700多家。蜂产品加工从起初的以蜂蜜和蜂王浆为主的加工制成品，扩展到现在的蜂蜜、蜂王浆、蜂花粉、蜂胶、蜂蜡、蜂蛹、蜂王幼虫、蜂毒、蜂巢等所有的蜂产品加工，其制成品已包括食品、药品、化妆品以及其他工业品。

由蜂场采收的蜂产品是一些最初级的产品，要使其品质得到改善，贮运与使用更加方便，以及进一步使其应用范围得到扩大、应用效果得到增强、使用价值得到提高，必须对这些初级产品进行初级加工或进一步进行深层加工。

蜂产品加工过程中所共有的，对其内在规律已了解清楚，并已理论化的操作，称为蜂产品加工单元操作。蜂产品的加工过程，无论是初级加工还是深层加工，都是若干蜂产品加工单元操作合理组合而成一个完整的加工流程。蜂产品加工应遵循技术上先进和经济上合理两个原则。技术上先进，包括工艺先进和设备先进两个部分。要达到工艺先进，必须了解和掌握工艺技术参数对加工制品品质的影响，就是要掌握外界条件与蜂产品之间在加工过程中的物理、化学和生物学变化关系，这就需要掌握物理学、化学、生物学等方面的知识，尤其是生物化学和微生物学知识。这样才能把过程发生的变化与工艺技术参数的操作联系起来，主动地进行控制，达到生产工艺的最佳水平。设备先进，包括设备自身的先进性以及设备对工艺水平的适应程度，从工艺技术研究的角度来看，主要是考虑设备对工艺水平的适应性。因此，必须了解各有关单元操作过程的一般原理，也就是要掌握食品、药剂和化妆品的生产原理。经济上合理，就是要求投入和产出之间有一个合理的比例关系。

对蜂产品加工的原料性质、品质规格要求及其在加工过程中的变化，必须充分地把握，才能正确地制定技术操作规程。只有以准确的成分分析数据为依据，才能正确地确定工艺技术参数。因此，加工原料的检验与分析，对提高蜂产品加工的水平具有举足轻重的作用。

蜂产品加工的最终目的，是要获得符合规定要求的产品并推向市场。因此，必须了解产品标准的制定、报批的程序以及与加工生产有关的法规知识。此外，蜂制品的包装与装潢也是蜂产品加工的重要内容，良好的包装便于运输和销售，装潢的技巧对其销售效果会产生重要的影响。

第二节　蜂蜜的加工

蜂场采收的分离蜜，常带有蜡屑、幼虫、蜂尸、花粉等杂质，需要进行过滤加工；多数蜂蜜在贮存的过程中会出现结晶，需要进行解晶液化加工；某些蜜种色泽较深而且气味不佳，需要进行脱色脱味加工；还有一些蜂蜜含水量偏高，需要进行浓缩加工。此外，为了扩大蜂蜜的应用范围，增强应用效果和提高使用价值，还可以对它进行深加工。

一、蜂蜜的过滤

将液体蜂蜜中的固体杂质加以分离，称为蜂蜜的过滤加工。

（一）影响蜂蜜过滤的主要因素

在过滤操作过程中，过滤的速度与过滤介质的面积及滤器两侧的压力差成正比，与被过滤液体的黏度、滤渣的平均比阻力、滤渣的干重、过滤介质和滤器的阻力成反比。

为了提高蜂蜜的过滤速度，应当采用尽可能大的滤器以加大过滤面积，给被过滤蜂蜜侧加压以提高滤器两侧的压力差，用加热的方法来降低蜂蜜的黏度，用添加助滤剂或不断清除滤渣的方法来减少滤渣的平均比阻力，通过先行撇除漂浮物来减少过滤时滤渣的干重，通过新材料、新工艺及合适的几何形状来减小过滤介质和滤器的阻力。

在设备条件固定的情况下，降低蜂蜜的黏度是提高过滤速度的主要措施之一。蜂蜜的黏度与温度直接相关。当蜂蜜的温度低于38℃时，黏滞度增加很快；当蜂蜜的温度高于38℃，黏滞度降低也很快。冷蜜是很难过滤的，必须先把蜜温提高，才能使蜂蜜的过滤顺利进行。在生产上把过滤蜂蜜的适宜温度定为43℃。其原因首先是当蜜温达到43℃时，其黏度已降到易于通过滤网的程度，再提高蜜温对其黏滞度下降的影响不明显；其次是当蜜温超过43℃时，其中的蜡屑将越来越柔软，易于粘连、堆叠而堵塞滤网孔眼，阻碍蜂蜜通过；而且蜂尸会受热发臭，使蜂蜜带有异味。

（二）蜂蜜的过滤操作

蜂蜜的粗滤，是指蜂蜜通过60目以下滤网的过滤，即通过网孔内径小于或等于0.25mm滤网的过滤，主要用于滤去蜡屑、幼虫、蜂尸等较大的杂质。蜂蜜的精滤，是指蜂蜜通过80目以上滤网的过滤，即通过网孔内径小于或等于0.17mm滤网的过滤，继粗滤之后，除去诸如花粉粒之类粒径更小的杂质，使蜂蜜更加清澈透明。

蜂蜜过滤的工艺流程通常为：蜂蜜加热→撇除泡沫→粗滤→蜂蜜再加热→精滤→精滤蜜。其生产线由加热设备、输送（加压）设备和分离（除沫、过滤）设备组成。企业可根据自身条件和需要，选用下述设备。

加热设备有：带搅拌桨蒸汽夹层锅、对流式蒸汽或热水加热器（列管式或板式换热器）、沉浸式蒸汽蛇管热水池、沉浸式电热蛇管热水池、热风式控温烘房等。

输送（加压）设备有：齿轮泵、罗茨泵、滑板泵、螺杆泵等。

分离（除沫、过滤）设备有：挡板式除沫器、叶滤器、板框过滤器、双联过滤器等。

以上设备中凡是与蜂蜜直接接触的部分，均应为不锈钢制造。

（三）蜂蜜过滤加工中应注意的问题

第一，粗滤应视蜂蜜中杂质的状况，确定滤网的规格和过滤级数。当杂质较多，尤其是细小蜡屑较多时，通常采用二级或三级过滤。二级过滤的前级采用20目滤网，后级采用60目滤网。三级过滤的前级采用12目滤网，中级采用28或30目滤网，后级采用60目滤网。这样，可以不增加过滤压力而提高蜂蜜粗滤的速度。

第二，精滤的滤网越细越好，通常可采用200目和400目二道过滤。这样，可以最大限度地减少蜂蜜中花粉残留量，以解决瓶装蜂蜜贮存的瓶颈黑圈问题。

第三，当蜂蜜中还有蜡屑时，蜜温不得过高，以免蜂蜡熔化，无法滤除而混在滤液中，日后出现瓶颈黑圈。

二、蜂蜜的解晶液化

绝大多数蜂蜜都会结晶，通常采用加热的方法解晶液化，又称融蜜。实践证明，蜂蜜中所含有的多种酶、维生素、蛋白质以及抑菌素、芳香物质、鞣酸等，在长时间的高温中会被严重破坏，只有糖不受影响。所以，加热温度和加热时间的控制，是蜂蜜解晶液化的技术关键及保证产品质量的先决条件。

（一）热风式控温烘房内加热解晶液化

将蜂蜜整桶放在能调节温度的烘房内，利用热空气给烘房加热，采用自控装置使室内的温度恒定在40℃左右。通常5～8h后，结晶蜂蜜就会变成软块，持续时间越长解晶液化的程度越高。此温度与蜂巢内温度相近，不会破坏蜂蜜的天然成分。这种方法仅适用于蜂蜜过滤的前期，便于蜂蜜移出桶外。

（二）水浴及蒸汽加热解晶液化

1. 水浴加热解晶液化　即利用热水浴使蜂蜜加热解晶液化。常用40～80℃的温度，可以避免蜂蜜品质受损，而且热水对蜂蜜的加热效果比热空气好。蜂蜜的水浴加热解晶液化通常采用恒温水浴解晶液化和强化传热水浴解晶液化两种方法。

（1）恒温水浴解晶液化：即将整桶蜂蜜放入40～50℃热水池中。此方法适用于小口蜂蜜桶内结晶蜜的液化。因其传热温度差较小，解晶液化费时，仅为日生产量不大的蜂蜜加工厂夜间采用，以保证白天生产的正常需要。

（2）强化传热水浴解晶液化：即用提高水温和对蜂蜜搅拌的强化传热方法，缩短蜂蜜解晶液化时间。在搅拌之下，水温可以提高到90℃。对于大口蜜桶，可将装有大叶片的转动器插入蜜桶中搅拌蜂蜜，也可以将大口桶内的结晶蜜移到外通循环热水、内装有大叶片转动器的容器内，通过不停转动的桨叶，强化结晶蜂蜜吸收循环热水传来的热，以加快液化速度。对于小口蜜桶，应先用隔水电热棒或长轴橡胶浆搅融器，伸入蜜桶中搅化结晶蜜，使其成软块易于倒出，再移入外通循环热水、内装有大叶片转动器的容器内解晶液化。

2. 蒸汽加热解晶液化　蒸汽在凝结时释放的热量很大，单位时间内对每单位面积传递的热量要比热水大得多，因而消耗量少，可减少动力消耗和设备投资费用，还具有用管道输送容易、加热均匀以及只要改变蒸汽压力就能调节加热温度等优点，所以，在生产中应用更为广泛。蒸汽加热解晶液化所用的设备是带搅拌桨的蒸汽夹层锅，夹层内通蒸汽作加热剂，搅拌桨起强化传热的作用，使解晶液化所需时间更短。这种设备还可用于蜂蜜的杀酵母和破坏蜂蜜中结晶核的处理，一机多用。

上述方法，都属于结晶蜂蜜进行过滤加工的前期处理，因此，蜂蜜最终温度应控制在43℃左右，以保证蜂蜜的品质和后续过滤加工的顺利进行。

三、蜂蜜的杀酵母与破晶核

大多数未经加工的蜂蜜，都含有大量的酵母菌和糖的小晶体，在贮藏过程中会出现发酵和结晶析出，影响蜂蜜的品质。为增强蜂蜜的贮藏性能及其商品的货架性能，需要对其进行杀酵母与破晶核处理。

（一）影响蜂蜜发酵的主要因素及处理

物质中能被微生物利用的有效水分，称为水分活性或水分活度（英文缩写 Aw），其数值等于该物质中的溶质溶于其游离水所形成的溶液的蒸汽压与同温度下纯水蒸汽压的比值。根据酵母菌对渗透压的适应性，分为普通酵母菌和耐渗透压酵母菌两大类。适宜于普通酵母菌生长的 Aw 值在0.88以上，而耐渗透压酵母菌生长的最低 Aw 值也不小于0.60。由蜂蜜水分活性值估算公式（10－1）：

$$Aw = 0.025 \times \text{每百克蜂蜜中含水的克数} + 0.13 \qquad (10-1)$$

可以得出，只要蜂蜜中的含水量大于或等于18.8%，即浓度小于42 °Bé时，蜂蜜中的酵母菌就能生长繁殖，致使蜂蜜发酵变质。尤其是当气温高于25℃时，蜂蜜中的酵母菌处于最适生长温度（25~37℃）下，蜂蜜的发酵变质会加速。因此，对于42 °Bé以下的蜂蜜须进行杀酵母处理。

蜂蜜的杀酵母处理通常采用加热法，对加热的温度和时间，必须从两方面加以考虑：第一，加热所需的温度和时间要大于酵母菌的耐热性，即55~60℃、10~15min；第二，加热所需的温度和时间，要小于蜂蜜品质（即蜂蜜的酶值、维生素含量、色泽、香味等重要指标）基本保持不变的极限温度和时间，即70℃、45min，75℃、20min和85℃、10min。

（二）蜂蜜结晶析出的主要原因及处理

蜂蜜是糖的过饱和溶液，在贮藏过程中大部分都会有结晶析出，产生分层现象，从而影响蜂蜜的感官性状及商品货架性能。影响结晶析出速率的主要因素是，结晶核的数量。蜂蜜中结晶核越多，其过饱和糖溶液中的糖向结晶核表面迁移、沉积的距离和时间越短，结晶体长大的速度也越快。因此，去除蜂蜜中的结晶核是保持蜂蜜过饱和糖溶液液体状态相对稳定的重要措施。蜂蜜中的结晶核主要是肉眼看不见的糖的小晶体和花粉粒等。通常花粉粒的量很小，且易于被200目以上的滤网所滤除，而大量的结晶核是糖的小晶体。对于糖的小晶体，可以通过77℃以上的加热温度使之融化以去除。经此处理，可以延缓蜂蜜重新析出结晶的进程，使其保持较长时间的液体状态。

（三）蜂蜜的杀酵母与破晶核的处理

由于蜂蜜的破晶核处理温度与杀酵母处理的温度一致，因此，蜂蜜的破晶核处理常常与蜂蜜的杀酵母处理同时进行。

蜂蜜的杀酵母与破晶核处理，多采用短时快速加热并快速降温的方法。80℃、10min正是既不会使蜂蜜中酶失活和羟甲基糠醛增加，又能杀灭酵母与融化结晶核的适宜温度和时间。

蜂蜜的杀酵母与破晶核处理，可用带搅拌桨蒸汽夹层锅、管式换热器、板式换热器等设备。通常是将经粗滤后的蜂蜜在带搅拌桨蒸汽夹层锅内加热至80℃保持1~2min后，立即经管式换热器或板式换热器冷却至50℃以下；也可以采用两组管式换热器或板式换热器，一组通蒸汽或热水用于快速加热，另一组通冷水用于快速冷却。

四、蜂蜜的脱色脱味

深色蜂蜜如荞麦蜜、桉树蜜、山花椒蜜等，含铁量高，具有辅助造血的作用，这对于贫血患者是一种理想的保健食品。但是，由于这些蜂蜜色重、味臭，消费者不愿食用，若将它直接添加到其他食品中，又会影响食品风味。因此，必须对这些蜂蜜进行脱色脱味处理。

蜂蜜的脱色脱味是利用多孔性固体作为吸附剂，使其中的一种或数种有色有味成分被吸附于固体表面，以达到分离的加工目的。

（一）吸附剂的选用

工业上使用的吸附剂有活性炭、硅胶、活性铁钒土、漂白土、酸性白土、氧化铝、骨炭、脱色炭、分子筛、大孔径吸附树脂等。吸附剂要求具有两项重要的性质：一是以单位质量（或体积）吸附剂所能吸附物质的量来表示的活性（称为静活性）要大，二是对不同溶质的选择性吸附作用要好。

吸附剂的选择首先根据溶液而定。吸附剂因具特殊的表面，或适用于水溶液，或适用于有机溶液。用于水溶液的吸附剂具憎水性，而用于有机溶液的吸附剂有显著的亲水性。选择吸附剂，除考虑吸附能力外，吸附剂使用后的带液量、接触过滤时的过滤速率、渗滤法的操作压力等也都是要考虑的重要因素。吸附剂用于净制溶液时，用后有的直接废弃，有的经洗涤后用热处理进行活化后再用，这要根据经济价值而定。不过通常吸附剂不宜无限次再生。因此，在蜂蜜脱色脱味加工处理中，活性炭为首选吸附剂。

（二）蜂蜜脱色脱味的操作

蜂蜜脱色脱味吸附操作的方法主要有两种，其区别在于液体和固体的接触方式。第一种称为接触过滤法：吸附主要在搅拌容器内进行，造成固液悬浮液均匀混合，促使吸附的进行。吸附进行完毕之后，再进行过滤操作，除去液体中的吸附剂。第二种称为渗滤法：吸附剂在容器中形成床层，溶液由重力或加压作用下流过床层。床层可以是固定床或移动床。目前，在蜂蜜脱色脱味加工处理中，主要采用接触过滤法，其设备如图 10－1 所示。这种吸附设备包括混合桶、料泵、压滤机和贮桶四部分。液体和吸附剂在混合桶中充分接触，在蜂蜜处于低黏度所需的温度下维持一定的时间后，用料泵将其送入压滤机中，分离出固体吸附剂及其所吸附的色素和杂质等。从压滤机流出来的滤液应达到适当的净化，否则须将浑浊液返回重新过滤。混合桶多为圆筒形的开口或密闭容器，带有加热夹套或蛇管，并有搅拌装置。应用这类设备的流程为间歇式操作。

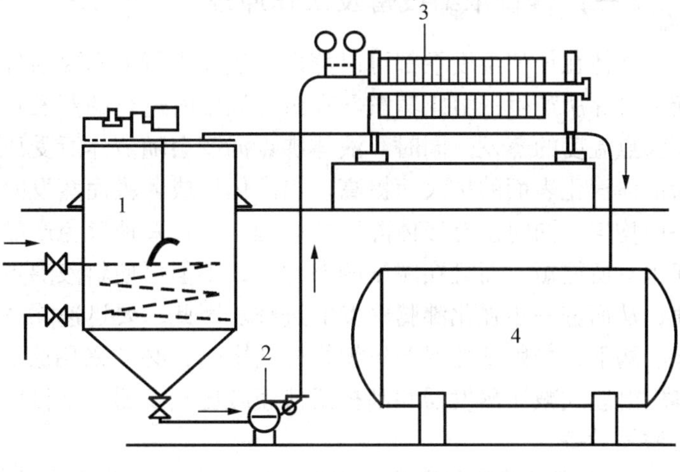

图 10－1　接触过滤吸附设备示意图

1. 混合桶　2. 料泵　3. 压滤机　4. 贮桶

深色蜂蜜脱色脱味的工艺要点：①为降低蜂蜜的黏度，在深色蜂蜜中加入为其重量 0.5～1.0 倍的水，于混合桶中稀释至含糖量 50% 以下，这样有利于吸附剂与蜜中有色、有味物质的充分接触。②视原蜜色深程度及最终产品的色泽要求，加入原蜜重量 0.5%～2.0% 的活性炭。于混合桶的夹层中通入蒸汽或热水，加热至 50℃，以进一步降低蜂蜜的黏度、加快吸附过程中被吸附物质的传质速度，在搅拌的条件下保持 20～

30min，让活性炭充分吸附有色、有味物质。③在活性炭充分吸附有色、有味物质之后，再加入3%的酸性白土或高岭土，充分搅拌10min后静置，使活性炭絮凝和沉淀，以利后续过滤顺利进行。④将上清液泵入过滤机，经200目过滤后，送入真空浓缩设备浓缩至含水量小于或等于18%。⑤有时根据客户的要求，还要在过滤之后与浓缩之前，再经阴、阳离子交换处理，以保证最终产品的某些离子指标符合规定。

试验表明，经过这样处理的深色蜂蜜，色变浅，味变佳，吸光值可下降80%以上。

五、蜂蜜的浓缩

用加热的方法，使溶液中部分溶媒汽化并去除，从而提高溶液浓度，称为蒸发。在蜂产品加工中，把蜂蜜中多余的水分通过蒸发除去，使其水分含量符合规定的要求，称为蜂蜜的浓缩加工。在实际生产中，对蜂蜜的浓缩加工，除水分含量外，色泽、香味、滋味、淀粉酶值脯氨酸、蔗糖、羟甲基糠醛等的含量，也都应符合规定的要求。为达到这些要求，除了要对原料蜂蜜进行必要的选择和搭配外，更主要的是要通过对蒸发操作的控制来实现。

（一）蜂蜜浓缩设备及工作原理

液体在任何温度下都可以蒸发。蒸发进行的必要条件是不断地向溶液供给热能和不断地排除所产生的溶媒蒸汽。在沸点温度时进行的蒸发称为沸腾蒸发，其速率远超过低于沸点温度的蒸发。同时，液体沸点温度会随液体所受压强的减小而降低，蒸发速率会随液体汽化表面的扩大而提高。当液体形成薄膜而蒸发时，具有极大的表面，热的传播快而均匀，同时没有液体静压的影响，能较好地避免产品的过热现象，产品总的受热时间也有所缩短，而且在减压的条件下，不但可使料液沸点降低，还可使二次蒸汽排除加速，从而进一步强化沸腾蒸发的进程。因此，要迅速除去蜂蜜中多余的水分并减小对色泽、酶值、羟甲基糠醛等热敏指标的影响，必须采用膜式减压蒸发设备进行浓缩处理。其中升膜式减压蒸发器和刮板式薄膜减压蒸发器，是目前国内外广泛应用的较先进的蜂蜜浓缩设备。

1. 升膜式减压蒸发器　图10－2为常用的升膜式减压蒸发器示意图。待蒸发的物料经输液管，通过流量计，先进入预热器预热，后自预热器上部流出，从蒸发器底部进入列管蒸发器，被蒸汽或热水加热后，立即沸腾汽化，形成大量泡沫。泡沫及二次蒸汽沿加热管高速上升，并迫使溶液呈薄膜状沿管壁以很高的速度向上流动，溶液就在呈膜状上升的过程中，以泡沫的内外表面为蒸发面而迅速蒸发。泡沫与二次蒸汽的混合物自气沫出口进入分离器中，此时气沫分离为二次蒸汽与浓缩液。浓缩液经连接于分离器下口的导管流入接收器收集，二次蒸汽自导管进入预热器的夹层中供预热料液之用，多余的废汽则进入冷凝器冷凝后，排入冷凝水罐经疏水阀排出，未冷凝的废汽自冷凝水罐接真空泵排出。

升膜式减压蒸发器的加热管不宜太长，当蒸发量过大或操作不当时，可能会产生局部干壁现象，从而降低传热效果。

2. 刮板式薄膜减压蒸发器　刮板式薄膜减压蒸发器是利用旋转的刮板将料液分散

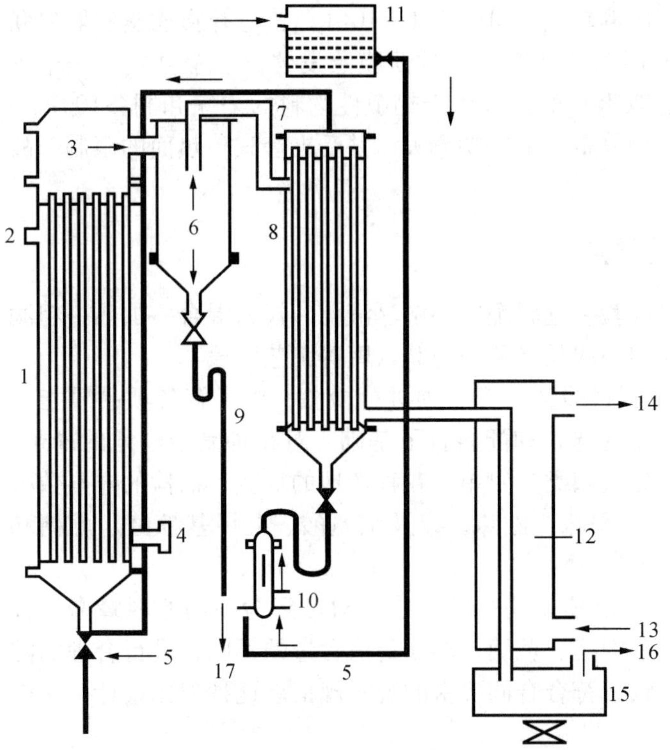

图 10－2　升膜式减压蒸发器

1. 列管蒸发器　2. 蒸汽进口　3. 气沫出口　4. 蒸汽出口　5. 输液管　6. 气液分离器　7. 二次蒸汽导管　8. 预热器　9. 浓缩液导管　10. 流量计　11. 料液桶　12. 冷凝器　13. 冷却水进口　14. 冷却水出口　15. 冷凝水罐　16. 接真空泵　17. 浓缩液出口

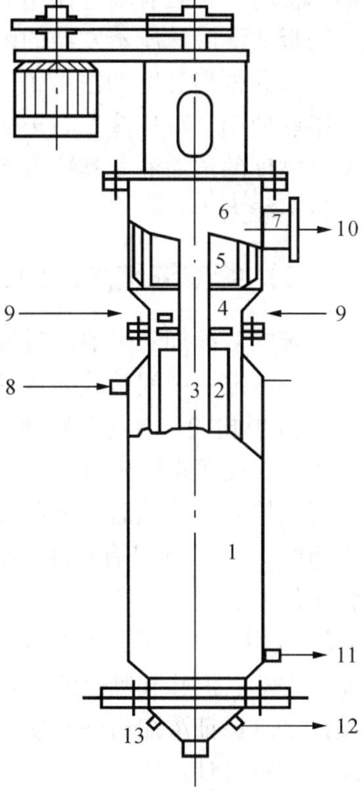

图 10－3　刮板式薄膜减压蒸发器

1. 器体　2. 刮板　3. 轴　4. 进料分配器　5. 除沫器　6. 气液分离器　7. 二次蒸汽出口　8. 蒸汽进口　9. 进料口　10. 接真空泵　11. 冷凝水　12. 出料口　13. 接温度计

成均匀的薄膜，以使物料浓缩的一种设备。刮板式薄膜减压蒸发器（图 10－3）的壳体是一个圆柱形长筒，外用夹套加热，载热体为蒸汽。壳体中央有一转动轴，轴上装有 4 块"十"字形刮板，固定刮板边缘与筒底之间隙为 1.5～2.5mm。料液由器顶进入，由离心式液体分布器均匀地洒在内壁上，在重力和旋转刮板带动下，料液形成旋转下降的薄膜，并在下降过程中不断被蒸发浓缩。蒸汽经上部除沫器进入冷凝器进行冷凝，浓缩产品由底部流出。

由于刮板的搅拌作用，料液在器内形成很复杂的流动形态，转动着的刮板推动旋转的液体向前移动，形成一个圈形波，波的区域长度由料液性质和液体垂直向下的流速决定，一般为 25～100mm。在转动刮板后方靠近圈形波处，有一个高度湍动的挤压区，后面紧接着是一个平静区。旋转刮板所传递的能量大部分消耗在液体内部的紊流和摩擦之中，其量大大超过列管式热交换器液体实际流速所消耗的。因此，刮板式薄膜减压蒸发器的总传热系数很高。由于刮板保证了液体在传热面上的均匀分布，液体向下流动时不致产生短路。此外，刮板强烈的剪切作用也能降低大多数液体的表现黏度，对内部的传热和传质过程更有增进作用。

刮板式薄膜减压蒸发器的浓缩比例较大，可达5∶1～10∶1。若与升膜式蒸发器串联使用，可获得高黏度的浓缩液。若用两个此类结构的薄膜蒸发器，一个立式，一个卧式，串联使用，可达蒸发与干燥的双重目的。适用于热敏性物料的浓缩和制备100Pa/s以上高黏度的浓缩液。其缺点是结构复杂，消耗功率大，并受夹套式传热面的限制，故处理量不能太大。

（二）蜂蜜浓缩加工的工艺要点

蜂蜜的浓缩加工一般经过原料检验→选料配料→解晶液化→投料混合→加热→粗滤→精滤→浓缩→中间检验→成品配制→成品检验→包装入库等工艺阶段。

1. 原料检验　凡是收购进仓的原料蜂蜜，都必须进行检验，以了解各项品质指标的具体值，便于剔除劣蜜，为下一步的选料和配料打下基础。对花种复杂产地的蜂蜜，必须逐桶检验。检验后，分花种、分级归类。对单一花种产地的蜂蜜，抽检的样本数不低于20%。检验项目有色泽、状态、香味、滋味，以及脯氨酸、羟甲基糠醛、蔗糖和淀粉酶值的含量。

2. 选料配料　根据客户对最终产品质量指标的要求，对已经检验的原料蜂蜜，按色泽、香味、滋味和脯氨酸、羟甲基糠醛、蔗糖及淀粉酶值含量的不同，进行合理的配比设计，以保证浓缩后蜂蜜质量一致，符合合同要求的统一规格。这种配比设计，又称为配料方案设计。

3. 解晶液化　对结晶的蜂蜜必须进行解晶液化，否则结晶蜂蜜部分沉积在桶的底部难以移出。通常采用水浴法解晶液化，就是将整桶蜂蜜放入热水池中，使水温恒定在40～50℃，由自然传热让蜂蜜缓慢液化；或采用更高的水温并不断摇动蜜桶，使其更快融化完全。一般桶内蜂蜜的中心温度不能超过45～50℃，否则，会影响其色泽、风味、酶值等品质指标。

4. 投料混合　根据设计出的配料方案，将已经检验的不同花种、色泽、气味，以及不同淀粉酶值、脯氨酸、蔗糖、羟甲基糠醛等含量的蜂蜜，进行搭配，投料于不锈钢锅中，用水蒸气加热并搅拌均匀。加热的温度不宜过高，一般控制在50～56℃，以免影响色泽及其他指标。

5. 粗滤和精滤　为去除一切机械杂质，蜂蜜的粗滤采用筛孔60目以下的绢布；精滤采用二道过滤，第一道用筛孔90目的单层绢布，第二道采用90目或120目的二层绢布。过滤时可以根据不同情况，采取自然过滤、框板压滤机过滤或泵抽滤的方式进行。过滤前必须加热，使蜂蜜的黏度减小，才能顺利地进行过滤。加热的温度一般控制在45～55℃。加热后的蜂蜜要及时过滤，过滤后的滤布应及时清洗和更换。

6. 浓缩　浓缩过程中，蒸发温度要求控制在50～55℃，蒸发器的真空度应达到0.091～0.085MPa。

7. 中间检验　中间检验的目的，就是根据检验的结果来指导浓缩工序的操作，使最终产品符合规定的含水量要求，一般通过调节蜂蜜的流量和设备的真空度来实现。检验项目是波美相对密度和灯光比色。通常，若波美相对密度偏低，应减小蜂蜜的流量；若色泽偏深，应提高设备的真空度，以降低蜂蜜沸腾蒸发的沸点，即降低蜂蜜真空浓缩的温度。

8. 成品配制和检验　浓缩后的成品蜜，在中间贮蜜槽被抽样检验后，直接用泵输送到总缸，在总缸中进行搅拌混合，使蜂蜜成品均匀一致，这就叫成品配制。成品是按批次检验的，先测其水分和色泽，如果符合规格要求，再抽样进行按照标准或合同规定的全项目检测，例如，蔗糖、果糖、葡萄糖、淀粉酶值、羟甲基糠醛、脯氨酸、花粉数以及酸度等项目的检测。

（三）蜂蜜浓缩加工应注意的事项

一般浓缩好的蜂蜜要及时装桶；下班交接时，剩余的冷蜜不得与热蜜混合在一起搅拌使用；接近常温的蜂蜜不得多加搅拌；蜜内气泡很多时，不要进行分装；容器与蜂蜜的温度要保持一致，避免冷容器与热蜜之间的温差太大。浓缩蜂蜜成品仓库的室温应控制在 20～25℃。

（四）蜂蜜浓缩设备的清洗

在蜂蜜浓缩过程中，当蒸发量过大或操作不当时，蒸发器内可能会产生局部干壁现象，蜂蜜干固物会形成结痂，牢牢地黏附在蒸发器的内壁上，从而降低传热的效率，直接影响浓缩蜂蜜的产量。一旦发现传热效率降低，即应对蜂蜜浓缩设备进行清洗，清除黏附在内壁上的蜂蜜干固物。蜂蜜浓缩设备清洗液的配方为：

氢氧化钠	5.60%
磷酸三钠	0.35%
硅酸钠	0.25%
碳酸钠	0.25%
水	93.55%

将配成的清洗液加入设备内浸泡 12h，然后 80℃以上加热 1h，这样黏附在内壁上的蜂蜜干固物即可脱落。放出清洗液与脱落物，再用清水循环洗净。

六、蜂蜜醋酸饮料的加工

以蜂蜜为原料，先经酵母菌发酵产生一定量的酒精，再经醋酸菌发酵，使酒精转化为醋酸而酿制出原浆，然后加水配制而成的饮料称为蜂蜜醋酸饮料，又称蜜醋饮料。这种饮料除了含有蜂蜜的糖分、维生素、氨基酸和无机元素外，还含有蜂蜜所没有的多种营养成分，而且糖度较低，不仅一般人可以饮用，糖尿病和肥胖症患者也可饮用，是一种高营养的饮料。

各种蜂蜜都可作为原料使用，但因蜂蜜的品种不同，饮料的香味差别较大，因此，可根据需要选择一种或几种蜂蜜混合发酵制备原浆，以生产出风味独特的醋酸饮料产品。

往蜂蜜中加入适当比例的水，调制成一定浓度的蜂蜜醪液。加水量视所制产品的含糖量和醋酸浓度而定，一般可加 4～5 倍的水，使含糖量调整到 15%～19%。

调制成的蜂蜜醪液，于 60～65℃下加热 10～15min 进行灭菌，然后快速冷却，再接种适量的葡萄酒酵母泥（葡萄酒酵母先用酵母培养罐以通风法进行纯培养，所得酵母液经离心机分离，即成酵母泥），进行酒精发酵。也可用酿酒酵母或烧酒酵母，但用葡萄酒酵母的风味较好。

接种酵母后，将醪液置于 20～25℃下保温，进行酒精发酵，使其所含糖的全部或部分变成酒精。为使产品具有一定的风味，产品可保留 0.5%～4.0% 的残糖。再将含酒精的蜂蜜发酵液打入深 100～150cm 的圆筒形或方形槽内，接种预先用蜂蜜培养液培养的醋酸菌种子液，接种量为醪液量的 20%～30%，接种后醪液深度应低于 120cm。

所用醋酸菌种子液，一般是上次生产的高酸度醋酸发酵醪液，不经灭菌而直接放在冷库保存下来的。

接种醋酸菌种子液后，醪液的 pH 值逐渐下降，酒精发酵便渐渐停下来。为防止发酵罐内酒精和醋酸的蒸发，罐上须加盖；为使空气流通，盖上应设 2～3 个小气孔。将醪液的温度调到 32～36℃，在此温度下醋酸菌继续生长繁殖，醋酸继续发酵。发酵过程中，醪液所含酒精由于逐渐变成醋酸而减少。当酒精含量降到 1% 以下，而且醋酸含量也达到要求时，将醪液温度升高到 60～65℃，然后快速冷却令其停止发酵。这种醪液经过滤后，须在罐内密封一定时间，以使香味更加浓厚丰满。然后加水调配，灌装到瓶内即为成品。

蜂蜜醋酸饮料可以分为甜味醋酸饮料和酸味醋酸饮料两种。它们都不是通过调糖调酸来配制的，而是通过醋酸发酵来实现的。两种饮料的酒精发酵都是在 22～25℃的条件下进行 4d；所不同的是，甜味的在 32～34℃的条件下醋酸发酵 21d，酸味的醋酸发酵 45d。其产品指标前者为 pH 值 3.5，含醋酸 2.9%、糖 21.4%、酒精 0.6%；后者为 pH 值 3.0，含醋酸 4.4%、糖 0.6%，不含酒精。

七、蜂蜜酒的酿造与对制

蜂蜜酒，是以天然蜂蜜为主要原料，经发酵酿造而成的一类酒精饮料。它又分为纯酿蜂蜜酒和对制蜂蜜酒精饮料两种。

（一）纯酿蜂蜜酒

酿造蜂蜜酒主要用具，是发酵罐、酒坛、大锅，其次还有波美比重计、三角烧瓶、酸碱滴定管、1 000ml 量筒。需要的化学药品有磷酸铵、尿素、酒石、酒石酸、柠檬酸、偏重亚硫酸钾、二氧化硫、葡萄酒酵母和复合维生素等。

其工艺流程为：蜂蜜原料→稀释调整→灭菌→添加营养盐→装坛→接种→发酵→换缸→灭菌→陈酿。

1. 蜜汁的配制　首先将蜂蜜倒入不锈钢锅，加热到 35℃左右后，进行过滤。然后按 1kg 蜂蜜加 2.5～3.0kg 水的比例加水，调制成蜂蜜水溶液，使其比重达 1.088～1.100。再将蜂蜜水溶液加热到 80℃，保持 20min 以灭菌。

蜂蜜中的蛋白质、矿物质不能满足酿酒酵母菌生长繁殖的需要。为了促进酵母菌的繁殖，加快发酵速度，应在蜜汁中添加一些含氮物、营养盐和维生素。添加量为：每升蜜汁加磷酸铵、尿素、酒石各1g，酒石酸和柠檬酸各0.5g，复合维生素0.1g。

蜜汁经加热灭菌、冷却，添加含氮物、营养盐和维生素后，还应添加偏重亚硫酸钾，以杀灭发酵过程中可能污染的其他杂菌，添加量为每升0.5g。

2. 菌种的培养 用于酿造蜂蜜酒的菌种以葡萄酒酵母为好，如果没有也可用果酒酵母或白酒酵母，这些菌种可以从当地酒厂引种，然后自己扩大培养。引回来的菌种要放在冰箱内保存，隔一段时间进行一次传代培养，以防止菌种老化。

（1）试管培养：在试管内装8～10ml经灭菌的蜂蜜汁或麦芽糖培养基，在无菌操作条件下用接种环将引来的菌种接入试管培养基中，置25～30℃温度下培养24～48h。

（2）三角瓶一级扩大培养：在9～12 °Bé的100ml灭菌蜂蜜水溶液中加入0.1g磷酸铵，装入300ml三角烧瓶内，再将试管中培养旺盛的菌种倒入，轻轻摇动，使菌种分散到蜂蜜水溶液中，封口并置于25～30℃的条件下培养24～48h。

（3）三角瓶二级扩大培养：取9～12 °Bé的蜂蜜水溶液1 000ml，加入1g磷酸铵，灭菌后装在5 000ml的白细口瓶内，将一级扩大培养的菌液倒入瓶内，搅匀后，密封置25～30℃的条件下培养24～48h。按此法逐级扩大培养到所需要的量。整个培养过程要做到无菌操作，防止杂菌污染。

3. 装坛 接菌用的酒坛要洗净晾干，放置在密闭的房间中，用燃烧硫磺产生的二氧化硫进行熏蒸消毒。然后，将经灭菌的蜂蜜稀释液倒入坛中，坛上部留15～20cm空隙，防止发酵时蜜汁流出。

把预先培养好的葡萄酒酵母培养液加入酒坛中，培养液的用量冬季为5%、夏季为2%，搅拌均匀，坛口用不透气的油纸密封好，防止酒精挥发和果蝇侵入。

4. 发酵 蜂蜜发酵是酿造蜜酒的重要工序，直接关系到蜂蜜酒的质量。蜂蜜的发酵过程分3个阶段：前发酵阶段主要是酵母菌同化空气中的氧，分解糖并得到能量而大量繁殖。当酵母达到一定数量，空气中的氧气减少时，就进入了主发酵阶段。这一阶段酵母以分子之间的呼吸来分解糖，从而满足自身需要；酵母分泌的酶把糖分解成酒精和二氧化碳。当发酵液中的酒精不断增多并达到一定程度时，反过来抑制酵母的繁殖，使发酵减慢，这就是后发酵阶段。

发酵过程是一个放热过程，要及时观察发酵液的温度变化。最适宜的发酵室温是18～20℃。如果室温超过24～26℃，发酵液产生的热量不易散发，发酵液温度上升快，当超过30℃时，会杀死酵母。发酵过程中若温度上升到27℃，就应该采取降温措施。正常情况下，发酵需要15～25d才能完成。发酵过程中如果温度超过30℃，应向发酵液中加入酵母培养液，补充酒液中的酵母数量，确保发酵正常进行。当发酵液的波美度降至4 °Bé以下时，发酵即结束。

5. 换缸 发酵完毕，看到不再有气泡产生。当酒液温度下降至5～6℃时，酵母与其他微生物菌尸以及析出的盐等慢慢沉淀，形成酒脚，酒液渐渐澄清。酒脚极易引起新酒变质，产生有害物质和不良气味，因此，要进行换缸，除去酒脚。

第一次换缸在发酵完毕后7～10d进行，用虹吸方法将上部清酒吸到另一缸内。在虹吸过程中绝对不能将酒脚也吸出混入清酒液中。吸出来的清酒放置1.5～2个月后，进行第二次换缸，将清酒虹吸于另一个容器内，在每升酒内添加偏重亚硫酸钾 0.3～0.4g，以保持酒液的二氧化硫浓度。

6. 陈酿 新酒刺激性较大，气味不正，经过一段时间贮存后，酒会变得绵软、柔和、香味浓郁，这个过程就是酒的陈酿。陈酿的容器要封严，以强化生香和酯化过程。陈酿温度应控制在15～21℃，如果温度过高，酒色会变深，产生不良气味。陈酿的时间越长越好，最少需要6个月。

7. 灭菌、装瓶 通常采用巴氏灭菌法将酒中的微生物杀死，并将残留在酒中的酶破坏掉，以稳定酒的成分。

灭菌后的蜂蜜酒即可装瓶。

（二）对制蜂蜜汽酒

蜂蜜汽酒是一种含碳酸气的饮料，既有蜂蜜的营养成分，又有酒的味道和汽水的滋味。生产上主要采用充气法生产蜂蜜汽酒。

充气法生产蜂蜜汽酒，先将蜂蜜调成含糖量为12%～15%的稀释液，加热灭菌；灭菌后倒入发酵冷冻罐内，接入酵母菌进行发酵；然后将温度降至0℃，保持1～3d，除去罐底沉淀物，将上部发酵液过滤后，经65～70℃条件下灭菌40～60min；再按蜂蜜发酵液1 000ml、95%浓度的食用酒精20ml、柠檬酸60g和蜂蜜1 500g的配比，将上述各种原料混合、溶化、过滤，这种混合物叫浓酒液。

将浓酒液分装于啤酒瓶中，每瓶装50～100ml。

水经净水器处理、冷却，送入气水混合机，使二氧化碳气体溶于水中，成为碳酸水。

将灌好浓酒液的啤酒瓶放到灌水机上，将冷冻的碳酸水注入瓶中，紧接着压盖，即为对制蜂蜜汽酒成品。

八、乳酪型蜂蜜的加工

液态蜂蜜通过控制一定加工条件制成的白色油脂状结晶蜂蜜，称为乳酪型蜂蜜，又称为蜂蜜奶酪。

（一）促使蜂蜜结晶的原理

蜂蜜是含有多种糖、氨基酸、维生素等溶质的复杂溶液体系，其主体属于过饱和糖溶液，在自然存放过程中会形成糖的结晶析出。不同种蜂蜜中各种糖的含量不一样，不同种糖的溶解度及其溶液的黏度也不一样。结晶的形成要经过晶核自发形成阶段，溶质在晶核表面析出、晶体成长阶段，最后达到溶质在晶体表面析出与晶体在溶液中溶解平衡阶段。当溶质的量一定时，晶核的数量越多，在晶核表面平均析出溶质的量就越少，形成的晶体也就越小。当溶质在晶体表面析出与晶体在溶液中溶解达到平衡阶段时，如果晶体之间的间隙可以完全容纳剩余的平衡溶液，那么，这种结晶状态在外观上看不出还有剩余的平衡溶液存在，也就是所谓的“完全结晶”。剩下的平衡溶液越少，也就是各个晶体表面附着的溶液量越少，这种结晶状态的外观整体就越硬；反之就越软。如果结晶体越细小，大小越一致，这种结晶状态的外观整体就越白、越细腻、越像奶酪。

（二）蜂蜜奶酪的加工方法

蜂蜜奶酪的加工，就是要使液态蜂蜜的外观整体达到呈白色、细腻、油脂状结晶的要求。首先要对不同葡萄糖含量的蜂蜜进行调对，使用于加工的蜂蜜的葡萄糖含量大于35%。第二，要尽量降低蜂蜜的含水量，通常要浓缩到含水量小于18%。这样，既提高常温下蜂蜜中糖的过饱和浓度，也减少最终附着于晶体表面的溶液量，使结晶蜂蜜在常温下不易融化。第三，要采用快速降温的方法，使蜂蜜中糖的过饱和浓度迅速达到预期的过饱和度，并在搅拌的作用下，加速传热，加快扩散，促进大量晶核不断形成和成长。第四，加入适量的经胶体磨磨细的结晶蜂蜜作为晶种，在快速降温和搅拌的情况下，诱导蜂蜜加快形成完全结晶的奶酪状态。

九、蜂蜜雪糕与冰淇淋的加工

（一）蜂蜜雪糕

蜂蜜雪糕，就是以蜂蜜为主要甜味料，加上乳或乳制品、鲜蛋或蛋粉、淀粉、硬化油、食盐、香精等，使其在水中充分溶解或分散，经加热杀菌、均质、冷却、浇注、冻结而成的，总干物质达2.0%以上的，组织比较细腻的固态冷饮食品。

1. 蜂蜜雪糕的基本配方　按质量百分比计，水约占67%，蜂蜜约占20%，乳品（按全脂奶粉计）约占4.2%，精制硬化油约占3.3%，鲜蛋约占2.9%，淀粉约占2.5%，以及适量的精制食盐和香精。

2. 蜂蜜雪糕的基本工艺

（1）原料的预处理：

①蜂蜜：80目过滤。

②乳品：鲜奶80目过滤；奶粉加其质量7倍的水溶解后，80目过滤。

③精制硬化油：切成小块后加热熔化。

④鲜蛋：去壳，将蛋白与蛋黄搅匀，80目过滤。

⑤淀粉：加其质量7～8倍的水混匀后，80目过滤。

（2）工艺流程：原料的预处理⟶配料⟶杀菌⟶保温⟶均质⟶冷却

⟶浇模⟶冻结⟶脱模⟶包装。

（模盘消毒⟶浇模；扦子消毒⟶插扦⟶冻结）

（二）蜂蜜冰淇淋

以蜂蜜为主要甜味料，配以乳或乳制品、鲜蛋或蛋粉、硬化油、羧甲基纤维素钠、香精等，经配料、加热杀菌、均质、冷却、老化、凝冻、注杯、硬化等工序制成的，总干物质达30%以上的，组织细腻的半固态冷饮食品。

1. 蜂蜜冰淇淋的基本配方　按质量百分比计，水约占36%，蜂蜜约占11%，鲜奶约占16.6%，全脂奶粉约占1.3%，甜炼乳约占20%，精制硬化油约占7.5%，鲜蛋约占6.4%，羧甲基纤维素钠约占0.6%，以及适量的香精。

2. 蜂蜜冰淇淋的基本工艺

（1）原料的预处理：

①蜂蜜：80目过滤。

②乳品：鲜奶80目过滤；奶粉加其质量7倍的水溶解后，80目过滤。

③精制硬化油：切成小块后加热熔化。

④鲜蛋：去壳，将蛋白与蛋黄搅匀，80目过滤。

⑤羧甲基纤维素钠：加其质量25～30倍的温水溶解后，80目过滤。

（2）工艺流程：原料的预处理→配料→杀菌→保温→均质→冷却→老化→凝冻→注杯→硬化。

（三）蜂蜜雪糕与冰淇淋加工的主要工艺参数

1. 灭菌　杀菌温度应达75℃，并保温30min。

2. 均质　均质机压力应达14.77～19.6MPa，均质料温为65～70℃。

3. 老化　冰淇淋的老化应分两段进行，第一阶段先冷却至15～18℃，保持2～3h；第二阶段再冷却至2～3℃，保持3～4h。

4. 凝固　雪糕的冻结温度为－26～－28℃，时间10min左右。冰淇淋的凝冻温度为－2～－4℃，时间15～20min。

5. 硬化　冰淇淋的硬化温度为－23～－25℃，时间12～24h。

6. 贮藏　冰淇淋的贮藏温度不宜超过－18℃，贮藏时间不应超过6个月。

第三节　蜂王浆的加工

一、蜂王浆的过滤

在蜂王浆的采收过程中，王台口上的碎蜡片以及蜂王幼虫等杂质常被带入浆体中，从而影响蜂王浆的感官状态。必须过滤除去这些杂质。由于蜂王浆呈半流体状态，对其进行过滤处理要比蜂蜜困难，因此，在蜂王浆的过滤操作中有许多特殊性。

（一）蜂王浆过滤前的解冻

蜂王浆采收后，基本上都经冷冻处理而呈冻结状态，因此，过滤前必须先行解冻。为使过滤顺利进行，解冻必须彻底。通常是将蜂王浆的冻结体连同容器浸入流动的自来水中，由自来水不断传热给蜂王浆的冻结体，使其逐渐解冻，直至完全呈半流体状态。

（二）蜂王浆的过滤

蜂王浆的过滤，可用滤袋挤压过滤、离心加压过滤、毛刷清渣加压过滤等方法。滤网的目数可根据加工的目的或客户的要求来确定，多为60～100目。

1. **滤袋挤压过滤**　滤袋挤压过滤法是过滤蜂王浆最简单的方法，就是将已解冻的蜂王浆装入用60～100目绢纱滤布制成的滤袋中，扎紧袋口，置螺旋推进挤压装置中，缓缓加压，间歇进行，直至蜂王浆滤净为止。然后将滤渣再用清水漂洗，以收回被过滤掉的10－HDA结晶。

2. **离心加压过滤**　离心加压过滤是以离心力作为过滤压力的过滤方法。操作步骤与滤袋挤压过滤相似，就是将已解冻的蜂王浆，装入用60～100目绢纱滤布制成的滤袋中，并使各袋重量相等，然后扎紧袋口，置于转速为800～1 000r/min、离心半径300～350mm的离心装置转篮中，启动电机，徐徐加速至规定转速，保持一定时间，滤净后关机。转篮停稳后，取出滤袋，清除滤渣，并将滤渣用清水漂洗，以回收10－HDA结晶。

3. **毛刷清渣加压过滤**　就是将已解冻的蜂王浆装入底部带有60～100目滤网的圆形不锈钢滤盘中，毛刷在转速为5～6r/min的转臂带动下，沿滤网面刷除沉积于其上的滤渣，并在毛刷运动的向下分力作用下，使蜂王浆顺利通过滤网，得以过滤。

（三）过滤蜂王浆应注意的问题

蜂王浆在贮存的过程中，会有部分10－HDA结晶析出，须用蒸馏水对滤渣进行漂洗，将其分离出来，并按过滤所要求的目数磨细后，再返回过滤出的蜂王浆中混匀，以保证过滤蜂王浆中10－HDA的含量符合规定的要求。此外还应注意，蜂王浆过滤操作的环境应符合卫生要求。

二、蜂王浆的冷冻干燥

蜂王浆的冷冻干燥，就是将鲜蜂王浆冻结成固态，然后放置在真空环境中，使其中的水分直接由固态升华成气态而除去，达到含水量为2%左右的加工过程。蜂王浆经冷冻干燥后的制成品，称为蜂王浆冻干粉，它能完好地保持鲜蜂王浆的有效成分和特有的香味、滋味，而且活性稳定，可在常温下贮存3个月不变质。

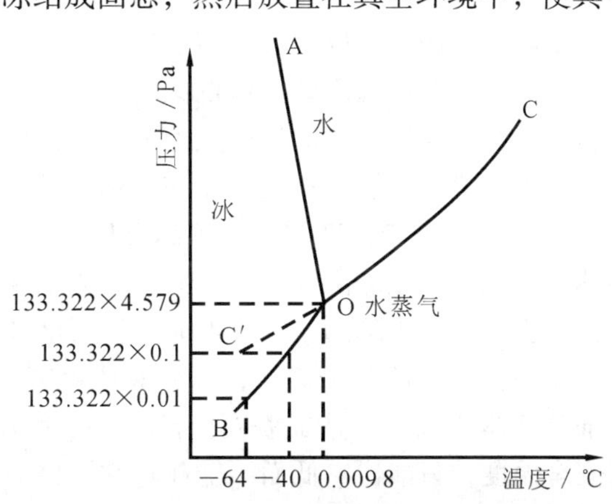

图10－4　水的三相

（一）冷冻干燥的原理

冷冻干燥是将物料冷冻至冰点以下，放置于高度真空的冷冻干燥器内，在低温、低压条件下，使物料中的水分由固态冰升华而被除去，达到干燥的目的。图 10－4 为水的三相图，表示其升华要点。图中 O 为三相平衡点，OA 是冰和水的平衡曲线，OB 是冰和水蒸气的平衡曲线，OC 是水和水蒸气的平衡曲线。由图可知，在三相点以上的压力和温度下，物质可由固相变为液相，最后变为气相。在三相点以下的压力和温度下，物质可以由固相变为气相，气相若是遇冷后，仍变为固相。例如冰的蒸汽压在－40℃时为 13.33Pa，在－60℃时为 1.33Pa。如果将－40℃冰面上的压力降低到 1.33Pa，则水即从固态的冰直接变为水蒸气，并在－60℃的冷却面上复变为冰。同理，如果将－40℃的冰在 13.33Pa 时，加热至－20℃也能发生升华现象。冷冻干燥就是根据这种原理进行的。所以升高温度或降低压力都可以打破两相平衡，使整个系统朝着冰转变成水蒸气的方向进行。

（二）冷冻干燥工艺条件的控制

在对制品进行冷冻干燥加工前，必须对最低共熔点及其测量方法、预冻温度与预冻方法、升华干燥的三个必需条件、冻干程序与冻干曲线、冷冻干燥中常见的异常现象，有深刻的了解，才能控制好冷冻干燥的工艺条件，从而获得高质量的冻干制品。

1. 最低共熔点及其测量方法　在水溶液的冻结过程中，当温度降到一定程度时，溶液中开始析出水的冰晶；随着温度继续下降，析出的冰晶越来越多，此时溶液浓度也因冰晶的析出而越来越浓，直至溶液中溶质也开始结晶析出。此时的状态是冰、溶质同时结晶并与溶液达成三相平衡。根据相律，此时的自由度为零。只有当溶液全部冻结后，温度才会继续下降。冰、溶质同时结晶并与溶液达成三相平衡的温度称为共熔点（或共晶点）。溶液即将全部冻结时的临界温度，称为最低共熔点。了解溶液的最低共熔点在冷冻干燥操作中十分重要。在冻结与升华过程中，如果制品的温度超过最低共熔点，则部分溶质或全部溶质将处于液相中，冰晶体的升华将被液体浓缩蒸发所取代，干燥后的制品将发生萎缩，溶解速度亦降低，一些活性物质由于长时间处于高浓度电解质中而容易变性。所以，最低共熔点是获得冷冻干燥最佳效果的临界温度。

测量最低共熔点时，先将制品溶液置烧杯中，再将电导电极插入液体内，并于电极正中间插入温度计、半导体热敏电阻或铂热电阻后，一并放入低温冰箱或干冰酒精中降温，使溶液全部冻结成固态，然后取出，使之慢慢升温，同时记录温度与电导值。当电导值突然上升时的温度即为最低共熔点。该实验也可直接在冻干机中进行。电导电极的导线，可在干燥箱侧面的接线柱上引出，温度测量则可借助原有的铂热电阻。用这种方法，可以测量并监视每一批制品在冻结或升华时的共熔点，从而加以必要的控制。

2. 预冻温度与预冻方法　预冻温度，一般是指装于容器内的制品在升华干燥前必须达到的温度。预冻温度应低于共熔点以下十几度到二十几度。如不经这样的预冻而直接抽真空，当压力降到一定程度时，溶于液体中的气体会迅速逸出而引起类似沸腾的现象。制品在“沸腾”中冻结，部分液体可能会冒出容器外，造成料液损失，同时也会因部分液体“沸腾”造成表面凹凸不平。因此，共熔点温度是保证制品正常干燥的最高安全温度，只能比它低而不能超过它。

预冻方法有两种：一种为速冻法，每分钟降温 10～15℃，晶粒保持在显微镜下可见的大小；另一种为慢冻法，每分钟降温 1℃，形成的晶粒肉眼可见。粗晶在升华后留下的空隙较大，可以提高冻干的效率。细晶在升华后留下的间隙较小，使下层升华受阻。速冻的成品粒子细腻，外观均匀，比表面积大，多孔性好，溶解速度快。对于生物制品速冻引起蛋白质变性概率也小，但成品吸湿性相对也要强些。在预冻具体操作中，可将待冻干品与干燥箱同时降温，也可以先将干燥箱降温到 -40℃左右，再将待冻干品放入。此法介于慢冻与速冻之间，常被采用以兼顾冻干效率与产品质量。预冻时间一般为 2~3h，也有长达 8h 的。因冻结过程处于静止状态，常常发生过冷现象致使制品温度虽然已达共熔点但溶质却不结晶。为了克服这种现象，可以使冻结温度低于共熔点以下一个范围，并维持一段时间，以待制品冻结完全。也可采用“往复冻结”来避免过冷现象。例如对某一共熔点为 -25℃的制品，可先慢慢预冻到 -50℃左右，然后使制品温度回升至共熔点附近（如 -27℃）维持 20~30min，再降温至 -40℃。经过这样处理，可以使制品晶体结构改组，从而大大提高冻干效率。

3. 升华干燥　经过预冻而完全凝结成固态冰的制品，在一定温度下必须使其冰的饱和蒸汽压大于环境的水蒸气分压才能升华，为此应当保持环境的高度真空；凝结器的温度应低于固态冰制品的温度，才能使升华出来的水蒸气凝成冰霜而起到捕获水蒸气作用；为了维持冰的升华，必须供给热量。以上就是维持固态冰制品升华干燥的 3 个必需条件。

气体分子在连续两次碰撞之间所走的平均距离称为平均自由路程，它与压力成反比。在常压下，由于其值很小，升华的水分子很容易与气体分子碰撞而返回蒸汽原表面，因而升华速度慢。随着压力降低至 13.33Pa 以下，平均自由路程将增大 10.5 倍，升华速度显著加快。在冻干机中机械真空泵与增压泵的工作就维持了升华所必需的低压强（压强范围为 13.33~0.13Pa）。1g 水蒸气在常压下为 1.25L，而在 13.33Pa 下膨胀为 10 000L。普通的真空泵在单位时间内抽除如此大量的体积是不可能的，而凝结器将升华的水蒸气冻结成冰霜，实际上成了专门捕获水蒸气的真空泵。

制品与凝结器的温度一般为 -25℃和 -60℃。在该温度下，水的饱和蒸汽压分别为 63.46Pa 和 1.08Pa，因而在制品升华面与冷凝面之间产生了一个相当大的压力差。它将促使从制品升华出来的水蒸气，以一定流速流向凝结器而冻结成霜。提高制品升华温度受共熔点所限，而凝结器的最低温度又受制冷剂与机械性能所限。最有效的措施是合理地加大凝结器的冷凝面积与制冷能力，增加凝结器在单位时间内捕集水蒸气的量，从而保证升华温度保持在制品共熔点以下，并加快升华速度。

冰的升华热约为 2 814J/g。如果升华过程中不供给热量，制品只有消耗内能来补偿升华热，直到制品温度与凝结器温度平衡后，升华过程就停止。为了保持升华面与冷凝面的温度差，必须采用热油加温制品以提供足够的热量。

4. 冻干程序与冻干曲线的分析　分装在容器中的待冻干料液，必须待泡沫消失后才可进箱。根据需要，可先将干燥箱降温到 -35℃左右，再将待冻干料液迅速放入箱内，也可装箱后再行降温。装箱时将测量温度的铂热电阻安置在 1~2 盘有代表性的料液中，置于观察孔的位置，以便于观察制品温度与干燥情况。为保证料液完全冻结，当料温达到 -35℃后，必须维持 1~2h，再行下一步的升华干燥。

在抽真空之前，须先将凝结器降温至 -50℃以下，以免水分污染真空泵。抽真空时应先开启旋片式真空泵，待真空压力达到13.33Pa以下后再启动增压泵。当真空压力达到1.33Pa左右时，便可对搁板进行加热，并控制使制品大量升华的温度始终低于共熔点一个范围。当用肉眼已看不见制品中冰晶存在时，表明大量冰的升华过程已结束，90%以上的水分已被除去。为了确保整箱制品大量升华完全，必须维持一段时间后，再行第二阶段升温干燥。

第二阶段的升温干燥又称解析干燥，是除尽制品中残余水分的进一步干燥。残余的水分中包括化合物的结晶水、蛋白质通过氢键的结合水，以及固体表面与毛细管吸附的水等，因它们受到种种力的束缚，制品的干燥速度明显下降。此时，如果制品的温度提高到共熔点以上，制品也不会发生熔化，而且可以促进残余水分汽化。但提高的温度不能超过制品的极限温度，否则制品的稳定性、活性会因高温而下降。该最高干燥温度需经验证而定。通常在该阶段将干燥箱搁板的温度控制在30℃左右，并保持恒定。在这一阶段初期，由于搁板温度升高，残余水分既少又不易汽化，因而制品温度上升较快；但随着制品与搁板温度逐渐接近，热传导变慢，经相当长一段时间后，制品温度才能与搁板温度重合（或相差1℃以内），此时水分已很少了或极难再蒸发，冻干极点即到达。经验表明，残余水分蒸发时间与大量升华的时间几乎相等，有时甚至更长。冻干结束后即可将制品出箱，并迅速包装封口。

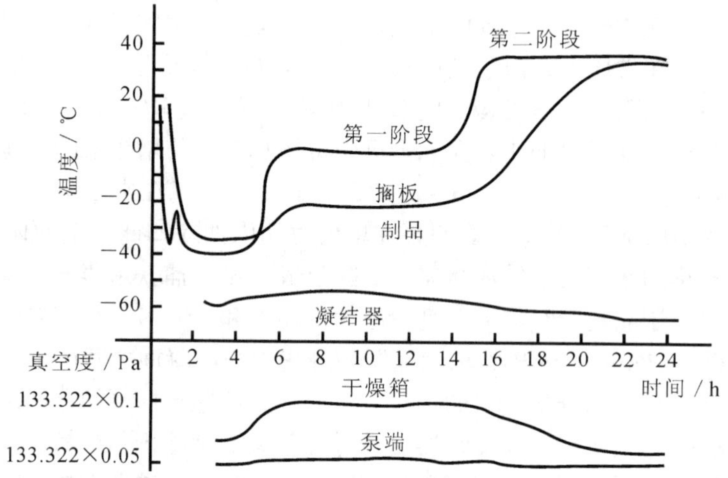

图10－5 冻干曲线

将搁板温度与制品温度随时间的变化记录下来，并在坐标上描绘出的曲线，就称为冻干曲线（图10－5）。它可用于指导冻干操作。理想的冻干曲线受许多因素影响，如制品成分、性质、浓度、装量，升华面积和共熔点，热传导的介质与方式，凝结器的温度、冷凝面积和制冷能力以及系统的真空度和机器的性能等。最佳的冻干曲线须经对上述诸因素进行综合分析，并通过多次试验才能获得。比较典型的冻干曲线的搁板升温分两个阶段，如图中所示：在大量升华时搁板温度保持在－10～0℃，第二阶段则根据制品性质再将搁板温度适当升高。

5. 冷冻干燥中常见的异常现象

（1）制品含水量偏高：一般来说，制品冻干后的含水量应低于2%。但是由于装入容器内的液层过厚，干燥过程中热量供给不足、干燥速度减慢，以及因制品吸湿性强，出箱制品吸潮等原因，都可能造成含水量偏高。因而在冻干操作中要注意：料液装量不能太厚，一般不宜超过12mm，最多不超过15mm；冷冻结束后放入干燥箱的空气应经硅胶柱脱水，再经除菌过滤；出箱时制品温度应比室温稍高，以防止水分凝结在制品上；出箱后制品若不能在短时间内封口，应保留在干燥箱内并用小型真空泵抽真空保存，或暂存于装有无菌干燥剂的容器内。以上这些措施均可在一定程度上克服水分偏高问题。

（2）喷液：在预冻中如果温度没有达到共熔点以下，制品没有完全冻结，或升华干燥时升温过快，在大量升华时使制品温度超过共熔点而使部分制品熔化成液体，在高真空度下，会有少量液体从已干燥的固体界面下喷出，形成喷液。严格控制预冻温度与升华干燥时的升温可以防止发生喷液。

（3）制品外形不饱满或萎缩成团块：如果料液浓度太高，在冻干时先形成的干燥层结构致密、孔隙小、通气性差，继续干燥时升华的水汽穿过已干燥的外层所受的阻力增大，因而延长水蒸气在干燥层停滞的时间，已干物料会逐渐潮解，使制品体积收缩、外形不饱满。另外，若料液浓度太低，虽然可以增大干燥层空隙，使制品疏松，但因其吸湿性太强，难以保持制品较低的含水量；同时，由于比表面积过大，制品容易萎缩，干燥的成品缺乏一定的机械强度，一经震动便分散成粉末而黏附容器内壁，不仅外观不美而且使用困难。如果在配制过程中加入一些填充剂，可以改善制品外观。填充剂应具备纯度高、无毒、吸湿性小、共熔点高、冻干后外观洁白细腻和价廉等特点。常用的充填剂，有氯化钠、葡萄糖、甘露醇、乳糖及水解明胶等。

（三）蜂王浆冷冻干燥的工艺要点

蜂王浆的冷冻干燥须经预处理→预冻→升华干燥→解析干燥→包装 5 个工艺阶段。

1. 蜂王浆的预处理　先将待冻干的鲜蜂王浆按 1∶1的比例加入无菌蒸馏水，经 100 目的滤网过滤以除去杂质；再将滤渣用蒸馏水漂洗，分离出 10 - HDA 结晶，并按过滤所要求的目数磨细，返回蜂王浆滤液中混匀，以保证蜂王浆冻干粉的疏松性和 10 - HDA 含量符合规定的要求。

2. 蜂王浆的预冻　将预处理好的蜂王浆移入方盘中，使其浆层厚度控制在 8 ~ 10mm，然后送入冷库，于 -40℃的低温条件下快速冻结成固体以备用。

3. 蜂王浆的升华干燥　将于 -40℃低温条件下快速冻结成固体的蜂王浆移入冷冻干燥箱内，开动真空泵，使其真空压力维持在 1.33Pa 左右；再开动加热系统，使冻结蜂王浆的温度由 -40℃上升至 -25℃，并将冷冻干燥箱内蒸汽压维持在 13.33Pa 左右。这就是蜂王浆升华干燥必需的温度条件和真空条件。当冻干箱内蜂王浆料温为 -25℃时，凝结器的温度应为 -50℃，以保证冻干箱内排出的水蒸气迅速凝结成冰，减小机械真空泵的负荷，使蜂王浆的升华干燥顺利进行。

升华干燥过程大约需要 12h。经此过程后，蜂王浆的水分含量只能降低到 10% 左右，要使之降到 2% 左右，还须进行解析干燥。

4. 蜂王浆的解析干燥　经升华干燥后，蜂王浆中仍含有 10% 的水分，这样含水量的蜂王浆还不能长久保存。必须通过提高加热温度和保持较高的真空度，使被吸附的水分子在较大的解析推动力下从疏松的蜂王浆中解析出来，以继续干燥至含水量为 2% 左右。

解析干燥的温度以 30℃ 为宜，最高不可超过 40℃；干燥箱内的蒸汽压应维持在 13.33Pa 左右，以保持较大的解析推动力。这一干燥过程需要 4 ~ 6h。

5. 蜂王浆冻干粉的包装　蜂王浆冻干粉的吸湿性很强，为防止污染及水汽侵入，分装和封口操作应以最快的速度进行。对进入操作室的空气必须经过净化处理，其相对湿度，应低于20%。包装封口必须严密。

三、蜂王浆胶囊与片剂

（一）蜂王浆胶囊

将蜂王浆干粉填装于硬胶囊中制成的剂型，称为蜂王浆胶囊。它可以克服蜂王浆对光敏感、遇湿热不稳定等弱点，并具有外表整洁、美观、易于吞服的优点。

1. 空胶囊的制备

（1）溶胶：称取明胶用蒸馏水洗去表面灰尘，加蒸馏水浸泡数分钟，取出，淋去过多的水，放置，使之充分吸水膨胀后，称重。然后移置夹层蒸汽锅中，逐次加入增塑剂、防腐剂、着色剂及足量的热蒸馏水，加热温度控制在70℃以下；溶融成胶液后，再用约150目的滤网过滤，滤液于60℃温度下静置，以除去泡沫，澄清后备用。

（2）蘸胶翻转制坯：用固定于平板上的若干对钢制模杆，浸于胶液中一定深度，浸蘸数秒钟，然后提出液面，将模板翻起，翻转数次，吹以冷风，使胶液均匀冷却胶化成型。囊体囊帽分别一次成型。模杆必须大小一致，外表光滑。模杆浸入胶液的时间根据囊壁厚薄要求而定。

（3）干燥：将蘸好胶液的胶囊模置于架车上，推入干燥室，通过一系列恒温控制的空气干燥，使之逐渐而准确地排除水分。在气候干燥时可用喷雾法喷洒水雾使囊坯适当回潮后再进行脱模操作。

（4）脱模切割：囊坯干燥后即进行脱模，然后截成规定的长度。

（5）套合：制成的空胶囊，通过灯光检查，剔去废品，然后将囊体与囊帽套合，装入密闭的容器中，严防吸潮，贮于阴凉处备用。

2. 蜂王浆干粉的填充

（1）手工填充：小剂量生产时，可先将蜂王浆干粉置于纸上或板上，用药刀铺成一层并轻轻压紧，其厚度约为下节胶囊高度的1/3～1/4。然后持下节胶囊，口向下插入粉末内，使粉末嵌入胶囊内，如图10－6所示。如此压装数次至胶囊被填满后称量，如重量适合即将上节胶囊套上。为使上下节胶囊坚固密封，可在胶囊口上涂一层阿拉伯胶浆或蘸以少许40%乙醇。填充好的胶囊，可用洁净的纱布包起，然后轻轻搓滚以拭去胶囊外面黏附的药粉。胶囊外壳可用喷有少量液状石蜡的纱布滚搓使之光亮，然后装于适宜的干燥容器中贮存。

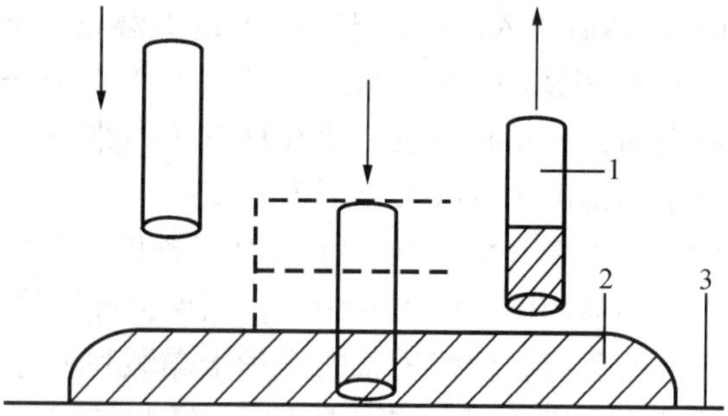

图10－6　空胶囊手工填充药物

1. 胶囊　2. 药物　3. 纸

（2）机械填充：机械填充胶囊的过程，包括空胶囊的选择、机械填充、封口、印字等工序。机械填充车间温度应控制在25℃左右，相对湿度30%～45%，以保持胶壳含水量不致有大的变化。空胶囊一般须先经挑选。用于机械填充的蜂王浆干粉应与助流剂混合均匀，使其具有适宜的流动性，并在输送和填充过程中不分层。全自动胶囊填充操作流程为供粒→排列→校准方向→分离→填充→结合→排出。填充后，可用点封、带封、口封、卡封等方法将胶囊封口。

（二）蜂王浆片剂

蜂王浆与适宜的辅料通过制剂技术制成片状或异形片状的固体制剂，称为蜂王浆片剂。它有剂量准确、质量稳定、服用方便等优点。

1. 片剂的制备　将蜂王浆与赋形剂的混合物在较大压力的压片机上用较大的冲模（一般为20～30mm）预先加压，得到大片或大的压制品，然后经摇摆式制粒机制成适宜的颗粒，再与润滑剂、崩解剂等混合压成小片（一般片径为8～10mm）。其工艺流程为：蜂王浆与赋形剂粉末按处方混匀→压成大片→大片粉碎、过筛制粒→与润滑剂、崩解剂等混合→压片。

压片机的压片过程是由加料、加压至出片自动连续进行的。以单冲压片机为例，压片机的动作为：上冲上升，下冲下降→饲料靴转移至模圈上，将靴内颗粒填满模孔→饲料靴转移离开模圈，同时上冲下降，把颗粒压成片剂→上、下冲相继上升，下冲把片剂从模孔中顶出，至片剂的下边与模圈上面齐平→饲料靴转移至模圈上面，把片剂推下冲模台而落入受器中；同时下冲又下降，使模内又填满了颗粒；如此反复压片出片，每分钟可以出片80～100片。旋转式压片机的压片原理与单冲压片机相同，其压片速度可达每分钟数百片至数万片。

2. 片剂的包衣　为了保证蜂王浆片剂质量的稳定，在压制片的外层包以适宜的物料过程，称为片剂包衣。包在片剂外面的物料称为“衣”或“衣料”，被包的片剂称为“片心”，包成的片剂称为“包衣片”。

（1）包衣的方法：包衣的方法目前主要采用锅包衣法。其主要设备为包衣锅。包衣锅有两种形式，一种是荸荠形，另一种是球形又称莲蓬形，生产上多采用荸荠形包衣锅（图10－7）。包衣锅的轴一般与水平面成45°，这样在转动时能使锅内片剂得到最大幅度的上下前后翻动。包衣锅的转速依锅的大小与包衣料性质和所包片心的形状而定。大锅比小锅转速慢。改变转速的目的在于控制一定的离心力，使锅

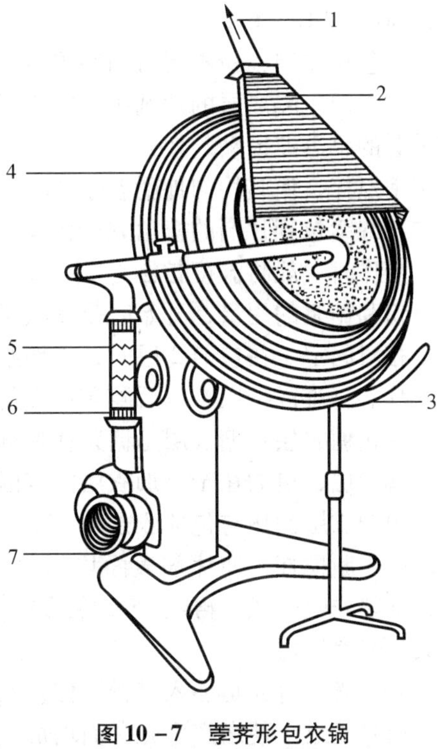

图10－7　荸荠形包衣锅

1. 接排风处　2. 吸粉罩　3. 煤气管加热器　4. 包衣锅　5. 电热丝　6. 包衣锅角度调节器　7. 鼓风机

内的所有片子转动至高处，并作弧线运动而落下，使其均匀有效地翻转，也使糖浆及撒粉均匀地分布。包衣锅作片剂包衣时，转速一般为 20～40r/min。

（2）包衣材料：主要有蔗糖含量为65%～75%的浓糖浆，用于包隔离层的含明胶15%的胶浆，用于包粉衣层的滑石粉，以及打光用的川蜡、蜂蜡、巴西棕榈蜡、木蜡等打光剂。

（3）包衣工艺：片剂包衣一般要先包隔离层，该层可使片剂体积和重量增 5%～20%。然后再包糖衣，糖衣一般占包衣片总体积40%～50%，增重为片心的 80%～100%。最后进行加蜡打光而使之美观。

①包隔离层：蜂王浆片剂易吸潮须先包隔离层，一般包 3～5 层，使片心与糖衣层隔开，防止在包衣时糖浆中的水分被吸至片中而不易吹干，将会引起片剂膨胀而使片衣裂开或使糖衣变色。

用筛除去细粉和碎片的片剂置包衣锅内，转动包衣锅，加入适量胶浆，以能正好润湿片剂为度，用戴橡皮手套的手迅速搅动，使胶浆很快地均匀分布在片剂表面。然后加适量滑石粉，继续用手搅拌，使其均匀地附着于片剂的表面，同时加热并吹热风，使胶浆中的水分蒸发，至胶衣干燥。然后，再依上法继续包 3～4 层，直至片心全部包严。

操作时要注意每层充分干燥后再包下一层。鉴别干燥，可从锅底抽取至少 10 片，连取 3 次，用竹片刮胶衣层的表面，如为坚硬感且不易刮下，即为干燥合格。干燥的温度以 30～50℃为宜。

②包粉衣层：粉衣层含有糖和滑石粉，其目的是使衣层迅速增厚，包没片剂的棱角。在无须包隔离层的片剂中，加入适量温热的糖浆，以能正好润湿片剂为度，用戴橡皮手套的手迅速搅动，使糖浆很快地均匀地分布在片剂的表面。然后加适量滑石粉，继续用手搅拌，使其均匀地附着于片剂的表面，同时加热并吹热风至干燥。再依上法反复操作，继续包到片剂的棱角完全包没，一般包 15～18 层。

操作时一般将温度控制在 35～50℃，温度应逐渐升高，到基本包平时升至最高点。滑石粉和糖浆的用量，开始时是逐层增加，到片剂基本包平时，滑石粉大幅度减少，糖浆量相对固定。在包前 2 层时，于糖浆搅拌均匀后，应立即加入滑石粉，过迟会使水分渗入片心，难以干燥。以后随着层数的增加，滑石粉的加入时间可逐渐延迟。

③包糖衣层：糖衣层是糖浆在片剂表面缓缓干燥，析出的细腻蔗糖晶体连结而成的坚实薄膜层，目的在于增加衣层的牢固性和甜味。

包糖衣层操作与包粉衣层相似，包衣材料只用糖浆，不加滑石粉。每次加入糖浆后，应不断搅拌，使片剂表面均匀湿润，以 40～60℃加热锅壁或吹热风至片略干后，停止加热或吹热风，再吹 35℃冷风至干燥。如此反复操作，一般包至 10～20 层，至片剂表面光滑即可。

④打光：打光是加入蜡粉，借包衣锅或打光机的转动摩擦，在包衣片表面擦上极薄的一层打光蜡，使之产生光泽而增加美观度，且有防潮作用。蜡粉用时将其锉刨成细粉撒入。打光一般在室温下进行，在最后一次有色糖浆加完接近干燥时，停止包衣锅的转动，将锅盖盖上，定时将锅转动几次，使剩余的微量水分慢慢散去。开动锅，加入 2/3 蜡粉，待开始发光时，再加入其余的 1/3，直至锅内发出有节律的沙沙声，片剂表面光

亮均匀，停止操作。

⑤干燥：打光后的糖衣片置硅胶干燥室干燥 8～12h。打光后的糖衣片也可移入石灰干燥橱内干燥 12～24h。干燥后的包衣片应即予以包装。

第四节 蜂花粉的加工

一、蜂花粉的干燥与去杂

蜜蜂刚采集的新鲜花粉的含水量为 15%～20%，有的甚至高达 30%～40%。含水量高的蜂花粉极易发霉变质，必须及时进行干燥处理，使其含水量降至 8% 以下，才可收藏待售。为了进一步提高蜂花粉的稳定性和适应后续加工的需要，还应将蜂花粉干燥至含水量小于 5%。蜂花粉中常混有蜜蜂及其他昆虫的尸体、蜡屑、草梗等杂质，会影响蜂花粉的品质和后续加工的进行，因此，还须进行去杂处理。

（一）蜂花粉的干燥处理

蜂花粉的干燥处理工业上通常采用气流干燥、辐射干燥和介电干燥等方法。

1. **气流干燥** 就是利用热干燥气流，通过对流传热而进行干燥的一种方法。由影响干燥的因素来看，其效率决定于气流的温度、湿度和流速。温度越高，相对湿度越低，流速越快，越有利于干燥。常用于蜂花粉气流干燥的设备有烘箱、隧道式干燥器和沸腾干燥器。

2. **辐射干燥** 就是热能以电磁波的形式由辐射器发射，入射至湿物料表面，被其吸收并转变为热能，使水分加热汽化而达到干燥的方法。

红外线是一种肉眼看不见的电磁波，其波长范围是 0.75～100μm，频率为 $4\times10^{14}\sim3\times10^{11}$ Hz。通常将波长在 5.6μm 以下的称为近红外线，5.6～100μm 区域称为远红外线。

物质分子吸收红外线的辐射能量后会发生共振，运动加剧，彼此碰撞和摩擦，产生热量，从而使物料受热干燥。

图 10－8 为振动式远红外干燥机示意图，机组由加料系统、加热干燥系统、排气系统及电器控制系统组成。湿颗粒由加料斗经振动加料器输入第一层振槽，在箱顶预热。振槽在偏心振动装置和链轮传动机构以及电动机的驱动下，物料被输送入第二层振槽，经辐射装置受远红外辐射加热，水蒸气由风机经排风管及蝶阀排出。物料在振动下送至第三层振槽继续加热达到干燥的目的。物料至第四层后，经冷风逐渐冷却，通过振槽顶端的筛网，经出口送至贮桶封存。此机还附有控温仪、湿度测定仪、电热丝断路指示灯等控制装置。它结合振动翻转输送物料，显著地提高了传热及传质过程，因此，干燥速度快、受热时间短、热能利用率高。对于含水率 7%～8% 湿颗粒的干燥，干燥温度最高为 90℃，湿颗粒通过远红外辐射时间为 1.7～22min，成品含水率可降至 0.5%～1.9%。它是蜂花粉干燥的理想设备之一，其主要缺点是振动噪音较大。

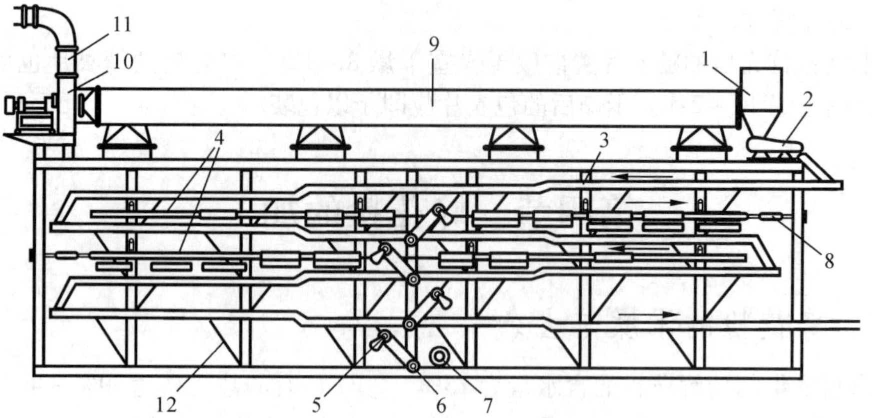

图 10－8　振动式远红外干燥机

1. 加料斗　2. 振动加料器　3. 振槽　4. 辐射源　5. 偏心振动装置　6. 链轮传动机构　7. 电动机　8. 升降装置　9. 排风管　10. 风机　11. 蝶阀　12. 弹簧

3. 介电加热干燥　就是将物料置于高频电场内，由于高频电场的交变作用，物料受热而达到干燥的目的。电场的频率不到 300MHz 的加热称为高频加热，300 ~ 300 000MHz的超高频加热称为微波加热。目前微波加热所用的频率为 915MHz 和2 450 MHz 两种，后者在一定条件下兼有灭菌作用。湿物料中的水分子在微波电场的作用下，被极化并沿着微波电场方向整齐排列。由于微波是一种高频交变电场，水分子随着电场方向的交互变化而不断地迅速转动并产生剧烈的碰撞和摩擦，部分微波能就转化为热能，从而达到干燥的效果。

微波干燥的特点是加热迅速、物料受热均匀、热效率高，故其干燥速度快，干燥的产品也较均匀洁净。微波一作用于湿物料，其中的水分立即被均匀地加热，这不同于传导、对流和辐射三种干燥的传热，无须经过传热途径和传热时间，热损失少。在干燥过程中，湿物料内部水分往往比表面多，因而物料内部吸收的微波能量多，温度比表面高，这样湿物料的温度梯度与水分扩散方向一致，从而提高了水分的扩散速率，加快了干燥速度。微波还有选择性加热的特点，由于水的介电常数比固体物料大得多，故湿物料中水分获得较多的能量而迅速汽化，而固体物料因吸收微波能力小，温度不会升得过

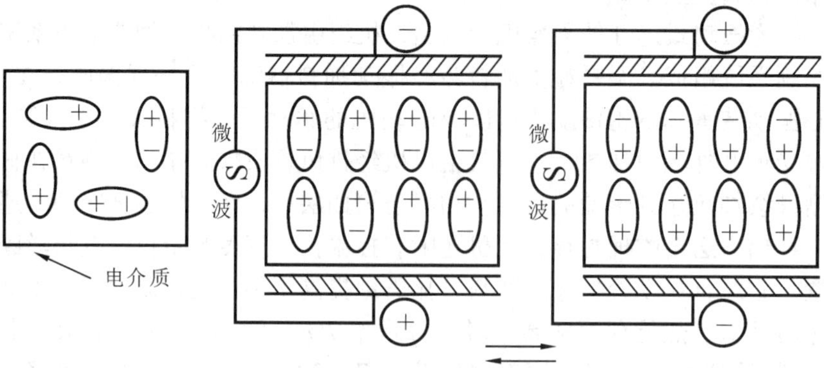

图 10－9　微波干燥器

高，有利于保持产品质量。

微波干燥是一种新型高效的干燥方法，但其缺点是设备及维修费用较高，同时存在微波泄漏的危险，因此，对设备的微波屏蔽要求极严，以保证操作者的身体免遭伤害。图 10－9 为微波干燥器示意图。

（二）蜂花粉去杂处理

蜂场采收的蜂花粉中，多数都有蜂尸、蜂头、蜂翅、蜂足、草梗、蜡屑、尘土、虫卵等杂质，应通过风力扬除和过筛分离以去杂。风力扬除主要是分离除去质轻的蜂翅、蜂足、草梗、蜡屑和粉尘等杂质，过筛分离则主要分离除去体积比蜂花粉团粒（2.5～3.5mm）大的蜂尸、蜂头、草梗等，以及体积比蜂花粉团粒小的尘土、虫卵和碎蜂花粉团粒等。

图 10－10 为气流筛子配合式清选机示意图。料斗出口处有调节板和喂料辊，分别用以控制流下的蜂花粉量和保证蜂花粉均匀连续喂入。蜂花粉由喂料辊落下，经第一吸风道时其中质轻的蜂翅、蜂足、草梗、蜡屑和粉尘等杂物被吸走。筛箱内有 3 层筛子，上筛采用孔径为 4.70mm 的 4 目筛，中筛采用孔径为 3.36mm 的 6 目筛，下筛采用孔径为 1.98mm 的 9 目筛。上筛和中筛的作用相同，用以分离出蜂尸、蜂头、草梗等比蜂花粉团粒直径大的杂物；下筛清除尘土、虫卵和碎蜂花粉团粒等比蜂花粉团粒直径小的杂物，使蜂花粉停在筛上，由筛尾流到卸料口，经第二吸风道时其中剩余的轻质杂物被吸走。由第一和第二吸风道吸走的轻杂物进入沉降室，其中较重的杂物沉降至室底，由螺旋推送器送出，较轻的则随气流排出机外。

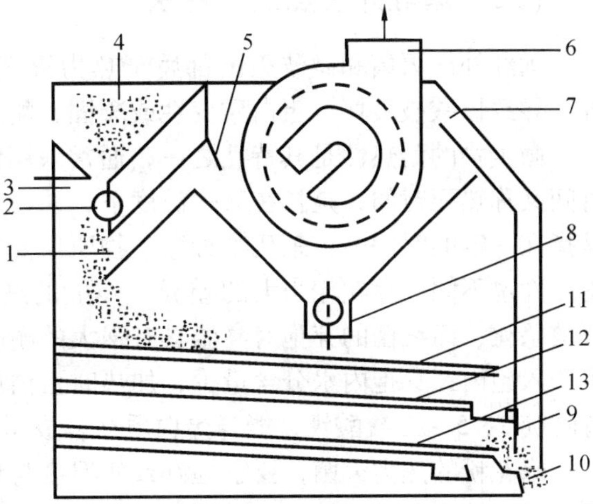

图 10－10 气流筛子配合式清选机

1. 第一吸风道 2. 喂料辊 3. 喂入口调节板 4. 料斗 5. 第一气流调节阀门 6. 吸气风扇 7. 第二气流调节阀门 8. 轻杂物螺旋推送器 9. 卸料口调节板 10. 卸料口 11. 上筛 12. 中筛 13. 下筛

二、蜂花粉的消毒灭菌

蜜蜂采集的蜂花粉中，不可避免地存在着许许多多的微生物，其中还可能有某些病原微生物，因此，对蜂花粉进行消毒或灭菌十分必要。消毒就是用物理或化学等方法，杀灭物体上或介质中的病原微生物。灭菌就是应用物理或化学等方法，把物体上或介质中所有的微生物及其芽孢，包括致病的和非致病的微生物，全部杀死，获得无菌状态的总过程。

根据加工目的的不同，对蜂花粉的消毒或灭菌，通常可采用化学方法的喷乙醇灭菌法或物理方法的远红外加热灭菌法、微波加热灭菌法和 γ 射线辐照灭菌法等。

（一）喷乙醇灭菌法

浓度为70%~75%的乙醇对微生物具有最强的穿透力，灭菌效果最好。对蜂花粉采用喷乙醇灭菌法时，应先测定蜂花粉的含水量，然后根据蜂花粉含水量确定将使用的乙醇浓度，使其最终浓度控制在70%~75%。如果蜂花粉的含水量是5%，则采用75%~80%的乙醇；如果蜂花粉的含水量是12%，则采用80%~85%的乙醇。蜂花粉的含水量越高，所喷用的乙醇浓度要越高。

喷乙醇时，先将蜂花粉平摊在台板上，然后将配好的乙醇溶液装入喷雾器中，边喷边翻动花粉，应力求喷洒均匀、彻底，喷过之后应尽快将蜂花粉装入塑料袋内密封保存，以免乙醇挥发后再次染菌。

（二）远红外线加热灭菌法

远红外线灭菌和微波灭菌都属于热力灭菌。由于加热可破坏蛋白质和核酸中的氢键，导致核酸被破坏，蛋白质变性或凝固，酶失去活性，因而致使微生物死亡。

微生物的耐热性是其特性之一，通常采用致死时间和致死温度为指标来描述。致死时间又称热死时间，是指在某一温度下，杀死某种微生物所需要的最短时间。致死温度是指在一定的时间内，杀死某种微生物所需要的最低温度。微生物的种类不同，各自的耐热性也不同，存在相当大的差异。一般的细菌在56~60℃的液体中经30~60min即可被杀死，而细菌的芽孢对高温具有强大的耐受力。这是由于芽孢壁厚而致密，热力不易透入胞内；芽孢内水分含量少，加热时蛋白质不易凝固，酶不易失去活性；芽孢内含有吡啶2，5-二羧酸钙，能与蛋白质结合成耐热的复合体的缘故。

蜂花粉的热力灭菌，要掌握好致死温度与致死时间的关系。通常采用的灭菌温度越高，所需的灭菌时间越短；采用的灭菌温度越低，所需的灭菌时间越长。

对蜂花粉采用远红外线照射，可起到灭菌和干燥的双重作用。其操作过程的关键是选择最适宜的温度和时间，避免高温处理，尽可能减少对蜂花粉营养成分的破坏。实践证明：将蜂花粉放在远红外线灭菌箱内，温度衡定在40~45℃，处理7h即能达到消毒灭菌和干燥的双重目的。如果将温度提高到45~50℃，既能达到消毒灭菌的目的，又能缩短处理时间，也不破坏蜂花粉的营养成分。对于污染严重的蜂花粉采用70℃以下的温度，处理3h，可彻底灭菌。

（三）γ射线辐照灭菌法

γ射线辐照灭菌法，是应用钴-60（^{60}Co）或铯-137（^{137}Cs）发射的γ射线，杀死物料中微生物的灭菌方法。其特点是穿透力强，不提高物料的温度，因此特别适用于不耐热物料的灭菌以及已包装密封好的整瓶、整袋、整盒制品的灭菌，可极大地减少成品再染菌的机会。

联合国粮食与农业组织、世界卫生组织、国际原子能机构共同组成的食品辐照专家委员会，早已作出10kGy以下剂量辐照的任何食品不会引起毒理学危害，不需要作毒理学检查的结论，因此γ射线辐照灭菌法应用于蜂花粉的灭菌是安全的。一些省（市、区）农业科学院的辐照育种中心均有钴源室可供利用。这是一种很方便的灭菌方法。

辐照灭菌的剂量，是指使被辐照的物料达到与用热压灭菌法时所达到的同样灭菌程度的所需剂量。各类微生物的最小灭菌剂量见表 10－1。

表 10－1　各种微生物的最小灭菌剂量

微生物种类	含菌量/（个/ml）	最小灭菌剂量/kGy
芽孢菌	0.5×10^{6}	10～21
酵母菌与霉菌	$10^{5}\sim10^{8}$	10～32
革兰阳性菌	（1～9.20）$\times10^{8}$	0.5～3.0
革兰阴性菌	（2～3.25）$\times10^{8}$	0.5～2.5

各种微生物的耐辐照能力不同。通常无芽孢菌比生芽孢菌敏感得多；在无芽孢菌中，革兰阴性菌比革兰阳性菌敏感；酵母菌和霉菌的敏感度介于生芽孢菌与无芽孢菌之间；病毒则可耐受更大的剂量。研究证明，用 25kGy 辐照灭菌，等于在高压灭菌器内 120℃灭菌 20min，所以确定 25kGy 为最大辐照灭菌剂量。由于蜂花粉中的含菌量远小于表 10－1 中的含菌量，因此用于蜂花粉的辐照灭菌剂量可以小得多。根据《中华人民共和国国家标准辐照花粉卫生标准（GB14891.2—94）》的规定，蜂花粉辐照灭菌的平均总体吸收剂量为 8kGy。

三、蜂花粉的破壁

蜂花粉是蜜源植物的花粉粒经蜜蜂采集而聚成的花粉团，其本质仍为花粉粒。各种花粉粒均具有坚硬的、不溶于水的外壳，其内含物在水中不易溶出。但试验证明，花粉粒的外壳对人体消化道吸收花粉有效成分的影响不大。人类直接食用可以不经破壁。而制备含花粉有效成分的制品时，因制品本身品质的要求，多采用花粉有效成分的提取物为原料。为提高提取率，缩短抽提时间，必须对蜂花粉的花粉粒进行破壁，使其营养物质全部暴露出来，以利于溶解和浸出。蜂花粉破壁主要有发酵破壁、机械破壁以及酶解破壁等方法。

（一）发酵破壁法

通过微生物的作用使花粉壁破裂的方法，就称为发酵破壁法。它可使蜂花粉中的营养物质易于释放出来。发酵破壁法又分为加曲发酵破壁法和自身发酵破壁法。

1. 加曲发酵破壁法　曲就是由曲霉菌及其培养基制成的块状物，通常用于酿酒或制酱。将曲用于蜂花粉破壁，实际上就是一种人工接种曲霉菌发酵花粉的方法。它跟通常的微生物发酵法一样，都必须经过培养基制备、接种、扩大培养、发酵以及发酵产物分离等步骤。蜂花粉发酵破壁的最终产品是破壁花粉，无须经发酵产物分离这个过程。

用于发酵花粉的曲霉菌以谷糠作为主要培养基。制备前应将谷糠的皮质充分分解。通常采用 1 °Bé左右的硫酸亚铁水溶液，加入 1.8%～3.6% 的食醋，与谷糠拌和，放置一段时间（夏天在室温下需 5h，冬天在 5～15℃温度下需 15～18h）。

制备发酵液时，为了清除杂菌，应将培养基蒸煮 15～20min，待培养基的温度降至

20～30℃时接入曲种，种曲的使用量为15kg原料糠加10g左右种曲。然后把接种后的培养基摊铺在培养板上，厚度以2～3cm为宜，再把培养板放在培养室中扩大培养。培养10h后，由于发酵产生热量，室内温度上升。为了保持培养基上部和下部发酵一致，上、下培养板要经常调换，调节室内温度，使培养基表面的温度保持在30～35℃。发酵培养24h后，往发酵培养基中加入30℃左右的温水（根据经验，宜加入4倍于培养基质量的水），然后压榨出发酵液备用。

接种时用发酵液浸泡蜂花粉，其用量是以发酵液能全部附着在蜂花粉表面为宜。将浸泡的蜂花粉送入培养室中进行发酵，10h后发酵开始，蜂花粉的温度逐渐上升。应采取换气的方法，使蜂花粉的温度不超过37℃。经过48h的发酵，花粉壁破裂，然后立即进行干燥。

2. 自身发酵破壁法　蜂花粉本身附着有许多微生物，这些微生物的活力很强，蜂花粉可利用它们进行发酵破壁。

蜂花粉自身发酵破壁，首先应按花粉质量的10%～20%加入温水，把其含水量调节到14%～30%。实践证明，将蜂花粉握在手里有弹性，这时的含水量一般在20%左右，是蜂花粉发酵的最佳含水量。如果发酵蜂花粉的含水量在14%以下，附着在蜂花粉粒上的微生物活性低，发酵需要的时间长，不宜在工业生产中使用。如果含水量超过30%，发酵过程中蜂花粉表面会发霉，进而变色变质。新脱下的蜂花粉粒含水量在25%～37%，此时酶的活性较强，稍加摊晾，水分就会下降，然后进行自身发酵破壁，效果最好。

将含水量调节后的蜂花粉铺在培养板上，厚度为2～4cm，放入35～37℃的培养室中，发酵48～72h。发酵过程中，每隔10～12h进行换气，将培养板上的蜂花粉倒翻一次。发酵所需的时间依蜂花粉的含水量和温度而定。同样温度下，含水量高的发酵时间短，含水量低的发酵时间长。蜂花粉发酵的最佳温度是35℃，最佳湿度为70%～75%。温度超过39～40℃，蜂花粉容易变色变质。

蜂花粉经发酵破壁后，由于营养物质外露，更容易引起杂菌污染，因此，须及时干燥。干燥温度以50℃以下为好。

（二）机械破壁

蜂花粉的机械破壁，目前主要采用胶体磨或气流粉碎机进行。以胶体磨作为破壁设备的称为湿法破壁，以气流粉碎机作为破壁设备的称为干法破壁。

1. 湿法破壁　胶体磨是一种以机械剪力为主，可以将液体、固体及胶体迅速粉碎而呈微粒化的设备。胶体磨分为卧式和立式两种，其工作原理基本相同。当物料通过定盘和动盘之间25～150μm的可调节微小间隙时，由于动盘的转速高达3 000～10 000 r/min，附于旋转面上的物料旋转速度极大，而附于固定面上的物料却静止不动，其间形成极大的速度差，使物料受到了强烈的剪力摩擦和湍动而产生粉碎和微粒化作用。胶体磨处理产生的物料细度可达0.01～5μm，因此，可用于本来就很微小（直径15～35μm）的花粉粒的粉碎。由于胶体磨仅适用于液体或浆体的微粒化处理，因此对于蜂花粉的破壁，必须先将蜂花粉加水调成浆体后才能进行，即湿法破壁。其工艺流程如下：

去杂（去除沙土、蜂尸等异物）

↓

烘干（干燥温度≤45℃）

↓

粗粉碎（高速粉碎机粉碎，过 100 目筛）

↓

灭菌（75% 乙醇喷洒）

↓

混合（按 1∶1的比例在蜂花粉中加入蒸馏水，调匀混合）

↓

冷冻（置－15℃以下的低温冰箱冷冻 12h 以上）

↓

融化（45℃水浴 2h）

↓

破壁（胶体磨间隙 0.04～0.05mm，通循环冷却水）

↓

破壁蜂花粉

经胶体磨处理 1 次的蜂花粉，破壁率为 60% 左右。为使破壁率达到 80%～90%，还应重复冷冻、融化，再经胶体磨处理 2～3 次。经湿法破壁处理的蜂花粉为黏稠乳状半流体。

2. 干法破壁 蜂花粉的干法破壁是采用气流粉碎，又称压缩工作流粉碎。它是一种超微粉碎，能将物料粉碎到 1～5μm 的细度。所用的设备是气流式粉碎机，简称流能磨。气流式粉碎机的工作原理是：利用压缩空气或热蒸汽产生的高速气流对物料进行冲击，使物料相互间发生强烈的碰撞和搓擦，即物料的自磨作用，以达到粉碎而呈微粉化的目的。

蜂花粉干法破壁常用的气流式粉碎机有：超音速喷射粉碎机、立式环形喷射式粉碎机和对冲式气流粉碎机。

超音速喷射粉碎机：物料从加料口进入后，受到 850m/s 以上超音速气流的强烈冲击，相互之间发生剧烈的碰撞作用，粒径被粉碎到 1μm 的超微细粒度。粉碎机上设有粒度分级机构，微粒排出后，粗粒返回机内继续粉碎，直到所需粒度为止。

立式环形喷射式粉碎机：由环形粉碎室、粒度分级器和文丘里式供料装置等组成。其工作过程是从喷嘴射入的压缩空气或者高压蒸汽将从料斗进入的料粒加速并形成紊乱状旋转运动，致使料粒相互之间发生强烈的冲击、碰撞、挤压和剪切作用，导致破碎。破碎物随气流上升，移动到分级器的入口处时，受到气流的回转旋涡作用和轴向负压的吸风作用，微细粉粒通过分级器排出机外，粗粒则受离心力作用而远离分级器，回到粉碎室内，再次粉碎。

对冲式气流粉碎机：主要由料斗、喷管、冲击室和排料口等组成，如图 10－11 所示。

其工作原理是料粒从料斗进入后，随压缩空气或高压蒸汽通过左喷管，被加速到很高的速度而进入冲击室；此时，从右喷管来的反方向高速气流犹如一块挡板，挡住物料气流混合物，使物料产生强烈的紊乱涡流冲撞和捏擦运动，发生自磨作用而被粉碎。粉碎物在气流推动下，经上导管进入分级室，在室内作回转运动，在离心力作用下，细粉粒处在室中央部分，受轴向吸风作用而排出机外，大的颗粒则顺着分级室周壁运动到下导管的入口处，在右喷管的高压气流作用下，又加速进入粉碎室，与迎面而来的新进入料粒发生相互冲击碰撞，再次粉碎，如此循环。

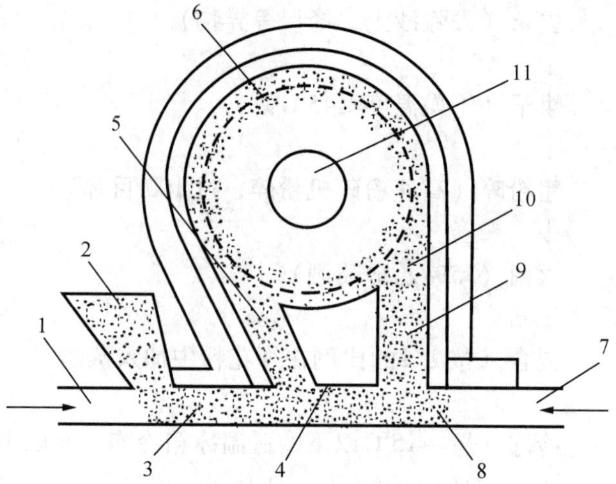

图 10－11　对冲式气流粉碎机

1. 喷嘴 1　2. 料斗　3. 左喷管　4. 冲击室　5. 上导管　6. 分级室　7. 喷嘴 2　8. 右喷管　9. 下导管　10. 大颗粒物料　11. 排料口

经干法破壁的蜂花粉为干燥粉末，破壁率可达90%～99%。在干法破壁的过程中，应注意保持加工环境相对湿度低于45%，蜂花粉含水量小于2%的干燥要求。同时，蜂花粉也应先经去杂处理，以防铁屑、沙土、蜂尸等异物损坏设备和影响产品质量。

（三）酶解破壁

酶解破壁，就是采用相应的酶制剂，使组成花粉粒外壳的纤维素、孢粉素、果胶质等组分分解而外壁破裂。蜂花粉酶解破壁的要点，首先是选择酶制剂的种类和用量，其次是控制好酶促反应的条件。其工艺过程为：

稀释（蜂花粉: 水 =1∶6）

↓

添加纤维素酶和果胶酶（均按蜂花粉量的 0.2% 添加，反应温度保持在 40～45℃，搅拌 5h）

↓

添加蛋白酶（按蜂花粉量的 0.2% 添加，反应温度仍保持在 40～50℃，继续搅拌 8h）

↓

破壁蜂花粉

四、蜂花粉中核酸的提取

蜂花粉中核酸含量很高，占 2.1% 以上。蜂花粉是由无数的花粉粒组成的，每一个花粉粒就是一个完整的细胞，要想从花粉粒中提取核酸必须先将其外壳破碎，使核酸裸露后才能进行。核酸包括核糖核酸（RNA）和脱氧核糖核酸（DNA），它们在细胞内通常与蛋白质结合，以核蛋白的形式存在。由于核酸类化合物溶于水不溶于有机溶剂，因此，提取时可采用相应的方法使其先溶于水后，再用有机溶剂使其沉淀而分离。

（一）工艺流程

提取蜂花粉中核酸的工艺流程如下：

蜂花粉→破壁→加复合浸提液浸提→离心分离→取上清液（含核蛋白的溶液）→加蛋白变性剂脱除蛋白→离心分离→去除蛋白，取上清液（含核酸的溶液）→加2倍以上95%乙醇→沉淀析出→离心分离→取沉淀物（核酸）。

（二）工艺说明

1. 复合浸提液 为内含0.45mol/L氯化钠（NaCl），0.045mol/L柠檬酸三钠（SSC）、0.1mol/L乙二胺四乙酸（EDTA）和1%十二烷基硫酸钠（SDS）的水溶液，用氢氧化钠（NaOH）调至pH7.0。溶液中的NaCl、SSC、EDTA和SDS均为核酸酶抑制剂，浸提过程中可防止核酸的变性和降解。

2. 蛋白变性剂 为氯仿（$CHCl_3$）和异戊醇［$(CH)_2$—CH—CH_2—OH］的混合液，混合比按体积计为24:1。它可使核蛋白中的蛋白质变性并与核酸分离。

五、蜂花粉固体饮料的加工

固体饮料是指含水量在2.5%以下，须经冲溶后才可饮用的颗粒状、粉末状、鳞片状饮料。固体饮料须具有良好的水溶性，应在2min内全部溶解于10倍的冷开水，其中水溶性能优良者，则可在5s内全部溶解。固体饮料的色、香、味应与商品名称一致。将蜂花粉应用于固体饮料的加工，所生产出的制品称为花粉晶。

（一）生产蜂花粉固体饮料的主要原料

主要原料有甜味剂、酸味剂、食用香精、麦芽糊精、奶粉、蜂蜜、蜂花粉提取液（或破壁花粉）等。

甜味剂可选用蔗糖、葡萄糖、高果糖、麦芽糖和蜂蜜等，一般采用优质白砂糖。酸味剂可选用柠檬酸、酒石酸等，以柠檬酸为最常用，一般用量为0.7%～1%，无水柠檬酸比带有一分子结晶水的柠檬酸有较小的吸湿性，更适合作固体饮料。多用水溶性食用香精增香，一般用量为0.5%～0.8%。麦芽糊精是淀粉经低度水解而生成的葡萄糖低聚物，为可溶于水的白色粉末。加有麦芽糊精的固体饮料，在冲溶后黏稠性增加，甜度降低。

蜂蜜应在夹层锅内加热至70℃保持30min，边搅拌，边除去泡沫，后经100目滤网过滤，除去杂质备用。

蜂花粉须经过预检，将杂质除去，用微波器进行灭菌，并干燥至水分含量低于6%，采用气流粉碎予以破壁。若采用发酵破壁，破壁后须再次灭菌，方可应用。蜂花粉提取液须去除非水溶性成分才可用于制备固体饮料。

（二）配方

在配方中，一般蔗糖占60%～65%，蜂蜜占10%～15%，奶粉占10%左右，糊精占6%～10%，蜂花粉占10%左右或蜂王浆占4%～5%。蔗糖须先粉碎成能通过80目筛的细粉，奶粉和糊精也须经100目筛备用。

（三）蜂花粉固体饮料的一般加工工艺步骤

1. **混合搅拌** 蜂蜜放入配料桶内进行搅拌，按规定配比，慢慢加入蜂花粉或花粉提取液，继续搅拌数分钟，再依次加入奶粉、糊精、糖粉，充分搅拌使各种原料混合均匀。

2. **制粒** 将混合好的原料投入颗粒机造粒，或经10～12目筛以手工制粒。

3. **烘干** 将制好的颗粒薄薄铺于筛盘上，在45～50℃下烘干，或远红外或沸腾干燥至含水量至2.5%以下。

4. **整粒** 将干燥的颗粒经10目与40目筛，取其中间品。

5. **喷香** 把颗粒摊平，喷上香精。

6. **窨香** 将喷香后的颗粒混均匀，立即加盖密闭一段时间。

7. **其他** 包装、贴标、检验、入库。

第五节　蜂蜡的加工

蜂场采收的蜂蜡产品主要是以赘脾、蜜脾盖、王台盖和旧巢脾的方式提供的，要提取其中的蜂蜡，须经水煮熔蜡和过滤加工，如需进一步提高品质，还应进行澄清与脱色处理。蜂蜡是活框养蜂制备巢础的原料，同时，还因其含有高级脂肪醇和高级脂肪酸，可由其生产多种深加工制品，如从中提取三十烷醇作生长调节剂，应用其高级脂肪酸生产化妆品。

一、水煮提取蜂蜡

先将旧巢脾用清水冲洗干净，置不锈钢锅或铝锅中，加入与旧巢脾大约等重的水，煮沸后，倒入12目的绢纱袋中，经榨蜡器压榨，滤出熔化的蜂蜡及水煮液，流入广口容器中，冷却至蜂蜡凝固后，取出浮在上面的蜡块，并将水煮液倒出另置，留待浓缩加工巢脾浸膏用。

将蜡块刮去底部的蜡渣后，置不锈钢锅或铝锅中，再加约等重的水，重新加热至蜂蜡完全熔化，经12目绢纱过滤，于广口容器中冷却至蜂蜡凝固，再次分离蜡块与水煮液。余下的水煮液依旧留待浓缩加工巢脾浸膏用。刮去底部蜡渣后的蜡块即为干净原蜂蜡，可用于巢础的加工。

最后将第一次分离出的蜡渣，与以后各次由蜡块上刮下的蜡渣合并，置不锈钢锅或铝锅中，再加与蜡渣大约等重的水煮沸，倒入12目的绢纱袋中，重新压榨过滤，将蜡渣中残留的蜂蜡与茧衣中未溶出的物质进一步提取出来。可视蜡渣中蜂蜡残留的情况，决定重复煮提的次数。

二、蜂蜡的澄清处理

就是应用强氧化剂硫酸，使熔蜡中的机械杂质氧化、絮凝，进而沉降分离。浓硫酸或10%以上的稀硫酸均可用，用量以浓硫酸计约为蜂蜡的1%。硫酸应待蜂蜡隔水完全熔化后加入。稀硫酸用量较大，为防止蜡温下降，须在维持加热的状态下慢慢加入。浓硫酸用量少，应一次加入，加入后会放出大量的热，要防止蜂蜡跑锅漫出，引起火灾。加硫酸后的蜂蜡，应保持蜡温高于或等于68℃。静置20～30min，然后让其自然降温至完全凝固，再刮除底部黑色物。经澄清处理的蜂蜡，色泽由黑褐色降至淡黄色。

三、蜂蜡的脱色

蜂蜡中的黄色素，来源于花粉中的脂溶性色素。要除去这些色素，可用吸附漂白法或日光漂白法。

（一）吸附漂白法

就是将硅藻土、活性炭等吸附剂加入到熔蜡中，搅拌混匀，吸附其中的色素，再通过压力过滤机除去所有固体微粒，从而达到漂白蜂蜡的目的。这种漂白法的关键在于设备的性能，必须保证整个过滤过程熔蜡都处于液态和保持足够的压力，才能分离除去所有的固体微粒。

（二）日光漂白法

日光漂白，就是把蜂蜡置于阳光下曝晒，使其所含色素的化学成分发生变化而丧失显色特性。其工艺过程为：

1. 熔化蜡块 用双重隔水锅熔蜡，盛蜡锅用铝、锡、不锈钢材料制造，蜂蜡不会变色。温度控制在85℃以下。

2. 浇制蜡花 用一只大缸装满冷水，将加热熔化了的蜡液放置片刻，而后慢慢加入搅动的冷水中，待蜡液变成了蜡花后捞出。

3. 日光曝晒 将蜡花装入浅型的竹筐内摊成10～12cm厚，放在阳光下曝晒。前7d，由于蜡色较深，为防止蜡花被晒熔，每天应浇2次水，上午、下午各1次。蜡花要勤翻动，使光照均匀。7d后，将蜡花重新熔化，再制成蜡花，继续曝晒。由于蜡色变浅，此后每天只要浇1次水，1～2d翻动1次，直到蜡花不见黄色为止。这个过程一般需40～45d，夏天稍短些。

4. 成型制块 漂白后的蜡花放入熔蜡锅内加热熔化，然后将蜡液浇入所需要蜡块形状的模内，冷却后卸下。附着在蜡块外周的碎屑杂质，可以用刀刮去。

四、巢础的加工

（一）巢础加工工具

加工巢础的主要工具有：轧光机和巢础机、熔蜡锅、蘸蜡锅、蘸蜡板、脱片池、蜡片夹、切础轮刀、础板等。

（二）巢础加工工序

采用 C_{72} 型巢础机生产巢础有蘸片法和蜡板法 2 种。

1. 蘸片法生产巢础　有熔蜡、蘸片、脱片、轧光、轧花、裁切和包装等工序。

（1）熔蜡：将蜂蜡蜡块击碎至鸡蛋大小，置熔蜡锅内，加锅容积 1/3 的水，加热使蜡块全部熔化为蜡液时，即停止加热，以免蜡温过高起泡上涌。蜡液中如有杂质，须经保温静置沉淀杂质后，再将澄清蜡液移入蘸蜡锅内。

（2）蘸片：蘸蜡锅内的蜡液须保持 70～80℃的温度，将经水浸透的蘸蜡板（使用前经水浸泡 12～24h）垂直插入蜡液中，取出后板上即附着一层薄蜡，待稍凝，再插入重蘸 2～3 次，使蜡层达一定厚度（蘸蜡的次数视蜡温而定，一般蜡温在 70℃时蘸 3 次，80℃时蘸 4 次）。然后放入 25～35℃水温的脱片池中，蜡片就会自动收缩裂脱，揭去边缘小蜡条，将蜡片平叠起来，以待轧印。

（3）轧印：蘸制成的蜡片随即送往轧光机轧制光片，否则，应先将蜡片放在 40～45℃的温水中泡软。将轧光机滚筒刷上中性肥皂水，再将蜡片薄边和滚筒垂直对正，3 人配合操作，1 人放蜡片，1 人转动摇把，1 人接取蜡片夹拉出来。蜡片装入滚筒，轻摇半转后暂停，用指尖将蜡片薄边揭起，用蜡片夹夹住，双手平稳扶持，配合机转徐徐拉出，轧成厚薄均匀的蜡片。然后再以同法通过巢础机滚筒，轧印成巢础片。

在轧制过程中，要经常用刷子把肥皂水涂于轧光辊和巢础机滚筒上，使滚筒保持润滑，以防蜡片粘辊。轧制的巢础片上所沾的肥皂水，应用清水冲洗干净。

（4）裁切和包装：将础片放在玻璃板上，础板对准巢房横行，把轮刀紧贴础板边缘滚切四边。每张巢础应间隔衬以油光纸，每 30 张巢础一叠封装，以防色、香消退和巢虫侵害。

2. 蜡板法生产巢础　经熔蜡、制蜡板、轧制光片、轧花、切础和包装等工序。其中熔蜡、切础和包装等工序与蘸片法生产巢础的相同。

制蜡板时，采用内围为 500mm×200mm×16mm 的木浅盘数个，事先用清水浸泡 12～24h 后平置于地面上，将蜡液注入盘内至木浅盘的口沿。然后静置冷却至盘中蜂蜡凝固后卸下，即得大小约为 500mm×200mm×15mm 的蜡板。所制的蜡板应厚薄均匀，且无杂质和气泡，并可妥存起来，留待轧片、轧础。

蜡板在轧成光片之前，应先浸没在 47～48℃特制的恒温水箱中预热，待中心温度达到 45～46℃，表里柔软一致时便可进行轧制。轧制光片时，在轧光机的出蜡端放上一盆温度为 15～20℃的清水，或安装一个自动淋水设备，以便冷却轧制出的蜡光片和洗去沾在蜡光片上的肥皂水。蜡板轧制光片的方法与蘸片法生产巢础的轧光方法相同。

轧制的蜡光片厚度以 1.2 ~1.3mm 为宜，宽度视需要而定。

蜡板制成蜡光片后，可随即送往轧花，也可妥存起来留待日后轧础。在轧花之前，应事先把成卷的蜡光片浸在 40℃左右的特制恒温水箱中预热，待蜡光片的温度约达到 40℃、蜡片较软时便可进行轧花。轧花的方法与蘸片法生产巢础的轧花方法相同。

五、蜂蜡中提取三十烷醇

（一）工艺流程

从蜂蜡中分离提取三十烷醇的工艺流程如图 10 – 12 所示。

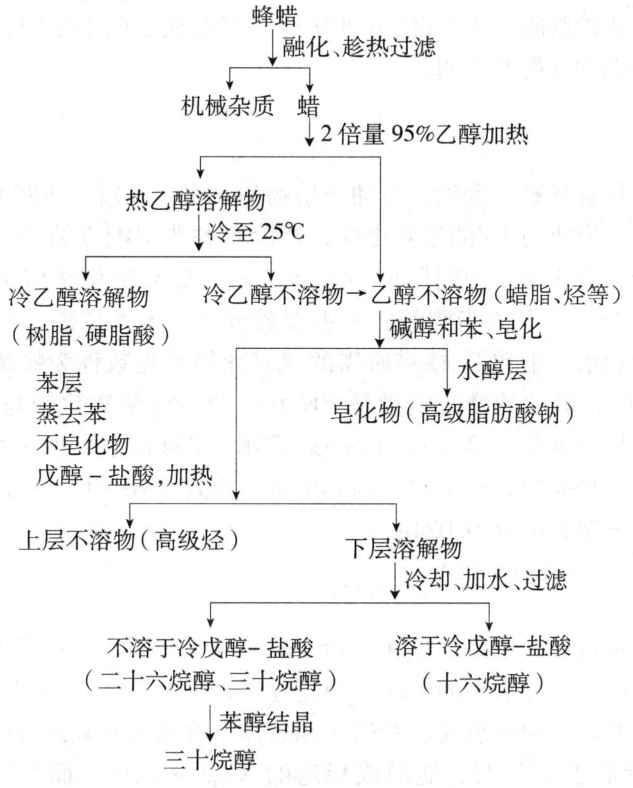

图 10 – 12 从蜂蜡中分离提取三十烷醇工艺流程

（二）操作

1. 萃取 蜂蜡融化过滤除去杂质后，将 95% 2 倍于蜂蜡量的乙醇与蜂蜡一起加热至沸腾，趁热倾出乙醇溶液。如此重复 1 次。萃取液冷却至室温使沉淀析出、抽滤，再用冷乙醇洗涤 2 次，除去冷乙醇溶解物（树脂、硬脂酸等）。将沉淀物与热的乙醇不溶物合并，进行下一步处理。

2. 皂化 取上述不溶物 1 份，加氢氧化钠 – 乙醇溶液（即 18g 氢氧化钠溶于 560ml

的95%乙醇中）2.5份和苯5份，在搅拌下皂化4h，然后加入5份热水，搅拌15min，用分液漏斗过滤，分出水溶液。水溶液用苯萃取30次，可加氯化钙溶液促使其分层，合并苯层后再用冷水洗，分出苯层后蒸去苯，即得不皂化物（含混合高级醇和烃类）。

3. 分离　把不皂化物（取自1kg蜂蜡）溶解于5 000ml 1∶1热戊醇－浓盐酸溶液并煮沸5min，冷却后取出液面的固体烃类，过滤出的固体再用沸水洗涤，冷却后抽滤，即得粗品（溶于热戊醇－盐酸液，冷却时析出物主要是二十六烷醇或三十烷醇，溶于冷戊醇－盐酸的物质主要是低分子烷醇如十六烷醇）。

4. 精制　用苯重结晶（加活性炭脱色）即得白色鳞片状晶体，就是三十烷醇。

六、蜂蜡冷霜的加工

冷霜也称香脂或护肤脂，为水/油型乳化体。多在秋冬两季使用，具有保护和柔润皮肤、防止皮肤干燥和冻裂的作用。

（一）配方

冷霜的基本原料有蜂蜡、硼砂、白油、植物油、水、香精、防腐剂、抗氧化剂等。

蜂蜡和硼砂作用形成的水/油型乳化体，是冷霜的典型配方结构，即所谓蜂蜡－硼砂体系冷霜。蜂蜡在冷霜配方中的用量为15%左右，硼砂的用量应根据蜂蜡的酸值而定。蜂蜡中约含有13%的游离脂肪酸，其主要成分为二十六烷酸。当它与硼砂中和时则生成钠皂、硼酸和水。中和1g蜂蜡所需的氢氧化钾毫克数称为蜂蜡的酸值。氢氧化钾的摩尔质量是56g，硼砂的摩尔质量是109.6g，即56g氢氧化钾与109.6g硼砂的摩尔数相等。假设蜂蜡的酸值为24，即1g蜂蜡需用0.024g氢氧化钾才能中和其中的游离脂肪酸而成皂。如果采用硼砂中和，则其用量可由式（10－1）求出：

$$109.6:56 = \text{硼砂用量}:0.024\text{g} \qquad (10-1)$$

$$\text{硼砂用量} = \frac{109.6 \times 0.024}{56} = 0.047\text{g}$$

如果硼砂的用量过少，不足以中和蜂蜡中的游离脂肪酸，冷霜将没有光泽，外观粗糙，乳化体不稳定而容易分水；如果硼砂用量过多，则会有针状的硼酸结晶析出。

冷霜的含水量在配方中很重要。蜂蜡－硼砂体系冷霜的基础配方中水的比例不能超过45%。当含水量低于45%时，能形成稳定的水/油乳化体；而含水量高于45%时，则形成不稳定的油/水型乳化体。实际生产中冷霜的油相与水相的比例约为2∶1。

冷霜的基础配方如下：

白油	50.0%
蜂蜡	15.0%
硼砂	1.0%
营养物（如蜂蜜、蜂王浆、蜂花粉、蜂胶等）	0.3%～3.0%
水	31.0%～33.0%
香精和防腐剂	适量

（二）加工工艺

1. 蜂蜡水解　用于加工冷霜的蜂蜡酸值应为17～24。通常西蜂蜂蜡的酸值较高，可达15～23，而中蜂蜂蜡的酸值较低，仅为4～9，因此，对于酸值较低的蜂蜡，应将其部分水解成蜂蜡脂肪酸和脂肪醇的混合物，用以提高蜂蜡的酸值。

水解时按每千克蜂蜡加1kg10%氢氧化钠溶液的比例，投料于夹层锅中用蒸汽加热2～3h，使其完全皂化成黏稠状后，加水稀释成稀薄皂液，再加入6mol的盐酸或硫酸至水解蜂蜡上浮为止，插入玻璃棒缓缓搅拌并加热至沸，保持液面缓和翻腾，以防液面静止而导致过热所引起的暴沸，约经30min，至水解蜂蜡透明为止，然后冷却，取出后再加清水煮沸水洗，至水洗液呈中性，此时水解蜂蜡的酸值应为70～90。

2. 原料加热　将蜂蜡、水解蜂蜡、白油等油相原料混合加热至70℃，硼酸水溶液等水相原料也混合加热至70℃。

3. 混合乳化　在搅拌中将硼砂水溶液缓慢而均匀地加入油相中，将刮板式搅拌机的转速控制在50～60r/min下缓慢搅拌，以防搅拌转速过快致使其乳化体倾向于油/水型，而导致产品乳化体系不稳定。

4. 搅拌冷却　搅拌时在夹套中通冷水回流冷却（热天生产需用冷冻机使冷却水维持在20℃以下），当乳化体冷却至45℃时加入香精和营养物，继续搅拌冷却至26～28℃停止搅拌。

5. 包装　包装有两种方法：一种是使膏体稍高于室温成半流体状，热灌装于瓶中后形成半固体状，能维持表面有较好的光泽；另一种是搅拌冷却结束后，静置过夜，次日再经三滚机研磨，真空脱气后装瓶。

第六节　蜂胶的加工

一、蜂胶的去杂精制

蜂胶是以其乙醇溶出物作为有效成分的。天然蜂胶应先用乙醇浸出提取法分离去除其中的蜂蜡、蜂尸、木屑和泥沙等杂质，再通过蒸馏回收乙醇，加工成精制蜂胶。蜂胶的去杂精制，需经过冷冻、粉碎、乙醇浸提、乙醇浸提液过滤、乙醇浸提液浓缩和乙醇回收等工艺过程。

（一）蜂胶的冷冻

蜂胶具有遇热变软、遇冷变硬变脆的特性。当温度达20℃以上时，胶块将柔软而有黏性，这种状态随温度的上升而加强。当温度降至20℃以下时，胶块将逐渐变硬变脆，这种状态也随温度的下降而加强。要使蜂胶完全呈硬脆状态，以便于下一步的粉碎，通常将蜂胶放置在3～5℃的冰箱中，冷冻2h以上。

（二）蜂胶的粉碎

为了加快蜂胶中乙醇溶解物的溶出速度，必须提高蜂胶与乙醇的接触面积，也就是说蜂胶被粉碎得越细，其表面积就越大，溶出的速度也就越快。由于蜂胶遇热易变软，因此，多采用粉碎过程中产热最小的球磨机（图 10－13）进行粉碎。

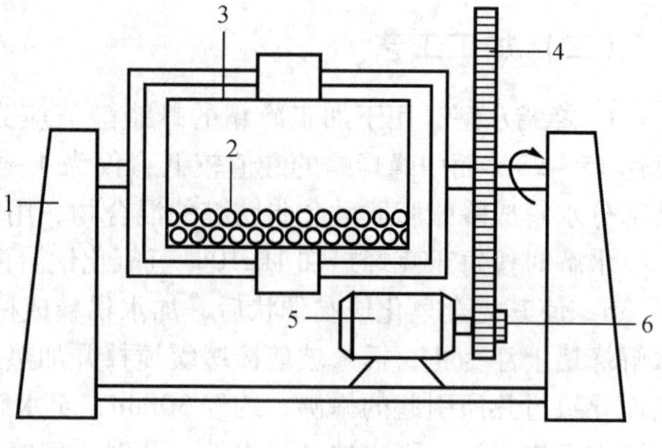

图 10－13　球磨机

1. 支承部件　2. 圆球　3. 球罐　4. 大齿轮　5. 电机　6. 小齿轮

球磨机是一种适用于粉碎结晶性物料、易熔化的树脂、树胶以及其他非组织性脆性物料的设备。它主要是一个内装有一定数量和大小的钢、瓷或花岗石圆球的不锈钢圆筒形球罐，球罐的轴固定在轴承上。操作时，将物料装入罐内并盖严，然后由电动机带动球罐转动，转速控制在使其中的圆球能在一定的高度落下的速度。物料因圆球起落产生的撞击作用和圆球与罐壁及球与球之间的研磨作用而被粉碎。

球磨机中圆球的运动与球罐的转速有关。如转速太快，形成的离心力超过圆球的重力，则球紧贴于罐壁而不落下，失去撞击作用；如转速太慢，圆球不能达到一定高度而沿罐壁落下，此时主要发生研磨作用。总之，转速过快、过慢都会减弱或失去粉碎作用。为了有效地粉碎物料，转速应设定在能使圆球从最高位置下落，这一极限值称为临界转速，当圆筒内径 D 的单位为“m”时，临界转速 $=42.3/\sqrt{D}$（r/min）。在临界转速时，圆球已失去研磨作用。实践中计算球磨机转速的经验公式是临界转速的 75%，即：

$$\text{实际转速}=32/\sqrt{D}\sim 37.2/\sqrt{D}\ (\text{r/min}) \qquad (10-2)$$

如果在适宜的转速下，蜂胶的粉碎还达不到要求的细度，可采用调整圆球的大小、质量和数量的办法加以解决；也可采用先筛出蜂胶细粉，再将粗粒重新冷冻后继续粉碎的办法。同时还应注意，球磨机工作环境的温度宜保持低于 15℃。

（三）蜂胶的乙醇浸提

将蜂胶粉与 95% 的乙醇按 1∶4 的配比，置于不锈钢搅拌桶内，于室温下搅拌浸提 2h 后静置，取上清液经 100 目绢纱过滤，滤液置贮罐待浓缩。滤渣与沉渣合并，再加入与前同量的 95% 乙醇，搅拌，静置，分离出上清液，待用于下一批蜂胶粉的浸提。这些沉渣又加入与前同量的 95% 乙醇，搅拌，静置，分离出上清液，待用于下一批蜂胶粉浸提后的滤渣与沉渣合并物的浸提。再将余下的沉渣又加入与前同量的 95% 乙醇，搅拌，静置，分离出上清液，待用于下一批前一次沉渣的浸提。如此继续进行，直至分离出的上清液几乎呈无色为止。每次分离出的上清液，均用于下一批前一次沉渣的浸提，如图 10－14 所示。采用这种逆流多级浸提操作，可以最大限度地分离出蜂胶中的有效成分，还可降低蜂胶乙醇浸提液浓缩的能耗。

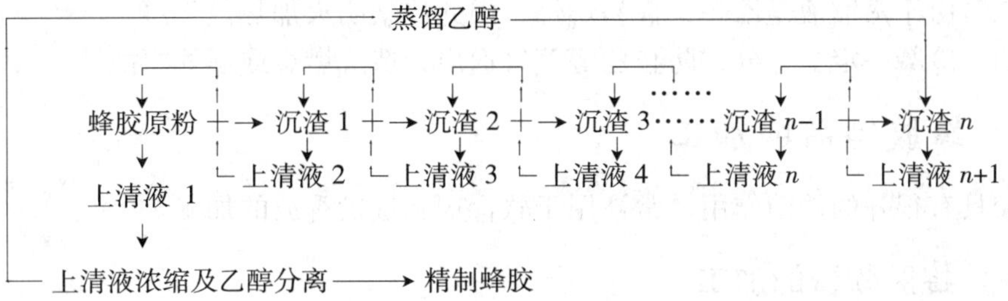

图 10－14　蜂胶的乙醇浸提流程

（四）蜂胶乙醇浸提液的过滤

置贮罐中待浓缩的蜂胶滤液，虽经 100 绢纱过滤，但仍有部分冷乙醇不溶物存在，还须采用通冷冻盐水的盘管浸入其中，使其温度降至 5℃以下，以加速这部分冷乙醇不溶物的沉淀。然后再取上清液，经 4 层 100 目绢纱过滤后，泵入浓缩罐。

（五）蜂胶乙醇浸提液的浓缩及乙醇的回收

蜂胶乙醇浸提液的浓缩过程，实际上是兼具分离和回收其中溶媒乙醇的过程。它是借助蒸汽或热水加热使蜂胶乙醇浸提液中的乙醇汽化，再经冷却复凝为乙醇液体，从而达到既除尽蜂胶乙醇浸提液中的溶媒，又使乙醇被回收利用的双重目的。不锈钢常压蒸馏设备（图 10－15）是蜂胶乙醇浸提液浓缩的常用设备，由蒸馏器（浓缩罐）、导气与隔沫部分、冷凝器与接收器组成。

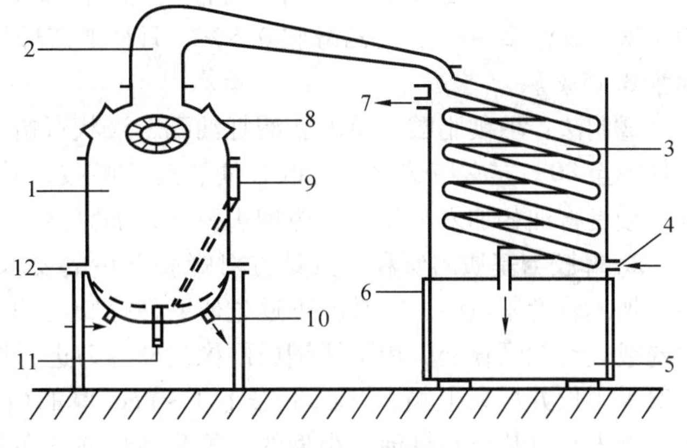

图 10－15　不锈钢常压蒸馏设备

1. 蒸馏器　2. 隔沫与导气装置　3. 冷凝器　4. 冷却水　5. 溶媒冷凝器　6. 接收器　7. 冷却水出口　8. 观察窗　9. 温度计　10. 冷凝水出口　11. 浓缩液出口　12. 蒸汽入口

1. 浸提液浓缩及乙醇回收的操作　将蜂胶乙醇液加入蒸馏器内→接通冷凝器的冷却水→接通蒸汽或热水加热蒸馏器→蜂胶乙醇浸提液沸腾，乙醇蒸气由导管进入冷凝器，经冷凝后变成乙醇液体，流入接收器回收→关闭蒸汽或热水，待片刻后再关闭冷却水，停止浓缩→放出蜂胶膏，冷却，分割，称量和包装。

2. 注意事项

第一，开机前应检查装置有否漏气现象，以防燃烧、爆炸事故的发生。

第二，蒸馏器内的液体不可盛得太满，最多不可超过容器容积的 2/3，否则液体沸腾时会冲进冷凝器而进入接收器。

第三，由于蒸馏液是乙醇，极易燃烧，因此严禁明火加热。

第四，冷凝一定要充分，防止乙醇蒸气逸出，造成燃烧或爆炸事故。

二、蜂胶制品的加工

蜂胶具有很好的杀菌作用，常被用于软膏剂和洗发香波的加工。

（一）蜂胶软膏的加工

1. 软膏剂基质的制备　由于蜂胶既不溶于水也不溶于油，因此，对其软膏剂的基质宜选用乳剂基质，以利蜂胶均匀分散其中。

（1）用硬脂酸钾肥皂为乳化剂制成的基质：

①配方：硬脂酸 14.0%，氢氧化钾 0.7%，甘油 10.0%，蒸馏水 75.3%。

②制法：取氢氧化钾溶于蒸馏水并加入甘油加热至 80℃ 保温待用，再取硬脂酸经水浴加热熔化后，在不断搅拌下缓缓加入待用的氢氧化钾甘油水溶液中，继续搅拌至冷凝。

（2）用硬脂酸三乙醇胺肥皂为乳化剂制成的基质：

①配方：硬脂酸 24.0%，单硬脂酸甘油酯 12.0%，液状石蜡 30.0%，白凡士林 10.0%，甘油 20.0%，三乙醇胺 0.6%，月桂醇硫酸钠 0.2%，尼泊金乙酯 0.05%，蒸馏水 3.15%。

②制法：取硬脂酸、单硬脂酸甘油酯、液状石蜡、白凡士林及尼泊金乙酯，在水浴上加热至 80℃ 左右使熔化；另取甘油、三乙醇胺、月桂醇硫酸钠及蒸馏水，加热至同温。慢慢将油相加入水相中，边加边搅拌，加完继续搅拌至冷凝。

2. 蜂胶与基质的研和　按处方对蜂胶含量的要求，将提纯的蜂胶加适量乙醇溶解后，加入软膏基质中，在常温下通过研磨使蜂胶与基质均匀混合。通常是在放入木框的陶瓷或玻璃软膏板上，用不锈钢或硬橡皮软膏刀进行调制，也可在乳缸中制备。药房中一般采用长方形桌上箱，其面上镶上 1～2cm 厚的白色毛玻璃，玻璃板下装一石棉板框，框内装电热丝与灯泡，小型的也可只装灯泡。在冬季由于电热丝或灯泡的温度可软化基质，并由于灯光反射，可检查蜂胶与基质的研和状态。大量生产时常用三滚筒软膏研磨机。

（二）蜂胶香波的加工

专用于洗涤头发的化妆品，称为香波。其主要成分为洗涤剂、助洗剂和添加剂等。洗涤剂的作用是为香波提供良好的去污力和丰富的泡沫；助洗剂能增强洗涤剂的去污力和泡沫的稳定性，改善香波的洗涤性能和调理作用；添加剂主要有抗头屑剂、调理剂、滋润剂、增稠剂、稀释剂、遮光剂、澄清剂、螯合剂、防腐剂、香精、色素等，能赋予香波以各种不同的功能。好的香波具有的功效是：能使头发洗后蓬松、光亮和便于梳理，能赋予头发以自然感和保持原有的发型，能保护头发、促进新陈代谢以及去头屑、减皮脂和治头癣。此外，还具有合适的黏度、泡沫细腻而丰富并易于冲洗，对皮肤和眼睛无刺激性。

1. 香波的基本配方与工艺 香波的种类很多，其配方结构也多种多样。根据洗涤剂的类型和工艺特点，把香波分为肥皂型和合成洗涤剂型两类。各类香波中又都有分别专供油性、干性或中性头发使用的不同规格。油性头发使用的香波中洗涤剂含量相对高些，而干性头发使用的香波中洗涤剂含量相对低些，中性的则居中。

（1）肥皂型香波：肥皂型香波中的洗涤剂主要是皂化很完全的钾皂，并添加有乙二胺四乙酸（EDTA）或缩聚磷酸盐等螯合剂，以防止其在硬水中形成钙、镁皂沉淀而影响洗涤效果。肥皂型香波的油脂通常采用椰子油、棕榈油、橄榄油或杏仁油等，碱则主要采用氢氧化钾，有时也采用三乙醇胺以降低肥皂的刺激性。其油脂皂化需碱量的理论值可由式（10－3）计算得出：

$$\text{油脂摩尔质量} = \frac{56.1 \times 1\,000}{\text{皂化值}}$$

$$\text{油脂需碱\%} = \frac{\text{碱的摩尔质量} \times \text{油脂质量}}{\text{油脂摩尔质量}} \div \text{碱的纯度} \qquad (10-3)$$

实际应用时，配方中碱的用量比理论值略小一些，以残留适量的油脂起滋润头发的作用。

肥皂型香波的加工方法，是将氢氧化钾溶解在水中成30%的溶液，并将油脂混合物加热至60℃，先加入部分的碱液起乳化作用，继续分次加入碱液并逐步提高温度和不断搅拌使之皂化，当温度升高至85℃时，移去热源，放置过夜使之皂化完全，加入余下的水、乙二胺四乙酸四钠、柠檬酸、香精、色素和功能性添加物等，冷却至5℃过滤。这样加工成的香波为透明液体，如果需要制成乳浊体，可在其中加入食盐或硫酸钠，其用量应恰使肥皂盐析而又不胶凝至分离为宜。

（2）合成洗涤剂型香波：合成洗涤剂型香波，根据外观可分为透明液体香波和乳化体香波，它们的配方和工艺各有特点。

①透明液体香波：合成洗涤剂的水溶性对液体香波透明度的影响极大，因此，用做透明液体香波的合成洗涤剂，要求水溶性要好，常用的有月桂醇硫酸钠、月桂醇硫酸铵、月桂醇硫酸三乙醇胺等。为保持香波的透明度有时还须加入一些澄清剂，常用的有乙二胺四乙酸、丁醇、异丙醇、乙醇、松油醇、松针油、二甘醇和二乙基二甘醇醚等，它们能和香波中的某些难溶组分生成可溶的络合物，或增加这些难溶组分的溶解度。

加工合成洗涤剂型透明液体香波的方法比较简单，先将主要洗涤剂溶于水中加热至70℃，然后加入其他要溶解的固体原料，搅拌至透明，待冷却至35℃后，再加入香精、色素和功能性添加物等搅匀，过滤。搅拌速度不应过快，以免带入空气产生气泡而影响透明度。

②乳化体香波：乳化体香波最主要的外观特征是乳浊、稠厚而有光泽。在配方中月桂醇硫酸钠是最常用的洗涤剂，其浸湿和洗涤作用较强，能迅速去除头发和头皮上的皮脂。为使头发不干涩还需添加一些润发剂，如羊毛脂、甘油等，让其在每根头发的表面留下一层保护膜而使头发洗后柔软、光亮和便于梳理。单硬脂酸甘油酯和单硬脂酸乙二醇酯是很好的增稠剂，它们不会形成膜状物残留在头发上而影响梳理性。高级脂肪醇、

脂肪酸和脂肪酸酯（如蜂蜡、鲸蜡醇、山梨酸等）由于溶解性差，可使香波变成乳浊而有光泽。

乳化体香波的加工方法与透明液体香波的加工方法相似。也是先将主要洗涤剂溶于水中加热至70℃，然后在搅拌中加入蜂蜡、鲸蜡醇等难溶的固体原料使其熔融，移开热源，搅拌至乳浊，待冷却至35℃后，再加入香精、色素和功能性添加物等搅匀，过滤。搅拌速度也不应过快，以免带入空气产生气泡而影响香波的稳定性。

2. 蜂胶在香波中的应用　蜂胶虽不溶于水，但洗涤剂对其有助溶作用，使其杀菌、止痒，减少头屑、促进伤口愈合和营养头发等功效在香波中得以充分发挥。蜂胶在香波配方中的比例为0.3%左右，先将蜂胶溶于酒精配制成质量体积比为20%的溶液备用。蜂胶在酸性溶液中色泽较浅，而在碱性溶液中色泽加深变暗。肥皂是弱酸与强碱生成的盐，其水溶液显碱性，若将蜂胶应用于肥皂型香波的加工，应加入适量的柠檬酸或乳酸使香波的pH值调节到8以下。蜂胶香波的配方实例见表10－2。

表10－2　蜂胶香波的配方实例（%）

配方实例	肥皂型	透明液体型	乳化体型
20%蜂胶乙醇提取液	2.0	1.5	2.0
橄榄油	10.0		
棕榈油	5.0		
椰子油	7.0		
氢氧化钾	4.0		
氢氧化钠	1.6		
乙二胺四乙酸四钠	0.4		
月桂醇硫酸钠		30.0	35.0
月桂醇硫酸三乙醇胺		20.0	
二硬脂酸聚乙二醇酯400		5.0	
羊毛脂			1.5
单硬脂酸甘油酯			5.0
蜂蜡			2.5
鲸蜡醇			2.0
柠檬酸	1.0		2.5
柠檬酸钠			3.0
水	68.0	42.5	46.0
香精及色素	1.0	1.0	0.5

第七节　蜂子的加工

蜜蜂的幼虫和蛹，统称为蜂子，目前蜂场能作为商品提供的主要是蜂王幼虫和雄蜂蛹。由于蜂子体液中的酪氨酸含量和酪氨酸酶活性均很高，与空气接触后，极易氧化变黑；加上虫体含水量高达80%以上，水分活度很高，有利于许多化学反应的进行和微生物的生长繁殖，极易腐败变质，对其首先进行保鲜与干燥处理，其后续加工的主要制品有蜂子罐头和蜂王胎片。

一、蜂子的保鲜加工

（一）雄蜂蛹的盐渍

雄蜂蛹，目前主要是作为美味食品蜂子罐头的原料，其后续加工以保持色、香、味等品质以及形体状态完整性为前提。盐渍处理基本可以满足这一要求，同时又最适合我国蜂场现有的生产条件，因此是一种既简单而又有效的处理方法。

盐渍就是通过食盐溶液对雄蜂蛹体的渗透，使其体内水分逐渐脱出而减少，同时体内的盐分不断增加，这样就在一定程度上抑制了微生物的活动和酶的活力。当雄蜂体内的食盐浓度增加到相当的数值时，还能将微生物体内水分提出，使微生物本身也难以发育生长，达到延缓腐败、防止黑变的效果。

在采收20～22日龄的雄蜂蛹前，先用清洁的饮用水2份、精制食盐1份，配成盐水，倒入锅里煮沸溶化。煮沸时不停地搅动，使其完全溶解后停火备用。随后提出蛹脾，割开房盖取出蜂蛹并及时倒入锅内食盐溶液中，待蜂蛹即将填满盐水时，加大火力煮沸。从沸腾后开始计时，经15～20min后，用漏勺捞起蜂蛹倒入竹筛，摊开晾干至蛹体外无水为止。其标准是抓一把蜂蛹放在纸上，再倒回去，纸不沾湿。将晾干的蜂蛹装入布袋（每袋以不超过2kg为宜），挂在通风处，以进一步降低蜂蛹的水分，直至体表出现细小食盐结晶析出，然后再装入塑料食品袋内密封待售。经这样处理后的雄蜂蛹，可在常温下贮存数周，基本能满足收购、贮运和后续加工的要求。若需贮存更长的时间，宜放入冰箱或冰柜冷藏。

煮蜂蛹的锅要用铝锅，忌用铁锅，因铁锅煮的蜂蛹颜色发黑，影响外观。

煮过蜂蛹的盐水，每重复使用1次，都要按每千克盐水加0.15kg食盐的比例加入食盐，并煮沸使补充的食盐充分溶化后再用。

（二）蜂王幼虫的保鲜

蜂王幼虫，是生产蜂王浆的副产物，这些虫体的日龄都不超过5d，组织较幼嫩，在蜂王浆采收过程中极易受到损伤而加速褐变。目前对蜂王幼虫的保鲜主要采用两种方法，以抑制蜂王幼虫体内酪氨酸酶的活性及微生物的腐败作用。

1. 低温冷藏　将采收下的蜂王幼虫，尽快装入塑料食品袋中，并排出袋中的空气，置－18℃以下的冰柜中冷藏。低温冷藏保鲜的蜂王幼虫，在进行后续加工之前不得解冻，更不得反复解冻和冻结。这是因为在冻结过程中，幼虫的体细胞有可能被冰晶刺破，解冻时血淋巴和细胞液易渗出体外，增加了与空气接触的机会，促使酪氨酸酶促褐变反应加快。

2. 保鲜液浸泡 凡是能抑制酪氨酸酶活性和微生物生长繁殖，且对人体健康和后续加工无害的物质，均可用来配制保鲜液。常用的有75%乙醇、0.5%柠檬酸水溶液、0.2%维生素C水溶液、0.1%蜂胶水溶液以及0.5%柠檬酸加0.1%蜂胶水溶液等。采用保鲜液浸泡保鲜的幼虫，虫体必须完全浸没在保鲜液中，不可露出液面，以防液面之上的虫体褐变和腐败。采用保鲜液浸泡的幼虫，仅能保鲜4～15d。

（三）蜜蜂虫蛹的干燥

含水量低于3%的蜜蜂虫蛹，可较长时间保存，且贮存方便。对于蜜蜂虫蛹的干燥加工，可采用减压干燥、远红外干燥、微波干燥以及冷冻干燥等方法。干燥过程中，虫蛹装盘的厚度应控制在10mm以下，干燥温度以低于60℃为宜。由于蜂王幼虫的后续加工制品多为保健药品，因此，蜂王幼虫的干燥加工多以冷冻干燥和喷雾干燥为主。蜂王幼虫的冷冻干燥可参照蜂王浆冷冻干燥工艺。蜂王幼虫的喷雾干燥，先加入2倍蒸馏水，于胶体磨中磨细，随磨随喷雾干燥，以减少幼虫浆体酶促反应发生的机会。喷雾干燥的主要技术参数如下：

进风温度	90～100℃
制品温度	40～45℃
排风相对湿度	20%
排风温度	65～70℃
喷雾压力	5～8MPa
喷雾流量	80～100L/h
干燥箱负压	300～400Pa

二、蜂子制品的加工

（一）雄蜂蛹罐头的加工

1. 雄蜂蛹的脱盐与烹调 将盐渍雄蜂蛹加清水漂洗数次，至蛹体咸味适口为止，沥干加作料烹调。

2. 罐藏容器的洗涤和消毒 选用合适的容器，采用洗罐机喷射热水或蒸汽进行洗罐和消毒。

3. 装罐和封罐 将烹调好的雄蜂蛹在80℃以上趁热装罐，保留6～8mm的顶隙，采用封罐机将罐身和罐盖的边缘紧密卷合，立即封罐。

4. 罐头的杀菌和冷却

（1）罐头的杀菌：采用高压蒸汽杀菌，按照以下主要过程进行操作。

①进蒸汽：打开全部排气阀和泄气阀之后，通入蒸汽。在整个杀菌过程中，所有泄

气阀都应该开着。

②杀菌锅的排气：进蒸汽后，维持规定的时间，以保证杀菌锅内的空气充分排除干净。锅内若有冷空气存在，不利于传热，同时会造成压力和温度的不相应现象。排气时进蒸汽量要大，形成蒸汽急流以驱赶锅内空气。排气时间必须根据杀菌锅的类型和大小、管路排布、供汽量及压力、罐型、罐头堆放方式等来确定。排气结束后，将温度和时间记录下来。

③升温：通入蒸汽使杀菌锅内温度达到规定的杀菌温度。升温时间包括排气时间。升温的最低要求是排除杀菌锅内的空气。

当记录仪与水银温度计读数相符且杀菌温度稳定之后，记下温度和时间。

④恒温计时杀菌：杀菌锅内达到规定的杀菌温度时开始计时，计时应采用精确的时钟或计时装置，不得用手表或记录图表示。

⑤关蒸汽：在规定的杀菌温度下维持所需的时间，并检查下列项目：用时钟或计时装置来校对规定的杀菌时间；检查记录的图表与规定的杀菌温度和时间是否一致；检查水银温度计的读数是否指示着规定的杀菌温度。

如符合要求，便可关闭蒸汽结束杀菌。如发现上述各项中任何一项不符合要求，都必须采取适当措施，以保证杀菌的可靠性。

(2) 冷却：罐头在加热杀菌结束之后，必须采用冷却水迅速使罐头降温至38℃左右，以保持食品良好的色香味，减少食品组织的软烂，减少罐内壁的腐蚀。

5. 罐头的检查、包装和贮藏

(1) 罐头的检查：罐头在杀菌冷却后，必须进行检查，衡量其各种指标是否符合标准和商品要求，并确定成品质量和等级。

①外观检查：重点是双重卷边缝是否紧密结合，是否有露舌、夹边、起皱断裂等现象，同时检查端折缝（罐身缝）是否正常、焊接是否完全等。罐底盖状态的检查，主要视其是否向内凹入。正常罐头是有一定真空度的，因此罐底盖应该是向内凹入的。

②保温检查：罐头食品如因杀菌不充分或其他原因而有微生物残存时，一遇到适宜的温度，就会生长繁殖而使罐头食品变质。除某些耐高温细菌不产生气体外，大多数腐败菌都会产生气体而使罐头膨胀。根据这个原理，用保温贮藏方法，给微生物创造生长繁殖的最适温度，放置到微生物生长繁殖所需要的足够时间，观察罐头底盖是否膨胀，以鉴别罐头质量是否可靠，杀菌是否充分，这种方法称为罐头的保温检查。这是一种比较简便可靠的罐头成品检查方法。

保温检查的温度和时间，一般采用37℃或55℃保温7昼夜的方式进行。前者主要检查普通腐败菌是否存在，后者主要检查耐热菌是否存在。

③敲音检查：将保温后的罐头或贮藏后的罐头排列成行，用敲音棒敲打罐头底盖，由其发出的声音，来鉴别罐头的好坏。发音清脆的是正常罐头，发音浑浊的是膨胀罐头。

④真空度检查：罐头真空度是其质量的物理指标之一。正常罐头的真空度一般为 $2.71\times10^4 \sim 5.08\times10^4$ Pa，大型罐可适当低些。

测定罐头真空度的方法，因容器的种类而不同。马口铁罐真空度的测定，一般采用真空表直接测定法。在真空表下端装有一针尖，针尖后部有橡皮胶垫作密封用。测定时，用右手夹持真空表，将针尖对准罐盖中央，用力压下，使针尖插入罐内，读出真空表读数，即为罐头真空度。马口铁盖的玻璃罐，亦可使用此法测定。

⑤开罐检查：

Ⅰ. 取样：开罐检查用的罐头必须经过取样，取样应具有代表性。根据原轻工业部统一规定，可采用下列方式取样：

ⅰ. 按杀菌锅取样：每杀菌锅取1罐。但每批每个品种，不得少于2罐。

ⅱ. 按生产班次取样：取样数为1/3 000，尾数超过1 000罐者增取1罐。但每班每个品种取样基数不得少于3罐。

ⅲ. 按每班产量取样：某些产品生产量较大，则以班产量总罐数20 000罐为基数，按1/3 000取样；超过20 000罐以上的罐数，可按1/10 000取样；尾数超过1 000罐者，增取1罐。

ⅳ. 合并班次取样：个别产品生产量过小，同品种同规格者可合并班次取样，但并班总罐数不超过5 000罐。每生产班次取样数不少于1罐，并班后取样不少于3罐。

除按规定取样外，还可根据质量是否稳定，过去发生质量问题的多少，贮藏时间长短和贮藏条件等，适当增减取样数量。

Ⅱ. 取样的罐头全部进行感官、重量和细菌检查，并以取样总罐数的1/10进行化学检验（每次不得少于1罐）。

（2）罐头的包装与贮藏：

①擦罐：罐头经封罐之后，表面常附着油质或其他汁液，一般在杀菌冷却之后立即用洗罐机清洗，然后擦干罐头表面的水渍。

②贴标与装箱：罐头的标签纸应平整、清洁，须按GB7718—94食品标签通用标准执行，标明产品名称、净含量、执行标准、保质期、生产批号、成分、食用方法、注册商标、厂家名称与地址等。贴标用的胶液，不应含有腐蚀性的成分，应有高度的黏附力。目前多采用已刷有不干胶的标签纸，由人工或机械进行贴标。

包装罐头用的箱子有纸箱和木箱两种，除特殊要求外，一般都采用纸箱。木箱必须牢固，含水量不超过18%，箱板表面平直，厚度不低于11mm，无虫蛀、腐朽现象和霉斑。纸箱必须牢固，含水量不超过14%，纸箱表面应涂油或其他防潮性良好的涂料。装箱时按品种和生产日期，分别装箱。罐头之间、层与层之间垫隔草纸板或瓦楞纸板。玻璃罐应用瓦楞纸围身垫隔。

③罐头的贮藏：罐头在销售前需用专门仓库贮藏，仓库应干燥、排水良好，仓库内必须有足够的灯光，以便于检查。库温以20℃左右为宜，勿使受热受冻，并避免温度骤然升降。库内保持良好通风，相对湿度一般不超过80%，在雨季尤应做好防潮、防锈、防霉工作。

罐头应按品种、批号、等级整齐堆于库内，不得露天堆放。堆放罐头成品箱应用木板垫起，箱与墙之间距离20cm以上，堆放高度以箱子受压不变形为宜，垛与垛之间保持适当距离，散罐贮藏时高度不得太高。罐头贮藏过程中，不得接触和靠近潮湿、有腐蚀性或易于发潮的货物，不得与有毒的化学药品和有害物质放在一起。

（二）蜂王胎片的加工

蜂王胎片的压片工艺流程为：蜂王幼虫干粉和赋形剂进行粉碎→已粉碎的粉末进行混合→制备黏合剂→黏合剂和粉末混合物进行混合形成软材→软材过6~12目筛→湿粒干燥→干粒过14~20目筛整粒→与润滑剂、崩解剂混合→压片。

1. 原辅料的准备与处理

（1）原辅料的粉碎：蜂王胎片所用的赋形剂为淀粉，在与蜂王幼虫干粉混合前，二者均须分别粉碎、过60目筛。

（2）黏合剂的制备：取淀粉加其重量1.5倍的冷水搅匀，然后冲入其重量4倍的沸水，不断搅拌至成半透明糊状。

2. 称量与混合　根据处方分别称取粉碎过筛后的蜂王幼虫干粉与淀粉，先用较粗号的筛筛过1~2次，进行初步混合，然后再用较细的筛筛过使之充分混合。

3. 软材的制备　将充分混合后的蜂王幼虫干粉与淀粉置混合机中，加适量的黏合剂混匀。黏合剂的用量以能制成适宜软材的最小量为原则。一般用手紧握能成团，用手指轻压团块即裂者为宜。

4. 湿颗粒的制备　就是采用适宜的筛网，将软材置于其上加压来回挤搓，使软材通过网孔而形成颗粒。生产上多用摇摆式制粒机进行制粒。制粒时通常选用6~12目筛。

5. 湿颗粒的干燥　湿粒制成后应尽快干燥，以防结块或变形。干燥温度一般以50~60℃为宜。通常将湿颗粒干燥至含水量为1%~3%的干颗粒。

6. 整粒　将在干燥过程中彼此粘连的结块，以及破碎的细粉，经过筛分离，成为适于压片的均匀干粒的操作，称为整粒。对于干颗粒的整粒一般选用12~20目筛。对筛出的坚硬结块可用粉碎机磨碎，将细粉和粗粒筛去后使用。

7. 润滑剂与崩解剂的加入　润滑剂采用硬脂酸钙或硬脂酸镁，用量一般为干粒重的0.3%~1%。崩解剂采用经100~105℃干燥至含水量为8%~10%的淀粉，用量一般为干粒重的5%~20%。将润滑剂用细筛筛过，在过筛整粒过程中加入。然后将崩解剂筛过徐徐加入干粒中，充分搅匀，移置容器内密闭，抽样检验合格后压片。

8. 压片　采用单冲撞击式压片机或多冲旋转式压片机进行压片。

第八节　蜂毒的加工

目前蜂场生产的蜂毒，基本上都是用箱外或箱内电击取毒器采收的土黄色固体干蜂毒，一般杂质较少。可能混入的杂质主要有尘土、蜡鳞以及蜜蜂呕吐的花蜜或蜂蜜等。根据蜂毒易溶于水、不溶于丙酮的特性，可采用水溶过滤、丙酮沉淀的方法分离混入的杂质。如果还要求脱除蜂毒中的脂类、酸类及有色物质，可采用三氯甲烷萃取的方法进行精制。精制后的蜂毒可用于蜂毒搽剂和蜂毒针剂的加工。

一、蜂毒的去杂精制与蜂毒的脱脂、脱色

（一）蜂毒的去杂精制

1. 溶解　将含杂质的蜂毒溶于10倍的蒸馏水中。

2. 过滤　将蜂毒水溶液经中速定性滤纸过滤，除去尘土、蜡鳞等水不溶物。

3. 析出　于蜂毒滤液中加入1.5～2.0倍的丙酮，使蜂毒沉淀析出。经离心分离，倾出上清液，除去溶于其中的花蜜等。

4. 干燥　分离出的沉淀蜂毒，采用热风干燥处理后，装瓶密封。

（二）蜂毒的脱脂、脱色

1. 溶解　将含杂质的蜂毒溶于10倍的蒸馏水中。

2. 脱色　按质量百分比，于蜂毒水溶液中加0.5%活性炭吸附，经中速定性滤纸减压过滤，得澄清透明蜂毒水溶液。

3. 脱脂　将澄清透明的蜂毒水溶液，置连续液—液萃取装置（图10－16）中填充有小瓷圈的长玻管内，于玻管上方的球形漏斗内加入三氯甲烷，开启球形漏斗的阀门，让三氯甲烷慢慢滴入长玻管内，在沉降过程中与蜂毒水溶液充分接触，萃取其中的脂类物质。当三氯甲烷沉降至长玻管底部时，开启长玻管底部的阀门，缓缓放出已与蜂毒水溶液充分接触并已萃取了其中脂类物质的三氯甲烷，直至蜂毒中脂类物质脱尽为止，关闭球形漏斗的阀门。放尽三氯甲烷后，再放出脱脂后的蜂毒水溶液。

4. 析出　于脱脂后的蜂毒水溶液中加入1.5～2.0倍的丙酮，使蜂毒沉淀析出。经离心分离，倾出上清液，使溶于其中的糖、酸等被除去。再加入10倍蒸馏水，溶解沉淀析出的蜂毒，重新加入1.5～2.0倍的丙酮，又使蜂毒沉淀析出，离心分离，进一步除去糖、酸等物质。重复进行2～3次。

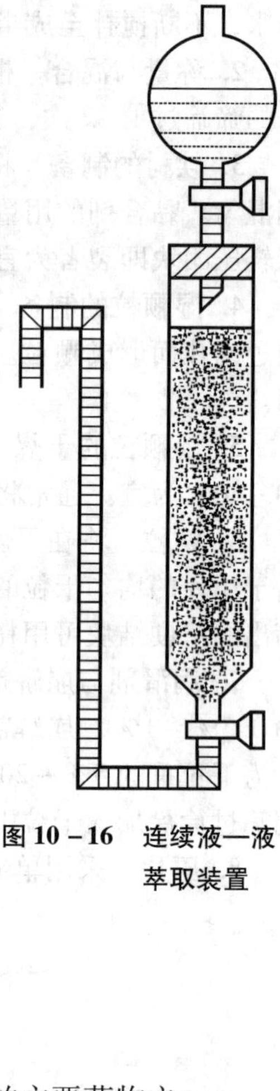

图10－16　连续液—液萃取装置

5. 干燥　经脱脂、去除糖分及酸类物质后的蜂毒，再经热风干燥处理后，装瓶密封。

二、蜂毒搽剂的加工

搽剂为专供揉搽皮肤表面的液体药剂。蜂毒可作为制备搽剂的主要药物之一。

（一）搽剂的配方

设计蜂毒搽剂配方，应考虑到主药成分与分散媒要有很好的配伍性，同时分散媒还须具有很好的润滑作用，并能乳化皮脂而有利于药物的穿透。因此，可用肥皂作为乳化剂配制蜂毒搽剂的分散媒。例如，赋尔安平搽剂的配方为，每1 000g制品内含蜂毒

0.09g、烟酸苄酯1g、水杨酸龙脑脂15g、乳化分散媒983.91g。

（二）搽剂的配制

将经预处理的蜂毒及其他药物与配制好的溶媒，通过搅拌使之溶解或分散，然后经过滤而成。

（三）搽剂的质量要求

应充分乳化，不能有分层现象，且无颗粒、异物或沉淀。

三、蜂毒针剂的加工

针剂又称为注射剂，由于其药物没有经过胃肠道，不受消化液及食物的影响，因此很适用于蜂毒制剂的剂型。它既可制成溶液型注射剂，也可制成注射用灭菌粉剂。

（一）蜂毒针剂的配方

蜂毒针剂除蜂毒作为主药外，还需要添加减轻疼痛的附加剂，常用的为盐酸普鲁卡因，常用量0.5%～2.0%。蜂毒在针剂中的含量一般为每毫升0.25～0.50mg。以每毫升含蜂毒0.50mg的水针剂为例，其配方为：蜂毒1 000mg，盐酸普鲁卡因2.5ml，加注射用水至1 000ml。每支2ml。

（二）蜂毒针剂基本工艺

1. 生产工艺流程　蜂毒针剂生产工艺流程见图10－17：

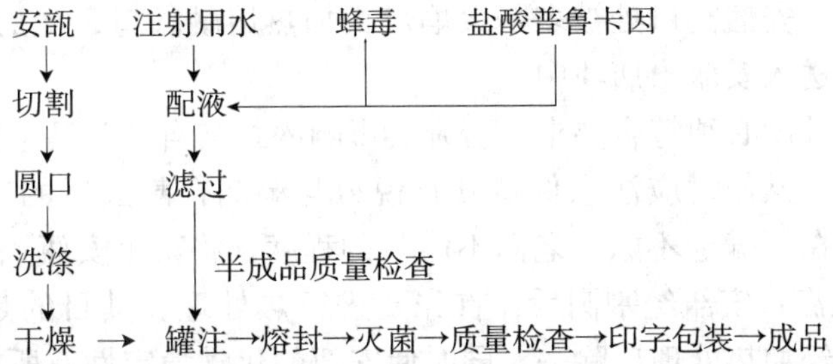

图10－17　蜂毒针剂生产工艺流程

2. 注射用水的制备　目前制备注射用水主要采用蒸馏法，所用设备基本上为多效式蒸发蒸馏水器。多效蒸发蒸馏水器有三效、四效、五效等，效数愈多热的利用率愈高。从对出水质量控制、辅助装置、能源消耗、占地面积、维修能力等因素考虑，选用四效以上的多效式蒸发蒸馏水器更为合理。图10－18为四效蒸发蒸馏水器流程示意图。

3. 安瓿的处理　安瓿必须经过处理才能供灌装药液。一般处理工艺过程为割颈、圆口、灌水蒸煮、洗涤、干燥或灭菌等步骤。

（1）割颈与圆口：安瓿细长的颈丝必须切割使长短不齐的安瓿颈有一定的长度。切割后的毛口又需用火焰圆口。安瓿割颈与圆口有手工操作与机械操作两种方法。手工操作采用安瓿切割板，按规定长度调节好砂石与挡板间的距离，将瓶底紧靠挡板，瓶颈

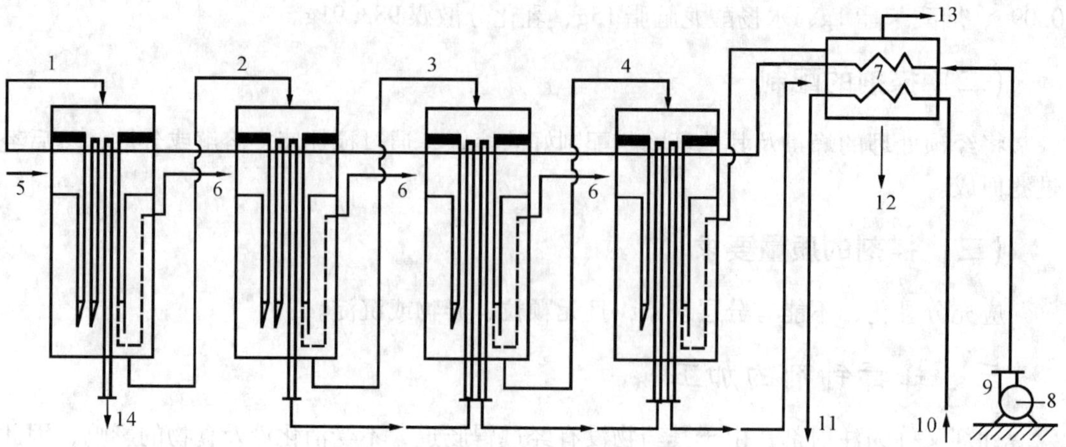

图 10－18　四效蒸发蒸馏水器流程

1. 一效　2. 二效　3. 三效　4. 四效　5. 加热蒸汽　6. 进料水蒸气　7. 冷凝器　8. 进料水（去离子水）　9. 水泵　10. 冷却水进口　11. 冷却水出口　12. 蒸馏水　13. 四效内未被蒸发的进料水及杂质　14. 冷凝水

平置于砂石上稍用力划一半圆痕，随手用半拉半撳动作折断瓶颈，然后将切割的安瓿颈口向上，整齐排列于平盘内。切割后，将每盘安瓿用高温火焰喷烘颈口截面使之熔融光滑而圆口。

机械操作采用安瓿自动割圆机。将安瓿置于加瓶斗中，由斗下梅花盘将安瓿依次顺着加瓶轨道送至齿槽花盘凹槽中，随着齿槽花盘转动，安瓿经过砂石割刀被划出一道锯痕，然后继续向前转动，进入压丝轮将颈丝折断，并随即进入出瓶轨道向前移动，当经过火焰圆口装置时，安瓿割口处被多个火焰灯头加热熔融圆口，随后安瓿沿出瓶轨道，割口向上站立地被送入安瓿出瓶斗中。

经割圆的安瓿长度必须符合要求，否则会影响灌封与自动包装。瓶口应整齐、无缺口、裂口、双线等。操作时应注意保持砂石锐刃与湿润，割圆后的安瓿放在特制的盘内。圆口时要掌握在“偏老不嫩，老而不倦”的程度，将整个安瓿颈口截面熔融光滑。

（2）安瓿的洗涤：安瓿经割圆后，首先要进行热处理。其目的是使瓶内外壁的灰尘和附着的砂粒等经加热处理后除去，同时使安瓿的化学稳定性有所提高。热处理可用去离子水、蒸馏水或灌满 0.5%～1% 的盐酸水溶液，以 100℃、30min 加热蒸煮。可在特制的机械内或热处理联动机内进行。热处理后安瓿再经甩水法或气水加压喷射法洗涤。

①甩水洗涤法：将盛满安瓿的盘子放在灌水机转送带上，经过滤符合一定澄明度要求的去离子水或蒸馏水，从灌水机上部淋下灌满安瓿，再送入灭菌柜中加热蒸煮处理。然后，趁热用甩水机将安瓿内水甩干。如此反复洗涤 2 次，即可达到清洗目的。此法仅适用于 5ml 以下的直颈安瓿洗涤，生产效率高，适合工厂生产使用，但洗涤质量不如气水加压喷洗法好。

②气水加压喷射洗涤法：将经加压过滤的去离子水或蒸馏水与经处理后洁净的压缩空气，由针头交替喷入安瓿内，强烈冲洗数次。洗涤水与压缩空气的压力一般控制在

0.4MPa 左右。半自动安瓿喷射洗涤机是气水加压喷射洗涤的常用设备。

(3) 安瓿的干燥与灭菌：将洗涤合格的安瓿倒置或平放在铝盒内，置烘箱内 120 ~ 140℃烘干，再经 200℃以上干热灭菌 45min，以破坏安瓿中可能污染的微生物和热源。

4. 配液及过滤 按配方将蜂毒加少量注射用水溶解，过滤，移至冰箱内冷冻处理，使蛋白质等杂质沉淀除去后，加入盐酸普鲁卡因搅拌溶解，再加注射用水至规定的量，并加 0.01% 的活性炭搅匀过滤至澄清。

5. 针剂的灌封 灌封包括灌注和封口，灌注药液后应立即封口，以免污染。灌封室应严格控制在尽可能高的洁净度，或在灌封区采用局部层流净化空气装置。

药液的灌装要求做到装量准确，灌注针头及药液不得碰到安瓿瓶口。为确保剂量的准确，灌入安瓿的量要比标示量稍多，以补偿在安瓿内或注射器中的损失。增加量按《中华人民共和国药典》规定执行。在进行灌装生产前与生产之中必须定时抽查装置是否合乎规定。

安瓿封口要求严密不漏气，顶端圆整光滑，无歪头、尖头、泡头、瘪头和焦头。

生产上使用的安瓿自动灌封机由空安瓿加瓶斗、安瓿传送轮、传动齿板、装置控制器、灌液针头、火焰熔封灯头等组成。安瓿从加瓶斗经进瓶转盘和传动齿板传送到灌注针头处，灌注针头下降插入安瓿中，灌注器内活塞将药液定量压入安瓿内。若灌注针头处无安瓿，止灌装置控制停止注入药液。灌装药液后的安瓿被传动齿板向前传送到 5 组火焰熔封灯头处加热安瓿顶部而逐渐熔封。最后，传动齿板将熔封安瓿传送至出瓶斗。安瓿封口严密与否与火焰大小、灯头位置高低及安瓿转动是否均匀有关。多数灌封机都有 10 只灯头，分为 5 组。第一组 2 只灯头的火头对准安瓿口下方略低些的部位，火焰强度中等，其作用是将安瓿先预热。第二、三两组的火头略高于第一组，强度也较之强，将安瓿顶端部烧红软化，使安瓿顶端部封住。第四组灯头的火头比第二、三组位置更高，仅触及安瓿尖端处，将安瓿顶端尚未完全封严的毛细孔密封住。第五组的火头位置同第四组，火焰中等，使已熔封安瓿逐渐冷却，防止骤冷而爆裂。火焰的大小靠调节压缩空气与燃气的比例来控制，火焰蓝白色为最好，绿色或红色火焰温度较低。通常选择油、气比为 1∶14 时可以获得最佳燃烧状况。

6. 灭菌与检漏

(1) 灭菌：除无菌操作生产的针剂外，针剂在灌封后必须进行灭菌，以保证针剂的无菌。蜂毒针剂的灭菌多采用流通蒸汽 100℃、15min 灭菌。

(2) 检漏：一般采用灭菌检漏两用灭菌器。当灭菌完毕后，稍开锅门，开启进水阀放进冷水淋洗安瓿使温度降低，然后将锅门关紧，开启抽气阀使灭菌器内压力降低，这时如有漏气安瓿则安瓿内空气也被抽出。当真空度达到 0.085 ~ 0.091MPa 后，停止抽气，开有色水阀，使颜色溶液（如 0.05% 曙红或亚甲蓝溶液）被吸入灭菌器中，使安瓿全部淹没，关有色水阀，再开启放气阀使灭菌器恢复常压，此时颜色溶液已压入漏气安瓿中。再将颜色溶液放回贮器中，开启锅门用热水淋洗安瓿后取出，剔除被染色安瓿。也可以在灭菌后趁热取出安瓿浸没于冷的颜色溶液中，安瓿遇冷时内部空气收缩而形成负压，色液被吸入漏气安瓿中而剔除。另外，还可将安瓿倒置热压灭菌，在升温灭菌时安瓿内部空气受热膨胀形成了正压，药液则从漏气安瓿头部的细孔压出，变成空安瓿而剔除。此法特别适用于色深的注射液检漏。检漏后安瓿应及时用水冲去有色液并擦尽外壁水分、污物以便灯检。

7. 澄明度与热源检查

（1）澄明度检查：由于针剂在生产中所使用的原辅料、容器、用具及生产环境空气洁净度不好等因素，可能会造成注射液被异物微粒所污染。因此，必须对针剂的澄明度进行检查。

澄明度的检查分为目力检查和仪器检查。由于目力检查澄明度的劳动强度大，而且对5μm以下的微粒检查效果不佳，因此多用仪器检查，主要有光电自动异物检查机、库尔特计数器以及激光检测仪等。注射剂光电自动异物检查机是一种常用的装置，检查时将安瓿旋转使药液在安瓿内转动，若药液中有异物存在，会随同药液转动，当异物转动到由狭缝射到安瓿上的光的部位时，异物投影被照射到光电池上使直流电减少，异物转到离开光照射部位时电流恢复正常。当出现这样的电流变动时，自动异物检查机就会自动地将含有异物的安瓿剔除。

（2）热源检查：

①家兔法：由于家兔对热源的反应与人体相似，所以目前家兔法仍作为各国药典的法定方法。

家兔法检查热源，注射量可按每千克体重1～2ml计算，静脉滴注液按人体剂量（ml/kg）的3～5倍计算，并采用直肠热电耦固定在兔肛门内，使体温变化直接从仪表中反映出来。如果初试的3只家兔的升温均在0.6℃以下，且3只家兔的升温总和在1.4℃以下，为热源检查合格。如果初试的3只家兔中有1只升温0.6℃或0.6℃以上，或3只家兔的升温虽都低于0.6℃，但其总和达到或超过1.4℃时，应另取5只家兔复试。如果初试时升温0.6℃或0.6℃以上的兔数超过1只，或复试的5只中升温0.6℃或0.6℃以上的兔数又超过1只，或初复试合并的8只家兔的升温总和超过3.5℃的，为热源检查不合格。

②鲎试验法：鲎试验检查热源是利用鲎的变形细胞溶解物与引起热源反应的细菌内毒素之间可产生凝胶反应，从而定性或定量地测定内毒素。该法在体外进行，比家兔法灵敏度约高10倍，可检出0.1ng/ml的内毒素。试验时取鲎试剂溶液0.1ml加0.1ml检品混合均匀，用适当的盖子封闭管口，置37℃±1℃水浴锅保温60min±2min后观察结果。如有坚实凝胶形成，且将试管翻转180°仍保持不变者为阳性反应；无这种凝胶或出现流动性胶，但无法保持其整体性的为阴性反应。每次试验均需做阳性和阴性对照。

第十一章　蜂产品包装

蜂产品是食品、药品、化妆品以及其他产品加工的重要原料。蜂产品从原料阶段起直至其制成品到达消费者手中止，始终都离不开包装。蜂产品的包装与装潢在蜂产品的加工与流通中占有重要的地位。

第一节　蜂产品及其制品的包装特点

一、包装的含义及分类

（一）包装的含义

为保持物品的状态与价值，用适当的材料和容器，对物品予以保护的技术及保护后的状态，称为包装。对商品的包装进行装饰的艺术，称为装潢。

（二）包装的分类

蜂产品的包装与其他商品的包装一样，总的来说分为两大类，一类是运输包装，另一类是销售包装。运输包装又称大包装或外包装，它具有保护商品，方便运输、装卸、贮存等作用。销售包装又称小包装或个包装，它不仅具有保护商品、方便运输的作用，而且还有美化商品、宣传商品、方便商品陈列展销以及方便消费者识别、选购、携带和使用的功能。通常所说的中包装，是运输包装的组成部分，如果它是同消费者直接见面的，也是销售包装的组成部分。

按被包装物的种类可以分为食品包装、药剂包装、化妆品包装和其他蜂产品包装。

按包装的目的和用途，可以分为国内包装和外销包装两种。国内包装就是在国内流通、周转的包装，又分为工业包装与商业包装两种。外销包装的特点就是要适应进口国的国情、气候、风俗、习惯等。由于搬运装卸次数多，因此其构造、图案、包装方法都必须与上述因素一致，才能为商品打开销路。

按包装的材料，可以分为纸包装、塑料包装、金属包装、玻璃与陶瓷容器包装等。按包装的方法，可分为灭菌包装、收缩包装、吸缩包装、真空包装、充气包装、脱氧包装、冷冻包装等。

二、包装的意义及特点

（一）蜂产品包装的意义

蜂产品的包装是蜂产品的生产和加工中不可缺少的组成部分。没有包装的产品，不能进行装卸、运输、保管和销售，就实现不了它的价值。包装减少了产品污染，有利于杀菌，延长它们的货架寿命，流通到广阔的地区。在包装上加以装潢，能起到宣传商品、传递信息的作用，促进蜂产品的销售，同时，其文字说明对指导消费和使用是必要的。

（二）蜂产品包装的特点

蜂产品及其制品因种类和性质不同，虽在包装材料、包装方法、包装式样等方面差异很大，但都有其共同的特点。首先，因为属于食品、药品和化妆品，其包装对卫生的要求较高；其二，蜂产品的价值较高，对其包装材料的档次和装潢设计的要求也较高。总之，蜂产品的包装要给人一种清洁、高雅的感受。

三、包装材料的卫生要求

蜂产品及其制品的包装材料主要有塑料、玻璃、陶瓷、搪瓷、金属、橡胶和纸张等，都必须符合卫生要求。

（一）塑料

聚乙烯、聚丙烯和聚苯乙烯等三种塑料是目前作为食品包装物的主要材料。

1. **聚乙烯**　是高分子化合物，无毒，不易水解，在肠道内不被吸收。根据国家规定，聚乙烯干燥失重不超过0.15%、灼烧残渣不超过0.3%、正已烷提取物不超过2.6%，才能作为食品包装材料。

2. **聚丙烯**　强度高，耐热性好，至120℃无变化，耐油性及防油性较强，可制成薄膜与各种成型品。聚丙烯也是无毒塑料，但由于易老化及抗紫外线吸收差，一般加有毒性不大的防老剂及紫外线吸收剂。国家规定其正已烷提取物不超过2%。

3. **聚苯乙烯**　毒性很小，但其单体苯乙烯、乙苯等在一定的剂量下是有毒的。国家规定，聚苯乙烯树脂含有的这些单体必须符合挥发物不超过1%、苯乙烯不超过0.5%、乙苯不超过0.3%、干燥失重不超过0.2%、正已烷提取物不超过1.5%，才允许作为食品包装材料。

（二）纸张

包装纸的卫生问题主要在于原料、加工和印刷。要求拖蜡纸所用的石蜡应是食品级石蜡，不采用荧光增白剂，印刷油墨的溶剂应是无毒或低毒的，才符合国家所规定的卫生标准，即在4%乙酸浸泡液中，铅的含量小于5mg/L，砷的含量小于1mg/L；在波长255nm与365nm处，荧光性物质不得检出；肠道致病菌和致病性球菌不得检出，大肠菌群少于 3 个/100g。

（三）陶瓷器

陶器与瓷器所用的釉均为各种金属盐类，瓷器还使用各种颜料加彩以作装饰。这些彩料中含有铅盐的助溶剂，因此带来了卫生上的问题。我国有关部门对陶瓷运用于食具和食品包装的卫生要求提出建议，4%醋酸浸泡 24h，铅溶出量不超过 1mg/kg，镉不超过 0.5mg/kg，才能用于食品包装和食具。

（四）搪瓷

搪瓷制品原料中有时会混杂有害金属，我国参考国际上的有关标准，提出卫生要求是：用 4%沸醋酸浸泡 24h，铅溶出量不超过 1mg/kg，镉和锑均不超过 0.7mg/kg。

（五）橡胶

主要运用于蜂制品罐头盖的垫圈、瓶盖的垫片以及蜂产品加工厂的各种管道。由于橡胶加工使用了硫化剂、防老剂、促进剂、填充剂及着色剂等而具有一定的毒性，毒性有可能转移到蜂制品中去。我国有关部门对此提出卫生要求：垫、圈类的铅含量不超过 1mg/kg，锌含量不超过 10mg/kg，高锰酸钾消耗量不超过 20mg/kg，水浸泡液蒸发残渣不超过 30mg/kg；管类的铅含量不超过 1mg/kg，锌含量不超过 20mg/kg，高锰酸钾消耗量不超过 60mg/kg，水浸泡液蒸发残渣不超过 50mg/kg，乙醇浸泡液的蒸发残渣不超过 100mg/kg；回收的再生橡胶，不得用于食品包装。

（六）玻璃

玻璃制品作为食品与药剂包装，一般认为无毒，但其橡胶塞与盖必须符合橡胶的卫生要求。

（七）金属

金属制品用于食品和药剂包装的有铝和锡。它们具有金属特有的光泽与不透气性，但单独使用易于破裂及缺乏柔软性，在卫生上目前认为没有问题。用于蜂制品罐头的马口铁，要求锡层不含铅。

第二节　蜂产品包装设计

蜂产品包装已不再是商品的附属，而是与商品有机地合为一体。消费者在同类商品中选购时，往往根据包装的造型结构和装潢精美决定取舍。

一、包装的设计原则

一个良好的包装应具备如下要点：包装要做到保护商品，必须考虑包装本身的牢固性；包装设计要充分表现商品的内容及性质，做到包装与商品同一化，表里一致；包装设计要注意商品名称的定位，字体的形状要易读、易辨、易记忆；包装造型要独具风格，使顾客有新颖的观感；在与同类商品竞争时，包装的造型与装潢要具有鲜明的特色和恰到好处的定位，能刺激消费者的购买欲；要具有货架或厨窗内陈列和总体展示的效能，并与商品宣传相协调；色彩的运用要与商品的品质、类别、分量相互吻合，达到统一和谐；要充分考虑到商品运输与贮存条件；要考虑能源消耗与环境保护的因素。

各类蜂产品及其制品的包装设计都应遵循各自的原则：食品——卫生、携带和食用方便，能诱发食欲；药剂——清洁和安全感；化妆品——豪华气派和清洁感，以及舒适柔和的手感。

二、运输包装的造型结构

运输包装的重要任务是有效地保护商品，方便运输、装卸和贮存。为此，运输包装的造型结构设计，必须符合科学、经济、牢固、适用的要求。

运输包装的造型有箱式、桶式和袋式等多种。箱式造型多为有规则方体，在设计时必须同时考虑对运输、装卸、搬运、贮存和保管的条件以及操作上的适应性。有些不规则形或圆形的销售包装装入运输包装时，还须增加方体中包装，或增加格挡，以便于包装和使之固定，减少碰撞。在方体造型中，除长、宽、高度和体积大小不同外，就其造型结构如箱盖、底部设计来说，也有具体差异，用料结构和连接、加固等工艺也不完全相同；桶式、袋式造型多为长方形，除长、宽度不同外，还有桶口、袋口以及封口、封袋的不同。

总之，运输包装的造型不能过于复杂。在设计时都要求能拼组成方、圆体型，并避免留有空隙，以减少内部松动互相挤撞，尽量增加耐冲击和抗压性能，减小包装的体积，节约包装材料和运输贮存费用。另外，运输包装容器在设计上，应注意其棱角以圆角和钝角为好，锐角容易造成碰撞破损。对一些易碎商品的包装，在造型结构上，要准确并增加衬垫予以保护。随着科学技术和国民经济的迅速发展，各种类型的托盘、集装箱正在扩大使用，为运输包装的发展创造了良好的条件。

三、销售包装的造型结构

销售包装直接与顾客见面或为消费者所使用，其造型结构设计对商品的销售影响很大。除要求造型美观适用外，还要考虑到商品的装箱、排列、堆叠等方面的技术要求。

（一）便于陈列展销的包装造型结构设计

1. 堆叠式包装　是指在货架上为节省货位而把同类商品设计成能竖向紧密陈列的包装造型。比如，圆柱形罐头，在罐顶加一个特别的塑料盖，盖的圆圈突边正好能与上面罐头的底部内沿相吻合，这样就可以上下叠放。有些国家还把不同容量的罐头直径规定为10cm、8.5cm、6.5cm等几种通用规格，使不同品种和容量的罐头都能在货架上堆叠展销。

2. 挂式包装　是指为充分利用货架空间而设计的能悬挂展销的包装。这种包装有独特的结构，如吊钩、吊带、网兜等。热成型挂式包装就是其中典型的一种。这种包装是用透明的塑料薄膜、薄片分别覆盖或罩在背后衬有纸板的商品上，使商品和纸板成为一体，商品的形象清晰可见。盒型、袋型、套型也常做成挂式包装，一般用塑料或纸制成盒、袋、套形容器，上方设有挂孔或挂钩，商品装在容器内，容器正面使用透明材料或开窗。还有卡纸型挂式包装，它是在板纸上开若干卡口，把商品卡在上面。

3. 展开式包装　是一种特殊造型结构的摇盖盒。常见的是：在纸盒的摇盖上，根据画面图案压有全切线，全切线的两端连接横于盒面中的折叠线。当盒盖关闭时，盒面是平的，便于装箱运输；打开盒盖，从折叠线处折转，并把盒子的舌插入盒子内侧，盒面图案便显示出来，与盒内商品互相衬托，具有良好的陈列和装饰效果。

（二）便于识别商品的包装造型设计

透明和开窗包装以及习惯包装都是便于识别商品的包装造型。透明和开窗包装能够使购买者直接看到商品的颜色、形态和质量。透明包装有全透明和部分透明之分，开窗包装所开的窗也有大有小。设计时要考虑开窗和透明的部分，同时形状要美观，造型、画面与文字要协调。习惯包装造型，即顾客一见到这种包装造型，就基本能鉴别出是哪类商品。

（三）便于消费者使用的包装造型设计

便于消费者使用的包装有携带式包装、易开式包装、复用包装、礼品包装、适量包装等。

1. 携带包装　设计携带式包装时，长、宽、高的比例要适当，以便顾客携带方便。如有些小酒瓶的造型设计成扁平形，正面稍凸，背面稍凹，可放在裤子后袋里。有些商品包装体积较大，不能放进衣袋，也不便于用手握住，可以增加手提的结构，以方便顾客携带。

2. 易开包装　包括易开罐、易开瓶、易开盒等，这类包装都必须以封口严密为前提，并使消费者取用时开启容易。

3. 复用包装　除了作商品包装外，还可以给消费者提供其他的使用价值。

4. 礼品包装　是专作为送礼用的销售包装，要求高雅大方。

5. 适量包装　有些商品单位使用量较少，而且开启后又不易保存，将包装容器设计成适合于一个单位用量的包装，使消费者使用方便，减少浪费。

四、包装装潢设计

包装装潢指具有媒介作用或促销作用的包装平面外观，包括图案、文字、商标、色彩及其编排方式。包装装潢设计是运用艺术手段对包装外观进行平面设计，是传递商品信息、宣传商品、美化商品、促进商品销售的主要手段。包装装潢设计主要包括图案设计、文字说明和色彩运用等。

（一）图案设计

往往采用照片、绘画、装饰纹样、浮雕等形式为装潢画面的图案，透明开窗也是装潢画面的组成部分。图案设计的表现方法主要有写实、抽象、夸张和概括等几种，每种商品通常以一种表现手法为主，但也有两种以上的。

1. 写实的表现方法　对于不透明包装，凡是需要把商品或原料的本来面貌、特点以及商品的使用情景，如实地介绍给顾客的，一般采用写实的表现方法，即写实绘画或实物照相，其中以彩色照片最为理想。因为彩色照片能如实地把有关内容的具体形象、颜色、质感等反映出来，使消费者一目了然。

在实物照相被广泛运用的同时，形象鲜明且生动活泼的写实绘画仍被大量采用。写实绘画能充分发挥设计者的主观能动性，克服摄影的客观局限性。设计者可根据消费者的爱好和生产者对产品宣传的需要，进行艺术取舍和适当组合，使画面更集中、更鲜明、更理想，从而更好地宣传商品。对于那些小版面的包装，绘画的图片比照片更适合。

2. 抽象的表现方法　画面图案不是直接、具体地反映商品的形象、色彩的，均属于抽象的表现方法。它高度简化，有的简化到采用单纯的几何图形和色块，通过抽象的图案，给人以某种感觉。这种表现方法，一般适用于那些在产品内容和形象上都比较难以具体描写的，或者不需要通过装潢介绍商品形象的产品，用的包装材料较高级，足以充分揭示商品身价的产品。以文字为主的装潢画面设计，也是抽象的表现方法。

3. 夸张和概括的表现方法　在不宜用写实和抽象的方法时，可采取对商品作一定程度的夸张和概括的表现方法。它的特点是对画面描写的对象从造型、色彩以至人物或动物的动作和神态，作有意的夸大或缩小，达到最强烈的夸张和最集中的概括。漫画就是夸张和概括的一种方法，这种表现方法多用于以儿童为主要销售对象的商品。

4. 特殊设计方法　通常用于名牌商品和礼品的包装上。名牌商品质量好而且较稳定，在人们心目中有很高的声誉。一般采用统一格调、花色、构图、文字等，使人们一见这种装潢就认识是某种名牌。对于礼品包装，从材料选用、造型结构到装潢画面设计，全着眼于装饰和美化。常常把色彩绚丽的名胜古迹、风景、静物、花鸟或艺术品、名画、名雕塑等直接用到装潢画面上，加强名贵感和欣赏价值。商标、牌名、厂名文字应少占画面，宜放在边角位置，产品说明要放在背面，这样可以增强庄重感。

（二）文字说明

文字说明是包装装潢设计的一个组成部分，它明确地传达商品信息，起到宣传商品、介绍商品的作用。文字说明包括商品名称、数量、规格、成分、产地、用途、使用方法等说明。

1. 商品名称　简称品名，指商品的具体名称，如王浆冻干粉、花粉晶、蜂蜜汽水、蜂胶发乳等。用文字说明商品名称时，有时还附加关于商品某种特性的简单说明，如商品历史悠久，选用上等原料，某地名产，特殊加工，品质优良。

2. 商品规格　不同的商品都有各自重量、容量、长度、单位数量（如片、粒、块、个等）的文字说明。一般都应使用公制单位，个别出口商品可以使用该进口国的常用单位。

3. 商品成分 蜂产品及其加工制成品基本上都应有成分的文字说明，如原料、配料的成分和比例等。对出口商品有的还要加上某些禁忌品的说明，如未加糖、不含酒精及人造甜料，不添加防腐剂等。

（三）文字的运用

1. 中文的运用 中文有印刷字体、传统书法和美术字体等字体。印刷字体端正、清晰，被广泛地用在字数多、字体小的文字说明上；传统书法既表现为文字形式，又表现为独特的艺术形式与图案，再与色彩配合，起到装饰和美化商品的作用。在应用中，要根据牌名的含意和品名的内容，选用相适应的字体。美术字体主要有黑体、新魏体以及各种变体。它们在包装装潢画面上的运用，应遵循形式与内容统一的原则，使美术字的表现形式与商品内容相协调。比如新鲜味美的蜂蜜汽水，适用生动活泼的美术字，而不适用古老的篆、隶一类书法；与此相反，比如福橘花牌高级蜂蜜、正宗冬蜜，分别采用隶书和篆书就比较恰当，能给人以老牌正宗产品的感觉。

2. 外文的运用 出口商品或内、外销结合商品，一般都采用外文。外文大多用拉丁字母拼写。拉丁字母绘写主要有罗马体、哥德体、意大利斜体和各种变体，其中罗马体和哥德体使用最为广泛。罗马体，又称正楷，其笔画有粗细和方圆的变化，字体端正大方，具有庄严优雅的效果；哥德体，又叫黑体，其笔画粗细一致，字体粗壮有力，笔画间空白少，用来设计牌名、品名文字标题，效果较为理想；哥德古体的笔画结构以曲代直，变化复杂，装饰性强，一般用于古老工艺品、土特产品或礼品的包装画面上，但由于变化复杂，比较难认，不宜广泛使用；意大利斜体，分粗线和细线两种，由于它是斜式字体，在形式感上与罗马体和哥德体形成鲜明的对照，在画面上采用意大利斜体，可以使画面产生动感。外文还有手写体，即草书，字体流畅、自由，形态优美，但画面较小时，不宜过多采用，避免笔画模糊，难以辨认。

各种拉丁字母的变体字，种类繁多，诸如粗线体、细线体、纵长体、立体字、阴影字、投影字、叠体字、花体字、形象字等。它们在包装装潢画面上应用，必须与商品的特点、内容相适应。中外文的绘写应用必须做到准确、统一、清晰和协调。

（四）色彩的运用

色彩是装潢画面设计的另一个重要方面。色彩是包装画面中一种先声夺人的艺术语言，运用得当，能起到宣传商品、美化包装、增强商品销售能力的作用。色彩的运用是同整个画面设计的构图紧密联系的。包装画面的色彩是由各种色块组成的，而色块是通过画面的图案纹样、透明或“开窗”所显示的商品实物、彩色照片、绘画、文字等形式表现出来的。在特定的画面中，起决定作用的色块是画面的主题色，起陪衬作用的色块是画面的衬托色。主题色与衬托色要配合得当。下面主要介绍色彩的对比、色彩的调和及习惯用色的规律。

1. 色彩对比 包括色相冷暖对比、色彩明度对比和色彩纯度对比。

（1）色相冷暖对比：色相即色彩的相貌，如红、黄、蓝、绿、紫等。有的色相给人以寒冷的感觉，例如蓝、绿等色，称为冷色；有的则给人以暖热的感觉，例如红、橙等色，称为暖色。把冷暖程度不同的颜色放在一起，就产生色相冷暖对比的效果。将较冷的颜色与较暖的颜色并置，对比的效果就更加强烈。因为从色谱上看，越是相距远的，其对比就越强烈，反之就越缓和。

（2）色彩明度对比：色彩明度就是色彩明暗深浅的程度。将明暗深浅程度不同的颜色放在一起，就会产生色彩明度对比的效果。黑色和白色的明度对比效果最强烈。因此，通常加白以提高明度，加黑以降低明度。

（3）色彩纯度对比：色彩的纯度是指色彩纯洁和浓艳的程度。颜色成分越是单纯而饱和，色彩的相貌就越鲜明，纯度就越高；如果掺杂了其他颜色，就会降低色彩的纯度，色彩就显得不如原来鲜艳，掺进的成分越复杂，色彩就趋于灰、粉、黑。把纯度高和纯度低的色彩放置在一起，就会产生色彩纯度对比的效果。鲜艳的颜色有不鲜艳的灰色、黑色或白色的对比衬托，对明度对比起着比较重要的作用。

2. 色彩调和　色彩的对比是为了突出主题的颜色，如果运用不当，在一个画面上不分主次地到处滥用对比，就会产生色彩的到处跳动，到处突出，互相抵消，结果使人眼花缭乱，不得安宁。所以，除进行色彩对比外，还必须进行色彩的调和。色彩对比和调和是矛盾的两个方面。色彩的对比，就是扩大和利用色彩在色相冷暖、明度、纯度几方面的差异性和对立性；而色彩的调和，则是缩小这些差异性，增加色彩之间的共同性。其措施是：用统一调和的办法，使不同的色块，在基调上接近或趋于统一；或者在运用冷色时，用比较暖一点的冷色；而需要暖色的地方则用偏冷一点的暖色，可以收到画面色彩调和的效果。另外，利用黑、白、灰、金、银等中性色为底色，或用中性色把不调和的颜色隔开，也能收到调和的效果。又如在对比颜色中，共同调进黑色、白色和其他颜色，以减弱原来鲜明的色相，降低其纯度，或者在互为对比的色块中，进行某种程度的互相掺杂，以使它们产生共性，也是使对比的颜色变得调和的方法。

3. 习惯用色　在包装装潢画面色彩的运用上，不同类的商品，有各自不同的习惯用色。例如，在食品包装上常用鲜明丰富的色调：用红、黄、橘黄等强调味觉，突出食品的新鲜、味美、富有营养；用蓝、白等色表示食品的冷冻、清洁卫生；用沉着朴素的色调表示酒的酿造历史。又如在化妆品上常用绿色、紫色来说明花露水的清香和舒适。这些商品的习惯用色，与商品或原料本身的固有色有着密切联系。有的是为了反映商品的特性，也有的是由于名产地和较大制造厂商的产品销售包装色调的影响力，逐渐形成代表这种商品包装的习惯用色。

出口商品在色彩运用上，还要考虑到不同销售国家和地区对颜色的喜爱和禁忌。如西欧、北欧人喜爱淡雅色彩，非洲人喜爱鲜明的色彩，东方民族喜欢红色，伊斯兰国家喜爱绿色而禁忌黄色，委内瑞拉则喜爱表示医务标志的黄色，禁忌表示“五大党”的红、绿、茶、黑、白五色。

五、包装容器和材料

包装容器，主要有盒、罐、瓶、袋等。

（一）盒

有纸盒、塑料盒、金属盒等，其中纸盒因造型灵巧，可印上鲜明的色彩和美丽的图案而经常被使用。盒的造型有方形、圆形和异形。造型结构不仅有摇盖、天扣地盖、开窗、手提等，还有不用粘、钉和折用方便的新型纸盒。在纸盒的用料结构上，根据不同商品的易碎程度，分别采用抗压、防震措施和在纸盒内壁上加涂料，使其具有防潮、防漏、防热和不易破碎等特点，可取代铝罐和玻璃制品盛装流质、半流质商品。

（二）罐

有金属、塑料、玻璃和陶瓷等数种罐，其中以金属和塑料罐所占比例较大。罐的造型以圆形为主，还有横圆形、马蹄形、长方形、梯形等多种，一般向罐的大、小两个方面发展，家庭喜欢用小罐，一次吃光用光，卫生、经济、方便。在食品罐头方面，还有用复合材料制成的“软罐头”代替金属罐。

（三）瓶

有玻璃瓶、塑料瓶等，一般造型为圆柱形，少数为方形，圆柱形比方形强度大，瓶塞、瓶口、瓶颈等处造型灵活多样，有的还加配盖帽、颈环及瓶座等，起保护、装饰和提高商品身价的作用。

（四）袋

有纸袋和塑料袋。纸袋的造型多为方形或长方形，结构有单层与双层之分，封接方法有轧合、黏合、钉合等多种，具有质轻、成本低、印刷效果好的特点。塑料袋品种较多，但都具有透明、柔软、重量小、卫生、化学稳定性好等特点，可以选择不同装潢，一般采用热封焊法封闭袋口。

第三节　蜂产品包装实施

蜂产品的包装方法，通常是根据产品的性质、包装材料以及包装机械设备的性能而确定的。蜂产品及其制品有液体、半流体和固体，所用的包装材料有金属、玻璃、塑料、纸张等，包装容器有罐、瓶、袋、盒等，因此它们的包装方法及设备也各不相同。蜂产品的包装主要有液体灌装、固体包装和装箱包装。其设备有成型与热收缩包装设备、装箱与封箱设备、捆扎设备等类型。

一、液体灌装

液体灌装所用的设备主要由送瓶机构、瓶子升降机构、定量机构、灌装控制机构以及封盖机构等组成。

（一）送瓶机构

送瓶机构必须准确地将瓶子送进和排出，自动升降机构和灌装机才能有效正常地工作。因此，要求它既能连续输送瓶子，又能保证定时供给瓶子。常用的连续送瓶机构有圆盘输送和链输送两种形式。为了使瓶子间保持适当间距地送进灌装机，目前还采用爪式拨轮和螺旋输送器。

1. 圆盘输送机构　其工作原理是：当瓶子存放在旋转的圆盘上，借助惯性及离心力的作用，移向圆盘边缘，边缘设有挡板挡住瓶子。在圆盘一侧，装有弧形导板，与挡板组成导槽，经螺旋分隔器整理，进行等距离排列，再由爪式拨轮拨进灌装机工作台进行装料。

2. 链输送机构　经洗瓶机清洗检验合格的瓶子，由链板式输送机构送入，经过四爪拨轮整理分隔排列，沿定位段进入灌装机构。灌装后经由四爪拨轮拨出，再由链板式输送机构带出。

（二）瓶子升降机构

在罐装机工作过程中，须把瓶子升到规定的位置进行装料，装满后再把瓶子降到规定的位置，这一动作由瓶子升降机构来完成。常用的瓶子升降机构主要有滑道式、压缩空气式及组合式等三种形式。

1. 滑道式瓶子升降机构　这种机构的滑道由圆柱形凸轮机构构成。瓶子行程的最高点必须保证待灌瓶嘴紧压灌装头上，其最低点必须使瓶嘴离开灌装头，并便于送走瓶子。

为了避免凸轮机构的作用力过大，且传动凸轮的尺寸在许可的范围内，根据经验得知：瓶托上升的凸轮升角 α 最大值不大于 30°；瓶托下降凸轮升角 β，由于从动件所受的载荷很小，同时又使从动件得到较大的速度，所以可取大些，但不大于 70°；长度 L 根据装料需要的时间而定。

滑道式瓶子升降机构的结构比较简单，但如果机器在运转过程中出了故障，瓶子会继续沿滑道上升，以致把瓶挤坏。另外，它要求瓶子质量高，特别是瓶颈不能弯曲，瓶子被推上瓶托时要求准确，否则很容易把瓶挤坏。

2. 压缩空气式瓶子升降机构　压缩空气由下管进入气缸，推动活塞带动瓶托向上移动，使瓶子上升进行灌装，并排出活塞上部气体。灌装完毕时，压缩空气由上管进入气缸，活塞下降，完成一个工作循环。这种升降机构克服了滑道式的缺点，但存在着下降时冲击力较大的不足。

3. 组合式瓶子升降机构　是压缩空气式与滑道式有机组合的升降机构。压缩空气经气管进入活塞芯，又经活塞芯上部和活塞中部的孔洞进入活塞缸体，在压缩空气的作用下，活塞缸体及滚子上升，将瓶子升起进行灌装。灌瓶后，升降机构随着自动机的转动，活塞缸体上的滚子进入下降滑道，在滑道的作用下，活塞缸体被强制下降。这样已装好的瓶子下降到规定位置，并由拨瓶机构送出。当转到一定位置时，滚子脱离滑道，完成一个瓶子升降操作。这种升降机构在下降时比较稳定。活塞缸体的工作压力为

0.25M ~0.4MPa。

（三）计量机构

1. 量杯式计量机构　是最简单的液体定量机构。灌装操作的量杯好像一个匙子，匙柄是一个空心管，把匙子横放，管中心作为支点，匙子沉入液槽没于液面下，即可灌满匙柄。空瓶插进管口，借空瓶重量把管口压低，匙柄抬出液面，匙中液体便顺灌装管流入瓶中。采用4把匙，2对交替灌装。大型的采用多头量杯，管口直立向下（在液槽下部），上端为量杯，位于液槽内。当管口插入空瓶时，量杯没于液面下，当空瓶上升时灌装管也上升，量杯推上至离开液面，同时管口阀也开启，满杯液体便可流入瓶中。这种定量机构是用定量量杯，更换相对密度不同的料液时要更换量杯。

2. 旋塞式计量杯机构　当旋塞位于图11－1 Ⅱ位时，液体靠静压作用由料液贮槽经进液管进定量杯中，至液面达到排气管口下缘时停止，但液体将会继续沿排气管中上升到与液体贮槽液面相同为止，定量完成。灌装时可由人工或上升的瓶子驱动旋塞转动90°，关闭进液管，开启排出口，定量杯中液体便经灌装头流入待灌瓶，从而完成液体定量操作。这种机构定量比较准确，密封性好，可直接用于含汽饮料的一次灌装。

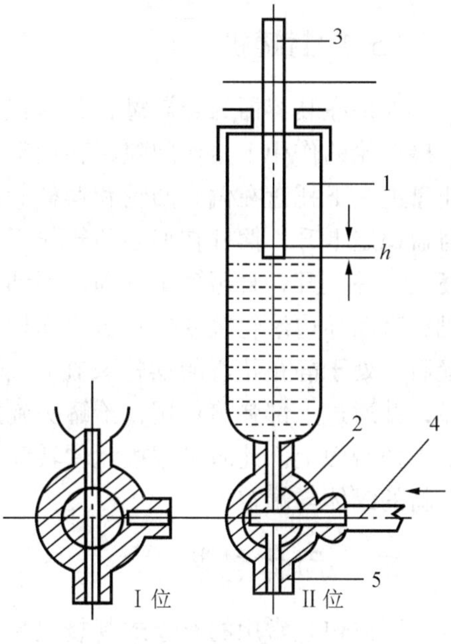

图11－1　旋塞式计量杯机构

1. 定量杯　2. 旋塞　3. 细管　4. 进液管　5. 罐装口

3. 活塞式定量机构　其工作过程是：液体由料液槽借静压力注入活塞筒，推动活塞上升至一定的高度（内螺杆止住），这个液量就是要灌入瓶中的液量。当有空瓶顶着滑阀使其上升时，进液口封闭，液体由活塞筒流入瓶中，瓶子下降时，滑阀立即掉下封闭出口。该定量机构密封性能好，容易调节灌液量和灌瓶速度。

4. 控制液位计量机构　工作时，液体由进液管流到定量杯中，杯中空气由排气管排出。当液面升高至排气口时，因杯顶密封，上部空气排不出；当液体继续流入时，这部分气体稍被压缩，液面稍超过排气管口就不再升高。根据连通器原理，液体可从排气管上升，直至与料槽中的液面等高为止。灌装时，液体从定量杯下方阀门（可用弹簧或其他开关）流出。该定量机构结构简单，只要调整排气管入口位置，即可改变定量。但贮料槽液位难以维持平衡，往往会影响定量的精度。

（四）封盖机

瓶子灌入液体后，即应封盖以减少微生物污染。目前碳酸饮料和酒类生产多用皇冠盖及其压盖机。

皇冠盖压盖机工作部分有两个：一是选盖定位器，二是压盖环。在机器的上方设有皇冠盖料斗，它有转动的轴使盖易于滑下进入滑道，料斗通往滑道中间设有一选盖器，它的作用是使盖在直径方向竖立通过一道规定尺寸的门。由于皇冠盖上面的直径小且平，下面有张开的牙且直径大，所以当通过一侧窄一侧宽的门时，被分成两组，每组盖的上、下部朝向是一致的。张牙开口朝上的一组盖则通过一个转过180°角的滑道，改变朝向后，合并于张牙开口朝下的一组，一起从滑道送往压盖环。

压盖环是一个内部呈锥形的环，当滑道送来的盖与瓶口吻合之后，由于瓶子的上升或由凸轮作用使压盖弹簧及压盖环下降，使盖张开的牙被压盖环挤拢，盖与瓶为一体，凸轮带动压盖环上升重复动作。调节压盖的松紧度是压盖质量好坏的关键，太紧易压坏瓶口，太松则封盖不严易漏气。调节的方法有两种：一是根据瓶子的高度调节瓶子托盘上升高度，二是靠压盖弹簧自行调节。

（五）封罐机

如果灌装容器为金属罐，其封盖设备为封罐机。封罐过程是星形进罐拨盘在凸轮和进罐拨轮的作用下，作间隙回转运动，定时地由进罐送盖机构为罐身加盖，并转送到下托盘上。下托盘在偏心凸轮和摆杆的作用下把罐托起，并夹压于上压头之间。为使罐体与盖稳定上升，摆杆在偏心凸轮作用下，刚开始上升一段距离后，与下托盘一起把罐头夹住一并上升，直至罐头被固定不动的上压头顶住为止。罐头被夹紧后，不转动的卷边机头带动卷边滚轮绕罐体及盖边作切入卷封作业。当卷封完毕且这滚轮已完全退离罐卷缝后，处于静止状态的摆杆又在顶部凸轮的作用下，在下托盘未降下之前，稍先行下降，并通过上部弹簧作用，给罐头施加压力而脱离上压头，随同下托盘一起自由地下降至工作台面上。此时进罐拨盘便转动，一方面把已封好的罐头转位送出，另一方面又接入新的罐体与罐盖。

二、固体包装

固体包装常用的有立式制袋包装机、卧式制袋包装机、充填结扎包装机和热成型包装机。

（一）立式制袋包装机

立式制袋充填包装机主要用于松散制品包装，有时也用于液体制品的包装。用于进行粉状物料小包装的典型立式制袋包装机，其工作过程是：在料斗下方的给料机定时向杠杆秤加料，一次称10袋的重量。称好的粉料落入离心分离盘内，被均匀地向外甩入10个等份的格子内，按规定速度，逐格将粉料放入供料漏斗，进行充填；成卷的薄膜，经张紧辊带动向下送进，引送速度由商标光电定位装置控制，保证横封切断器总在规定的部位动作。引送膜还受纵封辊控制，它用差动齿轮装置驱动，保证与牵引速度同步；横封切断器采用差动式偏心不等速机构传动，使封接切断瞬间的速度与牵引速度同步，切断完后立即快速离开。横封器有2把，转1圈包装2袋。

立式制袋包装机按包装袋的搭接和封口方式，分为立式对接平袋包装机和搭接平袋包装机两种。塑料薄膜由成型器和纵封器制成筒状，并把底端封死成袋状（第一个制品)。然后，经过斗量的物料充填到袋内，最后封口和切断，完成一个单元包装。对接和搭接平袋包装机结构简单，但对接、搭接局部有3层、4层薄膜，对封口质量有一定影响。对接、搭接多采用聚丙烯薄膜、玻璃纸和复合薄膜。

(二) 卧式制袋包装机

卧式制袋充填包装机的工作原理与立式制袋充填包装机相似，只是其制袋与充填都沿水平方向进行，可包装小颗粒状、大块状和长条状等各种形状的制品，包装速度可达500袋/min。

工作时，两卷薄膜之一经导辊被牵引辊引出，经制袋成型器变成筒形。被包装物料由输送链自动送入筒形薄膜内，薄膜与制品同时被尼龙毛刷输送带和纵向牵引辊带动向前。紧接着纵封辊将筒形薄膜的纵缝热合，横封切断器有2把横封头和1把切刀，同时完成相邻2袋的2道横封和切断操作。成品由输送带送至下一包装工序。卧式制袋包装机形成的包装袋与立式包装机的不同，是底部朝上的包装袋接封形式，称之为枕形包装袋。

如果物料是颗粒，在左面输送带上方还须安装计量机构，一般也设有商标光电定位装置来控制正确的切断位置。

(三) 充填结扎机

充填结扎机主要用于包装肉糜类棒状制品，是用一台机器完成制管状袋、充填和结扎等工序的包装机。它一般用铝丝扎口。充填结扎机可分为立式和卧式两种。立式能高速运转，操作方便，采用最多。料斗中的物料通过滚轮进入泵，薄膜经封边机构完成纵封制袋，设于泵出口端的喷嘴即把物料充填到制成袋的薄膜内。充填后的物料即呈棒状，靠薄膜进给机构将其连续地拉下，送到分离机构，分离机构即把棒状物料压截成一定的间隔，使物料上下分离。最后结扎机构用铝丝将其扎紧，并在中间进行切断。

(四) 热成型包装机

把聚氯乙烯或聚二氯乙烯等热塑性硬质塑料片加热软化，再用真空吸塑或冲头冲压等办法将塑料片成型为容纳制品的容器，经冷却定型，然后装入制品，再与一层涂有黏接剂的铝箔或玻璃纸、复合材料等热封在一起，最后裁剪，完成包装。实现上述一系列工作的包装机称为热成型包装机。热成型包装，具有重量轻、密封性好、适应性强、透明可见、装箱不用另加缓冲材料、便于销售和消费等优点。

1. 卧式滚筒型热成型包装机　塑料薄膜被加热器辐射加热后，在真空滚筒上成型为泡状容器，在运动过程中冷却。经过料斗下方时进行物料充填，再到热封辊处与铝箔热封。然后经过张紧轮、过桥轮运动到冲裁部位进行裁剪，成品输出，余料被辊卷起来回收。该机的热成型、装料、热封都是在连续运动中进行的，但冲裁是间歇进行的，因此，设张紧轮、过桥轮作为缓冲区。这种包装机的工作速度可达7m/min，包装制品速度达每分钟3 000粒，适合于单一品种的大批量包装。

2. 卧式平板型热成型包装机　卧式平板型热成型包装机的包装工作为步进式，其程序如下：薄膜预加热→模具成型→冷却→装料→检验→与印刷好的铝箔热封→冲裁→输出。

这种包装机的热成型、装料、热封也可以在连续运动中进行，而且很容易更换成型模具和制品充填装置，适用范围较广。

三、装箱包装

把装有制品的罐、瓶、盒、袋等，集中一起装进一个箱体的包装，称为装箱。它属于外包装，又称为聚集包装或集合包装。箱体多为瓦楞纸箱或纸板箱。有时在装箱时还要填加必要的缓冲材料或隔板，以防产品移动或碰撞。常用纸箱形式有四周连接两端折页式、冲裁后没有任何连接的箱坯（包装时再接封）以及托盘式箱坯。

（一）装箱流程与装箱机

常用的装箱工艺流程有侧装立封式、侧装侧封式、立装立封式、箱坯垂直送进包裹式、箱坯水平送进包裹式、水平运动托盘式装箱、托盘式垂直运动装箱和托盘折叠收缩包装式等8种。

1. 侧装侧封式装箱机　工作时，折扁的瓦楞纸箱码放在机架上，被吸盘逐个、定时取出并张开，送到装箱工位。待装箱的小包装制品被排好，送上输送带，并使其对准箱口位置，随即推进器将小包装制品推到纸箱里面。然后纸箱向前移动，在移动过程中，喷涂热熔胶，并折页。到达加压部位后加压器对纸箱短时间加压，以使折页粘牢，最后纸箱出机。

2. 包裹式装箱机　装箱时冲裁好的箱坯逐个、定时地送往装箱部位，小包装制品由输送带送往集中地点，随即由推进器推到处于水平位置的箱坯上，然后箱坯移动，进入折叠部位折页、喷胶，再进入加压部位加压粘牢。

3. 托盘式箱坯水平运动装箱机　装箱封箱过程与包裹式装箱机基本相同。

（二）封箱

为增加纸箱强度，防止潮气和灰尘进入，避免箱内商品脱落或被盗，对装满物料的纸箱进行封口的包装，称为封箱。它是装箱后必不可少的一道工序。常用的封箱方法有钉合封箱、黏接封箱、胶带封箱、收缩薄膜封箱和捆扎封箱。无论采用哪一种封箱方法，都要根据箱内小包装制品的种类、重量、大小以及运输方式和流通路线的长短等因素，经分析和试验后决定。常用的封箱设备，有手动钉箱机、半自动钉箱机、全自动钉箱机、手动贴封条机、半自动贴封条机、全自动贴封条机、半自动涂胶封箱机、全自动涂胶封箱机和各种捆扎机。

1. 钉箱机　钉箱机的关键工作部位是钉箱机构，其工作过程如图11－2所示，在按下手柄时，长钉两端垂直插入纸板，同时两个折角钩边作旋转运动插入纸板，并逐步使卡钉两端折角，从而把两个纸箱活页连接在一起。

2. 手动贴封条机　机器轻巧简单，用于生产量不大的产品。使用时将胶粘带套装在芯轮上，旋紧螺钉，将带头穿过辊和挡板之间的空隙，然后扳紧挡板，即可进行封箱。封完后，扳动切断刀上面的压板，切断胶粘带。

3. 自动贴封条机　半自动贴封条机由人工完成折页，由机器完成贴封条工作。全自动贴封条机则均由机器完成，其所适应的箱子尺寸可在一定范围内调整。单面挂胶的胶带经热水槽润湿后由压辊贴在纸箱上、下部。在两箱位之间设有切断刀和双边毛刷。胶带切断后两个断头被毛刷分别刷贴在前一箱子的后侧面和后一箱子的前侧面上，于是完成一个箱子的封贴过程。

4. 捆扎机　捆扎机由机架、轨道、带盘及送带与收带拉紧机构、热合装置、传动系统及电气控制系统等组成。它有各种机型：有导轨的半自动捆扎机，由人工抽带绕在物件上，然后机器完成收紧和热合；侧封式捆扎机，适于较大较重物件的捆扎；双导轨捆扎机，可同时捆 2 道带子，对于需要“井”字形捆扎的物件，使用十分方便。

捆扎机的捆扎过程：

第一，送带。送带轮逆时针转动，将捆扎带沿轨道送出，带子端部碰到时，右压爪上升，压住带子。

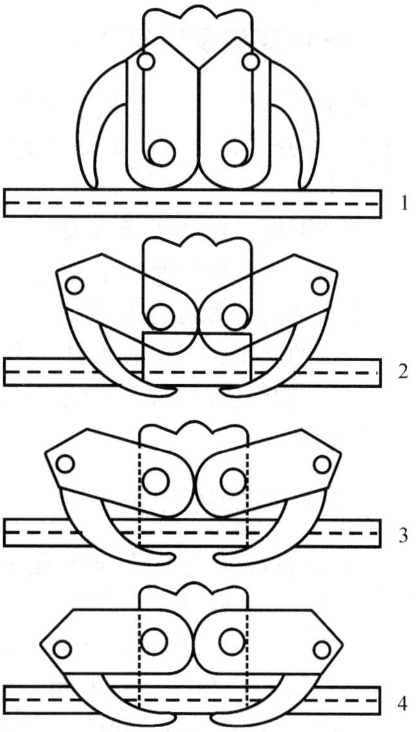

图 11－2　钉箱机构工作原理

第二，退带。包括收带和拉紧两步。送带轮顺时针转动，将带子收回，使之拢住被包物料，再利用张紧臂的摆动将带子拉紧。

第三，加热。带子拉紧后，左压爪上升，压住两层带子，接着隔离器退出，烫头插入，压力块和活动刀片一起上升，切断带子，并把上、下层带子压贴在烫头上加热。

第四，黏合。将带子加热到一定温度后，压力块下降一点，让烫头退出。压力块再上升，使两层带子的熔化处黏合在一起。

第四节　商标、条形码和标签的应用

一、商标的应用

商标是商品的标记，也可以说是商品与厂家的质量信誉的标志，是商品、厂家与消费者之间沟通关系的桥梁。宣传与美化商品需要它，消费者识别商品更离不开它。商标的产生、存在和发展，从一个侧面反映了国家和社会在经济生活、文化生活与工艺美术设计水平方面的历史、现状及其发展趋势。商标设计得好，有助于创造名牌产品；相反，商标设计得不好，会影响商品销售。如果出口商品的商标与商品销售所在国家或地区的商标法律和风俗习惯有抵触，就会极大地影响商品的销路。

（一）商标及注册商标

商标是商品生产者或经营者用以区别同类商品的标记。商标作为商品的标记，应该具有显著的特征，能给人以较强的标记感，以便识别、记忆。商标用文字、图案或者其组合来表示。

注册商标，按《中华人民共和国商标法》第三条规定："经商标局核准注册的商标为注册商标，商标注册人享有商标专用权，受法律保护。"第三十八条还规定了侵犯他人注册商标的行为是违法行为，当受法律的惩处。

商标的文字、图形或者其组合，一经注册就不能擅自改变，违者受法律制裁。因此，注册商标具有相对稳定性。已获得注册的商标，应以@符号或有关的字样表示于商标的最近处。

（二）商标的特性

商标的特性，是指它与其他图形或文字相比较所具有的特殊性质，也就是它本身的特殊属性，具体包括以下几个方面。

1. 独特性（也称惟一性）　使用商标的首要目的，就是为了区分不同商品的生产者（或经营者）和商品的不同质量、不同特色。不同的商标，彼此要有明显的区别。因此，商标应当具有独特性。独特性是融合独创性和新颖性而产生的。它不仅包括图形构思的独特性，而且包括立意（即命名及其含义）的独特性，以及二者的统一。可以用做商标的题材十分广泛，有动物、植物、景物、器物、人名、厂名、传说故事、吉祥词语以及其他褒义性词语等。按照商标法规定，各企业在同一商品或类似商品上使用的商标只要不是相同或者近似的，就允许注册。

2. 寓意性　商标是企业形象的代表，也是识别商品的标记。它既可以为企业和商品塑造一个良好的形象，又可以激励企业奋发图强。因此，商标应当具有寓意性。

商标的寓意，可以体现在商标的图案里，更可以包含在商标的名称中。商标既是一个视觉符号，又是一个听觉符号。人们看到的是图案，称呼的和听到的是名称。因此，商标的命名就显得十分重要。要使商标含有寓意，就应紧密结合商品及其生产厂家的实际。

3. 简明性　商标名、图兼备，在商品外包装上只占方寸之地，形象必须简明，以便识别、呼叫、记忆。名称的字数越少越好，通常用2个字，少数用3个字的，简短通俗，叫起来响亮顺口。图案要尽量简化，简单明了，形象鲜明。

4. 显著性　显著性是简明性的视觉效果。只有简明，才谈得上显著。商标法第七条规定："商标使用的文字、图形或者其组合，应当有显著特征，便于识别。"

显著性的另一层含义是构图的特殊性，目的是为了加强商标的识别力、记忆力、传达力。只有特殊的、别致的构图，才能吸引顾客的注意力，使顾客很容易地识别和牢固地记忆，并且能给传扬出去。

5. 再现性　再现性是用来彻底发挥商标最大效用的必备条件。商标可借助印刷、模压、模铸、切割、转印等种种手法，做成各种大小不一的尺寸。此时，商标如无法再现，或者做好了却不完整，就会使人困惑不解。此外，在记忆的再现方面，再现性也很重要。如果企业员工，也无法立刻画出所在企业的商标，更何况其他人。记忆的再现性，最重要的是，商标必须具有粗略的特征造型，只要不失原意，少画一线条也可以。

6. 艺术性　商标的作用之一是装饰和美化商品，以吸引消费者前来购买。商标的美化作用要求商标具有艺术性。

艺术形式多种多样。采用对称形式，画面就显得丰富，美观大方，有稳定感。自然界的事物一般都具有对称结构，只是有些文字题材本来并不对称，设计者可以通过艺术加工，使之均衡、对称。商标设计不仅结构要对称，而且画面要十分严谨、图案或圆或方要有一定规律，切忌七长八短，杂乱无章。画面应当丰富恬静，线条流畅利落。另外，商标设计很重要的一条原则，就是画面的比例要协调，线条的疏密、长短，黑白块面的大小、间隔等都要安排适当，使商标既能够缩小使用在商品包装上，又能够放大到广告上。

7. 永继性　能够符合上述各要点的商标，只要商标借以存在的企业本身或商品本身的内在条件不变，以及社会状况的外在条件没有太大的变动，就能发挥其永继性（长存性）。

（三）商标的命名

所谓商标的命名，就是造出一个和同类企业或商品都不类似的专有名词。商标的命名不能只是命名者个人理解，还必须让接触到的人都能够理解。因此，商标的命名必须具有意味性、音感性和视觉性。

1. 意味性　又称语义性，是与名字所指的对象（商品等）相当的语义，以及名字所具有的意义能使销售对象产生美好感觉的语义。

2. 音感性　又称音声性，就是得自声音的一种感觉。重点在于发音方便，听了就懂，并且音感（音色、旋律、韵律）贴切。

3. 视觉性　就是要使名字在图形化之后更具有特色。这在命名阶段就应该注意选择，使名字在视觉上具有丰富表现力。

意味性、音感性、视觉性等三个方面都具备了，商标名字的整体形象也就形成了。

（四）商标禁用条款的规定

由于商标可以广泛地选用各种题材，如果不加以限制，任意乱用，就很容易出现损害国家、社会、单位及个人利益等方面的问题，所以《中华人民共和国商标法》第八条规定商标不得使用下列文字、图形：

①同中华人民共和国的国家名称、国旗、国徽、军旗、勋章相同或者近似的；

②同外国的国家名称、国旗、国徽、军旗相同或者近似的；

②同政府及国际组织的旗帜、徽记、名称相同或者近似的；

④同“红十字”、“红新月”的标志、名称相同或者近似的；

⑤本商品的通用名称或图形；

⑧直接表示商品的质量、主要原料、功能、用途、重量、数量及其他特点的；

⑦带有民族鄙视性的；

⑧夸大宣传并带有欺骗性的；

⑨有害于社会主义道德风尚或者有其他不良影响的。

英国、法国、俄罗斯、美国、日本、德国的商标法，以及国际间的《保护工业产权巴黎公约》、《商标国际注册马德里协定》、《商标国际分类维也纳协定》、《泛美商标公约》和俄罗斯等7个经互会国家签订的《保护发明、图案、造型、商标协定》等，也都有类似的规定。

二、条形码的应用

在商品包装上印刷条形码，是一种为产、供、销信息交换所提供的共同语言，它将世界各地的生产制造商、出口商、批发商、零售商和顾客有机地联系在一起，并为行业间的交易管理以及计算机的应用，提供了快速识别系统。条形码已成为国际商品包装一项必备的内容。条形码也叫商品代码，是由一组宽度不同、平行相邻的线，按照预先规定的编码规则组合起来的，用来表示一组数据的符号。它是一种将商品生产国、生产厂家、产品属性、出厂日期等有关信息数据转化成条码，并在商品制造时，印刷在商品本身或包装上的符号。在交易时，可通过计算机扫描识别符号。

（一）对条形码及其应用系统的识别

条形码的应用，大致可分为UPC、EAN、JAN等三种系统。UPC由美国研究开发使用，是世界上最先利用计算机作业的识别系统。EAN是国际物品编码协会的简称，是由UPC系统改进而来的另一系统，是目前国际上条形码应用的主流。目前世界上已参加EAN的国家有50多个，遍及五大洲。我国于1991年3月由国家技术监督局所属的中国物品编码协会代表国家正式加入国际物品编码协会，从1997年7月1日起正式履行该协会会员的职责，国别码为690。JAN是仅适用于日本国内的条形码系统。

条形码的识别，按国际上广泛使用的EAN系统标准13位码，标识如下（图11－3）：

6 901028 045049

1

5412 3458

2

图11－3　EAN系统条形码

1. 13位标准型条形码　2. 缩短型8位条形码

1. 国家代码　前2位或前3位，也称为旗码，是生产地的标识，由各国专属的条形码机构向EAN总会申请后确定。

2. 商品制造商代码　国家代码后5位或4位，是生产厂家的标识，由厂家向当地条形码机构申请取得。

3. 商品代码　制造商代码后的5个数字，是商品属性、制造日期等的标识，由厂商自行设定。

4. 检查码　是最后一个数字，用以检查条形码是否与号码相符。

另有一种缩短型8位码。前2位码或前3位码为国家代码，中间3~4位为商品制造商代码，第七位为商品代码，第八位为检查码（图11-3）。

（二）条形码的功能

条形码能通过计算机扫描识别，可在数秒钟内获得原贮存在计算机内的商品的有关价格、品号等资料，同时进行进出货物统计，有利于管理，大大提高工作效率，且能避免在人工作业时可能发生的差错。条形码的主要功能是：

1. 为企业带来了便利　由于生产厂家与世界各地贸易伙伴打交道时所用的条形码是一个专用的数码和符号，这就便于生产厂家有可能查询本厂生产的各种商品（特别是新产品）的销售情况，并能根据所得的信息作出销售成功与否的判断。同时，条形码还可用做本厂内部管理的计数符号。

2. 为商店带来了便利　条形码有利于零售商实现收货、定货、存货管理的计算机化，并可从中获得更多的管理信息，用来提高管理水平。在销售过程中，计数记账效率大大提高，从根本上消除了人工处理可能出现的差错，减少了标价和价格更换所付出的劳动。同时，还能对商品销售信息的分类、汇总、更新库存等进行处理，并对经营情况和营业员的工作质量进行分析。这对于经营管理人员及时掌握市场动态，剔除滞销商品，确定合理库存，保证商业经营活动的顺利进行，具有非常重要的意义。

3. 给顾客带来了便利　由于使用了电子现金记录器，在识别后，把数码传递到计算机中，接着从计算机的存储器中就可查出商品的种类、价格等特征，并打印在收据上。这种收据更为清晰、更为详细，使得顾客更容易检查，把销售环节的人为风险降低到最低限度。

（三）条形码的合理位置

商品或包装上印制条形码，主要目的是便于计算机识别。因此，为给扫描器的阅读与操作提供方便，各种形状的商品、包装体，对条形码所印制的位置，均有限制和要求。

第一，一般盒式包装在正常情况下，包装的条形码应标示在平坦明显的位置上，而且必须与一盒边平行，这样才能使商品在扫描器上的作业紧靠平台面板边缘，迅速将标示内容有效地识别出来。

第二，对于大型纸箱包装，条形码最好靠近四边的角落，若将条形码印制在包装体任何一面的中间位置，都不利于平台式扫描机的识别。

第三，瓶罐式包装优先选择标示在标签纸上。如果标示在瓶罐本身，只能标示在瓶颈或瓶腰处。要注意，由瓶盖到条形码顶端，及由条形码底部到瓶体的弯曲处，应留下13mm以上的安全距离。标示在圆罐式包装容器，可印制在凹型盒的盖面上，但应注意盖面深度不可超过13mm，且应尽量靠近边缘。

第四，包裹式包装其封口处以及包装纸的折叠部分，有凹凸不平的现象，而且包装体比较松软，因此，印制好的条形码应选择在平坦的部位粘贴，应避开封口黏合处，并与封口之间有13mm以上的距离。

第五，对一些不适合包装或本身不适宜印制条形码的商品，可先将条形码印制在标签贴纸上，然后再粘贴或附扎在商品上。

第六，当商品造型成细条状或包装所给予的标示条件不足时，也就是条形码所粘贴的圆弧小于30°时，可将条形码改为直立式应用。

总之，条形码所标示的位置应避免经常性摩擦，以防模糊而影响扫描仪的阅读和计算机的识别。

三、标签与说明书

（一）食品标签

1. GB7718—94《食品标签通用标准》中对食品标签的规定

（1）食品标签不得与包装容器分开。

（2）食品标签的一切内容，不得在流通环节中变得模糊甚至脱落，必须保证消费者购买和食用时醒目、易于辨认和识读。

（3）食品标签的一切内容，必须清晰、简要、醒目。文字、符号、图形应直观、易懂，背景和底色应采用对比色。

（4）食品名称必须在标签的醒目位置。食品名称和净含量应排在同一视野内。

（5）食品标签所用汉字必须是规范的汉字。可以同时使用汉语拼音，但必须拼写正确，不得大于相应的汉字。也可以同时使用少数民族文字或外文，但必须与汉字有严密的对应关系，外文不得大于相应的汉字。

（6）食品标签所用的计量单位必须以国家法定计量单位为准，如质量单位用g或克，kg或千克；容积单位用ml或毫升，L或升。

2. 食品标签的主要内容 商标（或标志）、商品名、重量、生产日期、贮藏方法、保质期、食卫准字、主要成分或配料、制造商或生产者、地址、食用方法，有的还有联系电话、经销商，不含糖、不含添加剂等。

（二）保健食品标签及说明书

保健食品标签的主要内容有：保健作用和适宜人群，食用方法和适宜的食用量，贮藏方法，功效成分的名称及含量，保健食品批准文号，保健食品标志，有关标准或要求所规定的其他标签内容（如商标名、商品名、净含量、生产日期、贮藏方法、保质期、制造商或生产者、地址，有的还有联系电话、经销商，不含糖、不含添加剂等）。

保健食品标签及说明书可对产品作简要介绍，其内容必须科学、准确、真实，只可宣传产品已被批准的保健功能。

保健作用是指免疫调节、延缓衰老、改善学习记忆、促进生长发育、抗疲劳、减肥、耐缺氧、抗辐射、抗突变、抑制肿瘤、调节血脂、改善性功能以及调节血糖、改善胃肠道功能、改善睡眠、改善营养性贫血、对化学性肝损伤有保护、促进泌乳、美容(具体功能应予明确)、改善视力、促进排铅、清咽润喉、调节血液、改善骨质疏松等。

第十二章　蜂产品收购

优质原料是优质产品的基础。国内、外市场上的蜂产品主要有蜂蜜、蜂王浆、蜂花粉、蜂胶、蜂蜡、蜂子、蜂毒等蜂产品，在市场上都有各自的系列产品，如蜂蜜系列中有刺槐蜂蜜、枣花蜂蜜、荆条蜂蜜、芝麻蜂蜜等，蜂王浆系列中有油菜浆、茶花浆、芝麻浆等，蜂胶系列中有杨树胶、松树胶、桦树胶、杨树和桦树的混合胶等，蜂花粉系列有油菜蜂花粉、茶花蜂花粉、野皂荚蜂花粉和向日葵蜂花粉等，蜂蜡系列中有蜜盖蜡、脾蜡、中蜂蜡、意蜂蜡等，蜂子系列有雄蜂蛹、蜂王幼虫等，蜂毒有意蜂毒、中蜂毒。从计划经济到市场经济，综观蜂产品市场无不是从争夺优质原料入手，谁握有优质的蜂产品原料，谁就掌握了蜂产品市场竞争的主动权。因此，蜂产品收购是连接养蜂生产与流通的纽带。收购好优质的蜂产品原料，不仅能促进养蜂事业的健康发展，同时也是企业进行蜂产品市场运营和竞争获利的基础。

由于蜂产品的商品化程度很高，每一个系列蜂产品的商品率都在85% ~100%，也就是说，绝大部分蜜蜂产品要进入市场流通。因此，做好蜜蜂产品的收购，对供应市场、繁荣城乡贸易和促进养蜂业的发展有重要意义。

第一节　蜂产品的产销概况

一、国内蜂产品生产、销售情况

（一）我国蜂业资源分布概况

我国春季主要蜜源有油菜、紫云英、苕子、柑橘、荔枝、龙眼、橡胶树等，夏季主要蜜源有刺槐、枣树、乌桕、狼牙刺、荆条、椴树、地椒、老瓜头等，秋季主要蜜源有棉花、向日葵、芝麻、胡枝子、萼果香薷、荞麦、茶花等，冬季主要蜜源有野坝子、大叶桉、柃木、鸭脚木等。

根据蜜源条件、自然条件和养蜂特点，我国蜜源大致可分为9个区：东北区林区以椴树为主，农作区以向日葵为主；华北区以荆条、枣树为主；黄河中下游区以刺槐、枣树、芝麻、荆条为主；长江中下游区以油菜、紫云英、棉花为主，黄土高原区以春油菜、栽培牧草、荞麦为主；新疆区以油菜、棉花和牧草为主；华南区以荔枝、龙眼、油菜、茶花等为主；西南区以油菜为主；长江以南丘陵区以柃属、山乌桕为主。我国主要蜜源的分布地区、花期、利用价值，详见第九章“蜂产品知识”。

我国蜜源条件较好的省、区有：河南、江苏、湖北、内蒙古、陕西、黑龙江、河北、四川、山东，其次是辽宁、云南、吉林、安徽、广东。我国收购蜂蜜量较多的省份是四川、河南、江苏、黑龙江，其次是陕西、湖北、安徽、辽宁、吉林；销售蜂蜜较多的省（市）是四川、陕西、广东、浙江、北京、湖北、江苏、吉林、黑龙江。我国蜂王浆产量最高的省份是浙江，其次是湖北、贵州、青海、江苏、江西。

（二）国内蜂产品生产、销售概况

近10年来，我国蜂蜜总产量每年都在20万t左右，大体上一半外销一半内销。由于受蜜种、浓度、收成等因素影响，收购价格起伏较大，低的每吨3 000元左右，高的每吨超过10 000元。蜂蜜国内零售价8～28元/kg，外销平均价格每吨1 000～1 500美元，主要出口到欧洲、日本和美国。

蜂王浆全国年总产量约3 000t，出口1 100t左右，余下的在国内销售。国内收购价在60～150元/kg，零售价为120～500元/kg，高的可达每千克1 000元。出口价每千克12～30美元，主要进口国是日本和韩国，其次是美国和欧洲、东南亚各国。

商品蜂花粉年产量1 300～2 000t，收购价每千克10～32元，零售价每千克30～80元。

蜂蜡年产量约3 000t，收购价每千克10～30元，零售价每千克40元左右。

目前，我国蜂胶群年产量约100g，全国蜂胶年产量约300t，收购价每千克80～180元，零售价每千克180～400元；我国每年出口蜂胶150t上下，出口价600元/kg（人民币，提炼蜂胶）左右。

我国年生产雄蜂蛹的能力约2 000t，收购价每千克28～40元，零售价每千克60～120元；每年能生产蜂王幼虫600t左右。目前，全国雄蜂蛹和蜂王幼虫的年商品交易量分别为30～50t和60t左右。

（三）国内蜜蜂产品存在的主要问题

目前，国内蜂蜜存在的主要问题首先是质量，表现在：第一，蜂蜜含水量高，不成熟，从而影响其观感、口感和耐贮藏性，并促使微生物在蜂蜜中生长繁殖，进一步败坏蜂蜜的品质；第二，加工和较长期贮藏造成蜂蜜固有香味丧失和色泽加深；第三，包装粗糙，不能很好地保持蜂蜜的质量，也影响蜂蜜的观感和品位，从而影响其销售和竞争力；第四，外来物的侵染：生产和贮存过程中金属及环境的污染，农药和兽药残留，掺假、造假（如蜂蜜中的蔗糖含量过高，果葡糖浆、高麦芽糖浆的混入或直接用作“蜂蜜”出售）；第五，低等级蜂蜜混入高等级蜂蜜中。另外，还有人为地“配蜜”问题，例如各类“儿童蜂蜜”、“老年蜂蜜”等。其次，蜂蜜收购价格未能体现出优质优价政策。

蜂王浆的质量主要是生产过程中存在的卫生问题，例如，浆笔与移虫针的入口、蘸水等，蜡屑、幼虫和其体液的混入；贮存过程中的新鲜问题，例如，蜂农生产的蜂王浆不能及时交售，部分蜂产品店贮藏蜂王浆的温度相对过高；有些蜂种（含某些杂交种和新品系）生产的蜂王浆本身癸烯酸含量较低，或人为对蜂王浆癸烯酸进行过滤等。另外，生产与流通过程中的纯正问题，这包括掺假、造假和过滤出蜂王浆中的癸烯酸。

蜂花粉的质量问题是生产技术原因造成花粉团的完整率低，色泽变化，以及干燥度不够，泥沙和从环境中带来的金属和菌类的污染；在贮藏、运输过程中的霉变、虫蛀以及其他品质变化。

蜂胶的质量问题主要是含蜡等杂质过量，兽药残留以及金属铅、锌等污染。这是由生产方式、生产工具以及生产技术落后所造成的，比较容易克服。

蜂蜡的质量问题是矿蜡及人为的掺杂使假。蜂子的质量问题是生产技术不过关造成虫体不完整，初加工时工艺粗糙和卫生条件差，贮藏、运输和销售过程中人为因素影响了虫体的完整、新鲜、观感、口感和营养。

上述产品还普遍存在着不能及时、合理地加工和流通，增加了品质下降的机会。

二、国外蜂产品生产、销售概况

全世界蜂蜜总产量在20世纪90年代达到110万～120万t，总产量与总消费量基本持平。贸易量逐年增加，90年代末达到40万t。目前，蜂王浆总产量约3 200t，进入国际贸易的约1 200t。

1999年，美国有蜂500万群，生产蜂蜜9万t，年进口蜂蜜6万t，国内销售量为15.8万t，人均消费蜂蜜500g。阿根廷有蜂180万群，生产蜂蜜8.5万t，出口7.5万t，人均消费蜂蜜195g，主要出口到美国、德国、意大利、英国、日本和西班牙等国，是世界主要蜂蜜出口国之一。墨西哥生产蜂蜜5.75万t，出口2.9万t，主要出口到德国、英国、美国、沙特阿拉伯等国，是世界第三大蜂蜜出口国，国内销量3万t，人均消费蜂蜜300g。土耳其年生产蜂蜜6.35万t，乌克兰年生产蜂蜜5.89万t。意大利年产蜂蜜约0.8万t，国内销售量为1.6万t。澳大利亚年产蜂蜜约3万t，每年出口1万～1.2万t，国内消费2万t。德国年产蜂蜜1.6万t，人均消费1 000～1 400g，每年需进口蜂蜜9万t，出口瓶装蜂蜜1.3万t，本国蜂蜜比进口蜂蜜价格高50%～100%，主要从中国、阿根廷和墨西哥进口。土耳其20世纪末蜂蜜产量达到6万t以上，蜂蜡3 407t，90%的蜂蜜满足本国需要，仅有5.5%的蜂蜜出口，国内人均消费蜂蜜900g。日本年产蜂蜜约2.65万t，蜂蜡55t，蜂王浆7t，蜂花粉2t，每年进口蜂蜜4万～5万t，蜂王浆300t以上，主要从中国进口。加拿大在1999年蜂蜜产量为3.66万t，2000年为3.13万t，年平均出口1万t，主要市场是美国、德国、日本和英国，同时，也从中国、美国和阿根廷进口蜂蜜。

从以上数据可以看出，蜂蜜的主要生产国是中国、美国、俄罗斯、阿根廷、墨西哥、加拿大、澳大利亚、匈牙利、印度、西班牙、土耳其和乌克兰，世界主要蜂蜜出口国有中国、墨西哥、阿根廷、加拿大、澳大利亚，世界主要蜂蜜进口国有日本、美国、德国、英国、巴西、意大利、荷兰、西班牙和法国等。蜂蜜消费最多的国家是德国，其次是日本、美国和土耳其。蜂蜜生产国集中分布在亚、欧、美三大洲，蜂群饲养量约4 450万群。亚洲蜂群数量有1 400万群，其中中国有650万群，占亚洲蜂群数量的近50%。美国、墨西哥、加拿大是北美洲的三大蜂蜜生产国，其产量占北美洲总产量的

90%左右；阿根廷和巴西是南美洲最大的两个蜂蜜生产国，其产量分别占南美洲总产量的75%和15%。

蜂蜜质量好的国家主要是欧美国家，如德国、美国采取规模经营，多箱体养蜂，生产成熟蜜；相比而言，我国专业养蜂者人均饲养40～80群蜂，多为转地饲养，因此所生产的蜂蜜也多为不成熟蜜，致使我国蜂蜜在国际市场上缺乏竞争力。但是，我国养蜂生产的精细管理，使得我国蜂产品具有多样性，蜂王浆的总产量和出口贸易量均占世界的90%以上。我国蜂蜜单产在亚洲居中，蜂蜜单产较高的国家有印度、土耳其，以及加拿大、阿根廷。1990年以来，国际蜂蜜贸易平均价格从1991年的1 161.2美元/t上升到1 500美元/t，增长30%。1998年，墨西哥出口蜂蜜平均价格为1 296.2美元/t，阿根廷为1 279.6美元/t，中国为1 104.8美元/t，德国为2 423.7美元/t，匈牙利为2 118.4美元/t。

第二节　蜂产品收购特点

蜂产品收购有五大特点。

（一）蜂产品收购的时间性强

蜂蜜是季节性生产的商品，放蜂流动性大，因而只能在它的生产季节收购。这就要求收购部门要掌握蜂蜜的生产规律，在旺季到来之前做好收购的准备工作，集中精力，不失时机地把蜂蜜收购起来。蜂花粉和蜂王浆的生产在整个生产周期比较平衡，不但在生产蜂蜜的主要季节可以生产，而且在蜜蜂活动的非蜂蜜生产季节，只要有适当的蜜粉源植物开花，就能生产蜂王浆和蜂花粉。蜂胶的生产和收购多集中在秋季和春季；蜂蜡则常年收购，以冬季为多。

（二）蜂产品收购具有地区性和分散性

由于蜜源植物的分布不同，蜂蜜生产分为主产区、非主产区以及不同花种蜜的产区，而蜂花粉、蜂王浆的生产也与之相关，这使蜂产品的收购带有地区性。另外由于蜜源植物多分散在广大农村的山地和平原，这又给蜂产品的收购带来了分散性。为了适应这些特点，要因地制宜，有所侧重，适当增设收购网点，采用方便的收购方式和加强集中调运工作；也可以联系好货源，直接开车到蜂场收购，然后直接运送到仓库。专门收购蜂王浆和蜂花粉的收购站点，交通要便利，如车站、码头及其附近，并要有贮存条件。

（三）蜂产品收购具有不稳定性

蜂蜜生产很容易受自然气候变化的影响，因而时丰时歉，此丰彼歉。经营部门在收购蜂蜜时，要统筹兼顾，全面安排，以丰补歉，留有余地。无论丰年、歉年，也无论是丰收地区或是歉收地区，蜂产品经营企业都要从促进养蜂发展的角度出发，做好蜂蜜的收购工作；当然也要以市场为导向，积极开拓蜂产品市场，服务养蜂生产。与蜂蜜生产不同的是，在蜂蜜生产歉收的情况下，蜂王浆和蜂花粉、蜂胶的生产不一定歉收，有时反而产量更高。

（四）蜂产品收购技术性强

蜂蜜、蜂王浆、蜂花粉等蜂产品都是高档保健食品或药品，大部分产品直接入口食用，因此，在其生产、包装、运输、加工、贮存和销售等各个环节，都有严格的卫生要求和操作规程，都有纯正、新鲜和卫生、安全等共同的要求。由于各种原因，蜜蜂产品各大系列内的产品，其产品质量本身存在着差别，而且鉴于生产技术水平参差不齐和人为的因素也会造成产品质量差异，所以，这就要求收购人员必须具备相应的产品技术和收购技术知识，准确及时地判别出蜂产品质量的优劣，把优质蜜蜂产品收购上来，对优质产品实行优价，杜绝伪劣、假冒产品流入市场。

（五）蜂产品贮藏具有特殊性

收购上来的蜂产品要求妥善贮存，贮存期间不得日晒雨淋，不得在高温下贮存，避免与有毒有害物质同库存放，还要避免包装容器对蜂产品的污染，防止飞虫、老鼠、灰尘等外来物的侵染，这是蜂产品贮存的共同要求。除此之外，蜂蜜要用专用桶包装，在20℃以下贮存；蜂花粉用双层聚乙烯塑料袋、外套编织袋密封包装，在5℃以下干燥、通风的室内保存；蜂王浆要求及时送入冷库或冰柜中－18℃保存；蜂胶要求用无毒塑料袋密封包装，阴凉通风处保存；蜂子要冷冻贮存。

第三节　蜂产品收购前的准备工作

一、收购人员应具备的素质和培训

（一）收购人员的基本素质

1. 认真负责　收购人员要热爱本职工作，对蜂产品的收购认真负责，一丝不苟，对企业忠诚，对所收购的产品质量负责，不压级压价，也不收购假冒伪劣产品，坚决抵制不顾企业利益不顾质量的权钱交易。

2. 身体健康　蜂产品收购是一项辛苦的工作，连续工作时间长，而且是野外作业，生活、交通有时非常不便，步行、挨饿、有时几天都得不到很好的休息是常有的事，所以收购工作人员要有良好的身体素质，经常锻炼身体，保持强健的体魄和旺盛的精力，才能胜任此项工作。

3. 吃苦耐劳　蜂产品收购是基层工作，工作辛苦、困难较多，因此，收购人员要有吃苦耐劳、任劳任怨的思想和工作作风，而且要心态平衡。

4. 知识丰富　蜂产品收购人员，要具有丰富的蜜源知识、蜂产品知识、所负责收购地区的地理环境知识，熟知每年放蜂生产规律等，对所要收购的产品质量要了如指掌。具有丰富的收购实践经验，能准确而快速地对蜂产品质量进行检验和确定等级，能应付收购过程中可能出现的问题和突发事件。此外，收购人员还应具备一定的气象知识，能预测养蜂生产年景的好坏。

收购人员还应掌握蜂产品收购的定价方法、过磅交货和付款方式、蜂产品贮存方法和企业对收购产品的质量要求，明确对产品的定位及企业发展方向与目标。

5. 诚信谦虚　无论是企业内部或外部的人士，都应以诚相待，和为贵。收购过程中，与群众相处融洽，以礼相待，不卑不亢，团结协同，与蜂农建立良好关系；同时要求衣着整齐，举止文雅，谦虚谨慎，办事说话利索，表达正确，热情待人。对收购过程中遇到的问题应及时与企业主管联系，共同研究解决。

（二）收购人员的培训

在蜂产品收购前，由企业领导对全体员工进行企业文化、企业市场目标和本年度计划培训，让每一个人以企业为家，为企业保持积极的工作情绪，使每一位收购人员知晓自己的工作责任，增加收购人员的责任心和企业的凝聚力。由专家、教授和有丰富收购经验的基层收购人员来讲授基础理论和专业知识（如收购程序、验质技巧、分级定等方法、往年蜂产品收购中所用的惯例等），收购经验不足的人员，要与有经验的收购人员建立师徒关系，经过传、帮、带，使之逐渐熟悉业务，成为合格的收购人员。

除此之外，在开秤收购前，收购人员要取得所要收购的产品样品，样品要来自第一手资料（亲自生产或企业蜂场生产的），要具有代表性，以此为准，开展收购工作。平时，收购人员要注意搜集产品样品，并经常食用、研究，只有这样，才能成为一名优秀的收购人员。

二、筹措资金与养蜂生产调查

（一）筹措资金

蜂产品收购具有很强的时间性和季节性，养蜂流动性大，要在生产季节较短的时间内把产品收购上来，把货物备足，这就要求企业有足够的资金以供付货款之用。

企业资金的来源：一是企业自筹资金，二是通过集资获得收购资金，三是通过银行贷款。总之，不管通过何种途径，在收购蜂产品前，资金一定要到位，并根据蜜源、天气、生产和企业经营计划等情况，合理地分配到各收购网点。

（二）养蜂生产调查

1. 调查的内容　企业（收购单位）在收购蜂产品前，要对原料市场（蜂产品生产地）的养蜂生产进行调查，了解当地放蜂的蜂群总量和蜂群繁殖的好坏，天气和蜜源生长状况，当地蜂群和外来客蜂的比例，产品生产组合和产品质量，以及进入该地区或进行该产品（同自己收购同一产品）收购单位的数量、能力大小等，以便做出正确的收购决策。

2. 调查的方法　可以通过当地养蜂组织、蜂业主管部门进行，也可以通过养蜂者进行调查；可以用电话联系，也可以实地考察。

3. 货源的联络　在调查实践中，可以与蜂农沟通，在了解生产情况的同时，可宣传企业收购产品的种类、质量要求、价格和付款方式，还可以通过有威望的老师傅组织货源，对产品质量进行把关，并把有关其他收购单位的信息和蜂农的愿望、要求及时反馈到企业，以便企业做到心中有数，灵活应变，不失时机地把优质的蜂产品保质保量地收购上来，完成企业的年度市场计划。

三、贮运设施

（一）蜂蜜的包装与贮存保管

蜂蜜的包装是贮藏和保护蜂蜜，使之便于调运的一种手段。蜂蜜的包装桶是用来盛放、保管、运输蜂蜜的容器，是贮存、运输、销售不可缺少的必要条件。对蜂蜜包装容器的要求：首先能保证蜂蜜的质量不致变坏，保证蜂蜜的使用价值在贮存、运输过程中不致受到影响，还要考虑到减少损耗，有利于蜂蜜的保管、调拨、装卸和运输，以及提高仓容和降低费用等一系列因素。目前，蜂蜜的内、外销一般都采用内涂食品漆的黑皮铁桶作为盛放、周转蜂蜜的包装容器。少数交通不便的地区，也可以用食品塑料桶作为包装容器。有时，因为蜂蜜收购量突破计划，蜜桶周转不开，也可以用缸、坛等陶器暂时盛放。

蜂蜜包装应采用内涂食品漆的黑铁皮桶，凡镀锌桶、镀锡桶及内漆皮脱落的铁皮桶均不得使用，以免蜂蜜受到金属污染。有条件的地方，还可以采用合金铝或不锈钢桶。蜂蜜桶身要标明“蜂蜜专用桶”，专桶专用。凡装过油、酒、酱油的桶不能用来装蜂蜜，防止蜂蜜受到异味的污染。

主营公司必须在收购季节过后把空桶洗净、晾干，并要仔细检查，剔除涂料脱落或裂损的桶。在蜂蜜收购前，按照计划把蜂蜜桶及时下拨到蜂场备用。

蜂蜜装桶时要用60目的尼龙纱过滤，除去蜂蜜中的死蜂、蜡屑、幼虫和其他杂质。装桶时要分清花种，分等分级分别盛放，不得混装，装量以蜜桶容积的90%左右为宜，不宜过满，以免蜂蜜受热后胀裂桶身，甚至造成人身伤害。蜂蜜装桶以后要旋紧桶盖，箍紧桶箍，并在桶外贴上标签，注明花种、等级、重量、产地、蜂场主姓名、收购人员及发运单位等项内容，字迹要清楚，粘贴要牢固。

蜂蜜是直接入口食品，无论是收购站还是在仓库，都要注意清洁卫生工作，所有盛蜜容器都应配齐密封的盖子，不得随便开启。如果盖子不足，至少要用食品塑料膜严密封闭，防止吸收水分或落入灰、沙、虫、鼠等。

蜂蜜的贮存是蜂蜜在流通领域里的停留，是蜂蜜流通渠道中不可或缺的一个重要环节，蜂蜜基本上是季节生产，常年消费，分散生产、分散消费的商品，所以，必须通过贮存来完成其由产品到商品的位置转换和生产与销售的时间间隔，以保证内销和出口。保证生产不致因销售阻滞而受到影响，它对消费和生产均有积极作用。

（二）蜂蜜在贮存中的质量变化

蜂蜜在贮存过程中往往会由于人为因素和外界条件的影响而在质和量上发生各种变化。这些变化有物理的、化学的，也有微生物的，它们对蜂蜜质量造成不同程度的影响。

蜂蜜在贮存中可能出现的质量变化有：等级混杂、渗漏、串味、污染、自然损耗或增溢、颜色加深、发酵等。

1. 等级混杂　等级混杂包括花种混杂，是由人为因素造成的。主要是并桶时没有按照同一花种、同一等级的蜂蜜合并的原则，使同一桶内出现了不同花种或等级的蜜，整桶蜜的质量不均匀。

2. 渗漏　由于蜜桶被损坏而造成。蜜桶在运输或出入库时，由于野蛮装卸，就可能使蜂蜜桶破漏（尤其是旧桶），从而造成蜂蜜渗漏现象。装有结晶蜜的桶，往往刚破损时看不到漏蜜，时间一长，蜂蜜就会从破损处吸收空气中的水分而渗漏出来。为了避免蜂蜜渗漏，要提倡文明装卸，入库前认真检查蜂蜜桶，入库后要经常巡视垛底有无渗漏的蜜迹，一旦出现，及时处理。

3. 串味和污染　这是由不按规定而使蜂蜜与其他物品同库存放造成的，另外，还可能因蜜桶内漆膜脱落造成金属污染。为避免串味和污染，不与有异味的物品（如汽油、酒精、大蒜等）、腐蚀性的物品（化肥、农药、石灰、碱、硝等）或不卫生的物品（如废品、畜产品等）同库贮存，不用旧桶盛蜜。

4. 自然损耗或增溢　由外界环境因素引起的蜂蜜贮存过程中的物理变化，一般发生自然损耗为多数。为避免之，应旋紧桶盖，并在有条件时，调节库房温度在15～20℃。

5. 颜色加深　蜂蜜在贮存过程中，随着时间的延续，发生羰氨反应而产生羟甲基糠醛，光照和高温都能加速这一反应。为了延缓蜂蜜色泽的变化，蜂蜜不宜在日光下曝晒和在较高温度下贮存。另外，受金属污染的蜂蜜色泽也会加深，所以要防止金属污染。

6. 发酵　蜂蜜发酵是由酵母菌和产酸细菌繁殖而发生的微生物学变化。由于产气，发酵的蜂蜜还会膨胀溢出桶外，造成蜂蜜流失；甚至撑爆蜜桶，造成人身伤害。蜂蜜发酵最主要的原因是含水量过高，所以要按照收购标准，尽可能收购、贮存成熟蜜。同时注意保管条件，使之不利于微生物的繁殖。

（三）蜂蜜仓库与保管要求

1. 蜂蜜仓库温、湿度管理　蜂蜜仓库要阴凉、干燥、通风，库温不超过20℃（最好在10℃以下），相对湿度不超过75%（以50%～65%为宜）。一般采用干燥剂（生石灰，只能少量使用，并且在块状生石灰全部变成粉末前更换），或利用自然通风调节蜂蜜仓库的温湿度，在蜂蜜仓库还可增修排风道或添置排风扇、除湿机。一般来说，东风、南风、东南风比较湿润，西风、北风、西北风比较干燥。

2. 蜂蜜贮存保管的要求　低浓度蜜是质量低劣的未成熟蜜，在贮存中极易发酵变质，掺假的蜜往往也容易变坏，不符合质量标准。所以，无论是基层收购或是公司经营单位的仓库，都必须检查入库蜂蜜的质量，杜绝收购不符合质量标准的蜂蜜。

重点蜂蜜收购站和地市县蜂蜜集中点，最好设立半地下室专用库房，不能将蜂蜜放在货棚里，更不能露天堆放。蜂蜜仓库容量大小要与收购、贮存的数量相适应。

集中点蜂蜜仓库在接收各收购站点解交的蜂蜜后，要按花种、等、级做好分档和并桶的整理工作。入库的蜂蜜要做到划区编号，定点堆码，按花种、等、级、整、零分别存放，以利于盘点检查和出库迅速方便。大型仓库的蜜桶可采取直立交错法堆码，可更有效地利用仓库面积。大仓库应备有铲车或吊车等装卸工具，提倡文明装卸，轻搬轻运，以免渗漏。

蜂蜜仓库要与业务部门密切配合，与运输部门加强联系，做到入库和出库及时，要同市场相衔接，加速蜂蜜流通；还要注意节约开支，降低保管费用。

（四）蜂王浆、蜂花粉、蜂胶等蜜蜂产品的贮存要求

与蜂蜜相比，蜂王浆、蜂花粉、蜂胶等蜂产品的贮存、包装要求更加严格，除上节介绍的外，详见第九章“蜂产品知识”。

四、质量要求与验质工具

（一）收购前的准备

调查了解本地主要蜜源植物的栽培生长和开花泌蜜情况，掌握蜜源植物的泌蜜规律，熟悉本地的蜂蜜品种和养蜂生产概况，并按照部颁标准规定取蜂蜜样品。

做好组织生产和迎接蜜蜂工作，在生产季节前，要有计划地接待外来蜂群，了解各蜂场的生产能力和产品种类，安排运输工具，落实蜜源场地。

做好收购人员的技术培训和思想教育工作，使各级收购人员明确蜂蜜的等级标准和价格行情，掌握验等定级技术，端正各级收购人员的思想认识，增强责任心，杜绝假冒伪劣产品进入流通领域。

适当设置收购网点，配备得力的收购人员，及时收购，及时调运。

安排好贮存设施，准备好充足的包装容器，并做好包装容器的检查、清洗工作，把合格的容器在收蜜前运至各级收购点待用或养蜂场备用。同时，还要检查生产者的取蜜工具和包装容器，对不符合要求的一律要求停止使用。

积极开展宣传工作，使养蜂人员认识到提高蜂蜜质量的重要意义。提倡上午 10 时以前取蜜，生产成熟蜜，一般要求蜜房有 1/3 以上封盖才能取蜜，蜜蜂从采进花蜜到酿制成熟的过程需 5 ~6d，蜂群强，气候干燥，时间可缩短，反之时间延长。正常情况下每 5 ~6d 取 1 次蜜，这样才能保证蜂蜜的质量。建议蜂农多箱体养蜂、养强群，取成熟蜜，每个花期取蜜 1 ~2 次。分花取蜜，保证纯正，在生产单一花种的蜂蜜之前要把巢内存蜜清理出来，严禁蜂农将花前喂的糖摇出作蜜出售。花前或花期中禁用抗生素等蜂药，注意取蜜卫生，蜜脾不得放在地上，取蜜时要防止飞虫与扬尘，取蜜工具和盛放容器要洗涤干净并晾干，取蜜人员要注意个人卫生，摇出的蜂蜜要过滤，除去死蜂、幼

虫、蜡屑及其他杂质。包装桶要干净卫生，专桶专用，装蜜后要旋紧桶盖，每一次取蜜都要分别装桶，抓好蜂蜜生产的各个环节，生产优质蜂蜜。

收购蜂王浆时，要求生产蜂王浆的整个过程都要讲究个人卫生，不得人为地向王浆中混入任何东西，尽可能不混入蜡屑、幼虫等杂质，割破幼虫台内的王浆要另外放置或弃掉，盛浆容器要干净卫生，严格消毒，不得余有洒水，促使蜂农生产优质产品。此外，要及时收购蜂王浆，以确保产品的新鲜。

（二）蜂产品验质工具

准备好蜂蜜验质定级所需的工具、仪器和试剂：如搅拌用的木棒、取蜜用的玻璃管和样品瓶、隔离泡沫的竹圈、挖底用的长勺、过滤用的滤蜜器、隔水加热用的大小铝盆、测定浓度用的波美相对密度计或手持折光仪、鉴别掺假用的玻璃仪器和化学试剂以及脸盆、抹布等。波美相对密度计、糖量计等，必须经过校正至准确无误后方能使用。

收购蜂王浆需要的验收工具及试剂有玻璃棒和内径 5～10mm 的玻璃管，聚酯塑料漏斗（可用带瓶嘴的半截可乐瓶代替），刮集王浆用的橡皮铲、台秤，包装用的 5L 无毒塑料桶或 1L 的蜂王浆专用瓶，碘化钾溶液，冰柜等。

收购蜂胶、蜂花粉要备好包装用的塑料袋。

另外，收购单位或主营公司，在生产前还可以根据合同和经营计划，组织产品生产和安排货源，定点收购，以确保质量。必要时，对养蜂员进行培训，规范其蜂群管理和蜂产品生产技术。

第四节　蜂产品收购操作规程

不同花种的蜂蜜具有不同的特点，我国蜂蜜基本上是以花种定等的；而蜂王浆、蜂花粉、蜂子则是以其色、香、味、形、质进行分等定价，蜂王浆往往还以生产季节的不同而价格有所差异；蜂胶主要是以其乙醇含量的高低来分等定价。因此，要掌握各大类中每一种蜂产品的质量标准，必须了解我国主要蜜源植物和重要的辅助蜜粉源植物、胶源植物的特点、分布、花期。这部分内容，详见第九章“蜂产品知识”。下面是各大类蜂产品收购中的主要操作技术。

一、蜂蜜的收购

收购蜂蜜的操作规程，可以分为基层收购检验和公司或工厂接收复验。

（一）基层收购检验

基层收购检验是蜂蜜收购的关键，也是一个薄弱环节，它直接关系到蜂蜜的质量和商品价值。由于蜂产品生产的分散性和时间性强，在收购季节，基层收购站点往往显得人手少，仓储条件有限，所以基层收购网点要适当集中，选择店堂宽敞、环境卫生好、交通方便，并有一定技术力量的地方收购蜂蜜。基层收购的基本程序是：

收购人员在接待外来客蜂过程中，要充分了解和掌握蜜源及蜂场生产情况，制定标准蜂蜜样品，对样收购。收购前，事先按照等级要求划分好摆放蜂蜜的地方，准备好包装容器。

检验蜂蜜质量前，要将桶盖和边沿的灰尘泥沙清除干净。打开桶盖后，如果发现死蜂等杂质较多，应该要求交售者重新倒桶过滤，至符合要求时，再予以验收。

检验蜂蜜质量时，首先用玻璃管抽取上、中、下3层样品，检验其色、香、味。如有掺假或异味，不予收购；若有疑义，应取样化验。然后用木棒或长勺伸到桶底慢慢搅动，探测有无砖石或是否结晶。如有结晶，取出结晶粒检验真假。

感官检验合格后，一般应静止一段时间，再测量蜂蜜的浓度。可以用糖量计逐桶测定；也可以把数只波美相对密度计一一插入桶内，静止后再取读数，最后洗净波美相对密度计，揩干备用。

检验完毕的蜂蜜，应及时在桶盖上标记花种、等级和蜂场名称，然后过磅，记其重量，并根据检验结果，开出收购单据，交会计与蜂场结算。

对于收购的蜂蜜，每桶装量不应超过容器的90%，还应及时入库，分别花种、等、级存放。不足整桶的在收购结束时可以与同花种、同等级的蜂蜜混合后，凑成整桶。如在露天存放，下面要铺垫，上面要加盖苫布，防止日晒雨淋。

（二）公司或加工厂复验

公司接收复验，是在基层收购检验基础上进行的，鉴于目前的收购水平，复验是必要的，但从长远观点来看，基层收购单位一次检验，可以获得更好的经营效果。公司复验的基本程序与基层收购检验基本一致，其步骤如下：

基层网点交送一批，首先要有运货清单，接收时，按运单的件数、等级确定货位，把蜂蜜按顺序两桶一排排好，同时清扫蜜桶上的杂物灰沙。卸完车后，清点货与单是否相符。

打开桶盖，按照基层收购检验的方法，依次进行检验、分花定等和测定蜂蜜浓度。

检验后，双方没有异议，就可以过磅，标注花种、等级、重量、产地、检验员姓名等，然后分清花种、等级入库，并列出清单和明细码单一式三联，交会计结算、仓库留存和交货方复核。

（三）收购蜂蜜注意事项

收购人员要认真检验，按质论价，优质优价，不得徇私舞弊。要严把质量关，增强责任心，密切注意质量。凡是掺假蜂蜜，均应就地严肃处理。

分清花种、等级，单一花种，单一贮存，不同等级不得混装，做到分花种、分等级保管。

随时收购，随时包装封存，标注明显，粘贴牢固，注明花种、等级、重量、生产单位、收购单位、检验人员、收购日期等项目，以便于查找。

蜂蜜是直接食用的天然食品，必须高度重视食品卫生，检验用具和包装容器必须清洁，收购人员也要注意个人卫生。

（四）混入异物的检验

1. 蜂蜜杂质和发酵的检验　蜂蜜中的杂质，有采收蜂蜜时混入的死蜂、蜡屑、蜜蜂幼虫，风刮入的泥沙、草叶，存放过程中由于保管不善落入其中的昆虫、灰尘，甚至还有交售时人为掺入的沙石。蜂蜜中如有上述物质，就会使蜂蜜味道变坏，还容易引起发酵变质，影响蜂蜜的色泽、透明度。检验蜂蜜杂质要兼顾上、中、下3层，表面杂质打开桶后可以直接观察，底部的杂质可以用长勺沿桶底四周和中间部位舀出察看，中层的杂质则应将蜂蜜打入样品瓶中观察，实际收购中常以木棒搅动底层来探测是否有砖头、石块，发现蜂蜜中的杂质后要认真分析，弄清是什么物质。蜂蜜是否发酵，在感官鉴定中靠眼看、鼻嗅、口尝，蜂蜜发酵初期，能闻到一股淡淡的酸味，蜜液表面有少量泡沫漂浮；蜂蜜发酵严重时，产生的气泡越来越多，会造成蜜液膨胀，汁液四溢，并有强烈的酸味和酒味，同时，由于蜂蜜中的糖分被分解为酒精和二氧化碳，蜜液浓度下降，因而更显稀薄。有些蜂蜜经过剧烈摇晃，也会产生许多泡沫，但无酸味，属正常现象。

2. 蜂蜜色泽检验　包括颜色、光泽、透明度3项，另外，还包括蜂蜜的黏稠度。以颜色浅淡、光泽清亮、透明度好的为优。标准样品是用每一花期提取蜂场清脾后的单花蜜装入样品瓶内制得，这样的标准样品在当年有效，隔年颜色变深。为了对比，标准样品和所取蜂蜜样品都应装在统一的无色透明的500ml磨砂广口瓶中，放在白布或光亮处进行观察。俗话说：好蜜亮如油，如蜂蜜颜色浅淡、光亮透明，晃动蜜瓶，颤动小，停止晃动后，挂在瓶壁的蜜液缓缓流下，就是好蜜；反之，颜色较深、暗淡浑浊、黏稠度差的蜜质量差。

检验蜂蜜的色泽应注意：上述方法用于检验液态蜜。蜂蜜结晶以后，必须溶化后方能代表蜂蜜的颜色，有经验的收购员也可以根据结晶后的颜色来判断其原来的色泽。蜂蜜在摇晃后有小气泡，待气泡消失后再检验；蜂蜜的色泽在玻璃管中比在样品瓶中看起来浅，这是因为视线透过蜜层厚度不同所致。凡是色泽异常的蜂蜜都应重点检查。

3. 蜂蜜气味和味道的检验　见第九章“蜂产品知识”。

（五）蜂蜜浓度的测定

1. 波美相对密度计法　波美相对密度计测定法是我国测定蜂蜜浓度普遍采用的方法。蜂蜜的浓度越高，它的波美密度就越大，两者成正比关系，所以，实际工作中，就把蜂蜜的波美度称为蜂蜜的浓度。

（1）主要仪器：标准温度20℃、量度范围35～45 °Bé、精确度0.1 °Bé的波美计；0～50℃的温度计；直径4.5～5cm、容量500ml或1 000ml的量筒。波美计属于玻璃浮计，是法国人波美根据阿基米德定律设计的。由表头和表杆两部分组成，表头内装金属弹丸作为压载物，金属弹丸上有一层火漆作为固定物质；表杆内贴有具有刻度的分度纸。其分度表上的数值是从下向上逐渐减小，而且刻度之间的距离是相等的。

（2）测定方法：使用前检查波美相对密度计的分度纸和压载物是否合乎要求，凡垂直误差（波美相对密度计在液体中自由漂浮时，分度表两侧的读数之差）超过0.1

分度（0.01 °Bé）或波美度的示值误差大于1分度（0.1 °Bé）的都不能用，以及分度表移动、扭曲、皱缩，金属弹丸明显松动的也不能用。还可以把数支波美相对密度计同时放入蜜桶中，取大多数示值相近者。或波美相对密度计使用之前进行检定。

波美相对密度计使用前要洗净晾干，测定蜂蜜可以在量筒中进行，也可以在原包装筒中进行。在量筒中测定时，被测的蜂蜜应事先在桶内混合均匀，然后用玻璃管取样，并把蜂蜜样品沿量筒壁缓缓注入量筒中，不使产生泡沫，并且蜜温和室温差不应大于5℃，盛好蜜样的量筒要垂直放置，使波美相对密度计能够自由漂浮而不触及量筒壁。波美相对密度计轻轻插入蜂蜜中，自由下沉15min，水平观察按蜂蜜弯月面的上缘读取数值。在蜂蜜桶中测量蜂蜜浓度时，方法同上，如果蜂蜜表面有泡沫，可以用木棒在表面略加搅拌，使泡沫荡开，然后放上一个竹圈，把波美相对密度计插在竹圈当中的蜂蜜内测定。如果蜂蜜已结晶，可以对蜂蜜上、中、下3层取样，把取得的蜂蜜样品混合均匀，放入有盖的容器内隔水加热（水温不超过60℃），使蜂蜜完全溶化成液体，冷却至近20℃时再测定。要注意，蜜样液中有朦胧的结晶或部分结晶，都应如此处理后再测定。非20℃下测定的蜂蜜波美度用式（12－1）换算成标准浓度值。

$$°Bé(20) = °Bé(t) + (t-20) \times 0.0477 \qquad (12-1)$$

式中：

°Bé（20）——标准温度下蜂蜜的波美度；

°Bé（t）——t℃时测得的波美度；

t——测定时的蜂蜜温度；

0.047 7——系数，蜂蜜温度变化1℃，蜂蜜的浓度变化0.047 7 °Bé；

20——蜂蜜的标准温度。

部颁标准规定，此公式只适用于20℃以上；被测蜂蜜温度如低于标准温度时，须加热到标准温度再测。

（3）影响因素：使用波美相对密度计测定蜂蜜的浓度，其影响因素有蜂蜜的温度、蜂蜜中的泡沫、蜂蜜的表面张力、空气的浮力以及不同方向的搅拌和振荡等。

①温度对测定蜂蜜波美度的影响：一方面，温度的变化，会使蜂蜜本身的浓度改变，同一蜂蜜，随着温度的升高其波美度减小，反之则增大，这个变化系数是0.047 7，越是接近标准温度20℃，这个系数越准确；另一方面，温度的变化也引起波美相对密度计的体积变化，从而影响蜂蜜的正确读数，但不及蜂蜜随温度变化大。

②泡沫对蜂蜜波美度的影响：表面的泡沫影响正确的读数，蜂蜜中的泡沫影响包括：一方面，黏附在波美相对密度计周围和底部的气泡，产生向上的浮力，托着波美相对密度计使其不能下沉到相应的位置；另一方面，如果蜂蜜中间密布着泡沫，形成“多孔蜂蜜”，其密度降低，波美相对密度计就会下沉得更深。实际测定中后一种影响占主导地位，所以，测定结果常常偏低，故测定蜂蜜波美度时，被测蜂蜜必须不含气泡。

2. 糖量计——手持折光仪测定法

（1）糖量计的构造（日本爱宕牌500型手持折光仪）：糖量计的构造分为镜头和镜筒两部分：镜头包括主棱镜、辅助棱镜、进光窗孔、辅助窗孔、测量范围选择旋钮和专用补偿温度计；镜筒部分包括消色散调节环、镜筒、示值调节螺丝和目镜。糖量计测量范围选择旋钮有3个挡："1"挡测量范围0~42%（左侧刻度尺），"2"挡测量范围42%~70%（中间刻度尺），"3"挡测量范围70%~79%（右侧刻度尺）。专用补偿温度计的刻度值显示的是非标准温度（非20℃）下含糖量校正值，而不是温度；消色散调节环的作用是消除视野内产生的颜色（蓝色或红色），使分界线清晰。另外，通过目镜所看到的糖量计刻度尺，有的只标示出含糖数值，有的同时标出折光指数。其含糖量表示100g蔗糖溶液中所含蔗糖的克数，与Brix数值相等。

（2）测定方法：糖量计在第一次使用前，应按规定方法进行校正：测量范围从0开始的糖量计，用蒸馏水在20℃下进行校正，测定蒸馏水，若与0刻度不符，可用螺丝刀旋转示值调节螺丝至相符。测量范围不从0开始的糖量计要用试验片（又称校正块）进行校正，这种试验片有的是作为糖量计的附件，有的须另外定购。试验片的一面标有含糖量（或折光指数），与此相对的是磨光面，校正时，用极少量的溴萘涂在磨光面上，把磨光面紧密黏着在主棱镜的中部，并使与之相垂直的侧磨光面朝向糖量计的前端，然后从目镜观察，看分界线对应的数值与试验片标明的数值是否相符，如不符，旋转示值调节螺丝与之相符。因为试验片是固体，其折射率受温度变化的影响可以忽略不计，所以糖量计经校正后，便可以测定蜂蜜的浓度。

用于测定的蜂蜜样品，要事先搅拌均匀，然后打开糖量计的光线板（辅助棱镜），在主棱镜面上滴1~2滴样品蜜，再轻轻关上光线板，将进光窗孔对准光源、眼睛对准目镜观察，同时用手转动目镜至观察最清晰，此时明、暗分界线所对应的刻度即蜂蜜的含糖量。测量范围分为数挡的糖量计，测定蜂蜜浓度时往往在低浓度挡看不到明暗面，须旋转刻度范围选择旋钮（或刻度范围选择环）至相应的高浓度挡测定。有消色散调节环的糖量计，还可以旋转消色散调节环，使视野内除了黑、白二色外无其他颜色，使分界线更清晰。当蜜样浑浊或颜色较深时，可能会使视野变暗，使分界线模糊不清，甚至完全消失。这时要遮住进光窗孔，打开辅助窗孔盖，从辅助窗孔获得光线测定。从辅助窗孔获得光线与进光孔获得光线不同，此时明暗部分的相对位置调换，明暗对比变弱，但由于整个视野比较明亮，因而便于观察。

使用糖量计测定蜂蜜浓度时，必须同时测定蜜温，因为温度会影响蜂蜜折光指数的变化，从而影响测定结果。用糖量计测定蜂蜜折光指数要求标准温度为20℃，在非标准温度下测定时，可按糖量计校正表对读数进行校正，也可按温度每变化1℃、含糖量变化0.08%的系数校正，温度高于20℃时加上校正值，低于20℃时减去校正值。有些糖量计带有专用的补偿温度计，直接显示了非标准温度下含糖量的校正值，使用起来就更加方便。

由于我国是以波美浓度来分级定价的，所以，还必须把标准含糖量变成波美度。蜂蜜的波美度、密度、含糖量、含水量和折光指数以及糖量计温差校正值见第九章"蜂产品知识"。

（3）注意事项：糖量计使用前必须把棱镜表面洗净擦拭干，被油沾染的用酒精洗净。蜜样应有代表性，结晶蜜须隔水加热全部溶化后才能取样测定。滴上蜜样后应及时关上光线板防止蜂蜜在空气中含水量改变，关好光线板后蜜样应充满棱镜并无气泡，如有气泡可开关光线板至无气泡为止。测定时不用整个手掌握住糖量计和不用手接触专用补偿温度计，测定完毕，及时擦拭蜜样，并拭干棱镜面。不用坚硬物品接触棱镜面。糖量计不用时应放入袋中，置通风、干燥、无灰尘、无腐蚀性气体的环境中保存。

蜂蜜的掺假造假与蜂蜜被金属污染的检验见第九章“蜂产品知识”。

（六）定等分级、定价

蜂蜜以花种定等，以浓度定级。严格按照蜂蜜的部颁质量标准要求，对蜂蜜进行定等，按波美浓度进行定级。以前蜂蜜作为统购统销产品时，在浓度差价上，以一等40 ℃Bé为标准，即收购价为100%，上升1 ℃Bé加5%，下降1 ℃Bé减10%，各等之间的差价为10%，即二等40 ℃Bé为100%，一等40 ℃Bé为110%，三等40 ℃Bé为90%。蜂蜜从1983年起实行议购议销，其价格由各地经营单位自行决定。但不管怎样，蜂蜜收购应体现优质优价，不同品种、不同等级之间，价格差应拉大，鼓励生产优质成熟蜜。

（七）蜂蜜的价格

以收购为主营的企业，要把收购上来的产品及时有效地调拨出去，实现企业的利润；而蜂产品加工企业或营销企业，在养蜂生产期间，如果没有备足货物，届时就要从别的企业调进原料蜂产品。

1. 蜂蜜的收购价格 蜂蜜的收购价格是蜂蜜从生产领域进入流通领域的最初价格，是制定蜂蜜调拨价格、销售价格的基础，是安排以蜂蜜为原料的医药、轻工业产品价格的依据之一。蜂蜜的收购价格是在正常年景、合理经营的生产成本上，加上生产者应得的收益，并参考与其相关商品（糖）的比价以及当前市场的供求状况为基础制定的。

2. 蜂蜜的调拨价 蜂蜜的调拨价，是商业系统内部批发企业之间调拨蜂蜜的结算价格。调拨价格是由收购价格（或进货价格）、流通费用（直接费用和间接费用）和合理利润构成。合理的调拨价格有助于正确分配蜂蜜商业的商业批发利润，促进企业改善经营管理，加强经济核算，合理组织蜂蜜流通，保证市场供应。

蜂蜜流通的直接费用包括运杂费、保管费、包装物料折旧费，其中包装桶的折旧费计算方法（式12－2）：

折旧费＝（原始价值－管理费－残值）/预计使用平均年限 （12－2）

短途运杂费是指在一定地域内各收购点至集中点的运杂费，应按各收购点的蜂蜜收购数量加权平均计算，其标准应该根据蜂蜜的合理流向、合理的运输工具以及标准装载量，按交通运输部门现行的收费标准计算。保管费取决于蜂蜜在库时间和保管难易，一般按各地主管部门规定的标准计算。

蜂蜜流通的间接费用包括代购手续费、银行利息和经营管理费。在统购统销期间，蜂蜜调拨的综合差率为14.3%，其中：基层供销社代购手续费4%，损耗3%，银行利息1.3%，经营管理费3%，利润3%，如果须中转则另加1%～2%的中转费用，但实际产区的综合差率均在15%以上。

产区调拨价格以收购价格为基础，采用顺加的方法进行计算（式12－3）：

产区调拨价格＝（收购价格＋直接费用）×（1＋调拨综合差率） （12－3）

销区调拨价格以当日批发价格为基础，采用倒扣的方法进行计算（式 12－4）：

$$调拨价格 = 当日批发价格 \times (1 - 调拨回扣率) \qquad (12-4)$$

3. 蜂蜜的批发价格　蜂蜜的批发价格是批发企业出售给零售企业或直接供应生产单位用于生产的蜂蜜价格。它反映了批发商业与零售商业之间的利益关系，同时，批发价格又是零售价格的基础，直接影响着市场零售价的水平。

产区批发价格由蜂蜜收购价格、直接费用和规定的购批差率组成：

$$产区批发价格 = (收购价格 + 直接费用) \times (1 + 购批差率) \qquad (12-5)$$

销区批发价格是由产地调拨价格、直接费用和利润构成（式 12－6）：

$$销区批发价格 = (产区调拨价格 + 直接费用) \times (1 + 批发综合差率) \qquad (12-6)$$

蜂蜜是季节性生产、常年消费的商品，需要支付一定的贮存费用，为了补贴多支出的贮存费用和损耗，对蜂蜜的调拨价和批发价应实行季节差价。

4. 蜂蜜的零售价　蜂蜜的零售价格是指直接出售给消费者的蜂蜜价格，是蜂蜜的最终价格。蜂蜜的零售价格是由当地的批发价格和零售商店的流通费用、利润和税金等构成（式 12－7）：

$$零售价格 = 当地市场批发价格 \times (1 + 批零差率) \qquad (12-7)$$

蜂蜜的批零差率，一般在 15% 左右。

（八）蜂蜜的调拨运输

蜂蜜的调拨是商业部门内部各经营环节之间、地区之间蜂蜜调出与调入的业务活动，是为了解决蜂蜜生产和消费、供应与需求在空间上的矛盾而组织的。没有蜂蜜的调拨，就不能沟通地区之间的有无、调剂余缺和平衡市场供求关系。实现蜂蜜调拨，必须借助于各种运输工具，实现蜂蜜在空间上实体转移的过程。合理组织蜂蜜运输，要做到“及时、准确、安全、经济”。

1. 蜂蜜调拨原则　从生产出发，为生产服务，促进养蜂业的发展和农业的发展；同时，要立足于消费，着眼于国家利益和人民生活的需要。

蜂蜜的调拨活动必须按照商品的合理流向进行，减少不必要的中间环节，鼓励直接调拨，不搞迂回运输。在积极扩大购销业务的前提下，努力降低流通费用，增加合理积累。在正常情况下，省内、外调拨一般不超过两个中间环节，对于供应出口的大宗蜂蜜，一般由加工厂或县基层供销社直接交给外贸经营部门，基层收购站或蜂农可直接向药厂、加工厂、饮料厂交售。

2. 蜂蜜运输要求　按经济区域和蜂蜜的自然流向组织解交，使蜂蜜越过不必要的中间环节，可以在毗邻地区实行直线调拨、曲线结算，开展直达运输，实行“四就”直拨（就工厂直拨、就车站码头直拨、就仓库直拨、就车船过载直拨）。

组织蜂蜜运输，要因地制宜，合理选择节省费用、运输短捷、安全可靠的运输工具，根据产、销地区的运输条件、运程远近、运费率高低、蜂蜜的数量、销区需求的缓急程度，结合对各种运输工具的特点进行比较，从中选择最优者：能水运的不陆运，能联运的不分运，能直达的不中转，能整车（船）发运的不发零担。南方一般以水运为经济安全，北方应尽可能利用铁路运输，短距离的利用汽车。在不违反交通部门的有关长、宽、高、重等规定的前提下，尽可能利用运输工具的容积，装满装好。

另外，还要注意，发运前要对已装好的蜜桶作一次全面检查，要求桶盖旋紧、桶箍箍紧、螺丝旋足、标签贴牢和剔除渗漏桶。同时，根据标签的标准抄好一式两份码单待运，做到单、货同行。运输工具要清扫干净，蜂蜜不得与有异味或有毒物品混装同运，转运途中要把蜜桶遮严、垫好，避免日晒雨淋。蜜桶的装载要合理、牢固，桶箍和螺丝要编排在蜜桶之间的空挡部位，避免挤压而使螺丝和桶箍变形。提倡文明装卸，严禁野蛮装卸。

二、蜂王浆、蜂花粉、蜂蜡和蜂胶的收购

（一）蜂王浆的收购

无论是定地蜂场还是转地蜂场，也不管是小蜂场还是大蜂场，只要条件适宜，有生产技术，都能进行蜂王浆的生产，但大宗的蜂王浆生产和收购是在各地主要蜜源开花期及其前后。所以，蜂王浆的生产、收购更加分散。这就要求蜂王浆经营企业一定要熟悉全国各地的蜂王浆生产特点和质量优劣，适当设置收购网点或代购点，安排人员按质收购，所设收购点一定要有贮存条件，按规定及时贮存。在各收购网点有一定王浆贮量的时候，及时集中交送仓库，以确保蜂王浆质量的新鲜与纯正。

蜂王浆的收购价格除按蜜源、季节定价外，对同一个蜜源花种的蜂王浆进行分等，实行优质优价。

收购蜂王浆时，首先通过包装外观进行观察，然后，打开容器口进一步检查，对有疑问的要重点检验。蜂王浆质量的感官检验与包装贮存详见第九章“蜂产品知识”。但不管怎样，对所收购的产品应尽可能地进行倒壶检查，要求蜂王浆的朵块状不少于1/3，稀稠相间。太稀、过稠、无浆花（机械取的浆除外）、色泽变暗（与同一花期所取王浆样品相比）或过白、颜色不均、有酒气、分离水、有颗粒、有异味等都属于不正常现象，蜡渣、幼虫大量混入也是质量低劣的表现。根据蜂王浆的外部感官鉴定，分出等级，分别包装（5L 塑料壶盛放，一般以 6kg 为 1 个包装单位），旋紧壶盖，用胶布封闭，粘上标贴，注明生产蜂场、生产日期、收购日期、净重、等级、花期、地点等，以便为后面的加工或销售分等定价打下基础。

收购的蜂王浆要随收购随冷冻贮存，待贮存有一定数量时及时移交公司或加工厂。

（二）蜂花粉、蜂蜡和蜂胶等蜂产品的收购

全国几乎所有的蜂场都或多或少地生产有蜂花粉、蜂蜡和蜂胶等产品，这些产品可以在各地主要蜜源花期进行集中收购，也可以在养蜂生产淡季收购；可设点收购，也可以派人直接到养蜂人家中收购。在收购过程中，要根据各种蜂产品的质量标准和品质要求，严格检验，准确地进行分等分级，如蜂蜡分清蜜盖蜡、脾蜡进行分等后定价，同时要进行真伪检验；蜂花粉以其色、香、味、形和花种进行定等定价；蜂胶根据其溶于乙醇量进行分等定价，在实际操作中，对可疑蜂胶应敲开检查，严禁“胶包蜡”的掺假行为出现。

收购蜂王幼虫的难度较大，在蜂王浆生产季节，可以把包装容器、保存液放到蜂场备用，随时生产随时进行交售。或在有条件的地方，设放冷冻贮藏设备，随时生产，随时冷冻保存；根据蜂王幼虫的大小、虫龄是否一致、新鲜程度等进行分级。收购蜂王幼虫，禁忌用水、酒冲洗，否则应拒收。

收购雄蜂蛹时，要注意生产雄蜂蛹时的日龄、新鲜程度、是否完整等，也要做到收购后及时冷冻贮藏。

以上产品在收购过程中的质量标准、检验和具体的贮藏、包装要求，见第九章“蜂产品知识”。

第十三章　蜂产品销售

蜂产品销售成绩的好坏在于消费者对蜂产品接受的程度和要求的状况。努力开拓蜂产品的销售市场，扩大蜂产品的消费群体，增加蜂产品的消费量，是蜂产品销售的重要任务。

第一节　蜂产品市场

一、蜂产品市场概述

（一）蜂产品市场的概念与内容

蜂产品市场就是进行买卖蜜蜂产品的地方，如商场、蜂产品专门店、药店、蜂产品集中生产地和集散地等。它由消费者、生产者或中间商（包括加工厂、蜂业公司、蜂产品经纪人等）等组成，并由促成商品达成交易的条件，如双方接受的价格、产品和质量、时间、空间、信息和服务等构成。

由于蜂产品生产的几大系列化，从而形成了蜂蜜市场、蜂王浆市场、蜂花粉市场和蜂胶市场等分类产品市场，在蜂业经营实践中，这几大类产品既紧密相联系，又各自有其独特的市场特点。在蜂业经营活动中，既可以同时经营，又可以单独经营。

（二）蜂产品市场和企业的职能

1. 蜂产品市场的职能　蜂产品市场在营销系统中包括蜂产品收购、供求调节、分装零售，其职能是促进这些过程的顺利进行。

2. 蜂业企业的职能　蜂业企业作为交换体系的一员，必须以顾客的存在为前提，顾客决定企业的性质，而企业主要的职能是市场营销。企业的生产管理、财务管理、人力资源管理等职能都是围绕市场营销进行运作的。

（三）蜂产品市场环境

蜂产品市场环境是蜂业企业营销职能外部的不可控制的因素和力量，这些因素和力量，是与企业营销活动有关的影响企业生存和发展的外部条件。虽然环境是企业不可控制的因素，但企业可以了解和预测环境因素，主动地适应和利用环境，并通过营销去影响市场环境，使市场环境有助于企业的生存和发展。因此，企业要时刻注意和研究市场环境的变化，以调整企业的生产和经营策略。

市场环境包括微观环境和宏观环境。前者是指与企业紧密相关、直接影响企业营销能力的各种参与者，包括企业本身、市场营销渠道、顾客、竞争者以及社会公众。宏观环境主要是人口、经济、政治法律、突发政治事件，国际市场、科学技术、社会文化及自然生态等因素对微观环境影响巨大。所有微观环境都要受宏观环境因素的制约，各个因素也都在互相影响。例如，1989 年的“六四”之前，蜂王浆收购价格为 240 ~ 270 元/kg，而“六四”之后，由于大批外商的撤离，蜂王浆价格在短短数天内即降到 150 ~ 120 元/kg，降幅达 60% ~ 100%；又如 2001 年刺槐蜜开盘价 4 000 元/t，在刺槐流蜜不佳，全国刺槐蜜产量不足前一年产量 1/5 的情况下，其收购价在短短的 10d 内飚升到7 000元/t，后又上升到 8 000 元/t。

蜂产品微观市场环境，包括企业内部的营销部门、市场营销渠道（供应商、中间商、营销服务机构和中介机构等）、顾客（消费者市场、生产者市场、中间商市场、非营利组织市场、国际市场）。各类顾客市场对蜂产品及其制品都有不同的需求，要求企业以不同的方式提供相应的服务。竞争者主要是指同一行业的产品形式、品牌竞争以及代用品生产者、潜在加入者和原材料供应者、购买者等。只有加强对竞争者的研究和了解，企业才能立于不败之地。对公众，如融资公众、媒介公众、政府公众、社团公众、社区公众、一般公众和内部公众等，所有企业都要采取积极态度，树立良好的企业形象（公众形象），力求与主要公众保持良好关系。

宏观市场营销环境中的人口环境主要有人口总量、年龄结构、地理分布、家庭组成、人口性别，经济环境中的收入与支出、经济发展状况，自然环境、政治法律环境、科学技术环境、社会文化环境（一个国家或地区的民族特征、价值观念、生活方式、消费潮流、风俗习惯、宗教信仰、伦理道德、教育水平等），另外，企业所在位置周围的人文特征是影响小零售商利润的主要环境之一。

（四）我国蜂产品市场潜力

我国养蜂从业人员有 25 万之众，饲养着 650 万群蜜蜂，每年生产蜂蜜 20 万 t 左右，蜂王浆3 000t，蜂花粉 5 000t，蜂蜡 3 000t，蜂胶 300t，蜂王幼虫 500t，雄蜂蛹 30 ~ 50t。其总产值约 20 亿元人民币。

至 2002 年，我国有成套蜂产品加工设备的厂家不下 1 000 家，注册的蜂业公司约 800 家。据初步统计，地级及其以上城市的蜂产品专卖店总数有 8 000 家左右。

我国的蜂产品每年约有 10% 的库存，生产与销售基本持平，内销和外销大致相当。有些年份，蜂蜜、蜂王浆和蜂胶的出口量略多于内销量。出口市场主要是日本、美国、德国，以及东南亚、欧共体国家。国内消费蜂产品的人群约占总人口的 10% 左右。

二、蜂产品商品化战略

（一）市场战略

1. 选择目标市场　目标市场是企业打算进入的细分市场，或打算满足的具有某一需求的顾客群体。企业在选择目标市场时有4种可供参考的主市场覆盖模式。

（1）市场集中化：即企业只选择一个细分市场，仅生产一类产品，供应某一单一的顾客群，进行集中营销。选择市场集中化模式一般基于以下考虑：企业具备在该细分市场从事专业化经营或取胜的优势条件；限于资金能力，只能经营一个细分市场；该细分市场中没有竞争对手；准备以此为出发点，取得成功后向更多的细分市场扩展。比如，1997年前后的“王胎补酒”主攻风湿病顾客群、“金王纯花粉”主攻年轻女子美容的顾客群以及目前的蜂胶制品主攻糖尿病、癌症和高血脂等顾客群等。

（2）选择针对化：是企业选取若干个具有良好赢利潜力和结构吸引力，且符合企业目标和资源的细分市场作为目标市场，其中每个细分市场与其他细分市场之间较少联系。其优点是可以有效分散经营风险，即使某个细分市场盈利不佳，仍可在其他细分市场上获利。采用选择针对化模式的企业应具有较强资源和营销实力。

（3）产品专业化：它类似于市场集中化，是企业集中生产一种产品。优点是企业专注于某一种或一类产品生产，有助于形成和发展生产和技术上的优势，在该领域树立形象；其缺点是当该领域被一种全新的技术与产品所代替时，企业和产品将面临改制的危险。

（4）市场全面化：是企业生产多种产品去满足各种顾客群体的需要。比如，实力雄厚的大型蜂业企业，既经营各类蜜蜂产品，又生产各类蜂制品或与之相关的保健食品、饮料等，能收到良好效果。

2. 目标市场战略　在蜂业市场中，目标市场战略主要有无差异性营销战略、差异性营销战略和集中性市场战略。

（1）无差异性营销战略：实行无差异性营销战略的蜂业企业把整体市场看作一个大的目标市场，用一种产品、统一的市场营销组合对待整体市场。企业为整体市场生产标准化的产品，它强调需求的共性，漠视需求的差异，或者某些特定的消费者对某些特定产品的需求大致相同或较少差异，比如南方人大都喜欢食用大米。

无差异性营销战略的优点是成本低廉。大批量的生产销售，必然降低单位产品成本；无差异的广告宣传可以减少促销费用；不进行市场细分，也相应减少了市场调研、产品研制开发以及制定多种市场营销战略等带来的成本开支。其缺点是对市场上绝大多数产品不相适宜，对于蜂产品来讲，由于消费层次、消费人群不同，某一个产品或品牌很少受到市场的普遍欢迎，一方面蜂产品零售商店的快速发展使得零装蜂蜜竞争十分激烈，无差异化的瓶装蜂蜜在超市也是如此；另一方面，差异化的、具有为消费者着想的特色包装与加工制品却远未得到满足。如蜂蜜与蜂胶、雄蜂蛹相比较等，鲜蜂王浆与其便携、便服式的加工品相比等。

（2）差异性营销战略：这是把整体市场划分为若干需求与愿望大致相同的细分市

场，然后根据企业的资源及营销实力选择部分细分市场作为目标市场，并为各目标市场制定不同的市场营销组合策略。

差异性市场营销战略的优点是有针对性地满足具有不同特征的顾客群需求，提高产品的竞争力。但是，由于产品品种、销售渠道、广告宣传的扩大化与多样化，市场营销费用大幅增加。所以，无差异性营销战略的优势基本上成为差异性市场战略的劣势；另外，该战略在推动成本和销售额上升的同时，市场效益并不具有保证。

（3）集中性营销战略：是在将整体市场分割为若干细分市场后，只选择其中某一细分市场作为目标市场。其指导思想是把企业的人、财、物集中用于某一个或几个小型市场，不求在较多的细分市场上都获得较小的市场份额，而要求在较少的市场上得到较大的市场份额来弥补市场空隙。

它适合于资源薄弱的小企业。也就是说小企业要避开大企业竞争激烈的市场定位，选择一两个能够发挥自己技术、资源优势的小市场，往往容易成功。由于目标集中，可以大大节省营销费用和增加赢利；又由于生产、销售渠道和促销的专业化，也能够更好地满足这部分特定消费者的需求，企业易于取得优越的市场定位。

这一战略的缺点是风险大，如果目标市场的需求情况突然发生变化，目标消费者的兴趣突然转移（多发生于时髦商品）或是有更强的竞争对手，企业就可能陷入困境。

3. 选择目标市场营销战略的条件

（1）企业实力：是指企业在生产、技术、销售、管理和资金等方面的力量总和。如果企业力量雄厚，且市场营销管理能力较强，既能选择差异性营销战略，也可以选择无差异性营销战略，反之，则选择集中性营销战略。

（2）产品同质性与市场的类同性：目前，各个蜂产品零售业主和相当一部分加工厂，所销售的产品都是一些未经加工的初级产品，如蜂蜜、蜂王浆、蜂花粉等各类产品，从品质到包装或多或少存在差异，但用户难以区分。因此，同质性产品竞争主要表现在价格和提供的服务条件上，每一大类蜂产品适于采用无差异战略。但也可根据企业资源力量，采用差异性营销战略或集中性营销战略。

如果顾客的需求、偏爱比较相似，对市场营销刺激的反应差异不大，可采用无差异性营销战略；反之，就采用差异性或集中性营销战略。

（3）产品所处的寿命周期阶段：新型的蜂制品上市，在引入阶段可采用无差异性营销战略，而待产品进入成长或成熟阶段，改为差异性或集中性营销战略效果更好。

（4）竞争者战略的影响：在竞争对手采用无差异性营销战略时，企业选择差异性或集中性营销战略则有助于开拓市场，提高产品竞争力。如果竞争者已采用差异性战略，就选择对等的或更深层次的细分或集中化营销战略。

4. 市场定位战略

（1）市场定位的含义：市场定位也叫产品定位或竞争性定位，是根据竞争者现有产品在细分市场上所处的地位和顾客对产品某些属性的重视程度，塑造出本企业产品与众不同的鲜明个性形象并传递给目标顾客，使该产品在细分市场上占据强有力的竞争地位。产品的特色或个性，可以从产品实物上表现出来，如形状、成分、构造、性能、包装等；也可以从消费者心理上反映出来，如豪华、朴素、时髦、典雅等；还可以体现在价格水平、质量水准上。

企业在定位过程中，一方面要了解竞争者的产品的市场地位，另一方面要研究目标顾客对该产品各种属性的重视程度（如消费者对蜂王浆的纯正和新鲜程度的重视），然后选定本企业产品的特色和独特形象，从而完成产品市场定位。

（2）市场定位方式：市场定位作为一种竞争战略，显示了一种产品或一家企业同类似的产品或企业之间的竞争关系。

①避强定位：这是一种避开强劲的竞争对手的市场定位，其优点是：能够迅速地在市场上站稳脚跟，短期内即可在消费者或用户心目中树立一种形象。

②对抗性定位：这是一种与在市场上具有支配地位的竞争对手"对着干"的定位方式。这种定位会产生风险，但一旦成功就会取得巨大的市场优势。如可口可乐与百氏可乐、汉堡包王与麦当劳等。实行对抗性定位，必须知已知彼，尤其是应准确地估计自己的实力，不一定要挤出对方，只要能够平分市场就是巨大的成功。

③重新定位：是对销路少、市场反应差的产品进行二次定位。对产品意外地扩大了销售范围时也要重新定位。例如，多为老年人用的蜂王浆在年青人中也流行起来，为糖尿病人制作的蜂胶胶囊也被其他人用于养生保健等，在这些情况下就需要对产品重新定位，锁定新的顾客群。

实行市场定位，要与产品差异化结合起来，在类似产品之间造成区别的一种战略，这是实现市场定位目标的一种手段。

（3）市场定位的步骤：

①把握潜在竞争优势：潜在的竞争优势是市场定位的基础。通常企业的竞争优势表现在成本优势和产品差别化优势。成本优势是企业能够以比竞争者低廉的价格销售相同质量的产品，或以相同价格水平销售更高一级质量水平的产品。产品差别化优势是指产品独具特色的功能和利益与顾客需要相适应的优势，即企业能向市场提供在质量、功能、品种、规格、外观等方面比竞争者更好的产品。为实现此目标，首先必须进行规范的市场研究，切实了解目标市场需求特点以及这些需求被满足的程度。其次，要研究主要竞争者的优势和劣势。可以从三个方面评估竞争者：一是竞争者的业务经营情况，如近 3 年的销售额、利润率、市场份额、投资收益率等；二是竞争者核心营销能力，主要包括产品质量和服务质量水平等；三是竞争者的财务能力，包括获利能力、资金周转能力、偿还债务能力。

②核心竞争优势定位：与主要竞争对手相比，企业在产品开发、服务质量、销售渠道、品牌知名度等方面所具有的可获取明显差别利益的优势。应把企业的全部营销活动加以分类，并将主要环节与竞争者相应环节进行比较分析，以识别和形成核心竞争优势。

③发挥核心竞争优势：企业在市场营销方面的核心能力与优势，必须制定明确的市场战略来加以体现。比如，通过广告传导核心优势战略定位，逐渐形成一种鲜明的市场概念，这种市场概念能否成功，取决于是否与顾客的需求和追求的利益相吻合。

（4）市场定位战略：

①产品差别化：是从产品质量、产品款式等方面实现差别。寻求产品特征是产品差

别化经常使用的手段。在高新技术产业，哪一企业掌握了最尖端的技术，率先推出具有较高价值的产品创新特征，就能够发展成为一种十分有效的优势。

产品质量是指产品的有效性、耐用性和可靠程度等。产品质量与投资报酬之间存在着高度相关性，即高质量产品赢利率高于低质量和一般质量的产品，但质量超过一定限度时，顾客需求开始递减。

产品款式是产品差别化的一个有效的形象特征工具，对汽车、服装、房屋等产品尤为重要。在蜂业企业中，产品的包装或产品的剂型、推出的新产品等是实现产品差异化的必要手段。

②服务差别化战略：这是向市场目标提供与竞争者不同的优质服务。企业的竞争力越能体现在对顾客服务水平上，市场差别化就越容易实现。如果企业把服务要素融入产品的支撑体系，就可以在许多领域建立“进入障碍”。因为，服务差别化战略能够提高顾客总价值，保持稳定的顾客关系，从而击败竞争对手。

服务战略与技术质量战略是并行不悖的。一些企业靠提供培训服务或咨询服务来区别于其他企业。

③人员差别化战略：是通过聘用和培训比竞争者更为优秀的人员以获取差别优势。实践证明，市场的竞争归根到底是人才的竞争。

一个受过良好训练的员工应具备以下基本素质和能力：能力——具有产品知识和技能；礼貌——友好对待顾客，尊重和善于体谅他人；诚实——使人感到坦诚和可以依赖；可靠——强烈的责任心，并准确无误地完成工作；敏锐——对顾客的要求和困难能迅速地做出反应；善于交流——尽力了解顾客，并将有关信息准确地传达给顾客。

④形象差异化战略：这是产品的核心部分与竞争者类同的情况下塑造不同的产品形象以获取差别优势。“麦当劳”的金色模型“M”标志，与其独特的文化气氛相融洽，使人们无论在美国纽约，还是在日本东京或中国北京，只要一见到这个标志马上会联想到麦当劳舒适宽敞的店堂、优质的服务和新鲜可口的汉堡薯条。

（二）产品质量战略

产品战略就是要创造产品概念差异、产品质量差异、生产技术差异，为此，要给产品重新命名，但又要符合规范，并注册之，为创建知名品牌打下基础。

产品包装，采用高、低档包装渐次拉开、合理分工，高档包装创品牌、创利润，低档包装抢市场（尤其是抢低档产品的市场）、战杂牌。高档包装必须要求保质期长、运输方便、适合异地销售、品质上乘，销售对象为中高档收入者。

建立可靠的技术支撑体系。企业要高起点，员工高素质，管理高质量，只有这样，才能确保产品质量的稳定和上乘。

（三）市场推进战略

看准时机，在选定的目标市场区域内做蜂产品第一品牌。由企业市场部专司开发新市场，待市场成熟后由销售部专司维护和管理。在实行地区总经销中，企业必须要求总经销有做品牌的思想准备，有完善的网络和直销队伍，经营专业化，而且要求“不赊不欠不垫”的原则。企业还要加强终端建设与维护，要求经销商提高商店的铺货率，让顾客买得到。

三、国内外蜂产品市场概况

（一）国内蜂产品市场

2001 年，我国各类蜂产品总产值达 20 多亿元人民币。

1. 2001 年国内蜂蜜产销情况　随着蜂蜜减产，蜂蜜价格从开秤价 3 000 元/t 一路上升到 8 000 元/t。国内零售价格，多在 8 ~ 28 元/kg。

2001 年，我国内销蜂蜜 7 万 t，外销约 11 万 t。其中出口欧共体国家的约 4.3 万 t，日本 3.9 万 t，美国 2 万 t，其他地区约 0.5 万 t，总体上比 2000 年略有增长。部分主攻外贸市场的单位加入了国内市场的开拓，个别新加盟的内销市场厂商，还引入品牌经营，发展迅速。

虽然蜂蜜为大众食品，甘甜可口，老少皆宜，且价格低廉，但是，我国年人均占有蜂蜜量仅 50g 左右，其中药用占去 47%，如果再去除饮料、烟草等工业用蜜，直接入口的不足 25g，相当于全国每人喝 1 杯蜂蜜水。尽管我国蜂产品的人均占有量较少，但由于人口众多，与世界其他国家相比，从蜂产品的消费总量来看，其市场潜力巨大。

在国内，蜂产品一是通过养蜂人直接卖给消费者，二是通过蜂产品专卖店卖给消费者，三是通过蜂业公司、蜂产品加工厂、食品厂对蜂蜜进行加工、包装后，通过商业渠道进入超市、药店卖给消费者，或者是以职工福利形式推销给消费者。制药、食品、烟草等行业也利用蜂产品作为原料或佐剂加工成蜂制品。

2. 蜂王浆市场　2001 年我国蜂王浆产量约 3 000t，达到历史最高水平，内销、外销两旺，国际市场与国内市场销售量基本持平，外销产值下降，内销产值提高，总销售额增加。据统计，内外贸销量 2 100t，年底库存 300t。内外贸蜂王浆销售总产值超过 3.6 亿元。

外贸销售 1 098t，比上年增加 7t。其中干粉出口 193t，鲜王浆出口 519t。2001 年鲜王浆出口平均价格 15 美元/kg，王浆干粉 46 美元/kg，有些供货商以鲜王浆 11 美元/kg 和干粉 35 美元/kg 供货。累计创汇 1 652 万美元（合 1.366 亿人民币），比上年的 1 091t蜂王浆售价 1 687 万美元减少 35 万美元，下降 2%。对传统市场亚洲出口 793t，占出口总量的 72%，比上年增加 94t，其中对日本出口量是 688t，比上年增加 69t。对欧洲出口 133t，比上年下降 44%；对北美洲出口 87t，同比增长 38%。我国蜂王浆出口，以专业生产厂家为主，由于出口价格下跌，导致出口产值下降。

内贸方面，蜂王浆销售 1 000t，平均市场价格 220 元，内贸销售产值 2.2 亿元以上，超过外贸值。北京市场蜂王浆最高售价 960 元/kg，一般 250 元/kg。

国内蜂王浆市场需求旺盛，增长迅速。2001 年度，国内蜂王浆销售首次突破 1 000t，这包括广大蜂农自产自销的蜂王浆。国内蜂王浆销售集中在南京、广州、北京、大连、武汉等城市。产品质量良莠不分，质量好的蜂王浆 10 - HDA 可以达到 2.0% 以上，质量差的王浆10 - HDA 仅在 1.0% 左右，一些不法商贩将王浆中的 10 -

HDA 滤出，然后将含 10－HDA 很低的蜂王浆在市场上抛售，广州市场上有些销售的蜂王浆10－HDA 含量仅为0.47%。全国大部分鲜王浆销售价为 200～400 元/kg，有的王浆产品达到 1 000 元/kg，而在南京、北京、广州市场都曾出现过 80 元/kg、100 元/kg，使得王浆市场价格十分混乱，消费者无所适从。蜂王浆市场缺乏行业自律，导致同室操戈的现象时有发生，主要表现是互相攻击，扩大宣传以及贬低宣传。

蜂王浆市场前景广阔。外贸方面，随着我国加入世界贸易组织，以及稳中有升的亚洲市场，对南美洲和非洲市场的进一步开发，蜂王浆在一个较长时间内的外销量会有一定程度的增长。与此同时，鲜王浆出口有下降趋势，干粉出口有上升趋势，传统外贸出口有下降趋势，专业生产企业出口上升。在国内市场上，虽然蜂王浆的人均占有量每年不足 5g，但是蜂王浆消费量越来越大。近些年来，在整个保健品市场（500 亿元的销售额）总体下滑 20%～30% 的情况下，蜂王浆内销产值反而增大，是外销产值的 2～3 倍。1999 年国内消费 550t，到 2000 年上升到 700t，进而到 2001 年的 1 000t，增长迅速。随着蜂王浆逐渐被国人认识，以及我国的医疗事业由治疗医学向预防医学转化，加上医疗制度的改革和人口老龄化、处于亚健康状态的青年人数增多，这些都有助于蜂王浆市场需求的进一步扩大。因此，蜂王浆市场的国内需求稳中有升。在价格方面，出口价将以 15 美元/kg 维持较长一段时间，而内销价格 200～400 元/kg 将在一段时间保持稳定。

3. 蜂胶市场　蜂胶是养蜂业的拳头产品，据不完全统计，2001 年蜂胶全国产量为 300t 左右，产销基本平衡，多数是以蜂胶制品被消费，其产量和制成品远远满足不了市场需求。目前，蜂胶质量问题较突出，主要表现在掺杂使假、以树胶造假蜂胶和生产蜂胶过程中夹杂物过多，另外，蜂胶的过敏问题尚未得到应有的重视。

蜂胶是自然界中总黄酮含量最高的天然产物，其市场潜力非常巨大。目前，我国蜂胶总产量的一半供出口，另一半供国内销售。每支 1ml 的蜂胶液含类黄酮 1mg，以 15ml/mg 计算，我国的蜂胶只能生产 4 亿支蜂胶液，每人一年消费 15 支，仅够 3 000 万人使用。蜂胶在日本和欧洲市场已具有一定规模的市场份额。

4. 蜂花粉市场　2001 年全国生产商品蜂花粉 1 500～1 700t，其中油菜蜂花粉 650t，基本用于制药，内外贸销售约 1 100t。蜂花粉直接用于食用的约 200t，人均不足 2g。

蜂蜡主要作为工业原料，雄蜂蛹和蜂王幼虫的消费在国内几乎还没有形成消费群体。目前，国内蜂产品收购价格和终售价格受年景收成、出口贸易、各系列内产品种类和质量影响，其变动幅度较大。

（二）国内蜂产品市场存在的问题与市场分析

国内蜂产品市场存在的问题，一是质量问题，二是市场还不成熟，有待呵护和培育。

蜂产品质量问题多年来一直没有得到很好的解决。蜂蜜质量主要表现在生产不成熟蜜，包装桶的锈蚀、生产过程中的环境不卫生及蜂药残留也使质量受到影响，蜜种的混杂、生产和流通领域中的掺假使杂，以及保存时间较长等都会影响蜂蜜的质量。蜂王浆的质量问题主要表现在浆蜂产量大幅提高，而 10－HDA 含量下降，以及蜂王浆贮存过程中活性成分降低，生产技术水平参差不齐，市场上过滤蜂王浆的出现，过分地宣传王浆的保健功能和疗效等。另外，蜂产品市场的无序竞争、低价倾销、假借名义推销产品、企业之间互相拆台，在夸大宣传的同时又大肆宣扬蜂业生产的落后面，麦芽糖浆和果葡糖浆的销售也将冲击蜂蜜市场，拉着蜂箱街头卖蜜，以及目前出现的“卖蜜专业户”等，都威胁着蜂产品市场的健康成长。

目前，全国蜂产品由个人、集体一起经营，尤其是近几年来的蜂产品专门店迅速发展，蜂业企业大规模发展连锁经营、兼并和重视国内市场的开发，走街串巷叫卖者频繁亮相街头，这些都加速了蜂产品市场产业化步伐。在地级市，一般有专门店30家左右，省会城市有些达到400家左右。如此多的专门店、蜂业企业，一方面给蜂产品市场带来了激烈的竞争，另一方面也繁荣了蜂产品市场。但从蜂产品市场从业人员和规模分析，绝大多数不成规模，竞争能力较差，产品质量、价格差别较大，获利能力有限。

21世纪将是保健品的世纪，据专家预测，我国营养保健品消费额将突破1 000亿元，而目前中国生产的3 000t蜂王浆和约20万t的蜂蜜等产品全部内销约20多亿元。蜂王浆是中老年人的最佳营养保健品，我国老年人口已达1.25亿，占本国人口的1/10，加上现代生活带来的许多疾病和国外对蜂产品的需求增加，养蜂业将是大有可为的事业。

（三）国外市场

全世界蜂蜜总产量在20世纪90年代达到110万t，总产量与总消费量基本持平，贸易量逐年增加，90年代末达到40万t。

世界各主要蜂产品生产国、出口国、进口国以及消费概况见第十二章“蜂产品收购”。

第二节　蜂产品市场的调查、预测与销售计划的制定

一、蜂产品市场信息的获得

（一）蜂产品市场信息的搜集

蜂产品信息主要从同行交流，全国蜂产品信息发布会，上一年度的蜂产品生产、出口形势和中、外蜂产品最新的谈判结果、库存以及国际政治局势、互联网等研究分析获得，也可以从《中国养蜂》、《蜜蜂杂志》及各省市养蜂协会的蜂业通讯获得。

搜集到的蜂业信息要全面、准确、有针对性，同时要求有时效性，只有抓着瞬息万变的市场信息，才能在竞争中取胜。

蜂业信息也可通过市场调查获得，如要了解某市的蜂产品零售市场，则该方法是直接的、最有效的方法。具体方法：通过超市了解进入该市场蜂业企业的数量、企业产品定位及其产品质量、花色品种、包装、价位等，沿街考察专门店的数量、规模、层次，

进而预测该市蜂产品市场容量的大小。

（二）蜂产品市场信息的分析与利用

根据上年库存及价格，根据物候学推测当年气候从而进一步推测当年蜂产品生产的丰歉、国际（包括政治的和商业的）信息，对所有搜集到的信息进行研究，综合分析，去伪存真，并由表及里地辩证推导，以此指导蜂业企业的经营决策。

二、销售计划的制定

（一）计划经营指导思想

立足国内，积极出口。蜂产品的商品化程度很高，我国每年蜂产品总产量的一半以上都进行出口贸易，其余的在国内销售。因此，我国的蜂产品市场受国际市场影响极大，质量、价格受国际市场的波动而浮动。因此，我国蜂产品市场要坚持立足国内，积极出口，尽可能摆脱完全由国际市场牵制的局面。同时，根据所搜集的蜂业信息，正确地做出经营决策。

在蜂产品销售过程中，其销售渠道有两条：一是从商业系统（如中间商、蜂产品加工厂、蜂业公司）进入营销渠道；二是直接卖给最终消费者或用户，如药厂、食品厂、烟厂、消费者个人等。

（二）销售渠道

市场营销渠道是指配合生产、分销和消费某一生产者的产品和服务的所有企业和个人。它包括供应商、生产者、中间商、代理中间商、辅助商以及最终消费者或用户等。其类型有密集分销、选择分销和独家分销3种形式。密集分销是指制造商尽可能地通过许多负责任的、适当的批发商、零售商推销其产品，它适合于消费品中的便利品和产业用品中的供应品的销售，使广大消费者和用户能随时随地买到这些日用品。选择分销是指制造商在某一地区通过少数几个精心挑选的、最合适的中间商推销其产品。它适合于所有产品，最适合于消费品中的选购品和特殊品的销售。独家分销是指制造商在某一地区仅选择一家中间商推销其产品，通常双方协商签订经销合同，规定经销商不得经营竞争者的产品，以便控制经销商的业务经营，调动其经营积极性，占领市场。

1. 批发商与零售商　企业在确定了分销渠道后，还必须正确选择中间商，因此，需要掌握各类中间商的特点与作用。

（1）批发商：批发商是指一切将物品或服务销售给为了转买或商业用途而进行购买的人的活动。它不包括蜂场主、零售商。它包括商人批发商、经纪人或代理人、制造商销售办事处。

①商人批发商：商人批发商是指自己进货，取得产品所有权后再批发出售的企业，也即是独立批发商。其主要类型有：

Ⅰ. 完全服务批发商：这类批发商执行批发商业的全部职能，他们提供的商业服务，主要有保持存货，雇用固定的销售人员，提供信贷、送货的协助管理等。蜂产品的营销主要是批发商人，其任务是向零售商销售，并提供广泛的服务。

Ⅱ. 有限服务批发商：这类批发商为了减少成本，降低批发价格，往往只执行一部分服务。其主要类型有：

ⅰ. 现购自运批发商：这类批发商不赊账，也不送货，顾客要自备货车去批发商的仓库选购物品，当时付清货款，自己把货物运回。

ⅱ. 承销批发商：他们拿到顾客（包括其他批发商、零售商、用户等）的订单后，就向制造商等生产者进货，并通知生产者将物品直接交给各类顾客。这也叫“写字台批发商”。

ⅲ. 卡车批发商：他们从生产者处把物品装上卡车后，立即运送给各零售商店等顾客，这类批发商主要执行推销员和送货员的职能，其产品多为易腐或半易腐产品。

ⅳ. 托售批发商：他们在超级市场和其他食品杂货铺设置自己的货架，展销其经营的产品。产品卖出后，零售商才付给货款。这类批发商的经营费用高，主要经营家庭器皿、化妆品、玩具等产品。

ⅴ. 邮购批发商：指那些借助邮购方式开展批发业务的批发商。目前，许多蜂业企业通过邮购将产品批发给零售商或消费者个人手中。

（2）其他中间商：

①蜂场主合作社：指为各养蜂场联合起来的互助组，如目前兴起的各类养蜂联合体等。其领导者将其产品共同组织到市场上销售的批发商，合作社的利润在年终时分配给各蜂场主。

②经纪人和代理人：是从事购买或销售或二者兼顾的洽商工作，但不取得物品所有权的商业单位，其主要职能是促成商品的交易成功，借此赚取佣金作为报酬。与商人相似的是，他们通常专注于某些产品种类或某些顾客群。主要有产品经纪人、制造商代表、销售代理商、采购代理商、佣金商等几种类型。

③制造商及零售商的分店和销售办事处：指由买方或卖方自行经营批发业务，而不通过独立的批发商进行。主要有销售分店和销售办事处、采购办事处两种。采购办事处是指许多零售商在大城市设立采购办事处，其作用与经纪人或代理商相似，但却是买方组织的一部分。

2. 零售商店的类型　零售是指所有向最终消费者直接销售产品和服务，用于个人和非商业性用途的活动。任何从事这种销售活动的机构，不论是制造商、批发商或零售商，也不论这些产品和服务是如何销售（经由个人、邮寄、电话或自动售货机）或者是在何处（在商店、在街上或者在消费者家中）销售的，都属于此范畴。而零售商或零售商店是指那些销售量主要来自零售的商业企业。

我国国内贸易局在 1998 年 7 月将零售业商店分为 8 类：百货商店、超级市场、大型综合超级市场、便利店、仓储式商场、专业店、专买店、购物中心。

（三）确定经营范围

考察消费对象，平衡各类蜂产品比例。对于各个蜂产品经销商来说，每年的蜂产品销售要有一个计划。比如，根据市场调查，在锁定的市场范围内，一年可以销售多少千克蜂王浆，多少千克蜂蜜，这些产品在什么时间备货，此外，还需要各类蜂产品相互搭配，品种尽可能齐全，视市场竞争程度，对本地产品和外地产品要有计划地进行销售，如有新开发的别人没有的产品上市则更为理想。

第三节 培训营销人员和员工

一、营销人员的素质

(一) 营销人员的基本素质

1. 道德素质 “博爱为本、诚信待人”是营销人员应具有的基本道德。“先做人，后做事”，“坚守职业道德”，都要求现代营销人员是一个有道德的人，它包括：一是对蜂业企业的忠诚和奉献精神，二是对顾客的诚实和爱心。

对企业的忠诚就是要有强烈的敬业精神，祖国利益高于一切，企业的利益高于个人利益，要有团队奉献精神。避免私下交易和出卖祖国、企业利益，视质量为企业的生命，视顾客为上帝。为企业树立良好的形象和品牌，先传播企业文化和信誉，再推销产品和服务。即使离开单位，也不故意损害原企业的利益，不为名利而降低产品质量成本以牟取暴利，更不得造假售假坑蒙顾客，扰乱市场。

忠诚于企业才有对企业的奉献精神。现代蜂产品市场营销的态势要求营销人员以身作则，严以律己，对企业的产品充满信心，竭诚为企业的发展奉献自己的才干，这种奉献精神就是翻越千山万水，历尽千辛万苦，想尽千方百计，道尽千言万语，使优秀品牌的蜂产品走进千家万户。

顾客是企业和营销人员的主要资源。对顾客的诚实就是要设身处地为顾客着想，真心诚意为顾客服务，和顾客交朋友，结识新顾客，不忘老顾客。美国营销学博士伊莫尔·费尔克斯讲：“你不要直接增加买卖，而是首先增加顾客，那样，许多人就会使你的买卖增多。”对顾客忠实，就是要坚决抵制假冒伪劣产品，对卖给顾客的产品质量精益求精，不夸大宣传产品价值，不搞暴利销售，不搞不切实际的服务承诺，不搞欺骗性的促销。每一个营销人员应牢记：欺骗顾客就是欺骗自己，失去顾客意味着失去自己的品牌和市场！

有了对顾客的忠诚才能对顾客献上一片爱心。正如古老的东方羊皮卷里所说：“我的理论，他们也许反对；我的言谈，他们也许怀疑；我的穿着，他们也许不赞成；我的长相，他们也许不喜欢；甚至我廉价出售的商品都可能使他们将信将疑，然而我的爱心，一定能温暖他们，就像太阳的光芒能溶化冰冷的冻土……爱使挫折变得如春雨般温和，它是我商场上的护身符……有了爱，我将成为伟大的推销员，即使才疏智短，也能以爱心获得成功；相反地，如果没有爱，即使博学多识，也终将失败。我要用全身心的爱来迎接今天！”可以说，爱心是营销人员在蜂产品市场上战无不胜的法宝。

2. 知识素质 21 世纪是知识经济时代。它是一个科技迅速发展、激烈竞争、优胜劣汰的时代，具有高节奏、高竞争、高风险并伴有高压力的特点，它要求蜂产品营销人员有与科学技术发展相适应的、完整的基础理论和基本技术，以及独立获得新知识的能力，学会如何学习，具备对新知识相应程度的理解力、消化力和运用能力。

首先掌握知识，然后推销知识，最后推销产品。这是现代知识经济市场营销工作的一个主要特征。一名优秀的蜂产品市场营销人员，应把蜂产品的各种知识介绍给顾客，让消费者了解生产企业的意图，所以掌握专业的产品知识、科学文化知识、营销技术知识，从而使自己成为蜂产品市场营销的内行。与此同时，还要亲身体验和食用蜂产品，对产品坚信不移。己所不欲，勿施于人。自己认可并信赖的产品，会增强自己的营销信心和顾客的购买信心。因此说，不了解蜂产品也不食用蜂产品的营销员是不合格的营销员。

掌握科学知识和营销技术知识，是为了更好地了解自己的营销对象和环境，更透彻地了解顾客的购买动机和购买行为。有了丰富的科学知识和熟练的营销技巧，才能培养与人共处的能力，更好地接近顾客和说服顾客，更有效地为顾客服务。营销能力体现在对科学知识的掌握和运用上，而营销技术则体现出营销人员的经验和应变能力。因此，营销技术与科学知识同等重要。变化无常的买方市场，对营销工作的要求越来越高。所以，发达的工业国家（包括日本）早已出现了“营销网络”结构和“营销工程师”、“职业经理人”这个职业，这也足以说明知识经济时代的市场营销行业将成为我国的热门行业。我国的蜂业经济基础比较薄弱，蜂产品市场还远未成熟，应该借鉴这种做法，加强蜂产品市场营销人员的能力培养工作，并可在本行业内设置相应的技术职称。鼓励营销人员刻苦学习蜂产品专业知识和营销知识，进一步提高营销技能，为占领市场创造有利的营销环境和气氛。

3. 身心素质 即身体素质和心理素质。一个人只有强健的体魄，才能以充沛的精力投身工作，创造价值。世界卫生组织对人身体健康的定义是：“不但没有身体的缺陷和疾病，还要有完整的生理心理状态和社会适应能力。”可见人身体健康和心理健康二者缺一不可。市场营销人员不但要知识渊博，也要身体健康。现代市场营销对身体素质的要求既包括个人的气质、体质及健康状况，又包括个人的言谈举止及其仪表风范等。

（1）身体要结实：如果把一位企业的老总比喻为钟表的时针，起宏观决策作用，那么，中层和基层的营销人员就像钟表的分针和秒针，起微观执行决策作用，每分每秒都在不停地在本职岗位上快节奏地努力工作。营销工作流动性大，活动范围广，连续作业时间长，如果没有良好的体质，就无法胜任这项具有挑战性的工作，所以营销人员要经常锻炼身体，保持强健的体魄和旺盛的精力。就言谈举止和仪表风范来说，目前没有统一的标准，但当今不少知名企业内部都制定有营销人员必须遵守的礼节和行为规范。良好的个人气质和营销行为，有助于增强营销人员对顾客的说服力，所谓“推销自己”的意义就在于此。在当今众多现代化企业的人才招聘过程中，都特别注意这些因素，而且制定了一系列的选拔标准，要求非常严格。不仅要进行体检，而且要进行面试，目的不在于以貌取人，而在于全面考查其身体素质条件是否适合营销工作要求。有了较好的身体素质，才能以良好的状态去开拓蜂产品市场。

（2）心理要健康：重视人的心理素质在西方发达国家已有相当长的历史，科学研究表明，人的心理现象是宇宙最复杂的现象之一，恩格斯把它誉为“地球上最美的花朵”。在现代蜂产品市场中，心理素质的高低，直接影响能力和效率，营销人员经常与消费者打交道，应酬形形色色的顾客，要做好心理准备，经得起挫折和打击。必须加强承受心理压力的训练，要使营销人员充满信心，培养胜不骄、败不馁的心理素质以及平常心态。

（3）耐心很重要：精明的日本人之所以最富有，他们的四大观念的第一位就是耐心。《万克里英日词典》对“耐心”一词的解释是“坚持和忍受”，而日本人对该词赋予更特别的含义：用理智和坚定意志巧妙地和细心地发现任何影响商务洽谈结果的最微小的因素，从而赢得成功。“百问不烦，百选不厌”，这句话说起来容易，做起来比较困难。

（4）诚心不可少：真品换真心，真诚待客，热情服务，精诚所至，金石为开。这是营销精神的一大支柱。

（5）虚心是保障：虚心能充实和提高自己，满招损，谦受益，只有不断地学习，提升自我，才能胜人一筹，以实取胜。

总之，要培养具有开放、健康、大度、得体的现代蜂产品市场营销人员。

（二）营销人员具体要求

推销人员的素质决定了人员推销的成败。一个优秀的营销人员应具备如下素质：

第一，态度端正，勇于进取。营销人员是企业的代表，负有为企业推销产品的责任；同时又是顾客的顾问，负有为顾客的购买活动当好参谋的义务。因此，企业离不开营销人员，而营销人员要有高度的责任心和使命感，热爱本职工作，不辞辛苦，任劳任怨，敢于探索，积极进取，耐心服务，与顾客建立友谊。

第二，求知欲强，知识广博。善于学习和具有广博的知识是营销人员做好推销工作的必要条件。企业营销人员要熟悉企业的历史及现状，包括本企业的规模、在同行中的地位、企业的经营特点、经营方针、服务项目、定价方法、交货方式、付款条件、保管方法和企业定位、发展方向与目标。专业知识方面，要掌握产品的性能、用途、价格、使用和贮存方法以及竞争者的产品情况等。市场知识方面，要了解目标市场的供求状况及竞争者的有关情况，熟悉目标市场环境，如国家的有关政策、条例等。要具备并适时地运用心理学知识，来研究顾客心理需求的变化，以便采取相应的营销方法和技巧。

第三，文明礼貌，善于表达。营销人员在推销产品的同时也是在推销自己，所以要注意推销礼节，仪表端正，举止适度，谦虚谨慎，谈吐文雅，口齿伶俐，表达正确，讲究文明礼貌，热情待人，在说明主要问题的情况下，语言应幽默，为顾客留下好印象。

第四，善于应变，技巧娴熟。营销人员必须对复杂多样的市场环境做出合理反应，准确地掌握顾客的有关情况，采用恰当的推销技巧，选择推销对象与选择洽谈的时机和地点，说服顾客，抓着每一个推销机会，把握成交时机。

第五，营销人员要有团队精神，互相合作，又要泾渭分明。

二、营销人员的遴选与培训

（一）营销人员的遴选

对还未从事营销的人员要求品德端正、作风正派、工作责任心强、热爱本职工作、身体健康，胜任推销工作；在岗的营销人员要通过考查，适时淘汰不适合做推销工作的人员。

营销人员的来源一是来自企业内部，二是从企业外部招聘。后者是企业从大专院校的应届毕业生、其他企业或单位等群体中物色人选。无论哪种来源，都应采取申报、笔试和面试相结合的方法，经过严格的考核和遴选，择优录用。通过申报人填写报名表，可掌握报名者的性别、年龄、受教育程度和工作经历等基本情况；通过笔试和面试可了解报名者的仪表风度、工作态度、知识深度和广度、语言表达能力、理解能力、分析能力、应变能力等。

（二）营销人员的培训

对被聘的营销人员还需要经过培训，使他们掌握有关的知识和技能后上岗，同时，对在岗的营销人员，在规定时间内进行轮训，使其了解企业新的产品、新的经营计划和新的市场营销策略，进一步提高营销水平。培训的内容一般包括企业知识、产品知识、市场知识、心理学知识和政策法规知识等内容。

培训营销人员常用的方法有 3 种：一是讲授培训。这是一种课堂教学培训方法，一般是通过短期培训班或进修等方式，由专家、教授和有丰富推销经验的优秀营销人员来讲授基础理论和专业知识，介绍推销方法和技巧等实践技能。二是模拟培训，由受训人员分析推销实例等，它是受训人员亲自参与的有一定真实感的培训方法。三是实践培训。被聘的营销人员直接上岗，与有经验的推销人员建立师徒关系，经过传、帮、带，使受训人员逐渐熟悉业务，成为合格的推销人员。

对于企业员工，要定期进行企业知识和产品知识教育，增强企业的凝聚力，使企业的每一个员工以企业为家，为企业保持积极的工作情绪，创立良好的企业文化。

第四节 销售策略与宣传媒体的利用

一、宣传媒体的利用

广告作为产品促销的手段，是一门带有浓郁商业性的综合艺术。它以广大消费者为广告对象，以传播商品和劳务等有关信息为内容，以特定的媒介来实现，促进产品销售为目的，广告主对使用的媒介支付一定费用。

（一）广告的种类

1. 依广告目的和内容分

（1）商品广告：它是针对商品销售展开的大众传播活动。商品广告有开拓性广告，它是以激发顾客对产品的初始需求为目标，主要介绍刚刚进入投入期产品的用途、性能、质量、价格等有关情况，是新产品进入目标市场的前期工作。二是劝告性广告，是以激发顾客对产品产生兴趣，增进“选择性需求”为目标，对进入成长期的产品信息所做的各种传播活动。三是提醒性广告，是指对已进入成熟后期或衰退期的产品所进行的广告宣传，目的在于提醒顾客，使其产生惯性需求。

（2）企业广告：又称商誉广告。它着重宣传和介绍企业名称、企业精神、企业概况（包括厂史、生产能力、服务项目等情况）等有关的信息，其目的是提高企业的声誉、形象。

（3）公益广告：是用来宣传公益事业或公益道德的广告。

2. 根据广告传播的区域分

（1）全国性广告：采用能覆盖全国的信息传播媒体所做的广告，用来刺激全国的消费者对所广告的产品产生需求。如在全国发行的报纸、杂志、因特网、广播和电视等媒体上所做的广告，均属全国性广告。这种广告只适合生产规模大、服务范围广的大企业，其产品全国通用。

（2）地区性广告：采用能覆盖一定区域的媒体来传播信息，借以刺激某些特定地区的消费者对产品的需求。如在省、县的报纸、杂志、广播、电视上所做的广告，均属此类，路牌、霓虹灯、车体上的广告也属于地区性广告。这类广告传播范围小，适合生产规模小的企业和产品进行广告宣传。

3. 按广告形式分　可分为文字广告和图画广告。按广告的媒介划分，又可分为报纸广告、杂志广告、广播广告、电视广告和因特网广告等。

（二）广告媒介及其选择

广告媒介，是广告主与广告接受人之间的连接物质。

1. 广告媒介的种类及其特点

（1）报纸：报纸是传播新闻的重要工具，与人民群众有密切联系，发行量大，影响广泛，传播迅速，信赖性强，简便灵活，制作方便，费用较低。报纸登载广告的缺点是内容庞杂，吸引力低，时效短，重复性差，只能维持当期的效果。

（2）杂志：杂志以登载各种专门知识为主，是各类专门产品的良好广告媒介。其优点有：广告宣传对象明确，针对性强，有的放矢；有较长的保存期，读者可以反复查看；发行面广，可扩大宣传区域。除此之外，杂志读者一般有较高的文化和生活水平，比较容易接受新事物，故有利于刊登蜂产品广告。其缺点是发行周期长，灵活性差，传播不及时；读者较少，传播不广泛。

（3）广播：其优点是传播迅速及时，制作简单，费用较低，具有较高的灵活性，听众广泛；其缺点是：时间短促，转瞬即逝，不便记忆，有声无形，印象不深，不便存查。

（4）电视：优点是有形有色、听视结合，使广告形象、生动、逼真、感染力强；宣传范围广，影响面大；宣传手法灵活多样，艺术性强。其缺点是时间性强，不易存查，制作复杂，费用较高，因播放节目较多，易分散对广告的注意力。

以上是四大媒介广告，此外，还有因特网、壁画、橱窗、车船、霓虹灯、商业信函等。

2. 广告媒介的选择　不同的广告媒介有不同的特性，这决定了企业从事广告活动必须对广告媒介进行正确的选择，否则将影响广告效果。

（1）产品的性质：不同的产品有不同的使用价值、范围和宣传要求。蜂产品的广告可选用广播、电视和专业杂志。

（2）消费者接触媒介的习惯：一般认为，能使广告信息传到目标市场的媒介是最有效的媒介，例如，蜂产品广告选择“尊老爱幼报”、“老年报”、“妇女杂志”或专业杂志以及广播电视等效果均较好，也可在商店布置橱窗或展销。

（3）媒介的传播范围：蜂产品是适合全国消费者使用的产品，可以用全国性发行的报刊杂志进行广而告之，但大多数时候是通过地方性报刊、电台、电视台等进行广告。

（4）媒介的费用：各广告媒介的收费标准不同，即使同一种媒介，也因传播范围、影响力的大小、广告时间段的不同而有差异。如果使用电视广告需支付2万元，预计目标市场收视者2 000万人，则向每千人支付的广告费是1元；若选用报纸做媒介，费用1万元，预计目标市场读者500万人，则每千人的广告费为2元，相比较来说，应选用电视作广告。但实际操作起来比较复杂，因为还要考虑广告所针对的人群（消费者）和产品销售范围。

（三）广告的设计

广告的效果决定于广告媒介和广告设计等的质量，高质量的广告要具有真实性、社会性、针对性和艺术性。

1. 真实性　广告的生命在于真实。一方面要求内容真实，它包括语言文字要真实，不使用含糊和模棱两可的言词；画面要真实，文字和画面要统一起来；艺术手法修饰要得当。另一方面，广告主和广告商品也必须是真实的。

2. 社会性　广告在传递信息的同时也传播了一定的思想意识，它必然会潜移默化地影响社会文化和社会风气。因此，广告必须要遵守党和国家的有关方针、政策，不违反国家的法律、法令和制度，有助于社会主义精神文明建设和培养人民的高尚情操，严禁带有中国国旗、国徽、国歌标志、国歌音响的广告内容出现，杜绝有损我国民族尊严的，甚至有反动、淫秽、迷信、荒诞等内容的广告，用“黑社会交易来反映产品紧俏、短缺以劝诱购买”的广告是不足取的。

3. 针对性　对不同的商品、不同的目标市场，广告要有不同的内容，采取不同的表现手法。由于各个消费者群体都有自己的喜好、厌恶和风俗习惯，所以，广告要根据不同的广告对象来决定广告的内容，使与之相适应。

4. 艺术性　高质量的广告应把真实性、思想性、针对性寓于艺术性之中。吸收文学、戏剧、音乐、美术等各学科的艺术特点，利用现代技术，把真实的、具有思想性和针对性的广告内容通过完善的艺术形式表现出来。只有这样，才能使广告成为精美的艺术作品，给人以很高的艺术享受，使人受到感染，增强广告的效果。这就要求广告设计要构思新颖，语言生动、有趣、诙谐，图案美观大方，色彩鲜艳和谐，广告形式要不断革新。

二、蜂产品经营中的公共关系和营业推广

（一）公共关系策略

1. 公共关系的概念与特征　公共关系又称公众关系，是指企业在从事市场营销活动中正确处理企业与社会公众的关系，以便树立良好的企业形象，从而促进产品销售的一种活动。其基本特征是：

公关活动的主体是一定的组织，如企业、机关、团体。公关活动的对象不仅包括企业外部的顾客、竞争者、新闻界、金融界、政府各有关部门及其他有关公众，而且包括企业内部的员工、股东，这些公关对象构成了企业公关活动的客体，企业与公关对象关系的好坏直接或间接影响着企业的发展。公关活动的媒介是各种信息沟通工具和大众传播渠道，作为公关主体的企业，借此与客体进行联系、沟通和交往。

2. 公共关系的目的和原则　公共关系的目的是为企业广交良缘，在社会公众中创造良好的企业形象和社会声誉（公众口碑）。一个企业的形象和声誉是其无形的财富，良好的形象和声誉是企业富有生命力的表现，也是公关的真正目的所在。企业以公共关系为促销手段，利用一切可能利用的方式和途径，让社会公众熟悉企业的经营宗旨，了解企业产品的种类、规格以及服务方式和内容等有关情况，使企业在社会上享有很高的声誉和较好的形象，能促进产品销售的顺利进行。

公共关系的活动以真诚合作、平等互利、共同发展为基本原则。公共关系以一定的利益关系为基础，这就决定主、客双方必须均有诚意，平等互利，并且要协调、兼顾企业和公众利益。只有这样才能满足双方需要，以维护和发展良好的关系。反之，则毫无公共关系可言，更不能构成良好的关系。

和气生财。公共关系是创造“人和”的艺术。企业从事公关活动，能沟通企业上下、内外的信息，建立相互间的理解、信任和支持的良好关系，协调和改善企业的社会环境，追求企业内部和企业外部人际关系的和谐统一。

公共关系是一种长期的活动，并需要坚持不懈地去维护它。公共关系着手于平时努力，着眼于长远打算。公共关系的效果不是急功近利的短期行为所能达到的，需要连续的、有计划的努力。企业要树立良好的社会形象和声誉，不能拘泥于一时一地的得失，而需要追求长期稳定的战略性关系。

3. 公共关系的作用　公共关系是一门“内求团结、外求发展”的经营管理艺术，是一项与企业生存和发展休戚相关的事业。其作用主要表现在：搜集信息，监察环境；咨询建议，决策参谋；舆论宣传，创造气氛；交往沟通，协调关系；教育引导，社会服

务等五大作用。

（1）搜集信息，监察环境：

①产品形象信息：是指消费者对本企业产品质量、性能、用途、价格、包装、售后服务等的反应评价。

②企业形象和企业内部公众信息：公众对企业组织机构的评价。如组织机构是否健全，设置是否合理，上下左右是否协调，运转是否灵活，办事效率高低等。公众对企业经营管理水平的评价：在经营决策上，企业的经营方针是否正确，决策过程是否科学，决策目的是否合理、可行；在生产管理上，生产计划是否完善，生产组织是否恰当；在销售管理上，市场预测是否科学、准确，产品定价是否合理，促销是否得力；在人事管理上，用人是否得力等。公众对企业人员素质的评价包括对决策层领导人员和一般人员素质的评价。其指标有文化水平、工作能力、业务水平、交际能力、应变能力、创新精神、开拓意识、工作态度、工作效率等。公众对企业服务质量的评价包括服务意识、服务态度等方面的评价。

企业内部公众信息可以通过意见书、各职能部门的计划、总结、工作报告以及企业内部的舆论工具等来获得，以便掌握职工对企业的意见和期望，促使企业树立良好的形象，对职工产生向心力和凝聚力。

③其他信息：投资者的投资意向、竞争者的动态、顾客的需求变化以及国内外政治、经济、文化、科技等方面的重大变化，都直接或间接地影响到企业的经营决策。公共关系作为社会经济趋势的监察者，应广泛收集这些有关社会经济信息。

（2）咨询建议，决策参考：对所搜集的信息进行综合分析，考查企业的决策和行为在公众中产生的效应和影响程度，预测企业决策和行为与公众意向之间的吻合程度，并及时、准确地向企业的决策者进行咨询，提出合理可行的建议。

①公共关系参与决策目标的确立：确立决策目标是决策过程最重要的一环。公共关系从全局和社会的角度来综合评价各职能部门的决策目标可能导致的社会效果，从而发现和提出问题，提醒决策者按公众需求和社会效益制定决策目标。

②公共关系是获得决策信息的重要渠道：公关部门利用它与企业内部、外部的广泛交流，为企业决策者及时、准确、全面地提供内部的和外部的信息，对合理正确的决策提供依据。

公共关系，还能帮助决策者评价各方案的社会效果，提高决策方案的社会适应能力和应变能力，所以，公共关系是拟定决策方案不可缺少的参谋。同时，公关部门以它与社会建立的关系网络和信息沟通渠道，对正在实施的决策方案进行追踪监测，并及时反馈对其评价的信息，从而，公共关系又对决策方案实施效果提供反馈信息。

（3）舆论宣传，创造气氛：公共关系作为企业的“喉舌”，将企业的有关信息及时、准确、有效地传送给特定的公众，为企业树立良好形象创造良好的舆论气氛。如公关活动，能提高企业的知名度，给公众留下良好形象；能持续不断地完善舆论气氛，引导公众舆论朝着有利于企业的方向发展；还能适当地控制和纠正对企业不利的公众舆论，及时将改进措施公诸于众，避免扩大不良影响，从而做到化消极为积极、尽快恢复声誉的效果。

(4) 沟通交往，协调关系：交往、沟通是公关的基础，任何公共关系的建立、维护和发展都依赖主、客体的交往沟通。通过交往，使企业内部信息有效地输向外部，使外部有关信息及时输入到企业内部，从而使企业与外部各界达到相互协调。协调企业与外界、企业内部之间的关系等，使全体成员与企业之间达到理解和共鸣，增强凝聚力。

(5) 教育引导，服务社会：公共关系具有教育和服务的职能，它通过广泛、细致、耐心的劝服性教育和优惠、赞助性服务，来诱导公众对企业产生好感。对企业内部，公关部门代表社会公众，向企业内部成员输入公关意思，诱发企业内部各部门及全体成员都重视企业整体形象和声誉。对企业外部各界，公关部门代表企业，通过劝服性教育和实惠性社会服务，使社会公众对企业的行为、产品产生认同和接受。

4. 公共关系的活动方式和工作程序

(1) 公共关系的活动方式：

①宣传性公关：运用报纸、杂志、广播、电视等各种媒介，采用撰写新闻稿、演讲稿、报告等形式，向社会各界传播企业有关信息，以形成有利的社会舆论，创造良好的社会气氛的活动。这种方式传播面广，推广企业形象效果较好。

②征询性公关：通过开办各种咨询业务、拟定调查问卷进行民意测验、设立热线电话、聘请兼职信息人员、举办信息交流会等各种形式，逐步形成健全的信息网络，并将获取的信息进行分析研究，为经营管理决策提供依据，对社会更好地服务。

③交际性公关：有宴会、座谈会、招待会、谈判、专访、慰问、电话、信函等形式，具有直接、灵活、亲密、富有人情味等特点，深化交往层次。

④服务性公关：通过各种实惠性服务，用行动去获得公众的理解和信任。如消费指导、消费培训、免费修理等。

⑤社会性公关：通过赞助文化、教育、体育、卫生和支持社区福利事业，参与国家、社区重大活动等方式，来塑造企业的社会形象，提高企业的社会知名度和美誉度。这种公关方式，公益性强，影响力大，但成本较高。

(2) 公共关系的工作程序：其基本程序主要包括调查、计划、实施和监测 4 个步骤。

(二) 营业推广策略

营业推广是指企业运用各种短期诱因鼓励消费者和中间商购买、经销或代理企业产品或服务的促销活动。

1. 营业推广的特点 第一，营业推广促销效果显著。在活动中，只要营业推广方式合理，就会很快地收到明显的促销效果，它适合于在一定时间、有一定任务的促销活动中使用。第二，营业推广是一种辅助性促销方式，活动中需要其他促销方式配合。第三，营业推广有贬低产品嫌疑。

2. 营业推广的方式 第一，向消费者推广的方式有赠送样品、赠送代价券、包装兑现、提供赠品、商品展销。其中商品展销适合于蜂产品的销售。消费培训也是营业推广的一个方式。它可以集中消费者的注意力，在展销期间，品质优良、价格优惠、提供周到服务的商品备受青睐。除此之外，营业推广还有有奖销售和降价销售等。第二，向中间商推广的方式有购买折扣、资助和经销奖励，目的是促使中间商积极经销本企业的产品。其中，为中间商提供陈列商品、支付部分广告费和部分运费等补贴或津贴的资助方式可用于蜂产品的销售。

3. 营业推广的控制　选择适当的方式，确定合理的期限，禁忌弄虚作假，注重中后期宣传。在同一个地方不宜做经常性的营业推广。

三、蜂产品的品牌、商标与包装策略

品牌、商标与包装都是产品整体概念下的“形式产品”或“有形产品”的重要组成部分。

（一）包装策略

良好的包装应是符合设计要求，并同科学的包装决策有机结合起来。供企业选择的包装策略主要有：

1. 类似包装策略　是指本企业生产经营的所有产品，在包装外形上都采取相同或相近的图案、色彩等共同的特征，使消费者通过类似的包装联想起这些商品是同一企业的产品，具有同样的质量水平。类似包装策略，不仅充分利用企业已拥有的良好信誉，有助于消除消费者对新产品的不信任感，而且有助于带动新产品的销售。它适用于水平相近的产品，对不同种类、不同档次的产品则不宜采用。

2. 等级包装策略　该策略是指企业对自己生产经营的不同质量等级的产品分别设计和使用不同的包装。依产品等级来设计包装的策略，可使包装质量与产品品质等级相匹配，对高档产品采用精致包装，对低档产品简略包装，以满足不同层次消费者的购买需求，便于消费者识别、选购商品，从而有助于全面扩大销售，如对不同档次的蜂蜜采用不同包装等。等级包装的成本高于类似包装的成本。

3. 分类包装策略　根据消费者购买目的的不同，对同一种产品采用不同的包装。如，购买商品用作礼品赠送亲友，包装应精致；若购买者自己使用，则简单包装。此种包装策略的优缺点与等级包装策略类同。

4. 配套包装策略　企业将数种相关的产品组合在同一包装内，如蜂王浆蜜、蜂蜜或系列蜂蜜套装。这种策略能够节约交易时间，便于消费者购买、携带与使用，有助于扩大产品销售，还能够在将新旧产品组合在一起时，使新产品顺利进入市场。但在实践中，还须注意市场需求的具体特点、消费者购买能力和产品本身的关联程度大小，切忌任意搭配。

5. 再使用包装策略　包装物在被包装的产品消费完后，还能移做他用，如用口杯包装的酒等。这种包装增加了包装用途，可以刺激消费者的购买欲望，有助于扩大产品销售，同时带有商品商标的包装物在再使用过程中起到延伸宣传的作用。

6. 附赠品包装策略　是指在包装内附有赠品以诱发消费者重复购买，是营业推广的一种。在包装物中的附赠品主要是玩具、图片（如儿童小食品的包装），也可以是奖券（如酒类）。

7. 更新包装策略　改变原来的包装。一种包装策略无效，依消费者的要求更换包装，可以改变商品在消费者心目中的地位，进而收到恢复企业声誉的效果。

（二）品牌策略

当前，蜂产品市场竞争激烈，要想争取更大的市场份额，把企业做大做强，品牌是其取胜法宝。21世纪是质量竞争的世纪，也是品牌竞争的世纪，品牌的认知已超过价格因素，成为消费者购买产品的重要诱因。因此，没有优质的产品和知名品牌，企业在蜂产品市场上是站不住脚的，只有实施品牌战略，走知名品牌战略之路，才能立于不败之地。

2001年中国加入WTO和经济全球化的发展，企业面临的市场更大，经营空间更广，来自国内、国际的竞争也与日俱增。创立蜂产品品牌和著名品牌，加速经营战略创新，树立企业形象是企业适应经济全球化的必然。截至2002年，我国蜂业企业还没有一个真正意义上的著名品牌，全行业大都处于无序竞争和低价竞争状态，效益低下。创建蜂业著名品牌，参与国际、国内竞争，是蜂业企业目前的首要问题。

1. 品牌基本知识

（1）创立蜜蜂产品品牌的必要性：不言而喻，拥有自己的品牌，必然要付出相应的费用（如包装费、法律保护费等），增加企业运营总成本，同时也承担一定的市场风险（如品牌诚信度低下，就不能开拓市场），但品牌对使用者或营销者的益处更是不可低估的，品牌能增加企业核心竞争力，提高企业在市场竞争中的地位，品牌为企业带来的利益是企业选用品牌策略的重要原因。创建蜂产品品牌是经济发展的必然。

（2）品牌归属：企业使用自己的品牌，叫企业品牌或制造者品牌。企业的产品通过合同订购的方式售给中间商，由中间商使用自己的品牌将产品转卖出去，这种品牌叫做中间商品牌，即定牌生产合作（OEM），俗称“贴牌”。三是企业对部分产品使用自己的品牌，而对另一部分产品使用中间商品牌。

在以往的品牌运营实践中，我国的品牌多数为生产者或制造商所有，随着市场竞争日益激烈，许多信誉好的中间商都拥有自己的品牌，这使品牌战更加广泛。在生产者或制造商资金拮据、市场营销薄弱、品牌影响力小的情况下，宜采用中间商品牌，做OEM厂商，把闲置的资源利用起来；而在生产者或制造商的市场良好、企业实力强、产品市场占有率高的情况下，应采用生产者品牌。如果中间商在某目标市场拥有较好的品牌忠诚度及庞大而完善的销售网络，即使生产者或制造商有自营品牌的能力，也应考虑采用中间商品牌，同时要把自己的品牌与“贴牌”并列实行。这是在开拓海外市场的实践中常用的品牌战略。

2. 品牌统分策略　包括以下几个方面。

（1）统一品牌：即企业所有的产品（包括不同种类的产品）都统一使用一个品牌。一方面，企业使用统一品牌策略，能够降低新产品宣传费用；在企业的品牌已赢得良好市场信誉的情况下能顺利地推出新产品；同时，也有助于显示企业实力，塑造企业形象。另一方面，若该品牌下的某一产品因种种原因（如质量）出现问题，其他种类的产品就会受到牵连，从而影响整个企业的信誉，这就是所说的一损俱损，一荣俱荣。此外，统一品牌，还存在着相互混淆、难以区分产品档次等令消费者不便的缺憾，当然，这可通过等级包装来避免。

（2）个别品牌：企业对各种不同产品分别使用不同的品牌。这种品牌策略可以保证企业的整体信誉不至于受其某种商品声誉的影响，便于消费者识别不同质量、档次的商品，同时也有助于企业的新产品向多个目标市场渗透。但是，促销费用比较高。

（3）分类品牌：企业对所有产品在分类的基础上，对各类的产品使用不同的品牌。如企业要将自己生产经营的产品分为蜂产品、蜂制品，或在蜂产品类中再分为蜂蜜类、王浆类等，并分别赋予其不同的品牌名称和品牌标志。

（4）企业名称加个别品牌：企业对其各类的产品分别使用不同的品牌，各类产品的品牌前面冠以企业名称。例如，美国凯洛格公司采取这种品牌策略，推出了“凯洛格富来卡米饼”、“凯洛格麸皮葡萄干”等。这种在各类产品的品牌名前冠以企业名称的做法可以使新产品与老产品统一化，进而享受企业的整体信誉。与此同时，各种不同的新产品分别使用不同的品牌名称，又可以使不同的新产品各具特色。

3. 品牌扩展与多品牌策略

（1）品牌扩展：统一品牌、个别品牌、分类品牌、企业名称加个别品牌这4种品牌策略，不管企业选择了哪一种，经过科学而有效的运营都有可能获得较好的品牌知名度和美誉度。在一个品牌获得了较好的市场份额，赢得了较高的品牌忠诚度以后，企业就可以利用其成功品牌的信誉来推出新产品。例如，中国海尔集团成功地推出了海尔冰箱之后，又利用这个品牌和其图样特征，成功地推出了洗衣机、电视机等新产品，显然，如果不利用“海尔”这个成功的品牌，这些新产品就不一定能很快地进入市场。品牌扩展策略，可以使新产品借助成功品牌的市场信誉在节省促销费用的情况下顺利地进占市场。如果成功的品牌被用于投放市场不尽人意的新产品，消费者不认可，就会影响该品牌的市场信誉。

（2）多品牌策略：如果品牌扩展不能达到理想的预期效果，新产品上市就只能借助新品牌，于是，企业产品品牌就会多起来。多品牌即是指企业同时为一种产品设计两种或两种以上互相竞争的品牌的做法。例如，在中国市场上，宝洁公司为自己生产的洗发液产品设计了3个品牌：飘柔、海飞丝和潘婷。宝洁公司洗发液的多品牌战略在中国市场上获得了令人瞩目的市场业绩，这三个品牌的市场占有率共达到了66.7%。企业运营多品牌策略，可以在产品分销过程中占有更大的货架空间，进而压缩或挤占竞争者产品的货架面积，为获得较高的市场占有率奠定了基础。多种不同的品牌代表了不同的产品特色，多品牌可吸引多种不同需求的顾客，提高市场占有率。由于多种不同的品牌同时并存必然使企业的促销费用升高且存在着自身竞争风险，所以，在运用多品牌策略时，要注意各品牌市场份额的大小及变化趋势，适时撤退市场占有率过低的品牌，以免造成自身品牌过度竞争。

4. 品牌重新定位策略 全部或部分调整或改变品牌原有的市场定位。虽然品牌没有市场周期，但这决不意味着品牌设计出来就一定能使品牌永远兴旺发达。为使品牌能保持运转，在实践中还必须适时、适势地做好品牌重新定位工作。“七喜”的“非常可乐”定位是品牌重新定位的成功范例。

受竞争者品牌的竞争（竞争者品牌定位于本企业品牌附近，侵占了本企业品牌市场份额）和部分消费者偏爱变化（消费者改变对本企业品牌的信任，转购竞争者品牌的商品，使本企业品牌市场占有率下降）的影响，或品牌在市场上的最初定位很好，但随着时间的推移，也都需要重新定位。品牌重新定位的目的是使现有产品具有与竞争者产品不同的特点，与竞争者拉开距离。

企业在进行品牌重新定位时，一方面要考虑再定位成本，即企业把品牌从一个市场定位点转移到另一个市场定位点所支付的成本费用，它包括改变产品品质费用、包装费用和广告费用等。一般情况下，重新定位的距离越远，其再定位成本就越高。另一方面，企业要考虑把品牌定在新位置上所增加的收入。

5. 互联网域名商标策略 互联网域名作为互联网的单位名称和在 Internet 网络上使用的网页所有者的身份标识，它不仅能给人传达很多重要信息（如单位属性、业务特征等），而且还具有商标属性。由于域名所有权属于注册者，所以域名具有商标属性。域名的传播和使用范围是全社会的，一个域名用久了，人们对它产生记忆。企业一旦有了域名，就表明企业在互联网上拥有自己的门牌号码，有了通往网络世界把握商机的一把钥匙。正因如此，许多企业都把知名商标注册成域名。例如，众所周知的驰名商标，几乎都成了互联网上的域名。根据中国互联网网络管理中心（CNNIC）统计，截止到 1999 年 6 月底，仅在 CN 下注册的域名就已达 29 045 个，其中企业域名（. COM）达 22 220个，占 76%。

由于域名系统（DNS）是世界共有资源，能较好地实现信息传播，这就决定了它有巨大的商业价值。近年来，随着互联网的广泛普及和大量使用，注册域名的企业越来越多，使原有的 3 个顶级域名 . COM（公司）、. ORG（事业单位）、. NET（网络单位）增加到 7 个，即：. FIRM（企业或公司域名）、. STORE（销售货物的企业域名）、. WEB（与 WWW 活动有关单位的域名）、. ARTS（文化和娱乐单位的域名）、. REC（康乐活动单位的域名）、. INFO（提供信息服务的单位的域名）、. NOM（个体或个人域名）。

办理域名注册获得域名使用权的规则与一般商品商标注册相同，仍然采用注册在先原则，谁先注册，谁就拥有了该域名的使用权。截止到目前，注册域名有两种做法：一是在国内注册二级域名，二是在国际上注册一级域名。随着世界经济一体化进程的加快，拟进占海外市场的企业应注册国际域名，例如，美国 99% 以上的企业都在互联网上注册一级域名。一级域不是美国域，而是国际域。注册域名要注意相关法规规定，如《中国互联网域名注册暂行管理办法》中规定，未经国家有关部门批准，不得使用公众知晓的他国或者地区的名称、国际组织名称；未经地方各级政府批准，不得使用县级以下（含县级）行政区划名称的全称或者缩写；不得使用有损国家、社会或者公共利益的名称。

（三）品牌与商标

品牌与商标都是用以识别不同生产经营者的不同种类、不同品质产品的商业名称及其标志。但在企业的营销实践中，品牌和商标不完全相同，商标是指受法律保护的品牌，是品牌的一部分。

1. 品牌的含义 品牌是用以识别某个销售者或某群销售者的产品或服务，使之与竞争者的产品或服务区别开来的商业名称或标志，通常由文字、标记、符号、图案和颜色等要素构成，包括品牌名称和品牌标志两部分。品牌名称是指品牌中可以用语言称呼的部分，也称“品名”，如“圣洁”、“冠生园”等；品牌标志，也称“品标”，是指品牌中容易认出和记忆但不能用语言称呼的部分，通常由图案、符号或颜色等构成。

品牌的实质是销售者（卖者）对交付给买者的产品特征、利益和服务的一贯性承诺，久负盛名的品牌就是品质优良的保证。另外，品牌还蕴含着丰富的市场信息。

2. 品牌的内容

（1）属性：品牌代表着特定的商品属性。例如，奔驰牌轿车意味着工艺精湛、制造优良、昂贵、耐用、信誉好、声誉高、再转卖价值高、行驶速度快等，多年来奔驰的广告一直强调“全世界无与伦比的工艺精良的汽车”。

（2）利益：品牌还体现着某种特定的利益。顾客购买商品实质是购买某种利益，这就需要属性转化为功能性或情感性利益。或者说，品牌利益相当程度地受制于品牌属性。就奔驰而言，“工艺精湛、制造优良”的属性可转化为“安全”这种功能性和情感性利益；“昂贵”的属性要转化为情感性利益：“这车令人羡慕，让我感觉到自己很重要并受人尊重”；“耐用”属性可转化为功能性利益：“多年内我不需要买新车”。

（3）价值：品牌显示着生产者的某些价值感。例如，奔驰代表着高绩效、安全、声望等。品牌的价值感，客观要求企业营销者必须分辨出对这些价值感兴趣的购买者群体。

（4）文化：品牌还附着特定的文化。从奔驰汽车给人们带来的利益等方面来看，奔驰品牌蕴含着“有组织、高绩效和高品质”的德国文化。

（5）个性：品牌反映一定的个性。不同的品牌会使人们产生不同的品牌个性联想。奔驰会让人想到一位严谨的老板、一只勇猛的雄狮或一座庄严质朴的宫殿。

（6）用户：品牌暗示着购买或使用产品的消费者类型。

购买者更重视品牌利益，对于品牌属性，竞争者很容易模仿或复制，而且，现有的属性会随着时间推移、技术的进步而变得毫无价值。品牌与特定属性是有机相联系的。

品牌最持久的属性是其价值、文化和个性，它们构成品牌的基础，揭示了品牌间差异的实质。奔驰的“高技术、绩效、成功”等是其独特价值和个性的反映。若奔驰公司以奔驰的名称推出一种新的廉价的小汽车，这将会严重破坏奔驰公司多年来苦心经营所建立起来的品牌价值和个性。

3. 品牌的作用

（1）品牌对营销者的重要作用：品牌有助于促进产品销售，树立企业形象。品牌以其简洁、明快、易读易记的特征而使其成为消费者记忆产品质量、产品特征的标志，所以，品牌成为企业促销的重要基础。借助品牌，消费者了解品牌标定下的商品、记住企业（有的企业名称与品牌名称相同，更易消费者记忆）；消费者在对品牌信任的驱使下会对新产品产生购买欲望，在信任品牌的同时，企业的社会形象、市场信誉得以确立，并随品牌忠诚度的提高而提高。

品牌有利于保护品牌所有者的合法权益。品牌经注册后获得商标专用权，其他任何未经允许的企业和个人都不得仿冒侵权，从而为保护品牌所有者的合法权益奠定了客观基础。

品牌有利于约束企业的不良行为。注册后的品牌有助于保护自己的利益，促进产品销售；同时，品牌也对品牌使用者的市场行为起到约束作用，督促企业着眼于企业长远利益、消费者利益和社会利益，规范自己的营销行为，杜绝砸自己牌子的不合格产品进入市场。

品牌有助于扩大产品组合。适应市场竞争的需要，企业常常需要同时生产多种产品，不断地开发新产品、淘汰市场不能继续接受的老产品是企业产品策略的重要组成部分，而品牌是支持其新的产品组合（尤其是扩大的产品组合）的无形力量。没有品牌，再好的产品和服务，也会因消费者经常无从记起原有产品或服务的好印象而无助于产品改变或产品扩张；有了品牌，消费者对某一品牌产生了偏爱，则在该品牌标定下的产品组合的扩大就容易为消费者所接受。另外，品牌还有助于企业实施市场细分战略，不同的品牌对应不同的目标市场，针对性强，利于进占、拓展各细分市场。

（2）品牌给消费者带来的利益：品牌便于消费者辨别、选购所需商品。随着经济的发展，同类商品间的质量越来越难以辨别。由于不同的品牌代表着不同的商品品质、不同的利益，所以，消费者可借助品牌辨别、选购所需商品或服务。企业以品牌作为促销基础，消费者认牌购物。企业为了维护自己的品牌形象和信誉，都十分重视消费者的利益，同一品牌的产品质量水平同一化。如此，消费者可以在厂商维护自身品牌形象的同时获得稳定的购买利益。

企业为了适应消费者需求变化，适应市场竞争的客观要求，必然会不断创新产品，这是品牌的作用，也是消费者的期望。

品牌的作用还利于市场监控，有助于维持市场运行秩序和发展市场经济。

4. 品牌注册与商标

（1）品牌与商标的区别：品牌和商标都是用以识别不同生产经营者的不同种类、不同品质产品的商业名称及其标志。品牌是市场概念，是产品和服务在市场上通行的牌子，它强调与产品相关的质量、服务等之间的关系，其实质是品牌使用者对顾客在产品特征、服务和利益等方面的承诺。商标是法律概念，它是已获取专用权并受法律保护的品牌，是品牌的一部分。商标无论是否在商品上使用，也不管商标所标定的商品是否有市场，只要采用成本法对其评估，它就必然有商标价值；而品牌不同，没使用的品牌没有价值，品牌的价值是其在使用过程中通过品牌标定下的产品或服务在市场上的表现来进行评估的。

在我国，注册商标受法律保护，所有者享有专用权。非注册商标不受法律保护。

（2）商标专用权及其确认：国际上对商标的确认，有两个并行的原则，即“注册在先”和“使用在先”。

（3）商标的侵权：指在同一种商品或类似商品上使用与某商标雷同或近似的品牌，可能引起欺骗、混淆或讹误，损害原商标信誉的行为。如假冒他人商标、仿冒他人商标、恶意抢注他人商标等。

（4）驰名商标：在我国，驰名商标必须是注册商标，而且是在市场上享有较高信誉并为相关公众所熟知的商标。其专有属性有驰名商标的专用权、跨越国界和驰名商标的注册权、超越优先申请权。

国际上通行的驰名商标认定的一个基本原则是：驰名商标是一种个案认定，不是批量评选，而且这种个案认定常常是由于某个商标在市场上遭受到假冒、仿制等行为的侵害时，在商标所有者向有关主管机关提出的法律请求下，有关部门依法给予被侵害商标以驰名商标认定的。多数国家是由本国的商标主管机关组织认定驰名商标，也有一些国家是由最高法院或其他法律主管机关来认定。

我国《驰名商标认定和管理暂行规定》中，企业在申请认定驰名商标时，应当提交以下证明文件：使用该商标的商品在中国的销售量及销售区域，使用该商标的商品近3年来的主要经济指标（年产量、销售额、利润、市场占有率等）及其在中国同行中的排名，使用该商标的商品在外国（地区）的销售量及其销售区域，该商标的广告发布情况，该商标最早使用及连续使用时间，该商标在中国及外国（地区）的注册情况，该商标驰名的其他证明文件。

5. 品牌和商标策略 第一，简洁醒目，易读易记。调查分析表明，在人们接受到的外界信息中，有83%的印象通过眼睛，11%借助听觉，5%依赖触摸，其他的源于味觉和嗅觉。因此，为了便于消费者认知、传诵和记忆，品牌设计的第一要求就是简洁醒目，易读易记忆。所以，不宜用过长的和难以诵读的字符串作为品牌名称，不将呆板、缺乏特色感的符号、颜色、图案用做品标。品牌名称要求读音响亮，节奏感强，朗朗上口，品标色彩鲜艳，色调柔和，棱角圆滑。第二，构思巧妙，暗示属性。一个与众不同、充满感召力的品牌，在设计上还应充当体现品牌标示产品的优点和特性的载体，暗示产品的优良属性。第三，富蕴内涵，情意浓厚。避免雷同，超越时空。

6. 创建名牌和保护名牌策略 蜂业企业要树立品牌意识，制定正确的品牌发展计划，树立品牌意识；持之以恒地推行全面质量管理体系，严把质量关，如企业职工的质量意识、设备设施环境、蜂产品收购、加工生产工艺、售后服务等，有条件的还应从质量源头——生产抓起，抓好产品质量，创建良好的企业文化；拓展品牌市场，做大市场，规模经营；对产品不断创新，要造就一批具有高度社会责任感、事业心和有真才实学的蜂业企业家队伍，培养一大批高素质的职工队伍，为开发、生产高档次的新名牌产品提供保障，给企业不断注入新的活力，实现产品差异化策略；完善并规范售前、售中、售后服务，实现服务差异化策略。

第五节 蜂产品价格及定价原理

蜂产品的定价原理包括价格构成、定价依据、合理价格意义、比价（与蜂蜜相似的商品如糖价、传统商品比价如芝麻油价）、差价、批发价、零售商店的终售价（收购价+利润+边际利益+风险+正常的支付价格+银行利率+工价+损耗），根据实践经验，巧妙分配，运用定价技巧（如同一系列商品的统一价格或不同价格等），合理地定出蜂产品的经营价格。

当企业将产品投放市场时，或在竞争投标时，都必须给其产品制定适当的价格。为了有效地开展市场营销活动，促进销售收入的增加和利润的提高，在不同时间内还需要对已经制定的基本价格进行修改。价格是市场营销组合因素中十分敏感而又难以控制的因素，它直接关系着市场对产品的接受程度，影响着市场需求和企业利润，涉及到生产者、经营者、消费者等各方面的利益。因此，定价策略是企业市场营销组合策略中一个极其重要的组成部分。

一、影响价格的因素

影响价格的因素包括定价目标、成本、其他市场营销组合等。

（一）定价目标

任何企业都必须按照企业的目标市场战略及市场定位战略的要求来制定价格。假如企业决定为收入水平高的消费者设计、生产高质量的蜂产品或蜂制品，这样选择目标市场和定位就决定了该产品的价格要高，而产品从生产、贮存、包装、流通、促销都要高水平。另外，企业管理人员还要制定诸如利润、销售额、市场占有率等具体的经营目标。若企业要求蜂王浆的利润最大化，则可定价为 380 元/千克或更高；如果企业希望销售收入最大化，则可定为 180 元/千克；如果企业希望市场占有率最大化，则蜂王浆的定价应更低。

1. 维持生存定价　如果产品过剩，或面临激烈竞争，或试图改变消费者需求，就需要把维持生存作为定价的主要目标。为此，企业必须制定较低的价格，而且市场应是价格敏感型的，这种情况下利润与生存比要次要得多。许多企业通过较高的价格折扣，使其价格能弥补可变成本的一些固定成本，企业的生存便可以维持。

2. 当前利润最大化　有些企业希望制定一个能使当前利润最大百分比的价格。他们估计需求和成本，并据此选择一种价格，使之能产生最大化当前利润、现金流量或投资报酬率。如 1995 年以来的蜂王胎酒、“破壁蜂花粉”，到 2002 年的蜂胶制品等的定价。

3. 市场占有率最大化　有些企业想通过定价来取得控制市场的地位，实行薄利多销的策略并以此弥补单位产品利润的下降，使市场占有率最大化，在企业赢得最高市场占有率之后将获得最低的产品成本和最高的长期利润，所以，企业制定尽可能低的价格来追求市场占有率的领先地位。企业通过低价来提高市场占有率应当具备下述条件之一：市场对价格高度敏感，生产与分销的单位成本会随着生产经验的积累而下降，低价能挤出现有的或影响潜在的竞争者。

4. 产品质量最优化　质量即是否有顾客返回，而不是产品返回，顾客就是市场，市场是企业的生命。企业以产品质量领先，并在生产和市场营销过程中始终贯彻产品质量最优化的指导思想。这就要求用高价格来弥补高质量和研究开发的高成本，以及因高价而损失的一部分顾客。企业在产品优质优价的同时，还应辅以相应的优质服务。

（二）产品成本

任何企业都不能随心所欲地制定价格，必须符合价值规律。某种产品的最高价格取决于市场需求，而靠广告的“高价格”只能维持较短的时间，如市场上许多“治百病”的保健品；最低价格取决于这种产品的成本费用，而低于正常成本的低价只能以牺牲顾客利益的伪劣产品来维持生存。从长远看，任何产品的销售价格都必须高于成本费用，只有这样，才能以销售收入来抵偿生产成本和经营费用，否则就无法经营。因此，企业制定价格时必须估算成本。在蜂王浆市场上，20 世纪 50 年代末，收购价格最高曾达到 4 000 元/kg，在全国多数省最初的王浆交售价格为 2 000 ~ 3 000 元/kg，60 年代初降至 900 ~ 400 元/kg，70 年代末至 80 年代初，再降至 120 ~ 180 元/kg；80 年代中后期曾一度上升到 220 ~ 250 元/kg；90 年代初又跌落到 150 ~ 120 元/kg；目前蜂王浆收购价格在 60 ~ 120 元/kg 之间徘徊。造成这种现状的主要原因之一是蜂王浆生产技术的提高，其生产成本下降，这是价值规律作用的必然结果。

（三）市场需求

在产品的最高和最低价格的范围内，企业对产品的定价，取决于竞争者同种产品的价格水平，也受价值规律中产品供求关系的影响。因价格与收入等因素而引起需求的相应变动率，称为需求弹性。如果市场上没有替代产品或者没有竞争者，购买者对较高价格不敏感或购买者改变购买习惯较慢，或者认为产品质量有所提高与存在着通货膨胀，价格高是应该的，在这些情况下，需求就会缺少弹性。

（四）竞争者的产品和价格

企业必须采取适当的方式，了解竞争者所提供的产品质量和价格，而后准确地制定本企业产品价格。如果二者质量差异小，则二者价格也大体一样，否则本企业产品销售就会受到影响；如果本企业产品质量较高，则产品价格也应定高；如果本企业产品质量较低，那么，产品价格就定低一些。

（五）区域性价格差异

比如我国 2002 年蜂王浆价格，据报道，凡在经济发达地区，定价高，反之则低。零售价：武汉 200 ~ 400 元/kg，广州 350 ~ 500 元/kg，珠江三角洲的珠海、中山、江门、顺德、番禺、东莞 400 元/kg 上下，深圳 500 ~ 600 元/kg，香港 2 000 ~ 3 000 元/kg。

京津地区、长江三角洲的沪宁地区、杭嘉湖平原，都是我国的富庶地区，但蜂王浆定价幅度较大，其中南京价位最高，杭嘉湖平原最低，京沪居中。而在上海，蜂王浆售价远低于中等城市的平均水平：南京 300 ~ 400 元/kg，北京 250 ~ 350 元/kg（5 年前曾一度达到 1 300 元/kg），杭州 200 ~ 300 元/kg，嘉兴（连同嘉善、平湖）116 ~ 250 元/kg，上海仅 240 元/kg 上下。

上述蜂王浆价格一方面说明了地区差价格的存在，另一方面，购销差价余地大，是降价的主要原因，生产成本的降低，价格的下跌，是价值规律作用的必然结果。1998～1999年最高调拨价平均为100元/kg左右，而购销差率至少在200%以上，在当今这个工业生产和商业经营的“微利时代”，蜂王浆的利润，会诱导许多内行和外行参与竞争，只要有50%的差率，能保本就足够站住阵脚。

除此之外，各地蜂业企业的促销力度、消费者对蜂产品消费的成熟程度、有品牌的“品牌”价格定位与无形象的低价格等也是影响其价格的因素。蜂王浆的价格差、降价等都是很正常的。

二、定价的一般方法

产品定价一般采取以下6个步骤：选择定价目标、测定需求的价格弹性、估算成本、分析竞争对手的产品价格、选择定价方法、确定最后的价格。

企业产品价格的高低，受市场需求、成本费用和竞争情况等因素的影响和制约。在实际定价过程中，大体上只侧重某一方面因素。企业定价方法有成本导向、需求导向和竞争导向3种。

（一）成本导向定价法

以成本为依据的定价方法，包括成本加成法和目标定价法，其特点是简便、易用。

1. 成本加成定价法　成本加成定价法是指按照单位成本加上一定百分比的加成来制定产品销售价格，加成的含义就是一定比率的利润。其公式：

$$P = C\ (1 + R) \qquad (13-1)$$

式中：

P——单位产品售价；

C——单位产品成本；

R——成本加成率。

零售企业往往以售价为基础进行定价，其加成率的衡量方法有两种：用零售价格来衡量，即：加成（毛利）率＝毛利（加成）/售价；用进货成本来衡量，即：加成率＝毛利（加成）/进货成本。成本加成定价法的价格比较稳定，所定价格对买卖双方都比较公平，如果所有企业的同类产品都采取这个定价方法，则价格竞争会降至最低限度。

2. 目标定价法　根据期望的总销售收入（销售额）和估计的产量（销售量）来制定价格。采取此定价方法，企业一定要充分考虑价格与销售量的关系。

（二）需求导向定价法

以市场需求强度及消费者感受为主要依据的定价方法，包括认知定价法、反向定价法和需求差异定价法。

1. 认知价值定价法　指企业根据购买者对产品的认知价值来制定价格的一种方法。认知价值定价与现代市场定位观念是一致的。企业在为其目标市场开发新产品时，其质量、价格、服务等各方面需要体现特定的市场定位观念，因此，首先要确定所提供产品的价值及价格，之后，企业要预测在此价格下所能销售产品的数量，再根据这一销售量决定生产商品、投资及单位成本；最后，决策者计算出在此价格和成本下能否获得满意的利润，如能获得理想的利润，就开发这一产品，反之，就放弃。

认知价值定价的关键，在于准确地估算该产品所提供的全部市场认知价值。

2. 反向定价法　企业根据消费者能够接受的最终销售价格，计算自己从事经营的成本和利润后，逆向推算出产品的批发价和零售价。这种定价方法不以实际成本为主要依据，而是以市场需求为定价出发点，力求使价格为消费者所接受。分销渠道中的批发商和零售商多采取这种定价方法。

（三）竞争导向定价法

1. 随行就市定价法　指企业按照行业的平均价格水平来定价，是同质产品市场的惯用方法。例如，难以估算所生产产品的成本、企业打算与同行和平共处、避免同行和消费者对价格的激烈反应等，应采用这种定价方法。

在完全竞争的市场上，销售同类产品的各个企业在定价时，只能按照行业的现行价格来定价。某企业如果把价格定得过高于时价，产品就卖不出去，或失掉一部分顾客；反之，如果把价格定得低于时价，就会遭到削价竞销。

在同类异质产品市场上，企业有较大的自主定价空间。蜂蜜等蜂产品的质量差异化使购买者对价格差异不甚敏感，在对品质不易鉴别的情况下，看重的是质量。企业相对于竞争者总要确定自己的适当位置，可充当高价企业角色，或充当中价企业角色，或充当低价企业角色，总之，企业总要在定价方面有别于竞争者，其产品策略及市场营销方案也尽量与之相适应，以应付竞争者的价格竞争。

2. 投、招标定价法　投标定价法即政府机构或企业在报刊上登广告或发函件，说明拟采购商品或服务的品种、规格、数量等具体要求，邀请供应商等在规定的期限内投标。政府或企业在规定的日期内开标，选择报价较低的、最有利的供应商成交，签订采购合同。某供货企业如果想做这笔生意，就要在规定的期限内填写标单，注明可供应商品的名称、品种、规格、价格、数量、交货日期或者满足某种服务等，密封送给招标人，这就叫投标。这种价格是供货企业根据对竞争者的报价估计制定的，而不是按照供货企业自己的成本费用或市场需求来制定。供货企业的目的在于赢得合同，所以它的报价应低于竞争对手的报价，但不能将其报价定得低于某一水平，否则，企业将无利润可赚；若报价远高于边际成本，潜在利润增加了，却减少了取得合同的机会。

三、定价的基本策略

前述定价方法是依据成本、需求和竞争等因素决定产品基础价格的方法。而具体定价有如下方法：

（一）折扣定价方法

企业为了鼓励顾客及早付清货款、大量购买、淡季购买，酌情降低基本价格，这种价格调整叫做价格折扣。其主要类型有：

1. 现金折扣　这是企业给那些不赊欠货款顾客的一种减价。例如，规定顾客在30d

内必须付清货款，如果当时付清货款，则给予3%的折扣；而10d内付清货款，则给以2%的折扣。

2. 数量折扣　这是企业给那些大量购买某种产品顾客的一种减价，以鼓励顾客购买更多的物品，因为，大量购买能使企业降低生产、销售、贮运、记账等环节的成本费用。例如，顾客购买某种商品100单位以下，每单位10元，购买100单位以上，每单位9元。

3. 功能折扣　企业给那些购买过季商品或服务的顾客的一种减价，使企业的生产和销售在一年四季保持相对稳定。例如，航空公司在营业下降时给旅客以季节折扣。

4. 价格转让　这是另一类的减价方法，也叫以旧换新。

竞争对手以及联合竞争实力的强弱会影响折扣的成效，一旦出现竞相折扣，要么两败俱伤，要么被迫退出竞争市场，市场总体价格水平下降。折扣定价要防止折扣商品被第二者以低于折扣价转卖给第三者。目前在我国商界，总代理、总经销方式越来越普遍，折扣在经销方式中的运用也就非常普遍。厂家和大的经营商应注意在其产品销售的同一地区内消除折扣的差异性，否则，市场内同一厂商的同种产品折扣标准混乱，给消费者或用户难以确定应该选择哪一种价格，影响经销总目标的实现，甚至损害企业形象。

（二）地区定价策略

原产地定价法，就是顾客（买方）按照厂价购买某种产品，企业（卖方）只负责将这种产品运到产地某种运输工具（如火车、飞机、船舶、卡车）上交货。交货后，从产地到目的地的一切风险和费用概由顾客承担。

1. 统一交货定价　企业对于卖给不同地区顾客的某种商品，不论远近，都按照相同的厂价加相同的运费（按平均运费计算）定价，对所有顾客都实行一个价。

2. 分区定价　企业把全国（或某些地区）分为若干个价格区，卖给不同价格区顾客的某种产品，分别制定不同的地区价格。距离企业远的价格区，价格定得较高，距离企业近的价格区，价格定得较低。而在各个价格区范围内实行一个价。

3. 基点定价　企业选定某些城市作为基点，然后按一定的厂价加上基点城市到顾客所在地的运费来定价，而不管货物实际上是从哪个城市起运的。有些公司为了提高灵活性，选定多个基点城市，按照顾客最近的基点计算运费。

4. 运费免收定价　有些企业急于在某些地区开拓市场，负担产品全部或部分实际运费。他们认为，如果市场扩大，其平均成本就会降低，并足以抵偿这些运费开支。采取运费免收定价，可以使企业加深市场渗透，并且能在竞争日益激烈的市场上站得住脚。

（三）心理定价策略

1. 声望定价　企业利用消费者仰慕名牌商品或名店的声望所产生的某种心理，制定商品价格，故意把价格定成整数或高价。质量不易鉴别的商品定价最适宜采用此法，因为消费者有崇尚名牌的心理，往往以价格判断质量，认为高价代表高质量。但价格也不得高得离谱，使消费者不能接受。

2. 尾数定价　利用消费者数字认知的某种心理，尽可能在价格数字上保留零头，使消费者产生价格低廉和卖主经过认真的成本核算才定此价格的感觉，从而使消费者对企业产品及其定价产生信任感。如单位价格9.8元、14元、28元、88元、98元、280元等。

3. 招徕定价　零售商利用顾客求廉的心理，特意将某几种商品的价格定得较低以吸引顾客，其他商品则正常定价，甚至牺牲某些商品（大众化产品）的利润，而从另外商品（他人所缺的或品质比不上的）上弥补到正常利润。某些商店随机推出降价商品，每天、每时都有1~2种商品降价出售，吸引顾客经常来采购廉价商品，同时也选购了其他正常价格的商品。

（四）差别定价策略

所谓差别定价，也叫价格歧视，是指企业按照2种或2种以上不反映成本费用的比例差异的价格销售某种产品或服务。差别定价的主要形式有：

1. 顾客差别定价　即企业按照不同的价格把同一种产品或服务卖给不同的顾客。

2. 产品形式差别定价　即企业对不同型号或形式的产品分别制定不同的价格，但是，不同型号或形式的产品，其价格之间的差额和成本费用之间的差额并不成比例。

3. 产品部位差别定价　即企业对处在不同位置的产品或服务分别制定不同的价格，即使这些产品或服务的成本费用没有任何差别。

（五）新产品定价策略

1. 撇脂定价　指企业在产品生命周期的最初阶段，把产品的价格定得很高，以攫取最大利润，有如从牛奶中撇取奶油。企业所以这样做，是因为有购买者主观认为某些商品具有很高的价值。从市场营销实践来看，在以下条件下企业可以采取撇脂定价：

市场有足够的购买者，他们的需求缺乏弹性，即使把价格定得很高，市场需求也不会大量减少。

高价使需求减少一些，因而产量减少一些，单位成本增加一些，但这并不至于抵消高价所带来的利润。

在高价情况下，仍旧独家经营，别无竞争者。有专利保护的产品即是如此。

某种产品价格定得高，使人们产生这种产品是高档产品的印象。

2. 渗透定价　指企业把其创新产品的价格定得相对较低，以吸引大量顾客，提高市场占有率。企业采取渗透定价应具备如下条件：市场需求显得对价格极为敏感，因此，低价会刺激市场需求的迅速增长；企业的生产成本和经营费用会随着生产经营经验的提高而下降；低价不会引起实际和潜在的竞争。

（六）产品组合定价

对于系列化产品或产品只是某一产品组合的一部分时，企业要研究制定一系列价格，使整个产品组合的利润实现最大化。

1. 产品大类定价　在定价时，首先确定某种产品的最低价格，它在产品大类中充当领袖价格，用以吸引消费者在购买该产品时也购买产品大类中的其他产品；其次，确定产品大类中某种商品的最高价格，它在产品大类中充当品牌质量和收回投资的角色；第三，产品大类中的其他产品也分别依据其在产品大类中的角色不同而制定不同的价格。在此类定价下，营销者的任务就是确立认知质量差别，促使价格差别合理化。

2. 选择品定价　许多企业在提供主要产品的同时，还会附带一些可供选择的产品。

3. 产品系列定价　企业经常以某一价格出售一组产品，例如，计算机、化妆品公司为顾客提供的一系列活动方案，这一组产品的价格低于单独购买其中每一产品的费用总和。因为顾客可能并不打算购买其中的所有产品，所以这一组合的价格必须有较大的降幅，以此来促使顾客购买。

四、价格变动反应及价格调整

企业处在一个不断变化的环境中，为了生存和发展，有时候需要对产品主动降价或提价，有时候面对竞争者的变价又要做出适当的反应。

（一）企业降价与提价

1. 企业降价　企业降价的主要原因有：企业的生产能力过剩，需要扩大销售，但是企业又不能通过产品更新和加强销售工作等来实现，在这种情况下，企业就要考虑降价；在激烈竞争压力下，企业市场占有率下降；企业的成本费用比竞争者低，希望通过降价来占领市场或提高市场占有率，从而扩大生产和销售量，降低成本费用，在这种情况下，企业也往往发动降价攻势。

2. 企业提价　企业提价的主要原因：受通货膨胀，物价上涨，企业成本费用提高的影响，企业不得不提高产品价格。对于通货膨胀，许多企业采取推延的策略，即企业决定暂时不规定最后价格，等到产品制成时或交货时方规定最后价格。而蜂产品企业在每年的蜂产品收购时，外来订单还未到的情况下，往往也运用这个方法，或者超低价收购。在合同上规定调整条款，采取不包括某些商品和服务定价策略。即企业在通货膨胀、物价上涨的环境下，产品价格不动，但原来提供的某些服务要计价或取消这些服务，例如蜂产品零售价下降时，专门零售企业会取消配送物品等。降低价格折扣，取消微利产品，降低产品质量，减少服务和产品特色，这一措施虽然可以保持一定的利润，但会影响其声誉和形象，失去其忠实的顾客。

企业的产品供不应求，可取消价格折扣，在产品大类中增加价格较高的项目，或者开始提价。为了减少顾客的不满，企业提价时应当向顾客说明提价的原因，并帮助顾客寻找节约的途径。

（二）顾客对企业变价的反应

企业无论提价或降价，其行为势必影响到购买者、竞争者、经销商和供应商，影响力大的变价还会引起政府的关注。

顾客对企业降价的理解可能有：新产品将代替旧产品；该产品有某些缺陷，销售不畅；企业财务困难，难以继续经营下去；价格还要进一步下跌；这种产品的质量下降了。企业提价通常会影响销售，但是购买者对企业的某种产品提价的理解也可能是：这种产品很畅销；这种产品很有价值；卖主想尽量取得更多利润。

顾客对于价格高、经常购买的产品价格变动较敏感，而对价值低、不经常购买的小商品价格不大注意。此外，购买者虽然关心产品价格变动，但是通常更关心取得、使用和维修产品的总费用。因此，如果卖主能使顾客相信某种产品取得、使用和维修的总费用较低，那么，它就可以把这种产品的价格定得比竞争者高，取得较多的利润。

（三）竞争者对变价的反应

企业在考虑改变价格时，不仅要考虑购买者的反应，而且必须考虑竞争对手的反应。当同行业中企业数目较少，购买者对所提供的同质产品颇具辨别力与知识时，竞争者的反应就愈明显。

1. 获取竞争者情报的主要途径 首先，企业假设只面临一家大的竞争者，竞争者的可能反应可从两个不同的角度加以预测。其一是假设竞争者有一组适应变价的政策，其二是竞争者把每一次价格变动都当做单一挑战。

如果竞争者有一组价格反应政策，可以通过内部资料和借助统计分析来了解。取得内部情报的方法有多种，如从竞争者那里聘来经理，以获得竞争者决策程序及反应模式等重要情报。此外，还可以雇用竞争者以前的职员模仿竞争者的立场、观点、方法思考问题。类似的情报，也可从顾客、金融机构、供应商、代理商等处获得。

2. 预测竞争者反应的方法 如果竞争对手采取老一套的办法来应付本企业的价格变动，在这种情况下，就能够预测竞争者的反应的。

如果竞争对手把每次价格变动都看做是新的挑战，并根据当时自己的利益做出相应反应，在这种情况下，企业就必须断定当时竞争对手的利益是什么，调查研究竞争对手目前的财务状况、近来的销售和生产能力、顾客忠诚度以及企业目标等。如果竞争者的目标是提高市场占有率，它就可能随着本企业产品价格的变动而调整价格；如果竞争者的目标是取得最大利润，它就会采取其他对策，如增加广告预算、加强广告宣传或者提高产品质量等。总之，企业在实施价格变动时，必须善于利用企业内部和外部的信息，预测出竞争对手的思路，以便采取适当的对策。

竞争者对本企业的降价也可能理解为：企业想偷偷地侵占市场，企业经营不善力图扩大销售，企业想使整个行业的价格下降以刺激市场需求。

如果企业面对着许多竞争者，在变价时就必须估计每一个竞争者的可能反应。如果企业的竞争者反应大体相同，就可以集中力量分析典型的竞争者；如果由于各个竞争者在规模、市场占有率及政策等重要问题上有所不同，那么它们的反应也就有所不同，在这种情况下，就必须分别对各个竞争者进行分析；如果某些竞争者随着本企业的价格变动而变价，就可预料其他竞争者也会如此仿效。

（四）企业对竞争变价的反应

1. 不同市场环境下的企业反应 在同质产品市场上，如果竞争者降价，企业必须随之降价，否则本企业产品销售额就会下降；如果某一个企业提价，且提价会对整个行业有利，其他企业也会随之提价，但是如果某一个企业不随之提价，那么最先发动提价的企业和其他企业将不得不取消提价。在异质产品市场上，企业对竞争者变价的反应有更多的选择余地。在同类异质产品市场中，顾客选择卖主时要同时考虑产品价格、质量、服务、性能、外观、安全性等诸方面因素，因此，较小变价对顾客影响不大。

面对竞争者的变价，企业必须认真研究如下问题：为什么竞争者变价；竞争者打算暂时变价还是永久变价；如果对竞争者变价置之不理，对企业的市场占有率和利润有何影响；其他企业是否做出反应；竞争者和其他企业对于本企业每一个可能的反应又会有什么反应。

2. 市场领导者反应 在市场上，市场领导者的产品往往遭到其他企业的进攻。这些企业的产品可与市场领导者的产品相媲美，它们通过进攻性的降价来争夺市场领导者的阵地。在这种情况下，市场领导者有以下几个策略可供选择：

（1）维持价格不变：维持价格不变，尽管市场占有率受到一定的影响，但以后还能恢复。当然，维持价格不变的同时，需要改进产品质量、提高服务水平、加强促销沟通等，运用非价格手段来反击竞争者。许多企业的市场营销实践证明，采取这种策略比降价和微利经营更合算。

（2）降价：降价可以使销售量和产量增加，从而降低成本；市场对价格很敏感，不降价就会使市场占有率下降，而且难以恢复。在企业降价后，仍应保持产品质量和服务水平。

（3）提价：提价的同时，致力于提高产品质量，或推出新品牌，以便与竞争对手争夺市场。

（五）企业应变需考虑的因素

受到竞争对手进攻的企业必须考虑：产品在其生命周期中所处的阶段及其在企业产品投资组合中的位置，竞争者的意图和资源，市场对价格和价值的敏感性，成本费用随着销量的变化而变化的情况。

面对竞争者的变价，企业必须在数小时或几天内明确做出理智的反应，缩短价格决策时间的惟一途径是预测竞争者的可能价格变动，并事先准备适当的对策。

五、蜂产品价格

对于一个蜂产品专门店来说，蜂蜜的定价方法有：各种蜂蜜一个价格，价格可以定在中上水平，比如，可定在同量包装的市售蜂蜜价格的90%，包装一致，较低档的蜂蜜进货要少，中高档的进货要多。不同品种的蜂蜜不同定价，如优质的刺槐蜂蜜、荔枝蜂蜜、荆条蜂蜜可以定在比市场同量包装蜂蜜高20%的价格，这里要注意，高价位的蜂蜜其质量一定要比市场同种产品质量（包括本身品质和卫生安全）要高，而其他较低档的蜂蜜则可定在与市场同量包装一样的价格或低10%～20%，用不同包装，高质量蜂蜜进货同样要多。一种蜂蜜一个价格，当地蜂蜜质量要好，与市场同价格或稍低，外地蜂蜜价格要高，且具有特殊性，如在河南蜂产品市场上销售党参蜜、荔枝蜜、五味子蜜等。最后，用不同的包装和等级、价格分类陈列在货架上，以加强商品丰富的气氛，增加顾客购买产品的信心。蜂蜜零售价格一般在其进价的130%～200%。

蜂花粉的定价类似于蜂蜜。

蜂王浆的价格可以定一个稳定的价格，也可根据不同产地定两个价格。目前我国蜂王浆的价格一般在180～450元/kg，也有的为120～150元/kg的，根据蜂王浆的生产成本、收购价格、地区经济水平、供求状况和其作为商品的特殊性，目前蜂王浆零售价格定在150～280元/kg较为合理。

2002年，蜂胶收购价格为110～150元/kg，零售价定为其收购价的180%较为合理。

蜂产品的定价不是一成不变的，根据生产成本、进货价、贮存费用、人工、贷款利息、边际利益等灵活掌握。

第六节　绿色营销、关系营销和网络营销

一、绿色营销

（一）绿色营销概述

广义的绿色营销是指企业在营销活动中独树一帜的社会价值、伦理道德，充分考虑社会效益，既自觉维护自然生态平衡，又自觉抵制各种有害营销。因此，广义的绿色营销也称为伦理营销。狭义的绿色营销，主要指企业在营销活动中，谋求消费者利益、企业利益与环境利益三者的协调，既要充分满足消费者的需求，实现企业的利润目标，又要充分维护自然生态平衡。实行绿色营销的企业，对产品的创意、设计和生产，以及定价和促销的计划、实施，都要以保护生态环境为前提，力求减少和避免环境污染，保护和节约自然资源，因此，狭义的绿色营销，也称生态营销或环境营销。

绿色消费是开展绿色营销的前提。消费需求由低层次向高层次发展，是不可逆转的客观规律，绿色消费是较高层次的消费观念。人们在温饱等生理需求得到满足后，便会产生提高生活综合质量的要求，产生对清洁环境与绿色产品的需要。

绿色观念是绿色营销的指导思想。绿色营销以满足需求为中心，为消费者提供能有效防止资源浪费、环境污染及损害健康的产品。绿色营销所追求的是人类长远利益与可持续发展，重视协调企业与自然环境的关系，力求实现人类行为与自然环境的协调。

绿色体制是绿色营销的法制保障。在竞争性市场上，必须有完善的政治与经济管理体制，制定并实施环境保护与绿色营销方针、政策，制约各方的短期行为，维护全社会的长远利益。

绿色科技是绿色营销的物质保证。技术进步是产业变革和进化的决定因素，新兴产业的形成必然要求技术进步，但技术进步如背离绿色观念，其结果有可能加快环境污染的进程。只有以绿色科技促进绿色产品的发展，促进节约能源和资源可再生、无公害的

绿色产品的开发，才是绿色营销的物质保证。

在20世纪70年代，美国人对环境的爱护而诞生了“地球日”。现在，人类对环境的保护范围越来越广，并已深深植根于生活的细微之处，许多城市已大力推行强制回收体系。美国的绿色市场发展潜力巨大，人们认为“环境友好产品”构成“地球可持续市场”将是解决环境问题的一个好办法。1978年德国首先执行“蓝色天使”计划，1997年，即生产400多种绿色产品，现已达到4 500多种。

中国的绿色工程始于绿色食品开发，1984年在广州产生了全国第一家无公害蔬菜生产基地；1989年农业部组织专家研究，提出绿色食品概念；《中国21世纪议程》是1992年7月编写的关于本世纪发展的行动纲要；1992年11月，国务院批准成立了中国绿色食品发展中心，制定了《绿色食品标志管理办法》；1993年5月，绿色食品发展中心加入了“有机农业运动国际联盟”；1995年初，全国已生产和开发28种绿色食品。我国蜂产品应该是绿色食品，目前，有些蜂业企业，从生产环境、生产过程、贮存运输、加工分装各个环节严把质量关，把蜂产品的生产和销售提高到一个新的水平——有机蜂产品，这是蜂产品的绿色营销的良好开端。

（二）绿色营销的实施

1. 制定绿色营销战略 在全球绿色浪潮兴起的时代，企业基于环境和社会利益考虑，制定体现绿色营销内涵的战略计划，有助于长远利益。绿色营销战略应明确企业研制绿色产品的计划及必要的资金投入，具体说明环保的努力方向及措施。绿色营销战略以满足绿色需求为出发点和归宿，既要满足现有与潜在的绿色需求，还要促进绿色消费意识和绿色需求的发展，使绿色营销带来更高的边际收益，实现合理的“绿色赢利”。

2. 制定绿色营销组合 绿色产品不仅对社会和环境改善做出贡献，而且能有效地树立良好的企业形象，适应回归自然的热潮，为企业带来长远利益。绿色促销是媒介传播绿色企业及产品的信息行为。要利用传媒和社会活动，为企业的绿色表现作宣传，对有关环保组织及活动积极赞助、捐赠等，给予其经济上的支持。广告要突出绿色产品的特点，突出环保靠全社会的力量，靠每个人的努力。广告投入和广告频率要适度，防止因广告而造成资金浪费和声、光等感官污染。

二、关系营销

（一）关系营销概述

关系营销是以系统论为指导思想，将企业置身于社会经济大环境中来考察企业的市场营销活动，把企业营销看做是一个与消费者、竞争者、供应者、分销商、政府机构和社会组织发生互动作用的过程。

关系是信息和情感交流的有机渠道，关系良好就是渠道畅通，关系恶化就是渠道阻滞，关系中断则是渠道堵塞。交流是双向的，既可以由企业开始，也可以由营销对象开始。广泛的信息交流和信息共享，可以使企业赢得支持与合作。

在竞争性市场上，营销管理者应与利益相关者建立长期的、彼此信任的、互利的关系，各具优势的关系双方，互相取长补短，联合行动，协同动作去实现对各方都有益的共同目的。

关系建立在互利互惠的基础上，要求双方互相了解对方的利益要求，寻求双方利益的共同点，并努力使双方的共同利益得到实现。

关系营销要求建立专门的机构，用以追踪各利益相关者的态度，根据合作方提供的信息，以改进产品和技术。信息的及时反馈，使关系营销具有动态的应变性，有助于挖掘新的市场潜力。

（二）关系营销的各方关系

关系营销把一切内部和外部利益相关者纳入研究范围，用系统的方法考察企业所有活动及其相互关系，表现积极的一方称为市场营销者，反之，称作目标公众。

企业与利益相关者结成休戚与共的关系。企业的发展要借助利益相关者的力量，而后者也要通过企业来谋求自身的利益。

1. 企业内部关系　优秀的企业领导，心中装有顾客和员工两个“上帝”。企业进行营销，首先企业的员工要有营销观念，正确理解企业的战略目标和营销组合策略，以顾客需求为导向进行工作；而企业要尽力满足员工的合理要求，提高员工的忠诚度，为关系营销奠定良好的基础。

2. 企业与竞争者关系　企业间拥有的资源和技术条件不尽相同，彼此各有长短，为有效地通过资源共享实现发展目的，企业要善于与竞争者和平共处，并和有实力、有良好营销经验的竞争者进行联合。

3. 企业与顾客关系　顾客是“上帝”，企业要实现赢利目标，必须依赖顾客。企业需要通过搜集和积累大量市场信息，预测目标市场购买潜力，采取适当方式与消费者沟通，变潜在顾客为现实顾客。同时，要建立数据库或其他方式（如顾客会员制等），密切与消费者的关系。对老顾客，要更多地提供产品信息，定期举行联谊活动，加深情感信任，争取成为长期顾客，其花费的成本，比寻求新顾客更为经济。

4. 企业与供销商关系　因分工而产生的渠道成员之间的关系，是由协作而形成的共同利益关系。合作伙伴之间既存在矛盾，又互相依赖。企业必须与供应商、经销商之间建立密切合作的伙伴关系，以便获得来自供、销两方的有效支持。

5. 企业与影响者关系　各种金融机构、新闻媒介、公共事业团体以及政府机构等，对企业营销活动都会产生重要影响，企业必须想方设法争取他们的理解和支持。例如，企业需要所在社区提供完善的基础设施和工作的高效率，社区则希望企业为社区建设提供财和物的支持。

（三）关系营销的主要目标与实施

1. 关系营销的主要目标　关系营销主要目标之一是维系现有顾客，丧失老顾客无异于失去市场、失去利润的来源。有些企业奉行“零顾客背离”计划，目标是让顾客没有离去的机会。这就要求，及时掌握顾客的信息，随时和顾客保持联系，并追踪顾客动态，分析顾客产生满意感和忠诚度的根本原因。满意的顾客会对产品、品牌乃至企业保持忠诚，忠诚的顾客会重复购买某一产品或服务，也会购买企业的其他产品，不为其他品牌所动摇；同时顾客的口碑，有助于树立企业的良好形象。此外，满意的顾客还会参与和介入企业的营销活动过程，为企业提供广泛的信息、意见和建议。

2. 关系营销的具体实施　关系营销的管理机构，对内要协调处理部门之间、员工之间的关系，对外要向公众发布消息、征求意见、搜集信息、处理纠纷等。并代表企业有计划、有准备、分步骤地开展各种关系营销活动，使各职能部门和机构各司其职，协同合作，同时也把企业领导者从烦琐事务中解脱出来，

关系营销管理机构是企业营销部门与其他部门之间、企业与外部环境之间联系沟通和协调行动的专门机构。其主要作用是“搜集信息资料，充当企业的耳目；综合评价各职能部门的决策活动，充当企业的决策参谋；协调内部关系，增强企业的凝聚力；向公众输送信息，沟通企业与公众之间的理解和信任”。

（四）关系营销的资源配置

1. 人力资源调配　一方面实行部门间人员轮换，以多种方式促进企业内部关系的建立，另一方面从内部提升经理，可以加强企业观念并使其具有长远目光。

2. 信息资源共享　利用电脑网络协调企业内部各部门及企业外部拥有多种知识与技能的人的关系；提高电子邮件和语言信箱系统的工作效率；建立“知识库”或“回复网络”，组成临时“虚拟小组”，以完成与自己或客户的交流。

3. 文化整合　不同企业有不同的企业文化，不同区域和不同阶层的人更有文化差异。人们跨文化区间进行沟通，必须克服不同文化环境所带来的交流障碍。文化整合，是使合作双方共同有效地工作，相互学习彼此的文化差异，这是企业市场营销中处理各种关系的高级形式。推行差别化战略的企业文化是鼓励创新、发挥个性及承担风险；而成本领先的企业文化，则可能是节俭、纪律及注重细节。如果关系双方的文化相通，将能巩固与各子市场系统的关系并建立竞争优势。

三、网络营销

（一）网络营销的基本概念

1. 互联网络　电脑网络是将各自独立的电脑处理节点通过线路互相连接、节点之间能够彼此互通信息的系统。互联网络则将全球各国的电脑网络群连接起来，成为不属于任何国家或企业所拥有的信息传递系统，使全人类共享信息资源。随着越来越多的企业和个人网络进入互联网，其在人类生活中的地位日渐重要，这必将给传统营销组合注入新的内容。

2. 网络销售产品的特征　目前，适合在互联网上销售的产品一般具有高科技或与电脑有关，以网络族为目标市场，市场需求的地域广阔，能推广不宜设店贩卖的特殊产品，且销售费用低廉。

3. 网络销售的功能　由网络提供的产品与服务主要是信息，除将产品性能、特点、品质、价格以及为顾客服务内容充分显示外，可针对个别需求作一对一的营销服务，例

如，利用电子布告栏或电子邮件提供线上售后服务或与消费者双向沟通。并可在网上设研讨区，供消费者之间、消费者与企业之间进行对话沟通，企业借此了解消费者需求，市场趋势等；利用网络进行线上研讨，引导进入网络的有关人员评议有关新产品构想或雏形的可行性，征集消费者对产品设计的构想，提供个性化的产品服务；了解消费者对现行产品的特性、品质、包装及式样等的意见，加速产品的研发与改进；通过网络提供与产品相关的专业知识，进一步为消费者服务，不但可增加产品价值，也提升了企业形象；开发电子杂志、电子书报、电子资料库、电子游戏等信息化产品，经由网络提供物美价廉的全球服务。

4. 网上交易价格　网络交易的费用较低，但价格弹性较大。企业在研究所有渠道的价格结构后，设计出合理的网上交易价格。网上交易能够互相沟通，更好地掌握消费者购买信息，比较容易以理性方式制定价格。企业的产品网上交易价格即零售价格可以统一，并且可根据情况变化随时调整价格。

5. 促销的新特点　虽然网上具有一对一的促销特性，并以消费者需求为导向，但网上促销基本是被动的，企业只有提供具有诱惑力的商品信息才能吸引消费者上线。全球信息的即时互动功能，充分体现了网络营销的灵活性。例如，一些网站采用折扣券促销，在促销区域内的消费者可从网上下载打印出来，直接到指定商店低价消费。

6. 渠道的革命　通过互联网，企业可将商品直接展示在消费者面前，回答消费者疑问，并接受顾客订单。这种直接互动与超越时空的电子购物，无疑是营销渠道上的革命，必将成为未来市场营销最重要的渠道。

（二）互联网在营销中的作用

20 世纪 90 年代初，互联网络开始从教育信息管理进入商业管理领域，商业化促进了互联网络的飞速发展，互联网络也为商业提供了新的发展机会。目前，企业通过互联网络开展营销活动，主要有以下几种：

1. 发布电子广告　与传统媒介广告不同，电脑可给广告用户提供无限广阔的空间，也给中小企业提供了平等竞争的机会。

2. 建立电子商场　将经营的商品以多媒体信息的方式，通过互联网络供全球顾客浏览、选购，是国外一些大商场正在探索的促销方式。让顾客在家中“逛商场”，通过网络浏览分布在不同商场的商品，包括商品的图像、文字介绍、技术参数、价格与售后服务、同类产品比较等。电子商场还可以提供一些用户反馈信件、专家评述，在品种较多时，可以设计数据库代顾客搜索。电子商场可展销所有商品，不受地域和时间限制，在任一时间均可接受任一顾客的电子询价或订货，甚至设立线上收款服务。

3. 开展市场调研　一方面，根据顾客反馈的信息，了解顾客的需求及购物规律，据此调整商品结构和销售方向；另一方面，可以免费索取对营销活动非常有用的信息与商情动态。如美国商务部在互联网络上设立的电子公告，提供数万份有关国际贸易的资料，其中 700 份每日更新 1 次，内容包括全球最新经济动态、经济发展指数、金融动态等。

4. 开展网络服务　近年来，国外已经出现一批利用互联网络的资源为用户服务的公司，如互联网络访问、信息检索、软件开发以及用户咨询与服务等。还有一些公司将信息作为“原料”，加工成“商品”后销售给用户，不仅解决了及时查找所需要信息的困难，也可帮助排除文字上的障碍。作为销售商品的企业，可将各种技术资源推到网络上，用户有了难题，可很快从网络中得到解决，或是请厂家技术人员做出准确的回答。

另外，企业营销活动中，还可利用互联网络测试新产品的市场反应，强化企业环境信息的搜集，加强与其他产业的联系，接触有高水准教育的年轻人，提早把握未来消费主力，寻找合作对象，加强与供销商的联系，锁定特殊消费群体等。

第七节　蜂产品的进出口贸易和国际市场营销

一、国际市场营销基础知识

（一）国际市场营销的基本方式

国际市场营销，是跨越国界的营销活动。其方式有：

1. 被动的国际市场营销　此类企业的目标市场在国内，不设专业的出口机构，也不主动面向国际市场，只是在外国企业或本国外贸企业求购订货时，其产品才进入国际市场。

2. 偶尔的国际市场营销　该类企业的目标市场仍在国内，也不设对外出口机构。当某一时期该企业产品的国内市场供过于求、竞争激烈或因其他原因，一次性外销其产品；在国内供求或竞争趋于缓和时，这些企业又转向国内市场，生产本国消费者所需要的产品。例如，我国的蜂产品加工厂商。

3. 固定的国际市场营销　这类企业的目标市场既是国内市场也是国际市场，一般设立专门的出口机构，甚至在国外成立分销机构，在不放弃国内市场的前提下，制定国际市场营销战略，专门开发国外消费者所需的产品，针对国际市场营销环境，制定国际市场营销组合策略，参与国际竞争，努力在国际市场上建立自己持久的市场地位。

4. 完全的国际市场营销　这类企业完全把国际市场作为目标市场，甚至把本国市场视为国际市场的一部分。它们在本国设立公司总部，在世界各国发展参股比例不等的子公司，并在这些国家从事生产经营活动，其产品、资源在国际市场流通，依靠国际市场获取利润。

（二）国际市场营销与国际贸易、国内市场的异同

1. 国际市场营销和国际贸易的异同　国际市场营销和国际贸易是既有联系又有区别的两个不同的概念。二者涉及的都是跨国界的商品交易活动，都属于国际贸易范畴，而从企业运作看，则属于国际市场营销范畴。事实上，国际市场营销与国际贸易是一个问题的两个方面，是从不同角度和视野来看待跨国的商品交易活动。两者的区别如下：

（1）角度不同：国际贸易是研究国与国之间的总体贸易关系，如对外贸易理论与

政策，国际贸易惯例与法规以及外贸实务等。国际市场营销则站在企业的角度，从微观上研究企业跨国界的商品交易问题，如营销环境分析、制定营销组合策略。

（2）范围不同：国际贸易涉及的范围是国际间的商品流通或商品交易的问题，而国际市场营销涉及的是这种跨国界的商品交易的具体策略以及与此相关的问题，如市场预测、产品开发、售后服务等问题。

（3）流向不同：国际贸易涉及商品交易的两个方面，即涉及本国产品向外国销售和本国购买外国产品这一买一卖的两个方面。而国际市场营销涉及的一般是本国产品如何向国际市场销售这一单向交易。

（4）对象不同：国际贸易的对象是外国厂商或政府，一般不涉及最终购买者；国际市场营销的对象是外国的最终消费者。前者从总体上来把握交易对象，后者则从具体的营销指向来把握营销对象。

2. 国际市场营销与国内市场营销的异同

（1）二者相同点：国际市场营销与国内市场营销从本质上看并无根本的不同，市场营销的基本原则对二者是适用的。具体来讲，二者都要进行环境分析、选择目标市场，都要作出营销决策，完成商品和货币的交换，实现商品从生产者到消费者的转移。

（2）主要区别：国际市场营销和国内市场营销处于两个不同的营销地域，前者有跨国界、异国性、多国性的特点，在具体的营销过程中，国际营销又有不同于国内市场营销的操作层面。与国内营销相比，国际市场营销具有：

①复杂性：各国由于社会文化、政治法律制度和技术经济环境不同，使国际市场营销的复杂性远大于国内不同地区的市场营销。社会文化不同，表现在语言障碍、文化差异、风俗习惯、社会制度不同等，这给国际营销带来市场调查、了解贸易对手、双方交易沟通障碍等诸多困难；政治法律不同，表现在政治体制、海关制度及有关贸易法规不同等，给国际市场营销带来障碍；技术经济环境不同，表现在居民收入水平、经济发展水平和经济体制不同等，对国际市场营销也产生极大影响。

②风险性：国际市场营销由于进行跨国界的交易活动，很多事情不易把握，其产生的风险如信用风险、汇兑风险、运输风险、政治风险、商业风险等，都远远高于国内市场营销，但高风险往往伴随高利润。

③激烈性：进入国际市场的企业都是各国实力强大的企业，使国际市场竞争更为强烈，也更加残酷。世界各国在国际市场上，营销的参与者，除国内市场竞争的常规参与者外，政府、政党、有关团体也往往介入营销活动中。政治力量的介入，使国际市场的竞争非常微妙，竞争的激烈程度也比国内市场大为提高。对于发展中国家的企业来说，参与国际竞争必然要承受巨大的竞争压力。

（三）开展国际市场营销的重要意义

1. 扩大产品销售　积极开展国际市场营销，扩大企业的产品销售，可以获得更多的利润回报，同时，以销售来扩大企业的生产规模，降低生产成本，获得规模效益。

2. 规避经营风险　在本国经济不景气时，积极开拓国际市场，寻求有利的市场机会，在一定程度上避开国内市场饱和与竞争过度给企业带来的损失；同时，对于跨国公司来说，开展多国市场营销，可以在全球范围内把握有利的市场机会，保证企业健康发展。

3. 加快企业成长　积极开展国际市场营销，使企业投身到激烈的国际市场竞争中去，可以锻炼企业的生存发展能力，加快技术进步，提高经营管理水平，从而促进企业成长壮大。对于我国养蜂业来说，加入世界贸易组织既有挑战又有机会。

4. 促进经济建设　在科学技术高度发展的今天，任何一个国家都不可能拥有发展本国经济所需要的一切资源，更不可能拥有发展所需要的所有先进技术。要加速发展本国经济，就需要积极开展国际市场营销，将国内产品打入国际市场，顺利实现产品的价值并获得更多的利润，通过出口创汇，引进先进的科学技术和设备，加速本国经济发展。

二、国际市场营销环境

（一）国际政治法律环境

世界各个主权国家的政治、法律制度有很大差别，进入国际市场的企业会受到这些因素的影响和制约。

1. 政治环境

（1）政治体制：在国际市场营销中，首先考虑所进入国家或地区的政治体制状况，是社会主义国家还是资本主义国家，是一党制还是多党制，是君主制还是共和制等。政治体制决定着国家的政治主张和经济政策的差异，进而影响和制约国际市场营销活动。

（2）行政体制：要研究所进入国家或地区的行政结构和效率、政府对经济的干预程度、政府对外国企业经营的态度等，从而对所进入该国市场和在该国市场经营风格做出合理决策。

（3）政治稳定：一个国家政治稳定必然伴随持续稳定的经济政策，有助于企业正常经营；相反，一个国家政局不稳，政府频繁更迭、人事频繁变动，甚至发生政变、战争等动荡因素，则影响经济发展，并给国际市场营销企业带来极大风险。

（4）国际关系：国际营销企业在东道国经营过程中，必然会与其他国家发生经济往来，特别是与企业的祖国有着千丝万缕的关系。因此，东道国与祖国之间、东道国与其他国家之间的国际关系状况，也必然会影响国际市场营销活动。

2. 法律因素　现代企业在市场经济中的行为主要受法律的规范和约束，企业在进行国际市场营销活动中只有了解国际法律和国际惯例，才能依法经营，避免损失。

（1）国际公约：国际公约是两国或多国之间缔结的关于确定、变更或终止它们权利与义务的协议。一国只有依法定程序参加并接受某一国际公约，该条约才对该国具有法律约束力。进行国际市场营销活动的企业，必须遵循有关国际公约，才能在经营中获得法律的保护。

（2）国际惯例：国际惯例是指在长期国际贸易实践中形成的一些通用的习惯做法与先例。它们通常由某些国际性组织归纳成文，并加以解释，并为许多国家认可。国际惯例虽然不是法律，但在国际商贸活动中，各国法律都允许各方当事人选择所使用的惯例。一旦某项惯例在合同中被采用，该惯例便对各方当事人具有法律约束力。

（3）涉外法规：东道国的涉外法规是每个进入该国的企业必须遵守的。这些涉外法规主要有3个方面：一是基本法律，如外资法、商标法、专利法、反倾销法、环保法、反垄断法、保护消费者权益法等，这些法规虽然都是国内立法，但对进入该国的国际企业仍然具有直接约束力；二是关税政策，包括进口税、出口税、进口附加税、差价税、优惠税等税种的设置，以及关税的征收形式，如从量计税、从价计税和混合计税等；三是进口限制或非关税壁垒，如进口配额、进口许可证、进口押金制、进出口国家垄断，以及各种苛刻的商品检验技术标准等。所有这些法律、法规，国与国之间都不尽相同，有的差别较大。因此，在国际市场营销活动中，必须了解东道国的法律法规性质和具体内容，才能进行最有效的营销活动。

（二）国际经济技术环境

1. 经济体制 世界各国有以公有制为主体的经济，也有以私有制为主体的经济。在市场经济体制中，具体的组织形式和经济调控程度也不同。在国际市场营销中，首先要对东道国的经济体制予以充分了解，才能制定相应的营销策略。

2. 经济水平 各国国民经济按其发展水平可以分为原始农业型、原料输出型、工业发展型和工业发达型四大类。原始农业型国家主要从事农业生产，属于自给自足的自然经济，较少有商品推销机会；原料输出型国家某种自然资源十分丰富，其他资源缺少，因而以该种自然资源的出口换汇成为国民经济的支柱，对生活消费品的进口依赖性强；工业发展型国家是已建立一定工业基础的国家，它们需要先进的设备和本国无力生产的关键的中间产品；工业发达型国家多是高技术产品、资金、技术出口国，又是大量传统商品的最大市场。

3. 市场规模 市场规模主要由人口和收入水平所决定。总人口是最主要的指标，人口总是与需求量成正比，人口总数越大，总需求量也越大。另外，人口增长率、区域分布、年龄结构、性别及家庭数目等因素，对需求也产生不同程度的影响。国民收入水平是衡量一个国家总体经济实力和购买力的主要指标，个人可支配收入与商品购买力成正比，收入水平制约着市场规模。

4. 基础结构 一个国家的能源供应、交通运输、通讯设施及商业基础结构越是完善，数量越多，业务质量越高，就越能促进市场营销的顺利进行。

5. 外汇管理 国家对外汇的管理和管制的程度，对国际市场营销的影响极大。一个国家对另一国家货币的比率定得过低，则该国必须为进口支付更多的本国货币，对依赖原料进口的国家会造成困难；反之，若货币升值则会给某些商品的出口带来困难。

6. 自然资源 包括气候、地理位置、地形、资源分布等自然资源状况，对于进出口商品结构也有重大影响，因此，企业在开展国际市场营销活动中应因地制宜，使其决策适应不同国家或地区的自然环境。

7. 科技水平 企业在开展国际市场营销时，要正确认识和研究东道国的科技发展水平，以增强市场营销决策的针对性和适应性。

（三）国际社会文化环境

开展国际市场营销需要认真研究各国的社会结构、语言文字、宗教信仰、价值观念、教育水平、民俗民风等的差异，以适应该国社会文化，进入该国市场。

（四）21世纪的国际市场营销环境展望

20世纪的最后10年，全球贸易总额翻了1番以上，从1990年的7万亿美元增加到15万亿~16万亿美元。我国蜂产品的国际贸易，1997~2001年，增加了1倍以上。展望21世纪，国际市场营销环境将有巨大变化。主要表现在：多极化世界、经济全球化、知识经济、商品结构高级化、老龄化社会、网络化营销。在这一大环境下，回归自然，崇尚健康，蜂产品这一天然药食同源的高级保健品，随着其品质的不断提高必将有广阔的前景。

三、国际目标市场选择与进入国际市场的方式

（一）选择国际目标市场

1. 细分国际市场　按经济发展水平可分为原始农业型、原料出口型、工业发展型和工业发达型四类市场；按国别和地区可分为北美洲、欧洲、拉丁美洲和东南亚等市场；按商品性质可以分为工业品、消费者和劳务市场；按人均国民收入可划分为高、中、低收入三类市场。另外，还可以按家庭规模、性别、年龄、文化程度、种族、气候等标准进一步细分。

2. 选择目标市场　在目标市场细分的基础上，根据市场规模（取决于人口总量和人均收入水平）、市场增长速度（目标市场发展潜力大）、交易成本（如运输、调查、保险、税收、劳动成本、广告宣传）、竞争优势（应选择在产品质量和花色品种、企业规模、经营组织上竞争对手相对较弱的市场作为目标市场）、风险程度（如自然灾害、意外事故、战争、政局不稳、两国关系发展、原料供求变化、货币贬值、通货冻结等，都会导致合同废除、货物丢失、交货延误、贸易歧视，甚至没收财产等风险的产生等进行选择。

国际目标市场的预测，包括现有市场潜力和未来市场潜力、市场占有率、成本与利润、投资收益率和风险等。

（二）进入国际市场的方式

1. 进出口　进出口是指在国内生产，然后通过适当渠道销往国际市场的方式。这是目前传统的普遍采取的进入国际市场的方式。由于生产地点不变，生产设施在国内，劳动力没有国际间流动，出口产品可以与内销产品相同，或根据国际市场需要作适当变动，产品在国际市场遇到阻力时，可及时转向国内市场，因此，进出口风险相对较小。

（1）间接出口：这是通过本国中间商向国际市场出口产品的方式，是企业开始走向国际市场最常用的方式。其方法是：一是生产企业把产品卖给外贸公司，产品所有权

由生产企业转向外贸企业，由外贸企业再将产品销往国外；二是生产企业委托外贸公司代理产品出口，不转移产品所有权，外贸公司是生产企业的代理商；三是生产企业委托本国其他企业在国外的销售机构代销自己的产品，合作开拓国际市场。

间接出口的优点是投资少，风险小，企业可集中精力生产，不必为外销渠道分心。其缺点是不能直接了解国际市场，难以围绕国际市场需求展开营销；过于依赖中间商，易于造成外销失控，甚至造成被中间商抛弃的风险。

（2）直接出口：指企业自行承担一切出口业务，如外商前来洽谈购买，或企业生产规模很大并且出口额也很大时，往往采取直接出口的方式。其方法是：直接向外国用户提供产品；直接接受外国政府或厂商的订货；根据外商要求定做销往国外的产品；参与国际投标活动，中标后按合同生产销往国外的产品；委托国外代理商经营业务；在国外建立自己的销售机构。其优点是可以节省国内中间环节的费用，直接面对国际市场，获取国际市场需求变动的信息，及时调整经营活动；企业在一定程度上自主决策，控制产品外销。其缺点是需要建立产品出口的专门机构，甚至设立国外机构，并需要聘请专门的国际营销人才，增加费用；还需要自己承担由直接出口带来的经营风险。

2. 合同进入方式　合同进入是指国际营销企业通过与国外企业签订合同来转让技术、服务等无形产品而进入国际市场的方式。20 世纪 70 年代以来，由于国际上贸易保护主义盛行，出口进入受到一定阻碍，迫使一些企业转向合同进入方式，向国外目标市场输出技术和服务，带动产品出口。采用这种方式，可以降低生产成本，避免经营风险，减少汇率波动损失，加强经济技术合作，正是这些优点使之在贸易保护主义盛行时代，日益得到各国企业青睐。

3. 许可证贸易　是指签订许可证合同的方式，出口企业（法人）在指定的时间、区域内将其工业产权（专利、专门技术、工艺、注册商标等）的使用权转让给外国企业（法人），其实质是技术的有偿转让，出口企业可获得技术转让费或其他形式的报酬。这是一种简单的走向国际市场的方式。

许可证贸易有多种类型：根据被许可方取得的权限大小，有独立许可、排他许可、普遍许可等类型；根据合同对象划分，有专利许可、商标许可、专有技术许可等类型；根据被许可方是否有技术再转让权划分，有可转让许可、不可转让许可等类型。此外，还有一些交叉（交换）许可、一揽子许可等特殊类型。

许可证贸易的优点是：可避开进口国提高关税、实行进口配额等限制，使自己的产品快速进入国际市场；不用承担东道国货币贬值、产品竞争的风险和其他政治风险；不需要支付高昂的运输费用，节约成本。其缺点是：对被授权企业的控制有限，可能会培养出国际竞争对手。

4. 特许经营　这是许可证贸易的一种特殊方式，企业（特许人）将其工业产权（专利、专有技术、工艺、商号、商标等）的使用权以及经营风格、管理方法转让给外国企业（持证人），持证人按特许人的经营风格、管理方法从事经营业务活动。特许合同双方的关联度较高，特许人往往将持证人作为自己的分支机构，统一经营政策、统一风格、统一管理，向客户提供标准化服务。

其优点是：标准化的经营方式可最大限度地扩大特许企业的影响力；化竞争关系为

利益分享的伙伴关系，以较低成本迅速拓展国际市场；商业风险和政治风险较小。其缺点是特许人的工业产权必须有较大的吸引力，对持证人的控制有一定的难度。

5. 合约管理　该方式是通过签订合同（合约）的方式，由国际营销企业向外国企业提供管理知识和专门技术，并提供管理人员，参与指导外国企业的经营管理。它是通过提供管理这种技术和服务的方式而得到回报的。

6. 投资进入方式　即企业在国外进行投资生产，并在国际市场销售产品的方式。企业通过投资方式进入国际市场，可以及时了解国际行情，充分利用东道国的资源，取得东道国政府的理解和支持，但由于投入了资本及其他生产要素，政治风险和商业风险明显增大。

（1）独资经营：企业在国外单独投资兴办企业，独立经营，自负盈亏。其优点是得到东道国的支持与鼓励；获取东道国廉价的生产要素，能有效地对独资企业进行控制，避免工业产权向本企业外转移和竞争对手的迅速成长。独资经营是所有进入国际市场方式中风险最大的，例如，被东道国没收、征用或通货膨胀、价格限制等，都会使企业遭受巨大损失。

（2）合资经营：本国企业与国外一个或一个以上企业按一定比例共同投资兴办企业，共同生产经营并承担经营风险和获取收益的方式。其优点是政治风险较小，并可享受较多的优惠，凭借国外合作伙伴熟悉该国法律政治、社会文化及经济状况等优势，比较容易取得当地资源并打开当地市场。但这种方式在双方人员管理上较难协调，利润分配和使用上也容易产生矛盾。

7. 对等进入方式　指企业出口商品时，必须购买国外一定数量的商品，从而进入国际市场，对等贸易的双方都达到了进入对方市场的目的。其方式有补偿贸易和易货贸易两种。

（1）补偿贸易：它是与信贷相结合的贸易方式。设备进口方以贷款形式购进国外机器设备、专利和技术，进行项目新建和扩建，在项目竣工投产后，以该项目的产品或其他产品予以还款。其具体形式有：产品返销、互相购买和部分实偿。

补偿贸易的优点是可以避免外汇短缺造成的市场收缩，扩大产品出口；在一定程度上比较容易地进入贸易保护程度较高的国家。其缺点是交易带有信贷性质，交换的对等性和互利性有时难以真正体现。

（2）易货贸易：这是一种以价值相等的商品直接交换。易货贸易不需要货币媒介，并且往往是一次性交易，履约时间较短。优点是在不动用现汇的情况下进口商品并取得国内急需的设备与产品，缺点是交易的商品有局限性。

8. 加工进入方式　是利用国外原材料，经过生产加工后重新进入国际市场。有来料加工和进料加工两种类型。

（1）来料加工装配贸易：它包括来料加工、来样制作、来件装配，这是以外商为委托方，本国企业为加工方，由委托方提供原材料、半成品，加工方承担加工任务，产品经检验合格后由委托方负责销售，加工方获得相应的加工费。加工方类似于“贴牌”厂商。

来料加工，双方不是商业买卖关系，原材料及制品的所有权属委托方。

（2）进料加工贸易：企业购进外商提供的原材料、半成品，加工成品后重新进入国际市场。

加工进入方式的优点，可以引进国外的先进技术，利用国外资源；同时利用本国廉价的劳动力、土地资源，增加就业；增加外汇收入。加工进入的缺点是不直接面对国际市场，市场控制程度差，而且利润较低，具有丢失自己品牌等风险。

四、国际市场营销策略

（一）产品策略

在国际市场营销产品，从产品设计、产品包装及商标、新产品开发等，都必须符合特定国家和地区的社会文化以及消费者购买习惯。国际市场营销下的产品策略主要有以下几个方面。

1. 产品延伸策略 对现有产品不加任何变动，直接进入国际市场。这一策略的核心是在原有生产基础上的跨国界规模扩张，即在产品功能和外形的设计和包装广告都保持原有产品的风貌，将现行产品原封不动地打入国际市场。此策略对企业在生产上要求规模经济、产品市场需求具有同质性。

产品延伸的优点是可以获得规模效益，把生产成本和营销费用保持在较低水平；并可以壮大企业声势，在国际市场上以同样产品、同样包装、同样广告形成巨大的宣传综合效果。产品延伸的缺点是对国际市场的适应性差。

2. 产品适应策略 企业对现有产品进行适当更动，以适应国际市场不同需求的策略。这一策略的核心是对原有产品进行适应性更改或部分更改，即一方面保留原产品合理的部分，另一方面对某些部分作适当的更改，以适应不同国家的客户需要。通常产品更改包括功能更改、外观更改、包装更改、品牌更改。

在消费者需求、购买力、技术不同的情况下，企业在国际市场营销中往往采取产品适应策略。其优点是增加产品对所进入市场的适应性，有助于扩大销售，增加企业收益；缺点是增加更改费用，提高产品成本。

3. 产品发明策略 企业全面开发研制新产品，以适应特定市场目标的策略。其核心是产品的全面创新，即在产品功能、外观、包装、品牌上都针对目标市场进行新产品的研发。

在市场具有巨大的潜力，企业技术较强的情况下，即可采用产品发明策略。其优点是产品对国际市场的适应性强，能够大大提高对消费者的吸引力，减少销售风险，迅速有效地进入国际市场；其缺点是研制开发投资大、费用高。

（二）渠道策略

国际市场营销企业的产品从本国转移到国外市场最终消费者的过程，形成国际市场营销渠道。由于各国市场环境不同，营销渠道错综复杂，企业可根据不同国家的市场状况，采用不同的渠道策略。

1. 窄渠道策略 企业在国际市场上给予中间商一定时期内独家销售特定产品的权

力，这其中又包括独家包销和独家代理两种形式。独家包销是企业将产品的专卖权交给国外的中间商，产品所有权转移，再由中间商将产品在国际市场上销售，并承担经营风险。独家代理则是企业将产品委托国外中间商独家代理销售，产品所有权未转移，代理商获得佣金，不承担风险。

窄渠道策略的优点是有助于鼓励中间商开拓国际市场，并依据市场需求订货和控制销售价格。其缺点是独家经营容易造成中间商垄断市场。

2. 宽渠道策略 企业在国际市场上的各个经营环节中选择较多的中间商来销售企业的产品。它强调中间商的广泛性，要求在特定目标市场上形成众多中间商销售特定产品的格局。

其优点是促进企业产品进入广阔的国际市场，有助于中间商之间展开销售竞争，扩大产品销量。其缺点是中间商不愿意为产品承担宣传费用，还可能造成中间商互相削价竞销，损害产品的形象。

3. 短渠道策略 企业直接与国外零售商或产品用户交易，尽可能越过中间环节，使产品在跨国界销售中的中间环节减少。该策略有两种具体方式：一是企业直接与大百货公司、超级市场、大连锁商店进行交易；二是企业直接在国外建立直销机构销售产品。

其优点是越过大量中间环节，节约经营成本，让利于消费者，有助于增强竞争能力。其缺点是难以进入广阔的国际市场。

4. 长渠道策略 企业选择两个或两个以上环节的中间商来销售产品。对于日常用品，企业往往采取多个环节的中间商将产品分销出去。其优点是产品易于进入国外更广阔的空间和不同层次的消费群体；其缺点是容易形成产品在各个层次上的较大存量，增加销售成本。

（三）定价策略

1. 影响国际市场经营价格的因素

（1）价格成本：除生产成本外，产品的国际市场营销成本还包括关税和其他税收、国际中间商成本、运费、保险金和营销业务费等。

（2）国外法规：关税和非关税壁垒、反倾销法、反托拉斯法、价格控制法、产品安全法等国外法规，对产品定价也有影响。

（3）国际市场供求及竞争：国际市场基本属于买方市场，竞争激烈，制定国际营销产品价格，必须考虑市场供求及竞争状况。

（4）经济周期与通货膨胀：国外市场经济周期的变动，会导致不同产品价格的升降；通货膨胀会增加产品成本，引起产品价格上升。

（5）汇率变动：企业在国际市场营销活动中，使用的计价货币是可以选择的，在实行浮动汇率的情况下，汇率变动使产品价格相对发生变动，极大地影响营销的收益。

2. 国际市场营销的定价策略

（1）统一定价策略：企业的同一产品在国际市场上采用同一价格。这种方式简便易行，但难以适应国际市场的需求差异和竞争变化。

（2）多元价格策略：企业对同一产品采取不同的价格。这个策略，企业对国外子公司的定价不加干预，使国外各个分支机构有最大的定价自主权，各子公司完全根据当地市场行情做出价格决策。这一根据市场情况灵活地参与市场竞争的价格策略，易引起内部同一产品盲目的价格竞争，影响公司的总体形象。

（3）控制定价策略：企业对同一产品采取适当的价格控制。它吸取了统一定价与多元定价的优点，对同一产品的定价，既不采取同一价格，也不完全放任各子公司自主定价，而是对引起内部价格竞争做出控制，同时又准许子公司根据市场状况进行灵活定价。

（4）转移价格策略：企业通过母公司与子公司、子公司与子公司之间转移产品时确定某种内部转移价格，以实现全球利益最大化。在这一策略指导下，母公司与子公司、子公司与子公司之间转移产品时，人为提高内部结算价格，造成总公司内部此企业的利润或亏损转移到彼企业的情况，但从整体上考察，总公司的利益则达到最大化。

转移价格策略常用的方法如下：当产品由 A 国转移到 B 国时，如 B 国采取从价税且关税高，则采取较低的转移价格，以减少应纳的关税；当某国所得税较高时，进入该国的产品价格定高，转出该国的产品价格定低，以少纳所得税；当某国出现高通胀时，也采取高进低出的转移价格，避免资金在该国大量沉淀；在外汇管制国家，高进低出的转移价格，既可避免利润汇出的麻烦，又可少纳所得税。

转移价格策略有助于公司整体利益的最大化，但易损害某些国家的民族利益。

（四）促销策略

国际市场促销的主要任务，是实现国际营销企业与外国客户之间的沟通。国内市场促销策略中的有关人员推销、公共关系、营业推广、广告宣传的策略，同样适用于国际市场营销。但是，由于国际市场营销环境复杂，其促销策略的运用比国内市场要复杂得多。

1. 人员促销　在国际市场上，人员促销因其选择性强、灵活性高、能传递复杂信息、有效激发购买欲望、及时反馈信息等优点而成为国际营销中不可或缺的促销手段。然而，国际市场营销中使用人员促销有费用高、培训难的问题，因此，在使用这一促销手段时，须招聘有潜力的优秀人才，严格培训并加以有效的激励措施。

（1）营销人员来源：一是企业的外销人员，其优势是易与公司沟通，忠诚度高；二是母公司所在国移居国外的人员，其优势是懂两国的语言和文字；三是国外当地人员，其优势是在当地有一定社会关系，且熟悉目标市场的政治经济和社会文化。

（2）营销人员培训：对营销人员的培训主要在适应和技能两个方面。一是要使营销人员熟悉当地的社会、政治、经济、法律，特别是要适应当地的文化，包括价值观、审美观、生活方式、宗教信仰、商业习惯等；二是要使营销人员熟悉营销技巧，提高他们的市场营销能力。

（3）营销人员激励：除对营销人员进行精神奖励外，在物质上采取固定薪金加奖金、佣金制、固定薪金与佣金混合制等进行激励。

2. 公共关系　国际市场中，公共关系是促销的重要手段之一，尤其是进入一些封闭性较强的市场，公共关系好坏直接关系到能否进入市场并在进入后能否取得效益。

在国际市场营销中，公共关系应特别重视以下工作：与当地政府保持良好关系，争取当地政府的支持和帮助。利用有关传媒正面宣传企业经营活动和社会活动，树立良好的企业形象。建立多条沟通渠道，搜集各阶层公众对企业的意见，及时消除相互间的误解和矛盾。

3. 营业推广　营业推广的内容丰富，但在运用时要考虑有关法律和文化习俗。另外，国际市场营销中，博览会、交易会、巡回展览等营业推广形式对产品促销有重要作用。

4. 国际广告　企业的产品进入国际市场初期，广告通常是促销的先导，它可以帮助产品实现预期定位，有助于树立企业的国际形象。国际广告促销须注意如下问题：

（1）广告限制因素：一是法律限制，不同国家对广告有不同法规，须遵守这些国家的广告法及有关法规；二是媒介限制，不同国家广告媒介的可利用性、质量、覆盖面及成本不同，须根据媒介情况做出适当选择；三是受众限制，不同国家的居民有自己的价值准则和审美观、宗教信仰，须认真分析，使广告真正切合当地消费者的需求动机及文化背景。

（2）广告统一化及差异化：企业在不同的目标市场对同一产品进行统一的广告，这种选择突出了国际市场基本需求的一致性，节约广告费用，但针对性不强。广告的差异化是充分关注国际市场需求的差异性，同一产品在不同的目标市场进行不同的广告，针对性强但成本较高。

（3）广告管理：国际广告管理方式有集中管理、分散管理、集中和分散管理相结合3种方式，集中管理有助于总公司控制成本；分散管理使广告决策权分散到国外各子公司，有助于开展差异化广告促销；集中管理与分散管理相结合，则试图按目标市场的具体情况，分别情况采取集中或分散的管理方式，使国际广告形成有效的管理方式。

第八节　营销道德

一、营销道德的基本含义

道德是社会意识形态之一，是社会调整人们之间以及个人和社会之间关系的行为规范的总和。营销道德可以界定为调整企业与所有利益相关者之间关系的行为规范的总和，是客观经济规律及法制以外制约企业行为的另一要素。道德由一定社会经济基础所决定，并为一定社会经济基础服务，任何道德都具有历史性。营销道德在不同的社会制度和不同的历史时期，评判标准有所不同。在市场经济条件下，法制总是体现各个国家统治阶级的意志，法制与反映人民利益的道德标准有时也并不一致。亚里士多德指出，实现法治的最基本的条件有二：即拥有良法和依法而治。良法是前提，无法可依则无法制可言；有法而非良法，非但不能达到法治，反而使“法”沦为助纣为虐的工具。同样道理，营销道德的评判标准，在研究和认定营销道德时，也应有明确的是非、善恶观念。营销道德的最根本的准则，就是维护和增进全社会和人民的长远利益。凡有悖于此者，皆属非道德的行为。

关于道德合理性的评价，伦理学家提出了功利论与道义论两大理论。功利论主要以行为后果来评判行为道德的合理性，即一个行为能给大多数人带来最大幸福，则该行为就是道德的，否则就是有问题的或不道德的；道义论则从直觉或经验中归纳出某些人们应当共同遵守的道德责任或义务，以是否履行这些义务作为判断行为合理与否的标准。

（一）西方道义论的道德观

有如下几种论点。

1. 显要义务论（The Prime Facial Duty Framework） 英国罗斯（W. D. Ross）在1930年出版的《“对”与“善”》一书中，详细提出了“显要义务”或“显要责任”的观念，就是在一定时间和一定环境中人们自认为合适的行为。在多数场合，神志正常的人往往不用推敲便明确自己应当做什么，并以此作为一种道德义务。罗斯提出了6条基本的显要义务：诚实、感恩、公正、行善、自我完善、不作恶。

2. 相称理论（The Proportionality Framework） 加勒特（T. Garret）在1966年提出：一项行为或一项决定是否道德，应从目的、手段和后果3个方面综合考虑。目的指行为背后的动机与意图；手段指实现目的的过程及所运用的方式、方法；后果指行为引起的结果，包括行为人意欲达到的后果或虽非其所希望但预见可能产生的后果，假如预见行为将引起副作用，则必须有足够或相称的理由来放任这类副作用的发生，否则是不道德的。

无论是作为目的或是作为手段，旨在对他人造成“大恶”，都是不道德的。允许或放任一种“大恶”给他人造成重大损害，且提不出“相称理由”，也是不道德的；希望、允许或放任一种对他人的“小恶”或小灾发生，且提不出与之相称的理由，也是不道德的。这里“大恶”指造成某一机构或个人某些重要能力丧失，“小恶”指造成他人物质利益方面的损失，“相称理由”指行为人所欲的善的效果超过可能非意欲的恶的后果。

3. 社会公正理论（The Social Justice Framework） 即罗尔斯（Rawls）1971年提出的“自由原则”和“差异原则”。

自由原则是指在不影响他人行使同样权利的前提下，让社会每一成员尽可能多地享受自由。例如社会保障机会均等、舆论自由、财产权、选举权、人身权等基本权利，以及在保持社会和谐、稳定的条件下，最大限度地让人们自己决定自身的命运。

差异原则是指社会、经济的不平等造成的个人境遇的差异，一方面，在优胜劣汰的环境下，这种差异应适用于社会每一成员；另一方面，受社会、经济制度影响，差异原则要最大限度地有利于弱者阶层，避免其境遇的日益恶化而引起的不安全因素的发生。

上述理论只为道德判断提供基本的思维方法，不是解决营销道德冲突的万能钥匙。道德冲突在某种意义上反映的是利益冲突，而营销领域利益冲突的解决，很大程度上取决于企业树立什么样的营销思想。

（二）我国营销道德的现状

1. 不公平现象 某些企业为牟利不惜侵害消费者的健康与安全，而消费者对有潜在危险性商品，包括玩具、含过量防腐剂和色素的食品、劣质化妆品，以及美容、医疗服务等潜伏的伤害认识不足。买卖双方都较多地注重表面的、短期的利益，忽视潜在的、长期的利益。如调查中有71%的人认为在给予用户说明的情况下，可以出售有潜在危险性的玩具；有65%的人认为烟草工业可再发展，在天然蜂产品中添加多余的营养强化剂等。

有些企业为牟利使消费者购买物品价值远远低于付出的价格，除假冒伪劣商品外，这种现象在保健药品、滋补食品和服装业中最为明显。

产品只针对目标市场的消费者或大多数消费者，忽视甚至歧视其他少数或处境不利的消费者。如中老年人及低收入市场多被企业忽视。据报道，有90%的人认为中老年人不易买到满意的服装。

2. 不真实现象 虚假的“特价”、“减价”，多数成了欺诈式的推销术。

（1）过分夸张的广告：过分夸张和片面强调优点的广告，误导消费者购买决策。有75.5%的消费者认为目前广告过于夸大，消费者购买的实际收益小于由广告产生的期望值。蜂产品零售业中对其疗效的过分宣传，使消费者产生不信任感。

（2）滥用质量标志：由于滥用“真皮”、“纯羊毛”标志及“省优”、“部优”、“国优”称号现象严重，65%的消费者不相信商品的质量标志。对于蜂蜜而言，它是天然产品，不能添加任何东西，也不能从中取走任何物质。在称谓上，蜂蜜只能跟它的蜜源花种相关联。蜂蜜加上纯天然、天然、纯净以及老年蜂蜜、儿童蜂蜜等与蜂蜜概念的混乱，使消费者莫名其妙，蜂蜜就是蜂蜜，哪有这么多的别名？

（3）夸大量或质的包装：许多食品或化妆品包装显示的商品内容、容量与实质不符，另外还有“大包装，小商品”形成欺骗性包装。

3. 浪费现象严重 “羊毛出在羊身上”，过分的促销造成资源的浪费，最终分摊给了消费者。据报道，75%的被调查者认为华丽的包装只是推销的需要，62%的人认为广告刺激了消费欲望，改变了人的价值观与生活态度，过分地追求物质享受、超前享受。而市场上一些产品靠广告获得暴利和得以生存。

4. 强制推销 50%的被调查者依据包装的好坏、标签及说明来了解商品品质与品牌并决定购买；50%的消费者在直销人员的高超推销技巧下买了未计划购买的商品，其中70%的人在购买后又后悔。

5. 不正当竞争 企业在营销中采用不正当手段，如请客、送礼、回扣、贿赂、搭售、窃取商业情报、互相攻击、蓄意贬低竞争对手的广告宣传等。43%的营销人员把宴请、娱乐、送礼视作惯例，42%的营销人员认为这是增进感情的需要。

二、营销道德的建立

（一）树立社会营销观念

企业不仅要以实现赢利和满足消费者直接需求为目标，而且遵守法律、法规是企业营销道德最起码的要求，但合法的营销行为不一定合乎道德标准；对消费者进行商品知识教育和消费引导，尽力避免受骗、上当和不合理消费。企业在营销过程中要形成一套履行道德和社会责任的行为规范，自觉维护消费者和社会利益。

（二）加强法制建设

进一步健全和完善法律、法规，严格依法治市，约束企业的不正当竞争行为，制裁欺骗和损害消费者权益的行为。建立有权威的保护消费者权益及监督、检查、仲裁机构，切实维护消费者权益不受损害，如消费者协会、行业协会、消费者权益保护法等。

（三）认真解决信息不对称问题

不道德营销行为能够得逞，主要是由于经营者掌握的信息多，而消费者了解的情况少，且对有关商品的知识有限，在交易中处于不利地位。因此，要加强对消费者的宣传教育，增强自我保护意识，并通过报刊和各种广告为消费者提供更多的商品知识，培养更多的理性消费者。

第九节　蜂产品经营模式与销售形式

一、蜂产品零售业的经营模式

（一）扩大蜂场规模，参与市场竞争

我国目前养蜂业主要以家庭专业养蜂户为主，蜂群数多为50～200群不等；其次以养蜂为副业，兼顾农业生产，蜂群数30～100群；再次是业余养蜂，在20群以下。双箱体饲养，流动放蜂。鉴于规模小，手工操作，机械化程度低，养蜂技术水平参差不齐，先进技术难以推广，产品质量不能保证，总产量上不去，又没有能力进行后续加工，其产品几乎进不了市场，只能交售给蜂产品收购单位或加工企业，更不具备产品开发与参与市场竞争能力，致使其养蜂抵御自然灾害和风险的能力低。我国养蜂业以生产蜂蜜、蜂王浆、蜂花粉为其主要收入，也生产蜂胶、雄蜂蛹，蜂王幼虫则是生产蜂王浆的副产品。我国蜂产品在质量方面存在不少问题，加上贮存、运输条件简陋，使蜂产品的品质继续下降。另外掺假使杂现象屡见不鲜，难以管理。而养蜂发达的国家，多箱体养蜂，生产成熟蜜，一人多养，机械化程度高，在美国，专业养蜂者平均饲养量在2 400箱以上，生产蜂蜜和为农作物、果树授粉为其主要经济收入，生产的蜂蜜经包装后

直接进入商店销售，参与市场竞争，从而使抵御风险的能力加强。

目前，我国极少有大型的养蜂场，也就是说只有极少数的养蜂场参与市场竞争。尽管市场上打着自产自销牌子的蜂产品专门店为数不少，而完全自产自销蜜蜂产品的几乎没有。真正的自产自销产品，质量好，卫生、安全，即使价格较高也受市场欢迎，因此，要借鉴外国的先进养蜂技术和管理经验，根据我国国情，扩大养蜂规模，采用先进的养蜂技术，生产优质蜜蜂产品，开发新产品，注册自己的产品品牌，打造中国乃至世界蜂业名牌产品，积极参与市场竞争，增强抵御风险和自然灾害的能力。

养蜂场扩大规模，利用现代科学技术，选择优良的环境放蜂，生产高质量的绿色或有机蜂产品，其赢利潜力是非常巨大的。目前，国际市场上拒绝进口中国蜂蜜，其主要问题是质量和安全问题，在国内蜂产品市场上同样存在着这一问题，而且有过之而无不及。因此，提高蜂产品质量是当务之急，而实行规模化养蜂，产品直接供应市场是解决这一问题的根本方法。

（二）蜂产品连锁专营店的经营模式

自 1995 年以来，我国蜂产品市场日臻成熟，蜂产品商店如雨后春笋般迅速崛起，有实力的企业在短短 6 ~7 年内进行了快速扩张，其中一个典型的扩张方式就是建立蜂产品连锁店或加盟店。其主要管理体制是：

企业以某一具有优势地理位置为核心，然后在周围及至全国各地建立连锁店或邀请加盟店。连锁店方式一是企业直接派人经营，企业进行投资，统一进货，统一价格，统一店铺形象，统一服务，统一招牌，自负盈亏。第二种方式是由企业在各地招聘工作人员（店员），就地设立店铺，企业统一招牌，统一供货，统一制度，统一形象，统一服务，统一价格，人员统一培训，统一经营风格，统一装饰门面，周转资金则是门面工作人员交纳的风险抵押金，如每个商店每人交纳 20 000 元人民币等，签订用人合同、经营合同，制定工资制度和激励机制，这种方式企业为零风险经营。再有一种方式是企业在专业杂志上做广告，诚邀地区产品经营商、代理商或加盟商，来实现市场的扩张。这些方法对企业来说都不失为好的经营方法。还有些直接在专业杂志上做广告，进行邮购销售。

（三）养蜂联合体的蜂产品销售模式——养蜂产业化

养蜂产业化组织即养蜂产业化协会，是一个以蜂农为主体、服务养蜂生产为目的，集科工贸、产供销为一体的群众性民间组织。其四级合作经济组织体系为：协会—合作社（联合体）—龙头企业—蜂农。在这个体系中，合作社是连接协会与蜂农之间关系的桥梁与纽带，起着承上启下、上传下达的功能。

养蜂合作社的四大作用是：利用各养蜂场间的群体“合力”，有效地解决一家一户的生产、生活困难；二是提高蜂农的组织化程度，提高工作效率，降低生产成本；三是利用生产的规模优势和质量优势，克服蜂农分散的小生产与蜂产品大市场的矛盾，将产品直接推向市场，减少中间环节，提高产品价格，增加养蜂的经济效益；四是成为政府和业务主管部门联系蜂农的桥梁，有助于行业管理、科技推广和一条龙服务。

合作社采取“自愿组合，自主生产，独立核算，自负盈亏，利益共享，风险共担，统一经营，互助合作”的联合原则。由合作社统一安排运输工具与放蜂场地，统一供应生产原料，统一产品质量标准，统一技术操作规程，统一产品包装，统一产品价格，统一产品销售。协会要求每一联合体必须联合蜂群1 000群以上，蜂农10户以上，联合时间3年以上，并有稳定的负责人和业务员。协会为每个合作社制定章程，发给养蜂自产自销证，雕刻公章。为加强对合作社的领导，协会采取合作社资格认证与年审制度，对经确认不具备互助合作资格或不讲信誉、不顾他人、不讲质量，以及违法乱纪、弄虚作假、掺假使杂行为的合作社，坚决给予取缔。

通过养蜂互助合作社，将有关的蜂产品行情、销路、价格等信息传递给千家万户，同时，协会为会员牵线，帮助解决蜂产品销路，并对产品质量跟踪检查。据测算，参加合作社的养蜂户经济效益比单户蜂农增加12%～15%。

实践证明，以专业协会为依托、专业合作社为纽带、加工企业为龙头的养蜂产业化模式，更具先进性和实用性。

二、蜂产品销售形式

蜂产品销售形式主要有农贸市场展销、橱窗展示、集体推销（例如，蜂蜜和蜂蜜酒、蜂蜜醋等大众化的蜜蜂产品和蜂制品可以向单位的工会推销，作为福利品发给职工，但产品质量必须上乘，要达到大多数人的满意，以利于以后业务往来）、建立蜂产品专营店、设置零售网点，提高各超市的铺货率。就推销形式而言，有上门推销、柜台推销和会议推销。

（一）上门推销

上门推销是由推销人员携带产品样品、说明书和订单走访顾客，推销产品。这种推销方式，可以针对顾客的需要提供有效的服务，方便顾客，为顾客所广泛认可和接受。这是一种积极的推销方式。

（二）柜台推销

柜台推销，又称门市推销。是指企业在适当的地点设置固定的专门店，由营业员接待顾客，并向其介绍、推销产品。门市的营业员也是推销人员。柜台推销与上门推销正好相反，它是等顾客上门的推销方式。由于店内产品齐全，环境优越，能满足顾客多方面的购买要求，为顾客提供较多的购买方便，并且可以保证商品的完整无缺，增加顾客的信任度，故此，顾客比较乐于接受这种方式。柜台推销适合于零星小商品、贵重商品和容易损坏的商品。

（三）会议推销

会议推销，是利用各种会议向与会人员宣传和介绍产品，开展推销活动。例如，在订货会、交易会、展览会、物资交流会等会议上推销产品均属会议推销。这种推销方式接触面广，推销集中，可以同时向多个推销对象推销产品，成交额大，推销效果好。

三、人员推销的对象

（一）蜂产品消费的基本人群

推销对象是人员推销活动中接受推销的主体，是推销人员说服的对象。推销对象有消费者、生产用户和中间商三类。

蜂蜜是老少皆宜的大众健康食品，在世界各地，人们都有食用蜂蜜的习惯，它营养丰富，容易消化，因此是老人、儿童、孕妇、运动员、重体力劳动者和病弱者的理想食品，被誉为“健康状况之友”、“老人牛奶”、“糖中之王”。除此之外，蜂蜜还用于制药、食品、烟草等行业。从事脑力劳动的人，食用蜂蜜，有助于增强脑力和改善视力。

蜂王浆和蜂花粉除作为老人、儿童、孕妇、运动员、脑力劳动者和病弱者理想的保健食品外，还用于肝炎、术后康复、糖尿病、高血压、贫血、癌症等病人的辅助治疗。蜂王浆和蜂花粉还用于制药和食品工业，还可用来生产化妆品。

蜂胶主要用于高血脂症、糖尿病、免疫力低下、癌症、前列腺炎、心血管疾病、肝炎、外伤、微循环系统障碍和有各类皮肤病的人群。蜂蜡主要用于制药、化妆品、蜡疗和工业印染、润滑剂等。蜂子主要用于美食和保健。

综合应用蜂产品，对现代疲劳综合症、早衰等顽症具有理想的效果。

目前，我国用蜂产品治疗疾病，适用于各个阶层的人士，但以收入中下者为多；作为美食和保健，则以收入中等以上者为多，并以脑力劳动者和白领阶层为众。

（二）人员推销的类型

1. 向消费者推销　推销人员向消费者推销产品，必须对消费者有所了解。为此，要掌握消费者的年龄、性别、民族、职业、宗教信仰等基本情况，进而了解消费者的购买欲望、购买力、购买特点和习惯，注意消费者的心理反应，对不同的消费者施以不同的推销技巧。

2. 向生产用户推销　将产品推向生产用户的必备条件是熟悉生产用户的有关情况，包括生产用户的生产规模、人员构成、经营管理水平、产品设计与制作过程以及资金情况等。在此前提下，推销人员还要善于准确而恰当地说明自己产品的优点，并能对生产用户使用该产品后所得到的效益作简要分析，以满足其需要；同时，推销人员还应帮助生产用户解决疑难问题，以取得用户信任。

3. 向中间商推销　与生产用户一样，中间商也对所购商品具有丰富的专门知识，其购买行为属于理智型，这就需要推销人员具备相当的业务知识和较高的推销技巧。在向中间商推销产品时，首先要了解中间商的类型、业务特点、经营规模、经济实力以及他们在整个分销渠道中的地位；其次，应向中间商提供有关的信息，给中间商提供帮助，建立友谊，扩大销售。

（三）人员推销的基本策略

在人员推销活动中，一般采用以下三种基本策略：

1. 试探性策略　也称“刺激—反应”策略。这种策略是在不了解顾客的情况下，推销人员运用刺激性手段引发顾客产生购买行为的策略。推销人员预先设计能激起顾客兴趣、能刺激顾客购买欲望的推销语言，通过渗透性交谈，观察顾客反应；然后根据其反应采取相应的对策，并选用得体的语言，再对顾客进行诱导，进一步观察顾客的反应，以了解顾客的真实需要，从而使其产生购买行为。

2. 针对性策略　是指推销人员在基本了解顾客某些情况的前提下，有针对性地对某一顾客群进行宣传、介绍，以引起顾客的兴趣和好感，从而达到成交的目的。

3. 诱导性策略　是指推销人员运用能激起顾客某种需求的说服方法，诱导顾客产生购买行为，这种策略是一种创造性推销策略，它要求推销人员能因势利导，唤起顾客的需求，并能不失时机地宣传介绍和推荐所推销的产品，以满足顾客对产品的需求。因此，诱导性策略也可称“诱发—满足”策略。

下编

蜜蜂与农业、医学及其他

第十四章　蜜蜂与农业

第一节　国内外蜜蜂授粉概况

20世纪以来，随着世界人口的剧增，食物需求量成为困扰人类的一大课题；随着社会的进步和人民生活水平的提高，人们对食物质量的要求也越来越高。为了适应这种变化，现代农业生产也发生了巨大革新，蜜蜂授粉就是其中很重要的一个方面。

世界农业生产实践证明，蜜蜂为果树、油料作物、牧草、绿肥、留种蔬菜、林木等授粉，能有效提高果实和种子的产量和品质，成为农业增产的一项有力措施，日益受到世界各国的重视。

一、国外蜜蜂授粉概况

蜜蜂授粉在西方发达国家被誉为“农业之翼”和“园艺栽培史上的一场革命”，已发展成为一项产业。

（一）美国

美国很重视蜜蜂为农作物授粉的研究和推广应用，近十几年来，蜜蜂授粉工作得到迅速发展。在全国400多万群蜜蜂中，每年都约有100万群被租用，为上百种农作物授粉。蜜蜂授粉服务的收入，已成为美国许多养蜂者的一项重要收入。而且，在20世纪70年代国家就规定，因施用农药引起蜜蜂中毒的，必须赔偿，以保护蜜蜂授粉。

（二）俄罗斯

俄罗斯是世界上蜜蜂授粉业较发达的国家之一。早在20世纪30年代就大规模开展了蜜蜂为农作物授粉技术和提高蜜蜂授粉效率等问题的研究，尤其是后期的研究和推广，使许多人都认识到养蜂的最大经济效益是蜜蜂为农作物授粉，特别是为虫媒花作物授粉，增产效果十分显著。所以，许多大型国营农场和集体农庄都建有养蜂场，专门用来为农作物授粉。此外，还有大量蜂群被出租为农作物授粉。

（三）日本

日本也十分重视蜜蜂授粉，1955年颁布的《日本振兴养蜂法》明确提出利用蜜蜂为农作物授粉，提高农作物产量，增加收入。1984年，全国出租用于草莓授粉的蜂群有 74 300 群，用于温室甜瓜授粉的有 17 200 群，为果树授粉的有 20 700 群，为其他温室作物授粉的有 2 360 群。由于邻近蜂场的农场和果园不必花钱租用授粉蜜蜂，实际上用于授粉的蜂群数量更多。目前，日本出租用于授粉的蜂群有 10 万多群，几乎占总蜂群数的一半。

（四）罗马尼亚

罗马尼亚则以法令形式规定：凡是需要授粉的作物要保证有足够的蜂群授粉，禁止在授粉植物开花期喷洒农药。每当授粉季节，主管部门都会尽量组织动员所有的蜂群为农作物授粉。凡为农作物授粉的蜂群由农业单位免费运输，并付一定报酬。

（五）保加利亚

保加利亚从 1966 年起，在蜜源利用上实行全国统一分配，做到有计划地转地饲养。国家对蜜蜂为农作物授粉不收运输费，积极鼓励养蜂者为作物授粉。有的农业部门还与养蜂者订立合同，每年定期去该地放蜂授粉采蜜。

另外，波兰、加拿大、法国、捷克、意大利、澳大利亚、新西兰、印度等国家，都在积极开展和推广蜜蜂授粉，并取得了可观的经济效益。总之，凡是农业比较发达的国家和地区都比较注重蜜蜂授粉，应用也比较广泛。

二、国内蜜蜂授粉概况

早在 20 世纪 50 年代初，辽宁省大连华侨果树农场就饲养蜜蜂为果树授粉，获得了明显的经济效益。1960 年初，全国人民代表大会常务委员会朱德委员长在视察中国农业科学院蜜蜂研究所后，为该所题词，并给中共中央和毛泽东主席写了一封亲笔信，高度评价了养蜂业对农业增产的巨大作用，认为利用蜜蜂授粉是农业增产除“八字宪法”以外的又一条重要途径，建议大力发展养蜂事业。在党和政府的重视下，从 60 年代起蜜蜂为农作物授粉技术的试验和应用得到了长足的发展。

自 70 年代以来，一些农业和林果业生产单位，为了提高产量，积极主动接纳外来蜂群或自办养蜂场为农作物、果树、牧草等授粉。在我国很多省区都进行过蜜蜂为农作物、经济林木和牧草授粉增产的试验，每年都有大量的试验报告和论文刊登在专业刊物上。对于某些必须通过蜜蜂授粉才能增产，而其花粉或花蜜对蜜蜂又会产生毒副作用的蜜源植物，科技工作者通过研究，找到了成功的解决办法。如南方的油茶花蜜会使蜜蜂幼虫中毒，中国林业科学院赵尚武等经过不断探索，采用药物降解毒素等方法，使蜂群在为油茶授粉过程中免受伤害。

但我国绝大部分蜂场还是以收获蜂产品为主要经济收入，专门为农作物授粉的蜂场极少，甚至可以说我国至今尚没有真正意义上的专业授粉蜂场。互惠的经济协作是我国目前主要的蜜蜂授粉经济协作形式，少数大型农场自养授粉蜂群偶尔也会有租蜂授粉的情况。

总体而言，我国至今对于蜜蜂授粉在农业中的重要作用尚未充分认识，这方面的研究和推广也还处于初级阶段，应用范围主要局限于果树、油菜和一些大棚蔬菜的生产上，利用面较窄，只有在少数几个地区开展，使用方式也比较简单。我国授粉业的这种现状，极大地浪费了人力资源、土地资源和蜜蜂资源等。所以，我国在授粉研究和生产实践中都还存在着许多亟待解决的问题，必须加强授粉的研究和应用。

第二节 蜜蜂与植物的关系

昆虫与植物的关系，是植物和昆虫在亿万年的进化过程中形成的，比较复杂，它不仅表现在农业害虫与植物之间取食与被取食的关系，还表现在授粉昆虫与植物之间的相互作用与协同进化的关系。不管是蜜蜂还是植物，在种内主要是一种协同关系。同一种植物的成片生长和同时开花，能够吸引大量的授粉蜂，对其授粉十分有利。同样，授粉蜂的群居和社会性生活，也是增强自身竞争力和获得大量食物的有利条件。这两种现象都可以说是种内个体之间的协同作用。授粉系统中，植物和授粉蜂之间主要是互惠互利关系。在长期进化中，一方面，植物因为昆虫的活动而完成了授粉受精作用，物种得以繁衍和进化；另一方面，对昆虫来讲，植物的花或其他器官所分泌的花蜜、散出的花粉成为其赖以生存的食物来源，蜜蜂已进化到专食花粉、花蜜的程度。

一、植物传粉方式的演化

（一）自花传粉和异花传粉

花开放后花药裂开，成熟的花粉粒借助媒介传到雌蕊柱头上的过程，称为传粉或授粉。传粉是受精的必要前提，是植物有性生殖的重要环节。植物有两种传粉方式：一种是自花传粉，即成熟的花粉粒传到同一朵花的雌蕊柱头上的过程。如水稻、小麦、棉花、豆类、柑橘、桃、枇杷、番茄等都是自花传粉植物。但在实际应用中，自花传粉的涵义常被扩大，如农作物的同株异花间的传粉，果树栽培上的同品种异株间的传粉，也称为自花传粉。严格来讲，这种涵义外延的扩大是不妥的。最典型的自花传粉为闭花受精，如豌豆、大麦和花生植株下部的花。另一种是异花传粉，即一朵花的花粉粒传送到另一朵花的柱头上的过程。它是植物界最普遍的传粉方式，可发生在同一株植物的各花之间，也可发生在同一品种或同种内的不同品种植株之间，如玉米、油菜、向日葵、梨、苹果、瓜类等，都是异花传粉植物。

自然界异花传粉植物比较普遍，从生物学的意义上讲，异花传粉要比自花传粉优越，是一种进化的方式。连续长期的自花传粉对植物是有害的，可使后代的生活力逐渐衰退，这在农业生产实践中已得到证明，例如小麦是自花传粉的植物，如果长期连续自花传粉，30～40年后会逐渐衰退而失去栽培价值。同样，大豆在连续10～15年的自花传粉后，也会产生这种现象。而异花传粉植物有较强的生活力和适应性，其植株强壮，开花多，结实率高，抗逆性也较强。达尔文经过长期的观察研究后指出："连续自花传粉对植物本身是有害的，而异花传粉对植物是有益的。"他的结论与农业实践是完全一致的。所以，异花传粉有益，自花传粉有害，是自然界的一种规律性的现象。

（二）植物对异花传粉的适应

由于长期自然选择和演化的结果，植物的花在形态结构和生理上都形成了许多适应异花传粉的性状。主要有下列几种类型：

1. 单性花　凡是单性花的植物必然需要异花传粉。例如，雌雄同株的瓜类、玉米、板栗等，雌雄异株的杨、杨梅、柳等。

2. 雌雄蕊异熟　是指一株植物或一朵花上的雌蕊与雄蕊成熟的时间不一致，如：玉米的雄花序比雌花序先成熟，向日葵、香薷、梨、苹果等两性花植物是雄蕊先成熟，油菜、车前草、金银花等两性花植物是雌蕊先成熟。

在果树栽培实践中，同种植物中有些品种雄蕊先成熟，有些品种则雌蕊先成熟，这也是雌、雄蕊异熟现象，如梨、苹果等。这就有利于品种间的异花传粉和受精，可以有效地避免品种内的自交。

3. 雌雄蕊异长　这是指同种植物的不同个体产生 2 种或 3 种花型的两性花，这些两性花中雄蕊花丝长度和雌蕊花柱的长度互不相同，故也称为花柱异长。例如，荞麦有 2 类植株，一类植株花中雌蕊的花柱高于雄蕊的花药，另一类植株花中雄蕊的花药高于雌蕊的花柱。传粉时，只能长雄蕊上的花粉粒传到长花柱柱头上，或短雄蕊上的花粉粒传到短花柱柱头上，才能受精结实，反之，则不能完成受精作用。报春花也有和荞麦相似的雌雄蕊异长现象。所以，荞麦和报春花二型花柱植物，是天然异花传粉植物。在同一植株上通常只有 1 种花型，在自然条件下两种植株的比例数大致相等。有时出现少数雌雄蕊等长的花，但不能结实。又如千屈菜属同种植物的不同个体能产生 3 种花型的两性花，即雄蕊有长、中、短 3 种，雌蕊花柱也分别有长、中、短 3 种，只有相同长度的雄蕊与雌蕊之间的传粉才能受精，不同长短的雄蕊与雌蕊之间的传粉则不能受精。所以，它们是三型花植物。另外，在酢浆草属、樱草属等植物中也都有异型花的现象。

4. 雌雄蕊异位　是指同种植物的个体只有 1 种花型的两性花，但花中雄蕊和雌蕊的空间排列位置不同，借此可以避免自花传粉。如菊科中的向日葵、蓝刺头等和唇形科中的荆芥、野薄荷、牛至等，它们的两性花的雌蕊长于雄蕊；唇形科的猫须草、马鞭草科的紫珠属蜜源植物，它们的两性花的雄蕊远远超过花柱长度。这种雌雄蕊异位现象可以使自花的花粉不易传到自花的柱头上。

5. 自花不孕　是指自花传粉的不能受精结实。自花不孕有三种情况：

（1）花粉粒传到自花的柱头上，花粉粒不能萌发，如向日葵、荞麦等作物。

（2）花粉粒传到自花的柱头上虽然能萌发，但花粉管生长很缓慢，没有异花传粉的花粉管生长快，同样达不到自花受精，如玉米等。所以，进行玉米自交系培育时，必须在人工授粉后套袋隔离。

（3）花粉对自花柱头有毒害作用而引起花柱凋萎，花粉管也不能生长，如兰科中某些植物。

（三）传粉媒介

植物进行异花传粉，必须依靠各种外力的帮助才能把花粉传布到其他花的柱头上。

异花传粉的媒介主要是风和昆虫，少数是水（水生植物）、鸟、蜗牛、蝙蝠等为媒介。

1. 风媒　植物的花粉靠风力作为传粉媒介的，称为风媒，这种花称为风媒花，这类植物称为风媒花植物。据估计，约有10%的被子植物是风媒的，大部分禾本科植物如水稻、玉米等和木本植物中的杨、栎、桦木等都是风媒植物。由于风媒植物的花粉是靠风力传送到雌蕊柱头上，所以风媒花在形态结构上形成了各种适应特征。例如，花小而且花朵数量多，多密集成柔荑花序、穗状花序等；花被小或退化，不具鲜艳的颜色；无蜜腺和香气；花中产生的花粉粒数量多，花粉粒一般体小质轻，表面光滑且干燥而不黏，适于风飘远播；风媒花的花柱往往较长，柱头膨大呈羽状，高出花外，增加接受花粉粒的机会；有的木本风媒花植物的花常集成柔荑花序，它细长下垂可随风飘荡而易散出花粉，如杨树；有的有细长的花丝，"丁"字形花药，易为风吹摆动散出花粉，如水稻等；有的是先开花后长叶，如桦树等。

但是，有少数风媒花植物，如板栗、栎、栲树等，其花被内侧雄蕊基部由表皮转化为分泌组织，它们不仅有花粉而且能分泌花蜜供蜜蜂采集，从而增加了传粉媒介。

2. 虫媒　靠昆虫为媒介进行传粉方式的，称为虫媒，借助这类方式传粉的花称为虫媒花，这类植物称为虫媒花植物。大多数有花植物如油菜、荔枝、向日葵、芝麻等都是依靠昆虫传粉的，常见的传粉昆虫有蜂类、蝶类、蛾类和蝇类等。这些昆虫往来于群花之间，或是到花上采食花粉或花蜜，或在花中产卵，或者以花朵作为栖息场所，因而在昆虫活动过程中不可避免地与花药接触，使虫体上粘有花粉，当昆虫飞到别的花朵上时，也将花粉粒带到花的雌蕊柱头上进行传粉。

3. 其他传粉方式　植物除借风力和昆虫做传粉媒介外，水生被子植物中的金鱼藻、黑藻等都是借水力来传粉的，这类传粉方式称水媒。

图 14－1　蜂鸟

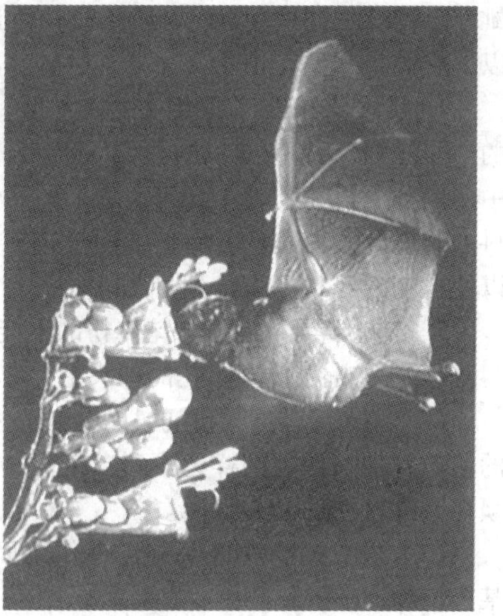

图 14－2　蝙蝠

其他诸如借鸟类传粉的称鸟媒，传粉的是一些小型的蜂鸟（图 14－1），头部有长喙，在摄取花蜜时把花粉传开。蜗牛、蝙蝠（图 14－2）等小动物也能传粉，但这类植物很少。

二、植物与蜜蜂授粉的相互适应

1980年，Janzen曾给协同进化下了一个定义：一个物种的行为受到另一个物种的个体行为影响而产生的两个物种在进化过程中发生的变化。这是一个相当严格的定义，它包含三个特性：一是特殊性：一个物种各方面特征的进化是由另一个物种引起的；二是相互性：两个物种的特征都是进化的；三是同时性：两个物种的特征必须同时进化。由于这种定义极为严格，自然界物种间存在一对一协同进化关系的比较少见，而虫媒花植物与传粉蜜蜂的进化过程正属于此类。

大约到了白垩纪，各式各样的植物花才发展起来。到新生代的第三纪产生了专门取食花蜜和花粉的蜜蜂，此时被子植物的花已有了鲜艳的花色和香甜的花蜜。也只有当有翅昆虫参与植物授粉时，植物界的面貌才出现大的改观，裸子植物开始向更高级的被子植物进化，虫媒植物与传粉昆虫才开始了双方并行的演化。由此也可以推断，在植物进化过程中，虫媒将逐渐取代风媒的作用，成为植物传粉的主要方式；自然选择也将不断促进虫媒花和蜜蜂之间形成更加完善的相互适应关系。

（一）虫媒花植物的特征

由于虫媒花植物的花粉是靠昆虫携带到其他花朵的雌蕊柱头上，所以虫媒花在形态结构上形成了各种适应特征。适应昆虫传粉的花，一般具有以下特征：

虫媒花多具特殊的气味以吸引昆虫。不同植物散发的气味不同，所以趋附的昆虫种类也不一样，有喜芳香的，也有喜恶臭的。

虫媒花多半能产生花蜜。蜜腺或分布在花的各个部分，或发展成特殊的器官。花蜜经分泌后积聚在蜜腺周围。花蜜暴露于外的，往往由甲虫、蝇和短吻的蜂类、蛾类所趋集；花蜜深藏于花冠之内的，多为长吻的蝶类和蛾类所吸取。昆虫取蜜时，花粉粒粘在昆虫体上而被传布开。

虫媒花的另一特点，是色彩鲜艳。一般昼间开放的花多为黄、蓝、紫、白（能反射紫外线）等颜色，而晚间开放的多是纯白色，只被在夜间活动的蛾类识别。花色的这些特点，均有助于引诱昆虫的到来，帮助传粉。

虫媒花的花粉粒一般比风媒花的要大，有黏性；花粉外壁粗糙，多有刺突；花药裂开时不被风吹散，而是粘在花药上，这使昆虫在访花采蜜时容易触到并附于体表。雌蕊的柱头也多有黏液分泌，花粉经接触，即被粘住。虫媒花粉量也远较风媒的少，花粉粒所含的蛋白质、糖类等营养物质比风媒花植物的丰富，是授粉昆虫的优良食物。

虫媒花在结构上也常和传粉的昆虫间形成互为适应的关系。昆虫的大小、体形、结构和行为，与花的大小、结构和蜜腺的位置等，都是密切相关的。例如，唇形科鼠尾草属植物，它的花萼、花冠都合生成管状，但5片花瓣的上部却分裂成唇形，有2片合成头盔状的上唇，另3片联合，形成下唇，呈水平方向伸出。上唇的下面有2枚雄蕊和1枚雌蕊，雄蕊结构特殊，成为一个活动的杠杆系统，它的药隔延长成杠杆的柄，上臂长，顶端有2个发达的花粉囊，下臂短，花粉囊不发达，发展为薄片状。雄蕊的薄片状下臂同位于花冠管的喉部，遮住花冠管的入口。当蜜蜂进入花冠管的深处吸蜜时，先要停留在下唇上，然后用头部推动薄片，才能进入花内，吸取花蜜，由于杠杆的原理，当薄片向内推动时，上部的长臂向下弯曲，使顶端的花药降落到蜜蜂的背部，花粉也就散落在蜜蜂背上。开花初，鼠尾草的花柱较短，到花粉成熟散落以后，花柱开始伸长，柱头正好达到蜜蜂背部的位置上，等到带有花粉的另一蜜蜂进入这一花内采蜜时，背上的花粉正好涂在弯下的柱头上，完成传粉动作，真可谓“天作之合”。

此外，虫媒花植物的分布、开花季节、开花时间等也跟昆虫在自然界中的分布和活动规律有着密切的关系，体现了动物和植物之间的相互联系和相互影响。

总之，经过长期的自然选择，被子植物产生了鲜艳的花色，给授粉者提供醒目的标志；有些花还散发出芳香的气味来吸引授粉者；最主要的是花瓣或花蕊的基部分泌出香甜而又营养丰富的花蜜以飨来访者。植物花的进化趋势，总是使之适应于吸引授粉者对自身的访问，从而带来异株的花粉。

（二）蜜蜂适于授粉的特征

蜜蜂作为最理想的授粉者，在长期与植物协同进化的过程中，形成了专以植物的花蜜和花粉为食物的特殊生活习性，从而也就形成了与之相适应的生理结构，如蜜蜂的口器为嚼吸式，后足特化为携粉足以及周身密布绒毛等。蜜蜂的辨色能力也有与其生活习性相适应的特征。研究昆虫感官的试验证明，蜜蜂辨别颜色的能力和人类不同。蜜蜂不能够把鲜红色与黑色、深灰色辨别开来，因此鲜红色对蜜蜂来说，并不是醒目的颜色。许多自然学者指出，在前苏联草原上大都是黄色和白色的花，虽然也可以看到紫红色和蓝色的，但却完全没有鲜红色花冠的植物。据龚一飞教授在福建以及新疆、黑龙江、四川、云南调查养蜂业时，对所经山林原野观察，除人工繁殖栽培的观赏植物以外，自然界的野生植物中具鲜红色花冠的也极为罕见，可见虫媒花的颜色也是和授粉昆虫视力的特点密切相关而形成的。在这种情形下，昆虫视力的特点就是自然选择的结果。

蜜蜂在进化过程中还形成了许多适应其特殊生活习性的生物学特性。工蜂有较强的飞行能力，在晴朗无风的条件下，意蜂载重飞行的速度为 20～24km/h，最高飞行速度可达 40km/h。通常蜜蜂的采集活动，大约在离巢 2.5km 的范围内。以半径 2km 计算，其利用面积在 $12km^2$ 以上。如果附近蜜粉源稀少，强群采集半径甚至会扩展至 3～4km。蜜蜂具有采集花蜜、花粉的本能。蜜蜂采集时，每次访花的数目、经历的时间、每日出勤次数以及平均采集重量，取决于花的种类、温度、风速、相对湿度以及巢内条件等因素。据观察，每一次采粉，约访梨花 84 朵或蒲公英 100 朵；一次满载，须采集6～10min，甚至更长；每日一般采粉 6～8 次，最多达 47 次，平均 10 次；每次采粉质量为 12～29mg。在粉、蜜俱有的蜜源上，观察 13 000 蜂次，其中 25% 的蜜蜂只采集花粉，58% 的只采花蜜，17% 的粉、蜜兼采。蜜蜂还有很强的信息获得能力：一方面，蜜蜂能分泌多种外激素，借空气或接触向同种的其他个体传递信息，如蜜蜂在访花时会在花上留下特有的气味，并能保持一段时间，告知其他蜜蜂个体该花近期已被访过，以提高采集效率；另一方面，蜜蜂能利用特殊的舞蹈语言表达信息，发现蜜粉源的工蜂回巢后，会以不同形式的舞蹈把信息传递给其他工蜂，以表达所发现蜜粉源的量、质、距离以及方位等，蜜蜂的这种舞蹈，无疑也是一种本能的表现。蜜蜂的这些本能，都是在长期自然选择的过程中所建立起来的适应性反应，同时也大大提高了其传粉的效率。

三、蜜蜂为植物授粉提高产量和品质的机制

蜜蜂授粉对农产品增产以及提高品质方面的有关机制的研究，概括起来主要有以下两个方面。

（一）增加传粉和受精的机会，提高果实和种子的产量

蜜蜂授粉可以大量增加柱头上的花粉粒，使花粉粒所含的激素相对总量有所增加，酶的反应也相应加强，甚至引起群体效应，起到促进花粉萌发和花粉管生长的作用，受精率可以得到很大提高。如玉米在一般栽培条件下，由于雄蕊先熟，到雌蕊成熟时已得不到及时的传粉，因而果穗顶部往往形成缺粒，降低了产量。利用蜜蜂授粉就能克服这一缺点，使产量提高 8% ~10% 。又如向日葵在自然传粉条件下，空、秕粒较多，如果辅以蜜蜂授粉，就能提高结实率和含油量。1952 年春，龚一飞教授在福建农学院蔬菜留种菜圃上，做蜜蜂授粉和隔绝蜜蜂进行花菜和甘蓝留种的比较试验，蜜蜂授粉组的 4 株供试花菜共收种子 207. 5g，套笼组的 4 株只收 47. 2g；而甘蓝的试验结果比较，差异更为显著，在 4 个被套笼的健全植株上，没有发现一个发育健全的种荚，其中绝大多数开花后，子房随即凋萎，极少数的子房可以长大，但仍是空荚。让蜜蜂自由授粉的对照株，每株均结出丰满的种荚。蜜蜂授粉对于虫媒花植物的种子和果实产量的影响，由此可见一斑。

（二）增加异花授粉机会，提高产量和品质

龚一飞教授曾在福州魁岐农场大田上设计了全套试验设备，进行蜜蜂对胜利油菜（*Brassica napella* Chaix）授粉对比试验。试验结果肯定了胜利油菜属于虫媒异花授粉的作物。隔绝虫媒区的种子产量和出油率分别为套笼放蜂区的 30. 65% 和 86. 94% 。由此表明，蜜蜂授粉不但可以显著提高油菜种子的产量及出油率，并且对后代生活力也有显著的影响，特别在大面积栽培的情况下，组织蜜蜂授粉是保证油菜籽高产的重要措施之一。浙江农业大学所进行的蜜蜂为油菜授粉的试验表明，蜜蜂授粉区比无蜂授粉区菜籽增产 37. 4% ，有效果荚多 28. 5% ，千粒重增长 4. 4% ，出油率提高 10% 。中国农业科学院蜜蜂研究所试验证明，尽管棉花是自花授粉植物，但异花授粉的效果更好。棉花的雄蕊着生在雌蕊柱头上，当蜜蜂采粉时，在柱头和雄蕊间反复爬行，于是身上、足上都粘满了花粉，同时将其他花朵的花粉附于柱头上，起到了异花授粉的作用。结果，有蜂区比无蜂区的棉花结铃率增加 39% 左右，皮棉产量平均提高 38% ，而且有蜂区的棉花纤维有光泽，质地好，棉绒长度增加 8. 6% 。

俄罗斯农学家干纳基在进行棉花育种时发现，棉花花粉粒的萌发，以及花粉管生长速度和能力均直接与所授花粉的品质和数量有关。在自花授粉的情况下，落在柱头上的花粉，经 1. 5 ~2h 后，尚未萌发。当品种内异花授粉时，若在柱头上授以较丰富的混合花粉，经 5 ~ 10min 即可看到大量花粉已经萌发，而且花粉管生长较强，到达胚珠的时间较自花授粉的早 2 ~3h。

通过对自花授粉和异花授粉情况下的碳水化合物的研究可以看出，在异花授粉的子房和胚珠里，酶活力提高了，单糖的含量也显著增加，给正在发育的胚创造了更好的营养条件。以上事实说明，利用蜜蜂在品种内和品种间、混栽或间种情况下完成异花授粉或杂交授粉，具有极大的价值。

另外，俄罗斯农学家西莫诺夫和米伦诺夫利用示踪磷素研究混合花粉授粉期中植物体内的代谢作用，结果发现凡用多种植株或品种的花粉加于柱头上者，花部磷素的含量显著提高，不仅引起雌蕊，而且引起母本整个有机体达到兴奋状态。这进一步证明了异花授粉良好的影响以及植物体对异花授粉的适应性。

第三节　蜜蜂是最理想的授粉昆虫

昆虫授粉和农业生产的关系十分密切。昆虫与植物之间有着极其完善的相互适应关系，这是生物界在长期自然选择的作用下，不断进化的结果。在自然界中，为农作物授粉的昆虫很多，但蜜蜂是大多数农作物的基本授粉者。

一、蜜蜂在自然界授粉中的地位

异花授粉植物的传粉媒介有水媒、风媒以及动物媒（鸟媒和虫媒）3 种。水媒是最原始的传粉方式，随着植物的进化，风媒逐渐代替了水媒。然而，借助风力吹送，其授粉的概率是很低的，这样的传粉方式，既不经济，又没有保证。动物媒是最高级的传粉方式，它具有最高的授粉效率。然而，某些鸟类（如吸蜜鸟）的传粉作用，远不如个体小、数量多、善飞翔的昆虫。因此，也只有当有翅的昆虫参与植物授粉后，植物界的面貌才极大地改观了。虫媒的方式比起风媒来，不但节约花粉，而且准确可靠得多。

自然界绝大多数的有花植物都是依靠昆虫传粉的。据 Kirchner（1911）的统计，在欧洲的植物区系中，有 80% 的被子植物是昆虫传粉的。据估计，约有 1/10 的被子植物是风媒的，而且根据对植物的观察，不少风媒植物如板栗、柯、栎、橡子等的花，也能分泌可供昆虫采集的花蜜和花粉，所以蜜蜂也会去采集。另外，蜜蜂为了采集花粉，也来到若干不具花蜜的风媒植物或自花授粉的植物花朵上，如玉米、高粱、水稻等。因此，昆虫对于这些风媒植物的授粉也起到一定的辅助作用。可以推断，在植物进化过程中，虫媒将逐渐取代风媒的作用，自然选择也将不断促进虫媒花与昆虫之间形成更完善的相互适应关系。

在自然界中，访花昆虫繁多，据统计属于昆虫纲中的有 16 个目，能为植物传粉的有鞘翅目、双翅目、鳞翅目、膜翅目、半翅目、缨翅目等。能作为授粉昆虫在生产上起作用较明显的昆虫有膜翅目的蜜蜂类、胡蜂类和榕小蜂类等，双翅目的食蚜蝇等蝇类以及鳞翅目的一些蝶、蛾类等。它们当中在生产上起作用最大、应用最广的是蜜蜂类。据纳斯 1899 年的记载，在 395 种植物上采到 838 种传粉昆虫，其中膜翅目占全部传粉昆虫的 43.7%，双翅目 28.4%，鞘翅目 14.1%，其他还有极小比例的半翅目、鳞翅目、直翅目、缨翅目。而蜜蜂总科又占膜翅目总数的 55.7%，这个数字说明蜜蜂类在演化过程中逐渐代替了其他动物，成为最主要的传粉昆虫，在农作物授粉中起主导作用。

在现代化、集约化农业生产中，由于高度应用机械耕作，大面积平整土地，从而毁除了大量野生授粉昆虫的巢穴，并严重地改变其原有的生态环境。现代化农业，一方面，由于同一季节单一作物大面积的栽培，花期趋于短暂而集中，野生授粉昆虫在生存繁殖上得不到持续食物的供给。另一方面，由于现代化农业广泛使用杀虫剂、除草剂和其他农药、化肥，必然造成野生授粉昆虫数量的锐减。因而可以人工控制的蜜蜂，在大面积虫媒作物授粉上更是必不可少的。近代，在农业先进的国家里，蜜蜂授粉已发展成一项专业，这并非一件偶然的事情，而是客观形势发展的必然结果。

二、蜜蜂授粉的生物学特点

蜜蜂作为大多数农作物的基本授粉者，它的分布自赤道扩展到北极圈，遍及全世界的每一个农业区域。据考察，蜜蜂在苹果、樱桃、桃、梅等大面积果树栽培区的传粉上，担负了75%～80%的工作，有的地区甚至高达90%以上。随着农业现代化的进展，蜜蜂的授粉作用将会不断加强。

蜜蜂之所以是最理想的授粉者，是因为它在形态构造及生活习性上，具有以下几个很有利的特点：

（一）形态构造上的特殊性

蜜蜂在长期的进化过程中，逐渐形成了专食花粉、花蜜的习性，也就逐渐形成了与之相适应的特殊形态结构。膜翅目昆虫的口器一般为咀嚼式，只有蜜蜂的口器为嚼吸式，特点在于上颚和一般咀嚼式口器的上颚相似，用以咀嚼花粉和筑巢等，下颚和下唇组成能吮吸的喙，仅在吸食时才组合起来；结构上的特点，是中唇舌延长，形成一个多毛的管状构造，腹面凹陷成一狭槽，为唾道，末端为匙形的中舌瓣，或称为扇形板，吮吸时，在中唇舌和外颚叶间形成食道，能吮吸花蜜。蜜蜂的后足特化为携粉足，胫节宽扁，外侧两边有长毛，相对环抱，形成能携带花粉的花粉篮，基跗节大而扁，内侧有10～12排横列的硬毛，用以刷刮附在身上的花粉，称为花粉刷。另外，还有其他一些专门适应采集花粉的特殊结构，如耳状突、花粉耙等。蜜蜂的周身密生绒毛，有的还呈羽状分叉，易于黏附花粉。据计算，一只蜜蜂周身所携带的花粉，可达500万粒之多。虽然采集蜂认真、紧张地刷集身体上所黏附的花粉，但每只蜜蜂所黏附的花粉，仍可达1万～2.5万粒以上，远远超过其他任何昆虫。当蜜蜂从这朵花转到另一朵花上采集时，授粉工作便随之完成。

（二）适合授粉的生活习性

1. 群居性　蜜蜂是真正的社会性昆虫，过着群居生活，群体数量大而集中。特别是在春季，当油菜、紫云英、果树等开花的时候，越冬后的其他野生授粉昆虫刚开始繁殖，为数寥寥无几，而群居越冬的蜜蜂，却已能大显身手，因此授粉作用特别突出。

2. 授粉的专一性　蜜蜂在一次采集飞行中，只采集同一种植物的花粉和花蜜。这种特性，对于保持植物物种的稳定性是非常重要的，所以蜜蜂的授粉作用，比其他昆虫更为有利。同时，蜜蜂专食粉、蜜的特性，使其成为植物忠实的授粉者。

据统计，大约需要20个花粉团才能育成一只蜜蜂，一个花粉团需要采集蜂访问173朵红三叶的花或42朵桃花。一个强盛的蜂群，全年约育成20万只蜜蜂。因此，每一强群一年要采800万个花粉团。据此计算，所采的花数就可达1.68亿~6.92亿朵。

另外，每只蜜蜂的一次采蜜飞行，常要采集几百朵花。蜜蜂每酿造1kg蜂蜜，大约要飞行五六万只次，而一群蜜蜂，每年所生产的蜂蜜（包括蜂群本身所消耗的）不下100kg。可见，其采花数目将达数亿以上。

3. 食料贮存性　蜜蜂的食管之后有专门供出巢采集时贮藏花蜜用的蜜囊，贮蜜量可达体重的一半。蜂巢更是贮存蜂蜜、花粉的大仓库，其容量可达50kg以上。这些条件，可促使蜜蜂长期不知厌倦地从事采集工作，不停地为植物传粉。

4. 可转移性　蜜蜂在天气晴好的白天出巢采集，夜晚一般都会返巢。现代养蜂是将蜜蜂饲养在活框蜂箱内，这样就可以利用蜜蜂夜晚归巢的习性，在晚间关上巢门，运移到任何需要蜜蜂授粉的地方去。

5. 可训练性　利用蜜蜂条件反射的原理，可对蜜蜂进行训练，即用浸花糖浆饲喂蜜蜂，造成某种特殊花香和大量食料共存的条件，以引导蜜蜂到这种它们通常不喜欢或指定的植物花上进行采集，从而达到为所需要的农作物或特殊经济植物授粉的目的。

蜜蜂在授粉上所具备的上述优点，是其他任何昆虫都不可比拟的，并且由于蜜蜂个体小，动作轻巧，较人工授粉更具有高效价廉、不伤花器的特点，所以蜜蜂成为人类惟一最基本和最理想的天然授粉者。大连市当初推广苹果人工授粉时，虽然每年春季都组织100多万人次的劳力给部分苹果授粉，但因苹果花的雌、雄蕊成熟期难掌握，加上树梢、树间人工操作比较困难，因此效果并不理想。尤其春季正是农田大忙季节，从而增加了粮果劳力分配的矛盾。最后还是利用天然的授粉者——蜜蜂，把上述问题圆满解决了。利用蜜蜂授粉，不仅每年可节约人工辅助授粉劳力100万人次，而且还大大降低了授粉的成本投入，更为重要的是能取得比人工授粉更令人满意的效果。

第四节　蜜蜂授粉方法的研究

对授粉的研究，主要包括植物传粉过程中的各生物及非生物因素的影响和作用。非生物因素主要是光照条件、温度、湿度等因素对植物的生长发育、开花泌蜜散粉等的影响（研究蜜源植物的开花泌蜜、散粉规律），对授粉昆虫的生长发育及采集活动的影响。生物因素则是植物与植物、授粉昆虫与植物、不同授粉昆虫之间在授粉过程中的复杂关系。

一、授粉植物的研究方法

授粉植物需要研究的方面很多，本文只介绍授粉植物的调查研究内容与方法以及开花、泌蜜的预测预报。

（一）调查内容与方法

1. 种类及其数量、面积　分栽培植物和野生植物两种情况，如果是栽培植物，可通过当地农林牧业管理部门、乡村政府、农场、林场和牧场等调查访问，并记载其种类、面积、分布情况、耕作习惯、栽培管理技术措施和当地养蜂情况。野生植物的调查方法如下。

（1）目测法：通过踏勘目测估计，可以大概了解一个区域内的植物种类、数量和分布情况。这种概略性调查，在生产实践中仍普遍采用，尤其是调查区域大、人力不足、物力财力缺乏和时间短促的情况下，多采用目测法，但它存在较大的经验性和主观性。

（2）样地记名记数法：在调查区域内选择有代表性的地段，用绳子圈定几块样地。样地面积：乔木一般不小于$100m^2$，灌木$20 \sim 100m^2$，草本为$4m^2$或$16m^2$。对于地形复杂、土壤性质多样等生境条件变化大的山地，多采用样带，宽2m或5m，样带长度依面积要求而定。然后登记样地范围内授粉植物的个体数目。样地数量依实际情况而定。通过样地的记名记数调查，然后计算出单位面积的授粉植物个体数量。

2. 开花期和泌蜜习性　在调查区域内定时连续观察和记载授粉植物的开花期和泌蜜情况，蜜蜂采集活动及蜂群进蜜或进粉情况，并要详细记录初花期、盛花期和末花期的月、日。一种植物的开花期在一个地方有一定规律性，但由于每年气候常有变化，开花期的迟早也随之变化，因此，野生授粉植物的开花期要经过几年重复观察记载，综合数年的资料，求得大体开花日期。另外，授粉植物的开花与泌蜜有的是同步的，有的开花几天后才进入泌蜜期，有的末花期仍继续泌蜜，有的进入末花期泌蜜停止或泌蜜很少。因此，要分清开花期3个阶段与泌蜜的时间。

3. 生态条件　生态条件是影响开花泌蜜的重要外在因素，进而影响授粉效果，所以在调查中必须同步进行。

（1）气候因素：包括温度、昼夜温差、大气湿度、降水量、光照、风、冰雹、霜、雪等。

（2）植物的生理状态：主要指植物的营养状况、长势、树龄、花芽分化、有无病虫害等。

（3）土壤：包括土壤质地、结构性状、土壤性质等。

（4）人为因素：野生植物要了解利用现状，有否破坏和保护。栽培植物要了解当地的耕作制度、农业技术措施等。

（二）开花、泌蜜的预测预报

是根据一定的理论和技术，在某阶段对某种植物进行推理判断，预测其未来的开花期、开花数量和质量及泌蜜量的趋势。测报的理论依据是建立在对该种植物生物学特性和影响该植物生长与发育的各种生态因子的了解的基础上，并要具有植物生理生态、气象、物候学等理论知识。测报的目的是使授粉工作有预见性，减少盲目性，在养蜂生产中能有计划地繁殖蜂群，培育适龄采集蜂，组织强群及时投入授粉和确定放置授粉蜂场地等。开花、泌蜜的测报工作可分为早期、中期和近期3种。早期指在开花前3个月以上的测报，通常在前一年或前一季节进行，其准确性较中、近期低；中期指在开花前1~2个月进行的测报；近期指在开花前15~20d进行的测报，准确性较高。

1. 通过立地条件测报　立地条件是指植物生长所在地的生态条件，包括土壤条件（土壤质地、结构、土层深浅、土壤酸碱度、肥力、排水和灌溉等）、地形、风、光照、水、温度等。它们直接影响植物的生长和发育，同一种植物，生长在不同地段，由于立地条件的差别，个体的长相和长势显然不相同，使得以后的成花数量和质量以及泌蜜量出现差异。所以，根据植物的立地条件、长相和长势可以预测开花情况和泌蜜量的大小，为选择授粉蜂场地提供依据。

2. 通过气候条件测报　植物的生长和发育要求一定的气候条件，尤其是多年生植物，它们除受当年或当季气候的影响外，还受上季节或上一年气候的制约。气候条件适宜，生长健壮，花芽分化正常，成花数量多且质量好。如果气候条件差，则生长不好，花芽分化也差，或是生长过旺而延误发育阶段，花芽分化不能按时进行，开花情况必然也差，势必会影响授粉效果。

3. 通过生理指标测报　植物能否按时从营养生长转入生殖生长，取决于体内是否积累足够的碳水化合物和含氮物质，而且碳水化合物的数量必须多于营养生长所需的数量，氮的代谢必须是倾向于蛋白质的合成。通常结果母枝在花芽分化前积累的碳水化合物及蛋白质氮和全氮水平都较高。当细胞液中C/N比值大时，花芽分化就能按时进行。C/N比值越大，越有利于花芽分化和成花，就越有利于开花泌蜜。根据这一基本理论，测定植物花芽形态分化前的结果母枝枝梢内的碳水化合物和含氮物质的含量，作该植物花芽分化的生理指标，可测定花芽分化能否按时进行。若在花芽形态分化过程中进行测定，可预测成花状况和其后开花泌蜜的趋势。

二、授粉昆虫的研究

目前，国内外授粉研究的一个侧重面是授粉昆虫的授粉机制等理论方面的研究，如传粉过程中昆虫采集行为的研究、新的授粉昆虫资源的开发、授粉昆虫对花的识别机制的研究等。值得一提的是，近年来随着昆虫化学生态学的发展，新的技术方法和仪器设备的出现，为昆虫和花之间的化学联系开辟了新的研究途径。触角电位技术（EAG）就是其中常用的方法，之后发展起来的气相色谱-触角电位连用技术（GC-EAD）和单细胞电位记录技术把这一领域的研究推到新的高度。

1. 昆虫与花的关系研究　生物进化的研究在生物类群的生态适应和协同进化的研究中，昆虫与花的关系是一个重要的内容。当前兴起的进化生态学和授粉生态学都从蜜蜂口器和花的构造、昆虫嗅觉与花气味的化学信息、昆虫视觉与花的颜色和形状的物理信息等方面作了大量论述。有人还从能量的角度，研究各类昆虫的访花潜力。

2. 授粉昆虫的行为研究　授粉昆虫的行为对花粉的传递有很大影响。在取食花粉和花蜜的昆虫当中，有些具有很好的传粉和授粉作用，而另一些的传粉作用则较小甚至无传粉作用；即便在同一种昆虫中，有些个体有明显的传粉作用，另一些个体却无多大的授粉作用。比如，在蜜蜂的授粉研究中，人们发现有些专司采粉工作的蜜蜂能起到较好的传粉作用，而一些采蜜的蜜蜂则很少采粉，因而对传粉的作用较小。在具体的采集飞行过程中，昆虫的飞行方式对传粉也有很大影响，在一个植株上是由上到下、由里到外采集还是相反，在一个植株上是连续采集还是在不同植株上往返进行，在果园中是沿行的方向采集还是列的方向采集，或是行列间交错进行等，这些对于授粉都有不同的作用，因此，也是我们合理利用授粉昆虫和进行作物合理配置的理论依据。

3. 蜜蜂信息素的研究　近年来的研究表明，蜜蜂信息素种类很多，有性信息素、示踪信息素、报警信息素、蜂王信息素和哺育信息素等。其中与授粉活动有关的有蜂王信息素和哺育信息素，它们均可增强繁殖和刺激蜜蜂采粉的积极性。示踪信息素可提高蜜蜂的采访活动。在用农药前先喷施报警信息素，可使蜜蜂避开农药的伤害。从蜜蜂腹部纳氏腺体分泌的化学物质具有强引诱作用；合成的 Nasonov 制剂已商品化，喷在目标作物上可吸引蜜蜂来为作物授粉。

4. 野生蜜蜂的研究　主要集中在继续深入调查蜜蜂资源、专一作物授粉野生蜜蜂的调查与生物学研究、引进野生蜜蜂以及野生蜜蜂繁殖技术研究几个方面。

5. 提高蜜蜂采访效果的研究　主要包括研究蜜蜂能量的积累、采访过程中能量的消耗与采访效应的关系，研究蜜源植物的布局、目标授粉作物的管理和影响花蜜分泌的外界因素，气候因素对授粉昆虫的影响等。总的目的是加强目标授粉植物的农艺管理，促进花蜜分泌，这是提高授粉和增产的基础。为使目标作物充分授粉，蜜蜂不被其他植物吸引，对同一地区非目标授粉植物的数量和分布要有一定限制。一般温室目标作物的授粉增产效益最大。

6. 育种研究　一是培育吸引蜜蜂的植物品种，例如蜜蜂为大豆授粉增产潜力很大，但有些大豆品种蜜蜂授粉作用较差，如能培育出花蜜分泌多、对蜜蜂更具有吸引力的大豆品种，大豆的产量就会明显提高。二是要培育对某种作物的形态结构、生理生化及物候等相协调、相适应的蜜蜂品种，例如前苏联培育的长吻的蜜蜂就能为苜蓿授粉起到显著作用。三是培育繁殖力强的蜂种，采粉量大，也就有助于为植物授粉。

7. 其他研究　如利用蜜蜂授粉代替人工授粉，作为棉花杂交研究的手段等。

第五节　授粉技术

得当的技术措施是获得满意授粉效果的保证。不同的种植条件有不同的授粉方法，不同作物所要求的授粉措施也各不相同。令人遗憾的是，目前对具体授粉技术的研究还不是很充分，相当一部分技术尚处在实践阶段，还未能形成一套成熟的方案。这里只扼要说明大田和保护地的基本授粉方法。

一、大田授粉

（一）授粉蜂群的配备

大田授粉所需蜂群的数量，取决于蜂群的群势、授粉作物的面积及分布、花的数量、花期与长势等。根据实践经验，如果授粉植物是500亩以上连片分布的，那么每一强群可承担的授粉面积大致如表14－1所列。

表14－1　每一强群蜜蜂可承担的授粉面积　（单位：亩）

作物名称	面积	作物名称	面积
油菜	4～6	草木犀	3～4
紫云英	4～5	荞麦	4～6
苕子	4～5	向日葵	10～15
棉花	10～15	瓜类	7～10
牧草	4～5	果树	5～6

在早春，由于蜂群正处于增殖阶段，群势较弱，所以应适当减少蜂群平均承担的授粉面积；如果作物分布较零星、分散，应适当增加蜂群数。

（二）授粉蜂群的布置

蜜蜂飞行范围虽然很大，但距离作物越近，授粉也就越充分，飞行时能量的消耗也越少。因此，如果授粉作物面积不大，蜂群就可以布置在作物地段的任何一边；如果面积在700亩以上，或地段长达2km以上，则应将蜂群布置在地段的中央或两端，使蜜蜂从蜂箱飞到作物田的任何一部分，最远不要超过500m。

二、保护地授粉

据全国农业技术推广中心统计，1997年我国已成为世界蔬菜保护地种植面积最大的国家，共有84万hm^2，园艺设施面积已占全国蔬菜播种面积的7.5%。其中，温室面积达14.815万hm^2，塑料大棚有69.185万hm^2。为了育种和商业上的需要，蜜蜂被广泛地用来给温室和网室里的作物授粉。

（一）授粉蜂群的要求

在蜂群放入温室或网室之前，应先把它们隔离2～3d，让蜜蜂清除体上的外来花粉，以免引起意外的杂交。为温室和网室作物授粉的蜂群，必须具备3个条件：首先，群势要达到满箱，以便提高授粉效率；其次，刚移入温室或网室的蜂群，由于原有的外勤蜂不太适应室内环境，授粉效果较差，所以要求群内有大量的幼蜂和封盖子；第三，蜂巢内始终要有充足的蜂蜜和适量的花粉，保证蜂群正常繁殖。

（二）授粉蜂群的配置

在温室授粉，每一群蜂可承担300～500m^2面积；给网室内的作物授粉，蜂群的群势可以小些。给保护地作物授粉时，蜂群可以放在靠近作物但不过热的地方，也可以摆在室外，巢门通往室内。此外，保护地内要有供水装置，以便蜜蜂采水。

三、授粉蜜蜂的训练

为了克服蜜蜂对某种作物不太喜欢采集的习性，或为了加强蜜蜂对某种授粉作物采集的专一性，可用带有这种作物花香的糖浆对它们进行训练。具体方法：从初花期到开花末期，每天用浸泡过花瓣的糖浆饲喂蜂群，使蜜蜂建立采集这种作物的条件反射。花香糖浆的制法：先在沸水中溶入相等重量的白砂糖，待糖浆冷却到20～25℃时，倒入预先放有花朵的容器里，密封浸渍4h以上，然后进行饲喂，每群每次喂100～150g。第一次饲喂最好在晚上进行，第二天早晨蜜蜂出巢前再喂1次。以后每天早晨喂1次。

四、其他授粉技术

国外有一种利用蜜蜂在特定条件下授粉的专门技术，叫做可随意使用授粉单位群（Disposable Pollination Units，DPU），这是一种无王小群，作物开花期间放入作物间授粉，结束后就遗弃掉。在那些偏远地区如果用常规蜂群授粉，往返运输不合算，或者在蜜蜂过剩的情况下，这种单位群就很适用。由于单位群会伤蜂，而且容易染病，所以目前尚未被大多数养蜂者所接受。但完全可以预见，这种授粉单位群一定会普及开来。

五、蜜蜂总科中其他授粉蜂类

蜜蜂总科是最重要的授粉资源昆虫，世界已知野生蜜蜂有25 000多种，我国野生蜜蜂种类估计有2 000种，已鉴定的近1 000种。实际上野生蜜蜂种类多、数量大、分布广、适应性强，在某些特定条件下，对经济植物授粉所起的作用，远远超过家养蜜蜂。

（一）熊蜂

这是一类杂食性的社会性昆虫，其进化程度处于独栖性到营社会性蜜蜂的中间阶段，世界五大洲均有分布，但以温带地区较多。熊蜂个体大，寿命长，周身布满绒毛，有较长的吻，对一些深冠花朵如番茄、辣椒、茄子及一些豆科植物的授粉特别有效；足也具有专门适应采集花粉的特殊结构，如花粉刷、花粉钳、花粉耙和花粉篮等。熊蜂的采集力旺盛，日工作时间长，能较为有效地利用蜜粉源；并能抵御恶劣的环境，对低温、弱光适应力强，即使在蜜蜂不出巢的阴冷天气，熊蜂仍可继续在田间采集；趋光性较差，在温室内授粉不会向上飞撞玻璃，而是温驯地在花上采集；声震大，对于有一定的声震作物（某些植物的花只有受到昆虫的“嗡嗡”震动声时才能释放花粉）的授粉特别有效；而且，熊蜂的信息交流系统不太发达，能专心地在温室作物上采集花粉。因而，熊蜂可能成为温室中比较理想的授粉昆虫，尤其是为具有特殊气味而使蜜蜂不爱采集的番茄授粉，效果更为显著。欧美一些国家，从20世纪90年代末就开始用熊蜂为温室作物如番茄、黄瓜、辣椒、茄子、草莓等授粉。近年来，世界上许多国家都认识到了熊蜂授粉所产生的经济效益，并掀起了利用熊蜂为温室作物授粉的热潮。目前，中国农业科学院蜜蜂研究所昆虫授粉中心繁殖并成功应用 *Bombus lucorum* 和 *Bombus terrestris* 两个熊蜂种，现已处于推广实用阶段。

（二）苜蓿切叶蜂

苜蓿切叶蜂（*Megachile rotundata* F.）也是少量能够大量家养的昆虫之一。它有许多突出的特点，如授粉的专一性强，访花速度快，授粉效率高，能集中授粉等。苜蓿切叶蜂是农作物的重要授粉昆虫，它对豆科作物的特殊授粉作用是其他授粉者无法代替的，因而它在持续、高效的现代农业中的地位正在不断上升。目前，世界各地的重要苜蓿种子产区都在应用该蜂授粉，经它授粉的苜蓿，种子产量成倍增加，品质得到改善。在一些畜牧业发达的国家里，用苜蓿切叶蜂授粉已成为苜蓿种子生产过程中不可或缺的重要措施之一，给生产者带来了可观的经济效益。在美国加利福尼亚州南部，用苜蓿切叶蜂与蜜蜂联合为苜蓿授粉，明显提高了授粉效果。法国已将苜蓿切叶蜂用于大豆杂交育种工作。国外还有用苜蓿切叶蜂为三叶草和荞麦授粉，也取得了良好的效果。苜蓿切叶蜂喜欢温暖、少雨和日照充足的气候条件，在我国“三北”地区，尤其是西北各省区有灌溉条件的苜蓿种子生产基地更能发挥它的授粉效力，可使苜蓿种子产量更大幅度地提高。目前已在黑龙江、吉林和新疆等地普遍推广应用。

（三）其他可利用的授粉蜂

角额壁蜂（*Osmia cornifrons* Radoszk），属独栖性野生蜂，采集花粉和花蜜，日本在20世纪50年代已成功地利用其为苹果授粉，后引到美国等，近年引入我国，为苹果、梨等授粉，对提高苹果的质量、产量效果非常明显。现在我国还发现有凹唇壁蜂（*Osmia excavata* Alfken）、紫壁蜂（*Osmia jacoti* Cockerell）、壮壁蜂（*Osmia taurus* Smith）、叉壁蜂（*Osmia pedicornis* Cockerell）等4种土著壁蜂可以为苹果等果树授粉。拟熊蜂属（*Psithyrus*）中一些植食性野生蜂种，其雌成虫和幼虫取食花粉和花蜜，雄成虫只取食花蜜，是重要的传粉资源昆虫。另外，还有中华木蜂（*Xylocopa sinensis* Smith），采粉于桃、向日葵等；绿芦蜂（*Ceratina smaragdula* Fabricius），采粉于向日葵、南瓜、芝麻等；散熊蜂（*Bombus spardius* Nylander），在豆科、菊科等植物上采粉。以上这些野生蜂都很有开发和利用前途。

第六节　影响蜜蜂授粉效果的因素与对策

影响蜜蜂授粉效果的因素很多，这里只述及几个主要方面。同时，在授粉实践中，我们还应针对这些影响因素采取一些可行的对策，以确保授粉取得较好的效益。

一、影响蜜蜂授粉效果的因素

（一）气候因素

天气的好坏，是蜜蜂授粉作用能否充分发挥的关键。尤其在温带地区，春季作物的授粉时期更是如此。只有在温暖晴朗的天气，授粉活动才能有效、迅速地进行。若气温低于16℃或高于40℃，蜜蜂的出勤将显著减少。强群在13℃以下、弱群在16℃以下，几乎停止出勤与授粉。在风速达到24km/h以上时，蜜蜂的活动大大减少；达到34～40km/h时，采集完全停止。寒冷有云的天气和雷阵雨，也会大大影响蜜蜂的飞行和授粉作用。

恶劣的气候，对植物也会造成损害。晚霜会冻坏花器；4～0℃的低温会延缓花粉的萌发和花粉管的生长，导致受精失败。如果天气炎热、刮风，会使柱头过于干燥，影响花粉的发芽。长期阴雨，又会阻碍雄蕊散粉。

（二）蜂群

群势的大小直接影响授粉效率的高低。蜂群内能够外出采集粉、蜜的青壮年蜂越多，授粉的效率就越高。一个蜂群的蜂数，可变化于几百到几万只之间，采集蜂的数量决定着授粉效果。

配备足够的授粉蜂群，也是保证良好授粉效果的重要因素；授粉蜂群在授粉区内的摆放方式和管理措施等，对授粉效果也有一定影响。

（三）作物生长条件和状况

作物从营养生长到花芽分化和花器官形成，直至开花、泌蜜等各个阶段，都受到外在因素和内在因素的影响。外在因素主要有光照条件、温度、水分、大气湿度、风和土壤等生态因子，此外还有人为农业技术管理措施等，它们对作物开花的数量和质量、开花迟早、花朵寿命、花期长短以及泌蜜量大小影响很大。内在因素主要有植物的生物学特性、树龄、长势、花的位置和花序类型、花的性别、蜜腺以及大小年等。

1. 散粉、泌蜜量　不同植物散粉、泌蜜的量有很大差异，有的粉、蜜俱佳，有的蜜多粉少，有的粉多蜜少，有的蜜、粉均贫乏。泌蜜、散粉的量直接决定蜜蜂访花的积极性，从而影响到授粉效果。一般来说，花粉较多，有利于授粉，泌蜜量较大的作物，只要花粉不是非常贫乏，也能取得较为满意的授粉效果；但蜜、粉均贫乏的植物，利用蜜蜂授粉就不会有好的效果。

2. 粉、蜜的适口性　有的作物如棉花、水稻等的花粉较粗糙，蜜蜂不采集或很少采集。而花蜜成分与蜜蜂的采集也有很大关系。花蜜是以糖类为主的多种物质成分的水溶液，其糖类物质主要有转化糖（葡萄糖和果糖）和非转化糖（蔗糖），花蜜成分的种类和含量随植物种类和生态条件不同而变化。其中的各种糖类成分比例差异，可能是影响蜜蜂喜爱或厌恶某植物的重要因素。Wykes（1952）发现，与其他试验溶液相比，蜜蜂喜爱含等量的蔗糖、葡萄糖和果糖的混合糖溶液；Furgala（1958）观察到，喜爱含有蔗糖、葡萄糖和果糖平衡成分花蜜的草木犀的蜜蜂，比喜爱含有蔗糖占优势的紫苜蓿或红三叶草的蜜蜂更多些。花蜜浓度也会影响蜜蜂的采集兴趣，只有在外界蜜源缺乏时，蜜蜂才去采集花蜜含糖量低于8%的蜜源；一般情况下，在花蜜含糖量8%以上时，蜜蜂才开始采集；若外界蜜源丰富，则往往要等到含糖量达15%以上时才去采集。

（四）进场时间

蜂群能否适时运达授粉目的地，对授粉的成败关系很大。一般来说，对蜜蜂引诱力较小的植物如梨树等，应在开花25%以上时，才把蜂群引入；紫苜蓿应在始花后10d，先运进一半的蜂群，另一半在1周后运入；而甜樱桃、向日葵、杏等则一开花就应把蜂群运到。

（五）农药的影响

在蜜源花期喷洒农药，是损害蜜蜂授粉的一个重要因素。它不但会使大量授粉蜜蜂中毒死亡，甚至造成全群毁灭，而且作物会因缺乏蜜蜂授粉而降低产量，其花器也会受到农药的毒害，从而使双方都造成巨大损失。

（六）同期开花植物的竞争

如果同一地区有其他植物与目标授粉作物同期开花，就会分散授粉蜜蜂的力量，特别是当这种同期开花植物对蜜蜂的吸引力比授粉目标作物还要大时，影响会更严重，使授粉对象得不到或仅得到不充分的授粉。例如，在河南大田萝卜留种地的萝卜开花时，油菜和桐树也在开花，对萝卜授粉影响极大。另外，在生产实践上，一些蜜多粉少的作物，其周围同期开花的粉源植物对授粉昆虫的生长发育有利，它们和目标授粉作物对蜜蜂是营养互补的，三者是互惠关系。

二、提高授粉效果的对策

在实际授粉工作中，可采取一些针对性的措施，以尽可能地减小影响因素的作用，增强授粉效果。

为了避免恶劣气候的影响，必须正确地间种授粉树和准备充足的蜂群。这样，就可以最大限度地利用哪怕只有几个小时的适宜天气进行授粉，以获得较好的效果。若准备不周，将导致授粉的失败。早春开花作物的授粉工作可以利用中华蜜蜂来完成，因为中蜂个体耐寒性强于意蜂、卡蜂和东北黑蜂。阴天，在气温9℃条件下，中蜂就能安全采集；晴天阴凉处的气温还不及7℃，中蜂就能大量出勤。但意蜂、卡蜂和东北黑蜂的个体安全飞行临界温度都要求在13℃以上。南方冬季和早春，野外常有一些作物需要授粉，而这时期的气温常在13℃以下。西方蜂种在这种情况下出巢，常遭冻害。春季蚕豆、油菜开花期间，也常遇到寒潮低温，使西方蜜蜂大批冻僵在巢外。然而，中蜂却比较适应。另外，南斯拉夫的角壁蜂（*Osmia cornuta*）适于为早春开花的苹果授粉；美国从日本引入的角额壁蜂具有发生早、抗低温的特点，用于为苹果授粉，效果很好。

提供授粉蜂群的蜂场，应该适时地把蜂群培养成合适的授粉群势，并保持它们的健康和正常工作。授粉蜂群应以组为单位摆放，特别对异花授粉的农作物、果树，更忌以单群分散放置。首先，成组摆放的蜂群，由于各组间的蜜蜂交错飞行和频繁改变采集路线，更有利于进行异花授粉；而若采用单群摆放，较易形成固定的采集路线，不利于广泛授粉。其次，蜂群的转运通常在夜间，而夜间驾车在田间或果园里到处行驶是不可能的。

利用蜜蜂的条件反射，可用浸泡过某种花香的糖浆训练蜜蜂，引诱它们到需要传粉的这种作物上进行授粉工作。还可以于巢内喷施与授粉活动有关的蜜蜂信息素，以提高蜜蜂的采粉积极性，或喷在目标作物上以吸引蜜蜂来为该作物授粉。

据报道，在聚乙烯塑料薄膜温室里，蜜蜂能够圆满地完成授粉任务；但在玻璃纤维的温室里，却不能令人满意。尤其是现在为了有助于预防作物的真菌病，农民采用一些能滤去紫外线的塑料薄膜作为温室材料，这就给蜜蜂授粉带来新的问题——因为蜜蜂是依靠紫外线来进行定位的。所以，要根据授粉需要选择适当的温室材料。

充分了解作物开花习性以及授粉的特殊要求，可以保证授粉蜂群适时进出作物区。为确保蜜蜂安全授粉，种植者和养蜂者必须密切配合，做到花期一律不施用农药；若须喷药，应事先通知养蜂者；平时喷药不要污染水源，并注意不喷洒到相邻地段。对于经常施用农药的作物，蜂群宜安置在离该作物 50m 以外的地方，以减轻农药中毒。

充分发挥不同授粉昆虫之间的协同授粉作用。Chagnon 等（1993）对西方蜜蜂和印度蜂在草莓上的授粉情况进行研究发现，如果以授粉昆虫的数量和访花速率来衡量，西方蜜蜂的授粉效率高于印度蜂，而当授粉昆虫较少时，西方蜜蜂喜爱采集植株顶端的花，印度蜂则对植株下部的花有较好的授粉作用，两者在草莓的授粉中起相互补充作用。在苜蓿和一些作物的授粉中，也观察到蜜蜂和其他野生授粉昆虫的协同授粉作用。对有些作物，单独一种昆虫并不能满足授粉需要，须由两种或两种以上昆虫来完成。

要加强专一作物授粉野生蜜蜂资源的调查和开发利用。谈到授粉，人们大多想到的是蜜蜂，很少考虑到其他昆虫的授粉作用。虽然蜜蜂对绝大多数作物是有利的，但并非对所有的作物都是最合适的。Parker（1986）对三叶草的授粉昆虫 *Osmia sanrafaelae* Parker 进行了研究，发现其授粉效能优于蜜蜂。Willmer 等人 1994 年研究了熊蜂在草莓上作为传粉者也比蜜蜂优越。美国找到了适合为向日葵授粉的向日葵蜂（*Melissodes agilis*）和一种切叶蜂（*Eumegachile pugnata*），开发利用后使向日葵的种植面积由 1970 年的 22.2 万 hm^2 扩大到 400 万 hm^2。为夏季瓜类授粉的一种瓜蜂（*Peponapis prinosa*），其传粉速度比意蜂快，种群又大，喜访雄花，授粉效果极好。为苹果和扁桃授粉的一种壁蜂（*Osmia lignaria propinqua*）在美国起到了很好的授粉作用。

第七节　蜜蜂授粉增产效果评价及作物种类

利用蜜蜂授粉的作物很多，通过蜜蜂授粉，能大幅度提高其产量和品质，获得巨大的经济效益和社会效益，其增产的价值在国民经济总收入中占有一定的比例。在世界各国，蜜蜂为作物授粉在农业生产中都占有极为重要的地位。

一、蜜蜂授粉的增值效益

（一）经济效益

世界上许多经济发达或较发达的国家都十分重视利用蜜蜂授粉，并取得明显的经济效益。关于授粉在农业生产中的作用和价值许多人从不同角度进行了评价。Evin 等（1989）统计表明，1980 年美国的谷物生产因昆虫的直接授粉而增产 34.6 亿美元，非谷物类增产 14.6 亿美元，而间接价值则高达 189 亿美元。据 Edward（1992）报道，因蜜蜂授粉给美国农业每年增加 16 亿～57 亿美元的产值。法国由于蜜蜂授粉，每年农作物增产的价值约为 5 000 万法郎，澳大利亚的蜜蜂为农作物授粉每年可增产值 1 亿～2 亿澳元。我国蜜蜂授粉所产生的经济效益也相当可观。大连市利用蜜蜂为苹果授粉，仅 1976～1978 年 3 年间，就增产苹果 5 万 t，增加收入 1 200 多万元。1990 年，通过蜜蜂授粉后，全国油菜增产菜籽 5 万 t 以上，增值 1 亿元；向日葵由蜜蜂授粉后，增产效果相当于扩大种植面积 20 万 hm^2，按每公顷 1 500 元的最低收入计，总产值 3 亿多元；全国共有 600 多万 hm^2 棉花，如果其中的一半利用蜜蜂授粉，可增收皮棉 99 万 t，约增值 59.4 亿元；全国油茶 200 万 hm^2，若有 1/2 由蜜蜂授粉，可多产茶油 10 万 t，价值 2 亿多元。以上四大宗作物的授粉增产效益就已超过 60 亿元。近几年来，我国油菜籽连年大丰收，根据农业部的调查显示，放蜂授粉是获得增产的重要原因之一。

（二）社会效益和生态效益

利用蜜蜂为农作物授粉，是一项不扩大耕地面积，不增加生产投资的重要增产措施。在目前世界人口增长速度过快，粮食问题较为突出的现实下，利用蜜蜂授粉来提高粮食产量，是解决或缓解粮食短缺的可行措施。蜜蜂授粉是农业可持续发展的一个关键环节，也是生态农业的一个组成部分，具有显著的生态效益。蜜蜂授粉完全是在不破坏资源，不造成污染的情况下，充分利用来自植物的再生资源，延长大农业的生态链。蜜蜂授粉在保持物种的多样性、维护生态平衡方面起到巨大的作用。它通过促进植物物种的繁荣和稳定，间接影响动物的生存。另外，蜜蜂授粉在保持水土、改造沙漠等生态工程上，也有重大贡献。

二、蜜蜂授粉成本核算

利用蜜蜂授粉能取得明显的经济效益，而投入成本却相当低。如美国每年有 200 万群以上的蜜蜂出租为农作物授粉，经蜜蜂授粉后农作物在质量和产量上所获得的效益，仅 1985 年就达 9.3 亿美元，净效益约 3.2 亿美元。这些产值是养蜂者各项授粉费用总和(4 070万～5 090万美元）的 6～8 倍。据统计，美国平均每群蜂的租金为 20 美元，效益与支出比为 3.16 亿美元 ÷ 4 070万美元 = 7.8，也就是说花上 1 美元租用蜜蜂授粉就可产生 7.8 美元的效益。

为了准确计算蜜蜂授粉对各种作物的效益，Willard S. Robinson 建议采用式（14－1）计算。

$$V_{hb} = V_x D_x P，而 D_x = (Y_o - Y_c) / Y_o。 \quad (14-1)$$

式中：

V_x——每年蜜蜂为作物授粉而产生的价值；

P——作物有效昆虫授粉者中蜜蜂所占的比例；

D_x——作物对昆虫授粉者的依赖性；

Y_o——开放授粉区作物的产量或罩网有蜂区作物的产量；

Y_c——无昆虫小区的产量。

三、利用蜜蜂授粉的农作物种类

蜜蜂授粉对所有开花植物的结实都有一定促进作用，即使是非虫媒花植物也如此。例如广东昆虫研究所的报道，水稻是风媒花，又是自花授粉作物，经用笼罩蜜蜂为其授粉后，结实率可提高约4%，千粒重提高3%左右。当然授粉效果最好的还是虫媒花植物。

表 14－2　国内蜜蜂授粉获得显著增产效果的农作物和果树

作物名称	增产效果/%	试验单位
苕　子	700	中国农业科学院蜜蜂研究所
苹　果	220	辽宁省大连市国营第一农场
大　豆	92	黑龙江省拜泉县三道镇
紫云英	62	浙江省鄞县姜山
棉　花	38	中国农业科学院蜜蜂研究所
柳　橙	35	西南农业大学
向日葵	34	中国农业科学院蜜蜂研究所、黑龙江省牡丹江农业科学研究所
荞　麦	25～64	中国农业科学院蜜蜂研究所、黑龙江省牡丹江农业科学研究所
甜水橙	25	西南农业大学
油　菜	19～37	中国农业科学院蜜蜂研究所、浙江农业大学

在我国利用蜜蜂授粉，增产和提高品质效果显著的主要有农作物、经济林木和牧草三大类。农作物包括棉花、油菜、向日葵、芝麻、莲、黄瓜、春砂仁、荞麦、大豆。经济林木以荔枝、柑橘、苹果、梨、枇杷、柿、枣、中华猕猴桃为主。在牧草中，主要是红豆草、小冠花、聚合草、白车轴草、紫苜蓿、紫云英、苕子、沙打旺、草木犀等豆科牧草。

综合国内外研究，利用蜜蜂授粉所获经济效益显著的作物，依次为：

1. 瓜果类　苹果、梨、猕猴桃、柑橘、荔枝、龙眼、李、樱桃、草莓、西瓜、甜瓜、黄瓜、南瓜、西葫芦等。

2. 种用牧草类　苜蓿、三叶草等。

3. 油料作物　向日葵、油菜、油茶、花生、棕榈、大豆（部分品种）等。

4. 种用蔬菜　葱、甘蓝、胡萝卜、芥菜、芜菁等。

5. 大田作物　荞麦、棉花等。

6. 药用、饮料用作物　砂仁、豆蔻、天麻、咖啡等。

现将国内外利用蜜蜂授粉增产效果明显的部分农作物、果树、绿肥、牧草等，分列于表14－2、表14－3。

表14－3　国外蜜蜂授粉获得显著增产效果的农作物和果树

作物名称	增产/%	试验国家	作物名称	增产/%	试验国家
洋　葱	800～1 000	罗马尼亚	黄　瓜	76	美　国
醋　栗	700	美　国	野豌豆	74～229	美　国
巴达杏	600	美　国	红苜蓿	52	匈牙利
紫花苜蓿	300～400	美　国	荞　麦	43～60	前苏联
甜　瓜	200～500	匈牙利、俄罗斯、美国	老年苹果树	43～52	前苏联
阿拉斯加苜蓿	200～400	美　国	青年苹果树	32～40	前苏联
樱　桃	200～400	德国、美国	亚　麻	23	前苏联
梨	200～300	保加利亚	向日葵	20～64	加拿大
苹　果	209	匈牙利	棉　花	18～41	美　国
树　莓	200	瑞　典	野草莓	15～20	英　国
西　瓜	170	美　国	大　豆	14～15	美　国
梨	107	意大利	油　菜	12～15	德　国
葎草属苜蓿	100	捷克、美国	芜　菁	10～15	德　国

第八节　蜜蜂授粉的协作形式与经济报酬

蜜蜂授粉业在国外比较发达，已经出现有专业的授粉蜂场，业务形式主要是出租授粉蜂群，这方面的报酬是其主要的经济来源。我国目前还没有出现专业的授粉蜂场，养蜂者和种植者主要还是以互惠互利的协作形式进行蜜蜂授粉，租蜂授粉的还不常见，养蜂的主要收入来源于蜂产品，而对于绝大部分养蜂者来说，授粉的专项收入几乎为零。

一、蜜蜂授粉的协作形式

蜜蜂授粉在国外很早就已开展，随着现代化农业的发展，许多农业较为发达的国家，蜜蜂授粉已经成为一项专业。因此，为农作物授粉是养蜂业的一项重要任务。许多蜂场都在开展出租蜂群专门为农作物授粉的业务，由此获得的收入远远超过蜂产品的收益，蜜蜂授粉已成为养蜂者最主要的经济来源之一。在这些国家，每年都会有大量的蜂群被租用于农作物的授粉。如美国，在全国400多万群蜜蜂中，农场和果园每年租用约

100 万群蜜蜂，为上百种农作物授粉，仅加利福尼亚州的几十万群蜜蜂，就有一半以上被作物园主租去为作物授粉。目前，日本出租用于授粉的蜂群有 10 多万群，几乎占总蜂群数的一半。

我国开展蜜蜂授粉工作较晚，尚处于起步阶段，推广这项技术还是目前的主要任务。自 20 世纪 70 年代以来，虽也有一些农业和林果业生产单位，为了增加产量，积极主动接引外来蜂群或自办蜂场为农作物、果树、牧草等授粉，但绝大多数农民对蜜蜂授粉的认识水平和重视程度不够。目前，我国利用蜜蜂为农作物授粉主要有下面几种形式。

（一）互惠协作

在多数农牧区，当某种蜜源作物开花之前，农业主管部门和蜂产品经营单位主动向外地蜂场发出入境放蜂的邀请书。蜂场进入授粉区后，邀请单位还会为蜂场提供必要的安置服务；花期结束，为蜂场转地安排运输工具。蜂群在采蜜授粉期间，蜂场也不向当地收取授粉费用。这种相得益彰的共存共荣的经济协作形式，使农业生产单位和农户增加了农业产量，蜂场也收到了蜂产品。这是我国目前主要的蜜蜂授粉经济协作形式。

（二）租蜂授粉

在一些重点水果产区和种子生产基地，因人工授粉费工费时，且效果欠佳，便有偿租用蜂群开展授粉工作，如山东省莱州市郭家店镇小草沟村，为了提高苹果产量，村民委员会特别从外乡租来蜂群，定点授粉半个月。湖北省枝江县种子公司为了提高油菜良种“秦油二号”的种子产量，有偿租用了 50 群蜂，专门为 200 亩种子田授粉。河南职业技术师范学院科学试验蜂场，自 1996 年以来每年 3 月下旬至 4 月中旬，为河南省新乡县郎公庙乡的萝卜留种地和卫辉市上焦村的油桃进行有偿授粉，其授粉价格是 30～50 元/群，授粉蜂群由租用方接送。

（三）自养授粉蜂群

有些农场由于地处偏僻，交通不便，外地蜂群难以进场，或蜂群不足，就自养蜜蜂解决授粉问题。如辽宁省大连华侨果树农场、山东省烟台园艺场等单位就有自己的养蜂场，在本场苹果开花期内不得外出放蜂，必须在本场内定点授粉。湖北省兴山县种畜场也养有部分中蜂，专门为本场的几十亩柑橘授粉。

二、租蜂授粉的经济报酬

租蜂授粉在我国还不普遍，偶尔有租蜂的也不可能付给很高的费用，只是略给一部分补贴而已。如前文提到的 3 个租蜂授粉的例子中，山东省莱州市郭家店镇小草沟村的租蜂酬金是每群蜂 35 元，湖北省枝江县种子公司租用 50 群蜂付给 1 000 元的津贴。

国外租蜂授粉已经是一种很普通的生产措施，而且租蜂所付租金也比较高。对于养蜂者来说，仅授粉所获的酬金就相当可观，因而才可能出现专业的授粉蜂场或授粉公司。这里列举部分国家的租蜂授粉的费用情况：美国作物栽培者支付的授粉费每群蜂为

20 ~ 40 美元；日本出租用于温室草莓授粉的蜂群是带有产卵王的小群，群势 4 ~ 6 框，租用时间大约 3 个月，每群的租赁费用为 1.1 万 ~ 1.5 万日元；在波兰，为果园授粉，一群蜂要放置 2 周，租金相当于 8kg 蜂蜜的价值，给红三叶草授粉相当于 6kg 蜂蜜的价钱，给苜蓿、荞麦授粉则相当于 46kg 蜂蜜的价钱；法国为农作物授粉的蜂群租金为每群 30 法郎；保加利亚 1970 年国家规定，蜜蜂为果园授粉，每群可得5 ~ 10 列瓦报酬，转运支出全部由果园承担；在意大利，果园农场租用蜜蜂授粉，每箱蜂一个花期付给 2 500 ~ 3 000里拉报酬。

上面所列举的租金，只是一个参考。其实，在授粉蜜蜂的租赁关系中，租金的多少主要还是根据作物或果树品种、蜂群的管理要求、蜂群状况尤其是群势大小、租赁期的长短等具体情况，由出租和承租双方商定。一般来说，大田授粉的租金可以适当降低，因为，授粉蜂在授粉的同时一般能够生产到一定量的蜂产品，并且对蜂群自身的发展也有好处，管理也较为简便；保护地的授粉租金则较高，因为，在保护地这样的特定环境条件下，蜜蜂只能用于授粉，很难生产出蜂产品，管理烦琐，而且容易伤蜂，对蜂群的群势影响很大。

三、授粉蜂群租赁合同的签订

既然养蜂者与种植者之间有了这种租赁关系，就要签订一份租赁授粉蜂群的租赁合同，以尽可能减少经济纠纷，一旦发生纠纷，有了合同也便于界定责任。

笔者参考国家发布的 GF—90—0701 财产租赁合同示范文本，拟订了一份授粉蜜蜂租赁合同示范文本格式（表 14 - 4），仅供在签订这类合同时参考。需要说明的是，合同的具体条款必须由双方当事人商定并共同遵守。尤其是比较特别的事项，如有些目标授粉植物开花的特殊习性，授粉蜂群需要分期、分批进入授粉场地以及使用农药的问题，都要协商后明确写入合同中。

表 14－4：授粉蜜蜂租赁合同示范文本格式

授 粉 蜜 蜂 租 赁 合 同

出租方：　　　　　　　　　　　　　　　　合同编号：

　　　　　　　　　　　　　　　　　　　　签订地点：

承租方：　　　　　　　　　　　　　　　　签订时间：　　年　　月　　日

根据《中华人民共和国经济合同法》及有关规定，为明确出租方与承租方的权利和义务关系，经双方协商一致，签订本合同。

第一条　租赁授粉蜜蜂及附件的名称、数量与用途：

第二条　租赁期限：租赁期共　　年零　　月，出租方从　　年　　月　　日　　起将授粉蜜蜂交付承租方使用，至　　年　　月　　日收回。

第三条　租金和租金的交纳期限：根据双方当事人商定，承租方要向出租方每群授粉蜜蜂交付租金　　元，交纳租金的时间为租赁期的最末一日。

第四条　租赁期间授粉蜜蜂的饲养管理及附件的维修保养：授粉蜜蜂出租期间，其饲养管理由出租方（或承租方）负责，其附件的维修保养由承租方（或出租方）负责，一切饲养管理、维修保养费用均由承租方（或出租方）承担。

第五条　出租方与承租方的变更：

1. 在租赁期间，出租方如将出租授粉蜜蜂所有权转移给第三方，不必征求承租方同意，但应告知承租方所有权转移情况。所有权转移后，出租授粉蜜蜂所有权取得方即成为本合同的当然出租方，享有原出租方享有的权利，承担原出租方承担的义务。

2. 承租方如因工作需要，将租用财产转让给第三方承租使用，必须事先征得出租方的同意。

第六条　违约责任：

第七条　争议的解决方式：

第八条　其他约定事项：为确保出租授粉蜜蜂的安全，承租方必须做到租赁期前　　日至规定的租赁期结束，作物不得施用农药，若遇特殊情况必须用药，应事先通知出租方。否则，造成一切损失均由承租方承担。

第九条　本合同在规定的租赁期届满前　　日内，双方如愿意延长租赁期，应重新签订合同。

本合同未尽事宜，一律按《中华人民共和国经济合同法》的有关规定，经合同双方共同协商，作出补充规定，补充规定与本合同具有同等效力。

本合同一式　份，合同双方各执　份；合同副本　份，送　　单位备案。

出租方（盖章）：　　　　　　　　承租方（盖章）：
单位地址：　　　　　　　　　　　单位地址：
法定代表人：　　　　　　　　　　法定代表人：
委托代理人：　　　　　　　　　　委托代理人：
电　话：　　　传　真：　　　　　电　话：　　　传　真：
开户银行：　　账　号：　　　　　开户银行：　　账　号：
邮政编码：　　　　　　　　　　　邮政编码：

　　　　　　　　　　　　有效期限：　年　月　日至　年　月　日

鉴（公）证意见：

　　　　　　　　　　鉴（公）证机关（盖章）

经办人：　　　　　　　　　　　　　年　月　日

（注：除国家另有规定外，鉴（公）证实行自愿原则）

第十五章　蜜蜂与医学

蜂疗保健是利用蜜蜂及其产品供人体医疗保健的方法，亦称蜜蜂疗法，简称蜂疗。康复养蜂场是利用蜂群保健和进行工娱疗法的重要场所。人类利用蜜蜂螫器官为针具，循经络皮部和穴位施行不同手法的针刺以防治疾病的方法，称为蜂针疗法，简称蜂针。蜜蜂采收的蜂产品（蜂蜜、蜂花粉、蜂粮、蜂胶）、分泌的蜂产品（王浆、蜂毒、蜂蜡、蜂巢）以及蜜蜂幼虫和成虫均可入药，用于人体医疗保健。蜂疗保健属于自然医学的范畴，蜜蜂与医学关系密切，蜂为医用是养蜂业重要方向之一。

第一节　蜂产品在蜂群中和人们日常生活中的用途

一、蜂产品在蜂群中的作用

（一）蜂蜜和花蜜为蜂群提供能量

蜂蜜是一种高能量碳水化合物，为蜜蜂提供生命活动所需的能量。蜂蜜中含有100余种物质，主要成分是糖类，占总成分的75%～83%。蜂蜜中含有17%～22%的水分，以及含量和配比适当的多种氨基酸、维生素、矿物质、酶、芳香物、色素、激素和有机酸等。给工蜂饲喂蜂蜜或7种不同的单一糖类的糖浆，结果是，吃蜂蜜的工蜂寿命最长（13.7d），吃纯葡萄糖浆的工蜂寿命最短（6.4d）。表明除了糖类以外，蜂蜜中的其他营养素对于蜜蜂也是非常重要的。

蜜蜂飞行时，利用血液中的葡萄糖和海藻糖分解提供能量，而几乎不能利用身体中的蛋白质和脂肪作为能量来源。工蜂血糖浓度平均为2%。飞行中的工蜂每小时平均需要10mg的糖，雄蜂为工蜂的3倍。雄蜂飞行时比静止状态的耗糖量多10倍。蜜蜂调节蜂巢温度所需的能量也依靠消耗糖，气温在11℃时，一只蜜蜂每小时需要糖约11mg；37℃时，只需0.7mg。糖还能促进蜜蜂脂肪体的形成，从而促进蜂蜡的分泌。蜜蜂产生1g蜂蜡，约需消耗4.7g糖。一群蜂所需要的蜂蜜数量因蜂群强弱、哺育幼虫的数量以及所采花蜜的种类而异。据估计，一群蜂1年需糖69kg。其中夏季43kg，冬季20kg，泌蜡约需6kg。在北方越冬期长的地区，从秋季停止饲喂幼虫到春季开始采集期间，大约需消耗25kg糖。总之，蜂蜜是蜂群的主要饲料，蜂群缺蜜就不能正常发展甚至难以生存。

花蜜是蜜蜂天然食料中碳水化合物的主要来源，各种花蜜含糖量不同，大部分含25%～40%。一个普通大小的蜂群1年可利用花蜜150～200kg。

（二）花粉和蜂粮为蜂群繁衍所必需

花粉是蜜蜂所需蛋白质的主要来源。蜜蜂采集的花粉中含8%～40%的蛋白质、3%的糖类、20%的脂肪以及各种维生素、矿物质、酶和辅酶类、色素类和甾醇类。不同植物的花粉，其蛋白质的含量不同，平均为20%。蛋白质含量高的花粉，对蜜蜂的营养价值也高。哺育一只蜜蜂，从卵孵化到羽化成虫，约需20mg蛋白质，约相当于120mg花粉。育虫期，一只哺育蜂每天产4mg蛋白质，约需消化10mg花粉。一个4万～5万只蜂的意蜂群1年需消耗30～50kg的花粉。蛋白质是蜜蜂身体组织主要的组成物质，约占刚羽化蜜蜂鲜重的13%，占5日龄蜜蜂鲜重的15.5%，蜜蜂幼虫的正常发育需要蛋白质。羽化后前8d的幼蜂还必须继续消耗蛋白质，其舌腺、脂肪体和其他器官才得以完全发育，否则，其分泌的蜂王浆就无法维持幼虫的正常发育和蜂王的正常产卵。蛋白质可以从蜂体的一部分转移到另一部分。进入育虫期的哺育蜂，其舌腺迅速发育形成，当不再使用这些腺体时，蛋白质就转移到飞翔肌和蜡腺上。蜂群采集花粉主要用来调制蜂粮，养育幼虫。蜜蜂出房后2h即开始食用花粉，随着个体生长，舌腺、脂肪体和其他器官开始发育；5日龄蜜蜂食用花粉量最大，8～10日龄逐渐减少，但一直要用至15～18日龄为止。在夏季育虫期，耗用花粉量最大的是8日龄哺育蜂。雄蜂不食用花粉，而被喂以蜜和花粉的混合饲料。飞翔的蜜蜂比刚羽化的蜜蜂需要更多的花粉。粉源不足，会造成蜂王产卵减少和幼虫发育不良，严重影响蜜蜂群势的发展，此外，还会引起蜜蜂早衰及分泌王浆和蜂蜡的能力下降。花粉中的氨基酸能延长蜜蜂的寿命。

（三）蜂胶在蜂群中的妙用

蜂胶用于填补被蜜蜂占有空间的缝隙洞孔。随气候冷暖用蜂胶调节巢门通道大小，在寒冷季节用蜂胶缩小巢门，其出入口的大小正好能容一只蜜蜂通过。

细心的养蜂家观察到，每脾蜂的通道均涂有蜂胶，每只蜜蜂经过巢门或每一个通道时一定会用身体摩擦一下蜂胶，蜜蜂通过该处即可为自身消毒。如进入蜂巢的敌害虽已被螫死，但因过大或过重（如老鼠或蜥蜴）不能拖出蜂巢时，蜜蜂就用蜂胶和蜂蜡将这尸体密封隔离，防止其腐败。

利用蜂胶加固垂直巢脾与巢框上梁的连接。留心观察可以见到，蜜蜂咬掉巢脾与巢框上梁连接处，换上蜂胶与蜂蜡的混合物或者在连接处的蜂蜡表面加上蜂胶，因此，还应当把蜂胶看做用于粘连蜂巢内所有大小活动部分和蜂箱不牢固部分的黏合剂。

新巢脾和蜂王产卵前的幼虫巢房用蜂胶涂薄膜，俗称“上光”。留心观察可以看到，一只蜜蜂把一小点液汁吐在巢孔边上，另一只蜜蜂爬过来，带着这种光亮的涂料爬进一个为产卵准备的巢房。大约1min就把这个巢房涂抹一新，底壁光亮仿佛被涂上一层光漆似的。用蜂胶“上光”巢房，既具有清洁防腐效用，又能防止巢房内水分散逸。为了防止幼虫发育过程中所必需的水分不致在某些气候情况下从幼蜂窝内外逸，用蜂胶使幼虫巢房加上一层不透气的衬里是必要的。蜂胶上光后的巢房也为贮存蜂蜜和蜂粮创造了适宜环境。蜂胶能抑制花粉萌发，使蜂粮得以长期保存。

蜜蜂群居的蜂箱或树穴里面非常清洁，人们不会从中发现长毛发霉或腐烂发臭的东西。你也许认为，在这个阴暗而有限的空间里，数以万计的蜜蜂进出频繁而又拥挤，其温度、湿度又适宜微生物生长。事实恰恰相反，蜂群内始终保持着清洁卫生状态。科学工作者对此曾做过多方面的研究探讨，获知蜂胶是蜂箱中惟一能抑制霉菌生长的物质，蜂胶还能抑制多种细菌、某些病毒和原虫的生长，具有广谱的抗微生物效用。

俄罗斯敖德萨农业科学研究所曾报道，在无林地带的某农庄养蜂，很长时期未能避免幼虫病的发生，采用常规防治措施无明显效果，考虑到蜂箱内蜂胶奇缺的状态，决定在该农庄附近栽植杨树，杨树苗为蜂群提供了蜂胶来源，蜂箱内很快充实了蜂胶，幼虫病也随着根治。占蜂胶5% ~7%的挥发油成分，抗微生物活性很强，对形成蜂群内抗病虫害“微气候”起决定作用。

树木新芽在生物进化过程中含有许多抗微生物抗虫害的物质。例如，乙酰氧－α－桦木烯醇和α－桦木烯醇是桦树新芽和此型蜂胶的重要组分，对多种害虫幼虫有驱除效用。苯甲酸及其同类化合物具有抗菌作用。桦树新芽中所含水杨酸甲酯对壁虱病的病原武氏恙螨有效。

白杨幼芽和此型蜂胶所含桂皮酸和松柏醇衍生物（松柏醇苯酸酯、对香豆醇香草酸酯和苯甲醇阿魏酸酯）是值得重视的抗蜂螨有效成分。通用的杀螨剂萘已被确证是蜂胶的组分，不论桦树或杨树新芽中的均含萘。桦属（*Butulalenta*）新芽含萘量最高。莫斯科种蜂场做过驱螨实验：用蜂箱上沾满蜂胶的麻片，剪成小块，放进燃烧木炭的喷烟器中，在冬季用蜂胶烟驱灭蜂螨，对蜜蜂无害。

（四）蜂王浆对蜂群作用奇特

养蜂家通过对蜜蜂王国的观察发现了蜂王浆的奇特作用：同样是蜂王产的受精卵，一个是在整个幼虫期都喂王浆，在比一般巢房大的王台里，只需要16d就发育成性器官完全的蜂王；而另一个是在幼虫期的前3d喂王浆（以前认为，3日龄以内的工蜂幼虫和蜂王幼虫的食物都一样，现代科学研究证明，工蜂幼虫的食料——工蜂浆同蜂王幼虫的食料——蜂王浆在质量上有较大的差异。工蜂浆中维生素、生物嘌呤、糖和王浆酸的含量比蜂王浆中低，而蛋白质的含量则高于蜂王浆），以后喂蜂蜜和花粉，21d才发育成性器官不完全的工蜂。

蜂王始终被喂给蜂王浆，体形比工蜂大1倍，一般可活3~6年，而工蜂通常仅能活30~60d，就是在不参加采集活动的越冬期，也只能活五六个月，二者之间相差十几倍到几十倍。在蜂群繁殖盛期，蜂王与雄蜂交尾后两三天就能大量产卵，1昼夜可以产卵1 500~2 000粒，平均每分钟产1粒卵，每粒卵的平均重量为280~300μg，这些卵加在一起的重量，相当于甚至超过蜂王本身的重量，这在生物界是绝无仅有的。如果蜂王吃不到蜂王浆，卵巢就会萎缩，停止产卵。

蜂王浆对蜜蜂体质的强壮、增强繁殖力和延长寿命，都有奇特的作用。蜂王浆的这种作用，引起人们的极大兴趣和关注，并从中得到启示，被利用来做健身延年的食品。

二、蜂产品在人们日常生活中的用途

（一）蜂蜜的日常应用

蜂蜜是一种营养食品，其中所含大量葡萄糖和果糖无须消化可直接被人体吸收，对老人、儿童、产妇及病后体弱者尤为适宜，是运动员、登山者、潜水员、素食者等补充能量和增强体力的饮料。蜂蜜作为一种天然致甜剂在食品工业中广泛应用。蜂蜜不仅有很高的营养价值而且气味芳香，烤鸭烤肉等表面涂上蜂蜜，色泽黄嫩，能刺激人们的食欲；在家庭烹饪中应用亦较广，做红烧肉时人们总是把蜂蜜涂在肉上，用蜂蜜制作拔丝丸也颇有风味；烹饪食谱中有蜜汁甲鱼、蜜汁火腿、蜜汁排骨等名菜。

1. 蜂蜜用于食品工业　以蜜代糖可使糕点食品色泽鲜润，气味清香，甜而不腻，不易风干，贮存期延长。因此，蜂蜜在名特产品中广泛应用，北京茯苓饼、河北的蜂蜜麻糖、山西运城的糖豆角、闻喜煮饼、云南昆明的硬壳云腿月饼等产品都是以蜂蜜为辅料。杭州食品厂用蜂蜜改善面包的品质，解决了面包“硬化”的难题，在配方上用蜂蜜代替了白糖，成品面包存放 3 ~ 5d 后仍然松软有弹性，1 周后竟然很少掉屑。蜂蜜吸湿性强，所以，用它做包裹食品外衣是相当理想的。北京食品研究所用蜂蜜做外衣研制的蜂蜜花生米，美国生产的蜂蜜坚果等也颇受人们的欢迎。

蜂蜜中单糖类物质容易被酵母菌利用，因而蜂蜜在发酵饮料上发展很快。目前，发酵生产的有蜂蜜酒、蜂蜜汽酒、蜂蜜醋、蜂蜜酸奶等多种产品。

用蜂蜜作为发酵果汁的澄清剂，用量达到 0.5% 时，就能提高澄清效率，最适宜的浓度是2% ~4% 。充分搅拌后，悬浮在果汁中的颗粒物凝集沉淀，用过滤技术分离除去，即可得到清澈透明的果汁。蜂蜜与酶结合使用时，其澄清效率比单用酶法高10 ~ 20倍。

2. 蜂蜜用于美容护肤护发　蜂蜜中含有许多营养物质，对皮肤有一定的滋养效果，因而广泛应用于化妆品中。例如：

（1）甘油蜂蜜面膜：取 1 份蜂蜜，0.5 份甘油，3 份水，加适量淀粉调和制成敷面膏，敷在脸上约 20min 后，用清水洗净。经常使用此法，可使皮肤滑嫩细腻。

（2）葡萄汁蜂蜜面膜：将 1 匙葡萄汁放入容器中，再加入 1 匙蜂蜜，边搅拌边加入淀粉调匀后敷面，10min 后用清水洗去。油性皮肤者，使用此法能使皮肤光洁柔嫩。

（3）蜂蜜面膜：将蜂蜜加2 ~ 3 倍水稀释后，每日涂敷面部，可使皮肤光洁细嫩，减少皱纹。也可用麦片、蛋白粉加蜂蜜制成面膏涂面，使用时轻轻按摩面部 10min，将蜂蜜的营养成分渗透到皮肤细胞中去，此法效果更佳。

（4）蛋黄蜜面膜：将蛋黄加入蜂蜜和面粉中调制成浓浆，均匀地涂敷面部，约 20min 后用清水洗净，可预防秋冬季皮肤干燥和皱纹发生。

（5）蜂蜜苦瓜汁面膏：将苦瓜捣烂绞汁，加入适量鸡蛋清和蜂蜜，搅拌均匀后涂颜面，可使肌肤洁白、细嫩，富有弹性。此法适用于痤疮患者。

（6）蜂蜜牛奶洗发剂：将 1 匙蜂蜜放入一小杯牛奶中，混合均匀，洗完头发后用此混合液摩擦头发，过 15min 后再冲洗头发，可使头发变得更加光亮。

3. 农家用蜂蜜 每年春季给骡马灌服蜂蜜，能下火祛病，增强家畜的抵抗力。

有人每天给一只鸡的饲料中添加1g蜂蜜，3d后鸡群的产蛋率可从60%提高到70%～75%；用1kg蜂蜜喂1 000只鸡，每天可多收100个鸡蛋。

云南省农业科学院蜜蜂研究所田学军等用5%首乌蜜饲喂3龄以上家蚕幼虫，结果提高了家蚕幼虫的茧质，每千克茧粒数、全茧量、茧层量、茧层率均高于对照组。

（二）蜂花粉的日常应用

花粉是由植物的精细胞和营养细胞所构成，是植物生命之源，它不仅携带着生命的遗传信息，而且包含孕育新生命所需的各种营养物质，因而被人们称为完全营养源。近20年来，常年每日食用蜂花粉5～15g作为营养补剂的人群日趋增多。

1. 蜂花粉用于食品业 我国的蜂花粉食品应市品种繁多，如花粉蛋糕、花粉健美酥、内补灵、保灵果、保灵蜜、花粉口服液、巧克力花粉豆糕、花粉巧克力和花粉耐力饮料等。蜂花粉发酵后，可以提高其营养成分的利用率，同时起到脱敏的作用。因此，食用经发酵处理后的蜂花粉比未经处理的更为有益，如花粉酒、花粉汽酒、花粉汽水、花粉冲剂、花粉露等被推荐为健身饮料。

2. 蜂花粉用于美容 蜂花粉被誉为“可以吃的美容剂”，使皮肤滋润有光泽。生产厂家将蜂花粉经过破壁提取，添加辅料，制成雪花膏、面奶和香粉等美容化妆品，用于面部涂搽，不仅能使皮肤健美细嫩，并且对皮肤病有一定的治疗作用。这是因为，经过提取的蜂花粉有效成分可被皮肤直接吸收，它能改善皮肤营养状态，促进皮肤的新陈代谢，防止皮肤干燥脱屑，增加皮肤的弹性，从而有利于消除皱纹和皲裂。跟踪观察证明：中、老年女性使用蜂花粉雪花膏6个月，可使皮肤皱纹消退65%，痣、老年斑消退50%，粉刺、雀斑消退75%，表皮黑色消退50%，其效果远远优于一般化妆品。

3. 农家用蜂花粉作养殖业饲料添加剂 用蜂花粉补充饲喂笼养的毛皮兽——犬科动物的貉，能促进生长，提高毛皮质量；用于畜禽饲养，能提高家禽的产蛋量和种蛋的受精率，提高断奶牛犊血液中的血红蛋白含量和预防某些疾病。

同济大学王开发等用花粉作添加剂饲喂黑白花母牛犊，2月龄前在哺乳时加入添加剂20～30g，3～4月龄加入50g，混入饲料中，试验组比对照组每头实际增重4.8kg，每天平均增重31.8g，到12月龄每头多增重14.18kg，日增重77.9g。浙江省江山市姜水法用油菜花粉作添加剂，饲喂瘦肉型猪，添加2%的经济效益最好，经过60d的试验，每头平均增重9kg。

王开发将花粉作为种用公猪的饲料添加剂，使公猪的精子密度和精子成活率均有显著提高，受胎率提高40%，说明花粉能提高公猪生殖力。王开发等人用复方蜂花粉饲料添加剂饲养鸵鸟，不仅产蛋量增加，而且孵化率和育成率均有显著提高，育成率比对照组提高1倍以上。

北京大学金声等用蜂花粉提取物饲喂对虾，不仅使对虾提高了抗缺氧能力，而且病害明显减少，400hm^{2}养殖池平均增产达30%左右。

福建唐文炎等试验证实：在肉鸡的饲料中添加蜂花粉，可以增加肉鸡的食欲，降低饲料消耗，大大提高饲料的利用率。试验组实增重1.59kg，对照组仅为1.21kg，试验组比对照组每只多0.38kg。添加蜂花粉的试验组每增重0.5kg仅需消耗饲料1.55kg，而对照组却需消耗2.16kg。

（三）蜂胶在日常生活中的应用

如本节第三段所述，蜂胶在蜂群生息繁衍中具有奇妙的保护作用，蜂胶亦被人们用作天然药材和保健食品。近20年来，国家卫生部批准的多种蜂胶药剂和保健食品，得到了广大用户青睐。蜂胶制品被应用到众多方面，成为蜂产品中的佼佼者。

1. 蜂胶用于日用化工 国内外已有很多的蜂胶日用化工品应市，如发膏、护肤膏、洗发剂、生发水、肥皂、痤疮液、牙膏、漱口水、润喉糖、脱毛剂等。用蜂胶制作的化妆品，既有利于保护皮肤，又能够防治某些皮肤病，促进表皮更新，使皮肤柔润。用蜂胶制作的润喉糖、漱口水，香味适口，去口臭，能防治口腔、咽喉炎症和口腔溃疡，刺激唾液分泌，改善口腔卫生条件。

2. 蜂胶用于食品果蔬保鲜 由于蜂胶具有抗菌、抗霉菌、抗氧化作用和成膜性，将蜂胶用于禽蛋保鲜，贮存108d，蛋黄轮廓明显，未见变质，而对照组仅贮存60d，蛋白呈水样，变黑发臭；用于柑橘，贮存130d，烂果率仅为7.3%，比对照组少9.5%，水分消耗及皮色鲜艳度都比对照组好；用于蔬菜，枯黄现象出现比对照组推迟10d以上，这是因为使用蜂胶防腐剂后，使表皮形成一层保护膜，既抑制细菌的侵入，又降低新陈代谢，减少水分蒸发，起到保鲜作用。

蜂胶还可作为无毒的食品添加剂用于酱油防霉。水产品加工使用蜂胶作防腐剂，可使鱼虾贮存期延长2～3倍。蜂胶有抗氧化特性，在保存猪油的实验中证实，0.1%或0.2%蜂胶乙醇浸膏的作用与强抗氧化剂相同。新鲜蜂花粉中加入0.2%的蜂胶乙醇浸液，密封贮存1年，其新鲜程度与才脱下的蜂花粉相似。

宋心仿等以蜂胶为主料制成保鲜剂用于果蔬保鲜，采用喷洒或浸渍方法处理被保鲜物，结果是：苹果减少烂果率7.94%和6.06%，失重率降低13.88%和11.00%；西红柿减少烂果率62.09%和59.68%，失重率降低51.55%和50.33%；菜椒减少烂果率12.07%和6.27%，失重率降低25.95%和12.22%。

吉林农业大学中药材学院赵英用0.07%和0.12%的蜂胶保鲜剂对人参进行处理，贮存期可达1年以上，破损率为2%～4%，保质率为96%～98%。其皂甙含量为4.97%～5.00%，较刚出土鲜人参下降0.6%～0.65%，氨基酸总量下降0.25%～0.49%，差异不显著。

3. 农家用蜂胶 蜂胶可作为木本植物嫁接的接木蜡，且成活率高、新枝芽萌发快。用蜂胶作保鲜剂，可提高植物种子和马铃薯块根的库存时间。

湖北省汉阳农业科学研究所曾龙华以蜂胶为原料研制成植物调节剂，使水稻发芽率提高3.9%～11.7%，发芽快，长势壮，使早稻每亩有效穗，比对照组增加7.2万～8.8万穗，每穗粒数比对照组增加3.13～9.16粒，并且对下季再生稻有明显促进再生作用，使晚稻（比对照组）增产14.3%。

前捷克斯洛伐克鲍亮斯基等报道，用10%的蜂胶乙醇浸液，防治黄瓜花叶病病毒、烟草斑点病病毒和烟草坏死病病毒对黄瓜叶和四季豆叶的感染，感染前5min预防可使病损叶减少62%～85%；蜂胶液与病毒掺和涂用时，病损叶面积减少36%～62%；病毒感染后再用蜂胶治疗，比不用蜂胶治疗的对照组受损叶面积减少20%～55%。幼叶涂用蜂胶后感染病毒的植株比对照组植株根部病毒浓度降低92%，这说明，涂用蜂胶除有局部效应外，还能明显地抑制病毒在植物各部的滋生。亿分之一的蜂胶溶液能使烟草坏死病等有害病毒损害降低20%～50%。蜂胶在低浓度下显示的高强度活性，对植物保护及病毒病防治具有实用价值。

王国栋报道，用蜂胶50g加酒精250g浸泡、溶解，用时再对水10g，治疗果树腐烂病。涂抹时先把腐烂病斑刮干净，每天刷1遍，连刷3d。治愈率达100%，且不复发。

（四）蜂子的日常应用

蜂子泛指蜜蜂的幼虫和蛹，亦可将蜜蜂成虫列入。当代昆虫已作为重要的食品资源开发利用，蜂子自古就是珍贵的食物并被用于医疗保健。除蜂王胎片、王胎酒、蜂蛹罐头等制品外，养蜂人自制的蜂王幼虫酒和鲜虫菜肴应用也很普遍。作为生产王浆的副产品，蜂王幼虫虫龄受到限制。专门组织生产的雄蜂虫蛹可按使用要求选定规格。

1. 雄蜂虫蛹菜肴　烹饪用的雄蜂虫蛹要求无蜂螨寄生。虫蛹做菜之前都要用沸水氽一下，目的有二：一使蛋白质凝固，虫体固定成型；二是焯掉虫体表皮的脱皮激素，使老蛹食用时无麻口感和胃病患者食后无不适感。可参照以下配方与工艺，制作几款美味佳肴。

（1）酒香嫩虫：

原料：未封盖的雄蜂大幼虫750g（完整）。料酒、精盐、白糖、味精、胡椒粉、香油、葱、姜等各适量。

制作：锅内加入适量清水烧沸，加葱段、姜片煮片刻，捞出葱、姜，先取出1/3沸水置容器内；再取1/3的沸水置于另一容器内，加料酒、精盐、白糖、胡椒粉调好口味。将大幼虫倒入沸水锅内煮至虫体发白（2～3min），捞出后，放到未加调料的沸水中氽一下再捞出，放入加好调料的汤汁内。食前捞出装盘，淋上香油，撒上葱花。

特点：鲜嫩糯软，似牡蛎味，有诱人的酒香。

（2）清炒蛋虫：

原料：未封盖的雄蜂大幼虫250g，鸡蛋3个。盐、料酒、味精、葱花等各适量。

制作：将鸡蛋磕在碗里，加入盐、料酒、味精少许，用筷子打匀。将幼虫置沸水中氽一下至虫体变硬，锅内加少许油，加热至冒烟后倒进蛋和氽过的虫体，炒至蛋熟，撒上葱花，铲出装盘。

特点：咸香鲜嫩，葱酒味浓郁。

（3）清蒸虫羹：

原料：雄蜂大幼虫250g，鸡蛋2个。盐、味精、料酒、酱油、香油、凉开水等各适量。

制作：将蛋液与经过沸水氽过的雄蜂大幼虫以及盐、味精、料酒、凉开水置于碗中，搅拌均匀，再置于蒸锅中，用旺火蒸5min，出锅后淋上香油、酱油即可食用。

特点：鲜嫩爽滑，味清淡适口，营养丰富，易消化，老幼皆宜。

(4) 蛋虫甜羹：

原料：甜酒300g，鹌鹑蛋10个，雄蜂大幼虫150g，白糖250g，糖桂花20g。

制作：将雄蜂幼虫用沸水汆一下，捞出沥干水；铝锅置火上，加适量清水烧开，取一小汤勺，将鹌鹑蛋一个个地磕在勺内，入沸水中煮熟成小荷包蛋捞出。原锅内放入甜酒、雄蜂幼虫、白糖、糖桂花，煮沸后再倒入荷包蛋即成。

特点：醇香味甜，有浓郁桂花味，食后回味无穷。

(5) 煎蛹：

原料：雄蜂蛹250g，精面粉、精盐、植物油适量。

制作：把鲜雄蜂蛹置于10%盐水中煮3～5min，捞出沥一下水（或盐渍雄蜂蛹在水中汆一下），然后放适量面粉沾附其表，用油炒至微现黄色即起锅装盘。

此外，还可把蜜蜂蛹、虫粉碎，与酒混合后保存、食用。

2. 农家应用雄蜂虫蛹　雄蜂虫蛹用于昆虫的饲养，可作为瓢虫和大草蛉等食肉昆虫的饲料。日本冈田一次教授将雄蜂蛹冻干粉用于13种瓢虫继代饲养，用雄蜂蛹粉饲养的瓢虫幼虫和成虫都取得理想的效果。我国河南、浙江等地也用雄蜂蛹饲养异色瓢虫和大草蛉，为有益昆虫提供了优质高蛋白饲料。

江西农业大学曾志将用雄蜂幼虫作为罗斯鸡饲料添加剂，每500g鸡饲料添加6.7g鲜雄蜂幼虫，饲喂50周龄的罗斯鸡。实验组周产蛋率比对照组高14.1%，差异显著；试验组的单个蛋重比对照组高1.7g，差异不显著。

第二节　古代蜂疗与保健

人类利用蜂蜜及其采集物、分泌物、养蜂及蜂场多种自然因子防治疾病的历史非常悠久。蜜蜂在地球上出现已有8 000万年的历史，在2 000多万年前，孤居的蜜蜂进化为群居社会性蜜蜂。山东省临朐县山旺发现的蜜蜂化石，确证2 500万年前，中国古陆东部已存在蜜蜂。

中国云南元谋猿人有170万年的历史，北京猿人距今约有50万年。猿人受野猪、黑熊等掠食蜜脾的启迪，也从岩缝、树洞中寻取蜂巢。对于已有足量蜜、粉贮备保持相当量的幼虫和蜂蛹脾的蜂群，必然成为原始人猎取食物的对象，原始人猎取蜂脾时难免要被蜂螫。他们取食蜂蜜、蜂幼虫和蜂蛹，接受蜂螫，就已不自觉地接受蜂疗保健了。

距今3 300年前后商代遗存的占卜用甲骨文，是现存中国最古的文字。近代医史学家宋大任先生在甲骨文中找见“蜜”字。古诗篇《诗经·周颂·小毖》中有“莫予荓蜂，自求辛螫”的警句，劝告人们不要惹蜂遭螫。

一、公元前3世纪至公元265年（战国至三国）

《礼记·内则》载：“子事父母枣栗饴蜜以甘之”；“爵鷃蜩范（注：范蜂、蜩蝉皆人君燕食所加庶馐也）”。说明早在2 300年前，甜美的蜂蜜就已用于孝敬老人和长者，营养价值高的蜂、蝉幼虫则是帝王贵族的珍贵食物。

《楚辞·招魂》有“粔敉蜜饵有张餭，瑶浆蜜勺实羽觞”，说明蜂蜜与米粉煎制的点心和饮用蜂蜜酒（蜜勺）在中国约有2 300年历史。

中国现存的治病古方书《五十二病方》，是出土于湖南省长沙马王堆三号汉墓中的公元前3世纪末的手写帛书，其中有2处用蜂子、1处用蜂蜜治病的配方。书中有以下记述：“一夕毋食，旦取丰（蜂）卵，渍美醯一栝（杯），以饮之。”全句意思是说，把蜂子（“卵”）浸在醋中饮用，可以治病。

成书于2 000年前的《神农本草经》收载的365味药材中，蜂蜜、蜂蜡和蜂子均属上品药，兼有治病和保健功效：蜂蜜“味甘、平，主心腹邪气、诸惊痫痉、安五脏诸不足，益气补中、止痛解毒，除众病、和百药，久服强志轻身、不饥不老。”蜂蜡“味甘、微温，主下痢脓血，补中，续绝伤金创，益气，不饥不老。”蜂子“味甘、平，主风头、除蛊毒、补虚羸伤中，久服令人光泽、好颜色不老。”

东汉光武帝刘秀在公元25年即帝位前是一个没落的王孙，曾做过买蜜制药的生意。《后汉书·朱祐传》载：“上在长安时尝与朱祐共买蜜合药，上追念之，赐祐白蜜一石，问何如在长安时共买蜜乎？”显赫一时的光武帝只能送给老朋友白蜜一石（约合现在一斗余），说明当时蜂蜜比较贵重，在古代药剂中占重要位置。

1972年，在甘肃武威旱滩汉墓出土了92枚木质医药简牍，题为《治百病方》，这批东汉早期墓葬品，是1 900多年前（公元25~88年）的遗物。武威医简记载了36种医方，简牍中多种丸剂用白蜜作冶合剂，蜜丸迄今仍然是最常用的丸剂。

武威医简中重复出现治咳喘蜜丸方：“治久咳上气喉中如百虫鸣状，三十岁以上方：柴胡、桔梗、蜀椒各二份，桂、乌喙、姜各一份，凡六物，冶合和丸以白蜜，如樱桃，昼夜含三丸，消咽其汁，甚良。”

武威医简中汤剂亦用蜂蜜配方，治久咳逆上清方：“芎䓖、大枣、门冬一升，款冬一升，橐吾一升，石膏一升，姜一升，桂一尺，蜜半斤，枣二十枚，半夏十枚，凡十物皆㕮咀，泊水六升，炊合六升，浚去滓，温饮一小杯，日三饮。”

张仲景（150~219）著《伤寒论》中的“蜜煎导方”是治疗虚弱病人便秘的蜂蜜栓剂：“治阳明病，自汗出，若发汗，小便自利者，此为津液内竭，虽鞭不可攻之，当须自欲大便：食蜜七合，于铜器内，微火煎，当须凝如饴状搅之勿令焦著，欲可丸，并手捻作挺，令头锐，大如指，长二寸许，当热时急作，冷则鞕。以纳谷道中，以手急抱，欲大便时乃去之。”

张仲景著《金匮要略》中有治蛔虫腹痛的甘草粉蜜汤和用蜂蜡组方治痢疾的“调气饮”。《金匮要略》是治杂病的方书，全书262方中有丸剂20余方，其中4/5是蜜丸，此后近1 800年间，各个时期丸剂中的蜜丸，大体上保持这个比例。张仲景还记述了蜜制乌头以解毒的方法。

蜂蜜用作清凉饮料见《三国志·魏志·袁术传》：“时盛暑，欲得蜜浆，又无蜜，坐棂床上，叹息良久……乃大咤曰：‘袁术至于此乎！’因顿伏床下，呕血斗余而死。”当时也用蜂蜜浸渍果品做蜜饯，《三国志·吴志·孙亮传》：“使黄门至中藏取蜜渍梅”。

二、公元265~960年（晋至五代）

晋代炼丹化学家兼医药学家葛洪（约281~341）传世《抱朴子》和《肘后备急方》有众多发明和创见，其蜂蜜、蜂蜡外用方："五色丹毒蜜和甘姜末傅之"，"目生珠管以蜜涂目中，仰卧半日乃可洗之，生蜜佳"，"汤火灼已成疮，白蜜涂之，以竹中白膜贴上，日三度"，"治犬咬人重发，疗之火炙蜡，灌入疮中"，"治狐尿刺人肿痛，用热蜡着疮中，又烟熏之令汗出，即便愈。"

在1 700年前，已将蜂蜜用于道家养生保健、民间护肤美容等方面。晋代左思（约250~350）"蜀都赋"中有"丹砂赩炽出其坂，蜜房郁毓被其阜，山图采而得道，赤斧服而不朽"诗句；郭璞（276~324）"蜜赋"中描写蜂蜜"散似甘露，凝如割肪，冰鲜玉润，髓滑兰香，穷味之美，极甜之长，百果须之以谐和，灵娥御之以艳颜"；他在"蜜蜂赋"中又说蜂蜜"百药须之以和谐，扁鹊得之而术良。"对蜂蜜的性状及其在美容和医药中的应用诸方面叙述精良。葛洪《神仙传》载："飞黄子服中岳石蜜及紫梁得仙"。

著名医学家陶弘景（452~536）著有《神农本草经集注》，将蜂蜜区分为高山岩石间采集的石蜜、树木蜂巢所作木蜜、土中蜂巢所作土蜜以及人家养蜂所产白蜜，对蜂蜜、蜂蜡和蜂子药用多有发挥，指出"蜂子酒渍敷面令人悦白"。陶氏学识渊博，素有养生之志，齐高帝时曾任诸王侍读，492年他上表辞官隐居，武帝诏许赐以束帛并令所在地方每月供给白蜜1kg、茯苓2.5kg。陶氏擅长用蜂产品保健和导引之法，年逾80而壮容。贾思勰著《齐民要术》（约540年）曾介绍多种蜂蜜食品：蜜姜、蜜梨、蜜瓜、蜜饼、蜜煎鱼和蜜苦酒等，当时已有官方开办的蜂蜜食品加工厂"蜜煎局"。

名医姚僧垣（499~583）著《集验方》载："治雀目，黄蜡不拘多少，熔汁取出，入蛤粉相和，所得成球每用刀子切下二钱，以猪肝二两擗开，掺药在内，麻绳扎定，水一碗，同入铫子内煮熟取出，乘热熏眼，至温并肝食之，日二。"雀目即夜盲，现代医学证实夜盲因机体缺少维生素A所致，而猪肝和蜂蜡皆含有丰富的维生素A，每100g蜂蜡含维生素A 4 096单位。

百岁名医甄权（541~643）《药性论》载蜂蜜"常服面如花红"，"神仙方中甚贵此物"，"治口疮浸大青叶含之"，"治卒心痛及赤白痢，水作蜜浆顿服一碗止，又生姜汁、蜜各一合水顿服之"。《药性论》治"痈肿不消，蜂房为末醋调涂之，乾便易之"。

著名医药学家孙思邈（581~682）所著《千金要方》中治咳嗽方："白蜜一斤，生姜二斤（取汁）。上二味，先称铜铫，知斤两讫，纳蜜复称知数，次纳姜汁，以微火煎令姜汁尽，惟有蜜斤两在，止。旦服如枣大，含一丸，日三服"。另有治咳喘方，上二味加杏仁、猪膏和糖为丸。

隋唐时代开始用蜂蜜酿酒，孙思邈记述了蜜酒不用曲的自然发酵法，还利用蜜酒健身和治病。

孟诜《食疗本草》蜂蜜条载"凡觉热、四肢不和，即服蜜浆一碗，甚良"；"能止肠澼、除口疮、明耳目，久服不饥"；"点目中热膜，家养白蜜为上，木蜜次之，岩蜜更次之"；"治癞甚效（用蜜、生姜配方，制法与《千金要方》治咳嗽类同）"。敦煌石室保存下来的《食疗本草》残卷，尚存食物26种，其中包括“石蜜”，该残卷藏于伦敦大英博物馆。

唐代鉴真和尚于公元753年东渡日本，他带去一批中药被珍藏在京都奈良东大寺正仓院，其中包括蜂蜡。《正仓院志》刊印这批蜂蜡的图片，记载着每块蜂蜡的斤两尺寸。如此保存完好的约1 250年的中国蜂蜡，堪称奇迹。

葛洪、孙思邈先后倡用热蜂蜡外治的方法。841年刘禹锡著《传信方》详述了蜂蜡疗法：“甘少府治脚转筋兼暴风通身冰冷如瘫痪者，取蜡半斤，以旧帛絁绢并得约五六寸，看所患大小加减阔狭，先消蜡涂于帛上，看冷热但不过烧人，便趁热缠脚，仍须当脚心便著袜裹脚，待冷即便易之，亦治心躁惊悸，如觉是风毒兼裹两手心”。

利用熔化的蜂蜡热敷于机体，通过局部和全身效应以医治疾病的蜂蜡疗法，中国晋唐朝代已逐步完善，比法国萨脱福（Barthede Sandford）于1909年倡导的石蜡疗法早1 000多年。

中国唐宋时期诗词最盛，涉及蜜蜂和蜂产品的诗词字句亦多。

唐朝诗人贾岛（779～843）曾写下“凿石养蜂休买蜜，坐山称药不争星”的诗句。孟郊（751～814）50岁时患头晕健忘症，医药不效，服食蜜蜂花粉得治愈，写下“济源寒食七首”。其中有“蜜蜂辛苦踏花来，抛却黄糜一瓷碗”，这“黄糜”正是蜜蜂采集的油菜花粉。

唐朝诗人李商隐“早梅诗”中有“何处拂胸资蝶粉，儿时涂额藉蜂黄”，说明1 100年前蜂花粉就已用于美容。李商隐于公元847年，身患黄肿和阳痿等疾病，食用蜂花粉脾治愈，因而写下了“健我精神花粉脾，花间蜂儿任东西”的诗句。

唐末刘恂著《岭表录异》载：“宣歙人脱蜂子法：大蜂结房于山林间，大如巨钟，其中数百层。采时须以草复蔽其体，以捍其毒螫，复以烟火熏散其蜂母，乃敢攀缘岩木，断其蒂。一房中蜂子或五六斗至一石，以盐炒暴干，寄入京洛，以为方物”。

三、公元960～1840年（宋至清鸦片战争前）

宋初徐弦（916～991）著《稽神录》记述江西庐陵一书生应举赶考，夜行见村舍求宿，一老翁出见曰：“吾舍窄，人多容一榻可矣。”客至其家，见屋子非常小，进食的味道十分甘美，入睡时听到“嗡嗡”的声音。天亮醒来，书生竟睡在田野上，旁有一大蜂窝，蜂鸣嗡嗡。书生平素患风湿病痊愈了，认为是蜂神所为。虽属神话，但蜂螯能治愈风湿病却是事实。

宋代由太医院编集出版的《太平圣惠方》（992年）在食疗养生抗老方中重视使用蜜、蜡和蜂巢，第九十七卷食治养老诸方中收载补虚羸瘦弱乏气力的“白蜜煎丸”，方用白蜜、猪油、麻油和地黄，久服令人肥光好颜色。第九十四卷神仙绝谷方有用黄蜡和蒲黄（香蒲花粉）为丸令人不饥；神仙服蜂房丸法，首次记述蜂巢的养生保健功效：“右常以九月十五日平旦时，取蜂巢完整者蒸之。阴干，百日千杵、细罗，以炼蜜和丸，如梧子大。每服三丸，以酒下，日三服。老人服之，颜如十五童子也”。

苏轼（1037～1101）曾作“蜜酒歌”和“安州老人食蜜歌”，他的诗作中，有关咏蜂言蜜的诗句不下10余首。

《墨庄漫录》载苏轼制蜜酒法："每蜜用四斤，炼熟入热汤，搅成一斗，入好面曲二两，南方白酒饼子米曲一两半，捣细生绢袋盛，都置一器中密封之，大暑中冷下，稍凉温下，天冷即热下，一二日即沸，又数日沸定，酒即清可饮，初全带蜜味，澄之半月，浑是佳酎，方沸时又炼蜜半斤，冷投之尤妙"。

"安州老人食蜜歌"中有"蜜中有药治百疾"等共16句。陆游撰《老学庵笔记》记载安州老人食蜜歌是东坡为仲殊长老所作，老人均以蜜食待客，豆腐、面筋、腐乳之类皆渍蜜食之，客多不能下箸，惟东坡性亦酷嗜蜜，能与之共饱。苏轼不仅好食蜜，亦喜饮蜜姜汤，说它"甘芳滑辣，使人意快神清"。

寇宗奭著《本草衍义》(1116) 载："蒲黄以蜜调如膏，食之，以解虚热"。

李杲 (1180～1251) 著《食物本草》载蜜酒治风疹、风癣方："用沙蜜一斤，糯饭一升，面曲五两，熟水五升，同入瓶内封七日成酒，饮之大效。"

我国现存最大的一部方书《普济方》(1406) 载有花粉美容方，采用红、白莲花蕊及桃花、梨花、梅花等花蕊配制成复方外用，亦治面皯、粉刺等皮肤病。蜂房药用亦见《普济方》："疔疮肿毒用土蜂房一个、蛇蜕一条，黄泥固济，煅存性为末，每服一钱，空心好酒下"。

邝璠著《便民图纂》(1502) 收载民间应用蜂蜜治病的处方、蜂蜜加工方法和花粉酒的传统制作工艺。

著名医药学家李时珍 (1518～1593) 著《本草纲目》第三十九卷收载蜂蜜、蜂蜡、蜜蜂子词条下均扩展了治验附方，还记载："松花粉和白糖印成糕饼，食之甚佳。"李时珍阐述蜂蜜"入药功效有五：清热也，补中也，解毒也，润燥也，止痛也。生则性凉，故能清热；熟则性温，故能补中；甘而和平，故能解毒；柔而濡泽，故能润燥；缓可以去急，故能止心腹肌肉疮疡之痛；和可以致中，故能调和百药与甘草同功"。

名医孙一奎 (1522～1619) 采集先哲名言，研究医学和试用临床30余年的有效医方，1584年刊行《赤水玄珠》三十卷。中国民间流传着蜜蜂成虫药用的多种验方，《赤水玄珠》第三十卷收载用蜜蜂成虫配方治疗淋巴腺结核的2个验方。

清初名医喻昌 (1585～1682) 著《医门法律》卷五治咳嗽蜜酥煎方："白沙蜜一升，牛酥一升，杏仁三升，去皮尖研如泥，并将杏仁放入磁盆中，用水研取汁五升，净铜锅内勿令油腻垢，先倾三升汁于锅内，刻木记其浅深，减记。又倾汁二升，以缓火煎减所记处，即入蜜酥二味，煎至记处，药成置净磁器中。每日三次，以温酒调一匙，或以米饮白汤，皆可调服。七日唾色变白，二七唾稀，三七嗽止。此方非独治嗽；兼补虚损，去风燥，悦肌肤，妇人服之尤佳。"

四、民族文献记述

傣族医药发展已有千余年的历史。傣医古籍手抄本《档哈雅聋》(大医药书) 中有利用大蜜蜂蜂巢、小蜜蜂蜂窝枝杆和孔雀毛配方治疗颌部湿疹的记载，当今傣医治疗精神分裂症采用小蜜蜂蜂窝作配方。

《傣医传统方药志》收载的古验方中有3个用蜂蜜配方，另用蜂窝枝和地蜂房土各1种配方。如治腰腿胸背痛取蜂窝枝、海螺、象牙，用米汤水各磨取一定量，内服；治各种内出血，取木棉树胶、黑香草各15g，碾成细粉，加15g蜂蜜调用，每日3次，每次1~2汤匙；治消化不良、腹泻等，取蜂蜜适量，调酒服。

湖南苗族早有雕花蜜饯的杰作，是用果胚作蜜饯，精心雕刻出四时花卉、禽兽鱼虫或人物胜景等。刘恂著《岭表录异》有湘中人雕花蜜饯的记述。南宋宫廷设有“意思蜜饯局”，专作各种雕花蜜饯以供御用。

周密（1232~1298）著《武林旧事》记载南宋高宗赵构所进御筵中有雕花蜜饯12种，这12种以杨梅、冬瓜、木瓜、金橘、鲜姜和嫩笋制作的蜜饯，形、色、香、味俱佳。

藏医应用蜂产品治病有独特经验。1 200多年前，藏族医学家老宇妥·元丹贡布著《四部医典》，直至公元11世纪经原著者第十四世后代新宇妥·元丹贡布全面修订成为传世《四部医典》版本，收载蜂蜜、黄蜡、蜂蜜酒、野蜂和大黄蜂入药，全书出现食用蜂蜜和用蜂蜜配方治病达百余次之多，有的还标明生蜂蜜、野蜂蜜等入药规格。

《四部医典》第三部第六十一章皮肤病治法全文33句，提及蜂蜜2处、黄蜡1处；面痣、雀斑、粉刺外用蜂蜜茜草膏，或者槟榔叶、黄蜡、白芸香、有爪石斛、红糖、蜂蜜、酥油、黄牛溲，煎煮成浓汁涂搽，可使面容如明月和白莲一样光洁；第七十四章妇科病治法介绍阴道内应用复方蜜剂，食用蜂蜜酒可治月经不调；第八十六章四肢创伤治疗除多处叙述用蜂蜜配方外，还记述食用蜂蜜酒、野蜂入药和大黄蜂取汁或煅灰外用的配方；第九十章养老摄生方4处用蜂蜜配方，认为蜂蜜是花的精华，能滋润肤色。

《四部医典》第四部第三至第十一章记述的汤剂、丸剂、膏剂、药油、药酒、珍宝药品等均有使用蜂蜜的配方；第八章煅制剂用蜂蜜做药引；第十章关于药酒的配制分蜂蜜药酒、单方药酒和复方药酒3类，具体记述了蜂蜜药酒、花蜜药酒和酥油药酒的配方和制法。

第三节　蜂产品的生物学作用及临床应用

一、蜂蜜

（一）蜂蜜的生物学作用

1. 抗菌作用　各国学者对蜂蜜的抗菌活性进行了广泛研究，证明蜂蜜对霉菌、杆菌属、克雷白杆菌属、细球菌属、萘瑟氏菌属、变形杆菌属、假单孢菌属、沙门氏菌属、志贺氏菌属、葡萄球菌属、链球菌属中的60多种细菌以及7种真菌有抑菌活性；天然成熟蜂蜜对其中的炭疽杆菌、短小芽孢杆菌、白喉棒状杆菌、大肠杆菌、肺炎杆菌、结核分支杆菌、普通变形杆菌、肠炎沙门氏菌、伤寒沙门氏菌、痢疾志贺氏菌、金黄色葡萄球菌、酿脓链球菌、缘脓杆菌和白色念珠菌等具有杀菌活性。阿尔特等（1991）实验证明，20%蜂蜜溶液可完全抑制引起胃炎的幽门螺杆菌。

未经加工过的蜂蜜具有抗菌活性，不同蜜源植物的单花种蜂蜜的抗菌活力因品种而有差异。蜂蜜抗菌作用与下列因素有关：

（1）蜂蜜的渗透性：蜂蜜是糖的过饱和溶液，水分含量通常占蜂蜜重量的17%～22%。糖分子和水分子的相互作用，只留下极少量的游离水可供微生物利用。而且蜂蜜的高渗透性可使微生物脱水。因此，大部分种类的细菌在蜂蜜里会受到完全的抑制。

（2）酸度：蜂蜜是酸性的，pH 值为3.2～4.5。在此酸度下，许多致病菌受到抑制。因为它们通常在 pH 7.2～7.4 的条件下生长。将未经稀释的蜂蜜涂敷在创伤或溃疡面上，蜂蜜的酸性可能起抗菌作用。

（3）过氧化氢：许多研究者认为，蜂蜜在使用或研究时被稀释，由蜂蜜里的葡萄糖氧化酶与葡萄糖酸作用产生过氧化氢，过氧化氢分解产生的活性氧是杀死细菌及真菌的主要成分。工蜂上颚腺分泌物含有葡萄糖氧化酶，在酿蜜过程中加在蜂蜜中，蜂蜜中的酸主要是葡萄糖酸和葡萄糖内酯。怀特（1962、1963、1964）指出，在完全成熟的蜂蜜里，葡萄糖氧化酶没有活性，当蜂蜜被稀释时，它的活性增强 2 500～50 000 倍。涂敷在创伤表面的蜂蜜被体液稀释后即可产生过氧化氢和活性氧。蜂蜜经过巴氏消毒加热以及在光照下，葡萄糖氧化酶的活性就会丧失。

（4）溶菌酶：默林和梅斯纳（1968）指出，溶菌酶也是蜂蜜中的抗菌物质。通常蜂蜜中溶菌酶的水平为 5～10mg/ml，偶然可达到 35～100mg/ml（以等值的蛋白溶菌酶表示的浓度）。

（5）苯甲酸衍生物：鲁塞尔（1988）从蜂蜜中分离鉴定出抗菌活性成分为甲基－3，4，5－三甲氧基苯甲酸及其盐、甲基－4－羟基－3，5－二甲氧基苯甲酸盐。

（6）黄酮类化合物：蜂蜜中含有来源于植物的杀菌素，包括黄酮类化合物，文献报道，不同蜜样中分离到的黄酮化合物达16～22 种之多；费勒斯等（1994）分析了 27 个蜂蜜样品，得出不同样品的总黄酮含量为5～120μg/g，主要是松属素、短叶松素、白杨素等。黄酮类等植物杀菌剂对热不敏感。

（7）挥发性成分：莫尔斯（1986）测定了匈牙利生产的刺槐蜜、椴树蜜、板栗蜜、一枝黄花蜜和一种杂花蜜的挥发性成分。椴树蜜的挥发性成分含量最高，为 0.24%；一枝黄花蜜的最低，为 0.1%。他用气相色谱仪测出了蜂蜜中 41 种挥发性成分，并指出这些挥发性成分对革兰氏阴性菌如肺炎杆菌、大肠杆菌和白色念珠菌有明显的抑制作用。他推测这些芳香性组分对治疗某些呼吸道疾病有一定作用。

2. 抗溃疡作用　坎迪尔（1987、1989）实验证明，蜂蜜对乙酰水杨酸（Aspirin）诱发大白鼠实验性胃溃疡有医疗效果。实验性胃溃疡大鼠用天然成熟蜂蜜可治愈 80%，效果明显高于糖蜜治疗者（仅 46.67% 治愈）。

阿里等（1990）进行了蜂蜜对大鼠实验性胃损伤保护作用的实验。结果证明大剂量的蜂蜜对吲哚美辛（Indomethacin）引起的大鼠胃损伤有 100% 的保护作用，但对乙醇引起的胃损伤只有 58% 的保护作用。提示蜂蜜具有抗溃疡作用，并可用于防止和减轻服用了具有潜在致溃疡药物对胃的损伤。阿里声称，在南亚次大陆多年来一直在利用蜂蜜治疗胃溃疡。

3. 保肝作用　实验证明，蜂蜜能促进部分切除大鼠肝脏的再生，并能增强蛋氨酸促进肝组织的再生作用。蜂蜜对因四氯化碳中毒大鼠的肝脏起保护作用，它能促使动物糖肝糖原增加，血糖和胆固醇恢复正常。

张培珍等（1985）为探讨生姜蜂蜜液对肝脏修复功能的影响，用小白鼠分别注射四氧化碳（0.5ml/100g 体重）和用60%乙醇（0.5ml/100g 体重）灌胃，以导致肝细胞损伤。然后，分别于实验第八天和第十九天取其眼血，测血清转氨酶，并处死白鼠，取肝右叶，切片、染色，进行肝组织形态学观察。实验证明：生姜蜂蜜液在实验性肝损伤时，显示出降血清转氨酶和促进肝组织修复作用。

4. 解毒作用　中医经典著作《金匮要略》中凡用乌头，必伍白蜜以制乌头燥热之毒性。袁呈云（1986）成功地用蜂蜜解救了急性和慢性乌头中毒患者11例，均在服蜂蜜后30min见效，1～2h中毒症状基本解除。

坎迪尔等（1987、1989）实验证明蜂毒对大白鼠地高辛（Digoxin）过量中毒有预防作用。将地高辛注射大白鼠体内，它的半数致死量（LD_{50}）为4.0mg/kg，用蜂蜜喂饲预处理7d，能增加动物对地高辛的耐受力，LD_{50}达4.7mg/kg。地高辛用于治疗心血管病常有毒副反应，饮食中添加蜂蜜有助于心血管病患者康复。

5. 润燥通便　医圣张仲景在《伤寒论》中倡用蜜煎导方治阳明结燥、大便不通，将蜂蜜加热炼成半凝固状，制成肛门用栓剂通便。他又在《金匮要略》中将麻子仁炼蜜为丸，亦取蜜质润泽可助麻子仁润下通便之功效。

焦捷军等（1992）动物实验表明，100%及50%蜂蜜对小鼠小肠推进运动有明显的促进作用，并显著缩短通便时间。

6. 单花种蜂蜜的作用特点　随着蜜源植物的不同，蜂蜜色、香、味、成分和效用各异。传统医学和民间经验认为，采自特定植物的单花种蜜，具有各自作用特点和重点适应范围，有待进一步分析验证。

党参蜜：补气养血、止渴生津，益于神经衰弱、失眠头痛；

芝麻蜜：补肝肾、乌须发、养血润燥；

荆条蜜：发汗解表、散寒清热，益于伤风头痛；

椴树蜜：补脾健胃、养心益智，益于高血压；

龙眼蜜：益于儿童厌食，老年健忘；

刺槐蜜：清热解毒、益智安神、镇静安眠，益于心烦、热燥便血、咳血、痔血、胸闷心慌；

荞麦蜜：活血散淤、软化血管、降血脂，益于高血压和贫血患者；

紫云英蜜：益于气血双虚、厌食、精神不振、头昏心烦；

荔枝蜜：理气散寒、补血健脾，益于贫血、心悸畏寒；

野桂花（柃）蜜：固肾益精，益于牙痛、口臭、筋骨疼痛、风湿麻木；

柑橘蜜：和血健脾，益于气血双虚、肠胃不舒、胸闷腹胀；

益母草蜜：和血调经，益于产后恢复、目赤肿痛、乳汁不下、妇科疾病；

边荷枫蜜：清热凉血，益于伤风久咳、胸闷、偏瘫；

五味子蜜：开胃生津、平肝明目，益肾虚；

苦豆蜜：清热解毒，益于咽喉痛肿和肿瘤患者；

枇杷蜜：清肺和胃、化痰止咳，益于咽喉肿痛、肺热咳嗽、防治感冒；

黄芪蜜：补气升阳、固表止汗、利水退肿，益于肾炎蛋白尿；

野藿香蜜：散风寒、理气化湿、软化血管，益于心脑血管疾病；
黄连蜜：清热解毒、消炎抑菌、泻火化痰；
薄荷蜜：清热下火，益于外感风寒、咽喉肿痛、皮肤疱疹；
野坝子蜜：清热解毒、通鼻塞，益于肝病患者；
枣花蜜：配制中药的上等蜜，益于久咳、头昏目眩、记忆力减退、产妇手术后；
蒲公英蜜：去湿明目、健胃运脾，益于胃病；
月苋草蜜：强筋骨、祛风湿，益于腰腿筋骨酸痛；
桔梗蜜：润肺祛痰，清喉止咳，益于慢性支气管炎和哮喘病；
益智花蜜：壮腰益肾，益于神经衰弱，老人尿频和儿童遗尿；
飞机草蜜：益于腹痛、胃和十二指肠溃疡；
枸杞蜜：补肝肾、益精血、明目、止渴、润肺；
茴香蜜：理气和中、散寒止痛，益于脾胃虚寒、少腹冷痛、痛经；
椿树蜜：清热利湿、收敛止痢，益于肝胆病、久泻、久痢；
岗松蜜：消肿止痛、止血止痒、收敛生肌，益于胃炎、皮炎、口腔疾病。

（二）蜂蜜的临床应用

1. 胃和十二指肠溃疡　蜂蜜有保护胃肠黏膜的作用，并能使胃中酸度降低，从而减少对胃肠黏膜的刺激；蜂蜜对胃肠有调整作用，酶类物质有助于食物的消化；蜂蜜能滋润胃肠，对胃液的分泌起调节作用，使胃液分泌正常。

服用蜂蜜溶液的温度和时间不同，产生的医疗作用也不同。饭前 1.5h 服用，会抑制胃液的分泌；服用后立即就餐，反而会刺激胃液的分泌。温热的蜜水会使胃液稀释而减少胃酸分泌；冷蜜水能刺激胃酸分泌，加强肠道运动，有轻泻的作用。

在治疗胃和十二指肠溃疡时，服用蜂蜜并配合中药效果更佳。临床采用蜂蜜 100g，甘草 9g，陈皮 6g，先将甘草和陈皮用适量的水煎熬过滤，然后用滤液对蜂蜜内服，每日分 3 次服，连服数日，能使胃和十二指肠溃疡症状明显好转。胃和十二指肠溃疡患者，用蜂蜜治疗后，经 X 线检查，50% 的溃疡愈合，总有效率达 82%。

表 15－1　蜂蜜治疗呼吸道疾病的患者 17 862 例效果统计（%）

病　例	症状消失	好转	暂时有效	无效
慢性支气管炎	64.4	23.5	6.5	5.6
喘息性支气管炎	62	26.4	5.6	6
支气管哮喘	55.4	30.25	5.80	8.51
慢性鼻炎	82	14		4
过敏性鼻炎	62	22	8	8
喉炎	82	12		6

蜂蜜对其他胃肠道疾病和结肠炎、习惯性便秘、老人和孕妇的便秘亦有良好的效果，且无副作用。可每日早晚空腹服蜂蜜 25g，亦可用白萝卜片或香蕉肉蘸蜂蜜嚼食。

2. 呼吸道疾病　在第二十五届国际养蜂大会上，保加利亚学者报道利用蜂蜜治疗17 862例常见呼吸道疾病的患者，治疗结果见表15－1。这些病人大多数是曾用其他药物治疗无效而改用蜂蜜的。

我国采用蜂蜜治疗呼吸道疾病例举如下报道：

（1）鼻炎和鼻窦炎：给50例患者用40%的蜂蜜水溶液进行电离子导入疗法，治疗4次以后检查，11例痊愈，18例好转，11例减轻，10例无效。亦可采用蜂蜜涂于鼻腔患处，早晚各1次，治疗8～29d后，可使萎缩性鼻炎的鼻部痒痛及前额疼痛症状消失，鼻腔无病理分泌物，形成结痂，嗅觉恢复，鼻黏膜萎缩现象大有好转。慢性鼻炎、鼻窦炎还可用10%的蜜汁灌洗，使鼻塞、臭味减轻，鼻痂易于擤出。

（2）上呼吸道感染：将10%的蜂蜜水溶液雾化后让患者吸入，每次5min，20例患者吸10～15次后，自觉症状好转，鼻腔、咽部和声带上的痂及脓汁消失，仅2例无效。

（3）咳嗽、哮喘：较轻的支气管炎连服几天蜂蜜可使咳嗽停止。亦可采用蜂蜜500g，生姜1 000g压汁，用文火煎熬，使姜汁熬干，做成药丸，开水送服，效果显著。把1份蜂蜜用2份蒸馏水稀释，然后装入超声雾化吸入器内，雾化后由鼻孔吸入，从嘴呼出，每次吸20min，根据病情每天吸1～2次，20d为1个疗程，用此法治疗效果显著。

中医治疗哮喘时，采用杏仁1kg，用猪油炸黄研成末，生姜汁1kg，白糖和蜂蜜各500g混合均匀制成药丸。日服6～7次，每次1丸，效果良好。

（4）肺结核：蜂蜜有润肺止咳作用，干咳、燥咳、阴虚咳嗽等均适用。可取甜梨1个，去皮核后切薄片，拌蜂蜜吃，每日数次，1周内即见止咳、祛痰、消炎之功效。民间流传用蜂蜜和牛奶治疗肺结核病的偏方，在抗痨药物治疗过程中，结核患者日服蜂蜜50～75g、牛奶225～450g，有助于结核病症状减轻；血红蛋白增加，血沉降低。

3. 肝脏病　蜂蜜中含有大量的单糖及多种维生素、酶和氨基酸，这些物质可以直接进入血液而被人体吸收利用。同时，蜂蜜对肝有一定的保护作用，能促进肝细胞再生，对脂肪肝形成有抑制作用。肝病患者长期坚持每日早、晚空腹服蜂蜜40～50g，有助于身体康复。在临床上经常将蜂蜜和蜂王浆配合使用，用王浆蜂蜜制剂治疗肝病、黄疸型肝炎或无黄疸型肝炎，患者自觉症状明显改善。

4. 蜂蜜应用于外科

（1）蜂蜜用于移植器官的保存：蜂蜜不仅含有丰富的营养成分，而且具有显著的抗菌、抑菌和防腐作用。根据蜂蜜的这种特性，已将其成功地应用于人体组织的保存。

利用蜂蜜贮存胎骨，不仅取材容易，设备简单，费用低廉，而且胎骨的贮存期可达5年左右。临床使用这种经蜂蜜贮存的胎骨，可使骨愈合周期缩短，骨愈合质量提高，在3～18个月的不同保存期内，分别对冷藏于蜂蜜的颅骨瓣进行病理组织学检查，证实这些颅骨瓣中均有存活的骨细胞存在，而用生理盐水对照组保存的骨瓣则无再活能力。

临床上报道，将经蜂蜜冷藏的颅骨瓣，用于8例外伤患者修补颅骨缺损，并对其中6例作了3个月至2年的随访和头颅X线片追踪检查，发现移植修补的颅骨瓣与周围颅骨密度一致，对位好，且有新骨形成。表明经蜂蜜冷藏的颅骨瓣是修补颅骨缺损的最适宜材料，可达到满意的整容目的和正常的生理功能。

采用生蜂蜜常温下避光保存的人体羊膜可用于神经肌腱损伤的修复治疗。将羊膜用生理盐水冲洗干净后放入盛有生蜂蜜的容器中，避光室内常温下保存，每月做1次细菌培养和病理学检查，共7个月。结果羊膜组织上皮层、基底层、实质层、纤维层及海绵层等，均无明显的组织学改变，与正常新鲜羊膜组织对照无区别。临床采用显微外科技术，将受损伤的肌腱、神经缝合后，取经蜂蜜保存的羊膜包绕，再用显微针线固定缝合。治疗25例神经损伤，效果优良的有23例（92%），效果尚可的仅2例（8%）。

印度有一家医院使用优质蜂蜜保存狗的主动脉瓣膜，在4℃的条件下，经过几个月之后，取出置于生理盐水中，其形状大小正常，主动脉环会切点的抗张强度增加50%，而且比新鲜组织更为结实，富有弹性。

（2）外伤：首先用生理盐水洗净伤口，清除坏死组织及脓液，然后将天然成熟蜂蜜敷于伤口表面，外面用绷带包扎。每3~4d换药1次，分泌液多的伤口，1~2d换药1次，还可以先用10%的蜜汁清洗伤口以后，再涂蜜包扎。山西长治医学院附属医院梁权等，蜂蜜外用治疗创伤及烧伤1 363例，平均疗程14.5d，总有效率97.5%，与抗生素治疗的635例对照比较，疗效显著。观察发现，蜂蜜具有营养创面、抗菌消炎、吸收消肿、减少渗出、促进创面愈合等作用。

从蜂巢采收的新鲜蜂蜜对358例外伤和溃疡患者进行治疗，大多数（80%）均经过常规疗法治疗无效，而采用蜂蜜治疗均获显著疗效。蜂蜜有较强的抑菌作用，治疗过程中，无菌的伤口可一直到治愈均保持无菌；已感染的伤口和溃疡，在用蜂蜜治疗1周后也无菌。从伤口分离出的8种病菌，经实验证明均对蜂蜜敏感。蜂蜜还有促进上皮组织生长愈合及瘢痕快速吸收的作用，伤口的恶臭在蜂蜜治疗1周后逐渐消失。

（3）冻疮、冻伤：对Ⅱ度以上有炎症又有分泌物的冻伤，用成熟蜂蜜与黄凡士林等量调成软膏，薄薄地涂于无菌纱布上，敷盖于创面，每日2~3次，敷盖前先将创面清洗干净，敷盖后用胶布包扎固定，一般用药3~4次后，疼痛及炎症逐渐消失，4~7次就能痊愈。对于冻疮，先用温开水洗涤患处，然后涂蜜包扎，隔日换药1次，未破溃的可不包扎。

（4）烧伤：Ⅰ、Ⅱ度小面积烧伤，创面经清洗处理后，用棉球蘸蜂蜜均匀涂抹。前期每日2~3次或4~5次，待形成痂后，改为每日1~2次。如痂下积有脓汁，可将焦痂揭去，创面可重新形成焦痂，迅速愈合。一般Ⅰ、Ⅱ度的烧伤涂抹2~3d后，创面形成透明痂，6~10d焦痂自行脱落，新生皮形成。Ⅲ度烧伤或占体表面积5%以上的烧伤必须由医院专科医生治疗。

5. 神经系统疾病　中医认为，蜂蜜具有安神益智，改善睡眠的作用。民间还常用蜂蜜来治疗许多神经系统疾病。虽然导致神经衰弱、失眠的因素很多，但是神经衰弱患者每晚睡前用蜂蜜10~20g，温开水冲服，能调节神经系统，易于入睡。

6. 心脏病　蜂蜜中含量高又易被人体吸收的葡萄糖，能营养心肌和改善心肌的代谢功能，因而对心脏病患者有辅助治疗功效。每日服用50~75g蜂蜜，长期坚持，就能保持心脏工作正常。用蜂蜜治疗心机能不全，还能对抗强心药地高辛的毒副反应。根据近代医学文献报道，蜂蜜能扩张冠状动脉，所以也适用于心绞痛患者。常服蜂蜜的心脏病患者，体质可明显改善，促使血液的成分正常，增加血红蛋白含量，调节血压波动在正常范围内。

7. 皮肤病 对于过敏性皮炎、湿疹和幼儿尿布性皮炎，可用蜂蜜100ml，加入氧化锌10g、淀粉20g，制成软膏外搽，用药后可使红疹消退，渗出物减少，痒感消失。蜂蜜治疗皮肤病的机理，除蜂蜜有抑制细菌作用以外，蜂蜜中的营养成分还可改善皮肤的营养状态。

8. 蜂蜜与儿童保健 由于儿童和婴儿生长旺盛，他们物质代谢的同化过程大于异化过程，这个时期需要大量的糖类物质，来满足生理需求，蜂蜜中含有大量的单糖，容易被人体吸收利用。蜂蜜味美，作为婴儿的甜食远比白糖好得多。

专家们发现，以蜜代糖对口腔有保护作用，其原因是蜂蜜抑制了链球菌变种的生长，从而也制止它将单糖变成能破坏牙釉质和牙本质的乳酸，同时也阻止它将蔗糖转化为葡聚糖（葡聚糖是牙斑的基础）。

婴幼儿的正常发育除需要蛋白质、碳水化合物、维生素、脂肪以外，还需要锌、钙和磷等元素，蜂蜜中这些物质容易被人体吸收。蜂蜜还具有促进人体对食物中锌、磷、钙吸收的作用。

婴幼儿常因缺铁而贫血。洛达克博士用蜂蜜和白糖进行了试验，结果表明深色蜂蜜能使血红蛋白提高10.5%，而白糖使血红蛋白下降了60%，用深色蜂蜜防治营养性贫血，收到良好的效果。

蜂蜜对患有中毒性或传染性腹泻的儿童有治疗作用。用10%～15%的蜂蜜液漱口可治疗儿童牙齿、口腔和咽喉的疾病；蜂蜜对于治疗儿童慢性便秘、夜尿症、佝偻病等都有良好的辅助医疗效果。

9. 蜂蜜与中老年保健 《神农本草经》阐述蜂蜜功效主治时指出“久服强志轻身、不饥不老”。轻身不老延年是中老年保健追求的目标，中国古代百岁名医甄权、孙思邈均推荐蜂蜜医疗保健。公元前出生于古希腊的西医学之父希波克拉底和伟大的科学家、哲学家、原子理论的创立者德莫克利，由于经常食用蜂蜜保健，都活到107岁。前苏联学者对高加索地区长寿人普查结果表明：百岁以上的老人有80%以上从事养蜂或长期食用蜂蜜。

蜂蜜适用于多种中老年常见病的辅助治疗，糖尿病不论是Ⅰ型或Ⅱ型全天小剂量食用蜂蜜，亦不会使血糖明显升高，虽然蜂蜜中含有65%以上的还原糖，但果糖的代谢不受胰岛素的影响，蜂蜜中的乙酰胆碱具有降血糖作用。血糖浓度专指葡萄糖，不包含果糖。果糖的甜度大大超过蔗糖和葡萄糖，用蜂蜜佐餐对“忌糖”的糖尿病患者亦是最佳的补足。

10. 广泛的医药保健用途 蜂蜜中含有以单糖为主的多种营养素、酶、有机酸、常量元素和微量元素等，是食药兼优的天然产物。每千克成熟的蜂蜜在机体的产热量约为12.56kJ，不含脂肪，尤为适宜作老年人、儿童、产妇以及病后体弱者的保健滋补品。除上述临床应用简介外，天然成熟蜂蜜外用还可治疗下肢慢性溃疡、口腔溃疡、小儿鹅口疮等。蜂蜜是药剂学中常用的矫味剂、赋形剂和黏合剂，中药饮片炮制也用蜂蜜，“炼蜜为丸”是传统的中药剂。特种蜂蜜药剂可用于五官科病和妇科病的防治。

李时珍阐述蜂蜜入药有5种功效：清热、滋补、解毒、润燥、止痛。生蜂蜜属凉性，所以可清热；加热过的熟蜂蜜为温性，故可以滋补身体；蜂蜜具有吸湿性，所以可滋润肌肤，有润燥通便之功；味甘甜，可作为佐剂，去除其他药物的苦酸、碱味；蜂蜜作用缓和，故能解除胃痛和疮伤痛。他在《本草纲目》中还写道："蜂蜜生凉热温，不冷不燥。得中和之气，故十二脏腑之病，罔不宜之"。蜂蜜医疗保健范围很广，上海科学技术出版社出版的《中药大辞典》蜂蜜项下附列历代蜂蜜治验方；作为"大众补品"，蜂蜜的效用将会得到更多消费者的认同。

11. 蜂蜜服用方法和食疗配方 食用蜂蜜每日服用50～100g。老年人、孕妇、习惯性便秘患者，每天早晨服50g或略为增减。胃及十二指肠溃疡患者，除了蜂蜜与中药配伍外，每天早或晚服蜂蜜50～100g。常人食用蜂蜜，每天宜用20～25g。直接食用蜂蜜的一般方法是早、晚各1次，每次25～50g，以不超过60℃温开水冲服，或在进早餐时把蜂蜜涂抹在面包、馒头片上，也可以把蜂蜜放入温和的豆浆、牛奶中。对于运动员和重体力劳动者，可于参加剧烈运动或劳动前后服用蜂蜜，以利于直接吸收，增强体力或迅速消除疲劳。蜂蜜含有生物活性酶，在高温下易被破坏，所以在食用蜂蜜时，不宜用很热的开水、牛奶或豆浆冲服。

蜂蜜食疗配方举例：

（1）蜜姜饮：

配方：鲜生姜30g，蜂蜜30g。

制用法：鲜生姜30g洗净榨取汁，用30g蜂蜜调对，温开水冲服，每日3次。

功效：保肝润肠、温肺止咳、温中止呕，可用于慢性肝病、肺寒咳嗽及胃寒干呕等症。用于治疗小儿蛔虫性肠梗阻，以上为1剂用量。服后不能解除梗阻者，可再服第二剂。

（2）酥梨蜜：

配方：砀山酥梨500g，蜂蜜适量。

制用法：酥梨压榨取汁，用等量蜂蜜调对，每次30g，每日3次。

功效：润肺、养阴、止咳，用于干咳、燥虚咳嗽。

（3）胡桃蜜：

配方：胡桃肉20g，蜂蜜30g。

制用法：胡桃肉研细，对蜂蜜调服，每日2～3次。

功效：益智健脑、润肺止咳，用于肺肾阴虚之咳嗽和老人保健。

12. 提倡食用无污染天然成熟蜂蜜 作为绿色食品，蜂蜜中不应有农药残留和四环素族抗生素残留，不应被重金属和病原微生物污染，蜂蜜中酵母菌数亦应符合卫生标准。

近来，人们关注因包装桶原因使蜂蜜被铁锈污染的问题。被铁锈污染的蜂蜜对绿茶，会使茶水变黑。目前生产、供销环节正在致力于使用专用防锈蜂蜜包装桶，努力使蜂蜜纯正无污染，确保安全食用。

二、蜂花粉

（一）蜂花粉的生物学作用

1. 延缓衰老　蜂花粉的延缓衰老功效，主要是作用于中枢神经系统，促使下丘脑和垂体增强活动能力，延长活动时间。老年人服用蜂花粉，可刺激下丘脑的神经元，有利于本已疲劳或功能出现衰退的神经组织得到恢复，从而减缓了衰老进程。随着年龄的增长，免疫系统也就随之发生衰退，而蜂花粉可使胸腺增大，T淋巴细胞、巨噬细胞增加，使机体免疫功能增强，从而也就延缓了机体衰老的过程。蜂花粉能发挥如此作用，是其多种活性成分综合作用的结果，其中不容忽视的一种成分是微量元素硒，硒能提高血液和组织中谷胱甘肽氧化酶的活性。催化氧化脂质分解，减少了氧化脂质的形成和积累，这是延缓机体衰老的重要因素。

皮肤皱纹和老年斑是衰老的表征。老年斑、皱纹的产生，是体内产生过多的活性氧自由基作用的结果。自由基作用于脂质发生过氧化反应，氧化终产物丙醛与蛋白质等生命大分子的交联聚合形成脂褐素，由于它不溶于水，不易排除而在细胞内大量堆积。脂褐素在皮肤细胞的堆积即形成老年斑。自由基促进胶原蛋白的溶解性下降，弹性降低及水合能力减弱，导致皮肤失去张力；自由基还能直接或间接作用于多糖基质（主要是透明质酸）引起解聚而导致皮肤保水能力下降；自由基还能引起弹性纤维的降解，使皮肤失去弹性和柔软性。胶原蛋白、透明质酸和弹性纤维是真皮的3种主要成分，它们的变化是皮肤出现皱纹的结构基础。花粉中所含维生素E、维生素C、β－胡萝卜素、微量元素硒、SOD（超氧化物歧化酶）等能清除机体代谢过程中所产生的过量的自由基。因此，可延缓皮肤衰老和脂褐素沉淀的出现。

上海第二医科大学丁钰熊等（1988）曾进行花粉延缓衰老作用机理的研究，实验结果表明：花粉能显著提高小鼠外周血象中红细胞数和血红蛋白量，可促进糖代谢、三羧循环和蛋白质的合成代谢。在肝、睾丸的形态变化上，花粉组表现为肝细胞空泡减少，睾丸曲精细管、生精细胞正常；而对照组出现肝细胞空泡增加，睾丸曲精细管变薄，各期生精细胞减少。小鼠死亡率花粉组为10%，比对照组22%显著减少。上述结果提示，花粉通过影响机体代谢，产生强壮机体和延缓衰老作用。

为了探讨蜂花粉抗衰老的作用机理，刘雪莉等（1990）用组织化学方法观察了花粉对NIH小鼠心肌、肝、脑、肾上腺等脏器实质细胞内脂褐素含量的影响。结果表明，喂饲蜂花粉后可明显降低由于老龄、注射四氧嘧啶或喂饲过氧化玉米油所致的细胞内脂褐素含量的增高。为蜂花粉抗衰老作用提供了实验依据。

组织器官的衰老与氧化脂质的生成密切相关。承伟等（1994）实验证明，蜂花粉醇提取物有明显的对抗小鼠肝、肾、脑组织在体外生成过氧化脂质的作用。证明蜂花粉醇提取物具有延缓衰老的作用。

山西医学院郭贵文等（1993）研究玉米蜂花粉对大鼠体内抗氧化能力的影响，选用5月龄Wistar健康大鼠24只，随机分花粉组和对照组，喂养10周。结果表明，花粉组大鼠血清和肝脏组织中丙二醛（MDA）值分别为5.73nmol/ml ± 0.22nmol/ml 和

0.195 1nmol/ml ±0.004 9nmol/ml 蛋白，显著低于正常对照组 8.23nmol/ml ±0.21nmol/ml 和0.249 7nmol/ml ±0.008 3nmol/ml 蛋白（$P<0.05$）；而红细胞和肝组织中 SOD、Se－GSH－PX 活性和 GSH 含量均明显高于对照组，且花粉组大鼠心脏脂褐质含量明显低于对照组。提示玉米花粉可以提高大鼠机体的抗氧化能力，抑制脂质过氧化作用的发生。

2. 增强记忆、改善脑功能　花粉磷脂，经杭州大学心理系对青年学生记忆力影响进行试验。实验随机确定一个班为实验班，服用花粉磷脂，另一班为对照班，服用安慰剂。测试材料用“临床记忆量表”，分 5 项进行，即指向记忆、无意义图形再认、图像自由回忆、联想学习和人像特点回忆等。

实验整个过程采用“双盲法”。全实验在较严密控制条件下进行，比较两班服用药物前后记忆成绩。记忆成绩在不同程度上均有提高。实验班的记忆成绩提高 7.3 分，在统计学上达到非常显著的水平（$P<0.01$）；对照班的记忆成绩提高 4.23 分，在统计学上只达到一般显著水平（$P<0.05$）。说明服用花粉磷脂能增强记忆力，女生提高 9.38 分，达到异常显著水平（$P<0.01$）；男生提高 5.21 分，成绩提高只达到一般的显著水平（$P<0.05$）。

雷志英等（1993）用玉米花粉进行小白鼠 Y 型迷路电激试验和迷宫穿行试验。结果，实验组动物喂养玉米花粉高低剂量之间记忆力无差异，这两组与空白对照组之比有显著差异（$P<0.05$）。人群中观察服用玉米花粉对老年（男性）记忆力的影响，不论玉米花粉每天 4.5g 服用 3 个月，还是每天 3g 服用 2 个月，记忆力均有显著提高。

端义扬等（1989）曾进行花粉治疗智力发育迟滞的双盲对照研究，将弱智儿童 48 例随机分为两组，治疗组服用玉米花粉胶囊，对照组服淀粉胶囊，疗程半年。治疗前后按韦氏学龄期智力量表检查疗效。治疗组语言、作业和全量表分有增高者所占比率分别为 62.5%、79.2% 和 79.2%，对照组分别为 37.5%、45.8% 和 45.8%，经 X^2 检验，两组患儿 3 个比率差异显著（$P<0.05$）。

3. 增强机体免疫功能　人体免疫系统由免疫器官和免疫细胞组成，发挥着防御机体免遭细菌、病毒、肿瘤细胞侵害的作用。食用蜂花粉，能刺激胸腺分泌量增大，提高 T 淋巴细胞和巨噬细胞数量和功能，也就大大提高了机体的免疫能力，从而预防疾病和肿瘤的发生。花粉还能够提高人体血清免疫球蛋白 IgG 水平，起到促进巨噬细胞的吞噬作用，还具有中和毒素的功能。

杭州大学王维义等（1985）用一批健康的小白鼠，接种 S^{180} 肉瘤和艾氏腹水癌肿瘤细胞，随机分组观察。20d 后处死全部小鼠，对其进行解剖，发现喂花粉组小鼠肿瘤重量平均为 5.44g，而对照组则重达 26g，肿瘤块之大为试验组的 5 倍；喂花粉组小鼠每毫升腹水里有 3.53×10^8 个肿瘤细胞，对照组则为 13.39×10^8 个肿瘤细胞，差异非常明显。证明花粉对肿瘤有较强的抑制作用。实验还证明，花粉可显著地提高外周血中 T 淋巴细胞 $ANAE^+$ 百分率及 MΦ 对白色念珠菌的吞噬百分率和吞噬指数。认为花粉的抑瘤作用主要是通过增强机体免疫功能实现的。

昆明医学院李存德等（1987）研究党参花粉提取物和悬液对小鼠腹腔巨噬细胞吞噬功能的影响，实验用小鼠 53 只，分 3 组，给药 14d，于实验前 12h 每只鼠腹腔注射

5%鸡红细胞悬液 0.5ml，12h 后处死动物，按文献方法进行实验，每个标本计算 200 个巨噬细胞，算出每组吞噬指数及吞噬百分率，结果见表 15－2。结果表明，党参花粉提取物及悬液对小鼠腹腔巨噬细胞的吞噬率及吞噬指数均有明显的提高。

表 15－2　党参花粉提取物和悬液对小鼠腹腔巨噬细胞吞噬功能的影响

组别	动物数	吞噬百分率 $\bar{X} \pm SD$	P 值	吞噬指数 $\bar{X} \pm SD$	P 值
提取物质	14	21.86 ± 6.6	<0.05	0.377 ± 0.134	<0.01
对照组	20	17.4 ± 4.9		0.28 ± 0.12	
悬液组	19	25.7 ± 3.82	<0.01	0.435 ± 0.1	<0.01

他们还研究党参花粉提取物和悬液对脾脏空斑形成细胞（PFC）的影响，结果表明：党参花粉的两种制剂，对正常小鼠 IgM 抗体生成均有明显的增强作用。众所周知，巨噬细胞的吞噬作用是机体重要的非特异免疫功能之一，所以服用党参花粉后，可通过促进吞噬细胞的活性，有助于机体的抗炎、抗感染等非特异免疫功能的提高；同时，在特异性免疫反应中，巨噬细胞对于抗原的摄取处理、信息传递和最后的免疫效应阶段，也起着重要作用。所以，巨噬细胞功能的增强，对特异性免疫也必然会起促进作用。

4. 抗高血脂和动脉粥样硬化形成　蜂花粉富有人体代谢所需之各种重要营养成分，它们当中许多成分都参与脂质代谢及抗氧化过程。余松涛等（1990）研究了玉米花粉对动物高血脂症及动脉粥样硬化形成的影响。采用静注 Triton WR－1339　1 周或喂高脂乳剂小鼠和用高胆固醇饲料喂养 10 周家鸡的 3 种高脂血症模型，可使血清总胆固醇（TC）、甘油三酯（TG）明显升高。玉米花粉能明显抑制动物血清 TC、TG 和低密度脂蛋白（LDL）的上升，使高密度脂蛋白（HDL）提高。其中 TC 下降 39%、TG 下降 38%、LDL 下降 99%，HDL 上升 28%。病理观察：高胆固醇组鸡主动脉内膜有较多散在斑点，而玉米花粉组鸡主动脉内膜只有少量散在斑点。玉米花粉使家鸡的主动脉粥样斑块面积减少 74.1%，说明玉米花粉能抑制或减缓动脉粥样硬化的形成。

王洪武等（1990）通过凝血酶时间、白陶土部分凝血活酶时间、纤溶酶元、纤维蛋白元、优球蛋白溶解时间等指标，实验观察了食饵性高血脂对家兔凝血和纤溶功能的影响，以及玉米花粉的调节作用。结果发现，高血脂能引起家兔高凝和高纤溶状态，且主动脉形成明显的粥样斑块；而玉米花粉在降低血脂的同时，尚可使凝血和纤溶功能恢复正常，其主动脉粥样斑块亦明显减轻和缩小。提示玉米花粉既能降低血脂，又能调节凝血和纤溶功能，抑制动脉粥样硬化的形成和发展。

动物实验证明：花粉组和安妥明组分别给药 10d 后，花粉组像安妥明组一样，血清 TC、β－LP 和 TG 均明显地低于高脂组。血清 TC 和 β－LP 平均下降百分率均在 35% 以上，血清 TG 平均下降百分率均在 25% 以上。血清高密度脂蛋白胆固醇（HDL－C）的含量均非常明显地高于高脂组（$P<0.01$），平均提高百分率均在 50% 以上。从动脉粥样硬化指数 AI 值（AI＝TC－HDL－C/HDL－C）看，花粉组的 AI 值也均明显地小于高脂组（$P<0.01$），安妥明组平均下降百分率接近 50%，蜂花粉组平均下降百分率在

35%左右。通常认为降低血脂能减缓动脉粥样硬化的形成，从而防治心脑血管疾病，蜂花粉这方面的效用已为众多实验研究和临床观察所证实。

王洪武等（1990）实验证实：食饵性高血脂能引起家兔血浆SOD下降，脂酰过氧化物（AHP）及MDA升高，导致6－酮－$PGF_{1\alpha}$/TXB_2值失衡，血小板聚集性增强，血浆5－羟色胺（5－HT）增加，主动脉发生广泛粥样病变。高血脂是动脉粥样硬化的始发因素，过氧化脂代谢增强，血小板活化及6－酮－$PGF_{1\alpha}$/TXB_2动脉粥样硬化形成的促发因素。玉米花粉能抑制ATP、MDA产生，调节6－酮－$PGF_{1\alpha}$/TXB_2平衡，抑制血小板聚集及活化，使主动脉动脉粥样硬化斑块明显减轻，表明玉米花粉抗动脉粥样硬化机理可能与调节过氧化脂质代谢及维持6－酮－$PGF_{1\alpha}$/TXB_2平衡有关。

5. 增强体力和耐缺氧功能　食用花粉，能增强体力和耐力，很快消除疲劳。奥运会金牌得主，芬兰长跑运动员拉塞维伦，服用花粉后竞技成绩大幅度提高，在1972年第二十届奥运会上获5 000m、10 000m长跑冠军和蝉联第二十一届奥运会这两个项目的金牌。实验证明，花粉确能增强运动员体力、耐力和爆发力，迅速消除疲劳和保持良好的竞技状态。近年许多国家的奥运健儿均食用花粉，促进了运动员身体素质与运动成绩的提高。

国家科委科研所对蜂花粉提高运动能力进行研究。受试人服用花粉之后，全面检测其身体各项指标，如血压、脉搏、肺活量、握力、腰背力、功率自行车定量负荷PWC_{170}（心率达170次/min时的身体作功的能力）和跑台机能试验等。实验结果，服花粉制剂前后PWC_{170}、跑台指数、左右手握力、腰背力及一级定量负荷后即刻心率等变化非常显著，表明花粉对提高心脏工作能力、运动员的身体素质、腰背肌的力量，尤其是耐力的作用是非常明显的。这是由于运动员食用花粉后，改善睡眠、增加食欲，提高心肺功能，增加体力、耐力，消除运动后的疲乏，提高运动员身体素质，从而提高运动成绩。

高山空气稀薄，因为缺氧人体会出现一系列不适反应，甚至出现肺水肿和昏迷等严重高山病症。彭洪福教授成功地运用花粉预防急性高山反应，采用双盲法，在海拔5 000m以上的新疆喀喇昆仑山和西藏唐古拉山进行了两次现场验证。登喀喇昆仑山的男青年中，花粉组55人，给服安慰剂的对照组20人，全程服药21d。结果花粉组无反应率65.5%，明显高于对照组（35%）；中度反应发生率1.5%，比对照组（15%）低得多。登唐古拉山的男青年307人为花粉组，对照组58人。结果花粉组急性高山反应发生率为15%，明显比对照组（37.8%）低得多。

6. 抑制前列腺增生　钱伯初等（1987）实验证实油菜花粉能明显抑制小白鼠的前列腺增生，并且用于老年前列腺增生犬连续2个月，油菜花粉使犬前列腺明显缩小，且对犬血清睾酮和雌二醇无明显影响。黄汉清等（1987）应用雄性激素丙酸睾丸素复制实验性小鼠前列腺增生动物模型，研究花粉提取物对模型小鼠的药理作用及其机制，以及组织形态学的改变程度。连续给服花粉提取物的结果与模型组相比较，给药至15d的腺体重量（mg/100gBW）由60.6mg±2.6mg减至44.0mg±3.5mg，百分率为37.8%±3.0%，$P<0.05$。30d时腺体重量由60.6mg±2.6mg减至37.4mg±3.2mg，百分率为62.1%±11.4%，$P<0.01$，证明花粉提取物对前列腺减重效果显著。花粉提取物对雄

性激素复制的动物模型具有拮抗雄激素的类雌激素样的药理作用，能使增生的腺体逆转正常。

镜下组织形态学检查表明，模型组的腺体增生率为 80.4% ±2.5%，组织形态的改变为腺上皮细胞明显向腺腔内呈乳突状增生，腺腔缩小或消失。口服花粉提取物 15d，腺体有所改变，但不太显著。模型动物服用花粉提取物 30d 后，能使已增生的前列腺腺腔明显增大，体积缩小，抑制和防止腺体增生的作用与模型组相比，抑制率达 55.8% ±3.1%，$P<0.01$。

钱伯初等（1992）实验证明：花粉醇提取物能抑制幼年小鼠和大鼠前列腺生长及丙酸睾丸素与植入胎鼠尿生殖窦所致小鼠前列腺增生时重量增加，减少前列腺组织 DNA 含量和降低血清酸性磷酸酶，认为其抑制作用可能与抗雄激素作用有关。实验提示花粉醇提取物含有油菜蜂花粉抗前列腺增生的活性成分。

浙江医科大学刘子贻等（1993）对油菜蜂花粉提取液作了高效液相层析、放射免疫测定和雌激素受体活性分析。油菜蜂花粉提取液经高效液相层析结果发现存在雌二醇；放免测定每克油菜蜂花粉的雌二醇含量为 1.82mg；用培养的兔子宫内膜细胞作雌激素受体分析，发现油菜蜂花粉提取液能诱发培养细胞雌激素受体活性，其活性相当于每克油菜蜂花粉含雌二醇 1.7mg，从而肯定了油菜蜂花粉中含有以雌二醇形式存在的具有生物活性的雌激素。

7. 保肝和胃肠道的作用 罗马尼亚学者曾用 Wister 种雌性大白鼠 90 只，添加不同种蜂产品喂饲，实验观察经四氯化碳诱发急性肝炎的实验鼠与对照鼠相比有一定的效果。这些蜂产品中以花粉效果更显著，在血浆 A/G 比值和α－游离氨基酸水平、一些由层析法分出的血浆氨基酸水平以及在肝脏的显微结构上显示了它们的效果。

波兰学者研究混合花粉的水溶性提取物和脂溶性提取物对四氯化碳、乙硫氨酸、α－氨基半乳糖与丙烯醇等多种原因所致的动物肝中毒，均有明显的保护作用。大鼠灌胃服水溶性提取物和脂溶性提取物 50mg/kg 后，可显著预防四氯化碳中毒所致血清谷丙转氨酶、碱性磷酸酶、胆红素升高。用药后肝细胞脂肪浸润明显减轻，60% 大鼠肝坏死程度减轻，甚至未见肝坏死。

昆明医学院肖家诚等（1989）曾用四氯化碳造成小鼠肝损伤，同时饲喂含党参花粉的饲料，在电镜下进行对照观察。结果发现，四氯化碳引起小鼠肝细胞较广泛的粗面内质网扩张和脱颗粒、线粒体肿胀、脂褐素明显增加等损伤表现，党参花粉可使其明显减轻，多数肝细胞表现正常或接近正常，同时明显减少肝脂变，对抗肝坏死（$P<0.01$），抑制 Disse 腔及中央静脉胶原纤维的形成，阻止肝纤维化。说明党参花粉对四氯化碳所致小鼠肝损伤有较好的保护作用。

浙江医学科学院药物研究所陈珏等（1989）实验用应激性溃疡、消炎痛性溃疡、幽门结扎性溃疡和醋酸性溃疡四种胃溃疡模型，观察花粉的作用。结果：花粉对大鼠四种胃溃疡都显示了较好的保护作用，对大鼠胃酸分泌量、酸度均无明显影响。因此，花粉抗溃疡作用可能是通过抑制胃酸分泌以外的其他机制发挥作用。

为了阐明花粉治疗便秘作用机理，余松涛等（1988）实验观察玉米花粉可使离体豚鼠回肠、结肠活动明显亢进，并不为胆碱拮抗剂所阻断，也不被异丙肾上腺素完全抑制。玉米花粉3g/kg口服，使清醒豚鼠回肠、结肠移行性肌电复合波的第Ⅰ时相明显缩短，第Ⅱ时相明显延长，回肠、结肠的肌电峰波电位、峰簇振幅明显增加，而且每一峰簇所含的峰波数也成倍增加，表明花粉除了直接作用外，还可通过反射作用引起清醒豚鼠肠管运动亢进。

8. 单花种花粉的作用特点　不同粉源植物的花粉，其色、香、味、成分和效用各异，民间经验和现代研究证明，采自特定植物的单花种花粉，具有各自作用特点和重点适应范围，将在实践中被进一步验证。

玉米花粉：利尿、保护肾脏、改善微循环、防治高血脂和动脉粥样硬化；

茶花粉：散风清热、美容养颜、改善睡眠等；

油菜花粉：抗动脉粥样硬化、静脉曲张性溃疡、前列腺疾病及便秘等；

荞麦花粉：补血健脑，保护毛细血管，降低血糖、血脂，软化血管；

苹果花粉：抗脑中风、预防心肌梗塞；

虞美人花粉：镇静安神，用于咳嗽、支气管炎；

党参花粉：补血益气健脾，促进骨髓细胞生成；

芝麻花粉：补肝肾、乌须发、通便润燥；

西瓜花粉：清热解暑，外治口舌生疮；

益母草花粉：调经活血、散淤止痛，益于妇科疾病；

盐肤木花粉：强心健脑、收敛、补肝肾，益于盗汗、儿童渗出性体质和老人保健；

五味子花粉：敛肺滋肾、生津敛汗、涩精止泻、宁心安神，益于久咳虚喘和糖尿病；

莲藕花粉：美容养颜、健脾补肾，益于夜寐多梦、妇科疾病；

黄芪花粉：补气升阳、益卫固表、利水消肿，益于肾炎浮肿；

栗树花粉：能促进静脉与动脉血液的正常循环，对肝脏和前列腺有良好的作用；

欧石南花粉：可治尿闭、膀胱炎、前列腺炎，对泌尿系统有良好的作用；

蒲公英花粉：去湿明目、健胃运脾，益于膀胱和胃病；

椴树花粉：镇静安神，益于易怒者和失眠患者；

百里香花粉：促进血液循环，能明显提高智力、理解力，兼有镇咳、抗菌作用；

柑橘类花粉：强壮身体、健脾和胃、镇静安神；

当归花粉：补血、活血、调经止痛、润肠通便；

南瓜花粉：调节植物神经，益于神经科疾病；

野皂荚花粉：祛痰、通窍，益于中风和咳喘痰多；

枣椰花粉：恢复正常生殖机能，防止肌肉萎缩；

桔梗花粉：润肺祛痰、清喉止咳，益于咳喘患者。

（二）蜂花粉的临床应用

1. 前列腺病和男性不育症　前列腺增生症、前列腺炎为中老年男性常见的病症，症状主要表现为不同程度的夜尿、排尿费劲、尿流变细、尿后滴沥不尽，以及尿急、尿痛、尿频等，并常影响性功能，甚至可引起射精时疼痛等症状。前列腺增生、前列腺炎等其发病与睾丸内分泌有密切关系。欧洲的医学工作者，开展了花粉治疗前列腺疾病的研究，如罗马尼亚的内分泌学家米哈伊雷斯库博士，使用花粉治疗慢性前列腺炎150例，有效率达70%。

浙江老年病研究所谢海宝等（1988）观察了蜂花粉治疗前列腺增生症100例，年龄为49~72岁，平均61.7岁，病程1~15年，平均6.2年。口服蜂花粉1.5~2g/次，每天3次，日总量为4.5~6g，疗程1~8个月，平均为2.5个月。治疗组100例中，主诉夜尿89例，排尿费劲83例，尿流变细65例，尿后滴沥90例，尿急56例，尿痛31例。服用蜂花粉1~3个月后，患者症状逐步改善。蜂花粉对症状的改善，根据有效率依次为尿痛93.5%，尿后滴沥85.6%，尿流变细84.6%，排尿费劲80.7%，尿急80.4%及夜尿79.8%。对每例症状评定，显效56例，有效37例，无效7例，无一例加重，总有效率为93%，与30例空白对照组比较，有显著差异性。治疗组51例经B超测定前列腺体积有明显缩小（$P<0.05\sim0.01$），总有效率95%。

花粉用于治疗前列腺病和男性功能障碍有良好效果，中老年男子常服花粉可防治前列腺过度增生，免受外科手术之苦。陈恕仁等（1991）用花粉治疗前列腺炎合并男性不育423例，治疗结果：治愈114例，使女方怀孕和生育（26.95%），其中三胞胎1例，双胞胎1例；显效230例（54.37%）；好转45例（10.64%）；无效34例（8.04%）。日本长崎医学专科学校在治疗男性科疾患中发现，蜂花粉对恢复性生活和加强性功能都有明显作用，一些阳痿患者在服花粉后恢复了正常的性生活。

2. 精神神经科病症　蜂花粉对改善精神状态和健脑有明显的功效。蜂花粉可以为脑细胞的发育和生理活动提供丰富的营养物质，增强中枢神经系统的功能和调节平衡，使大脑保持旺盛的活力。蜂花粉能调整神经衰弱和精神抑郁症患者的精神状态，使患者重新对生活发生兴趣。

1975年国际养蜂联盟机关刊物*Apiacta*发表题为“花粉在精神科的应用”的论文，作者从1971年年底开始应用花粉于精神病科，通过3年临床实践，指出用花粉治疗精神抑郁综合征、疲惫衰弱的患者和酒精中毒者效果良好。当治疗精神抑郁综合征时，花粉是出色的辅助剂。绝大多数精神患者诉有疲惫衰弱、苦闷、生活能力低下，给服花粉治疗数天后，所有患者自觉症状转好，心情改善，生活能力恢复。用花粉治疗精神病必须持续较长时间，在这些病例中，花粉作为能源因子具有重大意义。慢性酒精中毒患者伴有多种维生素和蛋白质缺乏症状，花粉对消除症状和缩短病程有效。花粉对戒酒时的戒断综合征疗效最佳。

保加利亚医生曾报道用花粉治疗脑动脉粥样硬化患者40例的效果。患者住院给予花粉，每次1匙饭前服，每日3次，连续30d，结果对神经衰弱疗效良好，头痛、无责任感、心不在焉症状消失，睡眠、记忆和精神状态转好。患者生活能力和对周围环境的兴趣增强，多数患者血脂值下降，血清白蛋白减少，α和β球蛋白增加。常量给服花粉无副作用。

3. 缺铁性贫血、再生障碍性贫血和继发性贫血　1973~1974年南斯拉夫医生曾观察低血色素贫血患者20例。经蜂巢花粉蜜剂治疗病情好转，表现为精神饱满，食欲增加，心情愉快，体重增加；头痛、虚弱无力、头晕均消失。客观指征显示表皮和黏膜苍白程度减轻，血红蛋白、红细胞和血色指数增长。

张震等用蜂花粉治疗31例患缺铁性贫血的儿童，每日口服蜂花粉6g，经过2周治疗，治愈率达77.4%，总有效率为100%，与对照组相比，差异非常显著。他们还报道了蜂花粉治疗十二指肠溃疡并发出血性贫血患者6例，亦取得较满意疗效。

云南省人民医院黄士智等（1988）使用花粉片治疗14例慢性再生障碍性贫血，每日服花粉片10~12g，连服3~6个月，结果大多数病例服花粉片后症状改善，血红蛋白常在服花粉片后半个月左右开始上升，8例血红蛋白≥100g/L，9例白细胞≥3.5×10^9/L，6例血小板>80×10^9/L。在治愈和缓解的病例中，复查骨髓4例已增生活跃或明显活跃。14例中达到基本治愈3例，缓解3例，明显进步3例，无效3例。认为花粉片治疗作用不能视为简单氨基酸营养作用（4例静滴复方氨基酸无效），很可能是花粉片中某几种成分综合作用于骨髓微环境，从而促进骨髓造血功能的恢复。该院还应用花粉片辅助治疗急性白血病及多发性骨髓瘤患者，亦证明效果较好。

北京军区总医院肾内科韩永新等（1993）就蜂花粉和促进红细胞生成素（rHu－EPO）对肾性贫血患者进行疗效观察，58例肾性贫血患者随机分为3组。第一组22例，口服蜂花粉胶囊2个月。第二组14例，皮下注射rHu－EPO 2个月。第三组22例，为对照组，未进行药物治疗。在观察疗效期间患者均未进行输血。结果：第一组和第二组患者平均血红蛋白的含量分别增加0.94g/dl和1.54g/dl，显著高于（$P<0.01$）第三组，其血红蛋白下降1.46%。然而第一组与第二组患者血红蛋白增加二者之间无显著差异（$P>0.05$）。鉴于蜂花粉同rHu－EPO一样是有相同改善患者贫血疗效，以及蜂花粉无任何副作用，作者在南京召开的第二届国际蜂疗学术研究会上发表论文，建议对于肾性贫血患者，同时并发高血压及高血脂症者，应当首选蜂花粉治疗。

云南省职业病防治研究所赵鹏远等（1989）试用花粉对40例慢性苯中毒患者进行了观察。结果花粉组红细胞、血红蛋白值升高占73%，对照组占29%；花粉组血小板升高占73%，对照组占50%。提示花粉能改善慢性苯中毒患者神经衰弱及血象，增强机体机能，提高劳动能力，食用安全无毒，作为触苯工人保健之用，有一定价值。

4. 高脂血症和动脉粥样硬化　心脑血管疾患，是当前世界上威胁人类生命健康的一大问题。随着人类保健事业的发展，人口平均寿命延长，其发病机会相对增加，高血脂是动脉粥样硬化、心及脑血管梗塞的重要危险因素之一。蜂花粉被认为是无毒副作用的预防心、脑血管疾患的首选降血脂食物。

张震等（1991）曾用蜂花粉对高脂血症患者的降脂作用进行观察，花粉日用量30g，分3次服，30d为1个疗程，治疗102例；对照组为空白对照。在第一批32例治疗前后自身对照中，血清总胆固醇（TC）下降率23.07%（$P<0.01$），甘油三酯（TG）下降率37.3%（$P<0.01$）。第二批治疗组70例，设对照组58例。结果治疗组TC由301.91mg±47.61mg（$n=46$）下降至232.46mg±34.99mg，下降率为23%；TG由250.22mg±156.22mg下降至148.11mg±114.79mg（$n=45$），下降率40.8%。对照组TC由294.39mg±36.17mg下降至282.37mg±43.41mg（$n=48$），下降率4.0%；TG由207.69mg±153.57mg下降至204.22mg±147.73mg（$n=45$），下降率为1.67%（$P>0.01$）。结果花粉组降脂作用比对照组显著（$P<0.01$），对高胆固醇血症及高甘油三

酯血症均有效，血脂全部降为正常者（82/102）占 80.39%。临床应用未发现毒副作用及过敏反应。

解放军总医院老年医学研究所周健群等（1987）观察花粉的降血脂作用，连服 3 个月（18 例）或 4 个月（12 例），结果服花粉 1 个半月后，血浆 TC、TG 和 β 脂蛋白（β - LP）含量均明显下降；服用 3 个月后，血浆 TC 和 TG 水平下降更为明显，接近于正常值。判断服花粉前后各项指标测定结果差值有显著性（$P<0.01$）。观察还表明服用花粉有升高 HDL - C 的作用。服花粉 5 个月后，停用 10 个月再复查 TC、TG 的 21 例，证明蜂花粉远期效果亦好。

5. 肝炎和乙肝病毒携带者　罗马尼亚医生曾对不同性别的 8 ~ 80 岁的进行性慢性肝炎患者 63 例给予蜂花粉治疗。每日服用量 30g。定期观察患者和进行细致的临床检查、实验室研究，除了患者的临床状况明显改善外，主要实验室指标血浆血蛋白/球蛋白（A/G）比值的增加值，经统计学处理有非常明显的差异，经治疗的患者血浆白蛋白增加，球蛋白减少。接受花粉治疗 90 ~ 180d 的这一组患者 A/G 比值由 0.85 ± 0.02 增至 1.26 ± 0.02（$P<0.001$）。从血浆 A/G 比值分布状态来看，花粉治疗前比值不到 1（0.51 ~ 1）的有 49 例（占 79%），服花粉后只有 4 例（6%）比值不到 1（0.81 ~ 1），另 59 例比值大于 1（1.01 ~ 1.80）。

云南中医学院肖瑞崇等（1987）曾采用花粉片治疗各种临床类型的病毒性肝炎 54 例，与同期的益肝宁常规治疗组比较，显示花粉片对改善纳差、厌油和腹胀等症状效果优于益肝宁；在提高血清蛋白水平、蛋白代谢功能方面有良好作用，并能降低血脂。花粉组的临床治愈率显著高于空白对照组。认为慢性肝炎患者长期服用蜂花粉，或者将花粉作为治疗食物，可能更有利于发挥它的治疗作用。

刘炬等（1993）采用天然蜂花粉对 30 例无症状携带乙型肝炎表面抗原（HBsAg）患者进行了治疗观察，蜂花粉口服每次 15g，每天 2 次，治疗 6 个月。结果 HBsAg 转阴 11 人；HBsAg 滴度由 1∶128 下降至 1∶64，7 人；HB_sAg 滴度由 1∶64 下降至 1∶32，3 人。与 3 个对照组（A 组服用中药复方扶肝 1 号 23 例，B 组采用中药复方微型丸穴位埋药 36 例，C 组肌注小牛胸腺肽 31 例）相比有明显差异（A、B、C 组分别为 $P<0.01$，$P<0.05$，$P<0.01$）。

6. 便秘与消化性溃疡　习惯性便秘是常见病，给患者带来痛苦和心理负担，对中老年人，便秘是一种潜在的危险因素，尤其有心、脑血管疾患者，常可因便秘、排便用力而发生意外。因此，治疗便秘，使排便顺畅，对保持健康、预防意外发生非常重要。

解放军总医院老年医学研究所周健群等（1988）用花粉治疗习惯性功能性便秘患者 171 例，年龄在 1 ~ 103 岁。30 岁以下占 69%，45 岁以上占 31%。有 60% 患者排便间隔 3 ~ 4d，有 8 例则达 7d，所有受试者均为排便困难，大便干燥，量少。171 例患者口服花粉胶囊，每次 0.8g，每日 3 次，1 周为 1 个疗程，其中 164 例于服花粉 2 ~ 3d 后便秘症状明显改善。有效率达 95.9%。治疗前平均排便间隔天数为 3.3d ± 0.1d（$X \pm SD$），治疗后缩短为 1.3d ± 0.04d；治疗前排便时间为 21.0min ± 0.9min，治疗后为 7.1min ± 0.6min，并且粪便软化，便量增加和便秘症状（如排便困难、肛裂及疼痛等）缓解。实验研究进一步阐明花粉治疗便秘的作用机理。

刘炬等（1992）报道应用蜂花粉，分2次每天服10g治疗便秘患者500例（其中40岁以上460例），包括气虚、血虚、阳虚、阴虚和实证便秘，总有效率86.6%，与中药复方治疗的对照组485例疗效（总有效率61.67%）相比有显著差异（$P<0.05$）；蜂花粉治疗仅有个别出现腹泻，而中药对照组出现相当比例的头晕、疲乏、腹泻、腹痛、恶心、厌食等副作用，两组相比有非常显著的差异（$P<0.01$）。

罗马尼亚医生用花粉治疗40名患十二指肠球部溃疡的患者（A组），饭前服用花粉1茶匙，临睡时服2茶匙。B组口服碱性药及抗胆碱药物。全部患者的年龄平均为31岁。A组和B组的治疗天数均为21d。结果：经治疗7d后，A组疼痛消失者33人（82.5%），B组疼痛消失者41人（85.41%）。内窥镜检查A组痊愈者31人（77.5%），B组痊愈者38人（79.16%）。治疗21d后，复发率：A组13人（32.5%），B组14人（29.16%）。说明蜂花粉既能营养机体，又可达到常规药物治疗十二指肠球部溃疡的疗效。

7. 养颜美容、防治黄褐斑和皮肤老化　当前市场上琳琅满目的化妆品大多是涂抹于皮肤之上，起一种暂时保护作用，不少化妆品对皮肤还有刺激性，而花粉不仅可以美容，而且能起到保健和治疗的作用，集美容、保健、治疗三种效果于一体。

蜂花粉美容的重要作用已经被人们所共识。内服或外用天然蜂花粉，可促进皮肤的新陈代谢，改善营养状况，增强皮肤的活力和对外界不良环境抵抗力。使肌肤柔软、细腻、洁白、鲜润，并可清除各种褐斑，减少皱纹，使干燥皲裂的皮肤增加弹性。

蜂花粉对美容具有如此大的作用，是因为花粉中含有丰富的蛋白质、多种氨基酸、胡萝卜素（在体内转变为维生素A）、维生素E、维生素C、微量元素硒、磷脂、核酸等护肤成分，此外，服用花粉还可使体内SOD含量增加。

黄褐斑是由内分泌失调而引起的皮肤色素沉着。不少疾病可出现这种斑，一般以妊娠期妇女为多见。花粉通过调节神经系统的平衡来调节内分泌。

皮肤保持湿润是皮肤滋润的前提，氨基酸是皮肤角质层中天然润湿因子的成分，可使老化和硬化的皮肤恢复水合性，防止角质层水分损失，保持皮肤的滋润和健康。维生素A能维持上皮细胞分泌黏液和生理功能，使皮肤保持湿润性与柔软性，如果缺乏维生素A，将导致皮肤粗糙和角质化。

皮肤细胞的健康状态主要依赖皮肤细胞内在的新陈代谢平衡转化和较强的抵御外界伤害和及时修复的能力。核酸能促进细胞的再生和新老细胞的交替，使皮肤充满活力。皮肤细胞膜是细胞的表面屏障，起保护层的作用，也是细胞内外环境进行物质交换的通道。生物膜最易受自由基的攻击而损伤。当膜的完整性受到破坏时，细胞将出现功能上的紊乱。磷脂因可重新修复被自由基损伤的皮肤细胞膜，使膜的生理功能得以正常发挥，从而增强皮肤抵抗能力和排除代谢废物的能力。此外，磷脂具有乳化性，可降低血液的黏度，促进血液循环，维生素E有扩张毛细血管的作用，也可改善血液循环，从而可改善血液的供氧循环，延长红细胞生存时间并增强造血功能。皮肤细胞抵抗能力、排除代谢废物能力和血液循环的增强，有利于黑色素的排泄，防止在细胞内堆积沉着形成褐斑，也有利皮肤健康红润、充满活力。

蜂花粉是世界公认的天然美容佳品，其功效是各种营养成分综合作用的结果。运用现代科学技术研制蜂花粉护肤美容系列产品，对提高人们的生活质量具有深远的意义。

8. 食用方法和花粉破壁问题 从古到今，花粉的广泛食用均未见有毒副作用。口服花粉的小鼠 LD_{50} 未能测得，用最大剂量喂养小鼠未见有毒性反应；大鼠连续5个月每日口服花粉20g/kg，其体重、血常规、GOT、GPT及心电图在正常范围内，3个月后解剖检查，心、肝、脾、肺及肾上腺等脏器称重，均未见有差异。各重要脏器未有病理变化。家兔及狗的实验同样证明，动物生长、活动正常，解剖学检查未见异常。

蜂花粉用于保健，每天服3～5g即可；用于治疗，日服15～20g。一般早、晚空腹用吸收效果较好；肠胃不适者，饭后1h服用为宜。可直接食用，也可用温开水送服或用蜜调服。服用蜂花粉不能期望速效，应长期坚持。

花粉破壁或不破壁对人体消化、吸收并无差异。花粉粒外壁虽然非常稳固，对于酸和碱都有一定的抵抗力，但其萌发孔或萌发沟在一定的pH值范围内是能够释放出内含物的。放在光学显微镜和电子显微镜下，可看到花粉壁表面有萌发孔或萌发沟（图15－1），它是在花粉壳外壁上的有限薄区域，在花粉萌发时，花粉管由此伸出。在潮湿条件下萌发孔开放，干燥条件下则紧闭，可使花粉改变体积，萌发沟或孔是花粉适应生殖功能的一种特殊构造。

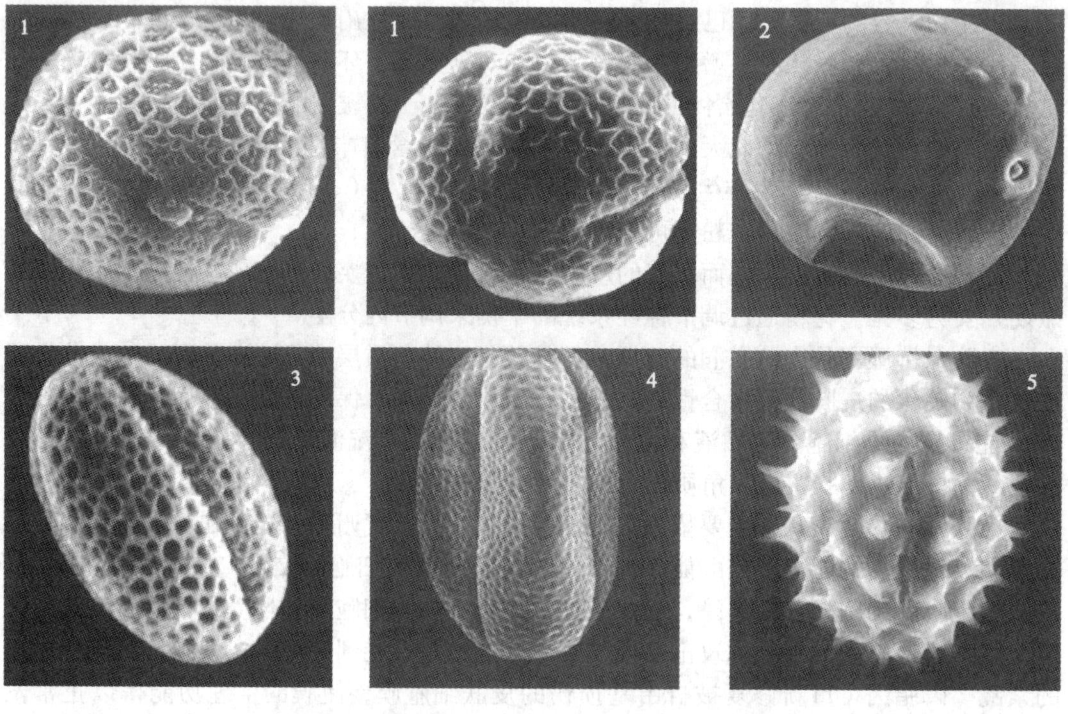

图15－1 花粉粒（示孔、沟）（引自《中国蜜蜂学》）

1. 西瓜 2. 玉米 3. 油菜 4. 荞麦 5. 向日葵

在载玻片上滴一小滴自来水，再把一粒蜂花粉团放入水滴中，立即在光学显微镜下观察，就可以清楚地观察到蜂花粉内含物从花粉的萌发孔或萌发沟处喷射释放的过程。油菜花粉经过24～48h发酵之后，其内含物释放的速度明显增加；南瓜蜂花粉在水中的释放速度很快，内含物释放的全过程约需30min，内含物从萌发孔处朝着某一个方向迅速喷出；玉米蜂花粉在水中的释放速度也比较快，内含物从玉米花粉的萌发孔处释放，喷射出来的内含物在蜂花粉的周围环绕一周形成一个不规则的框环，几环之后内含物均匀地分散到水溶液中，黑色不规则的框环逐渐消失。

分别取等量的100%破壁花粉和原形花粉，加蒸馏水适量匀浆，37℃保温13h并不停地缓慢搅拌，然后1 500r/min离心，取上清液。上清液中含有花粉水浸物，同花粉水浸处理一样，将花粉制备成悬液及匀浆，作为原形和破壁花粉组。先将两组样品用盐酸将pH值调到酸性。处理3h，然后1 500r/min离心，收集上清液。再用碳酸氢钠调到碱性，处理沉淀10h，同样离心取上清液。合并两次上清液将pH值调到中性，此液中含有花粉的酸碱浸出物。花粉提取物在紫外波长区有一特征吸收峰，最大峰值处波长为266.1nm。根据特征吸收峰的高度，可以对比各种处理后花粉成分释放的情况。经测定，破壁花粉与原形花粉营养成分释放没有差异，只用蒸馏水浸泡原形花粉，就可使花粉内成分释放。而酸碱处理原形花粉成分释放可超过水浸100%破壁的释放量。将破壁与原形花粉在同样条件下处理，不管是水浸、酸碱处理还是胃液处理，两者释放物在266.1nm波长消光值差别不大。随着处理强度增加，释放物的消光值（OD值）逐渐增加，而破壁与否其差别都随之缩小。

油菜花粉破壁与否，对减压缺氧小白鼠存活率、密闭缺氧小白鼠平均存活时间和小白鼠游泳时间的影响，经统计学处理均无差异。

实验证实，食用花粉无须强调破壁。如果制作外用的护肤化妆品或花粉饮料，提取或破壁是可取的，但若外壁破碎，则内部物质易被氧化和污染而变质。故应根据需要决定花粉破壁与否。

三、蜂胶

（一）蜂胶的生物学作用

1. 抗菌抗毒作用　蜂胶具有广谱抗菌作用，革兰氏阳性细菌和抗酸菌对蜂胶提取物最敏感；蜂胶对革兰氏阴性的脑膜炎双球菌、幽门螺杆菌、不凝集弧菌和致病性嗜盐菌亦有较强抗菌作用。松野哲也（1994）报道蜂胶双萜的抗菌作用，证明对涉及人工培养基生长的最小微生物8种支原体亦有抑制作用。

蜂胶不仅有抗菌作用，而且还能与某些抗生素合用，提高抗菌活性，延长作用时间。如蜂胶与青霉素、链霉素、四环素、氯霉素、红霉素、新霉素、巴龙霉素、夹竹桃霉素、多黏菌E和瑞氏托菌素在培养基或软膏配方中呈现以上协同作用。对氨苄青霉素、四环素和红霉素耐药的菌株对蜂胶也敏感。当蜂胶与上述3种抗生素中的任何一种合并使用于耐药菌株时，都有增效作用。

实验证明蜂胶水浸液对白喉杆菌、破伤风杆菌和水肿杆菌外毒素有中和作用：50%蜂胶水浸液1ml与27.5mLD（最小致死量）白喉毒素混合，37℃放置2h后，给豚鼠注射仅呈现轻度中毒症状，而注射1.6mLD白喉毒素的对照组豚鼠于注射后72h全部死亡。

蜂胶不仅在试管内能中和破伤风毒素，体内实验亦证实有抗毒作用。给小白鼠在注射 1∶80 破伤风毒素 0.1ml 的同时和隔 30min 各注射蜂胶浸液 0.1ml，结果延迟了中毒症状的发生，实验组动物平均存活 128h；而注射 1∶80 毒素 0.1ml 和用生理盐水代替蜂胶的对照组动物均在 24h 内出现中毒症状，平均存活时间仅 43h。

2. 抗霉菌作用 房柱等（1975）通过纸碟法实验证明，1% ~10% 蜂胶乙醇浸提液或醚浸提液对我国常见浅部致病霉菌黄癣菌、絮状癣菌、红色癣菌、铁锈色小孢子菌、石膏样小孢子菌、羊毛状小孢子菌、大脑状癣菌、石膏样癣菌、须发癣菌、紫色癣菌等 10 种有较强抑菌作用，对叠瓦癣菌和 9 种深部霉菌作用较弱或未显现。无论是蜂胶乙醇浸提液还是蜂胶乙醚浸提液，无论是意大利蜂蜂胶还是塞浦路斯蜂蜂胶，其抗霉菌作用均无明显差别。

实验证实蜂胶确有抗霉菌作用，中外学者测定蜂胶乙醇提取物对 24 种霉菌的最小抑菌浓度（MIC）亦表明浅部霉菌对蜂胶较敏感。

0.05% ~10% 蜂胶对引起烟草赤星病的链格孢菌和引起黑茎病的烟草疫霉菌有显著的抑制作用，随着浓度的升高，抑制作用增大。

米特兹耐尔等（1979）证明蜂胶及其组分乔松素、对香豆苯酸酯、短叶松素 -3- 乙酸乙酯、高良姜素、短叶松素、咖啡酸酯对浅部霉菌须发癣菌的抑菌作用比灰黄霉素强，而对深部霉菌、白色念珠菌的作用不及制霉菌素。

米特兹耐尔等（1989）证明蜂胶中苯甲酸、水杨酸和香草醛亦有较强的抑制霉菌作用。

3. 抗病毒作用 蜂胶作为天然抗病毒物质，其乙醇浸提液对 A 型流感病毒不仅在体外有灭活作用，在给小白鼠接种流感病毒前 2h，用 5% 蜂胶乙醇溶液滴鼻或雾化吸入亦可抑制病毒的繁殖。用 $10LD_{50}$ 流感病毒感染实验鼠 24h 以后，隔天腹腔注射蜂胶液 0.2ml、0.4ml，或口服蜂胶液 0.5ml 共 3 次，呈现有治疗效用（表 15-3）。

表 15-3 蜂胶对经鼻感染 $10LD_{50}$ 流感病毒实验鼠的影响

组 别		给药数量/ml	给药途径	流感鼠成活率/%
治疗组	1% 蜂胶组	0.2	腹腔内	50
	1% 蜂胶组	0.4	腹腔内	50
	1% 蜂胶组	0.5	口 服	60
对照组		经鼻实验感染		20

众多学者实验确认蜂胶乙醇浸提液能抑制 Sidbis 病毒、脊髓灰质炎病毒、腺病毒、冠状病毒、旋转病毒、疱疹性口腔炎病毒（VSV）、Ⅰ型单纯疱疹病毒（HSV-1）、猴病毒-40（SV-40）、日本血凝病毒（HVJ）、伪狂犬病毒。蜂胶对黄瓜花叶病病毒、烟草斑点病病毒和烟草坏死病毒以及马铃薯 S 病毒、Y 病毒、M 病毒和 X 病毒等亦有明显抑制作用。

4. 抗原虫作用 文献报道的蜂胶抗原虫作用涉及鞭毛纲、孢子纲和纤毛纲原虫。现以鞭毛纲，毛滴虫目，毛滴虫科原虫实验研究为例，斯大珠克等（1977 年）将蜂胶乙醇提取物的 10% 吐温 20 溶液，以 150mg/L、50mg/L、0.5mg/L 和 0.05mg/L 的浓度加入阴道毛滴虫培养物内，置37℃温箱中，每隔24h取样镜检毛滴虫存活数，结果证明供试蜂胶均呈现抗滴虫活性，并随其浓度增加而增强。蜂胶乙醇提取物150mg/L浓度对阴道毛滴虫作用24h就出现杀灭效应，说明毛滴虫对蜂胶很敏感。

蜂胶乙醇提取物和层析分离的B、D、E 3种组分，以0.002%浓度观察对阴道毛滴虫、禽毛滴虫和小毛滴虫培养的影响。蜂胶及其组分均有抑制毛滴虫繁殖的作用：组分E抑虫作用较强，阴道毛滴虫和禽毛滴虫较敏感。

用3%蜂胶乙醇浸提液治疗受艾美耳球虫、Emedia球虫、E. Perforans球虫和椎体虫感染的实验动物，证实蜂胶有抗原生动物的作用，认为蜂胶抗原生动物的效力比其他的药物高。体外实验评估蜂胶对寄生性原生动物兰伯氏贾弟虫生长的作用。当蜂胶乙醇浸提液的浓度为11.6g/L时，对98%的兰伯氏贾弟虫具有抑制作用。

5. 抗溃疡作用　国内外学者通过不同实验模型证实蜂胶液或蜂胶粉的抗溃疡作用。张震等（1987）观察蜂胶对雄性大白鼠以浓乙酸涂抹胃壁制成溃疡愈合的影响，53只大白鼠中实验组（28鼠）喂2%蜂胶乙醇稀释液每日6ml，分2次喂饲，对照组（25鼠）每日喂等量的生理盐水。两组均于术后第二天开始喂药，于第十四天将动物处死，观察溃疡转归、测量计算溃疡面积并切片做病理学观察。结果证明，蜂胶组不仅溃疡愈合率（82.14%）明显高于对照组（20%）（$P<0.001$），而且溃疡面积缩小、变浅和病理组织学改变亦有显著差别。

6. 抗高血脂和抗血小板集聚作用　1978年秋，南京医学院病理生理教研室冠心病科研组和连云港蜂疗研究室协作，用雄性青紫蓝家兔，以安妥明为阳性对照药物，观察了蜂胶对实验性高脂蛋白血症和动脉粥样硬化症的预防作用。发现蜂胶对抗高甘油三酯血症的作用较安妥明大（表15-4），对抗高胆固醇血症的作用较小。两药均有预防肝内脂质堆积的作用，胆固醇尤著（表15-5）。

表15-4　蜂胶对兔实验性高甘油三酯血症的预防作用

组　别	甘油三酯增加量/mg		
	用药1个月后	用药2个月后	用药3个月后
蜂胶组	18.22±12.14*（14）	23.86±16.54*（14）	12.64±10.53*（14）
对照组	35.63±11.81（15）	78.322±6.24（14）	63.82±24.88（14）
安妥明组	109.58±23.32*（11）	54.76±26.09（9）	33.87±27.66（9）

注：*与对照组相比，$P<0.01$，差异非常显著。用药1个月后的安妥明组远高于对照组的原因不明。( )括号内为动物数。

表15-5　蜂胶对实验性高脂血症兔肝内脂质的影响

组　别	肝脏湿重/g	总胆固醇/(mg/g)	胆固醇酯/(mg/g)	甘油三酯/(mg/g)
蜂胶组(14)	487.23±18.19	28.65±3.31*	25.89±3.17*	6.59±0.78
对照组(14)	506.54±23.03	39.63±3.28	34.86±3.05	8.13±1.05
安妥明组(9)	506.10±6.20	25.81±3.31*	21.08±3.25*	5.62±1.85

注：*与对照组相比，$P<0.05$，差异显著。( )括号内为动物数。

两药均有明显的预防主动脉内胶原纤维增加的作用。胶原纤维的形成不仅在冠心病发病的过程中具有重要意义，许多疾病如肝硬化、肠粘连、瘢痕疙瘩、矽肺和硬皮病等结缔组织疾病均有此种病变。近年作为保健食品，蜂胶制剂及其组分的抗血脂升高的作用已被进一步实验证实。

7. 免疫增强作用 蜂胶的免疫增强效应已为众多实验观察所证实。蜂胶能使血清总蛋白和丙种球蛋白的含量增加，增强白细胞和巨噬细胞吞噬功能，提高机体的特异性和非特异性免疫功能。可以认为，蜂胶对感染性疾病的疗效一方面是抑制了致病微生物的生长和繁殖，另一方面则由于其免疫增强作用，提高机体抗病能力，最终消灭病原体，使疾病痊愈。蜂胶的生物反应调整（BRM）作用，亦即增强机体抗肿瘤免疫力与蜂胶对癌细胞抑制作用共同发挥抗癌效果。

蜂胶作为优良的免疫佐剂，与肠炎沙门氏菌微粒甲醛抗原混合接种，使家兔和豚鼠的补体和巨噬细胞活力增强，刺激丙种球蛋白活性，并使特异性凝集素的产生大大增加。用蜂胶作佐剂的大白鼠局部淋巴结浆细胞增生比用皂素作佐剂的大白鼠或单纯抗原组强3.7~6倍，蜂胶组大白鼠血清凝集素滴度比其他组高3.7~4倍。

小公牛注射副伤寒抗原同时加用蜂胶能刺激免疫机能，增加抗体产量和增强巨噬细胞活力。

吉瓦尔吉娜等（1969）通过实验证明，蜂胶是破伤风类毒素免疫过程中增长非特异性和特异性免疫因子的刺激剂。

用被动血球凝集反应的小白鼠中和反应测定抗毒素。首次注射后第十四天，血中出现抗毒素，一直观察到第六十三天，实验组抗毒素滴度均高于对照组。第三十五天血清抗毒素含量最高，实验组74.6A.E. ±10.6A.E.（抗毒素单位），超过对照组36.5A.E. ±7.5A.E.1倍多。开始出现抗毒素的第十四天，接种对照组兔血清的小白鼠注射破伤风毒素30mLD后100%死亡，而接种实验组兔血清的小白鼠仅40%死亡。

给予抗毒素水平量高的第三十五天实验组兔血清，能使小白鼠经受毒素3 000mLD，仅60%小白鼠出现Ⅱ级破伤风症状，40%症状轻微。而接种对照组兔血清的小白鼠100%死亡。此后虽然抗毒素水平降低，但血清保护作用仍然增长。第六十三天两组家兔的抗毒素水平虽低于开始出现的第十四天，但其血清对小白鼠注射毒素的保护作用仍比第十四天血清强10倍。用蜂胶配合伪狂犬病（Aujeszky病）疫苗对大白鼠和猪具有免疫促进作用。

李心坦等（1987）曾用蜂胶佐剂布氏杆菌死菌苗对家兔免疫接种，第三十天检测血清中凝集素滴度和外周血液T细胞和B细胞的比率。结果蜂胶佐剂组凝集素滴度高达1∶6 400，弗氏佐剂组和单纯布氏杆菌菌苗组分别为1∶1 600和1∶1 800。凝集素滴度各组按方差分析，结果不同佐剂间有显著差异（$P<0.01$）。T细胞和B细胞测得的比率按卡方分析，在第二十天时，各组佐剂与单纯菌苗有明显的差异（$P<0.01$）。

蜂胶对机体免疫系统具有广泛的作用，既增强体液免疫功能，又促进细胞免疫功能，对胸腺、脾脏及免疫系统产生有益的影响。蜂胶既能促进机体增加抗体产量，又能增强巨噬细胞吞噬能力和自然杀伤细胞活性。蜂胶免疫增强作用是蜂胶药用保健的重要机制。

（二）蜂胶临床应用

1. 皮肤病　根据民间经验，笔者（房柱，以下同）从1957年开始给患者试用蜂胶获效，并在《中华皮肤科杂志》1959年第4期上发表《蜂胶治疗鸡眼、胼胝、跖疣和寻常疣的初步观察》。

40余年来，蜂胶在治疗皮肤病实践中得到进一步发展：被用于治疗带状疱疹、扁平疣等病毒病，毛囊炎、汗腺炎、疖等球菌病，皮肤结核、麻风溃疡等杆菌病，某些霉菌病、酒糟鼻、晒斑、擦烂红斑、射线皮炎、皲裂、湿疹、瘙痒症和神经性皮炎、玫瑰糠疹、银屑病、脱屑性红皮病、寻常痤疮和斑秃等有一定疗效，举例如下：

带状疱疹系水痘带状疱疹病毒所引起，多见于成年人。多个簇集水疱群，排列成带状，沿周围神经分布，常为单侧性，伴有明显的神经痛及瘙痒感，疼痛剧烈，病程2～4周，某些患者后遗神经痛可持续数月之久。

唐金贤等（1985）自制蜂胶酊（浓度25%）用棉签蘸涂患处，每日1次。治疗带状疱疹146例。用药最短3d，最长7d，疱疹即干瘪痊愈。涂药后在皮肤上即形成树脂样薄膜，起到保护皮肤免受外界刺激的作用。

李树莱等（1980）采用20%蜂胶酊治疗40例浅部霉菌病（包括体癣、股癣、手癣、足癣）总有效率为82.5%，通过对比研究，发现少数患者的疗效甚至超过1%克霉唑霜及复方苯甲酸涂剂。对我国浅部霉菌病的主要致病菌——红色癣菌引起的癣有效率达88.9%。

李树莱等（1985）试用蜂胶片治疗深部霉菌引起的孢子丝菌病20例，其中淋巴型12例，固定型8例。给服蜂胶片（0.3g），每次3～8片，每日3次，14～90d为1个疗程。治愈孢子丝菌病4例，病情减轻12例，总有效率80%。认为蜂胶片内服可能是治疗孢子丝菌病的一种新的有效药物，特别是用于对碘化钾不能耐受或过敏者，值得进一步探讨。

余杨林（1987）应用蜂胶片对18例着色霉菌病进行了临床观察，有效率达72.2%。患者在服用125d后，皮损从边缘向内缩小，边缘变平，分泌物减少，服至1 620片时，皮损缩小变平率85%。用药期间无新皮损出现。认为蜂胶对此病的治疗作用是肯定的。

笔者（1959）推荐的贴用蜂胶治疗鸡眼的方法简便易行。先洗患处，用热水浸泡和刀削表层病变组织后，取比病变范围稍大的小饼状蜂胶紧贴患处，用胶布固定，隔6～7d换药。蜂胶质硬，须将所用小块微温使软化。贴药后未除去前应避免水洗或浸湿，鸡眼可在贴药6～7d内从它的穴窝中脱落，此后还须再贴1次蜂胶，6～7d后待皮肤长好即为治愈。若1次未脱落，应继续重复治疗。贴用蜂胶治疗的90个鸡眼病患者痊愈68个，好转9个，无效或中断治疗13个。贴用蜂胶治疗鸡眼不刺激正常皮肤，疼痛剧烈的鸡眼，用蜂胶治疗能迅速止痛，治疗全过程均毫无痛苦；蜂胶不仅能使角化组织脱落，而且能保护穴窝内肉芽生长。

1974年11月至1976年12月，笔者等试用蜂胶片治疗寻常型银屑病160例。蜂胶片（0.3g），每次2～3片，日服3次。通常1个疗程为2～3个月。一般在服药后2～4

周开始见效，显著疗效大部分在服药后2个月左右。本组病例均未用其他治疗。160例中基本治愈37例（23.13%），显著好转17例，有效58例，无效48例。总有效率为70%。基本治愈的37例经随访1~2年，其中治疗后3个月内复发者5例，4~6个月复发5例，7~9个月复发7例，10~12个月复发4例，满1年后复发1例，还有15例满1年未复发，其中11例满1.5年亦未复发。

蜂胶片内服治疗银屑病的疗效并不算高，但近期复发者尚少。鉴于目前对银屑病尚无特效防治方法，蜂胶内服既避免了令人厌烦的外用药，又无全身性化疗的毒性反应，值得进一步研究。

2. 耳鼻咽喉病　蜂胶有益于黏膜上皮再生，增强机体防护机制，具有抗微生物、消炎和局部麻醉作用，能使慢性炎症过程中的黏膜浸润减轻，促进已坏死组织脱落，因此，近年在耳鼻咽喉科广泛用于治疗多种鼻炎、鼻窦炎、咽炎、扁桃体炎、上呼吸道炎、外耳炎、中耳炎和听力障碍等，获得一定效果。举例如下：

蜂胶制剂可治疗急性鼻炎、慢性鼻炎和萎缩性鼻炎。克拉唑克（1971）报道，用蜂胶浸膏溶液治疗萎缩性鼻炎和近萎缩性鼻炎患者260例，治愈67.6%，好转28.2%，无效4.2%。

臭鼻症是慢性萎缩性鼻炎的一种类型，迄今病因未明。女性患者比男性多2~3倍，并且以性成熟期发病数最高。多罗申科（1978）指出蜂胶软膏局部应用能稀释黏稠的分泌物，清除结痂，增强鼻黏膜残留腺体的机能并改善其血循环。他用植物油调制的20%蜂胶软膏浸透的塞子，置患者鼻道1.5~2h进行治疗；对某些患者，为加强对萎缩性黏膜的刺激和促进其分泌机能，给予蜂胶蜜软膏。为清除恶臭可用新调配的蜜溶液滴鼻和含漱。18例臭鼻症和重度慢性萎缩性鼻炎患者，经采用包括蜂产品制剂在内的综合治疗措施，病情显著好转者14例，暂时有效2例，另2例做手术治疗。

蜂胶蜜软膏配方：取纯净蜂胶粉75g，加液体石蜡100g，羊毛脂250g，置水浴中加温熔化，搅拌均匀；然后从水浴上取出趁热过滤，稍凉后加入苯唑卡因20g和蜂蜜75g，调匀置棕色容器中密封备用。

慢性咽炎是咽部常见的疾病，多见于中年人。1975年多罗申科采用30%蜂胶乙醇浸膏与甘油或桃仁油按1∶2比例混合后作为涂剂，对口咽或鼻咽黏膜慢性炎症患者预先清除黏液和痂，再涂抹蜂胶涂剂，每天1次，每次用药2~2.5mg，疗程10~15d。

共观察238例，其中187例患轻度萎缩性咽炎，51例患萎缩性咽炎，病程1.5~12年。结果治愈患者占74.6%，显效14.7%，好转6.9%，无效3.8%。经随访0.5~3年的175例中治愈占71.1%，显效16.3%，好转8.1%，无效4.5%。

林映龙等（1992）应用0.5%蜂胶乳浊液蒸汽吸入治疗急性咽喉炎165例（显效以上131例，占79.39%）与常规用药蒸汽雾化吸入治疗177例（显效以上149例，占84.18%）进行比较，差异无显著性（$P>0.05$）。观察证明，蜂胶具有明显抗炎镇痛作用，对急性咽喉炎疗效满意。

刘幸芝（1993）使用蜂胶蜜或蜂胶酊局部涂药或含漱治疗咽炎56例（急性25例，慢性31例），治愈8例，显效24例，有效20例，无效4例，总有效率92.9%；治疗急性扁桃体炎30例，治愈3例，显效10例，有效13例，无效4例，总有效率86.7%。

Doroshenko 曾报道用蜂胶糊剂治疗慢性扁桃体炎患者 157 例。年龄 8～62 岁，女 93 人，男 64 人，代偿型 42 例，非代偿型 115 例。对比治疗前后主客观方面症状，证明蜂胶疗效良好。其中 123 例曾随访观察远期疗效 6 个月至 3 年，治愈 89 例，偶发轻型咽炎 27 例，无效 7 例（占 5.7%）。

蜂胶糊剂配方：纯净蜂胶粉 2 份，药用纯蜂蜡 3 份，麻醉用乙醚 8 份，混合调匀，置密封棕色玻璃器中备用。低温贮存。

蜂胶糊剂易被喉头注射器注入扁桃体陷窝。每周治疗 1 次，4～7 次为 1 个疗程。向扁桃体陷窝注入糊剂前先用 1∶5 000呋喃西林液、1%～2%福尔马林液或生理盐水灌洗。

治疗前必须先做敏感试验。用圆头探子点送少量蜂胶制剂至软腭或扁桃体前弓，15～30min 后，若点敷局部黏膜充血或肿胀为过敏反应，应禁忌用蜂胶制剂治疗。

蜂胶制剂局部涂药法。患者取坐位，咽净口腔内的唾液，张口发“啊”音，用长棉签蘸取蜂胶酊或蜂胶蜜，用压舌板将舌根下压，将药涂在病灶区。然后令患者闭口，尽量延长药在口腔留存时间。每天用药 1～2 次，连用 3d 以上。

蜂胶蜜含漱法。适用于咽反射敏感的患者。用消毒压舌板挑起蚕豆大的蜂胶蜜一块，放入患者口中，令其闭口含药片刻，待唾液将药物稀释后，轻轻含漱，再通过舌的运动，使药物充分与口腔黏膜接触，让药液在口腔内存留一定的时间，最后分次将药液徐徐咽下，使其充分地与口腔、咽部黏膜接触。每天 2 次，连用 3d 以上。

秀清等报道，应用蜂胶治疗急性、亚急性咽扁桃体炎和喉气管炎，其中住院患者 120 例，门诊 85 例。每天给服蜂胶片（含全蜂胶浸膏 0.05g）6 粒；蜂胶水浸液雾化吸入 2 次，每次 10min；含服 2%蜂胶糖浆 2～3 汤匙。85%～90%的患者收效良好：咽喉、气管、支气管黏膜短期内恢复正常，自觉症状 3～5d 消失。另有 15 例慢性喉炎、气管炎和 2 例声带接触性溃疡均治愈，随访 3 个月无复发。

呋莱凯曾对 105 例成人上呼吸道炎（咽喉炎 65 例，炎症波及鼻、咽、喉，甚至气管、支气管者 40 例）采用 5%蜂胶乙醇水溶液雾化吸入法治疗，经 3～5 次吸入即有良好效果。较常规方法疗程缩短约 1/2，无副作用，费用低廉。

卡奇芮（1974）采用以蜂胶酊浸透纱布条塞进病耳的简便方法治疗了 103 例急性中耳炎患者获效，治愈时间比用硼酸、呋喃西林或其他乙醇合剂要缩短 2～3d。

卡奇芮（1979）采用蜂胶电离子导入疗法治疗粘连性中耳炎患者，每次 15min，10 次为 1 个疗程，可在 3～6 个月内为患者治疗 2～3 个疗程。经治 37 例中疗效特佳者 7 例，良好 13 例，有效 11 例，无变化 6 例。31 例听力有不同程度改善（10～30dB）。治疗后耳鸣消失 19 例，减轻 11 例，无变化 7 例。

李文源等（1992）应用 30%蜂胶酊，治疗外耳道炎患者 72 例，有效率 100%。其中用药 3d 内治愈的有 66 例，治疗时间最长为 6d。通过抑菌实验证明，蜂胶对外耳道分泌物的细菌培养均有抑菌作用。

3. 口腔疾病 早在 1953 年蜂胶就被试用于口腔疾病。前苏联基辅口腔医学院的研究证明，2%～4%蜂胶酊可以治疗牙痛，用作手术后止血、止痛药；敖德萨口腔医学院临床实践中广泛使用蜂胶软膏和 4%蜂胶酊。他们成功地应用蜂胶软膏治疗复发性口疮、口腔糜烂溃疡和霉菌损害。近30年来，国内外在口腔科应用和研究蜂胶方面进展较快，举例如下：

1994年，由华西医科大学口腔医院和云南三所口腔专科参加研制的蜂胶牙泰，用于治疗口腔冠周炎、牙周炎。将观察对象根据随机方案归入蜂胶牙泰组或1%碘甘油组（阳性对照），用消毒盐水冲洗患者牙冠周袋或牙周袋，擦干后注入蜂胶牙泰或1%碘甘油，每天1次，连续3d，共432例完成预定治疗方案。

结果经蜂胶牙泰治疗后，冠周炎病例主要症状消失率除盲袋溢脓外，均优于碘甘油组，张口度明显增加，疗效综合评定时，临床痊愈率、有效率均是蜂胶牙泰组（52.9%、93.5%）优于对照组（20%、82.2%）。牙周炎病例主要症状消失率除口臭外，均优于对照组，出血指数明显降低，但牙周袋深度未见改变，综合评价有效率（83%）显著优于对照组（42.6%）。

复发性口疮（阿弗它口炎）和儿童急性感染性口炎的黏膜浅在溃疡，是常见的口腔黏膜病，复发性口疮可发生于任何年龄，但以青壮年多见，有自发剧烈烧灼痛，影响进食和说话，特点是容易反复发作。国内外口腔科局部应用蜂胶制剂治疗复发性口疮，能使溃疡面形成保护性薄膜，抑制病原微生物，麻醉止痛和缓解血管痉挛，既有对症止痛效应，也具有促进组织代谢和溃疡愈合的作用。

郑义诚等（1980）参照"Stomapin"配方，用蜂胶治疗复发性口疮38例和小儿急性感染性口炎8例，均获较好效果。实验证明，在工作人员的正常黏膜上形成的药膜可维持3～4h，在溃疡面上可维持6h，当治疗复发性口疮时可每日用药2次。这种蜂胶剂型本身既有赋形的成膜剂作用，又有促溃疡消炎止痛及组织修复的医疗效用，其成膜性优于聚乙烯醇。此药剂在口腔内由液态直接变成膜状，因而使用方便，不受病变位置限制，且不会留下固体颗粒和难闻的气味。

蜂胶口腔贴敷剂配方：取纯净蜂胶粉100g，浸于70%药用乙醇120ml和麻醉用乙醚40ml中，放在棕色磨口玻璃瓶里密闭，每日振荡数次，10d后用纱布过滤。过滤液静置3d，取上清液50ml，加2%蜂王浆蜜5g、鱼肝油2g，混合拌匀，溶解后装入深色玻璃瓶内密闭备用。另法取过滤后蜂胶上清液20ml，加2%蜂王浆蜜3g、氟美松30mg，充分搅拌混匀，装瓶备用。

沈胜利等（1986）应用北京第三制药厂试制的蜂胶膜剂，每日2～3次贴于口腔溃疡的表面，治疗322例复发性口疮患者，结果2～9d愈合者占90.68%，其中2～6d愈合者占总人数的2/3以上，能明显缩短溃疡愈合时间，认为是目前治疗复发性口疮局部用药中效果最好、值得推广的药物。

洪民等（1985）用50%蜂胶复合药膜局部敷贴治疗口腔黏膜白斑患者45例（男44例，女1例），痊愈28例，占62.2%；显著疗效14例，占31.1%；好转3例，占6.7%。以平滑型疗效最佳，对厚的白斑亦有较好的疗效。痊愈病例的最短疗程为2周，最长为8周。复合药膜比一般单层药膜在口腔黏膜病损区维持时间更长，疗效增强。对个别过敏体质患者用药前应先做皮肤贴敷试验。

蜂胶复合药膜的制备：取玉米朊10g溶解于95%乙醇100ml中，并加甘油3ml，在玻璃板上成膜。另取明胶50g加蒸馏水280ml水浴加热溶解，加甘油4ml，然后加入纯蜂胶 50g 搅拌均匀，在已干燥的玉米朊膜上覆盖成膜，干燥后则成 50% 蜂胶复合药膜，切成3. 5 ~4. 5cm^2 装于塑料袋中备用。临用时剪成相等于白斑大小供贴敷，每日1 ~2 次。

唐金贤曾用蜂胶麻醉剂为 483 例患者做拔牙术，计 768 个牙齿（乳齿 65 个、恒齿 703 个）。结果拔牙无痛者占 71. 6%，拔牙时稍感痛但能完成手术者占 27. 6%，拔牙时因疼痛改用常规麻药注射者 0. 8%。

蜂胶麻醉剂配方：取纯净蜂胶粉 30g，加入 95% 乙醇 100ml，浸泡 10d，每天摇动，用滤纸过滤后即得蜂胶乙醇浸出液。此液每 100ml 加薄荷脑 3. 5g，樟脑 3g，即成蜂胶麻醉剂。

韩瑞香等（1996）用蜂胶、独活、金银花、甘草等制成酊剂，治疗急性牙痛患者 260 例。其中龋齿 100 例，急性牙髓炎 55 例，慢性牙周炎急性发作 5 例，三叉神经疼 50 例，牙敏感症 30 例，冠周炎 20 例。发作时应用复方蜂胶酊，一次有效率达 98%，复发率 2%。用法：用药棉球蘸少许药水，涂压患齿即可。2min 显效者 90%，5min 显效者 5%，10min 显效者 3%，无效者 2%。

牙体病变中，牙髓炎症、坏死、变性的患者须进行牙髓治疗。常用的牙髓失活剂是三氧化二砷糊剂，用药 24 ~48h 后方可切断牙髓。唐金贤采用蜂胶与中药制成复方牙髓失活剂，在穿髓点放一米粒大小的药块，用棉球包裹，后用丁香油黏固粉暂封，经 6 ~24h 即可去髓。

丁蓉民等（1993）在临床上随机遇到须做牙髓治疗的病例，特别是近颈部的颌面洞，因封砷剂不安全，用蜂胶失活牙髓。临床观察 300 例，成功率为 97. 33%。同时在门诊又随机抽用砷剂失活的 200 例牙和用多聚甲醛制剂失活的 50 例牙做对照，结果表明：蜂胶制剂的失活效果可与砷剂相媲美，并比多聚甲醛明显优良，封药后一般不出现疼痛反应，开髓无臭味，无脓血，切除冠髓后髓室干燥。

4. 用于某些内科疾病

（1）胃及十二指肠溃疡病：奥地利医生菲伊克斯曾对 300 例住院的溃疡病患者进行系统观察，其中十二指肠溃疡占 230 例，胃溃疡 70 例，因 6 例入院时必须立即手术，只有 294 例接受常规药物治疗。294 例中有 108 例同时用蜂胶酊做辅助治疗，未给蜂胶酊的 186 例作为对照组。结果蜂胶组患者 3d 内止痛的占 70%，2 周内止痛的达 92%；而对照组在同等时间内止痛的仅占 10%、55%。2 周后经放射线检查证明，治愈病例蜂胶组占 60%，而对照组只有 30%。住院期间必须动手术的病例，蜂胶组占 5%，对照组占 15%。

菲伊克斯指出，使用蜂胶虽然可缩短治疗时间，迅速止痛，提高治愈率，减少以后手术治疗的必要性，但是在这两组病例中，随访 2 年以上复发率都一样高。

张震等（1988）应用中国产蜂胶制成 20% 乙醇浸提液治疗溃疡病患者 57 例，成人每次 10ml，加温水稀释至 100ml，饭前 15min 服药，每日 3 次；另有 30 例给服中药锡类散，每晚睡前 1 次服 1. 0g。结果，蜂胶组溃疡愈合率（71. 93%）明显高于对照组（锡类散组 26. 7%），$P<0.01$，两组差异非常显著。上腹痛平均消失天数，蜂胶组（平均 5. 6d）优于对照组（平均 11. 75d），$P<0.01$，差异亦非常显著。

（2）呼吸器官疾病：塔拉申科（1971）曾报道应用5%蜂胶乙醇溶液电雾化吸入法治疗2～14岁病孩52例的疗效，其中慢性肺炎15例，支气管哮喘10例，其他呼吸道炎症27例。

供吸入的5%蜂胶乙醇溶液用桃仁油、杏仁油、野蔷薇油或蒸馏水按1∶3、1∶2、1∶1配成乳剂。与空气混合的带电荷的蜂胶乳剂微粒降落在上呼吸道或下呼吸道病损部位，均匀分布到支气管树内壁和渗透到其中难以到达的部位。

按病情给雾化吸入疗法5～20次，每次1～5min，治疗后休息20min。必要时隔1～3个月可重复治疗。15例慢性非特异性肺炎患儿，经治疗有14例炎症消失，并观察8～12个月未见复发，仅1例因支气管扩张进行了手术；10例支气管哮喘患儿均减轻发作，仅1例在感冒后复发；27例其他呼吸道炎症患儿经治疗全部治愈。

鲁克斯氏（1971）分组观察了2～14岁非特异性肺炎并发支气管病变的患儿76例，用抗生素（21例）、抗生素配合10%蜂胶水溶液雾化吸入（32例）和蜂胶雾化吸入配合内服蜂胶酊（23例）的疗效，发现抗生素配合蜂胶吸入疗效最好。

顾进财等（1996）使用蜂胶药枕防治支气管哮喘获效。采用纯净天然蜂胶粉50g，辅以麻黄40g、野菊花40g、防风35g、鱼腥草35g、柴胡35g、辛夷30g、苏叶30g、香白芷25g、川芎25g、川椒30g、冰片20g、薄荷20g等12味中药，先将中药粉碎过筛，再加入蜂胶粉和冰片粉，最后装入布袋做成枕头，供睡眠用。共观察87例，痊愈41例，显效38例，有效6例，无效2例，总有效率97.7%。未出现副作用。此枕头每隔10d要在阳光下曝晒3～4h。枕芯白天不睡时用塑料袋密封，减少药味散发，延长使用期。

（3）高脂血症：笔者在1977年试用蜂胶片内服治疗高脂血症获效，1978年在第三届国际蜜蜂疗法学术讨论会上报道了蜂胶片内服治疗高脂血症45例的临床疗效（表15－6）。其中高胆固醇血症23例，高甘油三酯血症44例，蜂胶片治疗均有明显降脂效应。

表15－6　蜂胶片治疗高脂血症患者45例血脂的改变

血　脂	例数	治疗前 X/(mg% ±S.E.)	治疗1个月后			治疗2个月后		
			X/(mg% ±S.E.)	下降	P值	X/(mg% ±S.E.)	下降	P值
胆固醇	23	265±7.81	235±8.24	29.61	<0.001	228±7.6	41.30	<0.001
甘油三酯	44	246±18.52	192±4.29	53.88	<0.001	170±11.09	76.67	<0.001

高脂血症患者（按血脂分型）疗效：Ⅱa型4例中降胆固醇有效者3例，其中2例降至正常，无效1例；Ⅱa型患者中未见降甘油三酯作用。Ⅱb型30例中降甘油三酯有效者27例，其中11例降至正常，3例无效；30例中高胆固醇12例，治疗有效的11例，其中6例降至正常，1例无效。Ⅲ型1例，对降胆固醇和甘油三酯均有效。Ⅳ型10例全部出现降甘油三酯的作用，甘油三酯由治疗前3 080～6 750mg/L，经治疗后降为1 200～3 905mg/L，其中8例已降到3 000mg/L以下；10例中高胆固醇6例，5例有效（其中4例降至正常），1例无效。

江苏省组织苏州医学院附属一院、淮北盐务局工人医院、南京医学院附属医院等9所医院为蜂胶治疗高脂血症临床验证协作组。蜂胶临床验证分为大、中和小剂量治疗组(125例、167例和27例)，分别每例每日口服蜂胶片2.7g、1.8g和1.2g。每天服药3次，疗程为2~3个月。

苏州医学院朱道程等在做《三种剂量蜂胶片治疗高脂血症319例的临床疗效》总结报告时指出："蜂胶治疗高脂血症不论是大、中剂量组还是小剂量组，均有疗效，治疗前和治疗后的血胆固醇和甘油三酯含量均有非常显著差异，P 值均为 <0.01、<0.001，即蜂胶确有降脂作用。还说明小剂量蜂胶可以达到大剂量相同的疗效，今后用小剂量1.2g/d即可。临床显效率、有效率和总有效率（显效+有效）均逐月升高，以疗程满3个月者为最高。大、中、小剂量治疗3个月后降胆固醇总有效率为61.02%~89.81%，降甘油三酯总有效率为79.03%~84.95%。还显示降胆固醇和甘油三酯的有效率及总有效率均随疗程延长而逐步增加，因此，疗程以3个月为宜。

蜂胶降低血甘油三酯较降低血胆固醇更为有效，其降低甘油三酯幅度与常用的安妥明颇相似。蜂胶无大的毒、副作用，连服3个月未有因毒、副作用而停药者。本品亦无特殊气味和味道，患者均能接受治疗。

南京医学院李子行等，在系统观察蜂胶片治疗高脂血症42例的同时，还用安妥明治疗23例对照。证明蜂胶片对高脂血症患者具治疗作用，且与安妥明十分近似，但未发现毒副反应。蜂胶片不仅在降低甘油三酯和胆固醇方面表现出良好作用，并在恢复和提高高脂血症患者血清高密度脂蛋白—胆固醇水平和血清高密度脂蛋白－胆固醇/胆固醇百分比值方面的效应，也很近似安妥明，显示它们具有防治血管壁胆固醇的沉积作用。

花美君等（1991）对160例高黏滞血症患者，给予饭前口服30%蜂胶酊50滴，每日3次，同时服用蜂胶片每次3片（每片0.1g），服前与服用4周后分别测全血比黏度、血浆比黏度、血沉、红细胞压积各1次。结果表明，高黏滞血症患者治疗后，以上指标均呈显著或极显著性差异。服药后随血液黏度的降低，自觉头脑清晰，反应灵活，肢麻消失，体力增加，尤其冠心病组，无一例发作。证实了蜂胶确有防治或延缓动脉硬化、狭窄和阻塞的作用，对心脑血管病的防治起到事半功倍的作用。

5. 用于外科疾病

（1）灼伤：高尔基全俄灼伤中心，在20世纪60年代成功地应用蜂胶软膏治疗面积占体表75%以内的重度灼伤患者830例，证明蜂胶软膏抗菌消炎作用强，局部止痛作用快，能促进伤口再生过程（促进上皮增生和肉芽生长，阻止瘢痕形成，改善血液和淋巴循环，还能明显地降低灼伤早期血管渗透性）。外用蜂胶软膏做灼伤后肉芽创口自体皮成形手术的术前准备，能使手术间期缩短，皮片成活率增高。采用桃仁、杏仁或向日葵油调制蜂胶软膏以15%为宜，5%~10%作用弱，20%~30%对创面有刺激性。此后蜂胶制剂治疗灼伤的经验在国内外灼伤专科被成功地推广。

（2）慢性溃疡：生于小腿内外臁的慢性溃疡，又称臁疮。本病多见于经久站立工作或担负重物者。破溃、渗液，日久不愈者脓血脂水均有，进而可腐烂至胫骨，病情顽固。

前苏联基辅市拉佳区第二十二医院外科，曾应用5%蜂胶乙醇溶液气雾法治愈小腿慢性溃疡25例。

蜂胶气雾剂配方：取纯净蜂胶粉3.6g，加入乙醇48g，甘油8.4g，制成带树脂香味的深黄色透明溶液，注入专用容器中，将阀门系统（除去推动钮）装上，抽空，再将抛射剂氟利昂通过阀门注入，按上推动钮备用。

罗马尼亚瓦西卡等（1976）亦报道了用蜂胶乙醇浸膏调制的软膏或甘油剂治疗慢性小腿溃疡32例和放射性皮炎后慢性溃疡2例的经验。放射损伤引起的慢性溃疡很难治愈，有的甚至终生不愈，这两例位于足底和外阴部的慢性溃疡均被蜂胶治愈了。

（3）关节疾病和损伤：1985年10月，在日本名古屋召开的第三十届国际养蜂会议上，保加利亚医生报道了他们成功地为82例关节炎住院患者进行蜂胶电离子导入疗法的经验。

关节软组织挫伤、扭伤后有不同程度的疼痛、肿胀及功能障碍。林映龙等（1987）外用蜂胶酊加红外线照射治疗50例，并与单纯红外线治疗56例比较疗效。这106例，挫伤43例，扭伤63例，病程1d至5年，损伤1～30d者77例，占72.6%。

蜂胶（采自广州郊区大叶桉花期），用95%乙醇制成10%酊剂。红外线灯功率250W，灯距30～50cm。照射前用排笔将蜂胶酊涂搽损伤关节，照射过程中再涂擦2～3遍，每次20min，每日1次，7次为1疗程。

疗效：蜂胶酊加红外线组50例中治愈20例，显著疗效10例，好转20例；单纯红外线组56例中治愈和显著疗效各9例，好转34例，无效4例。相比之下，蜂胶酊加红外线组治愈显效率（60%）明显高于单纯红外线组（27.3%），前者平均治疗次数6.76次，后者7.98次。蜂胶酊加红外线组50例中未发现过敏及其他不良反应。

1987年8月，波兰医生在第三十一届国际养蜂会议上报道，类风湿性关节炎和强直性脊柱炎患者52例，给予蜂胶治疗约4周，炎症过程明显好转，血浆硫、铜等元素分析数据亦显示蜂胶的有益效用。

林映龙等（1992）报道，蜂胶酊中频电离导入及单纯中频电疗颈椎骨性关节炎各30例。每日1次，每次30min，10次为1个疗程。结果蜂胶酊组治愈7例，显著好转14例，有效8例，无效1例；单纯中频电疗组治愈2例，显著好转9例，有效19例。两组治愈显效率经统计学处理，差异非常显著，$X^2=6.76$，$P<0.01$。蜂胶酊组疗效优于单纯中频电疗组。两组治疗前后X线片骨质增生程度无改变。

（4）肛门疾病：俄罗斯保健部肛科研究所马尔婷诺娃等（1978）在《蜂胶制剂在肛科的应用》报告结语曾指出：蜂胶能增强组织防卫机制，促进组织修复和创伤愈合；蜂胶治疗染菌创伤具有明显杀菌效应，使创面菌丛对抗生素耐药性减低；应用蜂胶的创面肉芽生长显著超过上皮形成的速度，对创面肉芽生长迟缓或具有深腔者疗效更好。

唐金贤等（1991）应用蜂胶药线结扎新技术治疗外痔、混合痔336例。药物配制：白芷150g，加入95%乙醇1 000ml，共煮15min，过滤得白芷酊；100ml白芷酊内加纯蜂胶粉30g，振摇，7d后过滤得蜂胶酊。将11号和12号手术用丝线浸入蜂胶酊，7d后即成蜂胶药线，瓶装，密闭保存。采用蜂胶药线结扎和蜂胶酊痔核内局部注射法治疗。一般2～7d痔核脱落，治疗6～14d，无感染，止血、止痛效果明显，336例均治愈。

唐金贤等（1992）采用复方蜂胶消痔栓剂门诊治疗内痔336例，其中男性211例，女性125例。年龄20～70岁。病程1～3年42例，3～5年74例，6～10年125例，10年以上95例。Ⅰ期82例，Ⅱ期106例，Ⅲ期104例，混合痔44例，均在发病期。塞用消痔栓治愈233例，显效98例，好转5例。观察证实该栓剂具有止痛止血迅速、使用简便、安全可靠、无副作用等优点。

四、蜂王浆

（一）蜂王浆的生物学作用

1. 增强机体的抵抗力和耐受力 王浆可以增强体质，抵抗外界不良因素的侵袭和提高适应恶劣环境的能力，从以下几个方面的实验中可以得到证实。

裴切夫等（1975）通过豚鼠实验证明，经口给予蜂王浆可使其肝脏耗氧量增加77%（$P<0.05$），肌注蜂王浆使其肝脏ATP酶活性降低33%（$P<0.001$），经口、肌注蜂王浆分别使心肌ATP酶活性降低42%（$P<0.001$）和21%（$P<0.005$）。蜂王浆增加组织耗氧量和降低组织中ATP酶活性，表明在正常生长过程中，蜂王浆可节省能量，保持机体的能量贮备。蜂王浆增强机体抵抗力的机理可能与此有关。

（1）抗疲劳实验：蜂王浆冻干粉以0.25mg/只和0.5mg/只两个剂量经口给药8d后，小鼠分别称重，以体重的10%重物缚于尾部，将小鼠扔下10℃水中，观察小鼠游泳时间，记录小鼠开始下沉时间（T_1）和小鼠水下死亡时间（T_2），与对照组相比较（表15-7）。0.25mg组即有显著延长T_1和T_2作用，0.5mg组T_1延长110%，T_2延长47%，作用十分明显。

表15-7　蜂王浆冻干粉小鼠抗疲劳实验（$n=10$ $X\pm SD$）

组　别	T_1/s	T_2/s
对　照	48±13.7	114±26.1
0.25mg	70.4±12.6**	144.5±27.2*
0.5mg	100.8±14.8***	167.2±17.6***

注：T_1——小鼠开始下沉时间；T_2——小鼠水下死亡时间；*$P<0.05$；**$P<0.01$；***$P<0.001$。

（2）耐缺氧实验：蜂王浆冻干粉两个剂量给药9d后，每个剂量动物分成A、B两组，将A组小鼠置125ml密闭广口瓶中，瓶内盛10g新称重的钠石灰，记录小鼠在瓶中存活时间（T_A），B组小鼠皮下注射异丙肾上腺素10mg/kg 30min后重复A操作，记录时间（T_B）。结果表明，异丙肾上腺素显著增加小鼠耗氧量，T_B显著小于T_A，蜂王浆冻干粉两个剂量，均能延长小鼠耐缺氧时间，对两种模型均有效，且具明显的剂量依从性（表15-8）。

表 15 -8　蜂王浆冻干粉耐缺氧作用（$n = 10 X \pm SD$）

组　别	T_A/min	T_B/min
对　照	15. 3 ±1. 57	12. 1 ±1. 8△△
0. 25mg	21. 6 ±4. 6**	19. 2 ±6. 4
0. 5mg	25. 2 ±2. 0***	23. 6 ±6. 6***

注：T_A——小鼠至125ml 广口瓶中密闭生存时间；T_B——小鼠皮下注射异丙肾上腺素 10mg/kg 30min 后耐缺氧时间；*$P<0.05$；**$P<0.01$；***$P<0.001$；△△$P<0.01$，T_A 与 T_B 比较。

（3）在耐受高温的试验中，给小鼠腹腔注射蜂王浆每日每只 10mg，10d 后，能显著提高小鼠耐受高温和寒冷的能力，使小鼠在 40℃高温和 0℃寒冷环境下的生存时间显著长于对照组。

（4）在对小鼠四氯化碳中毒实验中，给每只小鼠每日腹腔注射蜂王浆 20mg，共 5d，能显著降低小鼠四氯化碳中毒的死亡率。蜂王浆组 11 只小鼠 7d 内死亡 5 只，而对照组 10 只死亡 9 只，两组有显著差异（$P<0.05$）。

（5）在对小鼠的葡萄球菌感染实验中，蜂王浆组 10 只小鼠在接种抗青霉素葡萄球菌后 15h 无一死亡，而对照组 10 只小鼠全部死亡，两组差异极显著（$P<0.01$）。

（6）在对小鼠锥虫感染实验中，蜂王浆组 15 只小鼠在接种马锥虫后 3. 5d 内死亡 8 只，对照组全部死亡，两组差异极显著（$P<0.01$），充分显示出蜂王浆能显著提高小鼠的抗病能力。

2. 延缓衰老作用　在蜜蜂身上可以看到，王浆有强大的延长寿命的作用。有人认为，这是因为王浆中含有丙种球蛋白，它是一种防止衰老、增加机体抵抗力的成分。也有的学者认为，王浆使人长寿的因素是泛酸和吡多醇（维生素 B_6）在起作用。人们拿短寿的果蝇作实验，饲喂王浆的果蝇能活 15. 5d 以后才老死，未饲喂王浆的 13. 3d 就死了。这说明王浆对果蝇也有延长寿命的作用。

目前对衰老的认识有 3 种学说：自由基学说、神经内分泌学说和免疫学说。中国军事医学科学院根据这 3 个学说对蜂王浆制剂进行延缓衰老的实验研究，结果表明：蜂王浆对 SOD 有保护作用，可以免除机体受自由基的损伤，并能清除自由基；蜂王浆对大鼠和小鼠体内的单胺氧化酶 - B（MAO - B）能产生抑制作用，可减轻儿茶酚胺水平下降所造成机体生化过程的损害；蜂王浆可使老年小鼠脾脏抗体形成，细胞数恢复，在体外增强由刀豆素 A 诱导的小鼠淋巴细胞增殖。这 3 项实验证明蜂王浆具有多方面的抗衰老功效。

脑内单胺氧化酶 - B 的活性是“中央衰老钟”学说评定衰老现象的一个重要指标；血液红细胞中超氧化物歧化酶的活性、心肌脂褐素的含量、肝脏中过氧化脂质（LPD）的含量是“自由基”学说评定衰老现象的几种重要指标。中国农业科学院蜜蜂研究所测定了蜂王浆对这几项指标的影响，以探讨蜂王浆抗衰老的作用机理和效果。

实验动物为 30 只 12 月龄的昆明种小鼠，随机等分为两组，实验组小鼠每只每天灌服 1. 8ml 蜂王浆液（每 ml 含蜂王浆 50mg），对照组每天灌喂等量的蒸馏水。45d 后将实验动物全部杀死，分别取出脑、心、肝脏和血液，测定脑内单胺氧化酶活性，心肌脂褐素含量、肝脏过氧化脂质含量和血液中红细胞超氧化物歧化酶的活性。结果是：

蜂王浆对脑内单胺氧化酶的影响：连续服用45d后，实验组小鼠脑MAO-B的含量比对照组平均下降了40.1%，两者有显著差异（$P<0.01$）；

蜂王浆对肝脏中过氧化脂质的影响：连续服用45d后，实验组小鼠肝脏中的过氧化脂质的含量比对照组下降了11.0%，两者间有显著差异（$P<0.01$）；

蜂王浆对心肌脂褐素的影响：连续服用45d后，实验组小鼠心肌脂褐素的含量比对照组平均下降了43.8%，两者有显著差异（$P<0.01$）；

蜂王浆对血液中红细胞超氧化物歧化酶活性的影响：连续服用45d后，实验组小鼠血液中红细胞SOD的活性比对照组升高了22.3%，两者有显著差异（$P<0.01$）。

北京医科大学张枢贤等（1987），应用体外培养二倍体细胞与放射自显影方法观察了蜂王浆对细胞DNA合成的作用。结果提示：蜂王浆具有保持细胞较旺盛的DNA合成能力，缩短老年细胞的周期，减少衰老细胞的聚集，维持较快的细胞更新率以及推迟细胞衰老的作用。

1999年，在吉隆坡召开的第五届国际蜂疗学术研讨会上，湖南医科大学公共卫生学院对蜂王浆冻干粉抗衰老作用进行实验的研究结果：用Wistar成年小白鼠，随机分为实验组、阳性组、阴性组。每组12只，雌雄各半。原样品用蒸馏水配成25mg/ml溶液。实验组每天0.2ml蜂王浆液加0.15ml过氧化油，阳性组每天0.2ml蒸馏水加0.15ml过氧化油，阴性组每天0.35ml蒸馏水，如此连续灌胃3周，自由摄食和饮水。第二十二天从股动脉取血，分离血清，测定血清中MDA和SOD的含量，取脑和心脏分别进行脂褐素含量测定及脑MAO活性测定（表15-9）。

表15-9　蜂王浆冻干粉抗小鼠衰老效应　（$n=10$ $X \pm SD$）

指　标	阳性对照	蜂王浆组	阴性对照
脑MAO（单位/mg蛋白质，h）	54.66 ± 18.89	36.44 ± 7.54*	36.54 ± 9.15*
血清MDA（nmol/ml/血清）	5.55 ± 0.32	4.68 ± 0.62*	4.69 ± 0.48*
血清SOD（单位/ml血清）	113.37 ± 19.9	137.99 ± 6.88*	136.61 ± 18.8*
脑脂褐素（μg硫酸奎宁/g组织）	2.43 ± 0.32	1.86 ± 0.14*	1.86 ± 0.16*
心脂褐素（μg硫酸奎宁/g组织）	4.22 ± 0.41	3.44 ± 0.52*	3.43 ± 0.36*

注：*表示$P<0.05$（与阳性组比较）。

蜂王浆冻干粉可使小鼠心肌脂褐素含量降低18.48%，脑脂褐素含量降低23.46%，使脑MAO活性降低33.33%，血清MDA含量降低10.35%，这些指标均降至阴性对照组（正常组）水平，使血清SOD活性升高21.72%，达到阴性对照组（正常组）水平。上述结果表明，蜂王浆有良好的延缓衰老效果。

3. 促进受损组织再生和促生长的作用　王赞舜等（1962）报道，在大鼠肝组织部分切除后，观察蜂王浆对肝组织再生机能的结果表明，部分切除肝脏的大鼠每日口服2%蜂王浆3g后，其体重较对照组显著增加。在手术后14d，服蜂王浆组大鼠较对照组的体重增加7.6g，30d后则增加31g；服蜂王浆组大鼠血清和肝中转氨酶活力均低于对照组。从血清蛋白分析结果来看，服蜂王浆组大鼠血清白蛋白较对照组增加，而球蛋白则减少，说明肝功能较对照组要好。肝组织病理学检查结果证明，蜂王浆组大鼠肝细胞再生较对照组旺盛，纤维细胞增生不显著，其他病理改变亦不如对照组明显。

熊汝成等（1962）实验研究证明，蜂王浆对部分肾切除大鼠肾组织再生有促进作用，蜂王浆可加快肾组织的再生过程，如使肾组织的重量增加为对照组的2.5倍，体积增加为对照组的2倍。组织学检查表明，服蜂王浆组大鼠肾组织出现再生现象（如细胞密集、细胞浆嗜碱性、细胞核增大且染色较深、细胞核呈有丝分裂象、出现肾小管等）远较对照组为早。

周绍慈等（1962）实验证明，蜂王浆对大鼠坐骨神经实验性创伤的恢复有良好的作用。当用血管钳将大鼠坐骨神经夹伤后，后肢的屈伸反射暂时丧失，对电刺激和机械刺激均不引起反应。损伤后给实验组大鼠每日口服1%蜂王浆蜜2ml，结果口服蜂王浆大鼠后肢反射恢复较对照组明显加快。

蜂王浆可促使幼龄动物加快生长，且发育正常。有人曾选用10只同龄的幼年小白鼠作对比实验，其中5只体质较差的总质量为435g，每日每只在常规饲料中加喂20mg鲜王浆；另外5只体质较好的总质量为461g，饲料中不加蜂王浆作对照。两组在同一比较差的环境条件下饲养。30d后，饲喂蜂王浆的小白鼠体质好转，食欲大大提高，活泼爱动，毛色发亮，总计体重达到639g，增长率为47%；而不喂蜂王浆的对照组，1周后发现其活动力明显弱于饲喂蜂王浆的，1个月后总计体重为571g，增长率为23.9%，其生长发育率平均低于饲喂蜂王浆组23%。

艾菲菲（1989）报道中蜂王浆对豚鼠促生长作用。将24只幼年豚鼠分为4组，进行了为期5周的实验。按A、B、C组每日注射蜂王浆溶液，剂量分别为每千克体重100mg、200mg或300mg，结果A、B、C组每只豚鼠平均增加体重136.2g、144.7g和150.5g。D组（对照）用水注射的豚鼠每鼠平均增至119.5g。B或C组与D组对照差异显著（$P<0.05$）。

4. 消炎抗菌作用　林志彬等（1981）曾对蜂王浆的消炎作用进行过研究：将实验小鼠按体重分为两组，分别腹腔注射蜂王浆和生理盐水，2h后，于每鼠左耳滴二甲苯0.05ml引起发炎。发炎15min后，用手术剪齐耳根剪下小鼠左右两耳，并经剪修使剪下的两耳外形保持一致和等大，用扭力天平分别称取每只小鼠左右耳的重量，以重量差值表示小鼠耳部炎症肿胀程度。两批实验结果表明，蜂王浆对二甲苯所致的小鼠耳部炎症有显著的抑制作用，抑制率分别为51.6%和72.9%（$P<0.01$）。实验还证明，腹腔注射蜂王浆，对甲醛引起的大鼠足肿胀有明显的抑制作用，一般在用药后3～7h作用最显著，至24h时作用消失。在该实验中，蜂王浆的抗炎作用强于氢化可的松（15mg/kg）。蜂王浆对二甲苯引起的小鼠耳部炎症和甲醛所致的大鼠足肿胀有明显的抑制作用，表明蜂王浆使炎症早期的血管通透性亢进，对渗出和水肿有显著的抑制作用。王浆对大鼠棉球肉芽肿增生无明显抑制作用，有助于组织修补和创伤的愈合。

柴夫契斯基（1973）观察蜂王浆对小鼠腹腔“异物”型无菌炎症的细胞学和细胞化学变化的结果，蜂王浆每鼠肌注2mg或灌胃8mg的实验组小鼠，置入腹腔的盖玻片上细胞组织形态学证明蜂王浆具有减轻炎症过程，并促进炎症修复的作用。细胞内某些酶的细胞化学研究表明，蜂王浆能兴奋炎症反应细胞的功能，促进LDH、SDH和NADH-细胞色素-还原酶的酶活性。

有人曾用金黄色葡萄球菌、大肠杆菌、变形杆菌N型及溶血性链球菌感染大白鼠，对感染局部，蜂王浆组用10%的王浆水溶液处理；对照组用青霉素（200u/ml）或短杆菌肽溶液处理。结果蜂王浆组在处理后的13~20d开始恢复，而对照组18~20d才开始恢复。这显示了蜂王浆有促进感染伤口的愈合作用。

蜂王浆的抗菌作用早在1958年国际养蜂会议上已有报告，用7.5mg/ml的王浆，即可抑制大肠杆菌、金黄色葡萄球菌、巨大芽孢变形杆菌的生长，但对酵母菌25mg/ml也不能抑制其生长。

蜂王浆的醚溶成分表现出很强的抗菌活性，其中的10-HDA在用碱中和后仍保持抗菌活性，以酸提取出的王浆抗菌蛋白（Royalisin）在较低浓度时对革兰氏阳性菌仍有抗菌作用。福吉瓦拉等（1990）采用凝聚过滤和反相液相色谱纯化后获得的Royalisin，分子量为5.523kD，一级结构由51个基团组成，分子内有3个二硫键，分子的C端有一半的氨基酸带有较多的电荷。

肖静伟等（1996）用分子筛柱层析的方法，从蜂王浆的水溶性物质中分离出一种活性肽，对革兰氏阳性菌有明显的抑制作用，其分子量为2.3kD，含8种氨基酸，其中甘氨酸占33%，是一种富含甘氨酸的小肽。表明，蜂王浆对金黄色葡萄球菌、变形杆菌、大肠杆菌、枯草杆菌、结核杆菌、星状发癣菌、表皮癣菌等在低浓度时有抑菌作用，高浓度时有杀菌作用。有学者认为，蜂王浆对革兰氏阴性菌的抑制作用比对革兰氏阳性菌的作用大2倍。蜂王浆的抗菌作用主要起源于所含有的脂肪酸及其皂化物质，蜂王浆的pH值与抑菌作用密切相关。pH值4.5时，抗菌作用最强，pH值7.0时抗菌作用减弱，到pH值8.0时抗菌作用基本消失。

5. 抗癌作用和增强免疫功能 攻克癌症是全球性难题，各国有无数学者通过不同途径在探索研究。蜂王浆既能抑制癌细胞和动物移植性肿瘤的生长，又能减轻治癌放射线和化学药品的毒副作用，并且通过扶正固本增强机体免疫功能来促使癌症患者康复。

（1）加拿大多伦多大学及安大略农学院的学者们，曾经2年时间通过约在1 000只小鼠上反复实验，发现接种癌细胞加蜂王浆的小鼠组，存活12个月以上仍然健康；另一组接种癌细胞不加蜂王浆，21d内小鼠全部死亡。还有不少的实验都证明了蜂王浆与癌细胞混合接种小白鼠，可以阻止白血病、淋巴癌及腹水癌的发生。中国和其他国家的许多实验亦证明蜂王浆对癌有预防或抑制作用。

塔莫拉等（1987）在小鼠接种的白血病L_{1210}或P_{388}艾氏腹水癌和实体瘤或肉瘤-180腹水癌或实体瘤之前和之后按每千克体重每日口服10mg、100mg和1 000mg蜂王浆，连续30d。实验表明，蜂王浆没有抗白血病L_{1210}或P_{388}的作用，但能延长接种艾氏腹水癌或肉瘤-180小鼠的生命。在接种前和接种后口服蜂王浆对实体瘤生长的抑制作用没有明显的差异。实验结果表明蜂王浆对生长慢的肿瘤如实体瘤有抑制作用，而对快速生长的肿瘤如白血病L_{1210}和P_{388}则没有作用。

赵泽贞等（2000），采用抗突变和致突变同步快速试验，结果显示蜂王浆等蜂产品对丝裂霉素C引起的致突变作用有拮抗效应。

蜂王浆抗癌作用的有效成分是脂肪酸类物质，其中已经确定的抗癌物质为10－HDA，实验证明，用1mg10－HDA或100mg蜂王浆与1ml腹水癌细胞混合后接种到小白鼠身上，则动物都得到安全的保护，10－HDA和蜂王浆的效果一样，无一发生肿瘤。

还有人认为，王浆中含有的α－壬烯双酸和癸二酸成分有抗癌作用。在观察这种酸对植物细胞的影响时，发现其对谷物花粉的萌发、花粉管的伸长和生殖核的有丝分裂有强烈的抑制作用。因此，这种化合物可用做防腐剂和生物学研究的抑制剂。此结果间接指出α－壬烯双酸等可能是王浆抑制细胞分裂和抗肿瘤作用的有效成分之一。

林志彬等（1987）实验证明，蜂王浆能增强小鼠免疫功能。蜂王浆2.5g/kg×8d，可增强正常和免疫功能低下小鼠静脉注射胶体碳粒的廓清速率，并能完全对抗可的松对碳粒廓清速率的抵制作用，使之恢复正常。足跖迟发性过敏反应（DTH）是反映整体动物细胞免疫功能的一个经典指标。实验证明：蜂王浆能显著增强正常小鼠的羊红细胞（SRBC）致敏的DTH，表明蜂王浆能刺激细胞免疫功能，并使环磷酰胺所致DTH低下完全恢复正常。

（2）在恶性肿瘤患者综合治疗中，放射线疗法、化学疗法应用亦广，不少研究报告证明，蜂王浆能有效减免放疗和化疗毒副反应。有人选择54只发育相同的小鼠，实验组27只每日灌服蜂王浆蜜10ml/kg，对照组给予等容积蒸馏水。20d后两组均用^{60}Co γ射线高剂量照射15min，^{60}Co γ射线剂量率为10.4R/min，总照射量为906R。照射后继续服蜂王浆饲喂12d，记录30d内每日动物死亡数及总死亡数，计算每组死亡鼠的平均存活时间。受^{60}Co γ射线照射的蜂王浆组和对照组的小鼠死亡率分别为59.3%和70.4%，蜂王浆组的死亡率低11.1%。两组死亡小鼠在平均存活时间上表现出显著差异：服用蜂王浆的小鼠平均生存时间为18.68d，而对照组只有11.05d，服用蜂王浆的比对照组寿命延长69%，$P<0.01$。

兰州大学刘力生等（1984）实验证明，蜂王浆对小鼠辐射损伤有治疗作用。实验用昆明种雌性小鼠，体重18～22g，6周龄，随机分成4组，每组26～28只。照射源用^{60}Co γ射线，照射量率为37R/min，全身一次照射600R。预防用药为照前7d每天腹腔注射10%王浆0.2ml/只，治疗用药是照后1～2h，连续7d，剂量同预防组。结果表明：预防组30d存活率与对照组无差异。治疗组动物存活率比对照组提高29%（$P<0.05$）。采用淋巴细胞对^{3}H－TdR标记小鼠腹水型肝癌靶细胞的微量细胞毒性实验方法证明，王浆能明显地提高小鼠淋巴细胞的免疫功能。

（3）江苏省中医药研究所，曾对180例恶性肿瘤患者服用蜂王浆冻干粉治疗前后观察体液免疫与细胞免疫指标：取95例恶生肿瘤患者服蜂王浆冻干粉治疗前后的血标本，观察体液免疫指标，包括IgG、IgA、IgM、C_3、C_4。表15－10说明，肿瘤患者治疗前IgG、IgA均高于正常，治疗后逐渐调整至正常范围；表15－11说明，肿瘤患者治疗前补体C_3明显低于正常值，提示肿瘤患者有补体C_3消耗，而治疗后显著上升，补体C_3上升至正常，这对肿瘤症状的缓解是有利的。补体C_3是补体系统中含量最丰富、作用最关键的一种分补体，是传统与旁路活化的交汇点，补体C_3的下降，提示肿瘤在病程中有补体的激活，造成C_3消耗或C_3分解同时存在的可能。随着补体的激活，病情亦加重，经过服蜂王浆冻干粉治疗后，补体C_3含量显著上升，这是值得重视的，这提示蜂王浆能增强非特异性免疫，是改善临床症状的基础。

表 15－10　95 例恶性肿瘤患者服蜂王浆冻干粉治疗前后体液免疫变化

项　目	血清 IgG/mg%		血清 IgA/mg%		血清 IgM/mg%	
	治疗前	治疗后	治疗前	治疗后	治疗前	治疗后
恶性肿瘤 95 例	1 397.5 ±412	1 152.8 ±369	172.1 ±99.9	130.67 ±44.8	121.2 ±89.8	171.97 ±68.58
正常值 30 例	1 179.5 ±39.16		143.2 ±43.8		123.6 ±65.4	

表 15－11　90 例恶性肿瘤患者服蜂王浆冻干粉治疗前后补体的变化

	血清补体 C_3/mg%	
	治疗前	治疗后
恶性肿瘤 90 例	84.66 ±15.69	114.6 ±36.95

取 103 例恶性肿瘤患者服蜂王浆冻干粉治疗前后的血标本，观察细胞免疫，包括 Ea、Es、EG 花环。表 15－12 说明，Ea 上升至接近正常，Es 呈下降的趋势，这提示了蜂王浆有双向免疫调节的作用。Ea 花环是 T 细胞中具有免疫活性功能的效应细胞，Es 花环可能是活化了主要是具有抑制功能的 T 细胞。Ea 与 Es 同时综合检测能较为灵敏地反映机体 T 细胞的动态。从临床症状的改善与 Ea 花环的上升和 Es 花环的下降是一致的，并且观察到 Es 的增高幅度与其病情及其预后有密切的联系。这提示蜂王浆能增强恶性肿瘤患者的免疫功能，尤其是 T 细胞功能，并能针对体内不同的免疫紊乱进行双向调节，这对延长恶性肿瘤患者的生存期是十分有效的。

表 15－12　103 例恶性肿瘤患者服蜂王浆冻干粉治疗前后细胞免疫变化（%）

	Ea 花环		Es 花环		EG 花环	
	治疗前	治疗后	治疗前	治疗后	治疗前	治疗后
恶性肿瘤 103 例	22.9 ±4.61	27.42 ±3.27	8.06 ±3.58	6.57 ±2.46	0.8 ±0.93	1.359 ±1.07
正常值 50 例	28.12 ±3.64		3.2 ±2.32		1.83 ±0.7	

李伟兵等（2000）临床观察证实，冻干蜂王浆胶囊对肿瘤患者具有免疫调节作用。

（4）1997 年 10 月，在东京举行的第四届国际蜂疗学术研讨会（IAHBA）上，日本学者奥田拓道等报道，从蜂王浆中分离出对抗引起消瘦的癌毒素的物质——氨基葡糖，发现致人体消瘦的癌毒素——TOXIHOLMON－L 从癌细胞分泌出来，对人体脂肪细胞发生作用，促进现存脂肪分解，同时还作用于下丘脑食欲中枢，引起食欲减退。TOXIHOLMON－L 引起的脂肪分解和食欲不振，被认为是癌症患者表现出急剧消瘦的主要原因之一。该文查明，王浆中含有可以阻碍致人消瘦的 TOXIHOLMON－L 的物质，其中阻碍物质之一是 2－氨基葡糖（2－Glucosamine）。它是低分子水溶性成分，作者从蜂王浆中分离得 2－氨基葡糖的含量为 14.1mg/g。

6. 抗高血脂、高血凝和动脉粥样硬化　上海医科大学沈新南等（1995）应用蜂王浆冻干粉每日每千克体重700mg饲喂实验性高脂血症模型大鼠6周。结果发现，蜂王浆冻干粉能降低大鼠血清TC含量，提高HDL－C含量和降低AI（表15－13）；并能增强大鼠红细胞变形能力，使红细胞过滤指数（IF）低于高脂血症对照组，降低血浆纤维蛋白原含量，均有显著差异（表15－14）；体外血栓指标优于对照组，差异有统计学意义（表15－15）。实验提示蜂王浆具有防治高脂血症、动脉粥样硬化和改善血液高凝状态的作用。

表15－13　蜂王浆冻干粉对大鼠血清TC、HDL－C和AI的影响（$n=10\ X\pm SD$）

组　别	TC/（mmol/L）	HDL－C/（mmol/L）	AI/（mmol/L）
高脂对照组	6.237±2.080	0.749±0.263	7.40±3.22
蜂王浆组	3.346±0.409**	1.101±0.362*	2.34±1.79**
正常对照组	2.326±0.426**	1.456±0.193**	0.72±0.31**

注：*$P<0.05$，**$P<0.01$ 与高脂对照组比较。

表15－14　蜂王浆冻干粉对大鼠IF和血浆纤维蛋白原含量的影响（$n=10\ X\pm SD$）

组　别	IF	血浆纤维蛋白原
高脂对照组	0.21±0.05	3.355±0.404
蜂王浆组	0.14±0.09*	2.770±0.525*
正常对照组	0.10±0.05**	1.495±0.380**

注：*$P<0.05$，**$P<0.01$ 与高脂对照组比较。

表15－15　蜂王浆冻干粉对大鼠体外血栓指标的影响（$n=10\ \ \overline{X}\pm SD$）

组　别	体外血栓		
	长度/mm	湿重/mg	干重/mg
高脂对照组	91.3±10.5	250.0±31.8	75.6±8.2
蜂王浆组	37.8±22.3*	99.5±50.2*	31.6±12.3*
正常对照组	18.7±12.4*	62.5±25.0*	17.8±8.8*

注：*$P<0.01$，与高脂对照组比较。

高脂血症和血栓形成，是动脉粥样硬化及冠心病发生发展的重要因素。越来越多的证据表明，降低血脂可延迟冠脉损害，使高脂血症造成的冠脉内皮细胞功能障碍逆转。而老年人血清TC水平每升高1%，冠心病发生率可升高2%～3%。实验结果显示，蜂王浆能有效地降低高脂血症大鼠血清TC，提高HDL－C含量，因而有利于动脉粥样硬化的防治。

红细胞变形能力（RCD），是指正常红细胞具有通过比自身直径小的毛细血管的能力。RCD的下降或丧失，将使毛细血管的血液灌流急剧减少，造成严重的微循环障碍，其结果往往导致组织缺血、坏死和血栓形成。RCD与其细胞膜脂质中磷脂和胆固醇的比值有关，高脂组大鼠血浆中游离胆固醇增高，低密度脂蛋白可将胆固醇带入红细胞膜中，使膜流动性降低，故RCD随之下降。IF作为RCD的评价指标，蜂王浆组大鼠的IF值明显低于高脂对照组而与正常对照组相近，表明蜂王浆对高脂环境中已有损伤的RCD具有一定的保护和修复作用。血浆纤维蛋白原的增高亦可引起红细胞聚集，提高血液黏稠度，促进血栓形成。蜂王浆组大鼠体外血栓指标较高脂对照组有明显改善，可能与蜂王浆能降低血液纤维蛋白原和提高RCD有关。

动脉粥样硬化和高脂血症的防治，人们寻找了不少方法，多以饮食和药物来解决。饮食控制得太严格，营养供应就不足，结果虽然病是减轻了，但身体垮了。按常规讲这种病又不能用滋补剂，所以成了一种矛盾。国内外学者反复实验证明，蜂王浆对动脉粥样硬化和高血脂有良好的作用，而王浆又是滋补剂，这个矛盾一下子便解决了，这一点正说明蜂王浆作为一种天然生物补剂的特点，是多么重要。

给家兔饲喂高胆固醇饲料，长期口服或注射蜂王浆（10～15mg/kg）的实验组血脂和胆固醇都降低了，动物解剖、X射线冠状动脉造影可见对照组冠状动脉缩窄、迂曲、口径变小，王浆组的家兔冠状动脉，虽然也呈现弯曲状，但口径较大，末端有很多细的毛细血管。王浆还能防止高胆固醇饲料所致的肝脂肪浸润和肝硬化，并降低其死亡率。这可能与蜂王浆的降胆固醇和减轻动脉粥样硬化的作用有关。

7. 增强造血功能　给实验动物和人口服或注射蜂王浆，可使红细胞的直径增加，并使血红蛋白数量及网状细胞的数目、血小板数目增多。唐静仪（1962）曾观察蜂王浆对病态造血组织的影响，结果是：先用抗白血病药物6－硫嘌呤（6MP）使小鼠的骨髓受到抑制，而后给小鼠口服蜂王浆可延长小鼠生存时间，对照组小鼠平均生存时间为6.5d，蜂王浆组小鼠平均生存时间则为13.9d。而且蜂王浆还能减轻6MP对骨髓的抑制作用，显示蜂王浆对骨髓组织有保护作用，能兴奋骨髓造血功能。蜂王浆还对苯肼引起的大白鼠骨髓抑制有治疗作用。能使末梢网织红细胞计数较对照组明显增加，显示蜂王浆能兴奋骨髓的造血机能。

中国药科大学汤依群在小鼠实验中经口给予蜂王浆冻干粉每只0.25mg和0.5mg，10d后眼眶取血，红细胞计数并测定血红蛋白量，证明血红蛋白量随给药浓度增加而增加，显示其促血红蛋白合成作用。

苏州医学院黄强等（1986），研究王浆中10－HDA对抗骨髓抑制剂亚硝基脲类（CCNU）的效用，给使用CCNU的小白鼠应用10－HDA后检查外周血白细胞和骨髓细胞功能，证明10－HDA能减轻CCNU对骨髓的抑制作用，10－HDA组小鼠外周血白细胞总数平均值维持在8 000/mm^3以上，经统计学处理，治疗后19～22d治疗组小鼠与对照组有显著差异（$P<0.01$）。

8. 对内分泌系统和糖代谢等功能的影响　蜂王浆有促性腺激素作用。动物实验表明，王浆能使幼年大鼠提早性成熟，使睾丸和卵巢重量明显增加，引起未成年大鼠睾丸内精子形成，子宫和卵巢肥大成熟。饲喂蜂王浆的雄性鹌鹑提早性成熟，雌性鹌鹑提早产卵。

哈塔布等（1989）报道，他们用64只断乳的家兔随机分3组进行试验。第一组22只为对照组。第二、三组各21只，从断乳起（出生40d后）到性成熟，按每千克体重口服或注射蜂王浆水溶液100mg或200mg。到性成熟时，从对照组和以200g蜂王浆处理的实验组各取8只雌兔与雄兔交配。12d后检查，蜂王浆显著改善了大部分实验兔的生殖性能，特别是与胚胎发育有关的特性，增加了胚胎重量和体长，降低了胚胎死亡率。实验兔子宫角的受胎率为93.8%，对照为73.4%。实验兔黄体的平均重为17mg，对照为14.70mg。3组兔的体重没有明显差异。

蜂王浆中有机酸类物质是由多种成分组成的、具有生物活性的复合物，梁明等（1999）实验表明：它能促进雌幼小鼠子宫和卵巢发育，并能增强雄性大鼠的交配功能，说明它具有性激素样作用。

王浆具有兴奋肾上腺皮质的作用，促进肾上腺分泌固醇类激素。王浆还使幼年大鼠甲状腺重量增加，血浆及甲状腺中蛋白结合碘显著增加，加强被甲基硫氧嘧啶抑制的甲状腺吸收碘的能力。

蜂王浆能促进糖代谢和降低正常动物的血糖，也能暂时降低四氧嘧啶糖尿病动物模型的高血糖，这可能与王浆中含有的类胰岛素的活性多肽有关。

许世彤（1983）通过动物实验证明，应用王浆制剂能消除噪声所致的学习障碍。杨晓林（1990）实验发现，蜂王浆尚有抗化学物所致DNA损伤作用。王宁（1993）临床观察发现，蜂王浆冻干粉有助于反复自然流产患者抗精子抗体转阴作用。

（二）蜂王浆的临床应用

1. 老年病　国外报道用蜂王浆治疗老年病134例（平均年龄70岁），多数患者服用6次即可见效。主要表现是食欲增加、精神好转、血压趋于正常。另有人曾给老年人肌肉注射蜂王浆制剂，每日3次，每次70mg，第二天检查其血液，发现血液中嗜伊红白细胞数及基础代谢显著提高，数日后老人面部红润，皮肤皱纹有所减少。

另有报道，用蜂王浆制剂治疗33例各种老年病症，其中1/3患者的体力和精力得到了改善，对患者的心脏功能，以及不正常的血压和消化力均有调整作用。由于脑病灶所致的麻痹患者，已有数月甚至几年失去言语能力，服蜂王浆6周后，有显著的改善。

更年期综合征由于内分泌的紊乱及植物神经机能失调，表现出脾气暴躁、肩沉腰痛、头昏眼花、异常疲劳、性功能衰退等症状。服用1周蜂王浆，症状可得到减轻，性机能得到调理。日常生活中，有些老年人服用蜂王浆后，气色好转，精力旺盛，很多停经3~5年的女性，服用蜂王浆3个月后月经再现，且性欲强烈。体现服用蜂王浆可促进生命活力。

燕金芳（1998），以耳穴贴压肾、内分泌、内生殖器，配合口服王浆蜜，治疗更年期综合征89例。自觉症状消失、月经周期紊乱明显改善、恢复正常工作者82例，自觉症状减轻、月经周期紊乱改善者6例，无效1例，有效率为99%。认为该法能起到调节神经、内分泌系统的综合治疗作用。

蜂王浆受到重视是20世纪50年代的事情。1954年，82岁高龄的罗马教皇皮奥十二世卧床不起，生命垂危，主治医师加利亚基里尔采用蜂王浆治疗（服食）后，将他从极度衰竭的状态中解救出来，奇迹般地转危为安，以惊人的速度恢复了健康。第二年，他的主治医师在罗马的一次国际理论生物进化会议上公开了这一情况，引起与会代表的极大关注。1956年，教皇在维也纳第十六届国际养蜂大会上，介绍了自己服用蜂王浆恢复健康的体验，希腊、英国和意大利的代表宣读了他们对蜂王浆的研究应用报告。当时，法国产王浆制剂“安避垂龄”应运而生。

江苏省人民医院和江苏省级机关医院，应用蜂王浆冻干粉治疗 60 岁以上的老年贫血、白细胞水平低下和高脂血症患者各 30 例，实验结果证明蜂王浆能促进血红蛋白（Hb）合成，提升白细胞（WBC），并可降低血清 TC、TG、LDL－C 水平，提高 HDL－C 的水平，详见表 15－16、表 15－17。

表 15－16　老人服用蜂王浆冻干粉前后 Hb 及 WBC 水平变化

观察项目	N	服药前	服药后 4 周	服药后 8 周	*P* 值
Hb/（g/L）	21	7.27 ±0.68	7.64 ±0.73	8.23 ±0.76	<0.05
WBC/（$\times10^9$/L）	18	3.01 ±0.37	4.00 ±0.64	4.43 ±0.53	<0.05

表 15－17　高脂血症患者服用蜂王浆冻干粉前后血脂变化

观察项目	N	服药前	治疗后	*P* 值
TC ± SD/（mmol/L）	10	6.38 ±0.78	6.1 ±0.66	<0.05
TG ± SD/（mmol/L）	14	2.30 ±0.52	1.92 ±0.42	<0.05
HDL－C ± SD/（mmol/L）	12	0.96 ±0.14	1.02 ±0.12	<0.05
LDL－C ± SD/（mmol/L）	11	3.58 ±0.80	3.27 ±0.67	<0.05

2. 肝脏疾病　临床实践表明，蜂王浆对肝病有良好的疗效。孙曾一等（1962）用 1% 蜂王浆治疗急性传染性肝炎 22 例，服王浆后各种症状在 3～14d 内均有明显好转，肿大了的肝脏在 3 周左右开始明显缩小，血清转氨酶在 10d 内下降 40 个单位以上或恢复正常，其他指标亦明显好转。

上海第一医学院儿科医院蜂王浆研究协作组对 20 例小儿传染性肝炎进行对比观察，以蜂王浆的治疗效果为最好。平均 5d 食欲恢复正常；黄疸平均 4.5d 好转，6.8d 全部消失。肝脏肿大 4.3d 开始缩小，到 11d 平均都恢复正常；114d 肝功能得到恢复或好转。李楚銮，曾用 5% 的蜂王浆蜜治疗 47 例传染性肝炎，其中 25 例疗效显著，18 例病情有改善，4 例无效，总有效率 91.5%。

陈柱石报告，用蜂王浆治疗 18 例无黄疸型传染性肝炎，有效率高达 96.6%。

日本学者吉谷和男（1974）报道服用王浆散治疗慢性肝炎 13 例、急性肝炎恢复期 1 例，获良好疗效。

武汉市劳动卫生职业病防治院，对 8 例慢性肝炎用蜂王浆治疗的观察，服用 3 个月，食欲增加，睡眠正常；服用 6 个月，食欲正常，体力恢复；服用 12 个月，体征正常，GPT 正常。

梁秀兰观察表明，慢性肝炎患者在服用王浆后，反映机体细胞免疫水平的外周血淋巴细胞转化率升高，由服王浆前 22.44% 上升到服王浆后的 27.11%（$P<0.01$），使机体细胞免疫功能增强；服王浆后血清免疫球蛋白也升高，IgG 由服王浆前 9.11g/L ±

4.32g/L升高到服王浆后12.72g/L±5.37g/L（$P<0.01$），IgA由1.93g/L±0.75g/L升高到2.83g/L±0.61g/L（$P<0.01$），IgM由0.95g/L±0.12g/L升高到1.43g/L±0.34g/L（$P<0.05$），增强机体体液免疫功能。

有新观点认为，肝病除病毒感染外，还因肝脏贮脂细胞活化后造成肝细胞广泛变化以及门静脉内压升高而引起。蜂王浆中含有亚油酸、花生酸，可抑制贮脂细胞活化。另外，蜂王浆中维生素E可降低血浆胆固醇，增强血管弹性，改善肝内微循环，降低门静脉压，提高肝脏血流量，同时增加肝细胞的血液供应。

蜂王浆对肝病患者是最好的选择，它性味甘、酸、平，有滋补、强壮、益肝之功效。蜂王浆中含有氨基酸、蛋白质、维生素类、糖类、酶类和微量元素等物质，大量食用王浆对肝病患者来说亦为营养补充剂。更重要的是，蜂王浆能有效地调节机体各种代谢功能，对消化系统作用尤为明显，可以调节胃肠功能，增加食欲及吸收能力，增强肝细胞解毒能力，使受损肝脏恢复功能。

3. 营养不良　营养不良能引起许多病，特别是小儿营养不良。北京友谊医院儿科对虚弱婴儿给予蜂王浆治疗，发现比对照组有明显差异，表现在头发由少而黄变为多而黑，大便由不成形变成形，脸色由苍白变红润。国外观察100多例婴儿，发现服用王浆后血红蛋白和红细胞均有所增加，食欲提高，体重增加。

在第十六届国际养蜂者大会上，意大利学者报告对42例发育不良患儿给予王浆治疗。其中5例早产儿及34例较大婴儿食欲及体重明显增加，血浆白蛋白恢复正常。

前苏联临床工作者报告，曾用王浆与人参复方制剂治疗206例3～15岁的患营养不良症的儿童，其中女孩89例，男孩117例，用王浆人参合剂治疗32～34d后，对照组体重平均增加3.4%。治疗组平均增加7.55%（男孩增加6.7%，女孩增加8.4%）。并发现王浆对妊娠时因母亲的疾病引起的婴儿营养不良，亦有良好的治疗作用。

蜂王浆对营养不良性浮肿也有显著疗效，患者服用蜂王浆1周，可使乏力、四肢麻胀感、食欲不振及浮肿等症状减轻或消除。病后体弱者服用蜂王浆使恢复期大大缩短，并能预防旧病复发。

日本学者岛田和男（1975），观察王浆散对小儿发育迟缓、营养不良、贫血和对感染症抵抗力降低等的疗效。王浆散（1g中含王浆100mg）每日3次，每次0.5g，服用3～5个月，结果改善7例，中度改善6例，无效2例。

4. 癌症综合治疗　江苏省中医药研究所肿瘤科，从1984年5月起用蜂王浆冻干粉治疗恶性肿瘤365例取得了较好的疗效。本组病例大部分为中晚期患者，经过蜂王浆冻干粉和中药综合治疗后，普遍反映服药后精神好转者343人，占94.0%，食欲增加317人，占86.8%，睡眠好转310人，占84.9%。合并化疗和放疗者能减轻化疗和放疗的副作用。

曾随机抽样对220例癌肿病人进行血红蛋白（b）CuZn－SOD的检测，服药组和对照组各110例，服药组除服中药外，每日服用1g蜂王浆冻干粉，而对照组单服中药，不加蜂王浆冻干粉。服药组均值为389.64μg/g±41.14μg/gHb，而对照组为314.68μg/g±20.34μg/gHb，$P<0.001$，各种肿瘤患者红细胞中CuZn－SOD含量下降，而服用蜂王浆冻干粉者其含量明显高于对照组，说明服用蜂王浆冻干粉能提高CuZn－SOD，

对肿瘤患者是有益的。

河北省肿瘤防治研究所给15例食道癌患者术前服用蜂王浆冻干粉，每日1次，每次1g，连服14d。服用结束即手术，其中5例未能切除，10例术后将切除标本作病理形态观察，发现蜂王浆冻干粉对于癌组织有一定的损伤作用，10例中有5例引起重度癌退化，而更主要的病理变化为癌周间质反应，中度反应者5例，明显反应者5例。充分说明蜂王浆对患者免疫系统的刺激，增强抗癌防御机制，间接地损害癌组织，达到抑制癌组织的效果。

吉谷和男（1975）曾比较癌症患者在化疗同时并用或不并用蜂王浆散剂口服（6g/d）的效果，对照组10例，并用蜂王浆散组11例。结果并用蜂王浆散组自觉症状改善率和白细胞平均值稍高于对照组，两组间无明显差异。化疗后对照组的血小板数逐渐减少，每月检查平均值向10万以下移动；并用蜂王浆散组血小板数亦有减少倾向，每月检查平均值为15万~20万，这使患者能较长时间持续进行化疗，从而使化疗对癌症病灶的疗效得以表现。并用蜂王浆散组在观察5个月后，仍有5例患者生存并继续进行化疗，而对照组则无一生存。

山形淳（1976）观察了蜂王浆散对化学治疗及放射治疗所致癌症患者造血功能低下的防治效果，23例患者中，蜂王浆组11例，对照组12例。与化学治疗及放射治疗同时，蜂王浆组每次服用蜂王浆散（每克含王浆冷冻干燥粉100mg及赋形剂）2g，每日2次，共服药6周。对照组服仅含赋形剂的安慰剂。给药前及给药后2周、4周和6周检查患者的血象（红细胞、白细胞、血红蛋白和血小板），并观察主、客观症状的改变。与对照组比较，用药期间蜂王浆组患者的红细胞、血红蛋白和血小板均有增加趋势，特别是用药6周后，蜂王浆组患者的红细胞和血红蛋白明显高于对照组（$P<0.05$），倦怠感和食欲不振等症状亦明显改善。证明蜂王浆散能减轻癌症患者由于化学治疗及放射治疗所致造血功能抑制。

中鸟襄等（1976）报告，日本京都大学医学部附属医院妇产科的恶性肿瘤患者，在进行放射治疗或化学治疗的同时口服蜂王浆散的临床疗效。蜂王浆组和对照组各30例中，蜂王浆组治疗前后的白细胞数、红细胞数和血红蛋白值的变化百分率（$X \pm SE$）分别为：-17.96 ± 3.31，-0.77 ± 2.12 和 1.21 ± 2.45；而对照组则分别为：-32.34 ± 3.39，-9.81 ± 1.93 和 -6.53 ± 1.19，两组间均有显著差异（$P<0.05$），根据统计学分析结果，由于放射治疗或化学治疗引起的恶心、食欲不振和倦怠感的程度，亦以王浆组显著为轻（$P<0.05$）。证明蜂王浆散能减轻妇产科恶性肿瘤患者放射治疗或化学治疗引起的造血功能抑制，并减轻恶心、食欲不振和倦怠感等症状。

苏州医学院附一院黄强等（1986），观察11例恶性脑瘤患者手术后使用CCNU（亚硝基脲类）治疗，同时服10-HDA 400mg，每日3次。对照组服柠檬酸。经临床治疗10-HDA组的骨髓虽也受到影响，但抑制程度明显减轻，外周血白细胞总数维持在4 500/mm^3（平均值）以上，与对照组相比治疗后6~7周出现显著差异性（$P<0.05$）。

许昌韶等（1987）对52例肿瘤放疗患者进行临床随机试验。用PHA刺激T淋巴细胞以^3H-TdR掺入法实验观察T淋巴细胞在<60Gy、60~100Gy和>100Gy不同剂量照射下的DNA合成受抑程度。结果表明：10-HDA组患者的T淋巴细胞在各种放射剂量下均未受到明显抑制，而对照组患者的T细胞受抑程度随放射剂量增高而递增。说明10－HDA有抗辐射和保护免疫状态的作用。同时，检查外周血白细胞总数淋巴细胞计数也表明10－HDA有一定的抗辐射作用。

曾广灵等（1991）报道一例肺癌患者（经手术切除后，肺内复发及肺门淋巴腺转移）进行化疗前后，服用大剂量鲜蜂王浆辅助治疗，每日15g，清晨空腹一次含服，一直未间断。虽然在化疗期间，由于大剂量抗癌药物的联合应用，且第一天冲击量很大，药物的毒副反应严重，杀伤力很强，每次注药后4～6h，严重恶心呕吐，食欲全无，5d内减重1.5kg。但服用蜂王浆后半小时，即有想进食的饥饿感，使患者迅速恢复食欲。间歇3～4周后，体重保持不减或略有增加。6个疗程后，体重比化疗前增加3kg，体质良好，精神饱满，已脱头发在停药后2个月完全长出。坚持6个疗程，历时7.5个月后，复发病灶被完全吸收，转移的肿大淋巴结恢复正常，随访半年未见复发或转移。

在癌症治疗中，加大鲜蜂王浆服用剂量（每日量超过30g）以减轻化疗、放疗的毒副反应，促进机体正常细胞的再生，调整机体免疫功能，进而改善机体内环境和抗癌能力，已有不少医院不收治的晚期癌症患者靠超大剂量的新鲜活性王浆，使病情得到控制，延长了生存时间和改善了生存质量。

5. 某些内科病症 高须靖夫等（1975），观察了蜂王浆散对多种内科疾病（26例）的迁延性自觉症状的疗效。其中，神经官能症和植物神经功能紊乱症9例，动脉硬化症3例，高血压病2例，嗜铬细胞瘤手术后遗症、糖尿病、慢性肝炎、雷诺氏病、胃下垂、贫血、肌无力症、甲状腺机能亢进、低血压、慢性肾炎、慢性胃肠炎、心房纤颤各1例，在原来用药的基础上，加用蜂王浆散剂量为每日3g，分3次饭后服用，疗程30～250d不等。结果：9例神经官能症和植物神经功能紊乱症患者中，显著改善2例，改善6例，轻度改善1例。3例动脉硬化症者，改善1例，轻度改善2例。除1例贫血者未见效外，其余各病种的自觉症状或改善，或轻度改善。王浆散对头重、头痛、倦怠感、食欲不振、乏力等自觉症状有明显疗效。一般服药1～2周即可见效，疗程应不少于2个月。老年患者疗效出现较迟，须延长疗程或增加每日服药量。

高须靖夫等（1975），还用双盲法安慰剂对照试验研究蜂王浆散对多种内科疾病30例的疗效。其中高血压病5例，糖尿病4例，脑出血、神经官能症、胃溃疡病和动脉硬化症各3例，慢性肾炎2例，慢性胃炎、贫血、慢性肝炎、脂肪肝、胃下垂、肺结核、可疑肠癌各1例。将患者按年龄、性别和病种随机分为两组，每组各15人，按双盲法试验设计分别给予王浆散和安慰剂。结果：王浆散组总疗效为：改善7例，轻度改善8例；安慰剂组：改善2例，轻度改善4例，无效9例。王浆散组总改善率为100%，安慰剂组仅为40%，两组有显著差异（$P<0.01$）。王浆散组患者的倦怠感较安慰剂组显著改善（$P<0.01$）。

蜂王浆对神经衰弱有显著疗效，可以迅速改善患者的食欲和睡眠，自觉症状明显减轻或全部消失。严翔孙（1962），曾用蜂王浆治疗40例各种类型（兴奋型、兴奋衰弱型、衰弱型）神经衰弱患者，效果显著者26例，好转者11例，只有3例患者未见好转，显效率达65%，总有效率达92.5%。

蜂王浆对精神分裂症有不同程度的疗效。临床实践证明，蜂王浆对抑郁型、单纯型、青春型等类型精神病的疗效较好，而对妄想型、幻觉型的疗效次之，各类患者又以早期就诊者效果为好。精神分裂症患者经用蜂王浆治疗时，患者口服或注射蜂王浆 3d 后即可见效，延长了患者的睡眠，消除了过食或厌食等症状，体重增加，患者憔悴的面容消失，呈现容光焕发。特别是蜂王浆能使患者的情绪趋向稳定，抑郁变乐观，生活欲望增强，逐渐使狂躁者变得通情达理，生活能够自理，直到安静如常，完全恢复理智。另有研究报告指出：服用蜂王浆可以抑制相当多的癫痫病患者的发作。

上海中山医院石一飞（1962），曾用新鲜蜂王浆蜜治疗 77 例慢性关节炎患者，每日用量 20g（含 400mg 鲜王浆），20～40d 后，治疗效果满意者 36 例，占治疗总数的 47%；比较满意者 10 例，占治疗总数的 13%；效果不理想的 31 例，占治疗总数的 40%。以脊柱型关节炎的治疗效果为最好。山西医学院第二附属医院经过大量的临床实践得出结论：蜂王浆用于治疗风湿性关节炎，服用 2～3d 症状开始减轻，精神振奋，食欲增加，痛感减轻。持续治疗 20～30d，可显示出理想的效果。治疗期间患者有口干或咽干感觉，但不影响连续服用。

北京医学院第三附属医院（1983），曾对 51 例高脂血症患者进行蜂王浆的疗效观察，证明每日口服蜂王浆胶囊 450mg，对降低 TG 有明显作用，用药 4 周后 TG 平均下降 11.1mg/dl 以上，用药 12 周 TG 下降 128.78mg/dl（$P<0.001$）；对提高 HDL－C 水平有一定作用，用药 4 周后，平均 HDL－C/血清总 TC 提高 4.97%，用药 12 周平均提高 4.93%（$P<0.01$）。

6. 某些皮肤病　银屑病（牛皮癣）是比较顽固的皮肤病，可含服鲜蜂王浆和外用 3% 蜂王浆软膏进行综合治疗，1～2 个月为一疗程。有人按这种方法治疗 25 名不同年龄的牛皮癣患者，其中局限型患者 8 人，弥漫型患者 17 人，患病时间从 8 个月到 32 年不等。经过蜂王浆 1～2 个疗程的治疗，彻底痊愈者 1 人，基本痊愈者 6 人，明显好转者 15 人，疗效不明显者 3 人，有效率达 88%。

由于蜂王浆含有多种氨基酸、维生素等重要营养成分，有利于头发的生长。特别是王浆酸 10－HDA 对治疗脱发有效。英国专利文献报道，一种蜂王浆制品有促进头发生长的功效，该制剂的组成包括：蜂王浆 28%、葵花油 28%、麦胚油 28%，其他原料 16%。以上成分混合后，再与等体积的氧化锌软膏混合。将此制品涂抹在已脱发的头皮上，过几小时除掉，如此重复处理 2 周后，即开始生长新发。3 个月后，可明显看到原来裸露的头皮已长满新发。另据日本公开专利介绍，经动物实验及临床证实，10－HDA 对治疗皮脂腺发育异常引起的脱发症有效。

前捷克斯洛伐克科西塞大学医学院附属医院，用蜂王浆治疗 22 例皮肤疣，取得良好效果。其中 16 人患迟发青年扁平疣，4 名患迟发青年扁平疣并发寻常疣，2 名患寻常疣。患者每天用 20g 装蜂王浆软膏剂进行治疗，4～5 周 1 支，疗效显著，6～8 周痊愈。在 16 名扁平疣患者中，痊愈的 10 人，占 62.5%；无效的 3 人，未进行复查的 3 人，二者为 37.5%。4 名扁平疣并发寻常疣患者均痊愈。2 名寻常疣患者，1 人痊愈（他的两手长有 50 个疣），另 1 人无效。解放军总医院皮肤科虞瑞尧（1984）报道，北京友谊医院、解放军总医院、朝阳医院等 7 家医院的皮肤科，对加入 0.5% 蜂王浆系列化妆品（如蜂王浆雪花膏、蜂王浆珍珠霜、王浆玫瑰蜜、蜂王浆柠檬酸、王浆杏蜜及王浆檀香粉等）进行临床疗效观察，治疗了300多例痤疮、褐斑、脂溢性皮炎、面部糠疹、老年疣、扁平疣等病，取得了近80%的有效率，受治疗患者无一例发生过敏反应和其他副作用。蜂王浆不仅有预防、治疗皮肤病的作用，而且能护肤、营养、美化皮肤，使皮肤润滑、细腻，皱纹消除，是护肤佳品中的佼佼者，因此，在国内外得到广泛应用。

前捷克斯洛伐克的医生，用王浆对4名慢性红斑狼疮患者进行治疗，获得痊愈。同时对2名亚急性红斑狼疮患者进行治疗，皮肤上的病灶几乎完全消失。国内亦有用复方蜂王浆胶囊治疗5例红斑狼疮，治愈3例，显效2例。

皮肤擦伤、冻疮、溃疡、切割伤、跌伤和烫伤，用蜂王浆治疗，先把受伤处用75%的酒精消毒，然后涂上蜂王浆，每日2~3次，1周左右可以康复。

7. 口腔科疾病 湖北医学院附属口腔医院李辉莘等（1980），用蜂王浆制剂治疗复发性口疮13例，病程1.5~27年，平均2个月左右复发1次，经过多种方法治疗无效。经口服5%蜂王浆5~10ml，每日2次；81%蜂王浆蜜液局部涂擦，每日3~4次；溃疡处贴药膜（新鲜蜂王浆加入羧甲基纤维素等成膜剂，制成3~5mg/cm^{2}的细薄药膜），每日数次；1个月为一疗程。结果：痊愈2例，有效9例，无效2例，有效率84.6%。患者服药后自觉心情欣快，食欲增强，睡眠好，止疼迅速。

口腔黏膜扁平苔癣是一种慢性、浅在、非炎性的口腔科常见病，目前尚缺乏有效的治疗方法。李辉莘等（1980）用蜂王浆治疗该病21例，治疗方法：一是口服5%蜂王浆液，每次5~10ml，每日3次；二是患部涂搽81%蜂王浆蜜，每日3~4次；三是患部贴敷3~5mg/cm^{2}的蜂王浆药膜，每日3次，2个月为一疗程。蜂王浆制剂对消除充血糜烂作用迅速，治疗过程中无痛苦。21例中痊愈3例，显效12例，有效4例，无效2例。

俄罗斯学者用蜂王浆冻干粉或片剂含服对222名牙周炎患者进行治疗，每次0.1g，每天3次，共服10d为1个疗程，到7~8d时炎症就消失，牙龈出血停止，病灶不再流脓，显示出良好的治疗效果。

8. 蜂王浆服用方法 蜂王浆的服用量尚无定论，当今人群实际服用量远远超过文献记载用量。保健用以每日1.5~3.0g为宜，蜂王浆冻干粉0.5g相当于鲜王浆1.5g，按3∶1换算用量。治疗量可加大到每日6~18g（冻干粉2~6g），对于癌症和垂危病例不受此限。含服蜂王浆比吞服好，因为它可以直接由口腔和舌下部分黏膜吸收，避免蜂王浆通过胃使部分活性物质被破坏，蜂王浆冻干粉或含片含服值得推荐，吞服胶囊剂也可以。用于健身坚持长期服用蜂王浆者，不宜选胶囊剂，成年累月让胶囊壳进入消化道实无必要。

蜂王浆作为保健品，小剂量长期服用有助于延年益寿；用于治疗疾病，则须根据病情加大剂量，每服1个月，停服1周，治愈后再服1个月即可巩固疗效。

五、蜂毒

蜂毒的化学成分复杂，具有广泛的生物学活性和药理作用，现择要简介于下（蜂毒的临床应用，列入第四节蜂针疗法内叙述）：

1. 亲神经特性和镇痛作用 蜂毒的中枢性抗胆碱能活性和神经节阻滞作用是其基

本特性，从生物进化观点来看，蜜蜂的祖先通过螯刺使其他节肢动物及其幼虫麻痹。

蜂毒和蜂毒肽对烟碱型胆碱受体有选择性阻滞作用。蜂毒明肽可透过血脑屏障直接作用于中枢神经系统，它的主要作用部位是脊髓。与某些中枢性抗胆碱药相似，蜂毒能加强催眠药的效应。

1965 年，笔者通过小白鼠 120 只和家犬 14 只的实验观察证明：30min 前给小白鼠腹腔注射蜂毒 1.0mg/kg，能增强乌拉坦和水合氯醛的催眠作用，未呈现对苯丙胺毒性的保护作用；15～20min 前以 0.1mg/kg 蜂毒注入家犬静脉，使阈下剂量的异戊比妥钠出现催眠作用，未见对抗去水吗啡的致吐作用；家犬静脉注射 0.1mg/kg 后有安静表现，1h 内恢复常态。另有学者证明，蜂毒 2.5mg/kg 给予小白鼠，可以防止与减弱士的宁、烟碱所引起的惊厥，但不能对抗五甲烯四氮唑所引起的惊厥。

蜂毒镇痛作用比安替比林强，镇痛指数比安替比林高。两者半数镇痛量 ED_{50}（mg/kg）分别为 1.344 和 91.60，两者镇痛指数（LD_{50}与 ED_{50}之比）分别为 6.57 和 4.34。

20 世纪 80 年代，从蜂毒中分离出的镇痛抗炎活性很强的安度肽，对脑前列腺素合成酶的抑制作用约为消炎痛的 70 倍；阿片受体拮抗剂钠络酮能部分解除它对小鼠的镇痛作用，故也涉及受体机制。

2. 对心血管系统的影响　蜂毒对肾上腺再生性高血压的大鼠、盐性高血压大鼠及肾血管性高血压大鼠有明显降压效果。

蜂毒引起的动脉血压降低效应主要与磷酸酯酶 A_2 有关，其降压机制可能系直接作用于血管平滑肌，或促使组胺释放，而改变血管张力所致。

高血压病是导致脑血管循环障碍的常见原因之一，许多降压药物具有收缩脑血管作用。十分可贵的是蜂毒同时具有降血压和扩张脑血管的作用，故蜂毒对高血压引起的脑血循环障碍的患者有效。

蜂毒及其成分蜂毒肽、蜂毒明肽、心脏肽和磷酸酯酶 A_2 对心血管系统有显著影响。蜂毒和蜂毒肽具有抗心律失常作用，可消除电刺激和毒毛旋花子甙引起的失律。

心脏肽对心脏有明显的 β－肾上腺素样活性，其抗心律失常作用类似异丙肾上腺素，但它的作用持续时间为 90min，较异丙肾上腺素（5～10min）长得多。

进行蜂毒对离体血管实验结果表明，蜂毒肽具有血管松弛作用，并在一定浓度范围内呈现浓度依赖性。去掉血管内皮，蜂毒的血管松弛作用消失，引起收缩作用。提示，蜂毒肽对血管的松弛作用呈内皮依赖性。机理可能是内皮因子可钝化肾素释放，去内皮后肾素释放增加，引起收缩。

蜂毒对整体猫心可改善冠脉流量，增加血流速度。并进一步发现切断迷走神经或阿托品化的整体猫，静脉注射蜂毒时，其扩冠作用不减；然而封闭 β－肾上腺感受器、利血平化或切除肾上腺，则使扩冠效应减低，表明 β－肾上腺受体系统与蜂毒的冠脉扩张效应密切相关。

3. 影响红细胞和血凝、活血化淤　蜂毒能使放射性同位素磷和钾透入红细胞的速度明显增加，表明它具有增强红细胞壁通透性的作用，可导致红细胞内胶体大量渗出，红细胞内渗透压降低，引起红细胞裂解而产生溶血。

蜂毒 1∶100 000就能在试管内产生溶血作用，稀释至 1∶400 000时即不出现溶血现象。

蜂针治疗时血管内的蜂毒浓度未达到足以引起溶血的浓度，且在人体内尚有某些抗溶血因素抑制其溶血作用。

蜂毒肽和磷酸酯酶 A_2 是蜂毒中两种溶血成分，前者具有直接溶血作用，并溶解细胞膜表面的脂蛋白层，为磷酸酯酶 A_2 攻击细胞膜磷脂打开门户。磷酸酯酶 A_2 靠蜂毒肽的协同才有溶血作用。

蜂毒在体内外均有抗凝作用，能使血凝固时间明显延长。蜂毒及其成分蜂毒肽和磷酸酯酶 A_2 的抗凝血机制涉及对血小板、多种凝血因子的影响。蜂毒液具有刺激纤维蛋白溶解、增加血管壁的通透性、使肥大细胞释放活性物质等功能，并能影响凝血过程。

蜂毒注入皮内 20～40min 后即出现抗凝纤溶作用，并持续 24h 或更长时间。蜂针用于血栓闭塞性脉管炎、脑部血栓病及其后遗症，既是对症治疗，又是病因疗法。

徐彭等（1996）实验，蜂毒能明显增加兔红细胞膜的流动性，显著降低兔血浆黏度，加快红细胞的电泳速度。提示其具有活血化淤作用。刘自元等（1998）实验，进一步研究蜂毒有效成分的抗血栓作用。蜂毒经 DEAE－Sephadex－A_{50} 柱层析，获蜂毒液Ⅰ峰液，经体外抗血栓实验、大鼠体内微循环实验、血栓高危人群血液流变学实验，表明Ⅰ峰液有抗血栓作用，证实了蜂毒有广泛的活血化淤作用。韩国学者亦报道了清胞逐淤汤、蜂毒对血淤证型影响的实验研究，发现蜂毒用于治疗与血栓形成和高黏度血症有关的血淤证型的疾病有疗效。

4. 抗菌消炎作用　蜂毒和蜂毒肽对多种革兰阳性和革兰阴性细菌均有抗菌作用，革兰阳性细菌更为敏感。蜂毒的杀菌作用在 0.5～100μl/ml 浓度时显现，即蜂毒稀释 10～200 倍仍有杀菌作用。

蜜蜂螫器官包藏在腹部，是一种无须消毒的最精细的微量自动注射器，为当代任何一种针具或注射器所望尘莫及。

蜂毒的抗炎活性已经广泛研究，对大白鼠注射甲醛、鸡蛋清、角叉莱胶或巴豆油所致的炎症模型有防治作用。其中抗炎成分主要是肥大细胞脱颗粒肽、蜂毒明肽和安度肽。

陈郴永等（1993）实验证明，腹腔注射蜂毒、蜂肽后有显著的抑制大鼠足跖肿胀作用，与对照组相比，差异非常显著。蜂肽作用优于蜂毒（表 15－18）。

表 15－18　腹腔注射蜂毒、蜂肽对角叉莱胶性大鼠足跖肿胀的影响（s，$\overline{X} \pm S$）

组别	剂量/(mg/kg)	鼠数	给药前正常值	角叉莱胶致炎后不同时间的足跖肿胀值				
				1h	2h	3h	4h	5h
对照		11	2.32±0.11	0.21±0.17	0.27±0.16	0.40±0.18	0.56±0.31	0.76±0.34
蜂毒	1.0	10	2.36±0.14	0.12±0.07*	0.14±0.13*	0.23±0.13**	0.33±0.18**	0.40±0.28*
	2.0	10	2.36±0.09	0.09±0.08	0.12±0.07*	0.13±0.06**	0.22±0.13**	0.38±0.27**
蜂肽	1.0	10	2.32±0.09	0.03±0.05**△△	0.08±0.04	0.12±0.05**△△	0.17±0.10**△	0.27±0.22**
	2.0	10	2.32±0.09	0.04±0.04**	0.06±0.05△	0.09±0.08**	0.15±0.07**△	0.19±0.06**△

注：与对照组比较，$*P<0.05$，$**P<0.01$；蜂毒与蜂肽相同剂量组比较，$\triangle P<0.05$，$\triangle\triangle P<0.01$。

蜂肽是蜂毒的低分子多肽成分，其抗炎作用与全蜂毒比较结果表明，蜂毒肽抑制二甲苯性小鼠耳壳肿痛、角叉菜胶性大鼠足肿胀、酒石酸碲钾致痛的作用均强于全蜂毒。而蜂肽的变应原性却显著小于全蜂毒。

蜂毒及其成分抗炎机制较复杂，具有刺激肾上腺皮质功能的作用；蜂毒明肽还与其具有抗5－羟色胺活性有关。

5. 对免疫系统的影响　蜂毒对免疫系统具有直接抑制作用。蜂毒肽和蜂毒明肽能降低小鼠产生溶血素脾细胞的数量。但小鼠去肾上腺后，蜂毒对其免疫系统呈现刺激作用。从而可推理出蜂毒肽和蜂毒明肽作用的机理是：两者刺激了肾上腺的相关皮质，增加了皮质激素的分泌，达到抑制免疫的目的。

蜂毒有促肾上腺皮质样作用。大白鼠经蜂螫后，肾上腺维生素C与胆甾醇含量均降低，两者的降低有平行的趋势，而以维生素C降低较明显，此作用与注射促皮质激素相似。一只蜜蜂的蜂毒螫入大白鼠，其效果约等于4个单位的促皮质激素作用。临床上蜂毒可治疗类风湿性关节炎、风湿性关节炎、荨麻疹、支气管哮喘等病，对大鼠甲醛性关节炎有治疗作用，可能是由于蜂毒的有效成分通过垂体、肾上腺系统而发挥治疗作用。

6. 蜂毒的其他生物学效应　动物实验表明，蜂毒能增强机体应激力，减轻辐射损伤程度，使由辐射引起的细胞染色体畸变频率相应减少，提高动物存活率。陶毓顺、房柱等（1981）实验证明，蜂毒可使受^{60}Co γ射线损伤的小鼠存活率提高20%～60%。蜂毒预防辐射损伤的功效大于治疗效果，皮内注射蜂毒的效果胜过腹腔注射。

蜂毒能防止由辐射引起的骨髓和脾脏的退化现象，表明它有保护和复苏造血干细胞的潜在作用，蜂毒抗辐射效应的主要成分是蜂肽和组胺肽，后者在体内释放组胺并易于螯合铜离子，因而具有辐射防护作用。

辛绍杰等（1997）用CCl_4造成大鼠肝纤维化模型。蜂毒预防组在肝纤维化之前给药，6个月后发现Ⅰ～Ⅲ级纤维化占69%；而治疗两组在肝纤维化完全形成后给药，3个月后发现Ⅰ～Ⅲ级纤维化分别占54.5%和66.7%，均明显轻于模型组。提示蜂毒有抗肝纤维化和吸收肝纤维作用。

蜂毒和蜂毒明肽还能兴奋离体肠管和子宫平滑肌，磷酸酯酶A_2也有直接兴奋平滑肌的作用。文献报道，蜂毒对某些植物肿瘤和动物移植性肿瘤有一定的抑制作用。恶性肿瘤对人体健康是一大威胁，其病因比较复杂。笔者注意到，经蜂针疗法治愈关节病后的患者或长期在蜂场易被蜂螫的养蜂人中，患食道癌、肺癌、肝癌的病例仍有发现。

蜂毒及其中磷酸酯酶A_2可增加大鼠体内可溶性乌苷酸环化酶的活性。蜂毒明肽具有激活大鼠心微粒体中颗粒性乌苷酸环化酶的能力，并具有某些神经递质诱导的钾通透性增加的作用。

第四节　蜂针疗法

千百年来，蜂螫治病、蜂刺疗法在中国民间广为流传。结合中医经络学说和针灸技法，现已发展成为独具一格的蜂针疗法。

一、经络概说

经络是人体气血的通道。包括经脉和络脉，其中纵行干线为经脉，由经脉分出网络全身各个部位的分支称为络脉，络脉的分支又称为孙络。

经络纵横交贯，遍布全身，将人体内外、脏腑、肢节连成一个有机的整体。经络系统是一个具有传导、运输、调节功能的通道网络系统，它是由不同层次的多形态、多功能的立体结构单位所组成的完整体系（图 15－2）。

- （内）——脏腑
- 经络
  - 经脉
    - 十二经脉
      - 手三阴：手太阴肺经、手厥阴心包经、手少阴心经
      - 手三阳：手阳明大肠经、手少阳三焦经、手太阳小肠经
      - 足三阳：足阳明胃经、足少阳胆经、足太阳膀胱经
      - 足三阴：足太阴脾经、足厥阴肝经、足少阴肾经
    - 奇经八脉：任脉、督脉、冲脉、带脉、阴维脉、阳维脉、阴跷脉、阳跷脉
    - 十二经别
  - 络脉：十五别络、孙络、浮络
- （外）：十二经筋、十四皮部

图 15－2　经络系统简图

体表的皮肤按经络来分区，称作皮部。古人将十二经皮部按手足阴阳同名经合为六经皮部，并各有专名。奇经八脉中任、督两脉不仅各自有联属的穴位（其他六奇经的穴位都依附于十二经之中），且有相应的皮部，其作用与十二经密切相关，近人为临床应用方便，将任、督两脉与十二经脉相提并论，合称十四经脉。人体经络皮部划分为十

四皮部（图 15－3）。

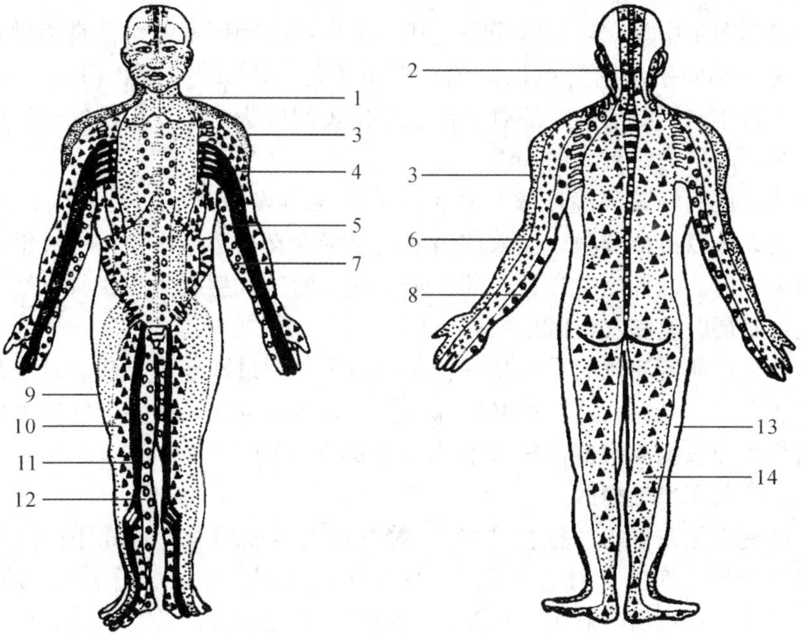

图 15－3 人体经络皮部分区

A. 正面 B. 背面

1. 任脉皮部 2. 督脉皮部 3. 手阳明大肠经皮部 4. 手太阴肺经皮部 5. 手厥阴心包经皮部 6. 手少阳三焦经皮部 7. 手少阴心经皮部 8. 手太阳小肠经皮部 9. 足阳明胃经皮部 10. 足太阴脾经皮部 11. 足厥阴肝经皮部 12. 足少阴肾经皮部 13. 足少阳胆经皮部 14. 足太阳膀胱经皮部

经络学说是中医学用以解释人体生理、病理现象，指导临床实践的基础理论之一。其形成和发展，与中国独特的医疗保健方法如针灸、推拿、气功等的应用有着密切的关系。它来源于医疗实践，又是指导中医临床实践的重要理论，也是针灸、蜂针医术的理论核心。

蜂针激发经络皮部和针刺穴位类同，能促进卫气布散，营气运行，营卫气血畅通无阻，则人体内部的虚实得以自动调节，脏腑功能获得和谐，阴阳获得平衡，各组织器官的抗病能力和抑病物质增加，就能达到扶正驱邪的目的。

临床实践证明，当循经刺激皮部以后，其疼痛部位压痛阈值明显增加，局部血管容积脉搏波的幅度亦明显升高，提示其镇痛消炎作用与改善病所血液循环有关。由于刺激皮部，必然会激起皮部的络脉功能活动，通过经络联系和输注作用，由表及里，气血畅通，使病人血液循环改善，机能代谢旺盛，淤血消散，致痛物质、致炎物质减少，抑痛物质、抗炎物质增加，从而使患部疼痛和炎症减轻或消失。

二、蜂针疗法特点

针灸医术起源于中华，经络学说是古代一大发明。利用蜜蜂螫器官为针具，循经络皮部和穴位施行不同手法的针刺以防治疾病的方法，称蜂针疗法（Bee acupuncture），简称蜂针。千百年来蜂螫治病、蜂刺疗法在中国民间广为流传。采用蜂针散刺法，可以避免活蜂螫刺引起的痛痒难忍的局部反应。

蜂针疗法由民间蜂螫治病经验与针灸医术相结合发展而成，是中国针灸医术的一种。蜂针既给人体以机械刺激，注入皮内的适量蜂毒又有药理作用，蜂针继发局部潮红充血兼具温灸效应。蜂针疗法是针、药、灸三结合的复合型刺灸法，具有廉、便、验三个特点，适合基层医院和农村医生推广应用。

工蜂蜂针由产卵器演化而成，是一种无须消毒、用过即弃的天然刺针。蜂针离开蜂体后，毒囊还会有节奏地收缩，使蜂针深入并自动将蜂毒注入皮内。蜂针之精细远远胜过针灸用的毫针和穴位注射器。蜂针刺入皮肤的深度为1.0～1.5mm，与针灸医术中的毛刺、扬刺、浮刺和半刺相似。

当今蜜蜂是进化完善的“社会昆虫”。蜂螫器官生成蜂毒，蜜蜂用以防卫自身、抵御敌人、攻击猎物和实施“社会通讯”。从生物进化观点来看，蜂毒应归属于自益素(allomones)范畴。蜂毒所含肽类、酶类、生物胺类和挥发性成分均具有医疗作用。

蜂针疗法由医者掌握刺激强度。蜂针散刺法浅刺即出不觉痛，1 只蜂的蜂毒分注 5～7 个点，乃至十几个点，局部短暂的潮红反应恰到好处。分在各刺点的蜂毒不再呈现毒性反应，因此在蜂疗词汇中都用“蜂针液”一词来代替“蜂毒”。但是任何蜂毒药剂均不能代替蜂针疗法，因为蜂毒中占 2/3 的挥发性成分，在制备蜂毒药剂时均已散失。这些挥发物含有 13 种以上的可以用气相层析分离的成分，在温经通脉、扶阳散寒方面有独特效用。

中国蜂针疗法不仅采用针刺，还将蜂螫器官用于药灸。方以智（1611～1671）著《物理小识》卷五载“药蜂针”的配方和用法：“取黄蜂之尾针合硫炼，加冰麝为药，置疮疡之头，以火点而灸之”。被赵学敏收录《本草纲目拾遗》，在传统的“药蜂针”外治法基础上发展起来的循经穴贴敷蜂毒药剂，涂搽“房氏蜂肽油”，按穴位进行蜂毒中频电离子导入或超声透入，可视为无针型蜂针疗法。

三、蜂针疗法的准备

蜂针疗法通常使用活框饲养的中华蜜蜂，也可使用西方蜜蜂。中国南方山区多用前者，西方蜜蜂中意大利蜂适用于广大平原，高加索蜂或东北黑蜂适用于北方地区。院内须保持 3～4 箱蜂供治疗专用。

治疗选用健康蜂群的成年工蜂。勿取 14 日龄以内的幼年蜂，因蜂毒尚未完全生成，蜂群内勤任务必不可少。活蜂螫刺法不宜采集刚返巢的工蜂，因蜂体花粉可能沾染刺点而导致过敏反应。

蜂箱可置蜂针室内窗台上，巢门朝室外。治疗时移动巢箱副盖（开缝），从巢框上梁取蜂。经常开缝取蜂影响蜂群的正常秩序，亦不适应多人取蜂或病床旁进行蜂针治疗。通常在蜂针室外设置蜂群，每天早晨用特制蜂盒从巢门聚集出巢工蜂供治疗用。

常用的蜂盒由13cm×4cm×5.5cm或11cm×4cm×5.5cm有机玻璃制作。上盖可抽动供进蜂或取蜂，盖和侧面分布若干直径3mm的通气圆孔。上盖抽开，先端下方盒盖底为饲料小区，便于利用正在进食的蜜蜂。可抽动盖用皮筋固定。

蜂盒取蜂以诱入法为优：将蜂盒进口与巢门对接，蜂盒内置固形蜂蜜（棉球蜜或炼蜜），诱入出勤工蜂，必要时加用长羽毛伸入巢门刺激守卫蜂进入蜂盒，此为诱入法；蜂盒并列，拉开上盖，气温适宜时从蜂群中取脾（避开幼虫子脾），抖入工蜂进盒称抖入法；低气温时可在蜂箱内用蜂刷将脾上工蜂刷入蜂盒，及时关闭上盖并保温备用，为刷入法（所抖刷纱盖下聚集的蜜蜂皆为成年工蜂）。

诱入法、抖入法、刷入法均应避免幼蜂混进蜂盒。诱入法应避开幼蜂的试飞时间，对蜂群正常活动影响较小。抖入法、刷入法不得用幼虫子脾，还必须查明蜂王不在取用的巢脾上。超过蜂群管理频度的开箱查蜂，取脾时抖、刷均易激怒蜜蜂螫人，取蜂者应带面网，注意防护。中蜂对震、抖敏感，易飞，抖落后应及时关闭上盖。

移箱法：供取蜂治疗的蜂群应力求保持群内繁殖条件和“情绪”稳定。可分A、B群（组）每半月交替使用。为避免误取幼蜂，可将新搬进群放定两三天后，将摆定的蜂箱迁移至另一方位，在原位再置一空箱并提进新封盖子脾和蜜蜂各2脾，让飞翔蜂回到原来的蜂箱位置供取蜂用。蜂王、幼蜂和留原群的子脾在迁移的方位继续繁殖，称为移箱法。

冬繁法：长江中下游及其以北地区蜂群越冬期较长，影响蜂针疗法进行。在冬季进行蜂疗，必须使蜂群继续繁殖，要掌握蜜蜂生物学特性，加强管理。秋季应彻底治螨，及时换王，增强产卵能力，组织双王群，保证强群越冬。同时采取切实有效的保温和奖励饲养措施，促进蜂王产卵，保持蜂箱内有蜂脾相称的6~8框足蜂。花粉是工蜂蜂毒分泌所必须的含氮饲料，奖饲花粉或其代用品必不可少。如此，取用冬季工蜂，仍可开展蜂针治疗。

四、蜂针注意事项

接诊后首先要帮助患者正确认识疾病，确立与自身病痛作斗争的信念。让患者了解蜂针医术的知识，积极配合医者按方案进行蜂针治疗。

蜂针部位遍及全身，患者衣着应宽松舒适，便利穿脱。脱衣露体男女有别，男子毫无畏惧，女性则有含羞之意，医者必备高尚医德。

患者饥饿时或饱餐后不宜施针，惊恐、大怒、大汗时不施针，精神紧张、疲劳、远道来诊者应休息15~30min再给予蜂针治疗。

初次给予蜂针治疗，手法宜轻刺，病者取卧位，医者应审慎从事，不可鲁莽。尊重老人，爱护儿童，搀扶患者上下诊疗台，帮助患者变换体位。

治疗时患者的体位要选择适当，既让患者舒适，又便利医者准确施针。可选取仰卧、侧卧、俯卧和仰靠、俯伏坐等体位，坐卧的姿势要正，切不可取站位。

蜂针治疗前医者的手要干净，并用酒精棉球擦洗，施针部位用碘酊和酒精消毒。循经散刺法部位广泛，可用0.1%新洁尔灭湿毛巾擦拭。耳部蜂针必须严格消毒，预防感染。

蜂针治疗后留患者在蜂针室观察30min，无全身反应才可离去。蜂针局部反应消失后方可再次在该部位施针，康复病种每周治疗1～2次即可。需每日或隔日蜂针强刺激的患者，应分组选穴，轮换部位。

对皮肤、黏膜有溃疡或感染的部位，不宜施蜂针。蜂针应避开浅表血管，防止出血（病情需要刺络出血者除外）。有自发性出血或损伤后出血不止的患者，不宜蜂针治疗。

五、蜂针刺法与非蜂针蜂毒疗法

（一）试针与蜂针的疗程

1. 试针　为避免个别人对蜂针出现过敏反应，蜂针疗法前必须在医师观察下试针。

拔针法：将工蜂螫器官用拔针镊拔出，以供试针或蜂针治疗。用敷料镊子夹住一只工蜂头胸部，将其腹部向外，头部用左手捏住，右手持拔针镊（掌侧向外），或将蜂腹朝内，右手持镊（掌侧向内），趁螫针伸出时将螫器官拔出。拔出的活蜂螫器官，用拔针镊夹持刺针上1/3和下2/3交界处，太偏上会影响毒囊收缩和蜂毒排出，太偏下因刺针较细易被夹伤，用劲稍小又易失落。螫器官离开蜂体后应在数秒钟内使用，耽搁时间稍长，蜂毒即从刺针尖端大量排出。

试针方法：先作皮肤常规消毒。将拔出的螫刺在相当于外关、肾俞、志室等穴位上刺入皮肤0.5～1.0mm，随即拔出，刺点立现小皮丘。20min后观察，若无泛发剧烈红肿、奇痒等局部反应和皮肤水肿、皮疹、胸闷、气憋、恶心、呕吐、腹痛、心悸、乏力、发热等全身反应，即可进行蜂针治疗。若出现上述反应者，不宜施用蜂针疗法。应警惕发生过敏性休克，准备好应急防治措施。

2. 蜂针的疗程　经试针无过敏反应的患者，头几次采用散刺法，酌情点刺几穴，每次用蜂量按1只、2只、3只或2只、4只、6只蜂逐渐增加。活蜂螫刺后局部红、肿、痒反应较严重，遇发热等全身反应则减量或维持原数量，待后再酌情逐渐增量。每次用蜂量以10只上下为宜，最多不宜超过25只蜂，中华蜜蜂用蜂量可稍多些，几种刺法酌情选用，或配合使用。

蜂针疗法一般隔日1次，10～15次为1个疗程，休息5～7d再行第二个疗程。针刺的穴位应分组轮换，蜂针局部反应未消失的部位不得重复针刺。对面神经麻痹、脑栓塞和脑血栓形成后遗症等康复期病种和支气管哮喘、偏头痛、高血压、血栓闭塞性脉管炎等疾病缓解期的患者，每周治疗1～2次即可。

（二）蜂针刺法

1. 循经散刺法　用拔针法，将刚从活蜂体中拔出的螫刺在经常规消毒的患部或与疾病相关的经络皮部垂直散刺，最初5～7点，应针不离镊，随刺随拔。继而刺入后镊子放开，留针2～3s，这样1根刺针可散刺8～10点，乃至10余点。散刺用力要适中，垂直刺，否则螫针容易折断。施术时沿病处所属“皮部”或压痛区每隔1～2mm轻轻呈带状散刺。一般用3～5只蜂散刺1个区域后，用冷藏的新洁尔灭湿毛巾擦一擦针刺区，再刺下一部位。蜂针作为保健和抗衰老措施，一律采用散刺法，施行此法患者几乎无痛或痛感轻微，注入蜂毒量有限，属轻刺激。一般患者在蜂针治疗第一周均采用散刺法。对头面部和耳穴主要施行散刺，并要浅刺（0.5～1.0mm）、轻刺，随刺随拔。

2. 穴位点刺法　经散刺数点的刺针，最后刺入与疾病相关的主穴（十四经穴、经外奇穴或阿是穴），留针0.5～5min。例如肩周炎患者在手阳明大肠经肩髃、臂臑一线，手太阳小肠经臑俞、天宗一线和足太阳膀胱经第二侧线敏感区散刺后，在臂臑、天宗、膏肓等穴位点刺留针。虽然这时毒囊中蜂毒较少，但因留针时间长，该刺点注入蜂毒量还是较多的。接受蜂针治疗第二周，若患者蜂针后局部反应轻微，可将从活蜂中取出的螫针直接刺入穴位，视病情及患者针刺后反应情况留针3～5min，乃至10min，逐步调整蜂针刺激量。对三叉神经痛、齿槽脓肿等患者除皮肤穴位针刺外，还可在口腔穴位，黏膜敏感点、齿龈局部进行蜂针点刺。用蜂针刺黏膜时疼痛轻微，患者偶尔有感觉。

3. 活蜂螫刺法　不少风湿病、类风湿性关节炎、坐骨神经痛等患者经过蜂针治疗反应轻微，或经历了对蜂针的适应过程，病情需要强刺激者可采用活蜂螫刺法。用镊子或手指夹持蜜蜂头胸部，使其腹部末端接触皮面，蜜蜂即弯曲腹部伸出螫针刺入皮肤。螫后将蜜蜂拿开，置盛水的广口瓶中。螫刺、毒囊和其他螫器官便脱落在皮肤上。这时，在支持螫刺基部的螫器官发动装置（交感神经支配的与3种骨片等机械传动部件相连接的肌肉）的作用下，螫器官还会有节奏地收缩，10～30min待蜂毒注入完毕后拔出螫针。

4. 经络全息区刺法　在中国传统医学理论指导下，经过大量临床观察和实验研究表明：人体是由各个组织器官和脏腑依靠经络系统构成的一个有机整体，人体某一器官或特定部位又是全身脏腑经络系统的缩形，此即人体穴位分布的全息律。通过对人体某一器官或特定部位针刺以治疗全身多种疾病的方法称微针疗法，我们用于蜂针称经络全息区刺法。它包括头针、面针、眼针、耳针、鼻针、人中针、口针、舌针、颈针、胸针、腹针、背俞针、夹脊针、手针、足针、腕踝针、第二掌骨侧针等（请参阅《微针疗法》专著）。

蜂针全息区刺法以耳穴蜂针为例：一方面通过耳诊寻找刺点，另一方面根据耳穴功能取穴。耳部皮肤必须先用2%碘酊消毒，再用75%酒精消毒并脱碘。如不严格消毒，感染后容易引起耳软骨膜炎，造成不良后果。耳穴较敏感，蜂针散刺时应针不离镊，浅刺0.5mm，短暂轻刺1～2穴。单耳取穴，两耳轮换；头部疾病先取同侧耳穴，头部以下疾病先取对侧耳穴。

5. 配合毫针法　先以毫针疏通经络气血，以助蜂针效应更快地在经络系统中显现。如对乳腺增生患者，先以毫针用泻法针刺屋翳、乳根、膻中、少泽、阿是穴30min，起针后隔5min，用活蜂点刺以上诸穴。阿是穴选肿物较硬处（皮部）加强刺激量，硬结上可用1～3个蜜蜂围刺，以活血、消肿、散结。

根据人体节律，按时辰取穴，因时施治，可增强疗效。“子午流注”强调气血生旺之时施针有效，气血衰绝之时施针有害。按开阖之理，五行相生相合者为开，则行针；相克者为阖，则不刺。刺因四时不同，春夏气血在浅表宜浅刺，秋冬气血在深里宜深刺。蜂针刺法属浅刺，秋冬季蜂针宜结合“子午流注”针法，循经远距离取穴在开穴上强刺激（1 穴 2 蜂，同时刺入），再在病痛区腧穴和阿是穴上蜂针，然后在开穴至病痛区之间的穴位上配合毫针针刺，以导其气，收“接气通经”之效果。

（三）非蜂针蜂毒疗法

1. 蜂毒注射法　蜂毒注射前要做过敏性皮试，皮试阴性者方可进行治疗。用消毒的注射器吸取蜂毒注射液（水剂、油剂、现溶解的粉针剂等），作肌肉注射，或在穴位上常规消毒，用快速进针法将针刺入皮下组织，然后缓慢地推进或上下提插，探得酸、麻、胀等“得气”感应，回抽无血后，将蜂毒注射液缓缓地推入。

注入蜂毒的剂量要根据病情、患者的体质及注射的部位而定。一般开始以低浓度小剂量为宜，以后渐增。剂量为 0. 25 ~ 2mg/d，最大剂量 3mg/d。穴注剂量：头面部穴位每穴 0. 3ml，胸背部穴位每穴 0. 5ml，四肢部及腰背部穴位每穴 0. 5 ~ 1. 0ml。患者在一般情况下，隔日注射 1 次；对蜂毒反应轻微或病情较重的患者，每日 1 次；对蜂毒反应强烈者可隔 2 ~ 3d 注射 1 次。

2. 电离子导入法　蜂毒电离子导入法是指借助直流电离子或中频离子导入仪，将蜂毒从穴位皮肤导入体内，治疗疾病。有扩血管、消炎止痛的功效。导入的离子主要来源于精制蜂毒或导入专用蜂毒纸片，蜂毒溶液采用双极的衬垫板导入（参见本章第六节）。首先应做导入过敏试验，用稀释后的蜂毒液，通电 5min 进行观察，若无明显过敏反应者，可以接受治疗。输出电流强度应由患者的耐受性和肌肉的厚薄而定，以患者有感觉，又不引起疼痛，或患者仅有少量针刺样的感觉为宜。每次治疗一般为 10 ~ 20min，每日或隔日治疗 1 次。

蜂毒离子导入衬垫法的电极部位，可用对置法或并置法。注意要保持衬垫的湿润，否则无法导电。对置法：用左右双侧对称，或部位的前后对称进行治疗。如治疗肩周炎，肩前与肩后各放 1 个电极；治疗支气管哮喘，胸前天突或华盖穴放 1 个电极，背后肺俞或定喘放 1 个电极；治疗面瘫，可将正极置于患侧面部，负极置于肩胛区等。并置法，即两极并列横排或竖排。如治疗腰痛或腰椎间盘突出，两侧肾俞或大肠俞各放 1 个电极，亦可命门与腰阳关或秩边各放 1 个电极。

3. 超声透入法　超声透入法是指用高频超声波治疗仪以蜂肽油或蜂毒软膏为接触剂，进行蜂毒透入的方法（参见本章第六节）。常用直接接触法进行治疗：将超声波声头直接和治疗部位的皮肤接触，中间放蜂毒制剂。移动法：轻压声头，均匀移动于受治疗部位。适应于范围较广的病灶治疗，是临床常用的方法。固定法：用适当的压力将声头固定于受治疗部位。多用于神经根及较小的病灶及痛点治疗。常用 < 0. 5W/cm^2 剂量，但目前此法已较少应用。穴位治疗法：用超声刺激穴位，通常每穴作用 0. 5 ~ 2min，声强为 0. 25 ~ 0. 5W/cm^2，可适当加压将声头固定于穴位进行治疗，此法无痛、无不适感。主治各种疼痛、肌肉酸痛、肌力降低、关节变性、骨质增生、硬皮病等。一方面具有蜂毒的药理作用，另一方面，超声波的治疗效应，可增强血液循环，加强代谢，改善局部组织营养，增强酶的活力，降低肌肉和结缔组织张力，缓解痉挛及减轻疼痛，同时，又可降低感觉神经兴奋性，起到镇痛作用。

4. 雾化吸入法　蜂毒雾化吸入法是指以超声雾化器，或用蒸汽喷发的方法，用吸入器所发生的水蒸气来带动雾化的蜂毒，患者由一个磁管将含有蜂毒的蒸汽吸入的治疗方法。肺泡吸收面积非常大，因而药物从肺内吸收极为迅速。主要用于治疗支气管哮喘、慢性支气管炎、急慢性咽喉炎等病。

5. 蜂毒软膏、擦剂外用 蜂毒外用是指将蜂毒软膏、搽剂涂于患部，或按摩、刮痧时当润滑剂外用。该法对骨关节痛、某些皮肤病效果颇佳，可改善局部血液循环，增加新陈代谢，消肿止痛。将水杨酸 3g、纯蜂毒 1g、硅酸盐适量，用凡士林加至 100g，调匀制成软膏，或用其他类型的蜂毒制剂，如房氏蜂肽油、神蜂精等。根据不同疾病涂在病变部位、关节或相应部位，主要用于外科、骨伤科和皮肤科等疾病。

6. 口服蜂毒制剂 新西兰产的天然去痛蜂毒胶囊，采用独特的配制技术，制成方便服用的软胶囊，能顺利通过胃部达到肠道部位，使蜂毒得到最有效的吸收。此胶囊含有蜂毒肽、蜂毒明肽、透明质酸酶、多巴胺、安度肽，这些成分能刺激垂体肾上腺系统，有明显的抗炎去痛作用。适用于各种痛症，能减轻痛楚，特别是关节疼痛。每日早餐前及晚餐后各服 1 粒即可。

六、蜂针疗法的适应证与禁忌证

中国传统医学的脏腑、经络学说和针灸医术，以及当代对蜂毒成分和活性的科学研究，为蜂针疗法的发展奠定了理论基础。凡适应针灸治疗的病症，均可采用蜂针疗法。

（一）蜂针疗法的适应证

蜂针疗法实为中国传统医学宝库中的妙手绝活，经过各国蜂针研究者反复实践和不断改进，现已成为患者祛病除痛良方，健者争相接受的保健措施。1993 年，人民卫生出版社出版的笔者著《中国蜂针疗法》系统论述蜂针术的理论基础和临床应用，具体介绍了 80 余种常见病症的辨证论治方法。1996 年由山西科学技术出版社出版的笔者主编《百病蜂针疗法》和 2002 年出版的《当代蜂针与蜂毒疗法》已拓展为 100 多种病症，这些病症是：

1. 运动系统病症 类风湿性关节炎、风湿性关节炎、肩关节周围炎，颈椎病、腰椎间盘突出、骨性关节病，狭窄性腱鞘炎、腱鞘囊肿、肱骨外上髁炎，腰肌劳损、膝痛、足跟痛；腓肠肌痉挛。

2. 神经精神病症 头痛、麻木、神经衰弱，癔病、癫痫、精神分裂症，三叉神经痛、肋间神经痛、坐骨神经痛、臂丛神经痛、眶上神经痛，面神经麻痹、面肌痉挛、桡神经麻痹；股外侧皮神经炎、多发性末梢神经炎，脑血管意外后遗症；重症肌无力、震颤麻痹。

3. 心、血管和淋巴病症 心悸、高血压、心绞痛、血管神经性头痛，无脉症、肢端红痛症、肢端动脉痉挛症、血栓闭塞性脉管炎，脑动脉硬化症；象皮腿。

4. 消化系统病症 胃和十二指肠溃疡、慢性胃炎、胃下垂、胃肠神经官能症，慢性肠炎、习惯性便秘、结肠功能紊乱，慢性肝炎、肝炎后综合征、肝硬化，膈肌痉挛。

5. 其他内科病症 支气管哮喘、糖尿病、痛风、周期性麻痹，甲状腺机能亢进、桥本甲状腺炎、单纯性甲状腺肿大，血小板减少性紫癜。

6. 妇科与男科病症　不孕、痛经、闭经、乳腺增生、慢性盆腔炎，更年期综合征、女阴白斑，前列腺炎、遗精、阳痿、老年性功能衰退。

7. 儿科病症　五迟、小儿营养不良、小儿泄泻，婴幼儿疝气，遗尿、舞蹈病。

8. 外科病症　阑尾炎、胆囊炎、胆结石、肾结石，丹毒、颈后部多发性毛囊炎、下肢静脉曲张，痔疮、冻疮、瘢痕疙瘩。

9. 五官、口腔病症　近视、视神经萎缩、虹膜睫状体炎、中心性浆液性视网膜脉络膜炎，链霉素中毒性耳聋、耳源性眩晕、过敏性鼻炎，牙痛、颞下颌关节紊乱症、咽喉部异感症。

10. 皮肤病症　带状疱疹、寻常疣、扁平疣、传染性软疣，斑秃、神经性皮炎、寻常痤疮、湿疹、结节性红斑，寻常型银屑病、关节型银屑病，面部色素沉着、白癜风、硬皮病。

蜂针师随身携带微型蜂盒，可随时施蜂针术为患者解除病痛，为工余的人们解除疲劳，宴会前为主人和宾客清脑提神，中老年人坚持接受蜂针以延缓衰老，孕妇系统接受蜂针以助长胎儿健全发育。

（二）禁忌症

蜂毒疗法的禁忌症有：心、肺功能衰竭，肾功能障碍。严重过敏反应者，特异性体质对蜂针难以接受者。出血性疾病、月经期、手术后慎用。

七、蜂毒的反应和过敏急救

蜂毒的成分复杂，含有多种生物胺、肽、酶类等物质，既有用于治疗的成分，又有引起过敏性反应的成分。所以在治疗时，尤其是初期接受蜂毒治疗和活蜂螯刺法，机体会有一定反应。采用蜂针散刺法，能减轻机体对蜂毒的不良反应。

（一）蜂螯局部反应

1. 疼痛　当活蜂尾针刺入皮肤时，会出现短暂的疼痛，有人觉得比针刺痛得多，有人认为，仅是轻微疼痛或几乎不知痛，绝大多数人痛感只维持 1～2min，甚至不到 30s，患者还是能够接受。蜂针后局部有麻木，甚至感觉迟钝，表现明显的局部止痛作用，因此，虽表皮稍有痛苦，但患者经治疗后觉得关节轻松，精神舒畅，仍乐于接受治疗。

2. 皮丘与红肿　蜂针刺入后 3～5min，皮肤出现苍白色皮丘，然后逐渐扩大，出现红肿，皮温升高 2～6℃。皮丘红肿的大小因人、因时、因接受蜂针治疗的次数多少而异。初期接受治疗，红肿由小变大，后来可逐步蔓延，甚至可肿胀一大片。如蜂针足三里穴，可肿至踝关节以下；针外关穴处，可使整个手指均肿胀，甚至可持续 3～6d。肿胀期间，局部有酸胀或坠胀感，甚至隐痛。经过了蜂针反应期的大多数人，一般不会有严重的胀肿，仅红肿一会儿就会消退，多数人 2～3h 后消退，蜂针敏感者也仅是一两天微肿而已。不过对于组织疏松之处，如眼皮，肿胀较严重。

3. 瘙痒　瘙痒一般在蜂针后的几天出现，瘙痒程度也是因人、因时而异。接受蜂针治疗者，于3～4d后局部蜂针部位有痒的感觉，夜晚及温暖时尤其严重，而且越搔越痒，越肿胀。通过半个多月的反应期后，瘙痒程度可逐步减轻。蜂针的后期，虽有时在针口有瘙痒，但大多数是可以忍受的。

4. 局部针孔的变化及色素沉着　蜂针后，有的人针孔无大变化，有的人则有一硬结，或有一小脓疡（因搔痒而感染），或有一小水泡、小淤点等。大多数人都有局部的色素沉着，有的人有片状色素沉着斑。这些局部针孔的反应属可逆性，有的人几天就消退，有的人则存在几个月，甚至1年，但最终可消失，不留瘢痕。

医者选择适当的蜂针刺法即可避免重度局部反应。蜂螫局部红肿明显可用季德胜蛇药片冷开水调外敷，浆液性大泡可涂用龙胆紫；瘙痒剧烈，外用10%蜂胶酊或蜂胶霜剂，亦可搽克痒敏（主要成分：七叶一枝花、蛇总管、山乌龟、山苍子油、蛇床子、三椏苦、冬绿油、毛麝香、两面针、苦参、薄荷脑、梅片）。若继发感染，应给予抗生素治疗。

（二）全身反应

1. 晕针反应　在针刺疗法时发生晕厥现象，谓之晕针。蜂针针刺时，偶尔见患者诉头晕、恶心、目眩、心悸，继而出现肢凉、汗出、面色苍白或蜡黄等晕针症状。主要在耳穴蜂针病例中出现。晕针的原因是初诊病员精神紧张、惧痛、饥饿疲乏、低血糖状态、重病体虚、大汗失血、刺激过强、取穴不当等。医者应按蜂针注意事项妥善安排患者，防止晕针出现。施术的整个过程要随时注意患者的表情，根据患者的感觉，适当调节刺激的强度。初次治疗，不给耳穴蜂针，耳穴中心区、交感、脑点、三焦、内分泌等刺激要特别轻。发现晕针先兆要及早处理，扶持患者立即平卧，如卧位时发生晕针，应将枕头取出，使头部稍低，放松全身衣领扣带，冬季注意保暖。给患者喝些热茶或糖水，消除紧张心理，片刻即可恢复。如不恢复，可用指压或针刺人中、中冲，或再刺合谷、少商、百会、足三里。亦可用拇指尖点按患者双侧内关穴，速度每秒5～6次，轻重以患者有胀麻感向上臂放射为度。指压、针刺或点按上穴数秒钟后缓解，5min内应恢复。若晕针时间过长或晕厥严重，可向患者鼻内吹入少许通关散。必要时，皮下注射尼可刹米或肾上腺素，同时给予氧气吸入。

2. 超量反应　蜂针治疗中，用蜂量经历每次1只、2只、3只或2只、4只、6只逐次递增的适应过程后，每次用蜜蜂10只，最多25只。即使超过25只，并全部使用蜂针散刺法，也不会出现超量反应。采用活蜂螫刺法的部分患者，在适应增加用蜂量过程中，治疗第二周前后出现恶寒、发热症状，蜂螫区淋巴结肿胀压痛，甚至全身关节疼痛发作。此为蜂螫反应期，无须药物处置，暂停蜂螫三四天或减量维持数日后，再逐渐增加用蜂量。

人体同时被100～200只蜜蜂螫刺可出现毒性反应。一次经受200只以上蜜蜂螫刺即引起毒性反应：进行性恶心，有时呕吐，腹泻，体温升高，心前区痛，大量出汗，头痛，抽搐，意识丧失，血压下降，脉数和心血管功能紊乱，呼吸困难，紫绀，肺水肿，溶血及血红蛋白尿。一次经受500～1 000只蜜蜂螫刺者，常因呼吸中枢衰竭而死亡。

对于蜂螫中毒的患者，除进行对症治疗和采取相应抢救措施外，若蜂螫时间在

20min 以内，必须尽快地用尖细镊子拔出螫针，要避免挤压毒囊，防止蜂毒继续进入体内。螫针拔除后涂用 75% 酒精，神志清醒者可适量饮酒。实验证明，含硫氢基的还原型谷胱甘肽、组织胺拮抗剂苯海拉明、肾上腺 β－受体阻断剂心得安有特异性解毒效用。硫代乳酸钠、内服和外敷季德胜蛇药治疗蜂螫中毒有效。禁忌用氯丙嗪。

（三）变态反应

养蜂人常遭蜂螫，多数人或迟或早会对蜂毒产生免疫力，同时耐受几百只蜜蜂螫刺而没有中毒症状。专业蜂针治疗师产生免疫力后再受蜂螫红肿反应轻微。但确有个别人被 1 只蜂螫刺即产生机体功能严重紊乱。现就蜂螫过敏反应的类型、机理及防治要点简述于后。

蜂螫过敏主要是速发型变态反应性疾病。已知蜂毒中高分子量的变应原 B 和 C 的分子量分别为49 000～200 000和105 000，透明质酸酶、磷酸酯酶 A_2、蜂毒肽也有抗原特性。蜂螫过敏涉及Ⅰ型和Ⅲ型变态反应，均属体液免疫类型。

1. 反应类型及机理

（1）Ⅰ型变态反应（速发反应素型）：人体首次接触抗原后，体内浆细胞产生大量的 IgE 抗体（反应素）。IgE 是亲细胞抗体，其 Fc 段与肥大细胞和嗜碱性细胞表面受体结合，使人体处于致敏状态，当已致敏的人体再次接触到蜂毒时，其中抗原即与结合在肥大细胞和嗜碱性细胞上的 IgE 的 Fab 段结合，激发细胞内酶反应，导致细胞脱颗粒，释放组织胺、激肽、慢反应物质（SRS－A）、肝素、5－羟色胺等。这类生物活性物质可引起腺体分泌增多、平滑肌痉挛、毛细血管扩张及通透性增加等。

局部过敏反应是剧烈的红肿痛痒；全身反应包括泛发荨麻疹、血管神经性水肿等皮肤症状，流涕、哮喘、胸闷、气堵等呼吸道症状，恶心、呕吐、腹痛、腹泻等消化道症状以及头晕、头痛、心悸、肢麻、烦躁不安等全身症状；严重者出现过敏性休克、昏迷、大小便失禁乃至心脏停搏等。

1975～1977 年，伦敦大学 Guy's 医院变态反应科所见蜂螫过敏 53 例中，局部过敏占 3/53，全身反应占 30/53，过敏性休克占 20/53。速发型蜂螫过敏反应绝大多数在螫后 60min 内发作（10min 以内占半数以上）。一般是从蜂螫到发作的间隔时间越短，症状越重。

（2）Ⅲ型变态反应（免疫复合物型）：抗原进入人体，产生相应的抗体 IgE 或 IgM，因抗原、抗体两者比例不同，形成的免疫复合物的大小和溶解性也不相同。当抗体量超过抗原量时，形成的可溶性免疫复合物，大多沉积在抗原输入部位，蜂螫局部出现阿瑟氏反应。阿瑟氏反应发生在蜂螫后数小时至 12h，出现疱疹、皮下出血、硬结、无菌性小脓疱，可持续数天。当抗原量稍超过抗体量时，形成的中分子可溶性免疫复合物不易被内皮细胞吞噬，而较长时间地存留在血流中；使嗜碱性细胞或血小板释放出组织胺及 5－羟色胺，使血管壁通透性增强，导致大分子抗原抗体复合物沿血管壁的基底膜沉着，并激活补体释放趋向因子，吸引中性白细胞并促进其吞噬和释放溶酶体酶，引起炎症并使某些组织产生病变。蜂螫过敏属于此型的还有血清病样反应和肾功能衰竭等。血清病样反应发生在蜂螫后 3～10d，出现发热、皮疹、淋巴结肿大、关节酸痛和肾脏损害等，可持续数天。

2. 诊断　典型的过敏症状和既往蜂螫史对蜂螫过敏反应的诊断具有决定性意义。调查发现；第一次蜂螫即出现过敏反应者亦不少见，提示蜂螫过敏的致敏途径不仅限于皮肤曾注入抗原。现参考米勒蜂螫反应分级标准（表 15－19），单一蜜蜂螫刺出现Ⅱ级或Ⅱ级以上反应者即视为过敏反应。

表 15－19　单一蜜蜂螫刺反应分级标准

0 级	无任何反应
Ⅰ级	仅有局部反应，红肿块直径小于 10cm
Ⅱ级	仅有局部反应，红肿块直径大于 10cm，如头部颜面全部肿胀、五官变形
Ⅲ级	出现轻度全身反应，如非螫刺部位荨麻疹、周身痒、心悸、头晕、焦虑
Ⅳ级	Ⅲ级中任何一项加下述两项或两项以上：呼吸困难、吞咽困难、声嘶或音粗、意识模糊、有大祸降临感
Ⅴ级	Ⅳ级中任何一项加下述两项以上：紫绀、血压下降、虚脱、尿便失禁、意识丧失

蜂针试针是临床常用的过敏试验方法，但不如变态反应专科的过敏试验精细。试针 20min 内红肿痒是原发反应，原发反应阳性说明患者体内存在对抗蜂毒的抗体 IgE，属Ⅰ型过敏反应。几小时后原发反应已消退，而继发性肿胀反应才出现，在5～7h 最明显，后者属于蜂螫Ⅲ型过敏反应。

3. 急救措施和防治　蜂螫过敏，尤其是蜂螫过敏休克，是紧急情况，有时甚至比药物过敏性休克更为紧急，必须及时抢救，以免死亡。急救措施包括：

（1）观察受螫局部毒囊是否已脱落，如果毒囊尚未脱落，应立即用小镊子紧贴螫针根部拔除螫器官，拔除时尽量避免挤压毒囊，免将蜂毒挤入体内。应急时可用指甲迅速将螫针拔除。

（2）休克患者立即给 1% 的肾上腺素 0.3～0.5ml 肌肉或皮下注射，如 15～30min 内血压无回升迹象，可重复 1 次，直至血压回升至休克水平以上并维持稳定为止。

（3）在医疗点急救，可用琥珀酸氢化可的松 100～200mg 或地塞米松 5～10mg，加入 25% 或 50% 葡萄糖液 20～40ml 静脉推注，或地塞米松 5mg 肌注；为改善毛细血管壁的通透性，可静脉注射葡萄糖酸钙和维生素 C。

（4）条件允许时，可给患者输液，在 10% 葡萄糖液 500ml 中加入琥珀酸氢化可的松 300～400mg，或地塞米松 10～20mg，加维生素 C 1～2g。并按病情需要随时加注去甲肾上腺素、洛贝林、尼可刹米或咖啡因等急救药物。

（5）出现憋气、哮喘、喉头水肿或音哑者，在激素治疗的同时，可给予异丙肾上腺素或舒喘灵气雾吸入，或给予喘息定 10mg 舌下含服，或麻黄素 25mg 口服。

（6）有窒息缺氧表现者，应给予氧气吸入。严重喉头水肿用药不见迅速好转者，应立即做气管切开和辅助呼吸，以抢救生命。

（7）休克未恢复前，患者必须平卧，取出假牙，解开衣服，尽量少翻动患者，并保持身躯温暖。

（8）如出现周身皮疹、皮痒、水肿者，在激素治疗的同时，可给予扑尔敏 4mg 或安他乐 25mg，口服。

（9）常规肌肉注射盐酸苯海拉明 25mg，这种抗组织胺药物不仅能控制过敏反应，而且对蜂毒毒性有拮抗作用。

（10）受螫局部红肿严重者，可在局部用冰水毛巾湿敷，或涂肤轻松霜剂，或季德胜蛇药片用冷开水调敷于螫处红肿区。

接受蜂针治疗的患者，由于事先都要经过蜂针敏感试验，排除了高敏者接受治疗的可能，在蜂针治疗过程中发生过敏反应的为数较少。

为避免接受蜂针的病员发生意外，蜂针治疗后必须留在蜂针室内休息 30min，以防速发反应发生，并及时处置。若在治疗后 30min 至 2h 出现荨麻疹等全身反应，门诊患者正好离开医院，易使患者和其周围的人感到恐惧，但皮肤症状通常经过 1 ~ 2h 即自行消退，可用抗组织胺药物（扑尔敏）治疗。对接受蜂针的患者应进行蜂针过敏反应常识的宣传教育。

4. 脱敏　试针过敏反应严重者或试针过敏仍要进行蜂针治疗的患者，应先经专科医师脱敏。对蜂螫过敏的患者除进行必要的对症治疗外，全身性反应患者亦必须采用蜂毒（蜂毒干物质）脱敏疗法。

八、常见病症的蜂针疗法

1. 头痛　头痛是指以头部疼痛为主要症状的一种病症，见于多种急慢性疾病中。感染性发热疾患、高血压、颅内肿瘤、五官科疾病等引起的头痛，以及神经性机能性头痛、偏头痛等适应蜂针治疗。

蜂针治疗：外感性头痛（感染性发热疾患）刺风池、头维、通天、太阳、合谷，肝阳头痛（高血压）刺悬颅、颌厌、风池、太冲、太溪，偏头痛刺翳风、太阳、率谷、丝竹空、头维、百会、合谷、列缺、风池等。凡头面部蜂针，均采用散刺法（以下亦同）。

2. 面瘫　面瘫俗称口眼歪斜、口僻、吊线风等。面瘫发病突然，表现为一侧面部板滞、麻木、瘫痪，不能做蹙额、皱眉、露齿、鼓腮等动作，口角向健侧歪斜，口唇闭合不全，饮水时常由患侧流出。露睛流泪，若强令闭眼，则眼珠上翻，露出白睛。多为面神经麻痹及周围性面神经炎。

蜂针治疗：刺地仓、颊车、阳白、四白、听会、翳风、牵正、合谷。疗效与病程密切相关，病程短者疗效佳，起病半年以内者治愈率可达 75%。

3. 眩晕　眩晕的“眩”是眼花，“晕”是头晕，两者常同时并见，故统称为“眩晕”。该病是指患者自觉头昏眼花，轻者平卧或闭目片刻即止；重者头昏眼花，视物模糊，旋转翻复，不能站立，常伴有恶心、呕吐、汗出，甚至昏倒等症状。

蜂针治疗：虚证刺百会、风池、膈俞、肾俞、足三里，轻刺激；实证刺中脘、阳陵泉、行间、水泉、印堂。

4. 痿证　痿证，是指肢体软弱无力，肌肉萎缩，活动困难，甚至运动功能丧失而成瘫痪之类的病症。本证常见于多发性神经炎、小儿麻痹症及其后遗症、急性脊髓炎、重症肌无力、进行性肌肉萎缩、周期性麻痹症、癔病性瘫痪和表现为软瘫的中枢神经系统感染后遗症等。

蜂针治疗：痿臂刺肩髃、曲池、阳溪、合谷、足三里，痿足刺髀关、梁丘、足三里、解溪、合谷，随症配肺俞、脾俞、肝俞、肾俞、悬钟、阳陵泉。

5. 痹证　痹指闭阻不通之意，是由于风寒湿热，引起筋骨、肌肉、关节等处发生肿胀、酸痛、重着、麻木和屈伸不利，甚至影响肢体活动功能，统称为痹证。包括痛风、风湿热、风湿性关节炎，类风湿性关节炎和神经痛等。

蜂针治疗：痹证疗效较好，但须坚持较长期治疗，按病变部位取穴：肩部刺肩髃、肩髎、臑俞，腕部刺阳池、外关、阳溪、腕骨，肘部刺曲池、合谷、天井、外关、尺泽，背部刺水沟、身柱、腰阳关，髀部刺环跳、居髎、悬钟，股部刺秩边、承扶、阳陵泉，膝部刺犊鼻、梁丘、阳陵泉、膝阳关，踝部刺申脉、照海、昆仑、丘墟。

行痹加膈俞、风门、血海，痛痹加肾俞、关元，着痹加足三里、阳陵泉、商丘，热痹加大椎、曲池。

6. 胃痛　胃痛以上腹胃脘部近心窝处经常发生疼痛为主证，多指急性胃炎、慢性胃炎、胃溃疡、十二指肠溃疡、胃神经官能症等病。

蜂针治疗：实证刺中脘、足三里、内关、公孙、太冲、行间，虚证刺脾俞、胃俞、中脘、章门、足三里、内关、三阴交。

此类疾病患者若蜂针局部无明显红肿反应，可采用腹背部敏感穴活蜂螯刺。每次2～4穴，每周1次。用拇指在患者背部督脉、膀胱经和上腹部任脉、胃经、肾经等经脉从上至下，逐穴进行按压。找到最敏感的穴位螯刺。经此法治疗的患者1～2次可见效。症状消失后再治疗1～2次以巩固疗效。

7. 失眠　失眠指经常不能获得正常睡眠之症，可单症出现，也可与头痛、眩晕、心悸、健忘等症同时出现，包括神经衰弱、神经官能症等。

蜂针治疗：额部由左太阳穴向右太阳穴横向散刺1行；目眶周围环状散刺；由风池沿颈项两侧到肩井，由上到下散刺1行；从前发际到后发际，以矢状线为中心线，由前到后散刺2行，行距3～4cm，以上每针距离为2.5cm，即刺即出，不重复。浅刺神门、内关、失眠穴、心俞、肾俞、肝俞。

8. 肩周炎　肩周炎是指肩关节周围软组织的退行性病变，多发生于50岁左右的成年人，又称五十肩、肩凝症、冻结肩及漏肩风。女性多于男性。

蜂针治疗：局部取肩内陵、肩髃、臂臑、肩髎、曲池、天宗、阿是穴，远端取条口、阳陵泉等穴，初始则用散刺，逐渐过渡到点刺、螯刺手法治疗。

9. 半身不遂　半身不遂属于中风之轻症，是指初期手足麻木、肌肉弛缓，后期常变为拘挛，以致举动步态不能随意活动的病症。常见于脑出血、蛛网膜下腔出血、脑血栓形成、脑栓塞、脑血管痉挛等脑血管意外的疾病中，统称中风后遗症。

蜂针治疗：病上肢刺肩髃、曲池、外关、合谷、手三里，病下肢刺环跳、风市、阳陵泉、足三里、绝骨、太冲、阳溪。口眼歪斜者，加地仓、颊车；舌强语蹇者，加廉泉、哑门。

蜂针对中风后遗症的疗效与其症因、发病时病情轻重和后遗症时间长短有密切关系。后遗症较重，时间越长者蜂针见效越慢；一般3个月为1个疗程。点刺百会、曲鬓和在两穴连线上蜂针散刺，疗效亦佳，偏瘫发病半年之内者针健侧肢体穴位，发病半年至1年蜂刺双侧肢体穴位，发病1~3年则针患侧肢体穴位。并鼓励患者保持乐观情绪，加强功能锻炼。

10. 颈椎病　颈椎病又称颈椎综合征，主要症状有头、项、臂、手及前胸等部位的疼痛，并可有进行性肢体感觉及运动功能障碍，好发于40~60岁的成人，男性多于女性。

蜂针治疗：主穴取风池、悬钟、大杼、夹脊穴。颈枕部痛、感觉障碍者，取第三颈椎棘突下旁开1.5cm夹脊穴；酸痛麻木沿颈肩路线放射至拇指、食指者，取第五颈椎棘突下夹背穴；酸痛麻木沿上述路线放射至食指、中指者，取第六颈椎棘突下夹脊穴；酸痛麻木沿上臂内侧，前臂尺侧至无名指、小指者，取第七颈椎棘突下夹脊穴。寒盛配阿是穴、肝俞，湿盛配委中、脾俞，项痛连肩取外关、偏历、阳陵泉，食欲不振配足三里、三阴交。颈椎病患者接受蜂针治疗疼痛控制后，继续治疗则进展缓慢，通常须坚持治疗50次以上才获全效。

11. 扭伤　扭伤是指四肢关节或躯体部的软组织损伤，如皮肤、肌肉、肌腱、血管等，而无骨折、脱臼、皮内破损的损伤症候。主要表现为受伤部位肿胀疼痛，关节活动障碍等。

蜂针治疗：以受伤局部取穴为主：颈部刺风池、天柱、大杼、后溪，肩部刺肩髃、肩髎、肩贞、条口，肘部刺曲池、小海、天井，腕部刺阳池、阳溪、阳谷，腰部刺肾俞、腰阳关、委中，髋部刺环跳、秩边、承扶，膝部刺膝眼、梁丘、阳关，踝部刺解溪、昆仑、丘墟。

通常治疗1次后疼痛减轻，2次后肿胀见消，最多治疗5次，即痊愈。

12. 痔疮　凡肛门内外有小肉突出的都叫痔，生于肛门内的为内痔，生于肛门外的为外痔，内外兼有的为混合痔。临床表现肛门肿胀、疼痛、瘙痒、流水、出血、便秘等症。本病多发于成年人，发病率约为60%。

（1）蜂针治疗：刺大肠俞、膈俞、长强、承山、二白［经外奇穴，位于前臂屈侧，腕横纹上4寸（13.3cm），两筋之间1穴，筋外桡侧1穴］。若痔核脱垂于肛门外，气短懒言，食少乏力者，配百会、隐白、脾俞和神阙（脐周蜂针散刺）；兼有口渴、溲赤便秘者，配次髎、会阴、商丘、上巨墟；肛门肿痛者，配秩边、束骨、攒竹；出血者，配血海、三阴交。

（2）龈交蜂针法：医者以左手拇指翻起被检查者上唇，唇内正中与牙龈交界处的系带上若有形状不同、大小不等的小滤泡及小白疙瘩，可在此部位用蜂针点刺。龈交蜂针患者无痛苦，针后不影响饮食和工作，对痔疮可一次治愈。

13. 腱鞘囊肿　腱鞘囊肿是指发生于关节囊和腱鞘附近的囊肿。本病常见于腕背部、足背部、膝的侧面及腘窝等处。患者以青壮年、女性多见。多与外伤、机械性刺激、慢性劳损有关。

蜂针治疗：取阿是穴、囊肿点刺适应后，可用活蜂螯刺，并在囊肿四周散刺。囊肿在腕部加曲池，在踝部、膝部配足三里。活蜂螯刺治疗腱鞘囊肿初期未成硬结时，治疗一两次即愈。如病程长，囊肿坚硬，蜂螯后用多层消毒小块纱布加压包扎。蜂针后患部减少用力，3～5d后复诊再治疗，直至囊肿全消。

14. 腰椎间盘突出 腰椎间盘突出的基本症状是腰腿痛，伴坐骨神经痛和神经根压迫体征，多因腰部屡受损伤或其他原因，使腰椎周围纤维软骨变性、萎缩、韧性减退，再加上突然外力损伤，造成腰间盘的髓核向后突出而致病。腰痛多较剧烈，下肢有放射痛，一般为单侧坐骨神经痛，当突出椎间盘较大或位于中央时，可为双侧或左右交替出现疼痛，疼痛沿大腿后侧向下肢放射至小腿外侧、足跟、足背外侧。活动多、久站、久坐、咳嗽、腹内压增高时加重，卧床休息可减轻。相应受累的神经根支配区有麻木感，多数局限于小腿、足背外侧等。腰椎旁棘突间有局限性深压痛，并伴有向下肢放射痛。背柱常发生侧弯，下肢肌肉可萎缩。坐骨神经痛沿下肢后侧放射者病在足太阳经，沿髋关节后和下肢外侧放射者，病在足少阳经。

蜂针治疗：取穴养老、昆仑、伏兔。痛麻区带蜂针散刺，腰痛配三焦俞、肾俞或痛点，大腿牵痛配殷门或承山，小腿痛配承山。足太阳型取秩边、承扶、委中、昆仑，足少阳型取环跳、阳陵泉、悬钟穴。

腰椎间盘突出患者应睡硬板床休息，适当配合按摩及牵引矫正。鼓励患者耐心坚持治疗，外科手术治疗应慎之又慎，通常坚持蜂针50次以上可获全效。

15. 腰肌劳损 从事重体力和弯腰工作等使腰部肌肉过度劳累，以及受寒、不良姿势或急性扭伤恢复不全等所致腰肌劳损，由于反射性腰肌痉挛致局部血液循环障碍，使新陈代谢产物堆积产生刺激而致痛。多有陈伤宿疾、劳累、气候骤变或受寒时症状加剧，腰部触之僵硬或有牵掣感，其痛处固定不移。

蜂针治疗：慢性期刺肾俞、脾俞、委中，轻刺激；急性发作期刺龈交、肾俞、委中等。腰背牵掣痛配肝俞、阳陵泉，午夜疼痛配膈俞、足三里、命门，耳鸣配听宫、翳风，夜尿多轻刺关元、中极。

腰肌劳损急性发作期宜卧床休息，慢性期宜避免局部受寒和劳累；注意参加适量的体育锻炼，以促进腰肌功能的恢复。

16. 狭窄性腱鞘炎 肌腱腱鞘因慢性损伤发生炎性病变，使肌腱在腱鞘内活动发生障碍、疼痛或肌腱与腱鞘增厚形成结节等症状，称狭窄性腱鞘炎。本病好发于腕部和掌指关节处，多见于包装工、洗衣工、缮写员等从事手指单一动作的职业。桡骨茎突部腱鞘炎腕部酸痛，拇指活动受限并可出现摩擦感或弹响，握拳向尺侧外展时可引起桡骨茎突处剧痛，俗称“腕劳”；屈指肌腱腱鞘炎疼痛在掌指关节处，活动时加剧，患指呈屈曲状态，伸屈均有困难并有弹响声，拇指部位多见；踝部和足趾亦可发生腱鞘炎。

蜂针治疗：取阿是穴、阳溪、列缺、合谷、后溪，逐渐加重刺激。

17. 肘痛 肱骨外上髁部各肌腱筋膜的劳损引起局部疼痛及压痛，为常见的慢性损伤性肘部疾患。多因长期劳累，伸腕肌起点反复受牵拉刺激，引起部分撕裂、慢性炎症或局部滑膜增厚、滑囊发炎等变化。多见于特殊工种，如砖瓦工、木工和网球运动员等，故又称“网球肘”。起病缓慢，初期在劳累后偶尔感到肘外侧疼痛，延久则加重，手提物品、拧毛巾、扫地等均感疼痛乏力，甚至向前臂及上臂放射，影响肢体活动，局部压痛明显，严重者局部可有微热，久病可见肌肉萎缩。

蜂针治疗：刺冲阳、外关、曲池，局部蜂针散刺。耳穴选肘、神门、皮质下、枕等蜂针散刺。

蜂针局部散刺取肱骨外上髁骨膜肿胀压痛最明显处，视局部反应情况可作点刺，此即“以痛为输”。治愈后该上肢须加保护，仍忌用力过猛，否则易复发。复发继续蜂针治疗仍有效，可配合蜂蜡疗。

18. 膝痛　膝关节痛最多见，其处多筋腱，对人体承重、站立、行走起重要作用，此关节最易遭受风、寒、湿邪侵袭而致痛。

蜂针治疗：风重型刺风池、风府、膝关、曲泉；寒重型内外膝眼点刺，膝部散刺；湿重型刺足三里、阴陵泉、鹤顶、内外膝眼。

19. 足跟痛　足痛难着地，影响活动。中医学认为：中年之后气血不足，而足跟又久任于地，致使足部气血运行失畅，经络阻滞不通而致痛；年轻者体质虚弱或摄生失调，肾气亏虚，肾主骨，肾虚则阴精无以充养骨之末端，故可产生足跟痛。

蜂针治疗：实证刺承山、阿是穴，虚证刺太溪、涌泉、昆仑、申脉、天柱。耳穴取足跟点、踝、神门等蜂针散刺；手针刺患足对侧足跟点，即大陵穴下 8 分（约 2.7cm）处；头针取患足对侧足运感区散刺。

跟骨骨刺引起的足跟痛，蜂针亦有疗效，不仅能缓解症状，而且坚持治疗 2 个月，足跟痛完全消失亦不少见。

20. 腓肠肌痉挛　俗称小腿肚转筋，常因受冷、过劳、运动创伤等原因引起发作。发作时腓肠肌呈间歇性或持续性发作，小腿剧烈疼痛，不能行走，以夜间或游泳时发生较多。蜂针治疗本病效果卓著，多能立见功效。

蜂针治疗：刺委中、承山、承筋、飞扬、昆仑、阳陵泉、跗阳、支正，中度刺激。耳穴取神门、膝、踝蜂针散刺。

21. 麻木　麻为非痒非痛，肌肉之内如千万小虫乱行；木则不痒不痛，按之不知，捏之不觉。二者常同时并见，故合称麻木。肢端感觉异常症、中枢神经和周围神经病变引起的麻木，采用蜂针治疗多能取效。

蜂针治疗：主穴刺手三里、合谷、足三里、三阴交。气血虚弱者配心俞、膈俞、肝俞、膻中、气海、神门，肝阳上扰者配百会、风池、肩髃、曲池、环跳、风市、悬钟、太冲，寒湿留滞者配阿是穴，肝郁者配内关、太冲；两手麻木者配少海、外关、八邪，两足麻木者配阳陵泉、八风、然谷。亦可取华佗夹脊穴、阿是穴蜂针散刺。对局部麻木可逐步加重刺激，点刺适应后，用活蜂螫刺。

22. 癔病　是一种发作性神经官能症，又称歇斯底里。多见于青壮年女性，精神受过度刺激后即发病。临床表现多样，最常见的是类癫痫样发作。患者突然肢体抽搐或挺直卧倒，或胡言乱语，哭笑无常，或表现为功能障碍（肢节瘫痪、失明、失语、失听、幻视、幻听等），但检查神经系统及全身均无器质性病变。经暗示治疗后常较快好转，易于反复发作，每次发作症状相似。

蜂针治疗：主穴刺人中、太冲、涌泉。哭闹不休取神门、内关，视力障碍刺睛明、鱼腰，失语配廉泉或哑奇；听力障碍配听宫、听会或翳风；肢体瘫痪或感觉异常可按患部循经取穴或蜂针散刺患部，癔病性呕吐加刺耳穴胃点，喉中梗塞症状可选耳穴咽喉、食道散刺。

23. 精神分裂症　是一种神志失常的精神病。本病与患者的特殊素质、外伤、中毒、内分泌失调、遗传等因素有关，其病因主要是精神创伤和过度刺激。起病一般较缓，常表现为性情冷淡、孤僻、独居，并有类似神经衰弱的一些症状。临床表现复杂，或见狂奔打闹，喜怒无常；或有狂言乱语，幻视幻觉；或见沉默寡言，悲泣静坐，痴呆幻觉，不吃不喝，大小便不能自理等。本病属中医学“癫”、“狂”及“百合病”范畴，认为癫狂的病因皆由七情所伤，心神不能守舍所致。

蜂针治疗：癫证（抑郁型）刺内关、丰隆、人中、百会。不语配廉泉、心俞，心痛刺风池，幻听配听宫、听会，幻视配睛明。

狂证（狂燥型）刺太冲、人中、大椎、百会，狂躁明显配涌泉、大陵。耳穴取心、肝、胆、神门、枕、皮质下点，蜂针散刺。

对狂证进行蜂针治疗需助手固定患者体位，待症状缓解后，可按癫证治疗，以巩固疗效。在施治过程中，除针对病症进行治疗外，对诱发因素，特别是精神因素，也应适当解决，如因情志不遂诱发的患者，给予正确的思想意识指导，这对病情的改善有很大帮助。

24. 癫痫　是一种发作性神经病，分原发性与继发性两类。其主要症状是突发性的短暂脑功能障碍，引起神昏倒地、肢体抽搐或意识模糊，每因情绪激动、劳累诱发。

蜂针治疗：风痰夹火型（大发作）刺涌泉、太冲、人中、间使、行间、内关、鸠尾、大椎、腰奇（位于尾骨尖直上 6.5cm）。痰阻清窍型（小发作）刺内关、足三里、百会（或人中）。痫证痰多配丰隆，牙关紧闭刺合谷，颊车；头痛取风池、太阳，发作后刺心俞、肝俞、脾俞、肾俞。

25. 三叉神经痛　面部三叉神经分布区出现阵发性烧灼样短暂剧痛，发病与三叉神经炎（非化脓性）或病毒感染有关，受寒、劳倦或情绪过激往往是诱发本病的原因。三叉神经痛有原发性和继发性两种。原发性三叉神经痛可发于第一支、第二支、第三支，或 3 支同时发病，疼痛部位和神经分布相一致：眼支（第一支）痛在眼、额区；上颌支（第二支）痛在上颌区；下颌支（第三支）痛在下颌区。

蜂针治疗：呈阵发而短暂的闪电样或烧灼样剧痛者刺合谷、内庭、太冲、翳风，患部呈现阵发性刺痛或酸痛者刺合谷、足三里、下关，均配合痛区蜂针散刺。痛在眼支配太阳、鱼腰、攒竹，上颌支配颧髎、四白，下颌支配颊车、地仓、承浆。眩晕、心悸加大椎、内关、心俞，胸脘胀闷配内关、中脘、期门，体弱加肝俞、脾俞、肾俞。头针取感觉区下 2/5（对侧）蜂针散刺。

蜂针主要适用于不伴有器质性改变的原发性三叉神经痛，头面部蜂针选穴宜少，刺激宜轻；眼支主要取鱼腰，上颌支主要取四白，下颌支或上、下颌支取下关为主；因邻近组织器官炎症或肿瘤压迫、创伤等继发者，必须请医师进行病因治疗。

26. 坐骨神经痛　是一种综合征，表现为坐骨神经通路及其分布区内疼痛，患肢可有轻微肌萎缩、肌无力或感觉障碍。原发性坐骨神经痛主要是坐骨神经间质炎，受寒、感染、风湿为诱发因素；继发性坐骨神经痛主要因邻近组织病变所引起，怀孕、糖尿病也可引起坐骨神经痛。按受损部位，可分为根性坐骨神经痛和干性坐骨神经痛，疼痛沿下肢后侧放射的病在足太阳经，沿髋关节后和下肢外侧放射的病在足少阳经。

蜂针治疗：足太阳型取秩边、承扶、委中、昆仑穴，足少阳型取环跳、阳陵泉、绝骨穴，沿患肢敏感带蜂针散刺。刺足太阳膀胱经穴可加肝俞、膈俞、八髎，刺足少阳胆经穴配脾俞、肾俞、大肠俞，腰痛取三焦俞、肾俞或局部痛点，大腿牵痛刺股门或风市，小腿痛刺承山，胸腹胀满加内关、足三里，头晕痛配印堂、风池。

蜂针对原发性坐骨神经痛效果好，患者应耐心坚持治疗 30～50 次，巩固疗效。对继发性坐骨神经痛必须由医师进行病因治疗。

27. 股外侧皮神经炎　股外侧皮神经分布区域出现感觉障碍，大腿前外侧下方麻木和蚁走感，少数伴有疼痛。检查时，可发现感觉迟钝或感觉缺失区，亦有腰部压痛者。股外侧皮神经炎多因局部皮神经受损或继发于脊椎关节病变。

蜂针治疗：点刺髀关、伏兔、阴市、梁丘、风市、足三里，在病处感觉异常区和腰椎夹脊区蜂针散刺。本病蜂针疗效良好，蜂针未满 10 次获全效者已过半数。

28. 震颤麻痹　又称帕金森（Parkinson）氏病，由中枢神经系统（主要是黑质和纹状体变性）引起。多见于中老年，男多于女。逐渐起病的动作缓慢、震颤，肌张力增高、强直，表情淡漠，“面具脸”、“慌张步态”，躯干俯屈及行走时上肢前后摆动减少或消失，手强表现为搓丸样动作，均属本病典型症状。震颤多从一侧上肢的远端开始，再逐渐扩展到同侧下肢及对侧下肢，然后累及下颌、口唇、舌头及头部，患者可有吞咽困难、言语障碍。

蜂针治疗：取百会、风府、大椎、命门、脑空、风池、肾俞、太冲、阳陵泉、合谷、足三里。头晕、目眩配正营，言语不利取聚泉（舌面正中的奇穴），吞咽困难取廉泉、扶突。头针取舞蹈震颤区，兼肌力增强者加运动区蜂针散刺；早期单侧病变仅取对侧区散刺，双侧出现症状则刺双侧。

现代医药尚无法阻止本病的自然发展，对原发性震颤麻痹来说，蜂针不失为一种有价值的疗法。已发现本病患者纹状体多巴胺含量显著减少，乙酰胆碱的作用相对增强而引起病状；蜂毒既可使下丘脑的多巴胺含量增加，又具有中枢性肮胆碱能活性。

29. 高血压　是以动脉血压升高为主要症状的疾病，常伴有头晕、头痛、眼花、耳鸣、手指麻木等症状。血压持续升高，可合并心、脑、肾、血管器质性病变。由于血管系统神经调节障碍所致者为原发性高血压，继发于肾炎、肾动脉狭窄或嗜铬细胞瘤与肾上腺皮质功能亢进综合征者，称继发性高血压。

蜂针治疗：刺曲池、足三里、太冲、风池、肝俞、肾俞、太溪、百会。心悸、失眠刺心俞、神门，腰酸足麻取命门、三阴交，眩晕配四神聪，耳鸣刺翳风、听会。

蜂针治疗原发性高血压疗效较好，治疗之初可配合降压药，血压稳定后停服。停药后血压维持平稳的情况下，仍应每周 1 次蜂针治疗，坚持20～30 次以巩固疗效。对不同疾病继发的症状性高血压，必须由医师进行病因治疗。

30. 心悸　是一种自觉心脏搏动异常的症状，常见于植物神经功能紊乱及各种心脏病。患者自觉心中悸动不安，时作时止，善惊易恐，不能自主，常因情绪波动、劳累过度及过量饮酒或吸烟而诱发。亦可伴心慌、神怯、恶心、呕吐、胸闷等症状。

蜂针治疗取内关、神门、心俞、巨阙。心血不足加膈俞、脾俞、足三里、气海，心率快加间使，心率慢加素髎、通里，胸闷胸痛加膻中，心神不宁加安眠（翳风与风池两穴连线之中点）、胆俞。

蜂针治疗：心悸可减轻或消除症状，但对心脏器质性病变兼有心力衰竭者，必须由医师采取中西医结合治疗措施。

31. 肢端红痛症　亦称红斑性肢痛症，表现为阵发性四肢远端血管扩张，皮肤潮红，温度升高，汗液增多，并伴有剧烈的灼痛。多见于男性青壮年，由于血管舒缩机能障碍所致。每次发作数分钟或数小时，多在夜间发作而影响睡眠，如遇温热、劳动等因素常使疼痛增剧；反之，如休息、抬高患肢或放入冷水中，则可使症状缓解。重症和病久可使皮肤充血、发热、光亮、变薄，指（趾）甲松脆弯曲。

蜂针治疗：点刺大椎、曲池、太渊。上肢加外关、合谷、十宣，下肢加足三里、太冲、内庭、十趾尖（距趾甲缘1mm处）。

蜂针治疗肢端红痛症效果良好，有的经2～4次蜂针即治愈。患者须注意戒烟酒。

32. 过敏性鼻炎　呈阵发性鼻腔发痒，打喷嚏，流清水样鼻涕，鼻塞，发病快，消失也快。鼻黏膜水肿，呈灰白色或蓝灰色。多与过敏性体质或吸入各种致敏原有关。有季节性或常年反复发作病史。

蜂针治疗：轻刺合谷、迎香、印堂、大椎、百会、肾俞。体质虚弱配脾俞、足三里，腰酸尿频加关元、命门。

患者应避免受寒和防止致敏原刺激，宜经常参加体育锻炼，增强体质，以促进康复。

33. 咽喉部异感症　主观感觉咽喉部有异物阻塞，虽有堵闷感，但饮食、吞咽无障碍，多见于女性。

蜂针治疗：点刺天突、膻中、内关、合谷、足三里，颈部阳明经皮部蜂针散刺。

患者初诊时须排除食道炎和食道癌，蜂针治疗过程中应配合暗示治疗。

34. 牙痛　为多种牙齿疾病和牙周疾病的常见症状，牙髓炎、牙周炎、冠周炎、三叉神经痛、牙本质过敏、龋齿等均引发牙痛。

蜂针治疗：合谷至手三里、内庭至足三里段的阳明经皮部蜂针散刺，阿是穴、牙痛穴（手掌第三、四掌指关节指缝后一横指）点刺。上牙痛配下关，下牙痛配颊车；风火牙痛加外关、风池；虚火牙痛加太溪、行间；下颌肿者加大迎。

对牙痛患者，可配合指压止痛：前3齿上牙痛取迎香、人中，下牙痛取承浆；后5齿上牙痛取下关、颧突凹陷处，下牙痛取颊车、人迎、耳垂与下颌角连线中点，以指切压，用力由轻逐渐加重，施压15～20min；重切合谷亦可止痛。对龋齿或化脓性牙髓炎引起的牙痛，宜配合应用蜂胶酊或牙科综合治疗。

35. 寻常疣　是病毒引起的良性赘生物，能自身接种扩散。初起小如粟，渐大如豌豆，突出皮面，质地坚硬，色灰褐或污黄，表面粗糙，状如花蕊、数目多少不等，亦可群集一处多个。一般无自觉症状，偶尔有压痛，碰撞摩擦易出血。生于指甲边缘者，可向甲下蔓延，发生压迫疼痛。生于足底或趾侧称跖疣，表面黄色胼胝状，常有散在小黑点；生于头皮、手指或足趾间如指状突起的疣，称指状疣；生于眼睑、颈项间细软的丝状突起，称为丝状疣，后者多见于老年人。

蜂针治疗：刺“母疣”（最先长出和体积最大者）正中、肺俞、曲池、风市、血海。在“母疣”正中蜂针点刺或活蜂螯刺，使疣体供血障碍进而枯萎脱落。

蜂针治疗时可配合涂用20%蜂胶酊，加速痊愈过程。对头大蒂小的疣或丝状疣，采用丝线或头发结扎，逐渐收紧，可以脱落。

36. 扁平疣　皮损为米粒至黄豆大小扁平丘疹，表面光滑，呈淡褐色或正常肤色，数目较多，密集或散在分布，亦有线状排列者；常对称发生于颜面及手背，有时亦见于前臂、肩胛及膝部等处；轻度瘙痒或无自觉症状；患者大都为青年男女，尤以青春期前后的少女为多；常骤然出现，逐渐增多，经过漫长，可自然消退，愈合仍可复发。

蜂针治疗：刺“母疣”正中、风池、曲池、合谷、太阳、阳白、血海，“母疣”刺法、作用同前。

37. 痤疮　是一种毛囊、皮脂腺的慢性炎症。俗称“青春痘”，好发于颜面及胸背部，可形成黑头粉刺、丘疹、脓疮、结节、囊肿、瘢痕等损害，多伴有油性皮脂溢出。常见于青春期开始以后至30余岁的男女，反复发作，经久不愈，随年岁增长而病情转轻，一般40岁以后症状完全消失。

蜂针治疗：刺身柱、灵台、合谷、曲池、足三里、委中。痤疮局部点涂5%～10%蜂胶酊效果更好。

38. 结节性红斑　是发生于小腿外侧的炎症性皮下结节。好发于青年女性，春秋季节常见。皮损为直径1～5cm大小的圆形皮下结节，略高出皮面，初起色红灼热，随着结节的消退渐变为暗红、黄褐色，质地由坚实而变为软，但不会形成脓肿或溃破，常伴关节痛和小腿浮肿。结节有自觉痛及压痛，约经1周渐退不留痕迹，新损害可陆续出现。皮损较多时亦可见于小腿屈侧、前臂及股部等处。

蜂针治疗：刺阴陵泉、三阴交、足三里、血海、委中、阿是穴。耳穴取肺、脾、肾上腺、神门、皮损相应部位的敏感点蜂针散刺，背俞穴带蜂针散刺。

蜂针治疗结节性红斑一般须治疗10次以上，治疗3～5次即能止痛、消肿，并能控制结节之新生和促进结节吸收。蜂针远期疗效甚好，笔者1959年治愈的病例已40余年未复发。

39. 白癜风　以局部皮肤色素脱失为特征，易诊而难治，是常见皮肤病。病理检查可见患处表皮明显缺少黑色素细胞及黑色素颗粒。

蜂针治疗：血海、三阴交、脾俞、曲池、行间、合谷、侠下（肱二头肌外侧缘中1/3与下1/3交界处之稍上方）、癜风穴（中指末节鱼腹下缘正中之横纹稍上）、阿是穴蜂针散刺（沿白斑边缘刺，治疗获效后逐步由边缘向内刺），分组轮刺。

第五节　蜂蜡疗法

利用加热熔化的蜂蜡作为温热的介质，将热能传至机体，并通过局部润泽和机械压迫以达到治疗目的的方法称蜂蜡疗法（Beeswax treatment）。蜂蜡疗法是简便易行的蜂疗技术，可反复应用，适应病种多，有明显效果，是一种值得推广应用的物理疗法。

一、蜂蜡疗的特点

（一）蜂蜡理化特性

蜂蜡熔点61～67℃，20℃时密度为0.946～0.970。不溶于水，有绝缘、防水、防锈、不裂解等特性。

蜂蜡具有较大的热容量和较小的导热性，几乎不含水分，不具有对流性质。此外，贴近皮肤的蜡层可迅速凝结，阻止热向皮肤迅速传导，因而，虽然温度在60℃以上进行治疗也不致灼伤。气体和水分透不过蜂蜡，因此热量不易向四周扩散，故蜡饼上虽只有薄薄的一层蜂蜡，但由于其传热不良，而温度能保持很久，蜡敷得愈厚，则保温时间愈长。

蜂蜡具有良好的可塑性与黏滞性，故能密贴于体表各部皮肤，随着热能的扩散和冷却，蜂蜡逐渐变硬，其体积可缩小10%～20%，因而对组织产生轻度机械压迫作用。蜂蜡的吸附能力强，在熔化时加入氡气，能使蜂蜡具有放射性能。

蜂蜡成分中除酯类以外，还包括具有生理活性的游离酸类、醇类和烃类。蜂蜡疗过程中也涉及化学作用，已测知每100g蜂蜡中含维生素A 4 096国际单位，对润泽皮肤和促进创面上皮再生有良好效果。这是石蜡疗法所无法相比的。蜂蜡中加入蜂胶（9:1），可强化蜂蜡医疗的效果。

（二）蜂蜡疗的作用

蜂蜡疗对机体的作用主要是温热、机械压迫和其他因素的综合。

蜂蜡的熔点高于医用石蜡，蜂疗时机体所受的温热作用强而持久，使局部和深部组织明显而持续升温。蜡敷时局部皮肤温度可升高8～18℃，5～12min后开始逐渐缓慢下降，在30～60min内仍保持较高的温度；胃区蜡敷时，可使胃内温度升高0.87℃；以60℃蜂蜡敷在肩胛部可使体温升高到39℃。故能明显影响机体代谢过程。患者接受蜡敷时，起初有灼热感觉，但不久即有舒适的温热感，疗后皮肤血管明显扩张充血，血流加速，排汗增多，致使局部新陈代谢活跃，组织通透性增高，再生修复过程激活，网状内皮系统功能加强，因而具有止痛作用，并有助于炎症的消散吸收。

蜡疗时的蜂蜡在冷却过程中体积逐渐缩小，因而加压于皮肤及皮下组织，浅表毛细血管轻度受压促使温热达到深部组织（在0.2～1.0cm的深部组织温度升高0.5～2.0℃）。蜂蜡疗用于炎症初期或急性扭挫伤，能防止组织内淋巴及血液渗出，减轻组织水肿并促进渗出液吸收。由于蜡疗局部皮肤代谢增强，营养改善，以及蜂蜡对皮肤的润泽作用，能使皮肤保持弹性和柔软，防止皮肤过度松弛和形成皱褶；对瘢痕组织及肌肉挛缩有软化松懈作用，从而能缓解瘢痕引起的疼痛。用蜂蜡绷带治疗创面和溃疡时，能保持创面湿润，改善组织营养；能防止空气透入，阻止细菌入侵和繁殖；由于蜂蜡绷带的压缩作用，有助于新鲜创面的止血。蜂蜡疗能促进上皮再生和骨痂生成，因而可促使创面、溃疡及骨痂愈合。

二、适应证与禁忌证

（一）适应证

肌肉、肌腱和韧带的扭伤和挫伤；术后粘连、瘢痕疙瘩、非骨性关节强直和挛缩；溃疡面肉芽生长缓慢的营养性溃疡；Ⅰ、Ⅱ、Ⅲ度灼伤、冻伤和冻伤后遗症；开放性和闭锁性骨折；外伤性关节疾病、慢性与亚急性关节炎、慢性腱鞘炎、滑液囊炎、肩关节周围炎、肱骨外上髁炎、肌炎；周围神经外伤及后遗症、神经炎、神经痛；慢性肝炎、胆囊炎、慢性胃肠炎、胃或十二指肠溃疡；血管神经性头痛、心悸不安、高血压病；慢性盆腔炎、宫颈糜烂、卵巢功能障碍；疖、痈、神经性皮炎、慢性湿疹、皮肤硬化症；眼与眼眶部外伤、眼睑部灼伤、外伤性虹膜炎、虹膜睫状体炎；鼻炎、慢性鼻窦炎和慢性中耳炎等。

（二）禁忌证

虚热、高热、急性化脓性炎症、厌气菌感染、恶性肿瘤、活动性肺结核、有出血倾向的疾病、脑动脉硬化、心功能衰竭、温热感觉障碍和1岁以下的婴儿。

三、操作方法

（一）备蜡

将黄色、可塑性、黏性与延展性好的纯净蜂蜡放在双套锅隔水加热熔蜡，明火直接加热会影响蜂蜡的可塑性与黏滞性，甚至燃烧引起火灾。

蜂蜡隔水加热时，应注意避免水浴锅的水或锅内蒸汽所凝结的水珠滴入蜡中。由于水的导热性比蜡大，用同样温度的水和蜂蜡同时作用于皮肤时，就会因水珠而引起烫伤。蜡疗用蜂蜡中不应含有水分，除水的方法可将蜡加热到100℃使水分蒸发。

隔水加热的方法：在底部有木栅的大锅中盛水，安放进较小的熔蜡锅并严封上盖，然后用炉火烧锅中的水，借水温间接使蜡熔化。也可用控温电热熔蜡器熔化，或隔着管道蒸汽融蜡。一般加热熔化到70～75℃即可。

每次熔化蜂蜡的数量，视蜂疗的方法和部位而定，一般每次治疗用蜡按300～500g计算。每次蜡疗的损失量为5%～10%。

（二）蜂蜡疗常用的操作方法

根据疾病的性质、程度、病变部位和治疗目的，患者可卧或坐。在治疗前清洗并擦干治疗部位，如有汗液也应用毛巾擦干，毛发外可涂凡士林，然后按规定的方法进行治疗。治疗结束后，取下蜂蜡，拭去汗液，穿好衣服在休息室休息20～40min，对出汗过多的患者应补充含盐饮料或热茶。常用的蜡疗方法如下：

1. 蜡盘法　又称蜡饼法。将已熔化的蜂蜡倒入铺胶布的盘中，其厚度为2～2.5cm。待表层蜂蜡凝结后（表层温度约55℃，内层温度高4～8℃，夏季可用冷风使表层冷却促凝固成饼状），用刀将蜂蜡与盘边分开，取出敷于欲行治疗部位。然后盖上胶布或塑料布，外面包棉布垫，再用床单、棉被或毛毯包好保温。治疗时间 30 ~ 60min，每日或隔日治疗 1 次，20 ~ 25 次为 1 个疗程。蜡饼面积的大小按治疗部位而定，一般用于大腿、前胸和脊柱部位的蜡饼为 50cm × 30cm，腰、腹部为 40cm × 20cm，关节部位可小一些。此法简便易行，蜡温恒定，温热作用较强，并可给多数患者同批进行治疗。

2. 刷蜡法　将熔化好的蜂蜡置于小容器（瓷碗）中，用平刷浸蘸蜡液后迅速而均匀地涂抹几层薄蜡于治疗部位的皮面上。这几层薄蜡迅速冷却后，即凝结成紧缩的软蜡壳，成为导热性低的保护层。此后病人勿再活动，以免保护层破裂外面热蜡引起烫伤。然后在保护层外迅速刷涂 1 ~ 2cm 厚的蜂蜡，为了节省时间，可在刷蜡到 0.3 ~ 0.5cm 时再敷上6 ~ 8 层浸有 65℃ 蜂蜡的纱布，也可用纱布制成的棉垫浸蜡，再用拧干器拧干敷于保护层上。外面用塑料布或油布盖好，包上床单和保温的毛毯或棉被。治疗时间和疗程次数同前，此法能发挥蜂蜡的机械压迫作用，适用于四肢急性扭挫伤。刷蜡法的缺点是费时间，蜂蜡从刷子上滴下易玷污床单，需在治疗部位下铺以胶布。为防止刷子脱毛，可在刷子前端包一层纱布。刷蜡法蜂蜡疗始见宋政和年间出版的《经史证类备用本草》第 20 卷蜜蜡条附方：“姚和众治小儿脚冻如有疮即浓煎蜡涂之”。

3. 浸蜡法　为进行浸蜡治疗，应准备特制的木盒或瓷盆，亦可根据手、足部位不同，用胶布和油布缝制口袋。外面裹以棉套保温。将熔化的蜡液盛放在上述浸浴器皿中，凉至 65℃，将接受治疗的手、足等部位，按刷蜡法涂成蜂蜡保护层后，嘱患者连续地浸泡蜡液，直至能耐受蜡温时即可固定浸浴其中。浸浴时间和疗程次数同前。此法充分发挥蜂蜡疗各种综合性因子的作用，但不能用于躯干部位。

4. 蜡袋法　先用 0.3 ~ 0.5mm 厚度的透明聚乙烯薄膜或其他耐热塑料压制成大小不同的口袋，装入占塑料袋容积 1/3 的熔化蜂蜡，排出空气后，封口。治疗时，将蜡袋放入热水中使蜡吸热到 70℃ 熔化、取出，用毛巾裹置治疗部位。治疗时间和疗程次数同前。此法操作简便，清洁、不浪费蜂蜡，便于患者携带回家治疗，但不能发挥蜂蜡的润泽和机械压迫作用是本法不足之处。

5. 蜡布法　将浸蜡纱布垫冷却到皮肤能耐受的温度，敷于治疗部位，然后再用较小的浸有 65℃ 热蜂蜡的纱布垫放置在第一层蜡纱布垫上，用油布或胶布盖好，再用床单、棉被或毛毯包好保温。治疗时间和疗程次数同前。此法类同于唐代《刘禹锡传信方》详载的以旧帛丝绢浸蜡外敷的治疗方法。

6. 喷蜡法　蜂蜡加热到 100℃ 经 15min 消毒后，冷却至 70 ~ 80℃ 倒入经过消毒的喷孔直径为 2 ~ 3mm 的喷射器中，将蜡喷在已清除痂皮、脓汁或分泌物的创面及周围2 ~ 3cm 的皮肤上，然后用热蜂蜡纱布或蜡饼敷上，再用胶布、床单、毛毯或棉被等裹好保温。治疗时间为 30 ~ 60min，也可持续2 ~ 3d。每日或隔日 1 次，每疗程20 ~ 25 次。此法多用于长期不易愈合的溃疡和灼伤创面。由于蜂蜡冷却时，能堵塞喷射孔，因而在喷射器上应有控温加热装置，防止治疗中堵塞喷射孔。

7. 蜂蜡绷带法　蜂蜡加热到 100℃，经 15min 消毒冷却到 65 ~ 70℃，再用消毒的毛刷将蜂蜡滴在已清除痂皮、脓汁或其他分泌物的创面上。然后敷盖胶布（或蜡纸）和棉垫，最后用绷带固定。经24～48h后，解开绷带，去掉蜂蜡，再敷新的蜂蜡绷带。这种蜡疗方法，可用于治疗慢性创伤或久未愈合的营养性溃疡。对急性扭伤、挫伤亦有较好的效果。

8. 浇蜡法　蜂蜡加热到100℃经15min消毒后冷却到65～70℃，用汤匙或消毒纱布（棉花）将蜂蜡滴在已清除脓汁、痂皮或分泌物的创面上，厚度为1.5～2.0cm。创面周围用棉花，再在其上倾倒熔化的蜂蜡，使厚度达1.2～2.0cm。最后用胶布或油布盖好，包好床单棉被或毛毯保温。治疗时间为30～60min，也可持续2～3d。此法历史悠久，晋·葛洪《葛氏方》云："治犬咬疮发以蜡灸灌入疮中"，北齐西郡王徐之才《徐王方》称"蛇毒螫伤以竹筒合疮上熔蜡灌之效。"

9. 黄蜡灸法　作为针灸医术中的一种灸法见于《医宗金鉴》。先以湿面粉沿着肿根围成一圈，高3cm以上，圈外围布数层。圈内铺蜡屑0.3～0.4cm厚，随后于铜勺盛炭火在蜡上烘烤，使受热熔化。蜡凉凝结后，再添蜡屑烘灸，以添到围圈为度。书中认为"皮不痛者毒浅，灸至知痛为止；皮痛者毒深，灸至不知痛为度"。灸完喷冷水少许于蜡上，候冷起蜡，此法对痈疽、疔疮和关节酸痛等症均适用。

10. 蜂胶蜡疗法　从蜂胶中分离的蜡质，其色泽、香味和活性成分诸方面均优于一般蜂蜡，因此，蜡疗使用从蜂胶中分离出的蜂蜡更理想。采用普通蜂蜡时亦可在其中加入10%蜂胶以强化蜡疗效果，操作方法随选，治疗时间和疗程次数同前。中国古代亦有加松胶强化蜡疗效果的经验，隋唐时代杰出的医药学家孙思邈百岁撰著的《千金翼方》（公元618年）载："疗伐指疼痛，以蜡、松胶相和，火灸笼伐指即瘥"。

11. 头部蜡疗法　将蜂蜡加热到100℃之后冷却到65℃，然后用棉球浸涂在面部，但须露出鼻孔、眼、口部。在蜡面具上，可放浸蜡纱布或蜡饼。对皮肤干燥者，在涂蜡之前先涂以油类或含水羊毛脂；对皮脂分泌亢进者，应先搽香水或酒精。治疗时间为30～60min。此法多用于治疗面部皮肤瘢痕挛缩或神经麻痹。唐代已开展头部蜡疗，《经验方》载："湖南押衙颜思退传方治头部疯掣痛，用蜡二斤、盐半斤相合，于鏇罗中熔令相入，捏作兜一鍪势，可合脑大小搭头至额，头痛立止"。

12. 眼科蜡疗法　在眼睑皮肤上，用软毛刷涂几层熔化将凝的蜂蜡，冷却成保护层以后，于其上部覆以浸蜡纱布垫，然后覆盖胶布和厚层棉花，周围用棉花围好，最后用绷带固定。治疗温度从60℃开始，以后增加到65～70℃。治疗时间从30min逐渐增加到1h。每日治疗1次，25～30次为1个疗程。

13. 妇科蜡疗法　蜂蜡加热到100℃，经15min消毒后冷却到60～65℃待用。患者躺在妇科治疗床上，用阴道镜扩张阴道，清拭干净。然后用2～3个经过灭菌的带线脱脂棉球，浸蘸蜂蜡放入阴道中（100～150g蜂蜡）。用棉被或毛毯盖好保温。治疗结束后，用线拉出蜡栓，不必冲洗。或用阴道镜扩张阴道，以特制柔软刷浸热蜡在阴道壁上涂几层薄蜡，然后将浸热蜡的纱布塞于其中，或用大注射器将蜡注入阴道中。阴道蜂蜡塞治疗可以单独应用，并可与下腹部和短裤区蜡敷合用。治疗时间一般为1h，亦可达6～7h。隔日治疗1次，10～15次为1个疗程。此法在月经期和月经期前后2～3d内禁用。

（三）注意事项

1. 操作准确　蜡疗时应准确掌握蜂蜡的温度，涂抹要均匀，动作要迅速。使用蜡饼时，不能用力挤压，否则蜡液流出易发生烫伤及污染衣被。在蜡浴时，事先必须告诉患者，每次浸入蜡液时，均不应超过第一层蜡膜的边缘，否则易烫伤。给小孩蜡疗时应特别小心，因皮肤细嫩，又不易合作，蜡温应稍低于成年人。

2. 及时处理发生的问题　蜡疗时若患者有疼痛感，当立即检查处理。在治疗过程中，必须注意观察和询问患部皮肤情况，如发现有皮疹，应即停止治疗，查明原因，加以纠正（最常见的原因是蜡内夹杂物、蜡温过高，或患者对油布、塑料膜过敏等）。

3. 蜂蜡的重复使用与清洁　蜂蜡重复使用不宜超过 5 ~ 7 次。蜡疗室一般每周对治疗后的蜂蜡作 1 次清洁处理，以清除其中汗、泥和脱落的皮肤等污物。在重复使用前，加热到 110 ~ 120℃，经 15min，即可达到消毒的目的。用于创面、溃疡面及体腔部的蜂蜡不可重复使用。

4. 蜂蜡清洁处理方法

（1）搅拌法：熔蜡后，加热水搅拌洗涤，冷却时杂质下沉而除去。

（2）沉淀法：熔蜡后倒入深长的容器中冷却，这时污物沉积在蜂蜡底部，在容器周围稍加热已冷的蜡块即可倒出，随即切除底部污物。

（3）吸附法：蜂蜡加热至 90℃熔化时加入 2% ~ 3% 白陶土或滑石粉，搅拌 30min 后静置，蜡内秽物杂质即沉积底部，凝固后切除。

（4）过滤法：熔蜡搅拌后，用 3 ~ 4 层纱布滤过即可，亦常与前述方法并用。

第六节　蜂产品导入和超声疗法

将直流电作用于人体，可产生一系列生理影响。直流电疗法和中频电疗法能使血管扩张，促进局部血液循环，改善组织营养，增强代谢过程，调整神经系统和内脏器官的功能，以达到防治疾病的目的。

超声波用于治疗疾病时，直接作用的部位组织温度升高、毛细血管扩张、血液循环增进、代谢旺盛，以及酶系统功能提示影响细胞膜、细胞和细胞核内物质，从而具有消散炎症和水肿、调整或改善组织和细胞的生理活动状态、加速修复过程等效能。适量超声波还影响到全身各系统的活动，促进疾病康复。

事实证明，可利用直流电、超声波使蜂毒、蜂胶等经过完整的皮肤或黏膜导入人体，亦可利用超声波使蜂胶、蜂蜜、蜂毒等溶液雾化形成微小的雾滴，供患者吸入以发挥药物对呼吸系统的直接治疗作用。

一、中频离子导入法

（一）特点

利用直流电通过无损伤的皮肤将蜂毒离子导入人体，消除了因螫刺或注射带来的疼痛感，治疗后的皮肤略有充血、微肿和轻度痒感。此法具有直流电法与药物的综合作用，借直流电导入体内的蜂毒组分对机体既可直接发挥作用，又可通过神经反射和体液途径间接产生影响。将蜂毒组分直接导入需要治疗的部位并于局部保持较高的浓度，在局部皮肤内形成离子堆，逐渐吸收进入血流，因此，保留的时间比其他给药法显著延长。

1996年开始，笔者采用NPD系列中频离子导入仪，将直流电离子导入和特定的脉冲、中频电疗功能融为一体。由于中频电流提高了皮肤和细胞的通透性，增强了离子导入深度，达到活血化淤、解痉舒筋、消炎止痛的目的。中频离子导入仪系列产品中，经国际蜂疗保健和蜂针研究会（IAHBA）反复实验改进，并向国内外蜂疗界推荐的API综合理疗仪，是根据生物电离子理论、仿生学、中医学及现代微电脑技术，综合了中频电流治疗、中频药物导入、数码仿生按摩、红外热疗和磁疗等多种复合治疗方式。该仪器采用调制的中频电流能促使皮肤电阻下降，扩张小动脉和毛细血管，改善局部血液循环，比低频电流更能达到人体组织深部，并且皮肤感觉舒适，其镇痛和消炎的作用明显优于单一中频电疗和低频电疗；通过非对称中频电流产生的电场，对药物离子产生定向的推动力，将药物的有效成分更深入、更有效地透过皮肤黏膜快速地进入人体，作用于患部病灶；具有消炎、消肿、镇痛、疏经通络、松解粘连、调节和改善局部循环的作用，能缓解和消除神经炎或由于骨关结病损压迫或刺激神经根造成的麻木、刺痛等症；促进中风后遗神经损伤和麻痹肢体功能恢复。

（二）应用和实验研究

享斯奇（1934），首次描述蜂毒电离子导入法。塞兰凯（1937）报道，蜂毒电离子导入治疗高血压病者800例获效。近50年来，该法在俄罗斯、加拿大和西欧诸国得到推广应用。该法各医院诊所均可采用，仅需备有治疗仪、导线、夹子、电极板、衬垫、固定电极用品和蜂毒专用衬垫即可。

根据对蜂毒进行的理化试验确定，为使蜂毒肽和磷脂酶 A_2 这两种主要成分在电离子导入时进入体内，采用双极和以生理盐水作溶媒较为合适。

苏联卫生部疗养学和理疗学中央研究所理疗科曾用蜂毒片药对动力学进行实验，卡普伦（1971）用蜂毒电离子导入治疗腰骶脊神经根炎（35例）和畸形性关节炎（21例）进行了临床研究。腰骶脊神经根炎患者作离子导入时，在其腰骶部和患腿腓肠肌部放置纵位电极，畸形性关节炎患者作离子导入时，在其关节上放置横位电极。首次导入以1片蜂毒片（1mg）溶解于20ml生理盐水中，将电极衬垫用此溶液浸湿后放在患者关节上或腰骶部，以电流10mA作3min导入治疗，若24h不出现明显过敏反应，每天增加2片蜂毒片，直至总量增至8～10片，溶解在20ml生理盐水中（1∶2 000）。上述蜂毒片浓度增加的溶液，只允许在导入后2～3d内皮肤充血不明显的患者中使用。开始每次导入1min，以后每次导入延至15～20min。1个疗程不超过20次导入治疗。

经治56例中51例即91%的患者治疗结束后病情有不同程度改善。多数患者腰、腿关节痛减轻或消失，活动自如，背肌紧张度减轻，神经牵拉症状消失或减轻，示波描记指数改善。强度时间曲线检查发现病变神经—肌肉接头处兴奋性降低显著。多数患者发现，节律同步及其波幅和时间增加等，说明神经—肌肉接头处功能改善。深度病理（间生态）过程减轻或完全消失。神经肌肉不安定性检查尚可帮助我们更准确地估价疗效。

实验证明，蜂毒肽、蜂毒明肽用于猎犬电离子导入，可使其血浆皮质醇含量显著增加，加大蜂毒及其组分的用量并不能相应地使血浆皮质醇含量进一步增加，适当延长导入时间，可使效应增强（导入45～60min优于15～30min）。

（三）API综合理疗仪与操作方法

1. 原理与特点　采用新型微电脑芯片和优化软件，数码计算处理调制波形，既有频率的疏、密波变化，又有脉冲幅的各种波形组合，使患者感受到揉捏、按压、捶打、滚动、震颤等多种仿人按摩手法，使治疗过程更加接近自然，提高了疗效，增加了舒适。非对称的中频电流导入方式，保留了一定能量的负向脉冲，在治疗过程中有效地减弱了人体产生的极化电场，使药物离子导入的深度和效果明显提高，避免了皮肤刺痛感和皮肤丘疹的发生。通过吸水透热电极产生远红外辐射，具有促进和改善人体微循环的良好功效；吸水透热电极在交流电作用下，产生动态磁场，调节人体生物场效果明显。该仪器可同时或有选择性地进行热疗、磁疗、电疗、药物导入等治疗，实现对疾病的综合治疗效果。

遥控完成各种参数设定，LCD液晶显示各种参数和操作信息；允许错误操作，具有双重隔离、开机和短路保护、声光提示等多种保护功能，使操作简便、安全。

2. 操作方法　将电源线连接在220V50Hz交流电源上，然后把电极电缆的插头插入仪器背面的“+”（加药物介质的电极）、“-”插孔，供按摩用的自粘专用电缆插在“A”座上，插头前端的凹槽要对准插座上的凸榫，并顺时针旋紧固定螺母（拔出时，则逆时针松开固定螺母后，再水平拔出）。打开电源开关，仪器处于等待状态（显示数条短线）。

把电极固定在治疗部位：用弹力绷带将电极固定于人体需治疗的部位，若是自粘电极时，剥下保护透明薄膜粘上即可，吸水透热电极要先用温水湿润，再固定，否则不能治疗。

IAHBA随机提供的蜂疗（毒）I号电离子导入纸巾，包括过敏试验用的0号和含量逐渐递增的1～5号治疗用纸巾，使用时视病情和局部反应情况决定递增速度。将纸巾居中贴在经温水润湿过的吸水透热电极导入面，并置于治疗部位，用弹力绷带固定。蜂疗I号为正、负两极导入，可同时在正、负两极上加纸巾；也可以在导入一定时间后关闭电源，交换电极电缆插头的插座，重复导入，不减疗效。

手持遥控器对准受控窗（E），按下左上方的开关键，仪器处于初始工作状态：显示屏上出现 NPD 图标，时间预设为 25min（倒计时方式，仅显示剩余工作时间），热度和强度输出为 0，“按摩”状态，按摩方式为“A”波形。如需改变 25min 的自动预置时间，可按时间“∧”、“∨”键至需要的数值。按“状态”键，显示“导入”二字，即机器进入离子导入工作状态，产生的直流电场将蜂疗离子导入人体。API 的强度输出范围为 0～99 级，间断按强度“∧”、“∨”键，逐级把输出强度调至感觉舒适时（患者有感觉但不引起疼痛，或仅有轻度针刺感为宜）停止。结束治疗（声光提示），仪器自动关闭电流输出，取下电极，关闭电源。

3. 导入部位　高血压、支气管哮喘、神经衰弱、面神经炎、三叉神经痛、坐骨神经痛、瘢痕疙瘩、关节病和运动器官伤痛等都可用电离子导入治疗，电离子导入的部位、强度以及用药量，依疾病种类、轻重而定。电离子导入的部位见图 15－4，除此外，还可按照我国传统医学的经络穴位，采用穴位导入法；采用特殊的体腔插入电极，治疗鼻炎等；忌两电极穿过心脏。电离子导入蜂毒时，和蜂针疗法一样，应循序渐进，逐渐加大用药量至所需治疗量（8～10mg 蜂毒量），吸水透热电极以生理盐水润湿为宜，每次治疗时间 25min 左右，一般 15～20 次为 1 个疗程。

二、超声透入疗法

（一）特点

超声透入疗法的特点，是在超声波作用下，能增加体表结构的通透性，增强蜂毒、蜂胶等通透能力，以及超声波介质粒子的运动使混合在耦合剂中的蜂毒、蜂胶等得以经完整皮肤进入体内，从而产生超声与蜂产品的双重治疗作用。蜂毒超声透入可免除注射或螫刺时刺痛皮肤，而且由于蜂毒中透明质酸酶的化学作用和组织胺的扩血管作用，更有利于其他成分透入体内。

（二）应用和实验研究

保加利亚波特斯琴柯娃，曾在索菲亚中央医院理疗科对 326 例脊椎退行性关节病患者进行蜂毒超声透入的疗效观察。结果（所有患者的主要症状）治疗后疼痛症状消失者 194 例（59.5%），减轻或仅在疲劳、寒冷等情况下感到疼痛者 98 例（30%），有效率 89.5%，优于单纯采用超声波治疗（65%）和单纯注射蜂毒（70%）的疗效。通常经治疗 5～6 次，疼痛逐渐减轻，治疗结束时疼痛已完全消失，这些患者伴有的肌肉和韧带不适感、肌力降低、触觉和感觉异常症状，多半有不同程度的改善。某些患者在治疗 4～5 次时出现疼痛加剧，这也是蜂毒疗法的一种反应，经过 10～15d 天出现治疗效果，经治疗获效的 214 例随访观察了 1～3 年，他们随访 282 次，其中 256 次观察表明疗效巩固无复发，仅有近期疗效的 26 例。

巴尔图斯佳维优斯等曾报告他们对退行性关节病、关节周围炎和其他关节病患者分 3 组治疗的观察结果：蜂毒超声导入疗效最好（有效 31/34），氢化可的松超声导入组次之（有效 28/33），单纯超声波治疗组疗效最低（有效 23/32）。

波特斯琴柯娃实验证明：在超声波作用下能把蜂毒活性成分导入组织，并且能获得

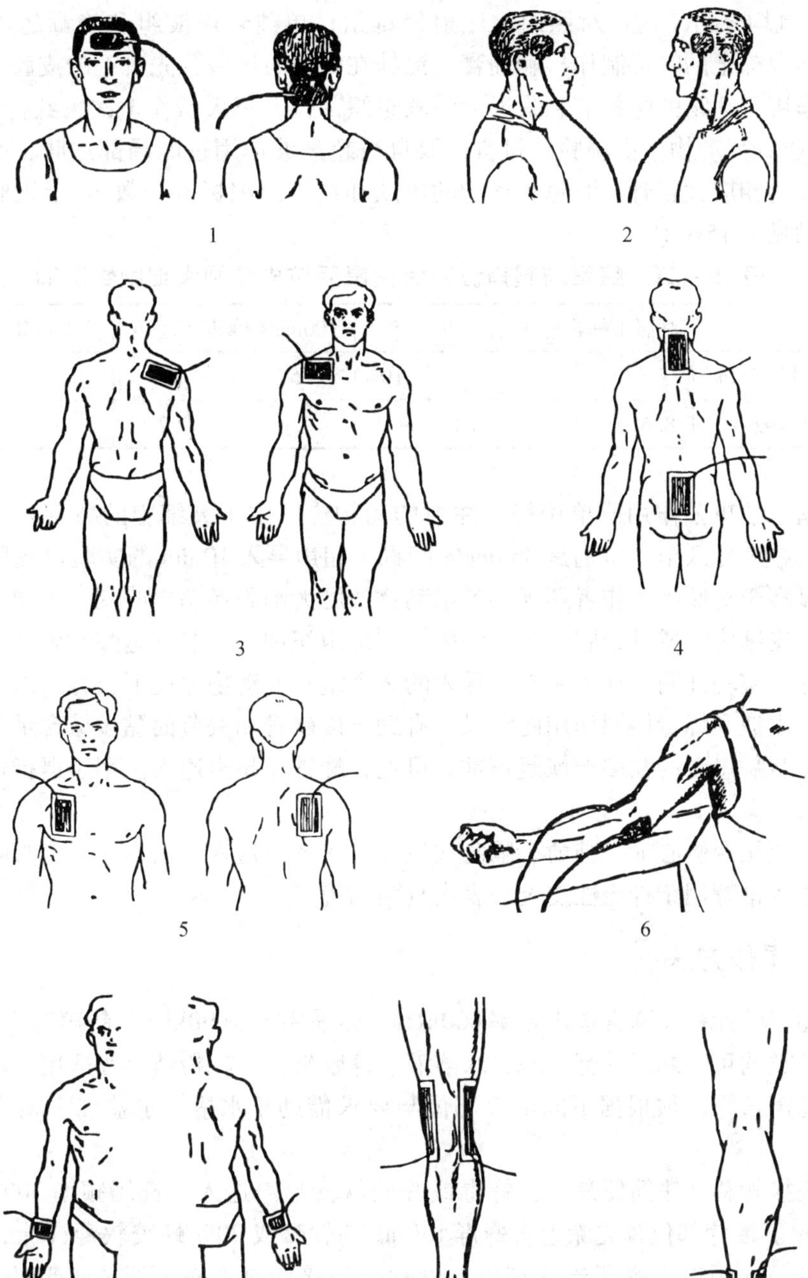

图 15－4　蜂毒离子导入部位示意图

1. 头部（额、枕）　2. 头部（两太阳穴）　3. 肩部　4. 脊椎　5. 胸部
6. 肘部　7. 腕部　8. 膝部　9. 踝部

物理的和生物学的双重性综合作用。实验用性成熟的雄 Wister 大白鼠，体重 200g ± 10g，40 只鼠均分为 5 组：对照组、注射蜂毒组、单纯超声波组和蜂毒超声导入 2 个组。采用低温冻干的蜂毒制作接触油膏，涂抹在大鼠右后肢预先脱毛的皮肤上，超声波基本上是作用于动物的膝关节和附近大腿软组织部位，每天操作 1 次，共持续 12d，间歇 2d 后放血处死动物。供实验的材料：取自被超声波作用过的局部皮肤，必须带有肌肉和有关节的相应大腿骨。对每只动物的皮肤和皮下组织标本计数 30 个视野的肥大细胞数，结果见表 15 – 21。

表 15 – 21　蜂毒与超声波对大白鼠后肢皮肤肥大细胞数影响

组别	对照	蜂毒注射	超　声		100mg% 蜂毒 + 超声		300mg% 蜂毒 + 超声	
超声作用时间/min			5	10	5	10	5	10
肥大细胞数	8.6	6.4	8.8	9.4	9.6	9.2	10.5	13.8

可见超声波单独作用或单用蜂毒注射的动物皮肤中肥大细胞的数量，接近于对照组；蜂毒 + 超声导入组，特别是 300mg% 蜂毒 + 超声导入 10min 的实验鼠皮肤中肥大细胞数量明显多于对照组。作者还观察各组动物的肥大细胞形态学改变、大腿骨成骨细胞反应以及上皮细胞、成骨细胞、肥大细胞、结缔组织和一些肌细胞酸性磷酸酶活性等组织化学指标。实验证明，蜂毒 + 超声导入的 2 个组实验动物之皮下及骨组织内变化十分强烈，是超声波和蜂毒协同作用的结果。有助于以软骨和关节面黏多糖含量降低为特征的退行性关节病患者的黏多糖恢复正常。可见，蜂毒 + 超声透入法用于退行性关节病是一种病因治疗。

笔者曾应用两侧心俞、肺俞、膈俞穴位蜂毒 + 超声透入疗法治疗支气管哮喘并将蜂胶 + 超声透入推荐用于神经性皮炎、表皮真菌病等。

（三）操作方法

普通超声治疗机，通常选用频率 800kHz，亦采用低频 90kHz。超声透入的耦合剂，采用水或油类均可，蜂毒软膏、蜂毒水溶液、蜂胶软膏和花粉精等皆适用。若以蜂毒水溶液进行超声透入，须根据不同治疗部位与要求借助于水槽、水盆、声漏斗等辅助设备。

软膏剂接触移动法简便易行：蜂毒或蜂胶软膏超声透入，选用频率 300kHz、声头面积 5.4cm^2。治疗部位预先涂上含蜂毒 150mg 的软膏或 20% 蜂胶软膏（涂布皮肤面积 200 ~ 300cm^2），用声头紧压治疗部位，以软膏为接触剂，作环形或纵形的按摩移动。使用连续波，强度 0.2 ~ 0.8W/cm^2（蜂毒）或 0.5 ~ 1.5W/cm^2（蜂胶、花粉精），操作持续时间 3 ~ 5min（蜂毒）或 5 ~ 12min（蜂胶、花粉精），超声强度和治疗时间，按病情和治疗次数逐步增加。每天或隔天治疗 1 次，15 ~ 20 次为 1 个疗程。操作时作为接触剂的蜂毒或蜂胶软膏涂敷要均匀、足量，声头与皮肤接触要紧密，压力要适当，不能有空隙，超声声头切不可空载时通电，防止过热损坏晶体，所以必须经接触剂作用于人体时方可调节输出。采用蜂胶软膏治疗后即用含 70% 乙醇的棉球擦净软膏，以免染黄或油污衣物。

穴位超声透入法：可采用小声头适当加压固定于穴位进行蜂毒透入治疗，通常每穴作用0.5～2min，声强为0.25～0.5W/cm^2。

高频多功能超声波治疗仪，工作频率1.6MHz±0.16MHz。特制微型声头用于王浆花粉精蜜剂等多种去皱防衰营养物质的面部导入，并兼治面部色素斑等皮肤病；声透蜂毒软膏治疗面部瘢痕以及无痛蜂针穴位治疗，也可用于阳痿、阴茎硬结和结扎输精管后附睾硬结的治疗。体表声头作用于体表皮部治疗多种疾病。体腔声头是在直肠透入药物，或使蜂胶剂、花粉精等作用于前列腺局部治疗慢性前列腺炎和慢性前列腺增生，由此来克服药物－血液－前列腺屏蔽的障碍。直肠内超声透入时，在体腔声头工作面涂导声膏，套上薄型安全套，套外涂润滑剂，从肛门插入，经直肠作用于前列腺投影区，前列腺炎注入无醇蜂胶液或中药汤剂（40℃），前列腺增生症注入花粉精、孕酮或己酸孕酮，连续波，移动法（纵向及横向移动）强度为1.8～2.1W/cm^2，每日1次，每次20min，10次为1个疗程。

三、超声雾化吸入疗法

（一）特点

利用超声波使蜂胶、蜂毒或蜂蜜等溶液雾化成5μm以下微小雾滴，患者吸入这些悬浮在气体中的蜂产品微滴，能够深入呼吸道终末部分（肺泡管、肺泡囊及肺泡），对呼吸系统疾病药效明显、见效快，有些成分可较快进入血循环发挥全身效应。以往应用的蒸汽吸入法及其他喷雾吸入疗法均不能达到超声雾化的这种雾滴微小和稳定程度。

（二）应用

乌克兰基辅市第四医院儿科成功地应用蜂胶制剂雾化吸入治疗慢性肺炎、支气管哮喘和其他呼吸道炎症的患儿52例。经治的52例中，15例慢性非特异性肺炎患儿治疗后有14例炎症消失，并观察8～12个月未见复发，仅1例因支气管扩张进行了手术；10例支气管哮喘患儿减轻发作，仅1例在感冒后复发；27例其他呼吸道炎症患儿全部治愈。

笔者曾对成年支气管哮喘和哮喘型支气管炎患者38例应用蜂胶水醇乳剂超声雾化吸入法获良好效果，其中支气管哮喘患者25例配合蜂毒穴位（心俞、肺俞、膈俞）超声透入治疗。在所观察的25个病例中（男性9例，女性16例），感染型7例，吸入型9例，混合型9例，平均年龄29岁，平均病程9.7年，均为发作期患者。治疗前后观察患者症状体征的变化，治疗结束后，门诊或住院复查，进行随访。结果近期疗效：临床控制18例，占72%，好转6例，占24%，无效1例，占4%，总有效率96%。随访1～2年的13例远期疗效为：显效4例，占30.8%，好转6例，占46.2%，无效3例，占23%，总有效率为77%。

（三）操作方法

可采用超声雾化器进行治疗，该雾化器由超声发生器和雾化罐组成，超声发生器的声头可产生1～3MHz的超声波。雾化罐中放置供雾化的药物（例如5%蜂胶酊按1:2的比例用蒸馏水或杏仁油稀释），其底部与声头连接，上端由导气管连通把雾化的药物气溶胶输送进患者呼吸道。若在普通超声雾化吸入前，应排除患者对蜂胶或乙醇过敏。将5%蜂胶酊10ml稀释于蒸馏水20ml中放入雾化罐内，将通气管道放进患者口鼻处，打开超声雾化器开关，调节雾化量，产生的雾化蜂胶即随患者呼吸达深处。每次吸入时间20min左右，每日1～2次。开始治疗吸入时间宜短，然后逐渐增加，一般7～10d为1个疗程，视病情需要可重复2～3个疗程，每疗程后可休息5～7d。

第七节　蜜蜂疗法的综合利用

蜜蜂疗法是利用系列蜂产品、蜂针刺激、养蜂活动和蜂场自然因子供人体医疗保健的综合性自然疗法。随着蜜蜂疗法的推广和蜂疗保健品的开发利用，大量临床实践和实验研究证明，综合措施疗效比单项治疗好，复方剂型优于单方品种。

一、蜂产品复方剂型

多种蜂产品并用或对症配合中草药以增强医疗保健功效者比较普遍。济南军区蜂疗保健中心研制的齐氏833抗老蜜斯在1991和1993年第一、二届国际蜂疗会议上报道，临床和实验研究均证实其增强体质、抗疲劳、延缓衰老和抑突变等效用。抗老蜜斯是蜂王浆、花粉、蜂胶和蜂蜜浓缩物为主，并配伍山东特色中草药而成的复合制品，近年发展为老年专用、糖尿病专用、肝病专用等类型。市场销售的保健食品美国“蜂帽”亦为蜂王浆、花粉、蜂胶和蜂蜜复合制品。

1999年7月，在吉隆坡举行的第五届国际蜂疗大会上，中国代表报道采用蜂产品复方内服外用结合美容技术治疗黄褐斑和痤疮获显著效果：刘妍采用蜂产品内服外用加电子面膜治疗黄褐斑310例，其中肝郁气滞、情志失调型133例，治愈65例，显效42例，有效26例；脾气不足、痰湿内滞型68例，治愈31例，显效26例，有效9例，无效2例；肾阳气虚弱、任冲失调型108例，治愈53例，显效38例，有效16例，无效1例。总有效率为99.03%，病程短的疗效佳。内服蜂产品组成：蜂王浆5g，蜂王幼虫5g，蜂花粉8g，20%蜂胶酊0.5ml，蜂蜜适量。用法：以上蜂产品每日3次，每次1份；饭前30min，温开水调适量姜汁送服。3个月为1个疗程。面膜的配制：蜂王浆、蜂花粉、白蜂蜜、蜂胶粉、白茯苓、姜汁、水等适量，调成糊状备用。操作方法：常规清洁面部，用适量的磷脂按摩膏涂于面部，在离子喷蒸器的热和气离子的作用下，按摩20min，之后用棉球擦净面部按摩膏，取出预先调好的糊状面膜，涂于面部0.5mm厚，再取出电子面膜敷在面部加热，敷面时间为20～30min。然后取下两种面膜用温开水洗净面部，取蜂王浆0.1g，对甘油2～3份涂于面部。每周1～2次，3个月为1个疗程。

郑凯鸣等治疗痤疮患者37例，病程0.5～21年，绝大多数曾用中西药和其他美容方法治疗，效果不佳。采用蜂产品美容，5～7d 1次，均在2个月内疗效显著，有效率达100%，治愈率达94.59%。用“王浆润肤蜜”（100g含有40g王浆，60g蜂蜜）每次约用3g，给予皮肤按摩，同时紫外线喷雾，使毛孔扩开，促进血液循环，充分吸收王浆蜜的丰富营养成分，直接起到王浆蜜特有的消炎、止痛、抗菌和滋润皮肤作用。用花粉膏做面膜(3∶1配制)，每次约用5g，使按摩过的皮肤充分吸收花粉中的磷脂，对真皮细胞起到很好的营养作用。30min以后清洗面膜，再用蜂胶酊拍打面部皮肤，起到收缩毛孔和消炎作用。在美容治疗的同时，给予服用花粉膏，25～50g/d。蜂产品内服外用可对机体进行双向调节，增强机体应激能力，从而起到调节内分泌、延缓衰老的作用。

二、蜂针配合蜂产品

2001年11月，在韩国举行的第六届国际蜂疗大会上，王庆友等报道，蜂针配合服用蜂产品制剂（鲜王浆蜜、蜂胶胶囊、花粉片）用于慢性乙型肝炎82例，临床实践证明，蜂疗治乙型肝炎具有良好的抗病毒、增强免疫、抗肝损伤作用，是一种综合的自然疗法。治疗方法：采用意大利蜂螫刺法，循经取穴章门、期门、胆俞、脾俞、肾俞、胃俞、隔俞、大椎、腹股沟和膻中等，每日1次，适应期、治疗期和巩固期各15次，共45次为1个疗程。开始按每次3只、5只、7只或4只、6只、8只蜂顺序增量，出现发烧时用维持量，不烧时继续增量，直到治疗量达150～180只/次。治疗期坚持10～15次后，进入巩固期治疗，每次40～60只蜂，15次为止，总蜂量3 000～3 500只。配合服用50%鲜王浆蜜，每日2次，每次20g，早晚空腹含服或温开水冲服；蜂胶胶囊（0.5g），每日2次，每次2粒，口嚼0.5h后咽下；复方蜂花粉片剂（0.3g），每日3次，每次6片。本组病例经45d（1个疗程）后，普遍反映精神变爽，面容改观，食欲变好，腹痛、肋胀等症状显著改善。临床检测结果见表15－22、表15－23。

表15－22　综合蜂疗前后肝功能变化情况

	蜂疗前	蜂疗2周	蜂疗后
谷丙转氨酶ALT/（u/L）	71	52	0
黄胆指数TBIL/（u mol/L）	50	34	6

注：ALT正常值0～41，TBIL正常值1.7～25.7。

1997年10月，在日本举行的第四届国际蜂疗大会上，韩国学者高相基报道18例慢性肝硬化患者经综合蜂疗治愈5例，占28%，好转或有效7例，占39%，治愈或有效计12例，总有效率67%；无效6例，占33%。肝硬化患者接受蜂针治疗时，每日供给蜂王浆40g，蜂胶液10ml，花粉20g，皆分3次服用。蜂针治疗隔日1次，蜂疗获效的病例经治3个月后开始好转，4～5个月后发热中止，黄疸、浮肿、腹水等症状逐渐消失；对长期食道静脉曲张的患者疗效较差。18例中5例经过蜂疗8～18个月治愈，无效的6例均在经治6～12个月内死亡。

表 15－23 综合蜂疗前后乙型肝炎病原学变化

项目	HBsAg（＋）			HBeAg（＋）			HBV－DNA（＋）		
	蜂疗		转阴率/%	蜂疗		转阴率/%	蜂疗		转阴率/%
	前	后		前	后		前	后	
慢性乙型肝炎（轻度）	30	20	33.3	23	10	56.5	12	5	58.3
慢性乙型肝炎（中重度）	21	15	28.6	16	8	50	18	12	33.3
肝炎后肝硬化	31	15	51.6	19	7	63	16	8	50
合计	82	50	39.0	58	25	56.8	46	25	45.6

中国代表杨廷兰报告对步入老年的性功能衰退的男女采用综合蜂疗法：①蜂针隔日1次；②王浆蜜（1:10），日服30g，分3次，饭前服；③巢脾花粉，日服10g，分2次早晚空腹服；④雄蜂蛹，日服20g，中午饭时煎服；⑤疗程：15d为1个疗程，一般要坚持5～7个疗程。综合疗法能使大脑皮质和脊髓中枢机能恢复正常，延缓人体衰老，能营养生殖系统及腺体，使男女内分泌活动正常和调补维生素E，消除性功能障碍。经综合蜂疗性功能恢复的老年人如继续采取蜂疗保健，能长期维持令人满意的性生活。共收治老年性功能衰退男50例、女35例，年龄56～68岁，经用综合蜂疗法5～7个疗程，性功能恢复者男48例、女31例，好转男2例、女3例，无效女1例，总有效率98.82%。

1995年11月，在第三届国际蜂疗大会上，中国代表报道应用蜂针、花粉、老巢脾液治疗前列腺增生48例。一般治疗2d后症状开始好转，治疗20d左右多数人症状消失。同时另有报道对Ⅱ型糖尿病51例进行综合蜂疗临床观察，给服王浆蜜（1:4），每次20g，蜂花粉每次15g，早晚各服1次，饭前30min服。蜂针15次为1个疗程，一般间隔2～4d蜂针1次。蜂王浆、蜂花粉口服1个月为1个疗程，停止蜂针后继续服用几个月。经过以上方法治疗1～3个疗程后，51例患者全部有效，44例尿糖转阴，显效率占87%。其中7例在观察的2年内尿糖一直保持阴性。

三、蜂针配合推拿、按摩、气功

蜂针、气功按摩、刮痧、拔火罐对人体具有共同的舒通经络、活血化淤、排除病毒、调节阴阳等作用，通过气功按摩、拔火罐可以加强局部循环，改善局部组织营养状态，增强血管壁通透性及血细胞吞噬能力，为皮肤局部用蜂针、药物吸收打下良好基础。在第五届国际蜂疗大会上，中国代表报道采用蜂针综合疗法治头痛病例128例。中风性头痛、偏头痛、神经性头痛、额窦炎引起头痛87例，血管性头痛31例。疗程7～60d，用蜂总量21～675只，有效率达100%，治愈率达97.66%。

在第四届国际蜂疗大会上，中国代表陈君报道采用推拿手法和蜂针相结合治疗271例资料完整的胆石症患者的临床效果。根据中医经络学说中“经穴脏腑相关”的理论，利用“穴位诊断特异性”和“穴位主治特异性”，采用不同的手法和针法施治。先手法，后蜂针，手法看结石的部位而注重体位，蜂针按中医辨证而注重刺法。每日2次，每次7~15min，5d为1个疗程。4个疗程内的资料统计结果：临床治愈192例（一般治疗1~3次可见出石），占总数的70.85%；显效41例，占总数的15.13%；好转24例，占总数的8.86%；无效14例，占总数的5.17%。总有效率为94.83%。

四、蜂针配合中草药、蜂产品

在第五届国际蜂疗大会上，中国新疆石河子市中医院代表所作“雪莲花与蜂产品配合蜂针治疗某些疾病的观察”报告：一是取绵头雪莲花50g，加水500ml，煎1h左右除渣，溶入600g蜂蜜中拌匀，放入冰箱冷藏备用。每日3次，每次12g，30d 1个疗程。蜂针隔日1次，治疗肾虚阳痿患者102例，病程长者30年，短者6个月。结果痊愈76例，占74.50%；显效24例，占23.52%；无效2例，占1.96%。总有效率为98.03%。二是取大苞雪莲花100g，烘干研末后加入蜂王浆350g、花粉60g，加适量凉开水，拌匀，放入冰箱冷藏备用。日服3次，每次8g，30d为1个疗程。配合蜂针治疗乙肝患者68例，病程长者38年，短者1年。结果痊愈24例（大、小三阳转阴），占35.29%；显效36例，占52.94%；无效8例，占11.76%。总有效率为88.23%。三是取水母雪莲花250g浸入45°以上的白酒1 000ml中，7d后放入蜂胶150g。日服3次，每次10g，40d为1个疗程，服药时配合蜂针治疗风湿、类风湿关节炎患者183例，病程长者42年，短者3个月。结果痊愈86例，占46.99%；显效90例，占49.18%；无效7例，占3.82%。总有效率为96.17%。

在第三届国际蜂疗大会上，中国代表报道对癫痫患者采用蜂针和蜂宝汤治疗。蜂针隔日1次，以通络化痰。蜂宝汤是取柴胡、桂枝、生龙骨、生牡蛎、半夏、茯苓、丹参等中药煎汤配以蜂蜜王浆服之，隔日服1剂，以化痰清心，既治又补。此法通常治疗2个月癫痫症状明显减轻，一般坚持治疗0.5~1年痊愈。共收治癫痫患者55例，男25例，女30例，其中痊愈45例，症状减轻8例，仍在治疗中2例，总有效率96.4%，治愈率81.8%。病例：何氏，女，50岁，1970年开始癫痫发作，常年服用癫健胺等中西药物，未治愈。1991年来诊时，自述记忆力和性功能丧失，并发胃炎、肝炎、臀两侧神经性皮炎，身虚人瘦。经蜂疗半年，癫痫发作得到控制，合并症消失，身体完全康复。又巩固治疗1年，报道时已4年未复发。

五、中草药与蜂产品复方剂型

在第三届国际蜂疗大会上，中国代表报道中草药与蜂产品复方剂型对癌症临床和乙肝病毒药效学研究。唐金贤报道，复方蜂胶丸治疗癌症的临床观察，治癌丸组方采用纯中药蜂胶、莪术、威灵仙、白花蛇舌草、半支莲、蜈蚣、丹参、川芎、桃仁等。临床应用对癌症患者有扶正祛邪、活血化淤、益气养血、以毒攻毒、攻补兼施、清热解毒作用。蜂胶治癌丸与放疗、化疗合用可明显提高疗效，并能减少放疗、化疗引起的毒副作用。还具有不同程度的抑制癌生物活性和抗癌症血液高凝状态。共治疗中晚期食管癌、贲门癌、胃癌、肝癌、结肠癌、脑癌、鼻咽癌、喉癌、牙龈癌共38例。显效20例，好转13例，总有效率为86.84%。不同程度改善5例，改善率占13.16%。

北京302医院药物研究室用蜜蜂巢脾为主要原料，配以黄芪等中药，按照中医方剂所循君、臣、佐、使之原则组成复方，经严格的生产工艺制成口服液——复肝扶正饮。采用体外和体内抗乙肝病毒实验模型——2,2,1,5 细胞和鸭乙肝病毒模型对复肝饮进行抗乙肝病毒药效评价，结果表明：复肝饮对 2,2,1,5 细胞 HBsAg 和 HBeAg 分泌作用的抑制率分别为 39.1% 和 63.8%（给药 6 d，给药浓度 1mg/ml）；复肝饮对鸭乙肝病毒 DNA（DHBV－DNA）在一定剂量（口服药 6g/ d · kg）范围内有抑制作用。同时，还完成了复肝饮对 CCl_4 中毒引发大鼠急性肝损伤的降转氨酶效果和复肝饮对小鼠腹腔巨噬细胞吞噬活力影响的实验研究。上述研究结果从理论上讲进一步揭示了复肝饮具有抗乙肝病毒、增强机体免疫作用，该药的研究为肝炎的治疗开拓了新的药源。

第十六章　中国蜂业

第一节　中国蜂业概述

一、中国蜂业的历史、发展及现状

中国是养蜂古国，养蜂业历史悠久，从公元前16世纪至公元前11世纪殷商甲骨文有“蜜”字文字记载算起，至今已有3 000多年历史。在这3 000多年漫长的岁月里，我国勤劳、智慧的各族人民通过不断的社会生产实践，认识了蜜蜂及其产品对人类生存的价值，开始了不间断的利用蜜蜂及其产品的生产活动，并伴随着科学技术的进步和生产力的提高，逐渐形成了中华蜜蜂的传统饲养特点。直到近代引进西方蜜蜂和活框养蜂技术，中国的养蜂业才进入一个新的发展阶段。新中国成立以来的50年，特别是改革开放后的20多年，我国的养蜂业有了巨大进步，取得了举世瞩目的成就，我国一跃成为世界养蜂第一大国和蜂产品第一大出口国。

我国人民3 000多年的养蜂实践，留下了丰富的史料记载，从这些史料记载可以看出，我国养蜂业的发展是循序渐进的，同时也是养蜂经验和技术不断积累和提高的过程。这个漫长的历程，可按生产方式和技术进步划分为古代养蜂业、近代养蜂业和当代养蜂业3个时期。

（一）古代养蜂业时期（公元前16世纪至1840年）

中国古代养蜂业的特点是历史悠久，资源丰富，生产手段落后，技术进步缓慢，因此，生产力低下，劳动生产率极低。远古初始，我们的祖先出于本能的生存需要，以烧死蜜蜂和捣毁蜂巢等原始的、野蛮的方式猎取中华蜜蜂的巢蜜和蜂子，在长期猎取蜂蜜的实践中也初步掌握应用蜂蜜、蜂蜡等蜂产品的方法以及蜂螫治病方法。其后，随着人们对蜜蜂生活习性认识的加深，慢慢地学会用烟熏驱蜂，割取部分巢蜜和蜂幼虫，保留部分蜂巢以使蜂群继续生存。

东汉时期（公元25～220年），人们已经能够移养蜜蜂，他们砍下野生中蜂营巢的树干，挂在屋檐下或房子附近饲养。移养法的应用大大方便了蜂产品的采取和对蜜蜂生活习性的观察与了解，为提高养蜂技术创造了条件。在移养蜜蜂的基础上，魏晋南北朝至汉朝，人们又进一步掌握了“以木为器”，“以蜜蜡涂器内外……引诱野生蜂”和用原木仿制蜂窝诱蜂的方法，从此我国进入了家庭养蜂的初级阶段。这个时期，人们对蜂产品的应用及加工技术也有了一定提高，蜜蜡被作为医药“上品”得到广泛宣传和使用。

唐朝（公元618～907）以后，随着养蜂技术的进步和养蜂科学理论的出现，养蜂业在中国日益兴盛和发展。唐朝已有了相当规模的专业蜂场，家庭养蜂也发展较快。至宋朝、元朝，中蜂的人工饲养技术有很大提高，对中蜂病虫害防治也有了记载，在蜂具方面，尤其是蜂箱制作已有长足的进步。这个时期，最有代表性的养蜂文献是刘基的《郁离子·灵丘丈人》。该文虽只有短短的353字，却通过灵丘丈人父子两代人经营一个专业蜂场盛衰演变，总结出选址建场、蜂群四季管理、合并蜂群增强群势、取蜜、防治敌害等一套经验和措施，其中阐述养蜂兴衰的一些基本道理至今仍有参考价值。从明朝初期到清朝中期，养蜂在我国进一步发展和普及，在养蜂理论上有不少创新，技术上也有一些重要发明，如用烟驱、蜜诱收捕分蜂群，用薄荷叶擦手脸防蜂螫等。又如1819年动物学家郝懿行编著的《蜂衙小记》，对蜜蜂生物学特性、养蜂技术、养蜂经验等都作了精辟的论述和记载，堪称中国第一部养蜂专著。此外，明清时期的一些学者还就蜂群的管理方式、蜜蜂与蜜源的关系、养蜂物候学等方面著书立说，发表不同见解。同时，在蜂产品利用方面也达到较高水平，如用蜂蜜酿酒、用蜂蜜加工蜜饯、炼蜜为药丸等技术都有新的进展，在蜂螫治病方面，也达到新的水平。据估计，截止到清朝末期，我国饲养的中蜂大约有20万群，每群年均产蜜5kg左右。

（二）近代养蜂业时期（1840～1949年）

近代养蜂业较之古代养蜂业发展迅猛。其主要原因是20世纪初随着西方文化和新技术的传入，在养蜂业方面也传入西方蜜蜂和活框养蜂技术，其中包括活框蜂箱、人工巢础、分蜜机、隔王板、脱蜂器、人工育王技术等。由于活框饲养西方蜜蜂的先进性带来显著的经济效益，我们的养蜂先驱们从此开始大量引进并饲养西方蜜蜂（意大利蜂、高加索蜂等），同时掀起了活框饲养中蜂的热潮，从而将中国的养蜂业推进到一个崭新的发展阶段。据记载，我国最先传入西方蜜蜂和活框养蜂技术的地区是东北的边境地区（1896年）和新疆的伊犁和阿勒泰地区（1900年），但这两个地方传入的两种西方蜜蜂都没有大面积推广。其后，1912～1921年，安徽合肥的龚怀西、福建闽候的张品南、天津农事试验场、北京农事试验场、江苏无锡的华绎之等先后从日本、美国等地引进意大利蜂进行示范饲养，均取得良好的业绩。在他们的示范和推动下，1928～1932年短短的4年，中国就进口了约30万群意大利蜂，华北地区仅1930年就进口11万群。大量西方蜜蜂的进口和繁育，促进全国各地一批大型专业蜂场的建立，如北平的李林园养蜂场、上海华绎之养蜂公司、福州三英养蜂场等。在这些大型专业蜂场的影响和带动下，各地又建立了不少中小型蜂场，饲养意大利蜂和新法饲养中蜂。从此，西方蜜蜂和活框养蜂技术在中国得到大面积的普及和推广，为开创中国现代养蜂业奠定了基础。

西方蜜蜂的引进和活框养蜂技术的普及，同时也带动了养蜂科研、教学和社团组织的发展。在这期间，我国研制中蜂巢础机，研究适合饲养中蜂的“高仄式蜂箱”等几十种蜂具。上海劳动大学、南京中央大学、浙江大学等高等院校还相继开设养蜂课程或选修课，同时，国家和地方政府、协会、大型蜂场也纷纷举办专业学习班、培训班。

1934年在广东成立了第一个中蜂研究所，在北京、上海、山东、济南、浙江嘉兴等地都成立了养蜂协会。这些行业协会成立后，积极开展养蜂生产指导，提供蜜蜂良种，协调生产者与政府的关系，有力地促进了当地养蜂业的发展。随着养蜂生产蓬勃发展，这个时期，各地出版了较多的养蜂专著、译著和教材，共有10种以上养蜂杂志创刊问世，其中1934年黄子固先生在北平市创办并主编的《中国养蜂》杂志延续至今，是我国办刊最久的养蜂刊物。

20世纪20年代由于商人的投机行为，养蜂技术的滞后和腐臭病暴发蔓延，以及1937年日寇入侵和以后连年内战等原因，从1931年起，中国的养蜂业首先从华北出现了大起大落情况，接着全国蜂业发展跌入低谷，呈现停滞状态。至1949年新中国成立之时，全国饲养蜜蜂约50万群，其中西方蜜蜂仅10万群左右，40万群为土法饲养的中蜂，年生产商品蜜仅8 000t左右。

（三）当代蜂业发展时期（1949～　　）

中华人民共和国成立后，我国的养蜂业同其他各项事业一样，得到党和国家的重视和支持，在党的各个时期的各项方针政策指导下，养蜂业在中国获得高速、全面的发展。

20世纪50年代，国家为了促进养蜂业的恢复和发展，先后采取了一些促进养蜂业发展的重大措施。50年代初伴随城乡进行社会主义改造，在各地建立了为数众多的集体蜂场，同时，在养蜂发达地区建立了10个以上大型的国营养蜂场和种蜂场。这些骨干蜂场对全国养蜂业的蓬勃兴起发挥了很好的示范作用。同时，为了加强全国养蜂生产管理和科研工作，1956年农业部设置了专业管理机构。1957年农业部和农垦部联合召开了全国养蜂工作座谈会，会后国务院向全国各省（市）、自治区批转了两部的《关于全国养蜂工作座谈会的报告》，强调指出在我国发展养蜂生产的重要意义。两部养蜂工作座谈会后，各地农业部门为落实国务院的批转意见，根据各地情况，在巩固国营蜂场的基础上又创办了不少集体蜂场、养蜂学校、养蜂专业和开设养蜂课程。山东农学院、苏北农学院（现扬州大学农学院）、南昌大学农学院（现江西农业大学）、广西农业学校、福建农学院（现福建农林大学）、西南农业大学等先后开设了养蜂课程。1960年福建农学院、西南农学院、江西宜春农学院创办养蜂专业，至21世纪初，已为我国培养各层次的蜂学高级人才千余人，为促进我国的蜂业发展发挥着重要作用。1957年广东省昆虫研究所建立了蜜蜂研究室，1958年底中国农业科学院建立了我国最高层次的蜂业研究单位——养蜂研究所。1959年农业部在广东省从化召开了中蜂新法饲养座谈会，同年11月由中国农业科学院养蜂研究所主持在杭州召开了全国养蜂科研协作会议，这两个会议的召开有力地推动了中蜂新法饲养的普及，促进了全国蜂业科研机构的建立和养蜂科研工作的开展，对提高中国蜂业的科学技术水平具有重要历史意义。

20世纪60～70年代，我国的养蜂业由于受自然灾害和“文革”动乱的影响，一度发展受阻，养蜂数量和产蜜量都出现徘徊局面。“文革”动乱结束后，养蜂业才得以恢复并迅速发展。1972年全国养蜂400万群，产蜜5.02万t；1978年全国产蜜量达到9.71万t,比1972年几乎增加1倍。1979年全国养蜂数530万群，突破20年来400万群的徘徊局面，产蜜 10.99 万 t。蜂蜜出口量也连年增长，1965 年首先突破 1 万 t，为 1.29 万 t，1978 年达 3.71 万 t，1979 年又突破 5 万 t，首次超过墨西哥和阿根廷，居世界首位。1979 年蜂王浆产量为 150t，出口 50t，产量和出口量均为世界第一位。

这个时期我国的养蜂科研工作也有明显的进步，成果接连不断，主要有：攻克和掌握了蜜蜂人工授精技术并在以后的蜜蜂育种工作中加以广泛应用；研究成功蜂王浆生产技术并很快在全国各地推广普及；试验成功多快好省推广蜜蜂良种的方法——“输送卵虫法”，并在四川、江苏、黑龙江、湖北等养蜂重点省推广应用，取得明显增产效果；从美国、原西德、土耳其、塞浦路斯、奥地利等国引进数种良种蜜蜂蜂王 1 000 多只，作为育种素材，同时建立了 7 个蜜蜂原种场，50 多个种蜂场，形成了全国蜜蜂良种繁育体系；对蜂螨和中蜂囊状幼虫病开展了协作攻关和防治研究，控制了这两种蜜蜂病虫害的蔓延和危害。此外，在蜂具革新、蜂产品开发利用等方面研究也都取得成果。

20 世纪 80 年代以来，我国实行的改革开放方针给养蜂业注入了非凡的活力，使我国养蜂业蓬勃发展。各级政府和主管部门重视养蜂发展，采取一系列措施，加强宏观管理，引导发展养蜂生产。

1983 年 1 月中共中央书记处政策研究室科技组提出了“关于发展养蜂推进养蜂现代化的建议”；1984 年农牧渔业部在银川市召开了西北地区养蜂座谈会；1985 年农牧渔业部、商业部、对外贸易部，根据中共中央总书记胡耀邦对提高蜂蜜质量的批示精神，在北京召开了全国养蜂工作会议；同年 10 月农牧渔业部为贯彻这次会议精神，颁布了新中国第一部养蜂管理条例——《养蜂管理暂行规定》。此外，为扶持发展养蜂，国务院扶贫办公室、国家计划委员会、国家科学技术委员会及农业、商业、经贸等有关部门都拨款或贷款，支持中央或地方有关单位搞科研，办教育，开展技术推广工作和建立各级蜂产品质量监督检验中心，加强对养蜂生产的宏观指导和管理。此后，随着我国社会主义市场经济的发展，养蜂业的产、销体制也出现了相应的变化：个体承包制蜂场取代国营和集体蜂场；蜂产品经营体制也从过去由商业部门统购统销，改为议购议销，并实行多渠道经营。各地在实行蜂产品多渠道经营的过程中，为了解决产销脱节产生的问题和搞好产前、产后社会化服务，摸索出了产供销一体化的道路，并为实现“一体化”目标建立很多国营、集体和个体的蜂业公司、养蜂联合体等。蜂业产销一体化的初步形成，使蜂产品质量有了保证，减少了中间环节，降低了生产成本，有利于开拓国内外市场，增加养蜂效益，从而进一步调动了广大养蜂生产者的积极性，促进养蜂业稳步、健康地发展；使养蜂经济逐步迈入市场经济阶段，为加入 WTO 后中国蜂业与世界蜂业接轨奠定了基础。

随着养蜂业的迅猛发展，我国的养蜂业科技队伍不断壮大。

1984 年以来，以福建农业大学和云南农业大学蜂学系为首的大、中专农业院校为蜂业战线培养和输送了几十名硕士生、400 多名本科生和 500 多名中专和专科毕业生。蜂业管理部门、科研单位、院校、经营部门及生产单位有万人以上蜂业工作者晋升中、高级职称，成为中国蜂业科技进步的骨干力量。

在蜜蜂育种方面，先后有吉林省养蜂科学研究所培育的“喀（阡）黑环系蜜蜂”和浙江农业大学蜂业研究室培育的“浙农大 1 号蜂王”分别获得国家科技进步二等奖和国家发明二等奖。此外，在蜂病防治、蜂产品开发利用、蜂机具改革等方面也有数十项成果获得省、部级科技奖。大批科研成果的取得和推广，促进了养蜂生产技术的进步，显著提高养蜂劳动生产率。如全国推广“浙江浆蜂”和“浙农大1号蜂王”蜜浆双高产蜂种后，大大增加了蜂王浆产量，年总产量由1976年的500t，上升到目前的3 000t。

20世纪80年代以来，中国蜂业界的国际交往日益频繁，中国的养蜂专家、学者曾多次应邀参加各种世界性学术会议、专业考察和开展科研项目合作。来自欧洲、美洲、大洋洲、亚洲等几十个国家的蜂业同行也对我国进行友好访问、技术交流与经贸合作。中国养蜂学会自1985年正式加入国际养蜂者联合会后，派代表出席了第三十届以来的历届国际养蜂会议和养蜂博览会。通过国际间的交流和合作，不仅开阔了眼界，学到先进的技术和经验，而且也使各国的同行对中国的蜂业现状有进一步的了解，从而推动世界蜂业的共同发展与进步。

我国的养蜂业在70~80年代大发展的基础上，到90年代初进入发展的最高阶段，当时我国养蜂群数达754.1万群，年产蜜量为20.8万t，年出口蜂蜜9.3万t。近几年，受国内外各种不利因素影响，养蜂业虽然有所萎缩，但蜜蜂饲养量和各种蜂产品产量仍位居世界首位。据统计，1999年我国养蜂从业人员约25万人，养蜂650万群，产蜜15万t，产王浆1 300t，花粉2 000~1 300t，蜂蜡约3 000t，蜂胶300t。出口蜂蜜8.72万t，蜂王浆（含蜂王浆冻干粉）900t，花粉900t，养蜂年产值约16亿元，年出口创汇约1.21亿美元。每个养蜂劳动力养蜂30~50群，平均35.6群，群年产值300~400元。每个养蜂者的年产值1.5万~2万元。

二、中国养蜂业存在的问题及对策

新中国成立以来，我国养蜂业的整体水平有很大的进步，生产力也有很大的提高，已跻身世界养蜂大国之列，但与世界上养蜂发达的国家相比，还有一定的差距。

（一）当前我国养蜂业存在的主要问题

1. 宏观管理方面　进入社会主义市场经济阶段后，主管部门对发展养蜂业的意义认识不足和缺乏在市场经济条件下对养蜂业进行宏观管理的经验，因此，现阶段国家对养蜂业宏观管理乏力，表现在没有相应的配套政策法规与管理条例可循，致使养蜂生产和蜂产品在流通中出现的许多问题不能得到有效的解决，影响了养蜂业的健康发展。

2. 生产方式方面　没有摆脱小农生产经营方式，表现在蜂场规模小，生产手段落后，设备简陋，先进的生产技术无法配套使用，致使产量低，产品质量差，劳动生产率低，经济效益差。

3. 产品流通方面　经营市场不规范，竞争无序，产销脱节，造成在价格上不能体现优质优价；收购检验手段和设备落后，质检人员业务素质低；蜂产品贮运设备陈旧；国内市场开拓不力：流通领域普遍存在重出口、轻内销的思想，因此，出现流通领域过分依赖出口的现象。

4. 宣传方面　对发展养蜂能促进农业生产、促进人的健康和保护生态环境的重要意义缺乏有力和有深度的宣传，因此，养蜂的诸多意义不被国人认识。

5. **资源方面**　在一些地方，蜜源植物被滥砍滥伐，使养蜂发展的基础条件受到严重破坏，生产无法维持和发展，产量一年不如一年。

6. **养蜂科研投入方面**　养蜂科研列编项目极少，投入资金少，造成养蜂基础研究和科研开发工作与生产发展不相适应。

（二）解决当前蜂业存在问题的对策

上述问题的存在，已制约着我国养蜂业的稳步发展，必须引起重视，并采取有效措施加以解决。为了使我国的养蜂业在21世纪能进一步地发展，使我国能继续保持养蜂大国的地位，我们必须做好以下几方面工作：

1. **进一步提高对发展养蜂意义的认识**　在提高认识的基础上，加强对养蜂业的宏观指导和管理；各级农牧主管部门要将发展养蜂生产列入议事日程，制定并出台扶持养蜂发展的相应政策和措施，增加资金投入；同时做好发展养蜂生产的规划工作；养蜂数量多的省（区）、地（市）、县农牧部门应有专人负责管理养蜂生产，一般的养蜂省（区）、地（市）、县也应有人兼管。

2. **加强蜂业宣传**　加强养蜂对国民经济发展有重要意义和对人体健康有良好作用的宣传，提高各级领导和广大群众的认识，唤起全民对发展养蜂业的关心和支持，扩大蜂产品消费，促进养蜂生产发展。

3. **提高养蜂现代化水平**　根据我国的资源优势和生产特点，适当引进国外先进的养蜂技术及机具，改变落后的生产方式，提高产品质量，提高劳动生产率，增加养蜂经济效益。

4. **大力开发国内蜂产品市场**　近年来，我国社会经济正飞速发展，人民群众生活水平不断提高，大力开发国内市场时机已成熟，应不失时机地采取各种手段加以开拓。要开拓国内市场，首先要规范蜂产品市场流通秩序，监督并实行有序竞争；其次要加强蜂产品质量的监督与管理；第三，要加强消费宣传，引导消费；第四，实行合理的价格政策，保证优质优价。

5. **进一步改革生产流通体制**　走产业化道路，建立和推广“产、供、销一条龙，蜂、贸一体化”的生产流通模式，解决产销脱节、小生产与大市场脱节而带来的矛盾和问题，使分散小农经营模式向专业大户、联合体及公司集中经营方向发展，最终形成适度规模经营，以便采用机械化、半机械化生产，从根本上改变落后的生产方式，提高养蜂经济效益。

6. **加强养蜂科研工作**　使养蜂生产和产品加工利用的科学技术含量增加，实现优质高产增效。

7. **建立健全蜂业服务体系**　在政府主管部门的指导下，组织各地蜂业公司或大的蜂业企业搞好以技术推广、良种供应、产销信息指导、生产资料供应、法律咨询、产销协调等服务工作，解决产、销者的后顾之忧。

8. **保护资源**　在有条件的地方建立养蜂生产基地，促进资源优化利用。

9. **提高蜂产品质量，增强我国蜂蜜在国际市场上的竞争力**　近年来，由于我国蜂蜜质量问题，出口严重受阻，很大程度上影响了养蜂的发展。因此，当前必须把提高蜂蜜质量作为首要工作来抓。在生产上要改变“养小群、勤取蜜”的生产方式，提倡“养强群、取成熟蜜”。注意生产期不要使用化学药物治螨，防止化学药物残留和沾染蜂产品。在流通领域要鼓励生产成熟蜜，真正实行优质优价。收购单位要认真负责，严格把关，杜绝伪劣产品进入流通领域。在包装方面，要用新桶装蜜，淘汰和杜绝使用陈旧蜜桶。

10. 开展养蜂技术和资本输出 到南北美洲、大洋洲等养蜂资源丰富的国家投资办场，采用国外一人多养的方式结合中国精养技术，生产蜂产品直接销往他国。

三、中国养蜂业发展的目的、潜力与方向

农业是国民经济的基础。农业包括种植业和养殖业，而养蜂业是养殖业不可缺少的一项产业，同时又和种植业有着密不可分的联系，因此，养蜂业是现代化大农业的有机组成部分，在国民经济中占有重要地位。

养蜂的目的是通过蜜蜂充分利用野生和栽培的蜜粉源资源，生产蜂蜜、蜂王浆、蜂花粉、蜂蜡、蜂胶、蜂毒、蜂蛹等产品。这些产品价值高，用途广，是食品、医药、轻工、国防等行业的重要原料。其中蜂蜜、蜂王浆、蜂花粉、蜂蛹虫等都是全天然的营养食品和营养保健品，营养成分全面，具有很好的营养保健功能和治疗疾病的辅助疗效。大量生产蜂产品供应市场，不仅能丰富我国人民的物质生活，而且有助于提高人民的身体健康水平。

养蜂不仅能获得众多的天然食品，应用蜂产品及开展蜂毒治疗，还可治疗不少疾病，在这方面我国有悠久的历史和丰富的临床经验。目前，我国已有大小蜂疗医院或诊所数十家，每年为数十万患者开展蜂疗服务，产生的社会效益是难以用数字来计算的。

相比蜜蜂为农作物授粉获得生态效益和社会效益而言，养蜂获得蜂产品的直接效益是很小的。据专家测算，通过蜜蜂为农作物、果树、牧草等授粉增加果实、种子的产量所获得的效益为养蜂获取蜂产品效益的 10 ~ 15 倍。我国每年养蜂直接产值约 16 亿元，另外通过蜜蜂授粉带来的增产效益则应是 160 亿 ~ 240 亿元。因此，养蜂被称为“现代农业之翼”，应把养蜂作为农业增产的重要措施来对待。

养蜂除了上述三大好处外，蜜蜂为显花植物授粉促进了植物种群的繁荣，并间接促进动物种群的繁荣，也就是说养蜂在生态环境的改善和维护方面发挥着巨大作用。

50 年来，我国的养蜂业虽然有很大的发展，但与欧美养蜂业发达的国家相比，还有相当的差距。我们既要看到不足的一面，也要看到有利的条件，抓住改革开放的大好时机，努力赶超世界先进水平，使我国养蜂业跻身于世界先进国家行列。

我国发展养蜂业的有利条件很多。

首先，国家比较重视发展养蜂业。国家已将养蜂业列为可持续发展农业的一部分，颁布了不少鼓励发展养蜂的措施，并在政策与资金投资上给予支持。

其次，我国地域广阔，植物种类繁多，不仅有丰富的蜜粉源植物，而且有丰富的蜂种资源。这些都为发展养蜂生产提供了良好的物质基础。

第三，我国自然条件优越，地跨寒带、温带和热带，南北气候差异大：当北方还是

冰天雪地时，南方则已有蜜源开花飘香；而当炎夏南方花少蜜缺时，北方则正进入大流蜜季节。不同的蜜源、不同的气候营造了四季有花、蜜蜂可南北追花夺蜜创高产的有利条件和丰收机会。

第四，我国人口众多，人民的生活水平正在不断提高，这就为蜂产品消费提供了广阔的市场。如果我国达到发达国家的人均年消费蜂蜜量的一半，为满足蜂蜜消费要求，我国最少需要饲养 2 500 万～3 000 万群蜜蜂。

第五，我国劳动力资源丰富，养蜂技术精良，两者结合，必将形成强大的养蜂生产力，推动养蜂业向现代化方向迈进。

综上所述，我国发展养蜂条件十分优越，潜力巨大，前景非常广阔，我们务必充分利用优越的资源条件和自然条件，不断开拓进取，努力把发展养蜂业的事做好。当前务必进一步提高认识，健全养蜂管理机构，加强宏观管理，继续改革和优化养蜂生产体制，规范市场竞争机制；推行机械化、半机械化生产方式，实现良种化，提高蜂蜜质量，增强我国蜂产品在国际市场的竞争力；深入开展蜂产品加工利用研究，提高蜂产品的科技含量和价值，提高检验、加工、贮存技术；加强养蜂科学技术研究工作，壮大养蜂科技队伍和全面提高养蜂生产者素质。

第二节　管理机构

在计划经济以及由计划经济向市场经济转轨的初期，中国蜂业实行国家统一管理、部门分工负责的管理体制。农业、商业、经贸分别主管生产、购销经营和对外销售。部门之间分工协作，密切配合，协调发展。进入 20 世纪 80 年代后，随着改革开放的深入发展和社会主义市场的建立和完善，各部门管理职能逐步转变，由过去的单纯行政手段管理向着以服务、宏观管理与调控方向转变。

一、养蜂生产管理机构

农业部是国家养蜂生产主管部门，各级农牧业部门是本地区养蜂生产主管部门。1956 年农业部开始设专职人员管理养蜂生产。20 世纪 90 年代之前，农业部在建立健全各级蜂业生产管理机构，加强蜂业管理，组织技术培训，推广先进技术和经验以及建立优质蜂产品生产基地等方面都做了大量工作，保证了蜂业生产健康稳步地发展。

近年来，中央和国家机关精简机构后，农业部虽然撤销专职养蜂管理干部，但养蜂生产管理职能不变，仍由农业部畜牧兽医司负责主管。

二、蜂产品购销经营部门

过去，全国蜂产品的国内购销经营由商业部主管。各省、自治区、直辖市及地区（州、盟）、县（旗、市），由供销合作社及基层供销社分管此项业务，各级土产公司都同时经营蜂产品，商业部及养蜂重点产区的各级供销部门均设有专管机构或人员负责蜂产品购销经营管理业务。20 世纪 80 年代以前，蜂蜜供不应求，购销任务很重，各级商业、供销部门与农业、经贸等部门密切配合，通力合作，在扶持生产、安排物资供应、组织蜂产品购销和开发利用方面做了大量工作，有力地促进了养蜂业的发展。

20 世纪 90 年代以来，随着社会主义市场经济的建立，各地相继建立了一批蜂业公司或蜂产品经营实体，商业部门购销经营蜂产品的一统天下被打破。目前，蜂产品的购销经营向多极化、多部门方向转变，这将有利于产销直接见面，减少中间环节，有利于生产者和经营者，对提高蜂产品和扩大对外出口也都有好处。

三、对外经济贸易部门

全国蜂产品出口一直由对外经济贸易部管理，蜂蜜、蜂蜡、蜂花粉等出口业务由中国土畜产进出口总公司负责。蜂王浆及其制品出口由中国医药保健品进出口总公司负责。各级经贸部门及口岸根据经贸部的有关规定或指示进行产品的收购、加工和办理出口业务。

近几年，随着对外贸易经营管理体制改革的深入和我国加入 WTO 以后，对外经济贸易部对蜂产品出口业务的管理职能逐渐由行业商会取代：如蜂蜜、蜂蜡、蜂胶、蜂蛹的出口业务由中国食品土畜产品进出口商会蜂产品分会主管，而蜂王浆的进出口业务则由中国医药保健品进出口商会主管。管理职能也由以前用行政手段垄断变为出口配额有偿招标。出口业务也由外贸买断向代理出口、生产企业自营出口的形式转变。

第三节　教学机构

中国现代蜂业教育始于 20 世纪 20 年代，在沿海省份的少数农业科研院校中首先开设养蜂学课程，1929 ~ 1936 年，福建、上海、江西、山东、四川等省相继开办养蜂技术学校。

20 世纪 50 年代，新中国成立后，养蜂教育很快受到党和国家的重视，这期间，我国重点发展了养蜂中等教育，在一些农业专科学校开设了养蜂课，同时出版《养蜂学》、《养蜂教学大纲》等一批养蜂课程教材，目的在于普及科学养蜂和蜜蜂授粉增产知识。同时，还在一些农业大专院校开设养蜂选修课。从 20 世纪 60 年代起，我国的养蜂教育开始向高层次方向发展，养蜂课程被列入高等农业院校的教学计划，我国的大部分农业院校都开设了养蜂课程。1960 年，受农业部委托，福建农学院、宜春农学院和西南农学院率先开设养蜂专业。其中，福建农学院排除了干扰，在断续之中将养蜂专业坚持办了下来，为我国培养输送了一大批养蜂科技人才。

20 世纪 80 年代后，中国的蜂业教育事业蓬勃发展并日臻完善，全国有 20 多所高等农业院校、商业院校、高等技术师范学院开设了养蜂学、蜜蜂产品学、蜜蜂病虫害防治及检疫、蜜蜂授粉、蜂产品加工及质检等课程，少数农业院校还增设了养蜂专业，有的还开办了相应的成人教育养蜂专业班。现在，我国不仅能培养养蜂专业的中专生、专科生、大学本科生，还能培养蜂学专业硕士生。

一、高等农业院校

在我国蜂业高等教育院校中，比较著名的有福建农林大学蜂学学院、云南农业大学东方蜜蜂研究所、浙江大学蜂业研究室、山东农业大学养蜂教研室和扬州大学蜂产品研究室。

（一）福建农林大学蜂学学院

福建农林大学蜂学学院创办于1960年，开始招收二年制专科生，1980年改为四年制本科，设立养蜂系，1986年改为蜂学系，首任系主任是龚一飞教授，2001年升格为福建农林大学蜂学学院，现任院长是陈崇羔教授。蜂学学院下设养蜂专业、蜂产品加工专业和贸易专业，有养蜂学、养蜂用具、蜜蜂保护、蜜蜂育种、蜜源及蜂产品5个教学研究组和1个养蜂教研室、3个教学研究蜂场。主要任务是培养高级蜂业科技人才。实行全国招生、分配。全学程共开课程30门，约2 400学时。其中，主要学科是蜜蜂生物学、蜜蜂饲养管理学、蜜蜂育种学、蜂产品分析学和蜂产品加工学，专业基础课程包括养蜂机具学、蜜蜂保护学、蜜源植物学、蜂场经营管理学等10余门。学生在校期间还必须进行生产实习，开展科学研究，撰写课程论文和毕业论文，从事养蜂技术咨询服务，以着重培养运用所学理论知识分析问题和解决实际问题的能力。该院自开办至2001年共培养本科生、专科生1 000余人，1984年开始招硕士研究生，现有硕士生导师5人。毕业生被分配到各级养蜂行业、企业管理、生产、科研、教学等有关部门，很多人已成为养蜂各领域的骨干，为发展中国养蜂事业做出了积极贡献。

该院教师除教学任务外，还承担科学研究、师资培养、专业人员训练、编写专业著作和技术咨询服务等任务。20世纪80年代以来，共承担了农业部、国家和福建省自然科学基金委员会、福建省科学技术委员会下达的多项研究任务，开展了蜜蜂生理生态、中蜂人工授精技术、蜜蜂病敌害防治、蜜蜂产品加工与利用、蜜源植物开花和泌蜜习性等课题的研究。其中“中蜂人工授精技术的研究”1983年获福建省科技成果奖，“小蜡螟的生活习性及防治方法的研究”获全国中蜂协作委员会科技成果奖，对胡蜂的生活习性及其防治方法的研究也取得了成果。此外，还编写和主编出版了科技书《怎样养蜂》、高校教学参考书《养蜂学》、《蜜蜂保护学》、《蜜蜂育种学》、《蜂产品加工学》、《蜜源植物学》及全国农民职业技术教育《养蜂》教材，并参与了多部专业书籍的编写与翻译。

（二）浙江大学蜂业研究所

浙江大学蜂业研究所，成立于1988年。附设有实验养蜂场和蜂王人工授精室，饲养蜜蜂100余群。该研究室实行教学、科研、生产服务相结合的工作方针。承担校内畜牧专业养蜂学和蜂产品加工学的教学任务，同时为有关专业开养蜂学选修课。还为各地举办养蜂技术培训班，并受聘为外地业务部门讲课。自建室以来独立完成或协作完成的主要研究项目有：蜂产品新型制品的开发，人工花粉育蜂灵的研制与利用，蜂王浆高产全塑台基条的研制与推广，蜜蜂为柑橘、棉花授粉增产机理的研究等。其中3项已大面积推广应用，效益显著，被授予浙江省科技成果奖；90 年代初选育成功的“浙农大 1 号蜂王”获 1995 年国家发明二等奖。该研究室与印度尼西亚、朝鲜、日本、美国等同行进行技术交流，向外输出种蜂王和养蜂技术。

（三）云南农业大学东方蜜蜂研究所

云南农业大学东方蜜蜂研究所，成立于 1985 年。1988 年开始在云南、广西、重庆、黑龙江、山东、辽宁、四川和湖南等省（区）市招收三年制蜂学专业学生，到 2000 年已毕业 220 名，在校生 120 名。还举办多期蜂业技术培训班，并承担其他专业养蜂学、蜜蜂授粉学、蜂产品加工学教学任务。此外，开展了蜜蜂属及东方蜜蜂、蜂产品开发及花粉生产技术、蜜蜂授粉、蜂产品在畜牧兽医上的应用等多项专题的研究，其中 8 项研究成果获奖。

（四）山东农业大学养蜂教研室

山东农业大学养蜂教研室，成立于 1986 年。设有实验蜂场、蜂产品加工厂、蜂产品和蜂具门市部，以及山东省蜜蜂育种站和山东省蜂业协会等附属机构。该教研室本着教学、科研、生产、技术服务相结合的方针，开展多方面的工作，常年承担畜牧、兽医、畜牧师范、果树、蔬菜等本科和畜牧兽医专科等专业的养蜂学教学任务。蜂业教学工作曾获山东省教育委员会的优秀教学成果奖。每年招收硕士研究生 1 ~ 3 名，还接受有关业务部门委托举办养蜂技术培训班。已开展的科研课题主要有蜜蜂良种选育及蜂产品加工制品的研究。蜂产品加工厂年产值 200 余万元，主要品种有口服蜂乳、王浆花粉蜜等，蜂蜜、蜂王浆及加工制品除在国内销售外，还部分出口。蜜蜂育种站每年生产良种蜂王 1 000 余只，供应国内并有少量出口。全室科技人员面向全省，广泛开展技术咨询服务工作。

（五）扬州大学蜜蜂产品研究室

扬州大学蜜蜂产品研究室，成立于 1987 年。承担畜牧专业养蜂学和兽医专业蜂病防治及检疫学教学任务。此外，还不定期举办养蜂技术培训班。研究室附设有蜜蜂产品实验加工厂，所生产的加工制品销往国内各地并部分出口国外。

二、中等专业学校

全国农业中等专业学校中开设养蜂学课程的有 30 余所。另有 2 所学校设有养蜂专业。此外，还有少数商业类中等专业学校开设蜜蜂产品学课程。

（一）陕西省农业学校养蜂专业

陕西省农业学校养蜂专业，成立于 1979 年。主要任务是为蜂业界基层单位培养中级养蜂技术人才，实行跨省统招统一分配。招收初中毕业生，学制 3 年。全学程共开 25 门课程，其中主要课程有：蜜蜂生物学、蜜源植物学、养蜂机具学、蜜蜂饲养管理学、蜜蜂病敌害防治学、蜜蜂育种学、蜜蜂产品学、农业经营管理学。专业开办以来共在10个省、自治区招收7期学员，毕业生245名，分配到基层蜂业单位，从事养蜂技术、蜂产品加工、蜂业管理等工作。设有4个教学实验室和1个实验蜂场。

（二）黑龙江省牡丹江农业学校养蜂专业

黑龙江省牡丹江农业学校养蜂专业，成立于1985年。主要任务是培养中级养蜂技术人才，跨省定向招生、定向分配，招收高中毕业生，学制2年。主要课程有蜜蜂生物学、蜜源植物学、蜜蜂饲养学、蜜蜂保护学、蜜蜂育种学、蜜蜂产品学、蜂业经济及管理等。至1998年共招收12期学员，分配到16个省、自治区的企、事业单位，大部分从事蜂业管理和技术工作。学校设有养蜂教学实验室、蜜蜂育种研究室、蜂产品质量检验室和实验种蜂场，饲养蜜蜂100多群，有2处教学、科研基地。多年来开展蜜蜂育种、蜂产品质量检验技术、蜂花粉种类鉴定等方面研究工作；举办各种形式的培训班10多期，为省内外培养蜂业在职技术人员近300名；面向全省为养蜂生产和蜂产品质量检测提供咨询服务和定点技术服务。

三、农业职业中学的蜂业教育

养蜂重点地区的部分县办农业职业高中，开设养蜂技术课。还有些学校不定期招收养蜂专业班学员，学制为2～3年，在校期间除开设文化课外，重点讲授养蜂课程，进行养蜂技术实验实习。学员毕业后具备从事养蜂生产的能力。湖南省平江县农业职业中学、隆回县农业学校等还协助养蜂专业学员自办蜂场，一批学员成长为新一代养蜂生产者。

四、蜂业的成人教育

蜂业成人教育的主要形式是岗位技术培训。分为全国、省（区）和基层3个层次。

（一）全国性培训班

全国性蜂业培训班，由国家蜂业主管部门和中国养蜂学会主办，或委托有关科研、教学单位举办，主要目的是提高在职人员的业务技术和理论水平，更新知识，以适应蜂业发展和岗位工作需要。培训内容包括蜂业基础理论、新技术、新经验。一般聘请高级专家和教授讲课，培训时间以内容而定，短则数周，长则几月。已举办过的培训班有：养蜂学师资、蜂业管理、产品加工与经营、养蜂新技术、蜜蜂育种技术、蜂病防治及检疫技术、蜂产品开发及质量检测、蜂疗及蜂针疗法等，总计90多期，培训技术骨干3 000余人次。

（二）省级培训班

省级蜂业培训班，由省蜂业主管部门主办，多以省（区）为单位，也有省间联办。这级培训班多结合各地实际工作需要确定内容。一般时间较短，培训对象是县级蜂业管理人员和企事业单位的业务、技术人员。全国各省、自治区、直辖市每年总计举办5～10期，培训200～400人次。

（三）基层培训班

蜂业基层培训班，主要由县级蜂业主管部门或委托蜂业协会主办。培训对象是养蜂生产者和蜂业企业技术工人。培训时间一般较短，基本内容是技术经验交流和新技术推广。目的是解决生产中存在的实际问题，吸取新技术，提高生产水平和生产者的素质。全国各地每年举办这类学习班多达数百期，参加者达数千人次。

五、师资培养与教材建设

为适应蜂业教育发展的需要，中国自20世纪50年代起开始有计划地培养专业教师和组织教材编写工作。20世纪80年代全国已有一支由100余名蜂学专业教师组成的师资队伍，他们为当代中国蜂业培养出一大批专业人才，并将为中国蜂业发展做出更大贡献。

（一）师资培养

我国培养和提高蜂学专业教师水平的基本方式是：举办教师训练班，离职进修，在教学、科研和生产实践中提高。

1958～1960年，农业部在辽宁省锦州农业学校、江西省向塘种蜂场和中国农业科学院养蜂研究所，先后开办了3期养蜂师资训练班，为全国农林院校培养养蜂师资200名，学习时间1年。这批教师已成为20世纪70年代养蜂教学骨干力量。20世纪60年代以后又有多批教师参加了各级举办的专业培训班或离职到有关高等院校进修。20世纪70～80年代，福建农学院、新疆石河子农学院还派出4名教师去罗马尼亚进修。更多的教师是通过长期的生产实践，不断提高理论水平和专业技术。

（二）教材建设

我国大中专院校的蜂学类教材，由农业部教育司组织编写，1954～1957年，农业部农业教育处翻译出版了苏联中等农业技术学校《养蜂学教学大纲》和《养蜂学》等教材。1958年和1961年，农业部两次组织编写出版了全国中等农业学校《养蜂学》教材。1981年编写出版了高等农业院校教学参考书《养蜂学》。1984年出版了全国统编农民职业技术教育《养蜂》教材。1990～1998年农业部教育司又组织编写了高等农业院校《蜜蜂产品学》、《蜜蜂育种学》、《蜜蜂保护学》、《蜜蜂机具学》、《蜂产品加工学》、《蜜源植物学》等教材。此外，全国各地院校还编写了一批校内自用蜂学各科讲义。1958～1959年河南省、陕西省还编写了地方中等农业学校教材《养蜂学》。

第四节 研究机构

新中国成立之后，国家就注意到发展养蜂业科学研究。1957年国家根据农业部和教育部召开的养蜂工作座谈会提出的建议，开始建立国家级和重点养蜂省的养蜂科学研究机构。从此中国养蜂科学研究步入新时期。

1978 年中共十一届三中全会以后，我国的养蜂科研事业同其他行业的科研事业一样，迈入了一个新发展阶段，全国有 2 000 多名蜂业科技工作者，就养蜂业发展的各方面难题进行攻关研究，取得了丰硕的成果。

一、专业研究机构

（一）中国农业科学院蜜蜂研究所

中国农业科学院蜜蜂研究所创建于 1958 年，1989 年以前称中国农业科学院养蜂研究所，是国家级蜂业综合性研究机构，所址设在北京香山。首任副所长为李俊（正所长空缺），现任所长为张复兴研究员。全所现有 98 名工作人员，其中高级研究人员 33 名，中级研究人员 16 名。内设养蜂系、蜂产品系，农业部蜂产品质量监督检验测试中心、昆虫授粉中心、蜜蜂育种中心、《中国养蜂》杂志编辑部，中农蜂业技术开发公司，附设有蜂产品加工中试车间、蜂药厂及蜜蜂育种保种基地，中蜂实验场和 2 个意蜂实验场等，饲养蜜蜂几百群。

该所的研究方向与任务是：面向全国，以应用研究为主，有重点地开展应用基础理论研究，大力加强开发研究；围绕蜜蜂、蜜源及蜂产品等科学技术问题，开展蜜蜂遗传育种、饲养管理、病敌毒害防治、蜂产品加工、蜂机具及综合利用新技术的研究；承担国家、部院下达的科研任务；接受企业委托的专项研究任务；参与国内外学术交流、合作研究，编辑出版蜂业书刊。还招收培养硕士研究生。建所以来，共完成 68 项专题研究任务，其中 36 项获奖，2 项获发明专利权，14 项取得实用新型专利权。1958 ~ 1999 年共发表学术论文 200 余篇，其中 40 余篇在国际学术会议上交流或刊载于国外学术期刊上。1958 ~ 1999 年，共举办养蜂技术、蜜蜂育种、蜂病防治与检疫、蜂产品质量检测等技术培训班 36 期，培训蜂业技术人员 1 600 人次；研制推广新型蜂具 9 种 7. 4 万台件；供应蜜蜂良种蜂王 1 万余只，蜂药 13 种。

（二）吉林省养蜂研究所

吉林省养蜂研究所建于 1983 年，前身系吉林省延边养蜂试验站。所址设在吉林市丰满街，隶属吉林省畜牧局。所长为葛风晨研究员。所内设有蜜蜂育种、蜜蜂产品、蜜蜂保护 3 个研究室。附属有养蜂实验场、育王场、蜂产品加工厂等。全所现有职工 102 人。建所以来共完成 20 多项专题研究任务，其中 5 项获国家、部及省级科研成果奖；编辑专业书籍 9 本，发表学术论文 74 篇，其中 14 篇在国际学术会议上交流。育王场保存 9 个蜜蜂原种，已选出 7 个优良纯系，配制高产杂交种 4 个，其中"喀（阡）黑环系蜜蜂"1992 年获国家科技进步二等奖。共向国内推广良种蜂王 6 万只；研制出蜂产品系列制品 20 种，已有 9 种投入生产。吉林省蜂业产品管理监督站和吉林省蜜蜂育种场设在所内。

（三）江西省养蜂研究所

江西省养蜂研究所建于1959年，隶属于江西省农牧渔业厅，所址设在江西省南昌县，属企业管理型事业单位。现任所长饶奇生。内设蜜蜂育种、蜜蜂病虫害防治、蜜蜂饲养管理、蜜蜂产品等4个研究室及情报资料室和《养蜂科技》编辑室。附设有江西省种蜂场、江西省蜂具厂、江西省蜂产品制剂厂、江西省蜂业公司、江西省蜂产品质量检测站。江西省养蜂学会和江西省蜂产品协会也依托于该所。

全所共有职工401人，其中科技人员67名。主要任务是开展蜂业领域的应用技术研究，为全省提供养蜂技术服务。1984～1999年共开展10多项课题的研究工作，其中5项获省级科技进步奖。还受农业部和省内有关部门委托举办20余期养蜂技术培训班。蜂产品加工厂生产三宝精、人参蜂王浆、王浆口服液等多种加工制品。蜂具制造厂生产各种养蜂用具。饲养蜜蜂1 100群，种蜂场每年培育几百只优良杂交种蜂王。1986年在遂川、余干等县推广中蜂活框饲养技术，举办多期培训班，培训养蜂员数百人。20世纪80年代以来曾与日本、印度尼西亚等国同行开展养蜂科技交流活动。

（四）甘肃省养蜂研究所

甘肃省养蜂研究所建于1979年。所址设在天水市。全所职工39人。该所以应用研究为主，研究内容包括蜜蜂生物学、杂种优势利用、饲养管理技术、蜜源植物及流蜜预报、蜂产品开发利用、蜂病防治等，还为养蜂生产提供技术咨询服务，如中蜂活框饲养技术推广及蜂产品基地的技术指导等。建所以来共完成15项课题研究任务，其中4项获奖；举办技术培训班36期，共培训1 850人次；完成了全省蜜源植物调查任务，提出了蜜源区划，编写出版了《中蜂资料汇编》、《甘肃蜜源植物志》等书籍。

（五）北京市蜂产品研究所

北京市蜂产品研究所建于1986年，所址设在北京市丰台，隶属北京市商业局，下设研究部、技术部、检测部、情报信息部。全所现有职工36人。主要从事蜂产品应用基础、加工工艺、技术设备、质量检测方法等方面的研究，并承担国家和行业蜂产品质量标准制定任务。建所以来共完成5项蜂产品工艺课题的研究任务，其中2项获商业部和北京市科技进步奖。已有多项技术向国内企业转让，并取得良好的经济效益和社会效益。

（六）其他

中国蜂业研究机构除上述外，有的省、自治区设有各级蜂业研究所（室）。如连云港市蜂疗研究所、黑龙江养蜂试验站、西安花粉研究所、四川成都养蜂研究所、陕西延安养蜂试验站、宁夏回族自治区固原养蜂试验站、甘肃省定西养蜂试验站等。

在农牧业研究机构和大专院校中，也设立了蜂业研究单位。如北京市农林科学院畜牧研究所蜜蜂研究室、广东省昆虫研究所蜜蜂研究室、陕西省农业科学院禽蜂研究所、四川省农业科学院蜂兔研究室、贵州省农业科学院养蜂研究室、云南省蚕业研究所养蜂研究室，以及上海同济大学同济花粉应用研究中心等。

二、科技协作组织

20 世纪 70 ~ 80 年代，蜂业科研协作组织主要有两种形式：一是以专题研究组成的协作组，包括国内与国际间的协作研究；二是研究单位间的长期研究工作协作组织。

（一）全国蜜蜂育种协作组

全国蜜蜂育种协作组，成立于 1982 年，由农业部牵头，全国各地 19 个蜜蜂育种单位参加，中国农业科学院养蜂研究所为组长单位，协作的目的是选育出适合各地的蜜蜂良种，协作内容包括交流经验、通报信息、技术帮助、合作攻关等。

（二）蜜蜂工程育种联合体

蜜蜂工程育种联合体，成立于 1984 年，有 6 个蜜蜂育种单位参加。协作目的是根据蜜蜂育种专家周崧设计的“蜜蜂工程育种方案”，选育工程育种用的蜜蜂育种素材。

三、科研进展与方向

20 世纪 50 年代以来，蜂业科研从无到有，由少到多，由浅到深，日渐进步，特别是 20 世纪 80 年代以后，发展迅速，成果源源不断。全国各蜂业或与蜂业有关的科研单位共完成数百项科研课题的研究任务，相当多科研成果已在生产中大面积推广应用，取得可观的经济效益和社会效益，对推动我国蜂业生产水平的提高发挥了重要的作用。有 200 多项成果获得各级政府和有关部门的奖励。全国科技工作者共发表有关蜂业的论文 1 500多篇。在国外有关刊物和各种国际学术会议上发表和交流的有 300 多篇。1981 ~ 1999 年，仅中国养蜂学会及所属的各专业委员会学术交流会评比的优秀论文就有 250 多篇。中国蜂业在一些领域的研究水平和成果已达到世界先进水平，如蜂王浆生产技术、蜂王浆高产品种的选育、蜂针治疗疾病、蜂产品保健食品及蜂病防治等。

20 世纪 50 ~ 80 年代，中国蜂业科学研究取得的成绩可概括为以下几个方面：

研究出一套以饲养强群、提高产量为目的的养蜂技术和经验，并在各地推广应用；研究成功适合中国特点的长途转地安全运蜂技术；研究成功蜂王浆生产及高产技术，这一技术在全国普及后，使我国很快成为王浆生产和出口第一大国，使养蜂经济效益成倍提高；总结出一套比较完整的活框饲养中蜂的技术和过箱技术，使中蜂活框饲养技术达到规范化程度。

（一）蜂种资源和蜜蜂良种选育方面

蜂种资源和蜜蜂良种选育方面，完成了对境内蜂种资源的考察工作，基本摸清了资源的种类、分布情况；突破意蜂和中蜂的人工授精技术并在育种工作中加以应用；引进一批西方蜜蜂新品种，并以此为素材，培育一批杂交种和新品种；研究成功适合我国国情的推广蜜蜂良种的新方法——“输送卵虫法”和“轮回配套换种法”。

（二）蜜蜂病虫害防治研究方面

蜜蜂病虫害防治研究方面，摸清了大、小蜂螨生活习性和繁殖规律及危害蜜蜂的机理，并在此基础上研制、筛选出了几种有效的治螨药物；摸清了茶树、油茶花期蜜蜂中毒的原因，提出了茶树、油茶花期防止中毒的有效方法；对多种蜂病和新发病的病原、流行规律及预防方法也进行了研究，并取得一些阶段性成果。

第五节　蜂产品质量检测机构

我国现有国家级蜂产品质检机构 1 个，另有 3 个部级蜂产品质检机构，这 4 个蜂产品质检机构都通过了国家标准化行政主管部门和有关部（社）的认证，都是具有直接对社会发布具有法律效力的蜂产品检验公正性数据的检测机构。除此之外，隶属于国家和口岸出入境检验检疫局系统的蜂产品检测机构（室、科、组等）还有多家，这些检测机构与前 4 家检测机构职能有别，它们不具有对社会发布有法律效力的检验数据的授权。

一、国家蜂产品质量监督检验中心

该中心是国家技术监督局授权并认证的法定蜂产品质量监督检验机构。是 1993 年在原商业部蜂产品质量检验中心的基础上建立的，也是全国蜂产品监督、检验惟一的国家级中心。其职能是：接受国家标准化行政主管部门的指导和委托，负责本行业产品国家标准的制定、修订、审查和复审，负责对本行业产品质量的监督和检查，承担或协助本行业地方标准、企业标准的制定、审查和咨询以及其他授权的技术服务。中心建立后，已多次接受并完成国家技术监督局下达的蜂产品质量抽查任务，引起国内社会的广泛关注和反响，发挥了很好的监督作用。此外，中心还充分发挥自身的技术优势，在协助行业协会做好产品质量监督、帮助本行业企业提高产品质量方面也做了大量工作。

中心技术力量雄厚，配备有多台先进的检验和分析仪器，工作环境良好，并以北京市最大的蜂产品企业——百花蜂产品公司为依托。中心主任兼技术负责人为李子健，中心地址：北京市丰台区万寿寺 256 号。

二、农业部蜂产品质量监督检验测试中心（武汉）

该中心于 1991 年通过国家技术监督局计量认证和农业部机构审查认证，是农业部第一家能直接对社会发布具有法律效力的蜂产品检验公正性数据的检测机构。1998 年再次通过国家计量认证和农业部机构审查认证。中心的职责是：承担农业部及其他有关部门指定的蜂产品质量监督、抽查检验，优质蜂产品的评选、鉴定和复查检验；对实施生产许可证和质量认证的产品进行检验；承担行业产品质量仲裁检验或委托检验；承担或参与国家标准、行业标准、企业标准的制定、修订及审查和咨询；对地方同类产品质检机构进行技术指导和人员培训。

中心成立后，先后承担了农业部瓶装蜂蜜统检、首届及第二届中国农业博览会蜂产品检验、国际蜂产品博览会中国参展蜂产品检测、1999 年中国国际农业博览会蜂产品名牌产品认定检测等一系列全国性蜂产品检测活动。此外，还先后参与湖北省多届蜂产品质量统检活动。

中心位于湖北省武汉市洪山区珞狮路王家湾，建筑面积 300m^2 以上。配有先进的检验和分析仪器。技术力量较强。中心主任王盛桥，副主任兼技术负责人詹连生。该中心以湖北省扬子江蜂业公司为依托，同时也是湖北省蜂产品中心质检机构。

三、中华全国供销合作总社广州蜂产品质量监督检验测试中心

该中心 1997 年通过国家技术监督局、广东省技术监督局计量认证和全国供销合作总社的机构审查认证，是中华全国供销合作社系统惟一的能发布具社会法律效力公正性检验数据的检测机构。中心的职责是：承担全国供销合作总社或其他有关部门指定的蜂产品质量监督、抽查、检验，优质产品的评选和复查检验；受总社委托，对实施生产许可证和质量认证的产品及企业进行检验；对地方同类产品质检机构进行技术指导和培训；研究新的检测技术和方法；承担或参与国家标准、行业标准、地方标准和企业标准的制定、修订和有关标准的试验验证工作。

该中心可进行蜂产品原始产品和蜂产品加工品的 100 多项常规项目、理化项目、微生物项目的检测，同时，还能进行有毒物质、农药残留、药物残留等 50 多项特殊项目检测。

中心高、中、初级人员配套，检测设备完善先进，环境良好，检测操作规范化，各种硬件和软件均达到部级质检中心规定的各项要求。

中心挂靠广州市蜂产品研究所，地址：广东省广州市三元里北站路。中心主任潘建国博士，副主任兼技术负责人郑尧隆。

四、农业部蜂产品质量监督检验测试中心（北京）

该中心 1998 年筹建，2001 年初通过国家技术监督局计量认证和农业部机构审查认证，是农业部第二家能直接对社会发布具有法律效力的蜂产品公正检验数据的检测机构。中心主任为张复兴研究员，副主任兼技术负责人为赵静副研究员。中心建筑面积 400m^2 以上，配备 60 多台 20 世纪 90 年代国际先进的检测和分析仪器。技术力量雄厚，高级技术人员 6 人，中级技术人员 2 人。

该中心是农业部为配合我国加入 WTO 的需要而授权的又一家蜂产品检测机构，其职责除与农业部武汉蜂产品质量检测机构承担相同的任务外，还增加了对农业部系统蜂产品企业定级、升级产品检验和产品质量分等、分级鉴定和检验、产品质量跟踪、监控，以及农业部系统企业对外出口产品质量检定和认定。此外，中心还依托中国农业科学院蜜蜂研究所雄厚的科研实力，开展信息咨询、技术咨询、新产品研制、质量控制、企业产品标准制定、人员技术培训等多项服务。

该中心地址：北京香山卧佛寺西侧。

第六节 学术团体

1979 年以来，中国已建立的全国性蜂业社团组织有中国养蜂学会、中国蜂产品协会和全国中蜂协作委员会。这些蜂业社团组织，不仅已成为政府主管业务部门的得力助手，而且在开展学术交流活动、组织协作研究、培训专业人才、沟通蜂业信息、促进蜂产品流通及推动地方学会建设等方面，都做了大量工作。

一、中国养蜂学会

中国养蜂学会于 1979 年 6 月在北京成立。它是全国性跨部门、跨行业的蜂业工作者的学术性群众团体，是全国性一级学会，和全国各级地方养蜂学术团体有密切的业务指导关系。它的主要任务是组织全国养蜂学术活动，普及养蜂科学知识，开展国际养蜂学术交流与合作。日常办事机构——秘书处设在北京香山中国农业科学院蜜蜂研究所内。中国养蜂学会还是国际养蜂工作者协会联合会的会员。第一届理事长为马德风研究员，现任理事长为张复兴研究员。目前有会员 1 400 多人，团体会员 100 多个。

中国养蜂学会有蜜蜂饲养技术与装备、蜜蜂保护、蜜蜂生物学、育种、蜂产品、蜜源与授粉、蜂疗保健等 7 个专业委员会。

中国养蜂学会每 4 年举行一次全国会员代表大会，至今已举行了 5 届。各专业委员会每 1 ~2 年举行一次学术交流会。内容包括蜜蜂的科学饲养、蜜蜂遗传育种、蜜蜂病敌害防治、蜜源植物与授粉、蜂产品在医疗保健方面的临床应用、蜂产品优质高产经验、蜂产品的开发利用和中蜂活饲养技术等。

中国养蜂学会 1985 年 10 月正式加入国际养蜂工作者协会联合会，并首次以正式会员国资格参加了在日本名古屋召开的第三十届国际养蜂会议。此后，历届会议均派团参加。1998 年正式加入亚洲养蜂协会，并首次以会员国资格出席了在尼泊尔首都加德满都召开的亚洲养蜂协会第四届年会。中国养蜂学会加入国际养蜂工作者协会联合会和亚洲养蜂协会，大大提高了我国养蜂业的国际地位和影响。

二、中国蜂产品协会

中国蜂产品协会前身为中国食品工业协会蜂产品专业协会，成立于 1989 年 2 月。1991 年 12 月经民政部批准，上升为一级协会并正式定名为“中国蜂产品协会”。业务主管为商业部（现为国内贸易部）。秘书处设在北京西直门太平庄村 54 号。中国蜂产品协会宗旨是：协助主管部门对蜂产品行业进行统筹规划、协调服务，推动各个环节之间的横向联系，疏通和规范流通渠道，促进蜂产品加工、贮运技术现代化，提高产品质量，加快蜂产品开发利用，维护本行业合法权益。

中国蜂产品协会下设蜂蜜、蜂王浆、花粉、蜂胶、生产指导和蜜蜂文化等 6 个专业委员会，中国蜂产品协会每 4 年召开 1 次全国会员大会，主要议程有：确定协会工作方针，听取和审查理事会的工作报告，选举理事会，修改协会章程。自 1989 年召开第一届全国会员代表大会以来，中国蜂产品协会已召开了3届会员代表大会，目前有会员900名，会员单位100多个。首届协会理事会会长为韩村光，秘书长为乔廷昆；现任会长罗梦传，秘书长乔廷昆。中国蜂产品协会成立11年来在蜂产品信息预测、交流，行业技术咨询服务，技术交流和新技术推广，承办蜂产品展销、评优活动，监督和检查全国蜂产品质量，组织各类型培训班、学习班等方面都做了大量的工作。中国蜂产品协会与中国养蜂学会协作配合，每年轮流主办1次全国蜂产品信息交流会。有力促进了中国蜂产品行业的技术进步和养蜂生产的发展。

三、全国中蜂协作委员会

全国中蜂协作委员会于1980年5月正式成立，它是全国中蜂主产省（自治区）科研、教学、生产、管理、加工单位参加的全国性技术协作组织。依托单位为农业部畜牧司。其宗旨是：通过协作研究解决中蜂生产和产品开发中亟待解决的技术问题，提高饲养中蜂科学技术和管理水平，促进生产发展。

1980年5月，在贵州省遵义市召开南方中蜂主产区第四次协作会议。一致同意在中蜂协作组的基础上，组建全国中蜂协作委员会，制定了《全国中蜂协作委员会章程》。经过协商，第一届中蜂协作委员会由广东、云南、广西、福建、贵州、湖南、四川、陕西、江西、湖北、甘肃及中国农业科学院养蜂研究所、福建农学院、广东省昆虫研究所等14个省（自治区）和单位组成，推选云南省畜牧局为主任委员单位。经报请农业部批准，全国中蜂协作委员会归口农业部畜牧司领导。

1984年5月，在湖南省长沙市召开第二届全国中蜂协作委员会和第二次科技经验交流会，有16个协作省（自治区）和单位出席，并邀请宁夏、河南、山西、青海、吉林、江苏等省（自治区）参加，代表共计151人。大会一致通过第二届中蜂协作委员会主任委员由云南畜牧局担任。1988年8月，在四川省成都市召开第三届全国中蜂协作委员会会议，会议对《全国中蜂协作委员会章程》进行了修改，选举产生了由40名委员组成的第三届委员会。第三届委员会推选甘汝云为会长、匡邦郁为秘书长，第四届、第五届委员会由匡邦郁担任会长。

10多年来，据不完全统计，全国中蜂协作委员会组织了40多个单位参加的20多个课题的协作研究；共召开了7次全国性经验交流会和3次全国科技经验交流会，参加人员共计1 203人。共获得20多项部、省（自治区）、地区（州）级科技成果奖；发表论文和科技文章200多篇，编辑出版了《中华蜜蜂论文集》，出版专著20余种，编印科普资料30多种，摄制了《蜜蜂王国》等电影、录像片共21部；编辑出版的《蜜蜂杂志》在国内、外发行。全国中蜂协作委员会成立以来，在促进中蜂生产和科学研究水平的提高，先进技术的普及推广以及中蜂科技队伍建设等方面做了许多扎实的工作，取得了可喜的成绩，为发展中国蜂业做出了贡献。

除了上述三大蜂业团体机构外，在中国养蜂学会和中国蜂产品协会成立后，各省、市、县的养蜂学会或协会也相继成立，截至1999年，全国建立有养蜂学会、协会的有北京、天津、上海、重庆、河北、山西、内蒙古、辽宁、吉林、黑龙江、江苏、浙江、安徽、福建、江西、山东、广东、广西、湖南、湖北、河南、四川、贵州、云南、陕西、甘肃、宁夏、新疆等28个省（市）、自治区。各地、市、县级养蜂学（协）会也发展到几百个，拥有会员数万人，形成了中国蜂业工作网络。

第七节 蜂业出版物

在中国古代书籍中，论述蜜蜂者不下数十部，其中对蜜蜂分类、蜂群生活、养蜂方式、蜂产品采收和利用、蜜蜂医疗保健、养蜂事迹等均有记述。专论蜜蜂的书籍出现在清代。20世纪初，蜂业著作日渐增多。20世纪50年代以来，随着养蜂业的发展，各类蜂业书刊和影片大量出版，各类蜂业出版物在普及养蜂知识、提高养蜂科技水平、传播蜂业生产经验等方面起到了重要作用，促进了中国养蜂生产与科教事业的发展。

中国蜂业出版物有杂志、书籍和影视片三大类。

一、杂志类

20世纪，中国已出版发行过20余种蜂业刊物，其中公开出版的蜂业刊物有4种。

（一）《中国养蜂》

《中国养蜂》，创刊于1934年，原刊名《中国养蜂杂志》，由北平李林园养蜂场主办，第一任主编黄子固先生。1958年由中国农业科学院养蜂研究所接办，改刊名为《中国养蜂》。现为双月刊，现任主编叶振生。该期刊是全国发行量最多、影响面最广的蜂业刊物，在国际上也有相当的影响。办刊的基本方针是：紧密结合养蜂生产，理论联系实际，普及与提高相结合。杂志用13个栏目报道全国养蜂科研成果、新技术、新动态，还辟有世界养蜂科技和国外养蜂文摘两个专栏，向读者及时提供国内外养蜂科技信息。国内外公开发行。

（二）《蜜蜂杂志》

《蜜蜂杂志》，创刊于1981年，原为全国中蜂协作委员会的机关刊物，月刊。现任主编罗辅林。编辑部设在云南省农业科学院内。办刊宗旨：宣传国家养蜂生产的方针政策，传播蜜蜂授粉知识，普及交流养蜂科学技术，为促进中国蜂业的发展服务。其办刊方针是科普为主结合提高，竭诚为读者服务。辟有20多个栏目，适于各方面读者参考。国内外公开发行。

（三）《养蜂科技》

《养蜂科技》，1982年创刊，1988年公开发行，办刊初期为季刊，1995年改为双月刊，现任主编饶奇生。编辑部设在江西省养蜂研究所内。办刊宗旨：普及与提高相结合。特点是以推广养蜂和蜂产品开发新技术与新经验为主，注重适用。辟有蜜蜂饲养管理、蜂病防治、蜜源植物、蜜蜂育种、蜂产品及其利用、蜂业信息、小经验和国外蜂业学术论文等栏目。

（四）《湖北养蜂》

《湖北养蜂》，季刊，1975 年创刊，编辑部设在湖北省畜牧局，1986 年公开发行。辟有养蜂经验、蜜源植物、蜂病防治、饲养技术、蜜蜂育种、产品开发、蜜蜂医疗、技术监督、国外养蜂、各地动态等 10 余个栏目。1993 年停刊。

二、书籍类

20 世纪中国出版发行的蜂业书籍，据统计近 400 种，其中大部分是 50 年代后出版的。此外，各地印发的参考材料约百余种。这些书籍分藏于全国各地图书馆中。

已出版的蜂业书籍大体可分为 10 类。

（一）教材与教学参考书类

教材与教学参考书类，约 30 种，主要有：福建农学院主编的高等农业院校教材《养蜂学》、《蜜源植物学》、《蜜蜂机具学》、《蜜蜂保护学》、《蜂产品加工学》、《蜜蜂育种学》，山东农业大学主编的《蜜蜂产品学》，山东省泰安畜牧兽医学校和山东省潍坊畜牧兽医学校分别主编的 2 本全国中等专业学校教材《养蜂学》。此外，还有 1925 年出版的《养蜂学》，1928 年出版的《最新实用养蜂学讲义》，1936 年出版的《养蜂学》，1937 年出版的《最新养蜂学》，1955 年出版的上、下两册《养蜂学》等教学参考书。

（二）综合技术类

综合技术类书籍有 100 多种。1949 年前出版的著作主要有：《实用养蜂全书》、《养蜂大意》、《最新养蜂法》、《实用养蜂法》、《经验养蜂法》、《养蜂大全》等。1949 年以后出版的有《农村养蜂法》、《养蜜蜂》、《实用养蜂》、《蜂群的饲养管理技术》、《现代养蜂与蜂产品加工》、《现代养蜂生产》、《养蜂手册》、《养蜂与蜂病防治》。特别是 1952 年出版的《养蜂法》已再版 6 次；1975 年出版的《养蜂手册》发行量逾百万册，1999 年又再版。

（三）中华蜜蜂饲养

关于中华蜜蜂饲养方面的书籍近 20 种，主要有：《中蜂管理法》、《本国蜂的改良饲养》、《养中蜂》、《中蜂的科学饲养》、《中蜂饲养的原理与方法》等。

（四）单项技术类

单项技术类蜂业书籍约 20 种，主要有：《蜜蜂人工分封法》、《蜂王浆生产技术》、《转地放蜂》、《双王群饲养法》、《巢蜜生产技术》等。

（五）蜂种、育王、育种类

蜂种、育王、育种类书籍约 15 种，主要有：《人工养王法》、《移虫管移虫育王法》、《蜜蜂良种选育》、《蜜蜂工程育种》、《云南蜜蜂志》、《蜂王培育技术》等。

（六）蜜蜂保护类

蜜蜂保护类书籍近 20 种，主要有《蜜蜂的疫病》、《蜜蜂病敌害的诊断及防治》、《蜂螨及其防治》、《蜜蜂的病虫害防治》、《中国蜜蜂病理及防治学》等。

（七）养蜂设备用具类

养蜂设备用具类书籍约 15 种，主要有《蜂具图说》、《改良蜂箱的制造和使用法》、《中蜂十框蜂箱》、《养蜂工具设备》、《蜂箱》等。

（八）蜜源植物类

蜜源植物类书籍约 15 种，主要有《云南蜜源植物》、《中国蜜源植物》、《西北蜜源植物及其利用》、《甘肃蜜源植物志》、《蜜源植物花粉形态与分析》、《花粉的研究与利用》、《花粉》等。

（九）蜜蜂产品及其加工类

蜜蜂产品及其加工类书籍约 40 种，主要有《蜂王浆》、《蜂胶》、《蜂蜜》、《蜂蜡》、《蜜蜂产品保鲜加工及利用》、《现代食用蜂产品》、《蜜蜂产品生产与加工利用》、《百病蜂针疗法》、《蜜蜂、健康、美容》、《神奇蜂胶疗法》、《蜂蜜疗法》、《蜂毒疗法》、《蜂胶疗法》、《蜂王浆、蜂花粉、蜂蛹虫疗法》、《当代蜂针与蜂毒疗法》等。

（十）翻译国外蜂业书籍类

翻译的国外蜂业书籍约 40 种，主要有《蜜蜂饲养法》、《最近蜜蜂实验饲育法》、《养蜂学》、《蜂箱与蜜蜂》、《蜜蜂的生活》、《蜂胶健康法》等。

此外，还有汇编、问答、知识、记事、儿童读物等 100 多种。

三、蜂业影视片

中国第一部养蜂电影片拍摄于 1958 年。至 1999 年已有 20 余部蜂业科技影视片问世，大体可分 3 类。

（一）蜜蜂科学知识类

1. **《养蜂》**　八一电影制片厂 1958 年拍摄。
2. **《蜂巢》**　上海科教电影制片厂 1980 年拍摄。
3. **《蜜蜂王国》**　上海电影制片厂 1980 年拍摄。
4. **《花粉与人类》**　林业部科技情报中心 1986 年拍摄。

（二）资源与蜜蜂授粉类

1. **《带翅膀的媒人》**　上海科教电影制片厂 1963 年拍摄。内容是介绍利用蜜蜂授粉增加农作物产量的科学知识。该片荣获“为农业服务奖”及1964年第三届亚非电影节特别卢蒙巴奖。

2.《养蜂促农》 长春电影制片厂1974年拍摄。内容是介绍经过蜜蜂授粉，促进农业增产的效果和科学道理。周恩来总理看后，对影片的评价是：“《养蜂促农》这部科教影片，很能启发人的思想”。1975年9月，西藏自治区成立10周年庆祝活动，周总理将《养蜂促农》影片作为礼物，委托中央代表团赠送给西藏人民。

3.《蜜源》 中国农业电影制片厂1981年拍摄。

4.《油茶与蜜蜂》 林业部科技情报中心1985年拍摄。主要内容是介绍蜜源植物油茶花蜜中含有生物碱K，蜜蜂采集后会引起中毒死亡，使用预防药物可以防止蜜蜂中毒，不但产蜜量明显增加，还通过授粉提高了油茶花坐果率。

此外，还有《山桂花蜜》、《蜂蜜之王——柃蜜源开发》、《蜜蜂飞进油茶林》、《云南野生蜜蜂》等。

（三）养蜂技术类

1.《防治蜂螨》 北京科教电影制片厂1964年拍摄。

2.《新法养中蜂》 中国农业电影制片厂1968年拍摄。主要内容是介绍活框中蜂箱的构造及中蜂新法饲养技术和效益。

3.《蜜蜂早春快速繁殖》 北京科教电影制片厂1985年拍摄。

4.《灭螨保蜜蜂》 北京科教电影制片厂1985年拍摄。主要内容有：大小蜂螨的生活习性、传播途径和对蜜蜂的危害，防治方法，中蜂抗螨能力。

还有《防止油茶花蜜中毒》、《王浆高产蜂种——平湖意蜂的繁育》、《蜜蜂脱粉器》。此外，还译制科教短片《蜜蜂的生活》、《蜜蜂的语言》、《蜂窝的数学》。

第八节 中国著名养蜂家

中华蜂业历史悠久，人才辈出，有我们的养蜂先驱和前辈，也有当今的后起之秀，他们以发展中国养蜂业为己任，像小蜜蜂一样辛勤耕耘，为我国养蜂业的不断进步做出不可磨灭的贡献，历史将铭记他们的功劳。限于篇幅，本书仅列出20世纪对中国蜂业发展做出杰出贡献和最有影响的13位代表人物。

张品南（1879～1927） 中国现代养蜂业的开拓者。1879年生于福建省闽侯县，晚清秀才。1912年冬，赴日本学习养蜂技术，1913年春，引进意大利蜂4群和现代养蜂工具及书刊多种，对推动中国现代养蜂业的发展起了重要作用。1915年其自办的三英蜂场改为闽侯县养蜂试验场，张品南任主任。以后曾受聘在福州市省立高等农林学校兼授养蜂学，举办养蜂学函授班，函授学生达数百人。1927年逝世。著有《养蜂大意》、《实用养蜂大意》，译著有《实验养蜂问答》、《养蜂采蜜管理法》、《实验养蜂历》。

冯焕文（1898～1958） 中国小动物研究专家，现代养蜂教育家。1898年生于江苏宜兴。1915 年就读于吴县荡口乡华绎之创办的华氏农业学校，1919 年赴美国留学，获农学硕士学位，1926 年回国。1927～1928 年间担任华氏农场主任。1929～1931 年为上海劳动大学副教授，开设养蜂学课程，传授现代养蜂技术。1932 年转入立达学园农村教育专科兼课，创办实验蜂场，举办养蜂训练班，1933 年转入致用大学农学院教授养蜂学。1939 年任南通学院教授，1949 年兼任农科主任，1952 年后担任苏北农学院院长兼畜牧兽医系教授。曾任中国畜牧兽医学会理事。1958 年逝世于江苏扬州。主要养蜂著作有：《实验养蜂学》、《养蜂图说》、《养蜂手册》、《养蜂学浅说》和译著《养蜂问答》。

黄子固（1896～1958）　中国现代养蜂家。湖北省江陵人。1911 年随父迁居北京。在北平财商专科学校毕业后，与李俊、陈剑星和兰雨田等人从事业余养蜂。1925 年开办李林园养蜂场并任场长。为了改变蜂具依赖进口的状况，他在 1926 年开办了蜂具制造厂，制造并销售巢础、隔王板、分蜜机等各种蜂具。与铁花雕刻工李德成一起，试制成功意大利蜂巢础机，销售到全国各地。1930 年又研制了中蜂巢础机，制造了中蜂巢础、中蜂隔王板，对中蜂采用活框蜂箱科学饲养起了重要作用。黄子固潜心研究蜜蜂饲养管理技术，重视蜂王的选育，1930 年引进一批纯种意大利蜂蜂王，1933 年又创办养王专场，每年培育优良蜂王 1 000 余只，供应全国各地。他毕生致力于科学养蜂技术的推广工作，1934 年春，创办并主编《中国养蜂杂志》，此刊一直延续到 1956 年移交给中国农业科学院接办，改名《中国养蜂》出版至今。1955 年底李林园养蜂场改名为北京养蜂场，他继续主持该场工作，直至 1958 年病逝。主要著作有《最新养蜂学》、《人工养王法》和《养蜂学》。

章元伟（1900～1987）　中国现代农学家、养蜂家。1900 年生于安徽省来安县。1924 年在南京金陵大学农科毕业后，留校任教，后赴美深造，1936 年获得美国明尼苏达大学农学硕士学位。

他在美国留学期间，学习了西方近代养蜂科学知识，并在蜂场实习，考察美国各地以及加拿大和日本的养蜂业。回国后沿中国铁路干线考察了中国华北和中南各省区的养蜂业。历任南京金陵大学教授兼农业教育系、农业推广部和农业专修科主任。在任教期间，曾亲自编写讲义，教授养蜂课程。他还在安徽滁县开办泰生蜂场，养蜂 200 多群，制造蜂箱、蜂具，对养蜂教育及农业推广起了很大作用。中华人民共和国成立以后，他在 1954～1965 年任山东齐鲁大学教授，山东农学院教授兼农学系主任，后又在山东昌潍农业专科学校任教。

章元伟先生 1963 年和 1981 年两次受聘参加中国农业科学院养蜂研究所的工作。1979～1984 年任中国养蜂学会理事。退休回到南京住所后，还参加南京农业大学遗产研究室工作，从事中国养蜂史及蜜源植物的研究。

李　俊（1901～1970）　中国农业科学院养蜂研究所（今蜜蜂研究所）创办人。1901 年生于北京。1923～1934 年业余养蜂，倡导现代养蜂技术。1937 年参加抗日战争以后，仍一直关心养蜂事业。中华人民共和国成立以后，于农业部任种子局副局长期间，曾主持养蜂科研规划的起草工作，筹备建立养蜂研究所。1957 年根据他的建议，农业部和农垦部联合召开了全国养蜂工作座谈会。会议明确了发展养蜂业的方针，提出了发展规划和措施。1958 年 10 月主持中国农业科学院养蜂研究所领导工作以后，组织全国广大养蜂科技人员协作研究，推动了养蜂科研和养蜂业的发展。他积极提倡蜜蜂授粉为农业增产服务。把有王群生产蜂王浆技术、电取蜂毒技术、王浆制剂和蜂毒疗法普及到全国。1960 年 1 月接受农业部委托，在四川省主持召开了全国改良饲养本国蜂现场会，促进了中蜂活框蜂箱科学饲养技术的普及。他还前往云南考察，组织 5 个省市支援云南和内蒙古地区发展养蜂业，为边疆少数民族地区的养蜂事业发展做出了贡献。1961 年当选为中国昆虫学会第二届理事会理事。

马德风　中国现代养蜂家。中国农业科学院蜜蜂研究所研究员。辽宁兴城人。1914 年生。1937 年开始学习养蜂，1942 年以后从事专业养蜂。1949 ~ 1956 年先后在辽宁省兴城、锦州两地农业部门工作，1956 年调农业部经济作物总局，任专职养蜂干部，1965 年调中国农业科学院养蜂研究所（今蜜蜂研究所）。1972 年主持蜜蜂育种研究室工作，1982 ~ 1988 年任副所长，其后被选为中国养蜂学会第一届理事会理事长、中国养蜂学会顾问组组长。

马德风在农业部任职期间，协助筹办中国农业科学院养蜂研究所、蜜蜂原种场、种蜂场、养蜂专业院校以及养蜂师资培训班等，为发展中国现代养蜂事业做了大量行政管理工作。

他长期致力于蜜蜂饲养技术研究和蜜蜂品种的改良、推广。20 世纪 40 年代末，研究成功多王联合饲养强群采蜜新技术，首创多用隔蜂板和多框风车式分蜜机，发表了一系列论著。1965 年领导中国农业科学院养蜂研究所试验蜂场，于 1967 年创造了一个蜂场平均每群（箱）蜂收取商品蜜 323.5kg、修造新巢脾 60 张、增殖蜜蜂 5 倍的高额产量。70 年代，主持蜜蜂新品种的选育工作，研究出了适合中国国情的快速、便捷推广蜜蜂良种的新方法——输送卵虫法，即将良种蜂王产的卵和幼虫提供给生产蜂场，由养蜂者自己移虫育王，育成的蜂王自然交配。这种方法推广后在蜜蜂杂种优势利用方面得到广泛应用，显著地提高了蜂产品的产量，1982 年被国家科委和国家农委联合授予农业技术推广奖。1956 年春他出席了全国农林水先进工作者代表大会，1978 年出席全国科学大会，获“在科学技术工作中做出重大贡献的先进工作者”荣誉称号和奖励；1985 年被中国科协评为农村科普先进工作者。

龚一飞　中国现代养蜂家。祖籍福州，1926 年生于厦门。20 世纪 40 年代，师从林青教授学习养蜂。1949 年，任福建农学院养蜂场场长，1959 年被聘担任由农业部在北京举办的第一届全国养蜂师资培训班教师，主讲蜜蜂生物学课程。1960 年，福建农学院创办二年制养蜂专业，出任养蜂教研室主任。1961 年，被福州市科学研究所聘为特约研究员。1965 年，主持举办了全国中蜂师资训练班，为推广中蜂科学饲养培养了骨干力量。

1978 年，福建农学院养蜂专业恢复招生，龚一飞任专业主任。1980 年，养蜂专业扩展为四年制本科，面向全国招生、分配。1981 年，福建农学院成立了全国惟一的蜂学系，龚一飞任系主任。

龚一飞从事养蜂教学、科研和生产 40 余年，在养蜂学上造诣较深。先后发表学术论文 30 余篇。1975 年，编著《怎样养蜂》一书，已印刷 6 次，发行 69 万册。1981 年，主编中国第一部高等农业院校《养蜂学》教材，获1977～1981年度全国优秀科技图书奖。1984年，主编全国农民职业技术教材《养蜂》，已印刷5次。2000年出版专著《蜜蜂分类与进化》，还参加编写了《养蜂手册》、《副业生产手册》，参与翻译了《蜂箱与蜜蜂》等。1982年，在龚一飞主持下，研究成功了中华蜜蜂人工授精技术，获福建省科技成果奖。1987年，被农牧渔业部聘为教材指导委员会畜牧学科组成员、蜂学专业组组长。

周　崧　中国现代养蜂家。北京市农林科学院研究员。江苏无锡人。1926年生。1958～1962年任中国农业科学院养蜂研究所研究室负责人。1962～1980年任北京市林业果树研究所副所长、所长。

周崧自1944年对养蜂即产生浓厚兴趣。嗣后，长期潜心于养蜂科学研究。50年代初因提出蜂王浆中可能含有活性物质，导致他日后脱离文化界，而成为以蜜蜂遗传育种为研究重点的科学工作者。1959～1961年，主持研究蜂王浆对幼虫遗传性的影响，进一步提出了蜂王浆中可能含有类核酸信息物质的设想。

1959～1966年，主持研究并获得积极结果的研究项目有：防止盗蜂的方法和蜂王人工授精技术；防盗蜂巢门的创制，于1987年获得国家专利；蜂王人工授精，于1964年在育种工作中得到实际应用。周崧在蜜蜂遗传育种方面的研究到80年代渐趋成熟，主要反映在蜜蜂工程育种（即蜜蜂育种数据库管理）系统原理和配套技术的提出，《蜜蜂工程育种》一书和1985年发表的“蜜蜂工程育种概论”都扼要地反映了这一成就。1979年被国务院授予“全国劳动模范”称号。

黄文诚　中国现代养蜂家。湖北省江陵县人，1929年出生于北京。中国农业科学院蜜蜂研究所研究员，中国养蜂学会第二、三届理事会副理事长。

黄文诚出生于养蜂世家，自幼受父亲黄子固的熏陶，酷爱养蜂事业。1948年参加李林园养蜂场工作。1950年开始参与并主持编辑《中国养蜂杂志》（后更名为《中国养蜂》），长达40年之久，为推动科学饲养蜜蜂，普及现代养蜂知识，促进中国养蜂业的发展，做出了积极贡献。1958年，中国农业科学院养蜂研究所成立以后，他曾担任蜜蜂饲养管理研究组组长、蜜蜂育种研究室副主任、饲养管理研究室主任、情报研究室主任、科研处处长、学术委员会主任等职。

1959～1962年，负责指导北京郊区养蜂生产，推广蜂王浆生产技术，促进了养蜂业的发展。

1961～1962年，主持“蜂群生产王浆和采取蜂毒与蜜蜂采蜜和繁殖的关系”研究项目。1964年，主持“蜂王人工授精技术的研究”，突破了向蜂王生殖道内注入精液时发生外溢的技术难关，85%以上的人工授精蜂王能正常产受精卵。1981～1985年，主持“笼蜂饲养技术的研究”课题，获中国农业科学院1986年度技术改进一等奖。他发表养蜂科技论文30余篇，1987年获中国农业科学院颁发荣誉编辑证书。主要著作有《养蜂学》（与黄子固合著）、《巢蜜生产技术》，译著有《蜂箱与蜜蜂》（与陈剑星等人合译）、《国外养蜂生产概况》。1994年，主编出版了《养蜂技术》、《蜂王培育技术》等多部专著，并主持修订了《养蜂手册》（第二版）。

范正友　中国现代养蜂家、中国农业科学院蜜蜂研究所研究员。四川省万县人。

1929年生。1960年调中国农业科学院养蜂研究所，任蜂保组组长；1979～1983年担任蜂保室主任。1984年任中国农业科学院养蜂研究所副所长，1986年任所长。从事养蜂科研工作以来，范正友主持过“雅氏瓦螨（大蜂螨）生活及防治方法”，“南方茶花蜜源的采集利用和防止蜜蜂茶花中毒”以及“蜂螨发生规律及有效控制途径”等研究课题。研制出了“敌螨”熏烟剂、“灭螨灵”合成熏烟剂，“强力”巢房熏蒸杀螨剂等多种有效杀螨药物，对保护蜜蜂的健康繁殖，促进养蜂生产的发展做出很大贡献。其中“南方茶花蜜源的采集利用和防止蜜蜂茶花中毒”研究成果，获1985年国家科委科技进步三等奖。

发表的主要论文有《论蜂螨的发生、传播及有效控制的生物学基础》、《蜜蜂茶花蜜中毒原因及有效防治措施》、《论蜂群分区管理的生物学基础及其在生产中的应用》、《论蜂螨一次性防治的生物学基础及其经济意义》等，参加了《养蜂手册》、《养蜂法》、《养蜂学》和《蜜蜂病敌害的诊断及防治》等专著的编写工作。

范正友1984年被聘为中国农业科学院第二届学术委员会委员，1987年被选为中国农学会第五届理事会理事。1979年当选为中国养蜂学会第一届理事会理事，1984年当选为中国养蜂学会第二届理事会副理事长兼秘书长，1989年继续当选为中国养蜂学会第三届理事会副理事长。

张复兴 中国现代养蜂家，中国农业科学院学术委员会常务委员，中国农业科学院职称评审委员会常务委员，中国农业科学院蜜蜂研究所所长兼党委书记，中国养蜂学会理事长兼秘书长，亚洲蜂联副主席。

1942年3月5日出生于河南。1965年武汉大学生物系毕业，到中国农业科学院养蜂研究所（现更名为蜜蜂研究所）工作至今。1980年3月任助理研究员，1984年3月任蜂产品研究室副主任，1992年3月晋升为副研究员，1994年4月任所长，1994年11月任中国养蜂学会第四届常务副理事长兼秘书长，1996年兼党委书记，1997年晋升为研究员，1999年11月被选为中国养蜂学会第五届理事长兼秘书长，2000年12月兼任农业部蜂产品质量监督检验测试中心（北京）主任。

张复兴长期从事蜂产品开发利用研究，主持完成“八五”农业部重点专题“蜂产品功能性保健食品和保鲜制品的开发研究”，主持完成“九五”国家攻关专题“蜂产品深加工技术开发和产业化”课题，完成国家自然科学基金项目“蜂产品化学和开发利用研究”，以及农业部专项“降低蜂蜜中抗生素含量技术的研究”。“降低蜂蜜中抗生素含量的有效措施”获中国农业科学院技术改进三等奖；“蜂蜜啤酒”获中国农业科学院科技进步二等奖和国家发明专利；1994年获国务院政府特殊津贴；2000年亚洲蜂联（AAA）在泰国举办的第四届亚洲养蜂大会暨2000年世界蜜蜂博览会上，担任博览会副主席及评委；出任中国养蜂学会领导工作以来，致力于学会工作的改革，多次主持全国性的蜂业会议，研讨中国蜂业发展大计，数次率团出席国际蜂联会议和亚洲蜂联会议，为发展中国的蜂业和推进中国蜂业走出国门做了大量的工作。由于对养蜂业的突出贡献，2000年张复兴荣获“对亚洲蜂业做出突出贡献的专家”奖，并荣任亚洲蜂联（AAA）副主席，为我国争得了荣誉，提高了中国蜂业在国际行业中的声誉，扩大了中国蜂业在国际同行中的影响，进一步推进了中国蜂业的发展。

主编《现代养蜂生产》、《养蜂优质高产技术问答》，参与编写《养蜂问答》、《现代养蜂与蜂产品加工》等专业著作。

房　柱　中国著名蜂疗专家。江苏宝应县人，1936年生。毕业于镇江医学专科学校，主任医师。曾任连云港市蜂疗医院院长和蜂疗研究所所长、南京中医药大学和云南农业大学东方蜜蜂研究所客座教授。1956年开始蜂疗研究，1957~2000年在国内外发表蜂疗著述61篇107万字，代表作有《蜂胶》、《花粉》、《中国蜂针疗法》、《中华蜂疗保健》、《百病蜂针疗法》和《当代蜂针和蜂毒疗法》等。是《中国农业百科全书·养蜂卷》（1993）“蜂产品加工及医疗保健”分支主编。

房柱开创了中西医结合的现代蜂疗研究和临床应用，在国际上首先发现蜂胶有降血脂作用，并成功地用于治疗高脂血症；1959年率先提出结合经络穴位进行蜂针治疗类风湿性关节炎等多种疑难杂症；1986~2000年14次应邀出国（境）讲学交流；曾主持并完成江苏省重点科研和开发项目——蜂针疗法和蜂胶片、蜂毒冻干药剂、蜂皇浆冻干粉等多种蜂疗保健品的研发；1992年，赴马来西亚、新加坡推出蜂皇浆冻干粉、蜂胶片和房氏蜂肽油为国创汇。

1959年，出席全国文教卫生群英会；1978年，获江苏省科技成果奖和全国科学大会个人重大贡献奖；1981年，中国新闻纪录电影制片厂摄制《蜂疗专家房柱》彩色纪录片汉语和英语解说拷贝，先后向国内外发行；1985年，获江苏省政府授予的劳动模范称号和开发苏北有功科技人员一等奖，同年获全国优秀科技工作者称号和“五一”劳动奖章；1988年，被授予江苏省有突出贡献的中青年专家称号；1992年，获国务院颁发的特殊津贴；1995年，被授予“江苏省名中西医结合专家”称号。

1979~1999年，曾任中国养蜂学会筹委会副主任和第一至第四届副理事长，连任学会第一至第五届蜂疗保健专业委员会主任。1980~2000年，先后主持召开全国蜂疗保健专业学术研讨会8次，与中国生物化学会联合举办蜂毒专题学术讨论会1次。1983~1986年，先后主办全国蜂产品讲习班5期，1986~2000年，先后主办全国蜂疗培训班27期和国际针灸蜂疗研修班3期，受业房柱教授的海内外学生近2 000人。

1991年，由中、日、韩等16个国家和地区的蜂疗代表成立了“国际蜂疗保健和蜂针研究会”（IAHBA），房柱当选为会长。1991~1999年，先后主持召开了第一至第五届国际蜂疗学术研讨会。

陈盛禄　中国现代养蜂家。浙江省义乌市人，1938年出生。浙江大学动物科学学院教授，博士生导师。中国养蜂学会第五届理事会副理事长，主管学术。1994年，被授予国家有突出贡献中青年专家称号。

1960~1962年进福建农学院学习蜂学专业，毕业后到浙江省义乌渔蜂场，担任养蜂技术员，潜心研究养蜂生产技术和蜜源场地的勘察。1967年，在新疆吐鲁番火焰山公社创造了一个长绒棉花期180群蜂生产蜂蜜27t的大面积高产记录；1977年，实现0.7kg越冬蜂的一个弱群，从1月开始繁殖，到8月底共生产蜂蜜619kg，创造了千克越冬蜂年产蜂蜜884kg的小面积高产记录。

1979年，调到浙江农业大学牧医系，从事养蜂研究和教学工作。1986年，共同研制的人工花粉“育蜂灵”，通过省级鉴定，成功地解决了自然界缺粉期蜂群不易生产王浆和蜂王产卵减少或停止的难题。1987 年，主持研制成“ZNM 王浆高产全塑台基条”，该机具能提高王浆产量 20% ~30%，荣获国家科技进步三等奖。1988 年，主持的“平湖意蜂王浆生产性能的研究”通过省级鉴定。1993 年，主持研制的“C 型多功能蜂箱”（能增产蜂蜜 20.2%，王浆 17.0%）和 RT-1 型取浆机分别获第三十三届国际养蜂大会铜奖和银奖；研究成“王浆高产配套技术”录像带，该技术软件荣获第三十三届国际养蜂大会铜奖。

运用由自已创建的“蜜蜂集团闭锁繁殖育种”理论，培育成“王浆蜂蜜双高产浙农大 1 号蜂王”，该品种能使王浆产量提高 1 倍以上，10-HDA 含量达 2.27%，超过国内外的质量标准；蜂蜜和花粉的产量分别提高 20% 和 40%，填补了我国蜜蜂品种和世界王浆高产蜂种的空白，荣获 1995 年国家发明二等奖，是我国蜂业界有史以来的最高科技成果奖。

在多年养蜂研究实践和蜂群转地饲养的基础上，提出了“试论王浆高产”、“王蜂指数的研究”、“蜂子比值与采蜜量的相关性”等蜂王浆、蜂蜜高产理论。共出版著作 12 部，其中主编的养蜂专著有《中国蜜蜂学》、《怎样养好蜜蜂》、《养蜂技术》、《养蜂》；译著《养蜂指南》，参编《蜜蜂产品学》、《中国农业百科全书——养蜂卷》、《现代养蜂生产》等。在《中国农业科学》等刊物上发表论文 60 余篇，其中被中国养蜂学会评为优秀论文 9 篇，被 CAB 收录 2 篇。担任《中国养蜂》编委、《蜜蜂杂志》顾问，创办和主编《浙江蜂业》。

第十七章　世界蜂业

第一节　世界蜂业概况

半个世纪以来，世界养蜂业稳步发展，目前人工饲养5 000余万群蜜蜂，分布在五大洲。欧洲养蜂历史悠久，蜂群密度最高，蜂蜜单产不高；美洲和大洋洲养蜂历史最短，发展速度快，养蜂机械化程度高；亚洲只有中国、日本等少数国家养蜂较发达；非洲除埃及和南非外，大多沿袭旧法饲养。全世界蜂蜜总产量，20世纪80年代为96万t，90年代为110万t，总产量与总消费量基本上保持平衡，贸易量逐年增加，80年代为25万t，90年代末达到40万t。主要蜂蜜出口国是中国、阿根廷和墨西哥，主要蜂蜜进口国是德国、美国、日本和意大利。

一、澳大利亚养蜂概况

澳大利亚位于南半球，在太平洋西南部与印度洋之间，四面环水。土地辽阔，气候适宜，蜜源丰富。全国有1.4万名养蜂者，蜂群67.3万群，年产蜂蜜约3万t以上。澳大利亚每年出口蜂蜜1万～1.2万t，国内消费2万t以上。

澳大利亚的主要蜜源植物有桉树、油菜、向日葵、三叶草、紫苜蓿等。桉树的品种超过600种，不同品种的桉树开花和流蜜期不尽相同。桉树在气候、土壤等自然条件适宜的条件下，泌蜜量很大，有些采蜜群在1个花期可采收200kg桉树蜜。

早在1822年新南威尔士州就成功引入西方蜜蜂，经过170多年的发展，它已经适应澳大利亚气候和蜜源条件。澳大利亚养蜂业多集中在新南威尔士、维多利亚、昆士兰、南澳大利亚、西澳大利亚和塔斯曼尼亚岛，其中新南威尔士州养蜂最为发达，45%的蜂蜜产自该州。

蜂蜜和蜂蜡是养蜂的主要产品，此外还有花粉、王浆、蜂胶和蜂毒。蜜蜂为农作物授粉起着显著作用，授粉费用不断上涨，一般为紫苜蓿授粉每群30～40美元，三叶草20美元，胡萝卜、洋葱种子35美元，苹果最低，为每群15美元。每年，蜜蜂授粉为澳大利亚农作物增产超过12亿美元。

20世纪初，澳大利亚的专业养蜂场很少有几百群蜂的，而今有的蜂场已拥有2 000群以上。专业养蜂场一年四季在沿海地区随蜜源花期转地放蜂，每年至少转地6次，距离数百千米，通常在夜晚转运。运输蜂群和取蜜过程的机械化程度较高，普遍采用取蜜车间和带有装卸设备的养蜂车。养蜂者一般由所在州政府管理，他们为养蜂者提供各种信息服务，还为跨州转地放蜂者出具蜂群检疫证明。

育王是澳大利亚养蜂业中的一个独立部门，只有专业育王场才有权出售蜂王，其中多数育王场集中在蜜源、气候条件较好的昆士兰、新南威尔士和维多利亚州。育王场普遍采用人工授精技术生产蜂王。每年约出口数千只蜂王，主要出口到英国、美国、日本及东南亚。

澳大利亚先后引进欧洲黑蜂、意大利蜂、卡尼鄂拉蜂和高加索蜂，以饲养意大利蜂为主。澳大利亚是世界上惟一保存两个欧洲主要蜂种的国家，即坎加鲁岛的意大利蜂保护区和塔斯曼尼亚岛的欧洲黑蜂保护区。这两个岛屿是建立最早的蜜蜂自然保护区。

联邦政府和各州政府的农业部门负责管理养蜂生产、检查病害和签发蜂王出口许可证。蜜蜂病害的检查由专业的检疫部门负责。检疫部门规定，禁止进口整群的蜜蜂和旧蜂具，进口蜂王必须经检疫部门许可。最常见的蜂病有孢子虫、美幼病、欧幼病和囊状幼虫病，其中美幼病危害最为严重。一般情况下，禁止在蜂群中使用药物。目前澳大利亚还没有发现大蜂螨和壁虱。

1963 年成立的澳大利亚蜂蜜管理局，通过出口关税和出口许可证来监控蜂蜜出口。澳大利亚蜂蜜公司是养蜂者的合作性组织，为澳大利亚最大的蜂蜜销售企业。澳大利亚蜂蜜生产企业是国际蜂蜜出口商协会的成员。澳大利亚养蜂者联合会是全国性组织，在各州设有分会。出版发行的杂志有《澳大利亚养蜂者》和《澳大利亚蜜蜂杂志》。

二、阿根廷养蜂概况

阿根廷位于南美洲南部，东临大西洋。早在 1851 年，西方蜜蜂随欧洲移民带到阿根廷。经过 100 多年的发展，目前阿根廷已经成为世界第三大蜂蜜生产国和第二大蜂蜜出口国，是南美洲养蜂业最发达、年产蜂蜜最多的国家。

阿根廷地处亚热带和温带，气候温和，雨量充沛，主要蜜源植物有紫苜蓿、向日葵、车轴草、柑橘、桉树等，采蜜期为每年 10 月至翌年 3 月。全国可划分为 3 个蜜源区：第一，东部平原地区。包括布宜诺斯艾利斯省、恩特雷里奥斯省、科尔多瓦省东部和圣菲省东部。该地区是阿根廷的主要产蜜区，集中了全国 89% 的蜂群，蜂蜜产量占全国总产量的 80%。其中以布宜诺斯艾利斯省的气候最适宜养蜂，每群单产最高为 60 ~ 70kg，其产蜜量占全国总产量的 53%。蜜源植物以车轴草和柑橘为主，生产浅琥珀色蜜，大部分出口。第二，北部或亚热带区。包括图库曼、圣地亚哥—德尔埃斯特罗、查科、科连特斯等省。该地区蜜源种类繁多，森林覆盖率高，适宜快速繁殖蜂群，一些专业养蜂场在每年春季将蜂群运到图库曼北部或圣地亚哥—德尔埃斯特罗提前育王、繁殖。非洲化蜜蜂已蔓延至该地区。第三，南部草原地区。包括布宜诺斯艾利斯省南部和拉潘帕省南部、西南部。气候条件复杂，生长着各种本地和引进的蜜源植物，利于蜂群繁殖，其中拉潘帕省有蜂 10 万群，年产蜂蜜 6 000t。

阿根廷普遍饲养的蜂种是意大利蜂、卡尼鄂拉蜂和喀尔巴阡蜂。20 世纪 80 年代以来，养蜂业发展迅速，蜂群数量从 10 年前的 180 万群发展到目前的 220 万群，平均每群蜂蜜单产 30 ~ 35kg。全国有 2.8 万养蜂者，分为业余养蜂和专业养蜂两种。其中业余养蜂数量较多，49% 的养蜂者饲养蜂群数在 50 群以下，22% 在 50 ~ 100 群，18% 在

100~300 群，6% 在 300~500 群，仅有 3% 的专业养蜂者拥有 500 箱以上的蜂群。

阿根廷是世界主要蜂蜜出口国之一。1997 年产蜂蜜 8 万 t 以上，出口蜂蜜 7 万 t，首次成为世界最大的蜂蜜出口国；1998 年产蜜 7.5 万 t，出口 6.8 万 t，退居第二；1999 年产蜜 8.5 万 t，出口 7.5 万 t。美国是阿根廷蜂蜜的主销市场，1997 年阿根廷对美国出口蜂蜜 4.86 万 t，1998 年为 3.15 万 t，1999 年为 3.31 万 t；其次为德国、意大利、英国、日本、西班牙等。近 93% 的阿根廷蜂蜜是以 300kg 桶装出口，有少量小包装蜜以瓶装形式出口，主要销往巴西市场。国内蜂蜜的消费受到蜂蜜总产量和出口量的影响，1998 年由于出口量的减少，人均蜂蜜消费 161g，估计 1999 年可达 195g。阿根廷进口蜂蜜没有配额限制，出口蜂蜜可获得 10% 的补贴。阿根廷农业部与蜂蜜生产省政府合作，制定了“2000 年蜂蜜计划”，旨在为蜂蜜生产者提供帮助，内容包括：出版不同蜂蜜产区的信息刊物，发布出口和内销蜂蜜的质量控制计划，促进国内蜂蜜消费增长。

阿根廷养蜂者组织已成立 61 年，有会员 600 名。各地养蜂协会都定期举办养蜂技术培训班，省级政府要求养蜂者组成合作社，这有助于蜂场的管理和蜂蜜的销售。在布宜诺斯艾利斯省有一个研究中心。在南部的内格罗河省和内乌肯省设有育王场，在拉潘帕省中部还有一个育种中心。在科尔多瓦和图库曼国立大学设有地方性养蜂中心。

三、墨西哥养蜂概况

墨西哥位于北美洲的西南部，是古代玛雅文化中心，养蜂历史悠久。古代墨西哥人饲养当地的无刺蜂（背蜡蜂科无刺蜂属）。1521 年西班牙人从欧洲带来了欧洲黑蜂，并垄断经营蜂蜜和蜂蜡。1821 年墨西哥独立后，养蜂业才获得发展，1917 年引进了意大利蜂和活框饲养技术。

墨西哥是一个多山的国家，只有沿海是低地。主要蜜源植物有棉花、紫苜蓿、大豆、芝麻、柑橘、芒果和野生蜜源植物。北部地区，为沙漠和高山，是养蜂业不发达地区，以旧法饲养为主，种植的农作物有棉花、柑橘和油料作物，还有野生草本蜜源植物，利用蜜蜂为作物授粉是养蜂的重要收入来源。中部地区，是墨西哥高原，占国土面积的 40%，属亚热带气候，野生蜜源植物种类多、数量大，流蜜期在 3~5 月和 9~12 月，这里仍有 30% 采用旧法饲养，年产蜂蜜 1.3 万 t，生产的蜂蜜大部分是琥珀色或浅琥珀色，品质好，主要供出口。墨西哥湾和加利福尼亚湾，有狭窄的平原，属热带雨林气候，蜜源植物种类多、花期长，种植了大面积的柑橘和芒果。尤卡坦半岛，是墨西哥的主要产蜜地区，也是墨西哥蜂群数和养蜂人数最多的地区，全部以活框蜂箱饲养。岛上多半是珊瑚礁，属热带和亚热带气候，野生蜜源植物种类繁多，蜂蜜生产期是每年的 11 月至翌年 4 月，有的每群单产高达 90kg，梅里达是该地的主要产蜜镇。

目前，全国有 4 万名养蜂者，有蜂群 230 万群，年产蜂蜜 5 万~6 万 t，平均每群单产 26kg，每年 32% 的蜂蜜在 4~6 月采收，41% 在 10~12 月采收。墨西哥蜂蜜主要产区是尤卡坦州、哈利斯科州、韦拉克鲁斯州、格雷罗州和坎佩切州，这 5 个州的蜂蜜产量占全国总产量的 60%，其中尤卡坦的产量最高。近几年来，由于适宜的天气条件和非洲化蜜蜂与大蜂螨得到有效控制，蜂蜜产量已经连续 3 年攀升，1997 年为 53 681t，1998 年为 56 500t，1999 年为 57 500t，但仍比不上 1991 年的 69 495t。蜂蜜出口 1997 年为22 681t，1998年为26 322t，1999年为29 000t，主要出口到德国、英国、美国、沙特阿拉伯等国家，是世界第三大蜂蜜出口国。国内消费蜂蜜量呈上升趋势，达3万t，还有少量蜂蜜进口，约31.5t，已接近人均300g蜂蜜的消费水平。墨西哥的蜂蜜生产企业非常重视蜂蜜出口的问题，但在蜂蜜主产区尤卡坦州还是出现了蜂蜜掺糖事件，虽然这些掺假蜂蜜没有进入国际市场，但这仍引起人们对墨西哥蜂蜜的担忧。

1981年墨西哥发生了武氏蜂盾螨病（壁虱病），1985年又传入了非洲化蜜蜂和大蜂螨，对养蜂业造成了很大危害。近些年来，墨西哥养蜂者面临的困难有：一是低廉的蜂蜜价格，二是非洲化蜜蜂的困扰，三是每年平均14%～15%的通货膨胀率。政府也采取了相应措施帮助养蜂者，如对政府扶持的养蜂者购买蜂药和巢础予以50%的折扣，生产的蜂蜜政府采取优先收购的政策；通过每年更换良种蜂王，有效控制非洲化蜂的蔓延；宣传蜜蜂为农作物授粉的作用，使其成为养蜂人新的收入来源，目前已普遍利用蜜蜂为柑橘、可可、西瓜、茄子、黄瓜、紫苜蓿和棉花等作物授粉。

在20世纪80年代初，墨西哥建立了国家养蜂研究所，主要研究蜜蜂病理学、毒理学、遗传学、蜂疗、养蜂技术、蜜源植物与授粉，还举办训练班，培训养蜂员和技术人员，组织学术会议和专题讨论会。墨西哥有2个全国性的养蜂协会，各州设分会。

四、美国养蜂概况

美国饲养的蜜蜂是17世纪由欧洲移民带入的，当时引入的都是欧洲黑蜂。1859年意大利蜂被引进美国，以后又陆续引进了卡尼鄂拉蜂和高加索蜂。目前主要饲养意大利蜂，其次是卡尼鄂拉蜂，以及这两个品系的杂交种。

1899年美国就有蜂群410万群，年产蜂蜜约2.78万t。第二次世界大战期间，由于食糖供应短缺促进了养蜂的发展，1947年达到最高峰，有蜂群590万群，年产蜂蜜10万t。以后逐年下降，1971年降到410万群。1989～1999年的10年间，蜂群数量又从340万群降至260万群，蜂蜜年产量却由1989年的7.7万t升至1999年的9万t。目前，美国年消费蜂蜜15.8万t，人均消费蜂蜜500g，它既是世界第二大蜂蜜生产国，又是世界第二大蜂蜜进口国。

美国有12.5万养蜂者，一般专业养蜂场拥有蜂群3 000群以上，最大的专业养蜂场有1.2万～1.5万群蜂，他们生产的蜂蜜占全国总产量的75%。专业养蜂普遍采用多箱体蜂箱，一般每群7个箱体，2～3个育虫箱，4～5个贮蜜继箱，取封盖的成熟蜜。蜂场大多建有采蜜车间，装备割蜜盖机、蜜蜡分离机、辐射式分蜜机、蜜泵、压滤机、蜂蜜澄清池、热水锅炉、热风机等。贮蜜继箱用吹蜂机脱除蜜蜂后，全部运到取蜜车间进行分离、过滤和包装。有些北方的蜂场，每年春季从南方购买笼蜂饲养，购买蜂王更换衰老的蜂王，有的则在冬季将蜂群运到南方繁殖，初夏运回北方采蜜。全国有200多家育王场和种蜂繁殖场，主要分布在南方的5个州，每年生产100万只产卵蜂王和50万笼笼蜂，供应美国北方和加拿大。

美国地理位置优越，大部分地区属热带和亚热带气候，气候类型多样，蜜源植物相当丰富，有2 000多种，主要蜜源植物有紫苜蓿、白车轴草、白香草木犀、黄香草木犀、紫菀、鬼针草、鼠尾草、柳兰、椴树、酸木、紫树、柑橘、棉花和大豆等。蜜蜂为农作物授粉在美国很普遍，蜂群的授粉租赁费用从1992年的19美元，上升到目前的31美元。西北太平洋地区的果树，包括梨、甜樱桃、苹果和杏树全部使用蜜蜂授粉。蜜蜂授粉使农作物增产约200亿美元，超过蜂产品本身价值100多倍。

1923年，美国通过立法禁止从其他国家进口蜜蜂，同时各州实施检疫制度，由检查员对州内蜂场进行巡回检查，提供技术咨询，指导蜂病防治。经常发生的蜜蜂疾病有：欧（美）幼病、白垩病、孢子虫病、壁虱、大蜂螨等。近年来蜂螨危害严重，采用化学防治得到控制，但又出现了抗药性问题。

美国是世界上养蜂科学技术最先进的国家，1891年美国农业部在马里兰州贝尔兹维尔农业研究中心筹建了第一个蜜蜂研究室，1924年以后，又先后建立了6个地方蜜蜂研究室。许多大学也从事蜜蜂科学研究，如加利福尼亚大学、康奈尔大学和犹他州立大学等。美国的养蜂组织已有100多年历史。1860年成立了最早的全国性养蜂组织——美国蜜蜂协会，1861年因国内战争解散。1870年和1871年，先后成立了北美养蜂协会、美国养蜂协会，后合并组成北美养蜂学会，1949年更名为美国养蜂联合会。此外，还有美国蜂蜜生产者协会（1969年），美国蜜蜂育种家协会（1948年），蜜蜂企业协会（1841年），全国蜂蜜包装者与销售者协会（1950年），美国蜂蜜企业评议委员会（1953年）。

五、意大利养蜂概况

意大利的亚平宁半岛是意大利蜂的原产地，西北部有少量欧洲黑蜂，东南部有少量卡尼鄂拉蜂，南部的西西里岛分布有黑色的西西里蜂，现在只在亚平宁半岛中北部有比较纯的意大利蜂。

意大利养蜂历史悠久。公元前几个世纪和古罗马帝国时期，地中海沿岸地区的养蜂就比较普遍。到了20世纪初期，意大利的养王业已有相当基础，著名的托尔托拉蜂场始建于1878年，培育的蜂王几乎全部出口，彭纳养王场创建于1906年，皮亚纳养王场建于1929年。1940年全国有蜂群100万群，年产蜂蜜1万~1.5万t。

意大利是一个以山地和山前丘陵为主的国家，主要蜜源植物有油菜、刺槐、欧洲栗、椴树、车轴草、紫苜蓿、向日葵、油橄榄、熏衣草、柑橘等。目前，意大利有8万人养蜂，有134万群蜂，年产蜂蜜8 000t。蜂群数量超过千群的大型养蜂场为数不多，有300~500群蜂的中小型养蜂场和数十群蜂的业余养蜂者占绝大多数。各类养蜂场均以定地养蜂为主，1年内仅在200~300km的距离内转地。1个专业养蜂者一般管理300~500群蜂。育王业在意大利养蜂业中占有十分重要的地位，最大的育王场是皮亚纳养蜂场，最早是培育蜂王为主，每年生产上万只蜂王远销世界各地，而现在也以生产蜂蜜为主。蜂产品在意大利十分畅销，每个药店都摆放着包装各异的蜂蜜、蜂王浆和蜂胶。本国的蜂蜜产量远不能满足需要，50%依赖进口。进口蜂蜜要求达到欧盟规定的欧洲蜂蜜标准。

主要蜜蜂病虫害有：孢子虫病、白垩病、欧（美）幼病和壁虱。1981年首次发现大蜂螨，迅速蔓延到全国大部分地区，防治药物有：Perizin（蝇毒磷）、Apistan（氟胺氰菊酯）和双甲醚，目前蜂螨已存在对氟胺氰菊酯抗药性问题。

国际养蜂联合会的总部设在意大利首都罗马，与意大利养蜂者联合会同处一座办公大楼。意大利养蜂者联合会是国际蜂联的成员，在各省设有分会，负责开办短期培训班，普及养蜂知识，推广先进经验，编辑出版《意大利养蜂业》杂志。国家养蜂研究所负责蜂蜜分析，监控蜜蜂病虫害的发生，提高蜂王的品质。他们采用人工授精技术培育优质纯种意大利蜂王。

六、德国养蜂概况

德国是世界第一大蜂蜜进口国，也是世界人均消费蜂蜜最高的国家。目前全国有蜂群 91 万群，年产蜂蜜 1.6 万 t。人均消费蜂蜜 1.14kg，本国的蜂蜜产量远不能满足需求，每年需要进口蜂蜜 9 万 t，主要供应国是中国、墨西哥、阿根廷等。蜂蜜进口关税除了 17.3% 的欧盟进口关税外，还要征 7% 的增值税。此外，德国每年也出口瓶装蜜 1.3 万 t。

养蜂是德国一项古老的饲养业，1350 年就发布了一项森林养蜂法，规定在皇家园林内的养蜂免征商品税，而且可以砍伐生活所需的木柴。19 世纪中后期，J. 齐从把活动巢脾介绍到德国，随后又将意大利蜂引入德国。

原来德国饲养的蜂种是本国的欧洲黑蜂，随着农业的集约化和现代化，辅助蜜源植物大量减少，主流蜜期的间隔加长，主要蜜源植物只有春季的油菜和刺槐、秋季的甘露以及少量牧草。后经过大规模换种，欧洲黑蜂已完全被卡尼鄂拉蜂取代。卡尼鄂拉蜂适应德国的自然条件，其优良性状得到充分体现。

养蜂是德国人一项普遍的嗜好，一般家庭养蜂 6～8 群，放在庭院内。目前德国有 8.9 万人养蜂，业余养蜂者一般饲养 20～120 群蜂，专业养蜂者饲养的蜂群数在 200 群以上，多为转地放蜂。

德国养蜂科研水平较高，许多大学都附设蜜蜂研究所（室），20 世纪 70 年代法兰克福大学的蜜蜂研究所扩建为国家蜜蜂研究所。科研人员在培育纯种卡尼鄂拉蜂、蜜蜂为农作物授粉、蜜蜂信息传递、非洲化蜜蜂、大蜂螨生物学和药物防治等方面取得了显著成绩。德国养蜂协会在各地区设有分会，宗旨是促进养蜂业的发展，代表养蜂界与政府各有关部门、组织联系。协会的另一项特殊任务是保护养蜂者的利益，会员自产蜂蜜的零售价格可比进口蜂蜜高出 50%～100%。编辑出版的杂志有《养蜂》月刊和《蜜蜂》月刊。

七、俄罗斯养蜂概况

俄罗斯养蜂有着悠久的历史，大约 1 万年前，蜜蜂就从巴尔干和中欧传入俄罗斯。公元 10～12 世纪养蜂业迅速发展，17 世纪进入繁荣时期，当时是用树穴、圆木和编织蜂窝养蜂，有的蜂场蜂群数量超过 500 群。18 世纪中期起，俄罗斯涌现出一批有代表性的著名养蜂家，如雷奇科夫、普罗科波维奇等，他们对促进俄罗斯养蜂的迅速发展起着重要作用。19 世纪末俄国出现了第一个小型养蜂生产合作社。

1900 年约有 32.8 万个蜂场，530 万群蜂，其中 13% 的蜂群用活框蜂箱饲养；1910 年发展到 33.9 万个蜂场，631 万群蜂；1916 年有 700 万群蜂。1917 年十月革命后蜂群数量锐减，1919 年为 350 万群，1922 年再降至 150 万。其后，由于新政策的实施，对恢复养蜂业起了很大作用，蜂群数量迅速增加，1924 年 480 万群，1926 年 500 万群，1928 年 600 万群。1926 年第二届俄罗斯养蜂者代表大会召开，成立了养蜂学会，所有养蜂合作社都参加了学会。1929 年取缔养蜂合作社，成立规模最大的养蜂集体农庄，作为农业部的一个下属部门。20 世纪 30 年代初期，集体蜂场迅速发展，到 1941 年全国已有 1 000 万群蜂，其中 96% 的蜂群用活框蜂箱饲养。第二次世界大战期间，蜂群损失 50%，1945 年颁布了《关于发展养蜂业的措施》，养蜂业迅速恢复，1950 年进入鼎盛时期。20 世纪 60 年代在远东地区发现大蜂螨，70 年传到苏联欧洲部分，蜂群损失 25%，80 年代采用药物防治有效控制了蜂螨。经历了十几年蜂螨侵害，俄罗斯蜜蜂已产生了抗螨机制，蜂螨对蜂群的危害减弱，蜂群数量回升，1989 年蜂蜜总产量达 24 万 t。

俄罗斯是一个以平原、低地和温带气候为主的国家，蜜源植物种类多、数量大。主要蜜源植物有柳树、橡树、荞麦、向日葵、棉花、豆科作物、车轴草、紫花苜蓿、芥菜、瓜类等。目前，有 1.2 万个集体蜂场，40 万个私人蜂场，有蜂群 470 万群，年产蜂蜜 5 万 t，蜂蜡 3 000t。育王场每年提供蜂王 40 万只，笼蜂 4 万笼。蜜蜂每年为 500 万 hm^2 的虫媒植物授粉，机具厂生产 80 余种蜂机具，2 400t 巢础，20 万套蜂箱。私人蜂场的蜂蜜产量占总产量的 90%，蜂蜜单产为每群 11 ~ 15kg。

苏联解体对养蜂业产生了重大影响，蜂群数量下降。俄罗斯从世界第一大蜂蜜出口国，变为蜂蜜产量仅能满足国内需求，并有少量进口。1989 年俄罗斯养蜂学会重新组建，它是国内最大的养蜂组织，没有政府资助，经费全部自理。目前正在筹建 3 家工厂——蜂产品加工厂、蜡烛厂和巢础厂。国家杜马正在制定养蜂法规。在俄罗斯经济改革期间，养蜂学会是惟一能为养蜂人解决实际问题的机构。1990 年制定了俄罗斯养蜂生存与发展计划，1996 年该计划经修订后，获总统批准，已经正式实施，直接受益者是私人蜂场主。俄罗斯养蜂学会主要目标是振兴俄罗斯养蜂业，在各省有分支机构，负责培训养蜂技术人员。俄罗斯养蜂科学研究所是全国养蜂科研中心，负责编辑出版俄罗斯《养蜂业》杂志。

八、土耳其养蜂概况

土耳其地跨亚、欧两洲，亚洲部分位于小亚细亚半岛，占国土面积的 96.9%，欧洲部分位于巴尔干半岛。全境大部分为安纳托利亚高原，属亚热带地中海型气候。

土耳其的蜜源植物种类相当丰富，有 1 万余种，主要是油菜、刺槐、椴树、棉花、石楠、红车轴草、白车轴草、琉璃草、板栗、柑橘、葡萄等。土耳其盛产两种特殊的蜂蜜：一种是安泽尔蜜，产自海拔 2 200 ~ 2 800m 的安纳托利亚高原，其气味、颜色独特，对肺病、肠胃病和皮肤病有特殊疗效；另一种是松树蜜，产自爱琴海地区，是松树树体上一种蚧类的分泌物，8 ~ 10 月生产，有独特的气味，深褐色，对胃病和呼吸道疾病有疗效。这两种仅产自土耳其的蜂蜜几乎全部出口。

适宜的气候及生态条件使得土耳其成为特别适宜发展养蜂的国家。据考证，安纳托利亚是其蜜蜂和养蜂的发源地，安纳托利亚蜂是西方蜜蜂的一个地理亚种，原产土耳其的安纳托利亚高原，个体比意蜂略小，适应性强，采胶力强，与意蜂、卡蜂杂交可获得高产后代。

截止到20世纪末，土耳其有371.5万群蜜蜂，其中345万群采用新法饲养，占92.9%；有14.2万养蜂者，只有8%的养蜂人以此为生，90%的专业养蜂场随蜜源花期转地放蜂。土耳其每年平均生产蜂蜜6万t以上、蜂蜡3 407t，平均每群蜂单产蜂蜜17kg。90%以上的蜂蜜满足国内消费市场，仅有5.5%的蜂蜜出口，国内人均年蜂蜜消费量为900g。

近15年间，在政府的支持下建立了几个大型育种场、现代化的蜂场和蜂病防治中心，促进了土耳其养蜂业迅猛发展。

九、日本养蜂概况

日本是个岛国，属海洋性亚热带季风气候，蜜源植物丰富。本土蜂是日本蜜蜂，现代养蜂业自1876年从欧洲引进活框蜂箱后发展起来的。人工饲养的主要蜂种是意大利蜂，其次是高加索蜂和卡尼鄂拉蜂，仅在部分山区饲养着少量日本蜂。

目前，日本有养蜂者7 235人，有21.4万群蜜蜂。主要蜜源植物有油菜、紫云英、刺槐、板栗、柑橘、椴树和草木犀等。专业养蜂者占60%，专业蜂场以转地放蜂为主。在南方越冬，南部的九州岛养蜂季节从3月底开始，随后依照蜜源植物开花流蜜的顺序逐步往北方转移，追花夺蜜。1980年后为水果和温室蔬菜授粉的蜂群数量在逐年增加。

蜜蜂的主要天敌是金环胡蜂，主要蜂病是美洲幼虫腐臭病、白垩病、孢子虫病和大、小蜂螨。

蜂蜜和蜂王浆是日本人民喜爱的营养食品，日本年产蜂蜜3 265t、蜂蜡55t、蜂王浆7t、花粉2t。每年进口蜂蜜4万~5万t，蜂王浆300t以上。

蜜蜂研究机构主要设在大学，北海道大学、玉川大学、九州大学等8所大学均开展与蜜蜂有关的研究工作。日本农林省畜牧局养蜂研究所设在名古屋。主要养蜂社团有日本养蜂协会、日本蜂蜜联合会和日本蜂王浆贸易会等。主要养蜂期刊有《蜜蜂科学》（季刊，玉川大学蜜蜂科学研究所编辑出版）和《日本蜜蜂杂志》（月刊，日本养蜂协会编辑出版）。

十、加拿大养蜂业

加拿大位于北美洲的北部。全境除北部极地区域为寒带苔原气候外，南部大部分地区为大陆性温带针叶林气候。西部太平洋沿岸地区受阿拉斯加暖流影响，气候温和湿润，东部地区温度比西部低，中部地区冬夏温差大。中西部平原地区牧草丰盛，有大草原之称。加拿大饲养的蜜蜂品种与美国相同，意大利蜂、卡尼鄂拉蜂及这两个品系的杂交种，还有少量高加索蜂。主要蜜源植物为牧区的白三叶草、红三叶草、杂三叶草，草木犀、紫苜蓿；20世纪70年代后期油菜种植面积逐年扩大，成为主要蜜源；林区主要蜜源为椴树、柳兰、柳树以及果树。

加拿大有养蜂者1万人左右，其中大多数为业余养蜂或养蜂爱好者。加拿大饲养的蜂群数量不多，20世纪70年代全国饲养蜜蜂45万群，年产蜂蜜2万t；20世纪80年代中期养蜂业发展迅猛，有蜂群70万群，产蜜4万t；到20世纪90年代初期蜂群数回落为50万群，产蜜3万t；1997年以后蜂群数量有所增加，1999年为597 326群，2000年达到60万群。蜂蜜主产区是位于加拿大中西部的艾伯塔省、中部的萨斯喀彻温省和马尼托巴省以及东部的安大略省，这4个省的蜂蜜产量占全国总产量的85%。1998年加拿大蜂蜜总产量高达42 456t，创历史最高纪录；1999年为36 553t；2000年为31 329t。蜂蜜生产是加拿大养蜂收入的主要来源之一。每年加拿大有25%~30%的蜂蜜出口，年平均出口蜂蜜1万t。1995年出口最多，为15 587t；1997年最少，为7 413t。蜂蜜出口的主要市场是美国、德国、日本和英国。加拿大在出口蜂蜜的同时也进口15%~20%的蜂蜜，平均年进口蜂蜜3 000t，主要从中国、美国和阿根廷进口。1998年从中国进口1 808t，进口价为1 669美元/t；从美国进口405t，进口价为2 615美元/t，每吨相差946美元。1999年加拿大进口蜂蜜量是出口量的5倍。

加拿大是世界蜂蜜单产最高的国家，每群蜂年均产蜜60kg。蜂蜜单产高的主要原因是每年越冬蜂群只占全部饲养量的一半。很多养蜂者在每年春季从国外购买带蜂王的笼蜂饲养，采用多箱体养蜂法，用浅继箱，取成熟蜂蜜。秋季主要蜜源结束后将蜜蜂毒杀，以减少蜂群越冬蜜的消耗，从而提高商品蜜产量。饲养越冬群的蜂场也常在春季购买不带蜂王的笼蜂，用来及时补充削弱的越冬蜂群。然而，自1987年美国发现雅氏瓦螨，加拿大开始禁止从美国进口笼蜂和蜂王。允许从澳大利亚和新西兰进口笼蜂和蜂王，在2000年新西兰北岛地区也发现雅氏瓦螨，有部分省已禁止从新西兰进口笼蜂。1993年加拿大重新允许从美国夏威夷进口蜂王，2002年西中部皮斯河地区将允许从美国进口笼蜂。由于近年来进口笼蜂数量减少和价格上涨，加拿大越冬蜂群的数量有上升趋势。

蜜蜂为作物授粉在加拿大很普遍。在不列颠哥伦比亚、安大略、魁北克等省，水果种植业发达，品种有樱桃、桃、梨、杏、李、草莓、甜瓜，每年春季都有大量蜂群被租用于授粉；在艾伯塔、萨斯喀彻温、马尼托巴等省，蜜蜂主要用于三叶草，草木犀、紫苜蓿的授粉。授粉租赁费为每群蜂25~45美元。蜜蜂授粉对加拿大农业的贡献，估计超过5亿美元。

19世纪末，加拿大分别在马尼托巴和首都渥太华建立了试验蜂场，开展蜜蜂科学研究；1953年，加拿大农业部在艾伯塔省建立了贝维尔罗哥蜜蜂试验站；许多大学也从事蜜蜂科学研究，如圭尔夫大学、多伦多大学等。加拿大养蜂协会在各省都有分会。加拿大蜂蜜委员会主管蜂蜜进出口贸易。

第二节　世界著名科研机构和学术团体

一、美国农业部农业研究中心蜜蜂研究室

美国农业部农业研究中心蜜蜂研究室，是全国养蜂研究、成果推广和科研计划的协调中心。1885年伊利诺斯州农民反映蜜蜂咬伤了水果，农业部聘请养蜂专家N. W. 麦

克莱恩到该州调查蜜蜂与水果的关系，结果证明蜜蜂不会咬伤水果。为了更好地利用蜜蜂为农作物授粉，1891 年农业部决定在马里兰州贝尔茨维尔的农业研究中心筹建蜜蜂研究室，后来发展成为美国养蜂的权威机构。1924 年以后，蜜蜂研究室陆续在全国有代表性的地区建立了地方实验室。

贝尔茨维尔蜜蜂实验室：设在美国农业部农业研究中心总部，是联邦政府设立的第一个蜜蜂研究室。目前该室由 H. 希马努基博士负责。研究的重点是蜜蜂病虫害防治和蜜蜂为农作物授粉。还负责鉴定、诊断国内各地送来的病蜂样本。目前，主要研究项目是蜂巢小甲虫（*Aethina tumida*）的防治。

巴吞鲁日蜜蜂实验室：为蜜蜂育种、遗传和生理学实验室，成立于 1928 年，设在路易斯安那州巴吞鲁日。目前该室由 T. 林德里尔负责。研究的重点是良种选育、原种保存、与育种相关的饲养管理技术，相关项目有非洲化蜜蜂、大蜂螨和气管螨的研究。

威斯康星蜜蜂实验室：创建于 1938 年，设在威斯康星州麦迪逊。研究的重点是蜂病防治、良种选育以及蜂群饲养技术的改进。

得克萨斯蜜蜂实验室：设在得克萨斯州韦斯劳克的亚热带研究中心有益昆虫研究室内，蜜蜂研究项目主持人是 W. T. 威尔逊博士。研究的重点是非洲化蜜蜂和寄生螨的防治。

犹他蜜蜂实验室：是蜜蜂生物学和分类学实验室，20 世纪 40 年代末筹建，设在犹他州立大学。目前，由 W. 肯普博士负责。研究的重点是蜜蜂授粉，还有非蜜蜂属如切叶蜂、熊蜂的授粉。

卡尔·海登蜜蜂实验室：始创于 1949 年，设在亚利桑那州图逊。目前，由 E. H. 埃里克森博士主持。研究的重点是蜜蜂行为、蜜蜂为农作物授粉以及与生物学相关的饲养管理。

二、俄罗斯养蜂研究所

俄罗斯养蜂研究所即前苏联养蜂研究所，是目前俄罗斯蜜蜂科学研究中心。十月革命胜利后，苏联政府依照列宁签署的《关于保护养蜂业》的法令，1919 年在图拉省成立了第一个国家养蜂试验站，1931 年在该试验站的基础上成立了苏联养蜂研究所，1934 年养蜂研究所迁至梁赞省渔城。在第二次世界大战期间，研究人员竭力保存蜂种资源，并利用蜂蜜和蜂胶等蜂产品为伤员疗伤。战后又为恢复养蜂生产、提高产量做出了贡献。

1955 年该所仅有 65 名工作人员，1980 年发展到 164 人，其中有 66 名科研人员。研究所下设蜜蜂饲养、育种、病虫害防治、蜜蜂授粉、蜂产品加工与利用等研究室，在蜜蜂良种繁育、利用蜜蜂为农作物授粉、蜜蜂病虫害防治等方面取得了显著成果，在蜜蜂生理学和蜜蜂遗传学的研究领域占有重要地位。该所还编辑俄文养蜂月刊《养蜂业》杂志。

三、英国洛桑试验站蜜蜂研究组

英国洛桑试验站养蜂研究组是英国蜜蜂研究中心，位于伦敦郊区哈彭登镇洛桑试验站内。洛桑试验站是英国农业科学研究机构，1843 年由 J. 贝内特和 J. H. 吉尔伯特创建。1934 年该站组建蜜蜂研究组，设有蜜蜂授粉和蜜蜂病理实验室。蜜蜂授粉实验室主要研究熊蜂和蜜蜂的社会组织、蜜蜂行为、养蜂技术的改进、农作物授粉。出版的主要著作有《作物昆虫授粉》（Insect Pollination of Crops，1970）、《蜜蜂的社会组织》（The Social Organization of Honeybee，1977）、《蜜蜂与人类》（Bees and Mankind，1982）等。蜜蜂病理实验室的专家在蜜蜂病理研究方面成绩卓著，L. 贝利等于 1982 年重新划定欧洲幼虫腐臭病病原菌为蜂房蜜蜂球菌，确定危害蜜蜂的病毒种类有 18 种，编著了《蜜蜂病理学》（Honey Bee Pathology，1981）。此外，他们还对雅氏瓦螨与病毒之间的关系进行了研究，发现雅氏瓦螨不仅直接危害蜜蜂，而且还传播病毒。

四、日本玉川大学蜜蜂科学研究所

日本玉川大学蜜蜂科学研究所是日本蜜蜂科学研究机构之一，创建于 1979 年，由玉川大学农学院院长冈田一次博士任首届所长。重要研究课题有：蜜蜂新品种的培育；工蜂和雄蜂的活动和寿命；蜜源植物的泌蜜机制，流蜜量与气候的关系；蜜蜂为农作物授粉的利用；日本蜜蜂生态学；雅氏瓦螨生理、生态学及其防治方法的研究；花粉的形态，蜂蜜中花粉的检测；蜂蜜、蜂王浆的检验；巴西蜂胶的分离。1965 年，开始派研究人员参加国际养蜂会议，1972～1979 年冈田一次任国际蜜蜂研究会的理事。1981 年，国际蜜蜂研究会东亚地区图书分馆设在玉川大学蜜蜂科学研究所。还编辑出版《蜜蜂科学》杂志。

五、国际蜜蜂研究会

国际蜜蜂研究会是一个独立的国际组织，成立于 1949 年 1 月 24 日。它的前身是“蜜蜂研究协会”，由英国养蜂学会的研究委员会发展而来，1976 年更名为国际蜜蜂研究会（简称 IBRA）。创始人是英国 E. 克兰博士，1984 年退休，目前是研究会的名誉主席。现任主席是美国 H. 希马努基博士，副主席是巴西 N. 内托教授，秘书长是理查德・琼斯。总部设在英国的加的夫（Cardiff），有 100 多个国家和地区的代表。

国际蜜蜂研究会是蜜蜂研究和养蜂技术的信息与交流中心，它对世界养蜂科学技术的发展起着重要作用，有专项资金帮助发展中国家发展养蜂业。1976 年 IBRA 在英国伦敦召开了首届热带养蜂会议，之后每 4 年举行 1 次，已在印度、肯尼亚、埃及、特立尼达、哥斯达黎加和泰国举行，这也体现出其对发展中国家养蜂的重视。IBRA 出版的刊物有《蜜蜂世界》、《养蜂文摘》和《养蜂研究杂志》，均为季刊；还出版养蜂专著和其他资料。

国际蜜蜂研究会有专门的图书馆，总馆在英国白金汉郡，并在北美洲、南美洲、非洲和亚洲设有分馆。图书馆收藏的养蜂书籍与资料最全面，有养蜂书籍千余册，期刊合订本 3 500 册，每年增加 160 册（30 个国家），研究论文 3.6 万篇，每年增加800～1 000 篇。会员可以借阅，并提供复印服务。

六、国际养蜂工作者协会联合会

国际养蜂工作者协会联合会，是由世界各国的养蜂工作者协会联合组成的国际性学术团体，简称国际养蜂联合会（Apimondia），总部设在意大利首都罗马。

19 世纪末，随着郎氏活框蜂箱的发明与推广，世界养蜂业产生了根本性的变革。在比利时，由于工业化革命带来的一系列问题，政府希望在工人阶层发展养蜂来缓解失业造成的社会压力。贵族出身的费尔南德·戴·拉利尤斯是当时出现的风云人物，1893 年他成立比利时养蜂协会，筹划于 1895 年 9 月 27 日举办“国际养蜂会议”，后来因故推迟了 2 年。1897 年第一届国际养蜂会议在比利时首都布鲁塞尔召开，同时举办“世界养蜂博览会”。此次参加会议的外国代表只有 100 人，7 个国家的 90 个展览团参加了养蜂博览会，会议决定 1900 年在法国巴黎召开第二届世界养蜂会议。第二届世界养蜂会议由于没有法国政府资助，组织工作进展缓慢，参加的仅有 12 个国家，5 个养蜂协会，会议推选费尔南德·戴·拉利尤斯为主席，法国的埃米尔·凯拉斯为秘书。至 1939 年止，曾召开过 12 次国际养蜂会议，参加会议的代表扩大到 20 多个国家的养蜂组织。第二次世界大战后，1949 年 9 月第十三届国际养蜂会议在荷兰首都阿姆斯特丹召开，参加会议的有 21 个国家的 280 名代表，苏联和东欧社会主义国家的养蜂代表首次参加了这次会议。会议决定成立国际养蜂工作者联合会，正式命名为 Apimondia。从 1961 年开始，国际养蜂联合会每 2 年召开 1 次，同时举办世界养蜂博览会，由各国厂商展出养蜂机具、蜂产品和出版物。1993 年第三十三届国际养蜂大会在中国北京召开。1999 年 9 月第三十六届国际养蜂大会在加拿大温哥华举行，A. S. 乔根森（丹麦）为新任主席，E. 希弗斯坦博士（德国）任副主席，R. J. 塞巴斯蒂安尼（意大利）为秘书长。

国际养蜂联合会设荣誉委员会、执行委员会、检查委员会和常设委员会。荣誉委员会由历届国际养蜂会议的执行主席和对养蜂有重大贡献的各国养蜂专家组成。执行委员会主持联合会的日常工作，设主席、副主席、秘书长，还有 4 名委员。常设委员会包括养蜂经济学、蜜蜂生物学、蜜蜂病理学、蜜源植物和蜜蜂授粉、养蜂技术和设备、蜜蜂医疗专业和发展中国家养蜂。国际养蜂联合会有团体会员 44 个国家。联合会所属机构有国际养蜂技术和经济研究所，编辑出版《养蜂动态》杂志。

七、亚洲养蜂协会

亚洲养蜂协会是一个洲际的蜂业联合机构，简称亚蜂联（AAA），总部设在日本东京玉川大学，1990 年成立。主要发起人是日本玉川大学教授酒井哲夫、松香光夫和印度 YSP 大学教授 L. R. Verma，酒井哲夫担任首届亚洲养蜂协会主席。协会致力于促进亚洲养蜂业发展以及蜜蜂科学领域的信息交流，目前有 30 多个亚洲及太平洋国家和地区参加。亚洲养蜂协会每 2 年举办 1 次亚洲养蜂会议，编辑出版的刊物有《亚洲蜜蜂杂志》。

第一届养蜂会议于 1992 年 2 月 9 ~ 14 日在泰国首都曼谷召开，泰国朱拉隆功大学 S. Wongsiri 教授担任大会主席，有 10 个国家的代表参加了会议。

第二届亚洲养蜂会议于1994年7月26～29日在印度尼西亚首都雅加达召开。

第三届亚洲养蜂会议于1996年10月6～10日在越南首都河内召开，日本玉川大学松香光夫教授当选新一届亚洲养蜂协会主席，印度L. R. Verma和泰国S. Wongsiri任副主席。

第四届亚洲养蜂会议于1998年3月23～27日在尼泊尔首都加德满都召开，本届会议由国际山地发展中心协办，目的是以发展养蜂来促进山区经济的发展。来自24个国家的151位代表出席了会议，中国代表团12人参加此届会议。

第五届亚洲养蜂会议于2000年3月19～25日在泰国清迈召开，同时举行IBRA第七届热带养蜂会议和2000年蜜蜂博览会。31个国家的200余名代表参加了这次大会，中国代表团阵容强大，共90多人出席大会。中国养蜂学会理事长、中国农业科学院蜜蜂研究所所长张复兴教授当选亚洲养蜂协会副主席；中国养蜂学会副理事长、云南农业大学东方蜜蜂研究所所长匡邦郁教授当选亚洲养蜂协会生物学委员会主席。

第三节　世界著名养蜂书刊和杂志

一、世界著名养蜂书籍

《蜂箱与蜜蜂》(The Hive and the Honey Bee)：美国达旦父子公司出版的一部养蜂学术论著。1853年初版，原书名《郎斯特罗什论蜂箱与蜜蜂——一本养蜂者手册》(Langstroth on the Hive and the Honey Bee，a Beekeeper's Manual)，1889年后达旦父子公司多次修订出版此书，1946年改名为《蜂箱与蜜蜂》出版。此后，分别有1949年版、1963年版、1975年版和1992年版，每次再版都经修订、改写，补充新内容。有法文、俄文、意大利文、西班牙文、波兰文和中文等多种翻译本。1992年版《蜂箱与蜜蜂》是达旦父子公司组织当今世界养蜂界知名专家学者编写，全书共27个章节，依次是世界养蜂发展史、蜜蜂的品种、群体生活史、解剖学、生理学、蜜蜂营养、遗传与育种、蜜蜂的活动和行为、蜜蜂信息素、花蜜和花粉的产生、北美洲的主要蜜粉源植物、养蜂设备、养蜂入门、蜂蜜生产群的管理、蜂蜜和蜂蜡的采收与包装、巢蜜和大块巢蜜的生产、商业实践和获利、蜂蜜销售与小型养蜂场、商业养蜂的营销、生产群的越冬管理、蜂蜜、蜂群的其他蜂产品、蜂王和笼蜂的生产、作物授粉、病敌害防治、蜜蜂中毒、昆虫毒过敏。此次达旦公司选用了很多新作者，增添了部分新章节。中文译本是根据达旦公司1975年修订、1979年第五次印刷的版本翻译的，1981年由农业出版社出版。

《养蜂大全》(ABC and XYZ of Bee Culture)：一部英文养蜂技术类百科全书。1878年美国著名养蜂家A. I. 鲁特编辑出版了《养蜂基础》一书，此书经过反复修订，1910年再版时更名为《养蜂大全》，由美国鲁特公司出版发行，之后鲁特公司多次修订再版。1990年鲁特公司聘请R. A. 莫尔斯任主编，出版发行40版。全书有400多个条目，附有养蜂专业名词术语小词典，收录词条400多个，书后附有索引。主要内容包括蜜蜂科学和饲养管理技术，其中有养蜂简史、人物简介、蜜蜂品种、蜜蜂行为、蜜蜂授粉、幼虫繁育、热带养蜂、蜂群越冬、非洲蜜蜂生物学、蜂病防治、蜂蜜的分级标准、蜂产品加工与包装和养蜂机具等条目，并附有大量插图。

《养蜂百科全书》(Illustrated Encyclopedia of Beekeeping)：一部图文并茂全面介绍蜜蜂科学和养蜂技术的专业工具书。美国康奈尔大学教授 R. A. 莫尔斯和英国养蜂专家 T. 胡珀主编，美国纽约道顿公司 1985 年出版。全书收有 500 多个条目，内容包括蜜蜂生物学、蜂群管理、蜜蜂品种、主要蜜源植物、蜜蜂疾病诊断与防治、养蜂机具、蜂产品及其加工包装、著名养蜂家等。按英文字母顺序编排。

《养蜂家百科手册》(The Dictionary Manual of Beekeeper)：苏联出版的俄文养蜂工具书，1955 年由国家农业出版社初版。全书共收词目 1 432 条，内容包括蜜蜂生物学、解剖学、饲养管理、品种繁育、养蜂机具、蜜源植物和作物授粉、蜜蜂病敌害防治、蜂产品及其加工、养蜂经济、养蜂组织机构、养蜂发展史、著名养蜂家等，按俄文字母顺序排列。1984 年塔兰诺夫任主编对此书作了重大修改，压缩为 240 个词目，由莫斯科俄罗斯农业出版社出版。

《蜜蜂病理学》(Honey Bee Pathology)：一部论述蜜蜂患病本质及其发生、发展、传染规律的专著。英国洛桑试验站蜜蜂病理实验室 L. 贝利编著，科学出版社伦敦有限公司 1981 年出版。此书是在贝利 1963 年著《蜜蜂传染病》基础上修订改写的，补充了大量新内容。全书共 11 章，依次为导论、蜜蜂病毒、细菌、真菌、原生动物、寄生螨、寄生昆虫和线虫、不明病因疾病和非侵染病害、蜜蜂病害防治及结语。描述了蜜蜂各种病害，对重要病害的症状、诊断、病原、群间或群内传播以及防治原理和方法作了详细介绍。书后附主题索引。

《世界重要蜜源手册》(Directory of Important World Honey Sources)：国际蜜蜂研究会出版的一部供检索世界主要蜜源植物的工具书。由英国 E. 克兰和 P. 沃克等编著，1984 年出版。全书收有 467 种重要产蜜植物，按植物学名的字母顺序编号，其中 452 种主要蜜源植物和 15 种主要的产甘露的植物。对每种蜜源植物的学名、科名，英文普通名称、别名，主要形态特征、地理分布、流蜜期和经济价值等作了详细说明。书末附有该书引用文献的目录及植物英文通用名索引。

《蜂蜜综说》(Honey-a Comprehensive Suney)：一部全面介绍蜂蜜的英文著作，1975 年出版，英国 E. 克兰主编。全书 19 章，介绍了蜂蜜的来源、花蜜的酿造过程、蜂蜜生产群的管理、世界蜂蜜生产状况、蜂蜜的化学成分和物理特性、液态蜂蜜的加工和贮存、乳酪型蜂蜜的制作、巢蜜的生产、蜂蜜的质量控制与标准、世界蜂蜜贸易情况等。书末附有专题索引、植物索引和人名索引。

《蜂群生物学》(Biology of Bee Colony)：一部论述蜜蜂群体生物学研究的俄文论著，苏联国家农业出版社 1961 年出版。全书共 5 章：即蜂巢内稳定环境条件的维持、泌蜡与造脾、蜂子的培育与蜂群的增长、自然分蜂、采蜜与授粉。中文译本于 1975 年出版。

二、世界著名养蜂期刊

目前世界上约有养蜂期刊百余种，对探讨蜜蜂科研成果，传播和普及养蜂知识，交流养蜂生产经验，促进蜜蜂科学研究和养蜂业的发展起着重要作用。出版养蜂期刊最多的国家是英国、美国、法国和德国。著名的养蜂期刊有：

《养蜂研究杂志》（Journal of Apicultural Research）：国际蜜蜂研究会编辑出版的学术性英文养蜂季刊（目前常两期合刊），1962 年创刊。1993 年以来由托马斯·林德里担任主编。专门发表世界各国的养蜂研究论文，内容涉及蜜蜂生物学、蜜蜂生态学、蜜蜂病理学、蜜粉源植物与授粉生物学、蜜蜂及其产品的生物化学等。偏重蜜蜂基础理论的研究，是世界各国养蜂科研人员的主要参考资料。

《蜜蜂世界》（Bee World）：英国养蜂协会 1919 年创办的英文季刊，1950 年改由国际蜜蜂研究会编辑出版。现任主编帕梅拉·芒恩，截止到 1999 年已出版 80 卷。该杂志及时报道世界各国养蜂研究论文，养蜂生产的新技术，各国养蜂发展史尤其是发展中国家的养蜂概况，世界各地蜂病流行趋势，国际养蜂会议消息，国际蜜蜂研究会图书馆近期收到的专著提要，国际蜜蜂研究会的动态等。

《养蜂文摘》（Apicultural Abstracts）：国际蜜蜂研究会编辑出版的英文季刊，1950 年创刊。起初合刊在《蜜蜂世界》中，报道养蜂研究的新发现。1962 年独立出版发行，主要以文摘的形式摘录世界各国学术刊物和养蜂书籍中有关蜜蜂及其他蜂类的内容。新出版的《养蜂文摘》还发行微缩胶片和电子光盘。

《养蜂动态》（Apiacta）：国际养蜂工作者协会联合会编辑出版的国际养蜂刊物，1966 年 8 月创刊，季刊。有英、法、俄、德和西班牙 5 种文本。目前投稿只可采用英、法、德或西班牙文。编辑部设在罗马尼亚首都布加勒斯特市。主要发表蜂场和养蜂企业的管理经验、现代化养蜂机具、蜜蜂育种与繁育新技术、蜂产品优质高产技术等论文。及时报道国际养蜂联合会的组织和人事变动情况，各成员国养蜂发展概况以及国际养蜂会议的情况。

《美国蜜蜂杂志》（American Bee Journal）：1861 年创刊的英文养蜂月刊，是美国最早的养蜂刊物。1912 年美国达旦父子公司购买了该杂志版权，改由达旦父子公司编辑出版，编辑部设在伊利诺斯州哈密尔顿（Hamilton）市。截止到 1999 年底已出版 139 卷，内容包括世界蜂蜜市场、养蜂发展史简介、养蜂会议简讯、蜜源植物及授粉、蜂群饲养管理、蜜蜂病虫害防治、实用蜂具的制作、蜂产品加工与利用和部分养蜂科技论文等，属养蜂科普类刊物。

《养蜂集锦》（Gleanings of Bee Culture）：美国鲁特养蜂公司编辑出版的英文养蜂月刊。1873 年由 A.I. 鲁特创办，编辑部设在俄亥俄州麦地那（Medina）市。截止到 1999 年底已出版 127 卷，内容包括当月美国蜂蜜市场行情、养蜂科研动态、各国蜂业简讯、饲养管理技术、蜜源植物及授粉、蜂产品加工与销售、典型蜂场简介等，属养蜂科普类刊物。

《蜜蜂科学》（Honeybee Science）：日本玉川大学蜜蜂科学研究所编辑出版的日文学术季刊，1980 年创刊，编辑部设在玉川大学校内。截止到 1999 年底已出版 20 卷，主要发表日本及部分国际知名学者的研究论文，报道本国养蜂生产和技术，介绍世界养蜂动态和国际养蜂学术会议简讯。共刊登 422 篇科技文章并附有英文摘要。

《养蜂业》：俄罗斯养蜂研究所编辑的俄文养蜂月刊，1921 年创刊，前身是图科养蜂试验站出版的《试验蜂场》杂志，1934年更名为《养蜂业》杂志。内容包括饲养管理、良种繁育、蜜源与授粉、病敌害防治和养蜂经验交流等。既介绍养蜂基础知识，也报道最新养蜂技术和科研成果，并采用彩图介绍蜜源植物。

第四节　世界著名养蜂家

C. 巴特勒（Charles Butler，1560～1647）：英国养蜂家。1587年毕业于牛津的马格达兰学院，获文学硕士学位，后留校任教。1593年在汉普郡任牧师，后任圣灵学校校长。1600年又任汉普郡教区牧师，直至逝世。在任校长和牧师期间，他以草编蜂窝养蜂，从事蜜蜂的研究工作。1609年出版了著名的《巾帼王朝》（Feminine Monarchie）一书，此书于1623年和1634年再版，1678年和1682年被译成拉丁文出版。他在书中阐述雄蜂是雄性蜂，蜂王是雌性蜂，他认为工蜂也产卵。他还观察到蜜蜂用蜡鳞筑造巢脾。英国养蜂界称之为“英国养蜂之父”。

F. 于北（Francois Huber，1750～1832）：瑞士蜜蜂生物学家。年青时双目失明，在仆人F. 布尔内斯的协助下，对蜜蜂的生活作了详细观察。1792年出版了《蜜蜂的新观察》一书，1806年英译本出版。于北发明了书页式蜂箱，由12个巢脾组成，可观察到蜂群的生活情况。他发现蜂蜡是工蜂的分泌物，工蜂泌蜡要消耗花蜜，而不是花粉，喂糖可刺激蜜蜂造脾，花粉是用来哺育幼虫的。他还详尽描述了蜜蜂触角的作用、蜂王的受精方式、工蜂产卵问题、蜂王的敌意行为、蜜蜂的记忆以及蜂胶的来源等。于北不仅以其科学成就而著名，而且他那乐观面对残疾的坚强意志令人敬佩。

J. 齐从（Johannes Dzierzon，1811～1906）：波兰养蜂家。1811年生于波兰西里西亚。曾在罗马天主教会学校学习，后任牧师。在他养蜂生涯的初期，他就认识到花粉在蜂群发展中的重要作用，并在杂志和书中阐述了此观点。齐从是杰出的蜜蜂专家，1845年首次发表了他的新发现——蜜蜂孤雌生殖的现象，即雄蜂是由未受精卵发育而成，这为以后的蜜蜂育种奠定了基础。1853年他将意大利蜂引入中欧。1856年他发现蜂乳是从哺育蜂的舌腺分泌的。1861年出版了《合理化蜜蜂管理》一书，1882年翻译成英文，书名为《齐从合理化养蜂》。鉴于他的科学成就，1872年慕尼黑大学授予他名誉博士。他对欧洲养蜂的发展影响深远，并被誉为“现代中欧养蜂之父”。

F. De 赫鲁什卡（Francesco De Hruschka，1813～1888）：分蜜机的发明者。1813年生于奥地利维也纳。曾在奥地利帝国的陆军和海军服役，少校军衔。退役后在意大利威尼斯附近的家中养蜂，出售意大利蜂到德国，并制造蜂箱和各种蜂具。有一次，他看见儿子将装有蜜脾的篮子在头顶上急剧转动，由此产生灵感，设计出以绳索拉动的离心式分蜜机，分别在1865年德国养蜂大会和1868年巴黎昆虫博览会上展出，受到与会者的重视。之后，他对分蜜机进行了改进，采用齿轮作传动装置。当时在美国和英国已经普遍采用活框蜂箱，分蜜机很快普及，促进了养蜂业的快速发展。

L. L. 郎斯特罗什（Lorenzo Lorraine Langstroth，1810～1895）：美国著名蜜蜂行为专家，活框蜂箱的发明者。1810年生于美国费城。耶鲁大学毕业后，曾任牧师，早年对蜜蜂感兴趣，经过长期对蜜蜂的观察与研究发现“蜂路”是蜂箱的基础构造；1851 年绘制了一套活框式蜂箱草图。1852 年春，制作了一批带活动巢框的蜂箱，同年 10 月郎氏蜂箱获发明专利。活框蜂箱的发明对世界养蜂的发展产生了巨大影响，使蜂群管理技术发生了根本性变革。1853 年他编写的《郎斯特罗什论蜂箱与蜜蜂——一本养蜂者手册》一书出版，1859 年已是第三次修改和再版。该书阐述了郎氏的思想，论述了蜜蜂的行为和生理特性，并详细介绍了各种饲养管理技术。1858 年他在俄亥俄州创办自己的蜂场，他的家——郎氏小屋已被国家列为历史遗址。1895 年 10 月 6 日逝世。在逝世后，美国养蜂界为他撰写了墓志铭，称他为“美国养蜂之父”。

C. 达旦（Charles Dadant，1817～1902）：美国养蜂企业家，1817 年生于法国。年青时开始饲养蜜蜂，并不断地从书刊中学习养蜂知识，接受了郎氏的活框蜂箱，提倡以活框蜂箱养蜂。1863 年移居美国伊利诺斯州的哈密尔顿。之后，与儿子 C. P. 达旦（1851～1938）创建了世界闻名的达旦父子公司，成为北美著名的养蜂世家。1921 年达旦父子公司购买了美国最早出版的《美国蜜蜂杂志》版权，继续出版。1889 年以后，达旦父子公司将《郎斯特罗什论蜂箱与蜜蜂——养蜂者手册》一书多次修订出版，于 1946 年改名为《蜂箱与蜜蜂》陆续再版至今。达旦蜜蜂图书馆是世界上几个较好的蜜蜂图书馆之一，有多套完整的著名蜜蜂杂志。达旦蜂箱是由达旦父子在郎氏蜂箱基础上设计的一种大型活框蜂箱，在欧洲普遍使用，普及程度仅次于郎氏标准箱，适合于定地或较少转地饲养的蜂场。

C. C. 米勒（Charles C. Miller，1831～1920）：美国养蜂家。1831 年生于宾夕法尼亚州，曾在数所大学就读，后在密执安大学学医，获医学博士学位。当过教师和音乐公司的销售代表，在他 30 岁时捕获一群分蜂群，便开始业余养蜂。1876 年辞职，成为专业养蜂者。1886 年出版了第一部著作《蜂群四季管理》后，成为世界著名养蜂家。1902 年出版《养蜂 40 年》，1911 年出版《养蜂 50 年》。他是《养蜂集锦》的主要撰稿人，负责问答栏，解答各种养蜂问题。1913 年，83 岁的米勒博士创造了巢蜜生产的最高纪录，72 群平均每群产巢蜜 266 块（最高达 402 块）。他发明了米勒蜂王诱入器、箱顶饲喂器、T 型巢蜜继箱等。米勒养王法是一种不移虫的养王方法，由米勒发明。米勒博士在改进蜂具和饲养技术上做出了很大贡献，在他去世后，1923 年由养蜂界筹资在威斯康星大学建立了米勒养蜂文献图书馆。

A. I. 鲁特（Amos Ives Root，1839～1923）：美国养蜂企业家。早年是俄亥俄州的珠宝商，偶然发现一个分蜂群，开始对蜜蜂产生兴趣。1869 年他创办鲁特公司，1873 年创办《养蜂集锦》杂志。他提倡使用郎氏标准蜂箱，并依照标准箱的规格设计制造了隔王板等配套蜂具，形成统一标准的蜂箱用具。他对养蜂业发展的重要贡献：一是 1875 年与机械师 A. 沃什恩合作，设计制造出双辊巢础机；二是 1878 年提出用纱笼运输不带巢脾蜂群的设想，形成了繁殖和饲养笼蜂的生产技术。1878 年出版了《养蜂基础》，经过不断修订，此书易名为《养蜂大全》（ABC and XYZ of Bee Culture）。第一次世界大战之前，鲁特公司拥有几个大型蜂场，是美国最大的蜂蜜批发商，由于战后蜂蜜价格猛跌，公司损失惨重，蜂蜜生产与批发已不再是公司的主营业务。鲁特公司经过 5 代人的努力，已成为美国著名的家族企业。

T. W. 考恩（Thomas William Cowan，1840～1926）：英国养蜂家。1840 年出生于俄国，在伦敦学习机械工程，获理学博士学位。他是英国养蜂协会的创始人。1885 年购买了《英国养蜂杂志》，1890 年又购买《养蜂者记事》杂志。1881 年他的主要著作《养蜂者指南》出版，曾再版 25 次，被译成丹麦文、荷兰文、法文、德文、西班牙文、瑞典文和俄文出版，书中阐述了 40 年来养蜂的发展和考恩的养蜂理论。以后出版的《蜜蜂》一书，1890～1910 年作为蜜蜂解剖学的教材；1908 年出版了《蜂蜡工艺》。

G. M. 杜利特尔（Gilbert M · Doolittle，1846～1918）：美国养蜂家，人工育王技术的奠基人。1888 年撰写了《科学培育蜂王》，由达旦公司出版。虽然他不是人工王台的发明者，但他知道怎样用蜡碗棒蘸制蜡碗，蜜蜂更易接受。他发现移虫前蜡碗里放入少量王浆可以培育出好蜂王，并且培育蜂王时应大量饲喂蜂群。他还编写了几本小册子，是美国《养蜂集锦》的撰稿人。他的人工育王技术为美国商业化养蜂发展起到了积极的推动作用。

H. B. 纳沙诺夫（H. B. Nasonov，1855～1939）：俄罗斯生物学家、蜜蜂臭腺的发现者。苏联莫斯科大学动物学教授，俄罗斯科学院院士。莫斯科大学毕业，获硕士学位。1887 年在工蜂腹部第七腹节背板上缘发现臭腺，又称纳沙诺夫腺。1897 年被选为俄罗斯科学院通讯院士，1906 年为院士。他发表的著作有 150 篇，其中 15 篇是关于蜜蜂和养蜂的，专著有《蜜蜂及其管理》。

E. 山德士（Enoch Zander，1873～1957）：德国近代养蜂家。生于德国新勃兰登堡，祖籍苏格兰。在埃尔兰根（Erlangen）获博士学位。后在基尔和罗斯托克从事他所喜爱的海洋生物的研究。1907 年 11 月应弗莱希曼教授的邀请，山德士重返埃尔兰根大学在刚组建的蜜蜂研究室工作。1910 年该室扩建为蜜蜂研究所，山德士任所长。他的主要研究成就是在蜜蜂孢子虫病方面，鉴别出孢子虫病的病原，定名为蜜蜂微孢子虫（*Nosema apis* Zander）。他还在蜜蜂发育周期、花粉的结构及其染色体数、养蜂技术以及蜂箱设计上有所研究。他设计的活框蜂箱保留了很多德国老式蜂箱的特点，箱体比郎氏蜂箱稍小，在中欧各国被广泛采用。他毕生发表论文 533 篇。主要著作有《养蜂手册》（1～7 卷）和《蜂蜜产地鉴定论文集》。

R. E. 斯诺德格拉斯（Robert Evans Snodgrass，1875～1962）：美国著名昆虫形态学家、蜜蜂解剖学的奠基人。曾参与保护鸟类生存环境的工作，擅长解剖各种动物，1895 年进入斯坦福大学主修动物学。毕业后先后在华盛顿州立大学、斯坦福大学任教。1906 年受美国农业部 E. F. 菲利普斯教授聘用，开始从事蜜蜂的研究工作。1910 年编写美国农业部简报，名为“蜜蜂解剖学”。出版的专著有：《蜜蜂的解剖与生理学》（1925）、《昆虫形态学原理》（1935）和《蜜蜂解剖学》（1956）。

R. L. 沃森（Raymond L. Watson，1877～1948）：蜂王人工授精技术的首创者。1905 年毕业于美国艾尔弗雷德大学。后在康奈尔大学攻读遗传学，获博士学位。1927 年他首次将微量注射器用于蜜蜂人工授精，并获得成功。同年发表了题为“蜂王控制交配”的论文。但经人工授精的蜂王产下的卵只有 25%～30% 的受精卵。此后 10 多年间，沃森多次改进了人工授精设备，但未能明显提高蜂王人工授精的成功率。后来经过 O. W. 派克和 O. 麦肯森的改进，蜜蜂人工授精技术才进入了实用阶段。

K. R. Von 弗里希（Karl R · Von Frisch，1886 ~ 1982）：德国著名昆虫学家。1886年生于奥地利维也纳。1905 年在维也纳大学医学院学习，2 年后改学动物学，毕业时开始研究鱼类的视觉。1912 年在慕尼黑大学作题为“鱼类颜色适应性变化”的研究报告。第一次世界大战结束后，他回到家乡奥地利布尔诺温克度假，开始对蜜蜂产生兴趣。1918 年他回到慕尼黑，继续研究鱼类和蜜蜂的辨色能力。1927 年他的系列丛书中的第一本《舞蹈的蜜蜂》出版。1930 ~ 1932 年为慕尼黑动物研究所所长。1944 年慕尼黑动物研究所毁于空袭，弗里希又回到家乡奥地利继续开展蜜蜂舞蹈语言的研究，他发现蜜蜂用一种特有的“舞蹈”作为“语言”向同类表达蜜源的方位和距离；蜜蜂能感知偏振光，可借助太阳辨认蜜源的方位，因此荣获 1973 年诺贝尔奖。1946 年在奥地利格拉茨动物研究所从事蜜蜂信息传递的研究。1950 年重返慕尼黑从事他的研究工作直到退休。1962 ~ 1964 年弗里希教授任国际蜜蜂研究会主席。1967 年，代表作《蜜蜂的舞蹈与定向》出版。著作还有《蜜蜂的生活》（1977，第 9 版，1983 年有中译本）、《蜜蜂及其视觉、嗅觉、味觉和语言》（1962 年有中译本）。发表论文 170 多篇。

B. 亚当（Brother Adam，1898 ~ 1996）：英国蜜蜂育种学家。出生于德国比贝拉赫，1910 年移居英国，入德文郡巴克法斯特（Buckfast）的圣 · 玛丽亚修道院。1914 ~ 1915 年冬季他患重病，在修道院院长的鼓励下决心以养蜂增强体质。1919 年开始专门管理修道院的 100 群蜂，当时英国爆发壁虱病，他饲养的蜂群仅存活 16 群，英国黑蜂全部死亡，幸存的是意大利蜂与黑蜂的杂交品种，他认识到意大利蜂要比本地的英国黑蜂对壁虱病具有更强的抗性，便开始引进纯种意大利蜂王。1925 年在修道院附近的达特莫尔（Dartmoor）建立了交尾隔离区，用于杂交育种，培育出巴克法斯特蜂。1950 年以后，他多次到地中海沿岸各国寻找当地优质蜂种与自己培育的品种进行杂交，目的是为了获得更高的蜂蜜产量。他先后将巴克法斯特蜂分别与法国黑蜂、希腊的卡尼鄂拉蜂、土耳其的安纳托利亚蜂进行杂交，效果良好。1981 年他前往坦桑尼亚，研究非洲蜜蜂的抗病性问题。亚当毕生从事蜜蜂育种工作 70 余年，他培育的巴克法斯特蜂已在欧洲很多国家推广。1971 年起就担任国际蜜蜂研究会副主席，1987 年瑞典大学授予他名誉博士学位，主要著作有《蜜蜂优良品种的培育》。

E. J. 戴斯（Elton James Dyce，1900 ~ 1975）：加拿大蜂蜜专家。出生于加拿大安大略省，年青时对蜜蜂感兴趣，当他还是安大略农学院（现圭尔夫大学）的学生时，就饲养了 400 群蜂。大学毕业后在麦吉尔大学获硕士学位。在美国康奈尔大学攻读博士学位时，在 E. F. 菲利普斯教授指导下，从事蜂蜜发酵与结晶的研究，发明了制作乳酪微结晶蜂蜜的加工技术，它既能防止发酵和结晶的产生，又保持了蜂蜜的天然组分。1924 年在圭夫尔大学任讲师和教授。1942 年后任康奈尔大学教授，1965 年退休，被授予荣誉退休教授。为纪念他的业绩，1968 年康奈尔大学建立了戴斯蜜蜂研究室。戴斯发明的乳酪型蜂蜜加工方法于 1933 年获加拿大专利，1935 年获美国专利。他将专利权分别赠给康奈尔大学和安大略省，用于蜜蜂和蜂蜜的研究。

冈田一次（I. Okada，1909 ~ 1999）：日本现代养蜂学家。1909 年生于日本兵库县。1934 年毕业于北海道大学理学院动物系，毕业后留校在农学院昆虫教研室任助教。1948 年获农学博士学位。1949 年任玉川大学农学院教授，致力于蜜蜂科学研究。1972

年任玉川大学农学院院长，1977年开始招收蜂学硕士生。1979年日本玉川大学蜜蜂科学研究所成立，冈田一次担任首任所长。1980年主编出版《蜜蜂科学》杂志。1985年退休后被聘为玉川大学名誉教授。1972～1979年，冈田一次任国际蜜蜂研究会理事。1985年在日本名古屋召开的第三十届国际养蜂会议，他是组委会总干事。主要著作有《蜜蜂》和《日本蜜蜂志》。

塔兰诺夫（1908～1986）：俄罗斯蜜蜂生物学家。俄罗斯联邦科学院生物学博士、教授。主要研究蜂群生物学及其在养蜂生产上的应用，在蜜蜂饲养和繁育技术、灰色山地高加索蜂和中俄罗斯蜂的大规模杂交利用、笼蜂生产及利用、多箱体养蜂等方面取得了一系列成果。塔兰诺夫毕生发表了400多篇学术论文，撰写了多部著作，著名的有《蜂群生物学》和《蜜蜂解剖和生理学》。1946～1960年他担任《养蜂业》杂志主编，他是国际养蜂工作者协会联合会荣誉会员，1954年苏联政府授予他列宁勋章。

V. 哈尔纳日（V. Harnaj，1917～1988）：罗马尼亚现代养蜂活动家。1945年毕业于布加勒斯特技术学院，留校任助教、讲师和教授。后在地质地理学院任教授、副院长。自1957年起担任罗马尼亚养蜂协会主席长达25年。1965年第二十届国际养蜂会议在罗马尼亚布加勒斯特召开，哈尔纳日当选为国际养蜂工作者协会联合会主席，并连任5届。1966年他筹建了国际养蜂联合会出版部，以5种文字出版季刊《养蜂动态》和一些养蜂专著。1971年该出版部扩建为国际养蜂技术和经济研究所。

第十八章　蜂业政策与法规

蜂业政策与法规就是政府部门制定、颁布有关保护、发展养蜂业的一系列政策和法规性文件。蜂业政策与法规对于养蜂生产和维护养蜂者的合法权益，提高蜂产品的产量和质量，保证养蜂业持续稳定发展具有重要意义。

第一节　养蜂法规、政策的内容

各国和各地区颁布的养蜂法规包括法律、法令、条例、规程、规定、措施办法等，具体内容虽然不尽相同，但都以保护蜜蜂不受损害，促进养蜂业发展为目的。通常含以下全部或部分内容：①制定法规的目的、适用范围、主管部门和养蜂业指导员、养蜂者的责任、权利和义务；②养蜂登记，养蜂者向主管部门申请登记，申报蜂群数、饲养场地、饲养时间，要求在法律允许范围内从事养蜂业的生产和经营；③保护改善发展蜜源植物，对野生蜜源予以保护，同时积极发展重要蜜源植物；④蜜蜂病虫害，要求实施检疫制度，处理感染蜂群，及时销毁被污染的蜂具等，明确检疫对象、划定检疫区域；⑤蜜蜂和蜂具的进口、蜂群转运规定；⑥使用农药时保护蜜蜂的规定，包括在蜂场周围使用农药的规定以及造成蜂群损失的责任追究；⑦利用蜜蜂为农作物授粉，授粉的作用及费用；⑧提高蜂产品产量和质量，提高蜂群及其产品的经营管理水平；⑨法规中若干名词的解释说明及实施。

最早的养蜂法规可见于古希腊、古罗马的法典。公元前 594 年，古希腊雅典的政治改革家和诗人梭伦（约公元前 638 至公元前 559 年）制定的法典规定，新建蜂场不能距原有蜂场 300 码（274m）以内。公元前 100 年古罗马法典规定，未饲养在蜂窝里的蜜蜂是无主的，最先将野生分蜂群捕获养在蜂窝中者即为该蜂群的所有者。随着养蜂业的发展，全世界已有 50 多个国家和地区陆续制定了本国和本地区的养蜂法规。一般是关于蜜蜂病虫检测和防止传播扩散的具体规定。

第二节　国外养蜂法规简介

国外养蜂法规比较健全的国家有德国、苏联、美国、日本、加拿大、英国等，现分别简介如下：

一、德国

卡罗大帝（742～814）发布的保护养蜂业法令中明确要求官吏了解养蜂业的实际情况。《萨克逊法》中规定盗窃蜂群要处以9倍于蜂群价值的罚款。1350年卡罗九世皇帝（1316～1378）发布的森林养蜂法规定，饲养在皇家园林的蜜蜂可以免征商品税，养蜂者还可以砍伐生活所需的木柴。1976年德国公布了蜜蜂进口、转运、蜂病防治的法规，1980年公布经第三次修改后的蜜蜂病害法律。

二、苏联

1919年苏联人民委员会发布了由列宁签署的关于保护养蜂业的法令。为迅速恢复受到第二次世界大战破坏的养蜂业，1945年苏联人民委员会发布了《关于发展养蜂业的措施》。1973年做出对蜂场进行登记和预防蜂病的规定。1979年苏联农业部批准实施《苏联蜜蜂品种区划方案》。1980年苏联农业部制定雅氏瓦螨（大蜂螨）防治规则，1981年制定的养蜂畜牧卫生规程，明确了蜂病的防治、蜂具消毒和蜂粮的卫生标准。苏联还发布了关于养蜂业的法规15条，是内容比较完整的法规。

三、美国

美国是很早制定实施蜜蜂法规的国家。1881年密执安州通过了第一个关于蜜蜂疾病的州立法律，1883年加利福尼亚州也通过了蜜蜂疾病法，法规都要求烧毁有病的蜂群。1922年，美国联邦政府通过关于禁止蜜蜂运入，以防止传入武氏蜂盾螨（蜂盾螨的一种）病的联邦法律，从1923年始就在大部分州建立蜜蜂检疫制度。1976年的蜜蜂法令进一步明确规定禁止蜜蜂进口的要求。美国国内大部分州都制定了包括蜜蜂在州内和州间运输时蜂场要经过登记检查、取得卫生许可证书，患病蜂群的处理措施、疫区划定等在内的养蜂法规。

四、加拿大

1919年不列颠哥伦比亚省制定蜂病检疫法令，将美洲幼虫腐臭病、欧洲幼虫腐臭病和大蜡螟、小蜡螟列为检疫对象，以后其他省也相继制定了蜜蜂法规。1955年发布《加拿大养蜂法》，明确规定了养蜂者、蜂业指导员、政府管理人员的权利、责任和义务，蜂群、蜂具的经营管理办法，蜜蜂病虫害检疫规程，染病蜂群和蜂具的处理办法，违反养蜂法规的处罚措施等。

五、英国

1967年制定了蜜蜂幼虫病的防治规程，规定每年4月1日至9月30日进行检查，发现病虫严重侵染的蜂群不准转运；规定全年要检查死亡蜂数、巢脾、蜂具，发现患美洲幼虫腐臭病、欧洲幼虫腐臭病的蜂群即行销毁。1980年，对1967年的规程进行了修改，以后在1967、1980年法规基础上又作了修改补充，制定1982年的蜜蜂病虫防治法规。1980年的蜜蜂进口规则是对1955年、1978年、1979年蜜蜂进口条件的修改补充，进口蜜蜂必须进行检疫，取得进口许可证后才准予进口，禁止进口受雅氏瓦螨侵染的蜜蜂。

六、日本

日本，1955 年发布了《振兴养蜂法》及其实施规则。法规对蜂场的位置、业主、转地放蜂、蜜蜂产品、蜜源植物的保护发展和利用、农林长官的责任及违反法规的处罚都作了明确规定。

第三节　中国养蜂政策与法规

中国于 20 世纪 20～30 年代，在引进西方蜜蜂的基础上，各地纷纷发展养蜂，与此同时蜜蜂幼虫病在中国华北、华中地区蔓延，使养蜂业遭受到巨大损失。为保护养蜂业的发展，南京国民政府发布保护蜂业的法令法规，如 1930 年 2 月 15 日农矿部农产物检验所公布的《检验农产物病虫害暂行办法》19 条，1931 年的《蜂种制造取缔规则》和《蜜蜂进口检验规程》。一些地方政府在各养蜂协会的敦促下也相应实施保护转地放蜂、减轻赋税、降低蜜蜂运费等一系列地方法规。如：1929 年，河北省农矿厅公布的保护蜂业和保护转地养蜂法令，山东省政府通令一律豁免征收来往蜂群税赋，并对胶济铁路货运准予蜂群免税；1931 年，辽宁省政府发布了《辽宁省管理蜂业暂行规则》；实业部天津商品检验局公布实施《蜜蜂进口检验细则》。这些法规的实施，使当地衰退的蜂业得以恢复和发展。1937 年，南京政府农林部还公布了《养蜂登记规则》。

新中国成立后，国家十分重视养蜂业的发展，国家和各级地方政府制定了许多发展养蜂生产的方针、政策和措施，对我国的养蜂生产起到了积极的推动和保护作用。

1950 年 7 月，贵州省政府颁发的《农业生产奖励办法》中明确规定："家庭养蜂，其收入不论多少，一律免征负担。"从政策上保护和扶持发展养蜂。

1957 年 10 月 24 日，农业部、农垦部联合在北京召开全国养蜂工作座谈会，座谈了全国各地发展养蜂生产的方针、政策和措施，提出了生产任务。这是中国蜂业史上首次全国性的养蜂生产会议。1958 年 1 月，国务院批转给各有关部及全国各省、市、自治区人民政府《农业部、农垦部关于全国养蜂工作座谈会的报告》，是中国蜂业的一个重要转折点。《报告》明确了"今后养蜂生产的发展，应该采取以农业生产合作社为主，各类国营农场为辅，外来种和本国蜂并重的方针。"在不影响社内劳动出勤的条件下，合作社应该允许社员养蜂；要加强领导，培养技术干部；适当调整蜂蜜、蜂蜡收购价格，中等蜂蜜价格原则上至少与白糖价格相等，蜂蜡价相等于 2kg 蜂蜜价；对山区发展养蜂给予经济扶持，每群蜂贷款 15 元；减免养蜂税收，鼓励发展养蜂生产。要求经营部门减少蜂蜡出口，优先满足国内蜂群繁殖的需要，建议中国农业科学院及养蜂技术力量较强的福建农学院、山东农学院、江西省农业科学研究院积极创造条件，筹建养蜂专业研究机构，开展养蜂试验研究工作等。随着这些方针、政策和措施在各地逐渐贯彻落实，国营和集体蜂场进一步发展，科学养蜂技术和中蜂活框蜂箱饲养技术在一些地区推广。

1963 年春，农业部发出《有关转地放蜂问题的通知》，要求各地加强对转地放蜂工作的组织领导，充分利用蜜源，达到授粉与蜂产品双丰收。

为了及时推广各地发展养蜂生产的先进经验，1973 年 8 月 25 日至 9 月 2 日，农林部在北京市密云县召开全国养蜂经验交流会。进一步要求各地努力办好国营蜂场，大力发展集体养蜂，对社员家庭养蜂应按照《农村工作六十条》规定执行；蜂产品的收购要执行按质论价、优质优价的政策，以利提高蜂产品质量。并积极推广黑龙江省尚志县、北京市密云县等 10 个养蜂先进单位发展养蜂和以副促农的经验。同年 9 月 14 日，农林部向国务院呈报了《关于大力发展养蜂生产的报告》，进一步推动养蜂生产的发展。

70 年代后期，随着农村经济体制改革的全面展开，国营和集体蜂场普遍实行以家庭联产承包为主的责任制，不断完善统分结合的双层经营体制，生产积极性空前高涨，养蜂专业户受到社会的支持。1979 年，云南省人民政府（当时称革命委员会）向全省转发省农业局、商业局《关于进一步发展我省养蜂生产的报告》明确指出："养蜂对国家、集体、个人三者都有利，而且可以大量促进农作物产量的提高。要利用各种形式，积极宣传养蜂生产的重要意义，调动各方面的积极因素，把养蜂生产搞上去。"1980 年，中共山西省沁水县委员会提出大力发展养蜂，集体、个人一齐养；县人民政府专门颁发《放宽政策，大力发展养蜂》的布告，在布告中规定：在办好集体蜂场的同时，大力支持社员养蜂；养蜂人员的口粮，不低于其他社员标准；有发明创造者，予以奖励。还规定：对过去因家庭养蜂受到批判的社员，一律平反；对无偿收归集体的蜂群，一律退赔。县人民政府拨出专款，对发展养蜂资金有困难的社员和集体，以低息贷款给予扶持。

1983 年 1 月，中共中央书记处研究室科技组针对当时养蜂业产销中存在的问题，提出了《关于发展养蜂业和推进养蜂现代化的建议》，主要内容有 8 条：一是普遍推广养蜂，在一切有蜜源的地方，大力提倡群众养蜂授粉，积极扶持养蜂专业户；二是由农牧渔业部负责发展现代化养蜂业；三是商业部门要积极收购和推销蜂产品，把它当做支援农业的一项任务来抓；四是发展蜂产品加工业，提高蜂产品经济价值，努力开发国内市场；五是加强科学研究，在人才、经费和设备方面，进一步充实中国农业科学院养蜂研究所，把它办成名副其实的全国养蜂研究中心；六是重视智力投资，加速人才培养，以适应养蜂现代化的需要；七是群众养蜂以当地为主，国营蜂场、集体蜂场和养蜂专业户，可以转地采蜜；八是切实保护蜜源植物资源。这 8 条建议，农牧、商业等有关部门进行了认真的研究和部署，已分期分批逐步付诸实施，并作为今后发展蜂业的重要指导思想。

1986 年 5 月 23 ~ 27 日，农牧渔业部、商业部、对外经济贸易部在北京联合召开全国养蜂工作会议。会议传达了中共中央总书记胡耀邦在《我国蜂蜜质量低劣将被挤出国际市场》一文的批示，农牧渔业部副部长刘江代表三部作题为《团结奋斗，提高蜂蜜质量，开创我国养蜂业新局面》的报告，进一步明确养蜂业要坚持改革，加强管理，改进技术，提高质量，扩大内销，积极出口，有计划地发展养蜂生产和蜂产品经营。要求农牧、商业（供销）、经贸三条战线，密切配合，做好各项工作。

1986年9月10日，农牧渔业部颁发《养蜂管理暂行规定》，其中第三条规定：农牧渔业部主管全国养蜂生产，各级农牧部门主管本地区的养蜂生产（以下统称养蜂生产主管部门）。各级养蜂生产主管部门，应加强对养蜂业的领导和管理。养蜂生产重点地区可设置专门管理和服务机构。其他地区视本地区情况，配备专职或兼职管理人员。各级养蜂生产主管部门负责组织养蜂生产，推广先进技术，培训人员。做好产前、产中、产后服务工作，疏导产销渠道，发展加工业，提高蜂产品质量和产量，提高资源利用率和经济效益。《暂行规定》共24条，还对养蜂业其他有关事项做出规定，要求蜂产品的生产、收购、加工和销售，必须符合国家有关规定，保证质量，防止污染。对违法者予以惩处，触犯刑律的移送司法部门处理。这对加强养蜂业的管理，促进和鼓励养蜂业的生产、收购、加工、销售，提高产品质量和实现一体化经营等起了重要作用。

在一个时期内，蜂蜜质量下降是个突出的问题。早在1979年3月，全国供销合作总社土产果品局、农业部畜牧总局、中国土产畜产品进出口总公司向各省、市、自治区有关部门发出了《关于提高蜂蜜质量，以利扩大出口和销售的联合通知》，1983年12月，农牧渔业部向各省、市、自治区农牧渔业厅（局）转发了《当前我国出口蜂蜜货源中掺假伪造现象严重》的通知，1984年5月，商业部土产杂品局、中国土产畜产品进出口总公司、农牧渔业部畜牧局向各省、市、自治区有关部门发出了《关于提高蜂蜜质量，加强验收，严防掺杂造假蜜的联合通知》，上述通知均要求各地在收购蜂蜜中，认真贯彻落实优质优价政策，揭露和严厉打击掺杂使假的不法分子，不断提高蜂蜜等蜂产品质量。

国家对从事养蜂及销售蜂产品纳税的规定，是养蜂法规的一个重要组成部分。按照中华人民共和国国务院1984年9月18日发布的《中华人民共和国产品税条例》（草案）和同年9月28日财政部颁发的《中华人民共和国产品税条例（草案）实施细则》规定，从事养蜂及销售自产蜂产品（未经加工）的单位（机关、团体、学校、企业、事业单位）和个人，均不征产品税或增值税，销售蜂产品的收入不征营业税。但如果通过商业单位销售，应对商业单位征收营业税。上述单位的农场从事养蜂，一般不征收所得税，或由财政部门确定是否征收。

第四节　养蜂业常用法律法规知识

一、依法解决基本问题

（一）养蜂生产的主管部门

由于体制及地区的原因，有些养蜂人至今弄不清谁是养蜂生产的主管部门。对此，《养蜂管理暂行规定》第三条作出明确界定：“农牧渔业部（现农业部）主管全国养蜂生产，各级农牧部门主管本地区的养蜂生产。”“各级养蜂生产主管部门，应加强对养蜂业的领导和管理。养蜂生产重点地区可设置专门管理和服务机构。其他地区视本地区情况，配备专职或兼职管理人员。”“各级养蜂生产主管部门负责组织养蜂生产，推广先进技术，培训人员，做好产前、产中、产后服务工作，疏导产销渠道。发展加工业，提高蜂产品质量和产量，提高资源利用率和经济效益。”以上规定不仅明确了主管部门，还明确了其工作范围及责任。因此，建议养蜂人遇到什么问题，可直接找主管养蜂生产的农牧部门进行处理，不用找供销或林业及其他部门。

（二）各种证件的办理

1. 养蜂工作证　此证为养蜂人的养蜂证件，由中华人民共和国农业部印制，省或县（市）养蜂生产主管部门每年签发1次，加盖钢印后生效，并登记造册。

2. 蜂群检疫证明　出省放蜂的蜂场必须办理的证明函，由县级以上畜牧兽医行政管理部门——动物检疫站依法进行检疫，并如实逐项填写检疫结果和处理意见。

3. 计划生育证明　由养蜂员常住户口所在地乡、镇政府及计划生育部门出具证明。

云南省有关单位于1991年6月联合发出的“云南省铁路运输管理暂行办法”的通知中，养蜂员在申报车皮计划运蜂时，除要求有养蜂工作证和蜂群检疫证明外，还需要县级以上的放蜂证明信。

此外，蜂场工作人员每年要进行1次健康检查，传染病患者不能从事蜜蜂饲养和蜂产品生产工作。

（三）养蜂单位（人）的权益与义务

1. 养蜂单位（人）的权益　养蜂单位及个人除享有国家宪法及党政国策和法律法规赋予公民的各项权利和义务外，农业部颁发的《养蜂管理暂行规定》第四条对其权益还做了如下规定：“凡从事养蜂生产的单位和个人（包括专业户、联合体、协会、企业及各种形式的养蜂经济联合组织），在国家政策、法律允许范围内的生产和经营活动，都应受到保护和支持。鼓励养蜂业生产、收购、加工、销售一体化经营。”根据该项规定，养蜂人正常的生产、经营活动，均可受到法律的保护。

2. 养蜂人作为消费者时享有的权利　《消费者权益保护法》规定，消费者享有以下权利：（一）有人身、财产安全不受损害的权利；（二）有知悉其购买、使用的商品或者接受的服务的真实情况的权利；（三）有自主选择商品或者服务的权利；（四）有公平交易的权利；（五）有依法获得赔偿的权利；（六）有依法成立维护自身合法权益的社会团体的权利；（七）有获得有关消费和消费者权益保护方面的知识的权利；（八）有人格尊严、民族风俗习惯得到尊重的权利；（九）有对商品和服务以及保护消费者权益工作进行监督的权利。知晓自己有以上权益后，应积极地珍惜并使用法律赋予的权利，来维护自己的合法权益。

3. 养蜂人的子女上学　《中华人民共和国义务教育法》规定：“凡年满6周岁的儿童，不分性别、民族、种族，应当入学接受规定年限的义务教育。条件不具备的地区，可以推迟到7周岁入学。”同时，该法及《中华人民共和国义务教育法实施细则》均对违反上述规定的行为做了明确处罚规定：对经教育仍拒不送其子女或者其他被监护人入学、招用童工、扰乱实施义务教育学校秩序、侵害教师学生合法权益等违反国家关于义务教育规定的行为，做了予以行政处罚的规定。有的养蜂人常年在外放蜂，只图一时有个帮手，忽视子女的教育问题，这不仅耽搁了子女的未来，也违反了法律，对此应引起高度重视，养蜂人在开展生产搞好经营的同时，必须妥善安排好子女的学习和生活。

4. 师徒关系 师徒关系是一种特殊的人身依附关系，通常是师傅有一定的业务专长，并有十分丰富的实践经验，徒弟则依据一定的权利义务向师傅学习专长。师徒关系的确定不仅仅依据签订的合同，通常的情况是形成事实上的师徒关系。师徒合同中，师傅的权利义务是：师傅有权指导徒弟的学习和工作，逐步教授和提高徒弟掌握专业知识，把自己的专长毫无保留地传授给徒弟，直至徒弟能够独立工作。徒弟的义务是：服从师傅的指挥，接受师傅的指导和安排，掌握师傅的一技之长，徒弟对师傅有尊重和给付一定报酬的义务。

5. 养蜂人生活取水 1993 年 8 月 1 日国务院发布的《取水许可证制度实施办法》明确规定，下列少量取水不需要申请取水许可证：一是为家庭生活、家畜饮用取水的；二是为农业灌溉少量取水的；三是用人力、畜力或者其他方法少量取水的，少量取水的限额由省级人民政府规定。同时，该办法还规定，下列取水免予申请取水许可证：一是为农业抗旱应急必须取水的；二是为保障矿井等地下工程施工安全和生产安全必须取水的；三是为防御和消除对公共安全或者公共利益的危害必须取水的。养蜂人在外放蜂，因生活需要少量用水，因此不需要办理取水许可证。

6. 提高蜂产品质量 《养蜂管理暂行规定》中规定：各级养蜂生产主管部门负责组织养蜂生产，推广先进技术，培训人员。做好产前、产中、产后服务工作，疏导产销渠道。发展加工业，提高蜂产品质量和产量，提高资源利用率和经济效益。同时规定，蜂产品的生产、收购、加工和销售，必须符合有关规定，保证质量，防止污染。严禁掺杂造假、粗制滥造。严禁利用腐败变质的原料加工制品，违者，当地养蜂生产主管部门应配合有关部门，视情节轻重分别予以罚款或没收产品；造成严重后果的，移送司法部门处理。

7. 购买商品受到损害时的索赔 《消费者权益保护法》第三十五条规定："消费者在购买、使用商品时，其合法权益受到损害的，可以向销售者要求赔偿……消费者或者其他受害人因商品缺陷造成人身、财产损害的，可以向销售者要求赔偿，也可以向生产者要求赔偿……消费者在接受服务时，其合法权益受到损害的，可以向服务者要求赔偿。"依据上述规定，在购买商品或接受服务时如果遭到损害，可依法向消费者协会或者人民法院提出索赔请求或诉讼，向销售者或生产者及服务者讨回公道和取得经济赔偿。

8. 公证和保险

（1）公证：公证是国家设立的公证机关，根据当事人的申请，按照法律规定的程序，对法律行为和有法律意义的文书和没有争议的法律事实作出一个证明，以确认它们的真实性和合法性，从而使它们具有无可置疑的证据效力。办理公证时，应本着方便自己处理日后可能发生的纠纷的原则选择公证机关，一般应当亲自去办理，提出口头或书面申请，公证机关将就有关事项进行审查，如果公证员认为提供的证据不够完备或有异议，可以要求申请人补充或查证。在审查完毕之后，公证处将出具公证书，然后由申请人签章，并且缴纳公证费用，公证手续即告完成。

（2）保险：养蜂业是一个高风险的行业，养蜂人应向保险公司投人身险和财产险，以提高抵御天灾人祸的能力。

（四）养蜂人的住所和经常居住地

养蜂人追花夺蜜流动性较大，发生民事纠纷后，首先要确定其居住地。住所将决定着管辖的法院、法院文书的送达等事项，这对维护自身的合法权益至关重要。《民法通则》第十五条规定："公民以他的户籍所在地的居住地为住所，经常居住地与住所不一致的，经常居住地视为住所。"公民的经常居住地是指该公民最后连续居住满10年以上的地方（住医院治病的除外）。

二、税和费

（一）税

税收是共和国的血脉，依法纳税是每个纳税人的义务。

1. 减、免税和消费税与养蜂生产的关系　《中华人民共和国税收征收管理法》第二十一条规定："纳税人可以依照法律、行政法规的规定向税务机关书面申请减税、免税。减税、免税的申请由法律、行政法规规定的减税、免税审批机关审批；地方各级人民政府、各级人民政府主管部门、单位和个人违反法律、行政法规，擅自做出的减税、免税决定无效。"在中华人民共和国境内生产、委托加工和进行应税消费品的单位和个人，应当依照《中华人民共和国消费税暂行条例》缴纳消费税。应税消费品包括：烟、酒、化妆品、护肤护发品、贵重首饰及珠宝玉石、鞭炮焰火、汽油、柴油、汽车轮胎、摩托车、小汽车。从上述规定可以看到，蜂产品不属于应税消费品，所以，养蜂人不必交纳消费税。

2. 农业特产税　农业特产税属地方税，是根据1994年1月30日《国务院关于对农业特产收入征收农业税的规定》开征的（以下简称《规定》）。该《规定》虽未将蜂蜜等蜂产品列入征收农业特产税范围，但根据《规定》第三条第（七）项"省、自治区、直辖市人民政府确定的其他农业特产品收入"赋予各省有权自己决定开征范围。如黑龙江、吉林两省则将蜂蜜列入征收税目，其税率为5%；江西省将蜂产品列入征收税目，其税率为8%。除上述3省有省政府文件对蜂蜜或蜂产品开征农业特产税外，其他省（自治区）还未对蜂产品征收农业特产税。今后蜂农在其他省、自治区放蜂时，遇到上门要税情况时，可要求财税人员出示省级有关开征蜂产品农业特产税文件，否则可拒绝交税款。另外，蜂产品增值税（国税），属农产品免税范围。

《规定》第五条明文规定："农业特产税的应纳税额，按照农业特产品实际收入和规定的税率计算征收"。1998年7月21日《中共中央办公厅、国务院办公厅关于切实做好当前减轻农民负担工作的通知》，强调"严格执行国家的农业税收政策。农业税要坚持以实计征"；并规定："各级财税部门要把禁止在农村乱征乱收税费，作为纠正行业不正之风的重要内容，切实抓好。”凡税务人员纠集公安等人员以殴打、扣押财物为手段和按箱摊派，强行向蜂农征收几百元甚至上千元农业特产税的做法是错误的；在蜂群越冬等无产出的月份，以虚拟收购价向蜂农征收高额农业特产税，是无道理的；将蜂农留作蜜蜂饲料的蜂蜜也收税是乱征乱收税的违法行为。

对于各地乱征乱收税费的违法行径，养蜂者可通过向各级纪检、监察部门信访或面访途径来纠正，也可通过税务行政复议或行政诉讼来维护自身合法权益。根据《规定》第六条第二款“农业特产税的减税、免税，由纳税人提出申请，经县（市）财政机关审核，报上级财政机关批准后执行”。作为纳税人，蜂农在养蜂年景十分不佳的情况下可向当地县级财政机关提出临时减免蜂产品农业特产税的要求。提出要求必须理由充分，歉收情况确实。最好由县级养蜂协会出面申请，更具效力。另外，老、少、边、穷地方，为了扶持养蜂业，走养蜂致富之路和促进生态农业发展，也可由养蜂者组织向县级财税机关提出减免特产税要求。提出的理由大致可从两个方面考虑：第一，养蜂促农，养蜂扶贫，具有积极的社会效益和生态效益；第二，养蜂受天气制约和农药影响等，属于高风险行业。如果当地政府或农业主管部门重视发展养蜂业，养蜂者提出的理由充分，就有可能获得减免支持。

3. 产品税、产品销售与营业税（见本章第三节）

4. 纳税争议　《中华人民共和国税征收管理法》第五十六条：“纳税人、扣缴义务人、纳税担保人同税务机关在纳税问题上发生争议时，必须先依照法律法规的规定缴纳税款及滞纳金，然后可以在收到税务机关填发的缴款凭证之日起60天内向上一级税务机关申请复议。上一级税务机关应当自收到复议申请之日起60天内作出复议决定。对复议决定不服的，可以在接到复议之日起15天内向人民法院起诉。”因此，发生纳税争议必须依照法律程序予以处理。

5. 票据　《中华人民共和国发票管理办法》规定：“所有单位和从事生产、经营活动的个人在购买商品、接受服务以及从事其他经营活动支付款项，应当向收款方取得发票。取得发票时，不得要求变更名称金额。开具发票应当按照规定的时限、顺序、逐栏一次性如实开具，并加盖单位财务印章或者发票专用章。”建议养蜂人在经营过程中，既要给消费者出具发票，同时在购买物品或接受服务时，也要求对方出具正式发票，对于不符合规定的发票应拒收。只有这样，一旦出现质量问题或争议，才能有据可查，从而更好地维护自己的合法权益。同时，符合规定的票据也是预防腐败和漏税的方法之一。

（二）费

1. 资源费　资源费是国家行政机关或经授权行使行政职能的事业单位对使用属于国家所有的稀缺性或者不可再生性资源的受益者而收取的费用，如矿产资源费、水资源费、无线电资源费等。养蜂是我国广大农村一项传统养殖业，可获得蜂蜜、蜂王浆等多种营养品和工业原料，系可再生资源，而且蜜蜂在采集花蜜、花粉的同时为农作物、经济林木、牧草等授粉，能大幅度提高其产量和质量，并非破坏资源，因此无须交纳资源费。

2. 过境、过路费 《中华人民共和国公路管理条例》第三十三条：“经省、自治区、直辖市人民政府批准，公路主管部门可以在必要的公路路口、桥头、渡口、隧道口设立收取车辆通行费的站卡及公路征费稽查路卡。”除此之外，再无别的交费项目，未经省级人民政府批准的其他部门，不得以任何借口到公路上设卡收费。若遭遇强行收费时，应向其索要收费收据，若无省、自治区、直辖市人民政府批准文号的收款收据，则可以拒付或向有关部门举报。

3. 暂住人口登记、暂住户口证办理及费用

（1）暂住人口登记及暂住户口证办理办法：根据公安部1995年第25号令《暂住证申领办法》第三条规定：“离开常住户口所在地，拟在暂住地居住1个月以上年满16周岁的下列人员，在申报暂住户口登记的同时，应当申领暂住证。”这里所指的下列人员的第四种为“从事种植业、养殖业的人员。”养蜂属于养殖业，故需办理暂住户口，但在放蜂场地居住不足30d或16周岁以下者，可免办暂住证。

（2）办理暂住证的费用：公安部《暂住证申领办法》第十八条规定：“领取暂住证应当交纳证件工本费。”这里只是规定交纳证件工本费，再没有说明交纳其他任何费用，而证件工本费不可能太高，如果收费过高，而且收费者拿不出有明确规定的有效文件，就可拒绝交纳。

4. 国家对乱收费的界定与相关规定

（1）乱收费及内容：农民承担的费用除向国家缴纳税金和完成国家农产品定购任务外，再额外要求农民无偿提供任何财力、物力和劳务的，均为非法行为，系乱收费，农民有权拒绝缴纳。《农民承担费用和劳动管理条例》及一些地方性法规等对乱收费做了明确的界定：一是超越管理权限设立收费项目或制定收费标准；二是违反收费审批程序的；三是无《收费许可证》擅自收费的；四是超出《收费许可证》规定的收费范围，擅自增加收费项目、提高收费标准的；五是不实施管理行为或不提供服务而收费的；六是不使用规定的票据收费或擅自扩大票据适用范围的；七是不按规定办理变更或注销登记手续继续收费的；八是不按规定要求公布收费项目和收费标准的；九是其他违反国家法律、法规和本条例的收费标准的。

（2）国家对减轻农民负担的规定：《中共中央国务院关于切实做好减轻农民负担工作的决定》有下列主要内容：一是国家的农业税收政策稳定不变；二是村提留乡统筹费不超过上年农民人均纯收入百分之五的政策稳定不变；三是农民承担义务工和劳动积累工制度稳定不变；四是严禁一切要农民出钱出物出工的达标活动；五是严禁在农村搞法律规定外的任何形式的集资活动；六是严禁对农民的一切乱收费、乱涨价、乱罚款；七是严禁各种摊派行为；八是严禁动用专政工具和手段向农民收取钱物；九是减免贫困户的税费负担；十是减轻乡镇企业的负担；十一是减少乡镇机构和人员的开支；十二是加强领导，实行减轻农民负担党政一把手负责制；十三是加强监督检查，严肃查处加重农民负担的违法违规行为。

（3）国家对乱收费进行处罚的主要措施：国务院办公厅《关于进一步做好农民承担费用和劳务监督管理工作的通知》及相关地方性法规对乱收费的治理做了明确规定：有乱收费行为的，由物价检查机关根据国家有关规定和情节轻重给予以下处罚：一是通报批评；二是责令停止或纠正乱收费行为；三是责令将全部非法收费款退还给缴费单位和个人，无法退还的，由物价部门予以没收，当年无力退还的，由财政部门扣减其翌年的行政事业经费；四是对有乱收费行为的单位和直接责任者处以罚款；五是吊销《收费许可证》；六是建议监察或有关部门对直接责任者给予行政处分。

5. 抵制乱收费　中共中央国务院《关于切实做好减轻农民负担工作的决定》中规定，停止审批一切面向农民的新的收费项目；各级部门要按照中央的统一部署，抓紧清理面向农民的各种收费；中共中央和地方已明令取消的项目，不得恢复，仍在执行的要坚决停止；擅自设立的收费项目，要坚决取消；偏高的收费标准，要坚决降下来；清理后的收费项目和标准，要向农民公布；要纠正只收费不服务、多收费少服务或强制性服务等错误做法；禁止在结婚登记、中小学生就学、建房和计划生育指标等审批、办理过程中向农民的一切搭车收费；禁止非法经营农业生产资料，严肃查处违反国家价格政策的乱涨价行为；禁止非法向农民罚款，取消无法律法规依据的罚款项目，坚决纠正农民未完成种植养殖任务而处以罚款的错误做法。明确以上规定后，养蜂人一旦遇到类似事件，可以进行抵制，如果遭遇比较严重的侵害，还可以通过行政诉讼挽回损失。

三、流动放蜂

(一) 国家对流动放蜂的有关规定

1. 外出放蜂手续的办理　外出放蜂追花夺蜜，除去办理"检疫证明"外，还必须办理"养蜂证"。《养蜂管理暂行规定》第十条规定："凡养蜂单位、专业户和兼业户，可凭本单位或乡（镇）人民政府有关部门的介绍信，向所在县养蜂生产主管部门领取养蜂证。养蜂证由农业部统一设计，由县印发。"

2. 外出放蜂场地的落实　《养蜂管理暂行规定》第十一条对此做了翔实的规定："出县放蜂的蜂场，凭养蜂证到所去县养蜂生产主管部门，办理入境手续和落实场地。放蜂场地的安排，由县养蜂主管部门统一负责，并根据当地蜜源资源与有关部门协商，优先安排本地蜂场，积极有计划地接待外来蜂场。任何蜂场不得强占场地，必须遵守当地政府有关法规和当地风俗、民族习惯。"

3. 国家对转地运蜂的要求　《养蜂管理暂行规定》第十二条规定："运蜂出省的蜂场，凭检疫单位和入境县养蜂生产主管部门在养蜂证上签字，到交通运输部门办理运蜂手续，蜂场返回原地时凭养蜂证办理运蜂手续。转地蜂场，应遵守运输部门承运蜂群的有关规定，做好安全防卫工作，避免发生事故，并配合运输部门及时转运蜂群，缩短蜂群在途中、车站、码头和机场的滞留时间。"

(二) 运输工具的使用

1. 汽车运蜂装车标准　《中华人民共和国道路交通管理条例》第三十条明确规定："机动车辆载物，必须遵守下列规定：（一）不准超过驾驶证上核定的载重量；（二）装载须均衡平稳，捆扎牢固。装载容易散落、飞扬、流漏的物品，须封盖严密；（三）大型货运汽车载物，高度从地面不准超过4m，宽度不准超出车厢，长度前端不准超出车身，后端不准超出车厢 2m，超出部分不准触地；（四）大型货运汽车挂车和大型拖拉机挂车载物，高度从地面不准超过 3m，宽度不准超出车厢，长度前端不准超出车厢，后端不准超出车厢 1m；（五）载重量在 1 000kg 以上的小型货运汽车载物，高度从地面起不准超过 2.5m，宽度不准超出车厢，长度前端不准超出车身，后端不准超出车厢 1m；（六）载重量不满 1 000kg 的小型货运汽车、小型拖拉机挂车、后三轮摩托车载物，高度从地面不准超过 2m，宽度不准超出车厢，长度前端不准超出车厢，后端不准超出车厢 50cm；（七）……（八）载物长度未超出车厢后栏板时，不准将栏板平放或放下；超出时，货物栏板不准遮挡号牌、转向灯、制动灯、尾灯。”鉴于此规定，装车时一定不要超高超宽，以免造成不必要的麻烦。

2. 蜂、人“混载”　《中华人民共和国道路交通管理条例》第三十三条对机动车载人做出下列规定：“（一）不准超过行驶证上核定的载人数；（二）货运机动车不准人、货混载。但大型货运汽车在短途运输时，车厢内可以附载押运或装卸人员 1～5 人，并须留有安全乘坐位置。载物高度超过车厢栏板时，货物上不准乘人；（三）货运汽车挂车、拖拉机挂车、半挂车、平板车、起重车、自动倾卸车，经车辆管理机关核准，可以附载押运或装卸人员 1～5 人；（四）货运汽车车厢内载人超过 6 人时，车辆和驾驶员须经车辆管理机关核准，方准行驶；（五）机动车除驾驶室和车厢外，其他任何部位都不准载人。”鉴于以上规定，用汽车短途运蜂时车厢内可乘坐 1～5 名押运人员，超过人数时可到车辆管理机构予以核准。需要注意的是，找车运蜂时，尽量选用高栏板汽车，装车时要留出坐人的空间，高度一定要低于车厢栏板。

3. 运蜂途中的保险　租车运蜂，除对车辆要求性能良好、运营手续齐全外，车辆还需要有保险，最好租用为车辆和货物投全保的车运蜂。养蜂人也可以自己投保，共同抵御风险。

（三）随意转地和放蜂的有关问题

1. 随意转地的利、弊　当前，部分养蜂人外出放蜂带有很大的随意性，既不办理有关的手续，又不事前到放蜂地落实场地。这样，虽然节省少量费用支出，但由此带来的危害很大，除去盲目行动给生产带来被动外，还有以下三方面的弊端：第一，由于没有合法的证件，当地有关部门可据此予以驱逐并进行罚款处理；第二，鉴于没有办理入场手续，一定程度上扰乱了入境地蜜源场地的安排计划，必定引起当地主管部门或养蜂场（户）的反对和抵制，进一步还会引发矛盾乃至争斗和法律纠纷；第三，在放蜂地万一发生不法侵害必须打官司时，如果没有合法手续与证件，在法律上便处于被动地位，难以得到正常的支持和保护。鉴于此，笔者建议外出放蜂者，必须重视相关手续的办理，做到依法行事合法放蜂。

2. 在公路上放蜂、搭棚、装车的利害关系　外出放蜂出于方便的原因，有些养蜂者总喜欢在路边放蜂、搭棚或装、卸车，这违犯了《中华人民共和国道路交通管理条例》，该条例第六十六条第一款规定：“任何单位和个人未经公安机关批准，不准占用道路摆摊设点、停放车辆、堆物作业、搭棚、盖房、进行集市贸易和其他妨碍交通的活动。”第六十七条规定：“不准在道路上打场、晒粮、放牧、堆肥和倾倒废物。”因此，放蜂必须离开公路（可摆蜂箱到公路外侧），不得在路基或路沟沿放蜂及装卸蜂车，否则若被过往车辆撞击受伤，是要负一定责任的。

四、人、蜂安全

（一）人的安全及处理

1. 蜂蜇人

（1）依法处理蜜蜂蜇人事故：蜜蜂出于自卫等原因，有时会围攻蜇人或牲畜、家禽等，造成伤害，引起纠纷和官司。《中华人民共和国民法通则》第一百二十七条规定："饲养的动物造成他人损害的，动物饲养人或者管理人应当承担民事责任；由于受害人的过错造成损害的，动物饲养人或者管理人不承担民事责任；由于第三人的过错造成损害的，第三人应当承担民事责任。"依据该项规定，蜜蜂蜇伤了无辜者，养蜂人是要负民事责任和经济赔偿的；但如果是因为对方的过错引起的，例如被蜇人不听养蜂人的劝阻，擅自走进蜂场无理取闹或打开蜂箱造成蜜蜂蜇刺，或牛、马等牲畜跑进蜂场，养蜂人驱逐不走，以致踏翻蜂箱而被蜜蜂围攻致伤或致死，则可另当别论，养蜂人可根据事故情节依法力争，不予承担事故责任和经济赔偿。

（2）避免或减轻蜂蜇的责任和损失：蜜蜂蜇伤人、畜造成损失的程度，是不取决于养蜂人的意志的，但如果采取一些积极的措施，却可以减轻事故责任和损失。例如，放蜂一定要避开公路和公共场所；公共场所放蜂不仅容易发生蜇人的责任事故，还侵占了公众设施，在追究责任时会加重处罚；在蜂场周围加设栏杆，甚至挂一块警示牌，根据有关法律解释，这样做已部分尽到了防范责任，纵然发生事故，在量责和赔偿上都可以减轻；此外，发生蜂蜇事故之后，养蜂人应积极救护，其态度是否积极，措施是否得当，法庭是要重点考虑的。

（3）责任事故的经济赔偿：依据《中华人民共和国民法通则》第一百一十九条规定："侵害公民身体造成伤害的，应当赔偿医疗费、误工费、残疾者生活补助费等费用。"根据有关法规解释，还应赔偿受伤害人住院期间2名护理者的护理费和伙食补助费用。

2. 人为因素

（1）正确处理醉酒人的侵害：《中华人民共和国刑法》第十八条第四款规定："醉酒的人犯罪，应当负刑事责任。"《中华人民共和国治安管理处罚条例》第十二条规定："醉酒的人违反治安管理条例，应予以处罚，醉酒的人在醉酒状态中，对本人有危险或者对他人的安全有威胁的，应当将其约束到酒醒。"可见，醉酒的人与正常人是负有同等法律责任的，在其不清醒期间可给予相应的约束。因此，养蜂人在遭到醉酒的人侵害时，应尽快报案，如因醉酒人的犯罪行为而造成他人物质损失的，可依据《中华人民共和国刑事诉讼法》第七十七条第一款的规定："被害人由于被告人的犯罪行为而遭受物质损失的，在刑事诉讼过程中，有权提起附带民事诉讼。"养蜂人若被打伤，也可依据《中华人民共和国治安管理处罚条例》第八条的规定："违反治安管理造成的损失或者伤害，由违反治安管理的人赔偿损失或者负担医疗费用。"

（2）正确解决敲诈和勒索：养蜂人在外地放蜂，常受到不法之徒的敲诈、勒索，如索要地盘费或强拿蜂蜜等，主要表现为以非法占有为目的，使用胁迫或要挟的手段索取养蜂人的财物，使养蜂人遭受财产损失、人身伤害和精神恐吓。养蜂人应依据法律与之斗争。《中华人民共和国刑法》第二百七十四条明确规定："犯敲诈勒索罪处3年以下有期徒刑、拘役或者管制；数额巨大或者有其他严重情节处3年以上10年以下有期徒刑。"以此向犯罪分子讲明利害，劝其放弃犯罪的念头，若犯罪分子执迷不悟，养蜂人受到口头或者书面的威胁，可以向当地司法部门寻求帮助。

养蜂人受到敲诈勒索，首先应该相信法律能够使自己的合法权益得到保护，要注意收集证据。敲诈勒索的案件不属于自诉案件，但养蜂人作为受害人应该主动拿起法律武器保护自己，要向当地司法部门报案，报案可以口头提出也可以书面提出，注意提供与案件事实有关的书证、物证以及犯罪分子相貌特征等线索，以便公安机关迅速抓获罪犯，绳之以法。

（3）抵制强行压价收购：我国农业部颁发的《养蜂管理暂行规定》第二十条规定："蜂产品的购销，必须贯彻执行以质论价，按质议购议销的政策，不得压级压价和克扣斤两。"另外，《中华人民共和国刑法》第二百二十六条规定："以暴力、威胁手段强买强卖商品，强迫他人提供服务或者强迫他人接受服务，情节严重的，处3年以下有期徒刑或者拘役，并处或者单处罚金。"当遇到强行收购或压级时，可进行抵制。

（4）遭到抢劫或人身伤害时的自卫：《中华人民共和国刑法》第二十条第一款明确规定："为了使国家、公共利益或者他人的人身、财产和其他权利免受正在进行的不法侵害造成不应有的损害，而采取的制止不法侵害的行为，对不法侵害人造成损害的，属于正当防卫，不负刑事责任。"该条第三款明确规定："对正在进行行凶、杀人、抢劫、强奸、绑架以及其他严重危及人身安全的暴力犯罪，采取防卫行为，造成不法侵害人伤亡的，不属于防卫过当，不负刑事责任。"因此，在遇到抢劫等不法侵害时，应奋起自卫，这是法律授予您的正当权利。

在遇到不法侵害或者对不法侵害人进行自卫时，给养蜂人造成经济损失，可以采取民事诉讼，要求侵害人承担民事赔偿责任。如果侵害行为人构成了犯罪，那么，养蜂人可以以被害人的身份向法院提起附带民事赔偿，如果在自卫中，养蜂人致侵害人死亡或者伤残，则要以正当防卫为由请求司法机关分清责任，即使防卫过当，也应适当减轻或者免除处罚。

3. 交通事故

（1）现场处理交通事故：《中华人民共和国道路交通事故处理办法》第七、第九、第十三条规定了发生交通事故后当事人有进行现场处理的义务，即："发生交通事故的车辆必须立即停车，当事人必须保护现场，抢救伤者和财产（必须移动时应当标明）并迅速报告公安机关或者执勤的交通警察，听候处理；过往车辆驾驶人员和行人应当予以协助。""当事人应当如实向公安机关陈述交通事故的发生经过，不得隐瞒交通事故真实情况。其他知情者有义务向公安机关提供有关情况。""交通事故造成人身伤害需要抢救治疗的，交通事故的当事人及其所在单位或者机动车的所有人应当预付医疗费，也可以由公安机关指定的一方预付，结案后按照交通事故责任承担。交通事故责任者拒绝预付或者暂时无法预付的，公安机关可以暂时扣留交通事故车辆。”

（2）依法赔偿运蜂途中由于交通事故造成的损失：运蜂途中发生交通事故，应当依据《中华人民共和国道路交通事故处理办法》进行赔偿，该办法第三十五条规定：“交通事故责任者应按照所负交通事故责任承担相应的损害赔偿责任。”第三十七条规定了损害赔偿的标准：（一）医疗费：按照医院对当事人的交通事故创伤治疗所必须的费用计算，凭据支付。结案后确需继续治疗的，按照治疗必需的费用给付。（二）误工费：当事人有固定收入时，按照本人因误工减少的固定收入计算，对收入高于交通事故发生地平均生活费3倍以上的，按照3倍计算；无固定收入的，按照交通事故发生地国营同行业的平均收入计算。（三）住院伙食补助费：按照交通事故发生地国家机关工作人员出差伙食补助标准计算。（四）护理费：伤者住院期间，护理人员有收入的，按照误工费的规定计算；无收入的，按照交通事故发生地平均生活费计算。（五）残疾者生活补助费：根据伤残等级，按照交通事故发生地平均生活费计算，自定残之月起，赔偿20年。但50周岁以上的，年龄每增加1岁减少1年，最低不少于10年；70周岁以上的按5年计算。（六）残疾用具费：因残疾需要配制补偿功能器具的，凭医院证明按照普及型器具的费用计算。（七）丧葬费：按照交通事故发生地丧葬费标准支付。（八）死亡补偿费：按照交通事故发生地平均生活费计算，补偿10年。对不满16周岁的，年龄每小1岁减少1年；对70周岁以上的，年龄每增加1岁减少1年，最低不少于5年。（九）被抚养人生活费或者丧失劳动能力前实际抚养的、没有其他生活来源的人为限，按照交通事故发生地居民生活困难补助标准计算。对不满16周岁的人抚养到16周岁。对无劳动能力的人抚养20年，但50周岁以上的，年龄每增加1岁减少1年，最低不少于10年；70周岁以上的按5年计算，对其他被抚养人抚养5年。（十）交通费：按照当事人实际必需的费用计算，凭据支付。（十一）住宿费：按照交通事故发生地国家机关一般工作人员出差住宿标准计算，凭据支付。

（二）蜂的安全

1. 交通事故

（1）运输途中因故停车造成蜜蜂死亡：养蜂人在运输途中，因堵车、修车致使蜜蜂大量死亡的情况时有发生，如何处理可分作两种情况：一种是自己运输，路遇堵车、修车又没采取相关措施致使蜜蜂受损，因为堵车不是人为的，很难找到过错方，故只能自认倒霉；但是如果在启运前与承运人签订了合同，根据《中华人民共和国合同法》第二百九十条规定，承运人应当在约定的期间或者合理的期间内将旅客安全运输到约定地点，否则，造成损失应由承运人赔偿损失。堵车、修车和车倾覆均不是不可抗力因素，承运人负有过错，就要承担过错责任。

无论何种原因，发生事故停车后，在条件允许时，养蜂人要积极抢救蜂群，以减少损失。

在租车运蜂时，应考虑机动车性能、有无保险等，同时签订运蜂合同。

（2）交通事故的责任界定：养蜂人在公路旁（路基或路下、路沟外）放蜂，被过往车辆撞击，造成人身损害及财物受损事故，需要公安机关认定责任。《中华人民共和国道路交通事故处理办法》第十七条第一款规定："公安机关在查明交通事故原因后，应当根据当事人的违章行为与交通事故之间的因果关系，以及违章行为在交通事故中的作用，认定当事人的责任。"第十九条规定："一方当事人的违章行为造成交通事故的，有违章行为的一方当事人应负全部责任，其他方不负交通事故责任。两个以上当事人的违章行为共同造成交通事故的，违章行为在交通事故中作用大的一方负主要责任，另一方负次要责任；违章行为在交通事故中作用基本相同的，两方负同等责任。"由此，养蜂人在发生交通事故后，应尽快报告公安部门并保护好现场，公安部门会依据事实判定责任，并依法予以处理。

2. 中毒

（1）农药中毒

①国家对蜜粉源开花期喷施农药的规定：我国农业部颁发的《养蜂管理暂行规定》第六条对此做了明确规定："农、林、牧、果、蔬种植单位和个人，应尽可能避免在蜜源开花期喷撒农药。必须施药时，至少应在3天以前通知施药临近的蜂场，及时采取措施。对违反上述规定造成蜂群严重损失的，养蜂生产主管部门应会同有关部门，追查责任，进行处理。"

②使用农药要注意保护蜜蜂：《中华人民共和国农药管理条例》第十七条规定："使用农药应当注意保护环境、有益生物和珍稀物种。"蜜蜂属有益生物，使用农药时施药人有责任对其加以保护，使之免受损失。

③国家对使用农药的其他规定：《中华人民共和国农药管理条例》第五章对农药的使用做了严格规定，不仅进一步确定了"预防为主，综合防治"的植保方针，还对"防止农药中毒事故"提出了要求，并且确定了禁用范畴，其二十六条规定："使用农药应当遵守国家相关农药安全、合理使用的规定，按照规定的用药量、用药次数、用药方法和安全间隔期施药，防止污染农副产品。""剧毒、高毒农药不得用于防治卫生害虫，不得用于蔬菜、瓜果、茶叶和中草药材。"

④防止蜜蜂农药中毒：蜜粉源花期农药中毒，是令养蜂人最为头痛的问题，平时必须注意防范。一是与蜜粉源主加强联系，向其解释蜜蜂采花（授粉）的作用与意义，取得对方支持；二是花期前应动员蜜粉源主彻底杀虫治病，严防开花期间施用农药；三是在花期必须施用农药时，施药者要提前3天通知，以便采取防范措施；四是做好蜂群的防毒解毒的准备工作，例如落实备用场地，备足解磷定、阿托品、甘草等解毒药物。

（2）蜜蜂农药中毒的责任确定与索赔：

①确定蜜蜂农药中毒事故的责任：蜜蜂发生农药中毒，在积极解毒抢救的同时，应及时找出中毒的原因，确定中毒责任。中毒责任可从两方面来找，即是施药方和养蜂方。养蜂方的责任：必须依法办理放蜂手续；与蜜源粉主取得联系，使之知晓附近有养蜂场以便施药时及时通知；在得到施药通知后，及时采取防范措施。施药方的责任：尽可能在花前施药，遵照相关规定进行科学施药；在花期虫害严重必须施药时，提前3天通知附近的养蜂场，待其采取措施后方可施药治虫。一旦发生中毒事故，在追究中毒责任时，可对照《中华人民共和国农药管理条例》和我国农业部颁发的《养蜂管理暂行规定》等的法规条文进行量责，如果对事实及量责有争议时，须寻求人证、物证及权

威部门的认定。

②发生中毒事故的索赔：发生蜜蜂中毒事故其责任已明确时，双方可进行协商赔偿。如果协商不成，就得在案发地法院起诉依法进行审理。起诉方（一般是受损方——养蜂人）必须做好准备工作：一是保护中毒现场，及时报公证或相关部门尽快到现场拍照，并对损失额作出权威性结论；二是确定责任人及所占责任份额，如果施药单位仅是一家还较好办，否则须得弄清本场蜜蜂活动范围内究竟有几家施药单位或个人，各施药面积有多大，所施药品种，各对中毒的影响轻重等问题，为了弄清这些问题，甚至要将施药的各地块的花朵和中毒蜂尸交有关部门封存、化验，进一步确认中毒责任及所占份额；三是写起诉状，起诉状中不仅确认责任人（被告），还得写明事实与理由，同时提出明确的诉讼要求及索赔额，索赔主要包括直接损失和间接损失及诉讼费用三部分。

3. 蜜蜂遭人为毒杀或被盗被烧　蜂群遭受人为的毒杀或盗、烧并破案明确了破坏者，应依法追究其法律责任并索赔经济损失。根据情节及损失大小予以量责和确定赔额，索赔应包括直接损失（被毒、盗、烧蜂群的价值总额）、间接损失（由此影响的相关损失）和理赔费用（诉讼费用等）等。

五、蜂群检疫

（一）蜜蜂检疫

《中华人民共和国动物检疫法》中，对检疫对象是这样界定的：“本法所称动物，是指家禽和人工饲养、合法捕获的其他动物。”蜜蜂属于人工饲养动物，理所当然是检疫对象。

1. 蜜蜂检疫内容　1986 年，我国农业部颁布的《养蜂管理暂行规定》中对此做了明确界定：“检疫对象为欧洲幼虫腐臭病、美洲幼虫腐臭病、中蜂囊状幼虫病、麻痹病、蜂螨等。”同时规定：“检出患有检疫对象病的蜂群，就地治愈后，方可离境。”

2. 蜜蜂检疫办法　《养蜂管理暂行规定》中规定对蜜蜂“实行现场检疫办法”。这项规定可以理解为，对蜂群进行检疫时，检疫人员必须到现场对所检疫蜂群进行现场检疫，或全面检疫或部分抽查，得出可靠的结论后填入《检疫证明》和《养蜂证》。

3. 蜜蜂检疫费用　《养蜂管理暂行规定》中规定：“可按蜂场的实际蜂群数量核收检疫费，每群（箱）蜂不得超过 5 分人民币。”1992 年 9 月，国家物价局、财政部下发的《关于发布农业系统行政事业性收费项目标准的通知》附件四中，又对蜜蜂检疫费做了明确的规定，即每箱蜜蜂 0.01～1.00 元。这一标准收费幅度上下差竟达 100 倍，在执行中，伸缩太大，以致部分执行单位或个人，不顾受检蜂场的实际情况及承受能力，单方坚持按上线收取（0.80～1.00 元），这是不合理的。养蜂人员在对方拿不出可相信依据（文件）的情况下，可与之协商，根据上述文件精神及实际情况确定出合理的收费额。

4. 检疫地域与时效　《养蜂管理暂行规定》第七条规定：“对出省放蜂的蜂群，在出省前要检疫。蜜蜂检疫由县级以上养蜂生产主管部门或由其委托的单位负责进行，并将情况如实填写在放蜂证的《检疫记事》栏内，检疫有效期限为 3 个月。凡在省内放蜂的蜂群，一般不检疫。”鉴于此项规定，在本省内小转地放养，可免除检疫；到外省转地放养时，每检疫 1 次连续 3 个月内有效，不受转地次数影响；也可以理解为持有有效检疫证明，无论转场到何地都是有效的，无须再次重复检疫。

（二）检疫资格

1. 国家对检疫人员的要求 《中华人民共和国动物检疫法》第三十一条规定：“动物检疫员应当具有相应的专业技术”、“县级以上畜牧兽医行政管理部门应加强动物检疫员的培训、考核和管理。动物检疫员应取得相应的资格证书后，方可上岗实施检疫。动物检疫员应当按照检疫规程实施检疫，并对检疫结果负责。”根据此项规定，养蜂人有权对到场检疫的人员身份进行质询，看其有无合法的证件及所代表单位是否为合法的动物检疫部门，并索要统一印制的正规《检疫证明》；对冒充的或证件不齐全的单位或个人，养蜂人可拒绝检疫。

2. 国家对动物检疫人员的法规约束 农业部于 1994 年 5 月下发了 14 号文件《关于加强兽医执法管理的通知》，在分析例举了兽医执法过程中乱罚款、乱收费、重复检疫、重复收费等问题后，分三方面对兽医执法工作提出要求：一是加强对检疫人员和证明、证章等证件的管理，统一管理依法检疫和填写；二是坚决制止乱罚款、滥收费行为，不得以地方规定取代全国统一规定，不得巧立名目乱收费；三是加强内部监督管理，凡违反规定的罚款、收费必须如数退还，并向对方赔礼道歉；对滥收费、乱罚款的单位和个人要给予严肃纪律处分，触犯刑律的移交司法机关处理。

（三）过境拦车检疫的危害

个别检疫单位或个人以创收为目的，上路拦截过路运蜂车强行检疫收费，是不允许的。只要具有有效检疫证明，可以拒绝检疫。如因此被强行扣押，可采取行政或法律程序进行诉讼，要求赔偿损失。

六、签订合同、经营

（一）签订合同

1. 签订合同（协议）注意事项 养蜂人需要与他人或单位签订合同和协议时，应注意下列事项：第一，合同（协议）要用书面形式（尽量不要用口头方式），以利于今后执行和纠纷的解决；第二，内容要详细，要全面地表明签约双方的真实意思，每一条款尽可能具体和具可操作性；第三，必须符合相关的法律法规；第四，签约双方的地位平等，不能有歧视性内容；第五，在注明双方权益、责任的同时，还应约定解决争议的方法等。合同（协议）一经签订，即成为必须履行的合法文书，一定要高度重视，认真执行。

2. 签订产品买卖合同 买卖合同是出卖人转移标的物的所有权于买受人，买受人支付价款的合同。《合同法》第十二条规定了合同的内容即合同所应包括的条款：（一）

当事人的名称或者姓名和住所；（二）标的；（三）数量；（四）质量；（五）价款或者报酬；（六）履行期限、地点和方式；（七）违约责任；（八）解决争议的方法。签订合同的同时可根据具体情况加上包装方式、检验标准和方法、结算方式、合同使用的文字及效力等条款。养蜂人在签订合同时尽量用书面形式，务必把双方的意思完全表达出来，以便在执行中发生纠纷时，有据可依，有利于协商或诉讼。

3. 签订授粉协议 《养蜂管理暂行规定》第九条："需要蜜蜂为农作物授粉的单位和个人，可采取与蜂场签订合同的办法，支付蜂场一定的蜜蜂授粉费用，具体办法由双方商定。"这一规定，把养蜂人与授粉单位或个人界于同等地位和条件，双方根据各自的需要和条件进行平等协商，并以文字形式把双方的义务和权益确定下来。授粉协议的内容应包括：第一，授粉任务（授粉面积、株数等）；第二，需要蜂量（群数）及群势；第三，报酬多少；第四，进、出场及授粉期；第五，安全事项；第六，运输事宜；第七，管理责任等。

4. 合同纠纷 《合同法》规定，经济合同发生纠纷时，当事人可以通过协商或者调解解决。当事人不愿意通过协商、调解解决或协商、调解不成的，可依据合同中的仲裁条款或者事后达成的书面仲裁协议，向仲裁机构申请仲裁。当事人没有在经济合同中订立仲裁条款，事后又没有书面协议的，可以向人民法院起诉。可见，我国处理合同纠纷的法定方式有 4 种：协商、调解、仲裁、诉讼。

（二）经营

1. 养蜂人从事个体经营的法律问题 《中华人民共和国民法通则》规定：（一）个体工商户的合法权益，受法律保护；（二）从事个体经营必须依法核准登记，在当地工商行政管理机关核准登记、领取营业执照后方可成立；（三）必须在核准登记的范围内从事经营，不得擅自超出经营范围，如想改变字号或经营范围必须向当地工商管理机关申请批准，否则将会受到工商行政管理机关的处罚；（四）个体工商户要对自己的债务负无限清偿责任，个人经营的，以个人全部财产承担，家庭经营的，以家庭全部财产承担。

2. 养蜂人与他人合伙经营需遵守的法律规定 《中华人民共和国民法通则》第三十条："个人合伙是指两个以上公民按照协议，各自提供资金、实物、技术等，合伙经营、共同劳动。"养蜂人在与他人合伙经营时需要注意：（一）对于合伙债务，要负无限连带的清偿责任，债权人可以向任何一个合伙人要求清偿所有债务，而每一个合伙人都有以自己全部财产承担清偿债务的责任。（二）合伙人对外承担无限连带责任，但对内却按份额承担责任。即某一合伙人偿还合伙债务超过自己应当承担的数额，有权向其他合伙人追偿。因此，养蜂人在合伙经营之初，就应在合伙协议中明确双方的权利和义务，从而避免责任不清等麻烦。

3. 街头摆摊、走街串巷卖蜜的合法性 街头摆摊和沿街流动卖蜜，均属经营行为，须办理相关的营业手续和纳税。设摊和流动卖蜜，必须遵守相关的规则，固定摊位的设立必须经有关工商部门批准，在指定的范围内摆设摊位。流动摊位必须设在不影响交通和有碍观瞻的地方。人行天桥、公交车站前、交通要道口不允许任何人停留设摊。沿街的商店不能将商品陈列到人行道上。

目前，城市蜜源日益丰富，某些时间可作为放蜂的辅助场地，在适当地方可临时放蜂。但有些蜂场把蜂群摆放在城市道路旁等人口密集的地方，以促销产品为目的，这本无可厚非，但却违犯了我国农业部颁发的《养蜂管理暂行规定》第十一条，并且，公共场所放蜂不仅容易发生蜇人的责任事故，还侵占了公众设施，在追究责任时会加重处罚。

七、不法伤害的处理

（一）遭受损害应及时要求赔偿

养蜂人的经营遭受损害时，要注意法律维权的时效。一般民事案件的时效为2年，但下列几种情况的诉讼时效只有1年：（一）人身受到伤害要求赔偿的；（二）出售质量不合格的商品未声明的；（三）延付或者拒付租金的；（四）寄存财物被丢失或者毁损的。此外，如果超过诉讼时效但能证明有权利人的请求、义务人的同意、提起诉讼、申请调解或仲裁等4种诉讼中断的情形，法律仍允许向法院起诉。

（二）报案

1. 报案受理部门 如遇不法侵害，可向公安部门、法院、检察院还有司法局的148报警台报案，要求给予法律援助。《中华人民共和国刑事诉讼法》第八十四条第二款：“被害人对侵犯其人身、财产权利的犯罪事实或者犯罪嫌疑人，有权向公安机关、人民检察院或者人民法院控告。”第三款：“公安机关、人民检察院或者人民法院对于报案控告举报都应当接受。对于不属于自己管辖的，应当移送主管机关处理，并且通知报案人、控告人、举报人；对于不属于自己管辖而又必须采取紧急措施的，应当先采取紧急措施，然后移送主管机关。”

2. 报案不被受理怎么办 《中华人民共和国刑事诉讼法》第八十六条规定：“人民法院、人民检察院或者公安机关决定不立案时，应将不立案的原因通知控告人。控告人如果不服，可以申请复议。”第八十七条又规定：“人民检察院认为公安机关对应当立案侦查案件而不立案侦查的或者被害人认为公安机关对应当立案侦查的案件而不立案侦查，向人民检察院提出的，人民检察院应当要求公安机关说明不立案的理由，人民检察院认为公安机关不立案理由不成立的，应当通知公安机关立案，公安机关接到通知后，应当立案。”可见，当立案受阻，仍可积极搜集证据，直接向人民检察院提出立案请求。

3. 对公安机关和人民警察的违法失职行为进行控告和申诉 《公安机关受理控告申诉暂行规定》指出：公民、法人和其他组织对公安机关和人民警察的违法失职行为，有权依照有关法律法规和本规定向公安机关提出控告和申诉，并有权要求在规定期限内给予答复。公安机关受理公民、法人和其他组织对公安机关和人民警察下列违法失职行为的控告和申诉：（1）对属于本机关管辖范围内案件拒绝受理或者受理后拖延不办的；（2）无正当理由对依法提出的复议申请拒绝受理或者不予答复的；（3）人民警察玩忽职守致使他人人身、公私财产或者公共利益受到损害的；（4）在执法活动中违反法定程序或者滥用职权、刑讯逼供、徇私舞弊的；（5）认为公安机关做出的处理决定或者检验、鉴定结论违背事实或者违反法律、法规的；（6）认为公安机关和人民警察有其他违法失职行为的。

养蜂人如遇上述情况，可以到各级公安机关的信访部门控告和申诉。公安机关受理控告1个月内，应告诉控告人是否立案查办，控告人如不服决定，可以向上一级公安机关请求复核。

（三）诉讼程序

1. 确定是否诉讼 《中华人民共和国民事诉讼法》第一百零八条规定了起诉的条件：第一，原告是与本案有直接利害关系的公民、法人和其他组织；第二，有明确的被告，即要有原告认为侵犯了自己权益或与自己发生争议的单位或者个人；第三，有具体诉讼请求和事实理由；第四，属于人民法院受理民事诉讼的范围和受诉人民法院管辖。养蜂人清楚了起诉必须同时符合的4个条件，可以根据自己的情况决定是否提起诉讼。

2. 确定诉讼法院《中华人民共和国民事诉讼法》规定，一般民事或经济案件的诉讼由被告住所地人民法院管辖，被告的住所与经常居住地不一致的，由经常居住地人民法院管辖。这就是所谓的“原告就被告原则”。《中华人民共和国民事诉讼法》第二十四条规定：“因合同纠纷提起的诉讼，由被告住所地或者合同履行地人民法院管辖。”《中华人民共和国民事诉讼法》第二十九条规定：“因侵权行为提起的诉讼，由侵权行为地或者被告住所地人民法院管辖。”

3. 写起诉状 《中华人民共和国民事诉讼法》规定的起诉方式，有书面起诉和口头起诉两种，一般以书面形式向人民法院递交起诉状，并提供数量与被告人数相同的副本。民事起诉状应按下列要求书写：首先应写明当事人的自然情况，例如，姓名、性别、出生年月日、民族、工作单位、职业和住所等。当事人是法人或者其他组织的，应写明法人或者其他组织的名称、住所和法定代表人或者负责人的姓名职务；有委托代理人的，应将委托代理人的基本情况写在他所代理的当事人后面。书写顺序应按照原告、被告、第三人的顺序书写。第二部分即诉讼请求，应写明请求人民法院予以确认或者保护的具体事项，提出明确的目的和要求。第三部分，即事实和理由部分，写清法律关系存在的具体事实，发生纠纷的时间、地点、原因和具体经过。同时应向人民法院提供相关的证据和证据来源，包括证明案件事实的书证、物证和证人证言以及证人的住址等。理由部分应根据事实和证据认定指出被告行为的性质、后果及应承担的民事责任，其次要写明提出请求的法律依据。尾部应注明受诉人民法院，右下方由起诉人签名或盖章，并注明起诉的年月日（公历）。此外，在尾部之后还应注明附项，内容包括向法院提交的副本数，物证、书证件数，或者证人证言。现在法院提供有专用的填充式起诉状表格，可用蓝黑墨水钢笔或毛笔书写，不能使用圆珠笔或者纯蓝墨水书写。

4. 收集证据 打官司必须有证据，以证明诉讼案件的事实真相。证据包括书证、物证、视听资料、证人证言、当事人陈述、鉴定结论、勘验笔录等7种。应该把能够证明案件事实的物品，例如各种合同、文件、票据、书信、传单、电报等保存好，必要时提交有关部门供参考。对于自己不能调取的机关、企事业单位或个人所持有的证据，可以申请受理法院依法进行调取。

5. 落实证人　《中华人民共和国民事诉讼法》遵循“谁主张，谁举证”原则，这里的举证包括必要的证人证言。所谓证人证言是指了解案情并可出庭作证的人向人民法院所做的能够证明案情的陈述，证人证言一般经人民法院同意由证人到庭口头陈述，也可用书面陈述。向法庭提供证据时，要注意所提供的证人证言与其他证据是否一致，证人的来源是否合法，证人提供证言时是否受到外界非法影响，证人与当事人有无利害关系，以及证人的身份等。《中华人民共和国民事诉讼法》规定：“凡是知道案件情况的单位和个人，都有义务作证。下列两种人不能作证：一是精神病患者，在患病期间无法辨别是非、不能正确表达者不可当证人，但间歇性精神患者，如果能够辨别是非正确表达的，可以当证人；二是年幼的人，尚无辨别是非能力，一般也不能当证人。”

6. 证人的责任和权益　《中华人民共和国民事诉讼法》第七十条规定：“凡是知道案件情况的单位和个人，都有义务作证，有关单位的负责人应当支持证人作证。证人确有困难不能出庭的，经人民法院许可，可以提交书面证言。不能正确表达意志的人，不能作证。”因此一切了解情况的人，不分性别、职业、职务、民族、政治状况、财产状况、与当事人有无利害关系等，都可以作证，而且有义务作证，不能以任何理由拒绝向司法机关提供证言，并且在诉讼中不能更换，也不能代替。对于作伪证、毁灭重要证据、妨碍人民法院审理案件的，人民法院可以根据情节轻重予以罚款、拘留；构成犯罪的，依法追究刑事责任。同时，该法规定了若对证人进行侮辱、诽谤、诬陷、殴打等打击报复，或者以暴力、威胁、贿买方法阻止证人作证以及指示、贿买、胁迫其作伪证的，将给予相应的处罚。

7. 法院判决后及时索回损失　法院审理判决后，通常情况须向当事人送达判决书，若养蜂人胜诉而对方当事人不履行生效的法律文书时，养蜂人应及时向法院递交申请执行书，要求法院强制执行。《中华人民共和国民事诉讼法》第二百一十九条规定：“申请执行的期限，一方当事人是公民的为1年，双方是法人或者其他组织的为6个月。”在向法院提交申请执行书时，可以向法院同时提供被执行人的财产、账号或者对第三人的债权，法院受理执行申请后，执行人员根据所提供的线索，对被执行人送达执行通知，限期要求被执行人履行义务。否则，可强制冻结划拨其银行存款或执行其到期债权，还可经院长批准对被执行人实施财产保全、拘传、拘留，对有财产而拒不履行义务情节严重者，可依法追究其刑事责任。

附　录

附录1　养蜂管理暂行规定

第一条　养蜂业是社会经济效益较高的产业。为了加强养蜂生产管理，保护和发展养蜂生产，提高蜂产品质量，维护养蜂者合法权益，充分利用蜜蜂为农作物、经济林木、牧草等授粉，促进我国养蜂事业的稳定发展，特制定本规定。

第二条　本规定适用于在我国境内一切从事养蜂生产单位和个人，以及农牧渔业系统内蜂产品经销、加工单位和个人。

第三条　农业部主管全国养蜂生产，各级农牧部门主管本地区的养蜂生产（以下统称养蜂生产主管部门）。

各级养蜂生产主管部门，应加强对养蜂业的领导和管理。养蜂生产重点地区可设置专门管理和服务机构。其他地区视本地区情况，配备专职或兼职管理人员。

各级养蜂生产主管部门负责组织养蜂生产，推广先进技术，培训人员，做好产前、产中、产后服务工作，疏导产销渠道，发展加工业，提高蜂产品质量和产量，提高资源利用率和经济效益。

第四条　凡从事养蜂生产的单位和个人（包括专业户、联合体、协会、企业及各种形式的养蜂经济联合组织），在国家政策、法律允许范围内的生产和经营活动，都应受到保护和支持。鼓励养蜂业的生产、收购、加工、销售一体化经营。

第五条　各级养蜂生产主管部门应配合有关部门，保护野生蜜源植物，结合种草、植树，积极发展蜜源植物。

第六条　农、林、牧、果、菜种植单位和个人，应尽可能避免在蜜源花期喷撒农药，必须施药时，至少应在3天以前通知施药邻近的蜂场，及时采取措施。对违反上述规定造成蜂群严重损失的，养蜂生产主管部门应会同有关部门，追查责任，进行处理。

第七条　对出省放养的蜂群，在出省前要检疫。蜜蜂检疫由县级以上养蜂生产主管部门或由其委托单位负责进行，并将检疫情况如实填写在养蜂证的“检疫记事”栏内。检疫有效期为3个月。凡在省内放蜂的蜂群，一般不检疫。检出患有检疫对象病的蜂群，就地治疗后，方可离境。检疫对象为欧洲幼虫腐臭病、美洲幼虫腐臭病、中蜂囊状幼虫病、麻痹病、小蜂螨等。实行现场检疫办法，可按蜂场的实际蜂群数量核收检疫费，每群（箱）蜂不得超过5分人民币。

第八条　凡发生偷蜂、蓄意毒死蜂群及其他破坏养蜂生产的事件，当地养蜂生产主管部门应协助公安、司法部门及时处理。

第九条　各级养蜂生产主管部门，应配合有关部门，在农村、牧区和林场，广泛宣传蜜蜂为农作物、经济林木、牧草等授粉的增产作用，开展爱蜂、护蜂的科普教育。

需要蜜蜂为农作物授粉的单位和个人，可采取与蜂场签订合同等经济办法，支付蜂场一定的蜜蜂授粉费用，具体办法由双方商定。

第十条　凡养蜂单位、专业户和兼业户，可凭本单位或乡（镇）人民政府有关部门的介绍信，向所在县养蜂生产主管部门领取养蜂证。养蜂证由农业部统一设计，由县印发。

第十一条　出县放蜂的蜂场，凭养蜂证到所去的县养蜂主管部门，办理入境手续和落实场地。

放蜂场地的安排，由县养蜂生产主管部门统一负责，并根据当地蜜源资源，与有关部门协商，优先安排本地蜂场，积极有计划地接待外来蜂场。任何蜂场不得强占场地，必须遵守当地政府有关法规和当地民俗、民族习惯。

第十二条　运蜂出省境的蜂场，凭检疫单位和入境县养蜂生产主管部门在养蜂证上的签证，到交通运输部门办理运蜂手续。蜂场返回原地时，凭养蜂证办理运蜂手续。

转地蜂场，应遵守运输部门承运蜂群的有关规定，做好安全防护工作，避免发生事故，并配合运输部门及时转运蜂群，缩短蜂群在途中、车站、码头和机场的滞留时间。

第十三条　在安排放蜂场地、蜂群运输和收购、销售蜂产品等过程中，任何单位和个人不得行贿受贿，以权谋私，不准向蜂场乱收费，借故刁难。违者，由当地养蜂生产主管部门配合有关部门处理。

第十四条　建立蜜蜂原种场，由农业部畜牧司批准；建立种蜂场，由省、自治区、直辖市计划单列市的养蜂生产主管部门批准，并报农业部畜牧司备案。

第十五条　蜜蜂原种场和种蜂场，出售种蜂王必须保证质量，并附有蜂王供应卡，注明亲代品系、出房日期、开始产卵日期等内容。

第十六条　种蜂的进出口、交换，必须按照《农业部关于进出口种畜（禽）审批暂行办法》的有关规定，报农业部畜牧司办理审批手续，并按《中华人民共和国进出口动植物检疫条例》进行检疫。

第十七条　凡蜂种保护区、蜜蜂原种场和种蜂场的交尾场，严禁其他蜂场进入放蜂。违者，视情节轻重，由当地养蜂生产主管部门责令其离境，或予以罚款。

第十八条　收购单位在收购蜂产品时，必须将产品名称、数量、品质以及收购单位、检验人姓名等，在养蜂证上的有关栏内填写清楚。

第十九条　蜂产品的生产、收购、加工和销售，必须符合国家规定，保证质量，防止污染。蜂产品严禁掺杂造假、粗制滥造和用腐败变质的原料加工制品。违者，当地养蜂生产主管部门应配合当地有关部门，视情节轻重分别予以罚款、没收产品；造成严重后果，触犯刑律的移送司法部门处理。

第二十条　蜂产品的购销，必须贯彻执行按质论价、优质优价、议购议销政策，不得压级压价和克扣斤两。

第二十一条　任何单位或个人，经营蜂药、巢础或蜜蜂配合饲料必须保证质量，经当地养蜂生产主管部门检验合格后，到工商行政管理部门办理经营手续，方准出售。

第二十二条 在蜂产品生产前1个月，停止使用抗生素药物防治蜂病。违者，将其产品就地折价处理。

第二十三条 本规定中下列用语的含义：

（1）“蜜源”是指主要蜜源、辅助蜜源和花粉源。

（2）“蜂场”是指养蜂单位或专业户与饲养蜂群的总称。

（3）“放蜂场地”是指进行养蜂生产的蜜源场地。

（4）“蜂种保护区”是指国家或省、市、自治区人民政府划定的蜂种保护范围。

（5）“出省放蜂”是指从本省到外省、从这一省到另一省。

（6）“蜂产品”是指蜂蜜、蜂王浆、蜂花粉、蜂蜡、蜂胶、蜂毒、蜂蛹、蜂幼虫及其加工制品。

第二十四条 各省、自治区、直辖市计划单列市的养蜂生产主管部门，可根据本规定，结合当地情况制定具体实施办法。各地养蜂管理办法与本规定有抵触的，一律以本规定为准。

本规定自公布之日起实施。

中华人民共和国农业部

1986年9月10日

附录2 出口蜂蜜检验检疫管理办法*

第一章 总 则

第一条 为加强出口蜂蜜检验检疫管理工作，提高我国出口蜂蜜的质量，适应国际市场的要求，根据《中华人民共和国进出口商品检验法》《中华人民共和国进出境动植物检疫法》《中华人民共和国食品卫生法》等有关法律法规，制定本办法。

第二条 本办法适用于出口蜂蜜的检验检疫与监督管理工作。

第三条 国家出入境检验检疫局（以下简称国家检验检疫局）统一管理全国出口蜂蜜检验检疫工作，国家检验检疫局设在各地的出入境检验检疫机构（以下简称检验检疫机构）负责所辖地区出口蜂蜜的检验检疫与日常监督管理工作。

第四条 国家对出口蜂蜜加工企业实行卫生注册制度。未获得卫生注册的出口蜂蜜加工企业生产的蜂蜜不得出口。

第五条 出口蜂蜜检验检疫内容包括品质、规格、数量、重量、包装以及是否符合卫生要求。

出口蜂蜜未经检验检疫或经检验检疫不合格的，不准出口。

---

* 录自《中华人民共和国国家入境检验检疫局令》（第20号），自2000年5月1日起施行。

第二章　检验检疫

第六条　检验检疫机构对出口蜂蜜实行产地检验检疫，口岸查验的管理方式。

第七条　产地检验检疫机构应按规定的检验标准或方法抽取有代表性的样品进行检验检疫。对于农、兽药残留等卫生项目及国家检验检疫局规定的其他特殊项目进行委托检验检疫的，由检验检疫机构将签封样品寄送至认可的检测机构进行检验检疫。

第八条　经检验检疫发现蜂蜜中农、兽药残留、重金属、微生物等卫生指标以及国家检验检疫局规定的其他特殊项目不符合进口国规定或合同要求的，判为不合格。签发出境货物不合格通知单，不允许返工整理。必要时由检验检疫机构加施封识，按有关规定处理。

第九条　检验检疫机构对出口蜂蜜的包装进行卫生及安全性能鉴定。出口蜂蜜包装桶应符合有关的国家标准规定，包装桶的内涂料应符合食品包装的卫生要求。

第十条　产地检验检疫机构应严格按照出口批次进行检验检疫，出具的检验检疫证书上除列明检验项目和结果外，还应注明生产批次及数量。

第十一条　离境口岸检验检疫机构凭产地检验检疫机构签发的相关证单进行查验，经查验合格的予以放行。未经产地检验检疫机构检验的出口蜂蜜，口岸检验检疫机构不得放行。

第十二条　出口蜂蜜检验检疫结果的有效期为60天。

第三章　监督管理

第十三条　出口蜂蜜加工企业必须符合《出口食品厂、库卫生要求》《出口食品厂、库卫生注册细则》等有关规定。检验检疫机构对获得卫生注册的出口蜂蜜加工企业进行监督管理。

加工企业卫生注册代号实行专厂专号专用，任何企业及个人不得借用、冒用、盗用及转让卫生注册代号。

第十四条　检验检疫机构对出口蜂蜜实施批次管理。出口蜂蜜加工企业应按照生产批次逐批检验，并按规定要求在包装桶或外包装箱印上该批蜂蜜的生产批次，厂检单应注明生产批次与数量。

（生产批次的编号附件1，略）

第十五条　检验检疫机构对出口蜂蜜加工企业实施日常监督管理，包括查看生产现场、检查原料收购记录、检验原始记录等，发现问题应督促加工企业限期改正。

第十六条　出口蜂蜜加工企业必须对原料蜜的收购加强把关，不得收购蜂群发生疫情或违反兽医部门用药规定的蜂蜜，不得收购掺杂掺假的、严重发酵或品质发生变化的蜂蜜。

第十七条　出口蜂蜜加工企业必须根据进口国对蜂蜜的品质与卫生要求对原料蜜中农、兽药残留以及国家检验检疫局规定的其他特殊项目进行检测或委托检测，不符合要求的原料蜜不得投入生产。

第十八条　出口蜂蜜加工企业必须建立原料蜜收购记录及生产用原料蜜的投配料记

录，详细记录每批成品蜜所用原料蜜的蜜种、批号、产地、数量及品质情况等。

第十九条　出口蜂蜜加工企业应对成品蜜包装桶进行严格的验收并进行清洗干燥；对原料蜜包装桶加强管理，确保包装桶对原料蜜与成品蜜不产生污染。

第二十条　出口蜂蜜加工企业应加强对原料蜜与成品蜜的贮存管理，原科蜜与成品蜜均应存放在阴凉干燥通风的地方，严防日晒雨淋，并做到标识明显，分批堆放。

第二十一条　检验检疫机构应严格执行《中华人民共和国动物及动物源食品残留物质监控计划》及各年度的具体要求，按规定抽取蜂蜜的官方样品送监测实验室进行监控检测。蜂蜜残留物监测基准实验室应协助国家检验检疫局做好监控工作。

第四章　附　　则

第二十二条　对违反本办法规定的，依照有关法律法规予以处罚。

第二十三条　出口蜂王浆及其他蜂产品的检验检疫与监督管理工作参照本办法执行。

第二十四条　本办法由国家检验检疫局负责解释。

第二十五条　本办法自2000年5月1日起施行。原国家商检局发布的关于出口蜂蜜检验检疫的有关文件同时废止。

附录3　中华人民共和国农业行业标准无公害食品——蜂产品质量标准*（摘录）

一、蜂蜜标准

1. 天然蜂蜜 natural honey　蜜蜂采集植物的花蜜、蜜露，经过自身充分酿造而成的含糖甜物质。

2. 技术要求

（1）感官要求：见附表1。

附表1　感官要求

项　目	指　　标
色泽	具有该品种所具有的色泽。依品种不同从水白色至深褐色
气味与味道	有蜜源植物或花的香气。单花种蜂蜜有该种蜜源植物或花的香气。口感甜润或甜腻。某些品种略有刺激味。无其他异味
状态	常态下呈透明、半透明黏稠流体或结晶状。无发酵征兆
杂质	不含肉眼可见杂质

（2）理化要求：见附表2。

---

* 中华人民共和国农业部2002年7月25日发布，2002年9月1日实施。

附表2　理化要求

项　目	指　标
水分/（g/100g）	≤23
还原糖（以转化糖计）/（g/100g）	≥65
蔗糖/（g/100g）	≤8
灰分/（g/100g）	≤0.6
酸度（1mol/L氢氧化钠）/（ml/100g）	≤4
淀粉酶活性（1%淀粉溶液）/［ml/（g·h）］	≥4
注：荔枝蜂蜜、龙眼蜂蜜、柑橘蜂蜜、鹅掌柴蜂蜜等蜜种不要求淀粉酶活性指标	

（3）微生物要求：见附表3。

附表3　微生物要求

项　目	指　标
菌落总数/（cfu/g）	≤1 000
大肠菌群/（MPN/100g）	≤30
霉菌总数/（cfu/g）	≤200
致病菌	不得检出

（4）有毒有害物质限量：见附表4。

附表4　有毒有害物质限量

项　目	指　标
铁①（以Fe计）/（mg/kg）	≤20
锌（以Zn计）/（mg/kg）	≤25
铅（以Pb计）/（mg/kg）	≤1
羟甲基糠醛（HMF）（mg/kg）	≤40
六六六②/（mg/kg）	≤0.05
滴滴涕②/（mg/kg）	≤0.05
四环素族抗生素/（mg/kg）	≤0.05
氟胺氰菊酯/（mg/kg）	≤0.05
注：①铁和锌属超量有害的金属；②六六六、滴滴涕为高残留农药，我国已禁止生产和使用，下同。	

二、蜂王浆与蜂王浆冻干粉标准

1. 术语和定义

（1）蜂王浆 royal jelly：哺育蜂舌腺和上鄂腺的混合分泌物，是蜂王生命活动中的主要食物。又称蜂皇浆、王浆、蜂乳、王乳等。

（2）蜂王浆冻干粉 lyophilized royal jelly powder：以蜂王浆为原料，经过真空冷冻干燥而成的固态产品。又称为蜂王浆粉、蜂皇浆冻干粉、蜂皇浆粉。

2. 技术要求

（1）感官指标：见附表5。

附表5　感官指标

项　目	蜂王浆	蜂王浆冻干粉
颜色	乳白、淡黄、黄红色，以及少量蜜源植物花粉颜色	乳白、淡黄、黄红色
状态	乳浆状、微黏、有光泽感，不得有胶状物呈现	粉末状，颗粒均匀一致，不得有黏着状
气味	有本品特有香气，气味纯正；不得有发酵、发臭等异味	有本品特有香气，气味纯正；不得有焦糊和发臭等异味
滋味	有酸、涩带辛辣味，回味略甜；不得有异味	
杂物	无幼虫、蜡屑等杂物，不得有外来异物	

（2）理化指标：见附表6。

附表6　理化指标

项　目		蜂王浆	蜂王浆冻干粉
水分/（g/100g）	≤	70	7
蛋白质/（g/100g）	≥	11	33
酸度（1mol/ml × ml NaOH/100g）	≤	30 ~ 53	—
灰分/（g/100g）	≤	1.5	5
总糖（以葡萄糖计）/（g/100g）	≤	15	50
淀粉		不得检出	
10 - 羟基 - α - 癸烯酸/（g/100g）	≥	1.4	4.2

（3）卫生安全指标：见附表7。

附表7　卫生安全指标

项　目		蜂王浆	蜂王浆冻干粉
菌落总数/（cfu/g）	≤	1 000	10 000
大肠菌群/（MPN/100g）	≤	90	

续表

项　　目		蜂王浆	蜂王浆冻干粉
霉菌/（cfu/g）	≤	50	
酵母/（cfu/g）	≤	50	
致病菌（系指肠道致病菌或致病性球菌）		不得检出	
砷［以 As 计］/（mg/kg）	≤	0.3	
铅［以 Pb 计］/（mg/kg）	≤	0.5	

3. 贮存、运输　产品贮存、运输工具应符合 GB17405 要求。密封包装的蜂王浆可在常温下 24h 内销售、运输，应防止温度急剧变化；宜在 -5℃以下低温贮存、运输。产品不应与有毒、有害物品混存混放。

4. 保质期　蜂王浆应在 -18℃以下低温保存，保质期可以为 24 个月。蜂王冻干粉在常温下密封保存，保质期为 3 个月；在 -5℃以下低温保存，保质期可以为 24 个月。

三、蜂花粉标准

1. 术语和定义

（1）蜂花粉 bee pollen　蜜蜂采集被子植物雄蕊花药或裸子植物小孢子囊内的花粉细胞，形成的团粒状物。

（2）杂质 impurity　蜂花粉中除蜂花粉以外的泥沙、昆虫残体等。

2. 技术指标

（1）感官指标：具有蜂花粉的自然品质特征，无虫蛀，无霉变，无异味，不添加任何其他物质。杂质含量在 1% 以内。

（2）理化指标：见附表 8。

附表 8　理化指标

项　　目	指　　标
水分/（%）	≤8
蛋白质/（%）	≥15
灰分/（%）	≤4

单一花粉的特殊指标应符合附表 9 的规定。

附表 9　特殊要求

项　　目	指　　标
单一品种蜂花粉率/（%）	≥85

（3）卫生安全指标：见附表 10。

附表 10 卫生安全指标

项 目	指 标
铅（以 Pb 计）/（mg/kg）	≤1
六六六/（mg/kg）	≤0.05
滴滴涕/（mg/kg）	≤0.05
菌落总数/（cfu/g）	≤1 000
大肠杆群/（MPN/100g）	≤30
致病菌（指肠道致病菌、致病性球菌）	不得检出
霉菌总数/（cfu/g）	≤200

3. 判定规则 按本标准进行测定，检验结果全部符合本标准要求的产品，则判定该批产品为合格。

凡霉变、有虫蛀、有污迹、有异气味或卫生指标中有一项不符合技术要求的产品，允许对不合格项目进行加密取样复测，复测仍不合格的，则判定该批产品为不合格。

农药残留量出现阳性结果允许进行复测。若复测仍呈阳性，则判定该批产品为不合格。

四、蜂胶标准

1. 术语和定义

（1）蜂胶 propolis：蜜蜂将采自植物的枝条、叶芽及愈伤组织等的分泌物与上颚腺、蜡腺等的分泌物同少量花粉混合后所形成的黏性物质。

（2）总黄酮 total flavonoids：蜂胶中黄酮及类黄酮类物质的含量总和。本标准是以蜂胶中常见的高良姜素（galangin）、槲皮素（quercetin）、芦丁（rutin）、杨梅酮（myricetin）、莰菲醇（kaempferol）、芹菜素（apigenin）、松属素（pinocembrin）、柯因（chrysine）等 8 种黄酮含量之和表示。

（3）氧化时间 oxidation time：蜂胶的综合抗氧化能力（即综合还原能力），通常指一定量的蜂胶使一定体积的浓度为 0.01mol 的高锰酸钾液的紫红色完全消退所需时间，用秒来计量。

2. 质量要求

（1）感官指标：见附表 11。

附表 11 感官指标

状态	不透明的团块或碎片，在 35℃以上逐渐变软，有黏性和可塑性
气味	有明显的芳香味
色泽	褐色、灰褐、暗绿、灰黑色等，有光泽
滋味	有明显的辛辣味

（2）理化指标：见附表12。

附表12　理化指标

项　　目	指　标
总黄酮含量/（%）	≥8
氧化时间/s	≤22
75%乙醇提取物含量/（%）	≥55
蜂蜡和75%乙醇不溶物含量/（%）	≤45

（3）微生物指标：见附表13。

附表13　蜂胶的微生物指标

项　　目	指　标
菌落总数/（cfu/g）	≤1 000
大肠菌群/（MPN/100g）	≤30
霉菌及酵母菌数/（cfu/g）	≤200
致病菌	不得检出

（4）有毒有害物质限量：见附表14。

附表14　有毒有害物质限量

项　　目	指　标
铅（以Pb计）/（mg/kg）	≤1
砷（以As计）/（mg/kg）	≤0.3
汞/（mg/kg）	≤0.3
六六六/（mg/kg）	≤0.05
滴滴涕/（mg/kg）	≤0.05
氟胺氰菊酯/（mg/kg）	≤0.05

3. 判定规则　检验结果全部符合本标准规定的产品为合格。产品中某一项指标不符合要求的，允许对不合格项目进行加密复测，复测仍不合格的，则判定该批产品为不合格。该批次样本标志、包装、净含量不合格者，允许生产单位进行整改后申请复检1次，若检验结果中出现不符合本标准卫生安全、有毒有害规定的指标，允许复检1次，复检应取同一批产品中副样进行，以复检结果为准。

附录4 中华人民共和国农业行业标准无公害食品——蜜蜂饲养兽药使用准则* （摘录）

1. 术语和定义

（1）蜜蜂 honeybee：能泌蜡筑巢，供人类饲养，生产蜂蜜等蜜蜂产品的经济昆虫。

（2）兽药 veterinary drug：用于预防、治疗和诊断畜禽等动物的疾病，有目的地调节其生理机能并规定作用、用途、用法、用量的物质（含饲料药物添加剂）。包括兽用生物制品、兽用药品（化学药品、中药、抗生素、生化药品、放射性药品）。

（3）抗菌药 antibacterial drug：能够抑制或杀灭病原菌的药物，其中包括中药材、中成药、化学药品、抗生素及其制剂。

（4）抗寄生虫药 antiparasitic drug：能够杀灭或驱除体内、体外寄生虫的药物，其中包括中药材、中成药、化学药品、抗生素及其制剂。

（5）消毒药 disinfectant：用于杀灭环境中的病原微生物、防止疾病发生和传染的药物。

（6）休药期 withdrawal period：蜜蜂从停止给药到其产品收获的间隔时间。

2. 使用准则 蜜蜂饲养者对蜜蜂的饲养应从加强管理入手，保证蜜蜂群有充足、富含营养物质的饲料，选择抗病的品种，采取各种措施以减少疾病，增强自身的抗病能力。养蜂场地应符合 NY/T5139 的规定。蜜蜂疾病以综合防治为主，必要时用药物进行治疗和消毒，所用的药物必须符合《中华人民共和国兽药典》、《中华人民共和国兽药规范》、《进口兽药质量标准》等的相关规定，并必须来自具有《兽药生产许可证》和产品批准文号的生产企业，或者具有《进口兽药许可证》的供应商。所有药物的标签必须符合《兽药管理条例》的规定。

（1）优先选用借日光、烘烤、灼烧、洗涤和铲除等机械的或物理的消毒方法，必要时使用消毒药物对饲养环境、蜂箱、巢脾和器具等进行消毒，但应符合 NY/T5139 的规定。

（2）允许使用《中华人民共和国兽药典》二部及《中华人民共和国兽药规范》二部收载的中药材、中药成方制剂，以防治蜜蜂的各种疾病。

（3）允许使用附表中的药物，应注意以下几点：

①对蜜蜂疾病经诊断后，选择合适的一种药物，避免重复用药；同时考虑交替用药，尽可能降低耐药性的产生；使用时要严格遵守规定的用法与用量。

②休药期应遵守附表中的规定。

（4）建立并保存全部用药的记录，治疗用药记录包括蜂群的编号、发病时间及症状、治疗用药物名称（商品名及有效成分）、用药方式、用药量、疗程、治疗时间等。

（5）禁止使用未经国家畜牧兽医行政管理部门批准的兽药或已经淘汰的兽药。

---

* 中华人民共和国农业部2002年7月25日发布，2002年9月1日实施。

（6）严禁使用《食品动物禁用的兽药及其他化合物清单》中的药物及化合物。

附表　无公害食品蜜蜂饲养允许使用的药物及使用规定

名称	用途	用法与用量	休药期
双甲脒条（500mg）（amitraz strip）	防治蜂螨	悬挂于蜂群空隙处，每群1条，点燃密闭熏烟15min，每周1次，3周为1个疗程	7d
氟氯苯氰菊酯条（flumethrin strip）、氟胺氰菊酯条（fluvalinate strip）	防治蜂螨	悬挂于蜂群内，每群2条，前者6周为1个疗程，后者3周为1个疗程	采蜜期禁用
甲酸溶液（甲酸7ml与乙醇3ml）（formic acid solution）	防治蜂螨，无蜂使用	熏蒸，临用前将二者混合，在22℃以上气温下，密闭熏蒸5～6h，每10ml在标准箱内熏蒸7～8张无蜂封盖子脾	
甲硝唑片（metronidazole tablets）	防治蜂孢子虫病	饲喂，每升50%糖水加本品500mg，隔3d1次，连用7次	采蜜期禁用
盐酸金刚烷胺粉（amantadine hydrochloride powder）（13%）	防治蜂囊状幼虫病	饲喂，每升50%糖水加本品2g，每群250ml，3d 1次，连用6次	采蜜期停止使用
酞丁胺粉（4%）（etibamzone power）	用于蜂麻痹病	饲喂，每升50%糖水加本品12g，每群250ml，隔日1次，连用5次	采蜜期停止使用
盐酸土霉素可溶性粉（oxytetracycline hydrochloride soluble power）	防治细菌性疾病	饲喂，每群200mg（按有效成分计），与1∶1糖浆适量混匀，隔4～5d 1次，连用3次	采蜜前6周停止给药
制霉菌素（nystatin）	防治真菌性疾病	饲喂，每升50%糖水加本品200mg，隔3d 1次，连用5次	采蜜期停止使用

附录5　蜂业工作者技能考核参考标准

一、养蜂技工等级技能要求

养蜂技能分为初级、中级和高级三个级别，养蜂技术人员也就相应地分为初级工、中级工和高级工。每一级的鉴定方式都包括两个方面：一是知识要求和心智技能要求，采取闭卷笔试；二是操作技能要求，采取实际操作考核方式。由于养蜂的周期性，其效益也是鉴定技能级别的重要依据之一，各等级考核的侧重点也不相同。

（一）初级养蜂技工

具有初中文化（含同等学历）并从事养蜂工作2年以上，或养蜂学徒期满，或经正规养蜂技能培训的，都可申报。初级养蜂技术工人应了解蜜蜂基础生物学知识和蜜源植物知识，熟练掌握养蜂基本操作技术，能够解决养蜂生产中一般性的技术问题，具有常见的蜜蜂病敌害防治能力，协助中级养蜂技术工人或高级养蜂技术工人指导学徒工操作技术。

（二）中级养蜂技工

从事养蜂工作6年以上，或取得初级《技术等级证书》后又经正规的中级养蜂技能培训取得毕（结）业证书或工作2年以上者，都可申报。中级养蜂技术工人应全面了解蜜蜂基础生物学知识和主要蜜源的生长习性、泌蜜特点，了解蜜蜂产品的作用、质量标准、贮运要求等，掌握蜜蜂产品优质高产技术、高效授粉技术和人工育王技术，熟悉主要蜜蜂种的特点，具有病敌害防治能力，能够独立解决生产中的技术问题，独立指导养蜂学徒工，协助高级养蜂技术工人制定养蜂场生产计划和解决生产中遇到的难题。

（三）高级养蜂技工

取得中级《技术等级证书》2年以上或从事养蜂工作8年以上，并在养蜂生产中有很好的效益者，都可申报。取得高级养蜂技术等级的人员，对蜜蜂生物学知识应有深入了解，具有一定的蜜源花期和泌蜜量预测能力，具有新产品开发生产、养蜂技术改革和技术创新能力，掌握蜜蜂选种、育种、引种和人工授精技术，能够制定养蜂场生产计划、养蜂技术方案、蜜蜂高效授粉的蜂群管理技术措施，独立解决生产中遇到的难题。

二、养蜂技能考级笔试复习题

（一）初级

1. 概念题 蜂群 三型蜂 自然分蜂 自然交替 分蜂热 分蜂团 巢房 巢脾 子脾 封盖子 王台 排泄飞行 围王 群势 盗蜂 适龄采集蜂 适龄越冬蜂 无王群 交尾群 双王群 养蜂场地（或放蜂场地） 蜂群排列 蜂群检查（定群） 全面检查 局部检查 箱外观察 补助饲喂 奖励饲喂 引诱入蜂王 人工分群 单群平分 混合分群 蜂群合并 上础 造脾 转地饲养 长途转地（大转地） 短途转地（小转地） 定地饲养 活框蜂箱 双群同箱饲养 主副群饲养 中蜂过箱 野生中蜂诱捕 蜜蜂授粉 巢础 成熟蜜 蜂花粉 蜂蜡 蜂胶 蜂毒 蜜源植物 主要蜜源 辅助蜜源 蜜腺 花蜜 病原 症状 蜜蜂中毒

2. 判断题（在每一小题后的圆括号内，认为正确的打“√”，错误的打“×”）

（1）蜂王浆是由蜂王分泌的。（ ）

（2）蜂王是蜂群的统治者。（ ）

（3）蜂蜜是由蜜蜂食用花粉后产生的。（　）
（4）处女蜂王在空中交尾。（　）
（5）巢脾中部的王台肯定是改造王台。（　）
（6）繁殖季节，如果蜂巢内无卵、虫，可以判断蜂群失王。（　）
（7）蜂箱的标准化对蜜蜂饲养非常重要。（　）
（8）中蜂和意蜂可全年同场饲养。（　）
（9）中蜂生产群不宜排列整齐。（　）
（10）一般情况下，蜂群的好坏可以从子脾反映出来。（　）
（11）开箱检查时，新王起飞应立即捕捉。（　）
（12）巢门外有大量采集蜂死亡，是由于饥饿引起的。（　）
（13）奖励饲喂的糖液浓度不能过高。（　）
（14）意蜂巢脾使用时间，一般不宜超过 3 年。（　）
（15）中蜂巢脾使用时间，一般不宜超过 3 年。（　）
（16）分蜂团的收捕方法，中蜂和意蜂完全相同。（　）
（17）外界蜜粉源缺乏是引起盗蜂的最主要原因。（　）
（18）王台诱入交尾群后第五至第十天，应在中午开箱检查蜂王交尾情况。（　）
（19）春季蜂群保温比冬季更重要。（　）
（20）从封盖蜜脾中取出的蜂蜜，多为成熟蜜。（　）
（21）南方蜂群越夏困难的最主要原因是天气炎热。（　）
（22）在春季，见到雄蜂出房才能着手移虫育王。（　）
（23）蜂王浆生产，每隔 3d 取浆 1 次，应移取 2 日龄工蜂小幼虫。（　）
（24）主要蜜源是指能生产优质蜜的蜜源植物。（　）
（25）长途运蜂时，临时放蜂应将蜂群排成方形或圆形，且巢门向内。（　）
（26）转地蜂群因连续采蜜，应保持 15 足框蜂以上的强大群势。（　）
（27）囊状幼虫病是危害中蜂较严重的病毒性病害。（　）
（28）白垩病是危害性很大的真菌性蜜蜂病害。（　）
（29）蜜蜂授粉能提高农作物产量。（　）
（30）蜜蜂授粉往往能提高农作物的品质。（　）

3. 问答题

（1）一群蜜蜂由哪些成员组成，它们是如何分工的？
（2）蜜蜂发育需要经过哪些阶段？
（3）三型蜂的发育各阶段需要多长时间？
（4）蜂子正常发育需要哪些条件？
（5）三型蜂在形态上各有何特点？
（6）试述采集和携带花蜜的特化构造。
（7）如何挑选蜂群？
（8）优质蜂王有何特征？
（9）工蜂为什么会在巢门前扇风？

(10) 王台有几种，如何判断王台的种类？
(11) 蜂群在什么情况下培育新蜂王？
(12) 工蜂和蜂王的飞行范围是多少？
(13) 试述蜜蜂卵、幼虫、封盖子、花粉、蜂蜜在蜂巢中的分布规律。
(14) 试述促使自然分蜂的因素。
(15) 试述蜜蜂飞逃的原因。
(16) 分析促使蜂群泌蜡造脾的因素。
(17) 试述蜜蜂的营巢习性。
(18) 试述盗蜂的特点和危害。
(19) 温度对蜜蜂的生长发育和活动有何影响？
(20) 蜜蜂如何调节巢温？
(21) 如何判断蜂群的质量？
(22) 如何选择固定养蜂场址？
(23) 试述蜂群排列方法。
(24) 试述蜂群放置方法。
(25) 试述蜂群检查的意义和各种检查方法的特点。
(26) 怎样进行蜂场记录？
(27) 比较奖励饲喂与补助饲喂的异同。试述奖励饲喂和补助饲喂的方法。
(28) 怎样修造优质巢脾？
(29) 试述蜂群直接合并和间接合并的方法。
(30) 如何控制和解除分蜂热？
(31) 怎样收捕分蜂团？
(32) 试述单群平分和混合分群的方法。
(33) 试述蜂王诱入方法。
(34) 怎样安全诱入王台？
(35) 怎样解救被围蜂王？
(36) 怎样发现盗蜂？
(37) 试述防止盗蜂的技术措施。
(38) 怎样处理蜜蜂偏集？
(39) 如何保存巢脾？
(40) 试述蜂群近距离迁移和临时迁移方法。
(41) 分析蜂群快速繁殖所需的条件和影响蜂群快速繁殖的因素。
(42) 试述快速繁殖蜂群的技术措施。
(43) 怎样给蜂群保温？
(44) 扩巢的方法有哪些，何时采用何种扩巢方法？
(45) 怎样根据具体情况调整蜂群的蜂、脾关系？
(46) 发现蜂群中出现王台，在饲养管理上应采取什么措施？
(47) 怎样培养适龄采集蜂？

（48）试述采蜜群的组织方法。
（49）试述南方蜂群越夏管理要点。
（50）怎样大量培育适龄越冬蜂？
（51）试述北方室内越冬蜂群管理要点。
（52）试述北方室外越冬蜂群管理要点。
（53）怎样采收蜂蜜？
（54）试述蜂王浆生产原理和生产条件。
（55）试述产浆群的组织方法。
（56）试述产浆群的管理措施。
（57）怎样生产蜂王浆？
（58）试述蜂王浆优质高产技术措施。
（59）试述蜂花粉的脱粉技术和蜂花粉的干燥方法。
（60）试述蜂胶的生产方法。
（61）怎样进行蜂群转运前调整和装钉？
（62）试述蜜蜂运输途中管理的技术要点。
（63）试述蜂箱、蜂具、巢脾、蜂场的消毒方法。
（64）试述美洲幼虫腐臭病的防治方法。
（65）试述欧洲幼虫腐臭病的防治方法。
（66）试述白垩病的防治方法。
（67）试述中蜂囊状幼虫病的防治方法。
（68）试述蜂螨的危害和防治方法。
（69）试述巢虫（蜡螟）的防治方法。
（70）怎样预防蜜蜂农药中毒，蜜蜂农药中毒如何解救？
（71）试述中蜂饲养管理特点。
（72）试述中蜂过箱技术。
（73）试述中蜂过箱后的管理措施。
（74）试述野生中蜂的引诱和捕猎方法。
（75）试述植物花的构造和泌蜜生理。
（76）分析影响蜜源植物开花泌蜜的主要因素。
（77）我国春季有哪些主要蜜源，花期在何时？
（78）我国夏季有哪些主要蜜源，花期在何时？
（79）我国秋季有哪些主要蜜源，花期在何时？
（80）我国冬季有哪些主要蜜源，花期在何时？

（二）中级

1. 概念题　分蜂台　交替台　改造台　处女王　产卵工蜂　蜂王物质　报警信息素　采集信息传递　级型　雄蜂青春期　婚飞　迷巢　内勤蜂　外勤蜂　侦察蜂　蜜蜂的个体发育　雄蜂聚集区　父群　母群　哺育群　移虫育王　移卵育王　复式移虫　种

用雄蜂　形态鉴定　蜂王邮寄笼　炼糖　笼蜂　春衰　秋衰　多箱体养蜂　转地路线　巢础　花外蜜腺　花内蜜腺　分离蜜　巢蜜　格子巢蜜　大块巢蜜　切块巢蜜　混合巢蜜　蜂王浆冻干粉　蜂疗　蜜蜂检疫　蜜蜂病毒病　蜜蜂细菌病　蜜蜂真菌病　蜜蜂原生动物病害　蜜蜂寄生虫病害　蜜蜂敌害

2. 问答题

（1）简述蜜蜂嗅觉器官的着生部位和结构。

（2）蜜蜂消化系统由哪些器官组成，各器官的功能是什么？

（3）巢础有哪些类型，如何判断巢础的质量？

（4）试述盗蜂的危害。

（5）怎样组织双王群？

（6）巢蜜生产群如何组织？

（7）如何预测蜜蜂群势的发展趋势？

（8）不同养蜂管理阶段，蜂巢的布置有何特点？

（9）在蜂群周年管理中，如何恰当采取保温措施？

（10）大流蜜期前，蜂场普遍出现严重分蜂热，采取何措施能保证蜂蜜当季高产？

（11）根据当地的气候、蜜源等条件，科学划分蜜蜂饲养管理阶段。

（12）分析影响蜜蜂安全运输的因素。

（13）怎样做好蜂场转地前的准备工作？

（14）怎样挑选和落实转地放蜂蜜源场地？

（15）怎样制定转地路线？

（16）我国有哪些主要放蜂路线？

（17）蜂王浆是由哪些腺体分泌的，影响蜂王浆分泌的因素有哪些？

（18）移虫后何时取浆，蜂王浆产量最高？

（19）试述产浆群的组织方法。

（20）试述中蜂过箱后的管理方法。

（21）人工育王应具备哪些条件？

（22）交尾箱有几种类型，各类型交尾箱有何特点？

（23）选择所饲养的蜂种应考虑哪些因素？

（24）中华蜜蜂生物学特性和生产性能有何特点？

（25）意大利蜂生物学特性和生产性能有何特点？

（26）欧洲黑蜂生物学特性和生产性能有何特点？

（27）卡尼鄂拉蜂生物学特性和生产性能有何特点？

（28）高加索蜂生物学特性和生产性能有何特点？

（29）多箱体养蜂需要哪些条件？

（30）多箱体养蜂技术有何特点？

（31）试述授粉蜂群的配置和授粉蜜蜂的训练方法。

（32）怎样区别细菌病、真菌病、病毒病等三种蜜蜂幼虫病？

（33）试述蜜蜂白垩病的危害、病原、症状及防治方法。

（34）试述中蜂囊状幼虫病的危害、病原、症状及防治方法。
（35）试述蜜蜂麻痹病的危害、病原、症状及防治方法。
（36）试述蜜蜂败血病的危害、病原、症状及防治方法。
（37）试述蜜蜂副伤寒病的危害、病原、症状及防治方法。
（38）试述蜜蜂螺原体病的危害、病原、症状及防治方法。
（39）试述蜜蜂阿米巴病的危害、病原、症状及防治方法。
（40）试述蜜蜂孢子虫病的危害、病原、症状及防治方法。
（41）试述蜂螨的危害、症状及防治方法。
（42）试述巢虫（蜡螟）的危害、症状及防治方法。
（43）试述白垩病的危害、病原、症状及防治方法。
（44）试述胡蜂的危害及防治方法。
（45）试述蜜蜂农药中毒的症状及防治方法。
（46）试述蜜蜂枣花期中毒的症状及防治方法。
（47）试述蜜蜂茶花期中毒的症状及防治方法。
（48）怎样定期对蜂场进行消毒，蜂场消毒常用的药物有哪些？
（49）蜂蜜的主要成分是什么，高质量的蜂蜜有何特征？
（50）蜂王浆的主要成分是什么，怎样判断蜂王浆的质量？
（51）蜂花粉的主要成分是什么，蜂花粉有何用途？
（52）蜂蜡的主要成分是什么，怎样提炼蜂蜡？
（53）蜂胶的主要成分是什么，怎样鉴定蜂胶的质量？
（54）蜂毒的主要成分是什么，蜂毒有何用途？
（55）雄蜂蛹的主要成分是什么，怎样鉴定雄蜂蛹的质量？
（56）蜂王幼虫的主要成分是什么，怎样鉴定蜂王幼虫的质量？
（57）试述蜂蜜、蜂王浆、蜂花粉、蜂蜡、蜂胶的质量标准。
（58）试述蜂蜜、蜂王浆、蜂花粉、蜂蜡、蜂胶、蜂毒、蜜蜂虫、蛹等产品的包装、贮存、运输要求。
（59）试述蜂花粉的干燥方法，并比较各种干燥方法的特点。
（60）试述雄蜂蛹的盐渍保鲜方法。

（三）高级

1. 概念题　蜜蜂信息素　二倍体雄蜂　蜜蜂孤雌生殖　蜜蜂的胚前发育　蜜蜂的胚胎发育　蜜蜂的胚后发育　规模化养蜂　养蜂机具标准化　蜜蜂人工授精　近交系　杂交　选择育种　闭锁育种　引种　保种　遗传　变异

2. 问答题

（1）试述蜜蜂口器的构造和功能。
（2）试述蜜蜂足的构造和功能。
（3）试述蜜蜂翅的构造和功能。
（4）试述蜜蜂 3 对足的采集和携带花粉的特化构造和功能。

(5) 试述蜜蜂螯刺的构造和功能。
(6) 试述蜜蜂王浆腺的着生部位和结构。
(7) 试述蜜蜂蜡腺的着生部位、结构和发育特点。
(8) 试述蜜蜂消化系统的组成。
(9) 蜜蜂生殖系统由哪些器官组成，各器官的功能是什么？
(10) 试述蜜蜂呼吸系统的组成。
(11) 试述蜜蜂神经系统的组成。
(12) 试述蜜蜂视觉器官的种类、着生部位和结构。
(13) 蜜蜂分辨颜色的能力与人有何不同？
(14) 蜜蜂分辨形状的能力与人有何不同？
(15) 试述蜜蜂周年生活规律。
(16) 如何将蜂王万无一失地诱入蜂群？
(17) 怎样进行养蜂场的布置与规划？
(18) 试述蜜蜂越冬室的设计。
(19) 怎样建立养蜂场档案？
(20) 分析当地养蜂各阶段的蜂群状况和养蜂特点，制定周年养蜂管理方案。
(21) 我国东线转地放蜂路线主要蜜源有哪些？花期在何时？蜜源有何特点？
(22) 我国中线转地放蜂路线主要蜜源有哪些？花期在何时？蜜源有何特点？
(23) 我国西线转地放蜂路线有哪几个主要分支路线？
(24) 我国西线转地放蜂路线主要蜜源有哪些？花期在何时？蜜源有何特点？
(25) 转地饲养有可能发生哪些意外情况，如何处理？
(26) 试述笼蜂的生产、装笼、运输方法。
(27) 试述笼蜂饲养的条件和方法。
(28) 影响蜜源植物开花泌蜜有哪些因素？
(29) 如何预测主要蜜源的花期和泌蜜量？
(30) 蜜蜂为农作物授粉有何意义？
(31) 为什么说蜜蜂是农作物最理想的授粉者？
(32) 分析影响蜜蜂授粉效果的因素。
(33) 如何制定蜜蜂高效授粉的方案？
(34) 如何明确蜜蜂授粉服务的责任和义务？
(35) 签订蜜蜂授粉合同应注意哪些问题？
(36) 何为蜜蜂种、蜜蜂亚种、蜜蜂品种？蜜蜂属有哪些蜜蜂种？
(37) 我国饲养的西方蜜蜂有哪些品种？各品种的西方蜜蜂有何特点？
(38) 与西方蜜蜂比较，中蜂有何特点？
(39) 如何鉴定蜂种？
(40) 怎样考察蜂群的经济性状？
(41) 生产上常用的选择育种有哪些方法？
(42) 蜜蜂近交系在生产上有何作用？

（43）蜜蜂人工授精需要哪些仪器和设备？
（44）试述蜜蜂检疫的重要性。我国规定的蜜蜂病敌害检疫对象有哪些？
（45）试论我国规模化养蜂的发展方向。
（46）试分析“蜂群集体饲养法”的特点和局限性。
（47）试分析“双王群饲养法”的特点和局限性。
（48）试分析“数控养蜂法”的特点和局限性。
（49）试分析“蜂巢分区饲养法”的特点和局限性。
（50）试分析“主、副群饲养法”的特点和局限性。

参考文献

1 侯宝敏，张中印，王永远．怎样养蜂．郑州：河南科学技术出版社，1999
2 张复兴主编．现代养蜂生产．北京：中国农业大学出版社，1998
3 张全华，孙白云主编．华西养蜂全书．成都：四川科学技术出版社，1991
4 高运启．蜂产品经营与养蜂效益评价．北京：中国人民大学出版社，1993
5 高运启，贺巍．养蜂经济管理指南．北京：中国农业出版社，1996
6 杨玉华，曾志将主编．蜂业经济管理．南昌：江西科学技术出版社，1994
7 曾志将，胥保华主编．实用养蜂学．南昌：江西科学技术出版社，1996
8 曾志将．蜜蜂生态学．南昌：江西农业大学学报专辑，1989
9 胡玉佳．现代生物学．北京：高等教育出版社，1999
10 马德风，黄文诚主编．中国农业百科全书·养蜂卷．北京：农业出版社，1993
11 黄文诚．蜂蜜酿酒．北京：农业出版社，1985
12 黄文诚．蜂王培育技术．北京：金盾出版社，1996
13 黄文诚，吴本熙等．养蜂手册（第二版）．北京：中国农业出版社，1998
14 黄文诚．养蜂技术．北京：金盾出版社，1995
15 龚一飞，方文富．蜜蜂机具学．福州：福建科学技术出版社，1996
16 龚一飞，张其康．蜜蜂分类与进化．福州：福建科学技术出版社，2000
17 龚一飞主编．养蜂学．福州：福建科学技术出版社，1981
18 马贵平主编．进出境动物检疫手册．北京：农业大学出版社，1993
19 梁诗魁等．蜜源植物要览．北京：农业出版社，1993
20 梁诗魁，任再金，关宗云．西北蜜源植物及其利用．银川：宁夏人民出版社，1986
21 宋心仿，邵有全．蜜蜂产品的生产与加工利用．济南：山东科学技术出版社，1988
22 宋心仿，邵有全．蜜蜂饲养新技术．北京：中国农业出版社，2000
23 宋心仿，闫继耀，邵有全．蜜蜂产品的应用与检测加工技术．北京：中国农业出版社，2000
24 房柱主编．蜂胶．太原：山西科学技术出版社，1999
25 房柱．花粉．北京：中国农业出版社，1985
26 房柱主编．百病蜂针疗法．太原：山西科学技术出版社，1996
27 房柱，张碧秋．中国蜂针疗法．北京：人民卫生出版社，1993
28 房柱．中华蜂疗保健．南昌：养蜂科技增刊，1995
29 王建鼎，梁勤，苏荣．蜜蜂保护学．北京：中国农业出版社，1997

30 冯峰．中国蜜蜂病理及防治学．北京：中国农业科技出版社，1995
31 忻介六．蜱螨学纲要．北京：高等教育出版社，1984
32 李宪东．蜂病防治．太原：山西人民出版社，1981
33 杜芝兰，贾福相．蜜蜂病理学．北京：北京大学出版社，1996
34 武汉大学病毒研究所．中国昆虫病毒图谱．长沙：湖南科学技术出版社，1986
35 河南省南阳农业学校．动物检疫学．北京：农业出版社，1994
36 梁来荣，杨庆爽．蜱螨分科手册．上海：上海科学技术出版社，1981
37 柯贤港．蜜粉源植物学．北京：中国农业出版社，1995
38 湖南省兽医卫生监督检验所．兽医卫生检疫手册．长沙：湖南科学技术出版社，1995
39 蔡妙英，刘聿太，战立克译．芽孢杆菌属．北京：农业出版社，1983
40 陈葆新等译．软罐头食品生产的理论与实践．北京：中国轻工业出版社，1993
41 陈崇羔．蜂产品加工学．福州：福建科学技术出版社，1999
42 陈世壁，袁泽良编著．蜜蜂产品保鲜、加工和利用．北京：科学普及出版社，1988
43 高溥超．天然美容化妆品古今配方精选．广州：广东科技出版社，1996
44 郭继科．冷饮生产基本知识．北京：轻工业出版社，1989
45 《化妆品生产工艺》编写组．化妆品生产工艺．北京：轻工业出版社，1987
46 计志忠主编．化学制药工艺学．北京：中国医药科技出版社，1998
47 南京药学院药剂学教研室．药剂学．北京：人民卫生出版社，1985
48 裴培，曹太定．天然化妆品．合肥：安徽科学技术出版社，1988
49 乔廷昆主编．蜂王浆．北京：科学普及出版社，1994
50 乔廷昆主编．中国蜂产品生产规范．北京：中国蜂产品协会，1995
51 乔廷昆主编．古代中国蜂业文献译注．北京：中国科学技术出版社，1995
52 石一兵主编．食品机械与设备．北京：中国商业出版社，1992
53 孙斌等．包装结构设计．北京：中国轻工业出版社，1995
54 涂国材主编．食品工厂设备．北京：中国轻工业出版社，1995
55 王贻节主编．蜜蜂产品学．北京：农业出版社，1994
56 王贻节，明延凯主编．养蜂与蜂产品．济南：山东科学技术出版社，1994
57 袁继民，于连生主编．现代药物制剂技术．济南：济南出版社，1993
58 张柏青．发酵饮料制作法．北京：中国食品出版社，1988
59 张宏旭主编．商品包装与装潢．北京：中国商业出版社，1996
60 赵华敏译．包装知识．北京：中国食品出版社，1988
61 周于德等．酒的知识．北京：轻工业出版社，1988
62 吴燕如，何琬，王淑芳．云南蜜蜂志．昆明：云南科学技术出版社，1988
63 邵瑞宜主编．蜜蜂育种学．北京：中国农业出版社，1995
64 邵瑞宜．蜜蜂选种与良种繁育技术．福州：福建科学技术出版社，1999
65 陈耀春主编．中国蜂业（上篇）．北京：农业出版社，1993
66 陈盛禄主编．中国蜜蜂学．北京：中国农业出版社，2001

67 李扬汉主编．植物学．上海：上海科学技术出版社，1984
68 陆时万主编．植物学．北京：高等教育出版社，1991
69 黎晓宽．新编合同范本使用指南．北京：中国政法大学出版社，1994
70 袁锋．昆虫分类学．北京：中国农业出版社，1996
71 翟中和．细胞生物学．北京：高等教育出版社，1995
72 陈剑星等译．蜂箱与蜜蜂．北京：农业出版社，1981
73 戴芳澜．真菌的形态和分类．北京：科学出版社，1987
74 刘岱岳，谭业平译（K. Maramorosch 主编）．昆虫病毒图谱．北京：农业出版社，1987．123～137
75 商业部土产杂品局主编．蜂蜜经营基础知识．北京：中国商业出版社，1986
76 吴健安主编．市场营销学．北京：高等教育出版社，2000
77 叶振生，高运启，阚玉珍．不同饲养方式经济效益的比较和分析．中国养蜂，1993（2）
78 纪延光，高健．微波连续灭菌的工艺研究．食品与机械，1996（6）：21～22
79 方文富．DM－1 型电埋线器．中国养蜂，1987（5）：29
80 方文富．FWF 型中华蜜蜂蜂箱的研制．养蜂科技，1996（6）：2～5
81 方文富．介绍一种浅框式饲喂器及其制造．蜜蜂杂志，1989（2）：33
82 方文富．浅论中华蜜蜂蜂箱的设计依据——蜂路和巢框．中国养蜂，1995（1）：22～23
83 方文富．圆形巢蜜继箱．蜜蜂杂志，1988（3）：25
84 方文富译．盒式巢蜜．中国养蜂，1991（2）：35～36
85 方文富等．中华蜜蜂蜂箱的蜂路结构．福建农业大学学报，1995（3）：341～343
86 北京四海农村技术开发研究所．用封闭式蜜蜂蜂毒采集器的采毒技术．中国养蜂，1991（5）：21～24
87 叶群青译．一种新型的纤维板筒式蜂笼．中国养蜂，1988（2）：35
88 李金福，张中印．我国主要蜜源与放蜂路线简况．蜜蜂杂志．2000（6）：23
89 张中印．河南蜂群的秋季管理．中国养蜂，1992（3）：16～17
90 张中印．河南蜂群的春夏管理．中国养蜂，1994（1）：13～14
91 张中印，王运兵，武存坡．钢木巢门脱粉器的研制与提高花粉产量试验．中国养蜂，2000（3）：7～8
92 张中印，周冰峰，王运兵等．蜜蜂花粉优质高产技术研究与应用．中国养蜂学会饲养管理学术研讨会论文集．2001
93 吴本熙．CS15AF 型养蜂专用车的研制．中国养蜂，1984（1）：26～28
94 缪晓青．蜜蜂电子时控取毒的探索．福建农学院学报，1983（12）：323～326
95 仇沛沅．蜜蜂螺原体对药物敏感性的测定．中国养蜂，1993（3）：9～10
96 祁云巧，许少玉等．刺槐花螺原体对蜜蜂致病性的研究．中国养蜂，1992（3）：9～10
97 许少玉，祁云巧等．酶联免疫吸附法检测蜜蜂螺原体的研究．蜜蜂杂志，1992

(7)：3~4
98 杨荣鉴，董秉义，范瑞莲等．中蜂囊状幼虫病病毒核酸和多肽的研究．病毒学杂志，1988，3 (1)：54~58
99 浙江蜜蜂爬蜂病综合防治研究协作组．蜜蜂螺原体病综合防治研究初报．中国养蜂，1990 (2)：10~12
100 黄少康．苏云金芽孢杆菌防治大蜡螟．蜜蜂杂志，1999 (11)：5~6
101 董大志，乐应国．胡蜂的识别与防治．蜜蜂杂志，1999 (11)：21~23
102 董秉义，许少玉等．蜜蜂螺原体病的流行病学调查．中国养蜂，1992 (5)：24~26
103 曾志将．浅析影响蜜蜂品种分布的因素．养蜂科技，1989 (3)：27~28
104 曾志将．蜜蜂与植物协同关系的研究．蜜蜂杂志，1991 (5)：34
105 曾志将，吴桂生，张中印等．割雄蜂蛹对蜂群生产力、繁殖力和分蜂性的影响．浙江大学学报，2000，26 (5)：540~542
106 李锦和等．工业微波加热灭菌机械制造技术．包装与食品机械，1997 (3)：8~12
107 李里特．微波在食品加工中应用的原理和特点．食品工业科技，1991 (6)：3~7
108 梁尚勇．食品冷冻干燥及其发展．食品工业科技，1995 (1)：70~73
109 骆尚骅．蜜蜂幼虫、蛹的研究、开发利用概况及发展前景．中国养蜂，1997 (4~5)：22~23
110 刘铭．不同冻结速度对食品质量的影响．食品与机械，1994 (4)：26~27
111 陆则坚，郑宝东，陈丽娇．蜂蜜流变特性及其质量鉴定．农业工程学报，1994 (2)：114~118
112 鲁亚芳，董怡为．温度对蜂蜜品质流变学检验法的影响．食品科学，1993 (12)：3~6
113 潘君拯，谭群．蜂蜜表观黏度与温度的关系．农业工程学报，1988 (4)：89~95
114 沈平锐，罗光华．蜂王幼虫的营养食效性及其在食品中的开发利用．食品科学，1993 (3)：63~65
115 沈文忠，张蕾，楼其能等．蜂王胎喷雾干燥工艺的研究．中国养蜂，1997 (6)：7~9
116 陶琼，王丽萍．蜂产品及其在化妆品中的应用．中国化妆品，1995 (1)：23~24
117 吴晖，高孔荣．微波灭菌机理的研究．食品工业科技，1996 (3)：31~33
118 肖子英．护肤化妆品．中国化妆品，1995 (4)：21
119 杨莉，吴家钦．加热温度及时间对淀粉酶值影响的探讨．中国养蜂，1996 (3)：11
120 郑美玲．真空冷冻干燥食品介绍．食品工业科技，1994 (2)：58~61
121 赵鹤皋，徐宜勤，林镝．食品冷冻干燥及其经济性探讨．食品工业科技，1995 (3)：70~73
122 田学军．蜜蜂属的起源和进化研究综述．昆虫知识，1995，32 (4)：243~246

123 田学军．蜜蜂化石简介．养蜂科技，1994（3）：24～25
124 田学军．蜜蜂属的种和主要亚种检索表．养蜂科技，1993（3）：18～19
125 彭文君，安建东，梁诗魁．蜜蜂科中几个具有重要经济价值的昆虫及其利用概况．蜜蜂杂志，1999（12）：7～8
126 梁诗魁．温室蔬菜蜜蜂授粉增产效益研究．中国蔬菜，1992（5）：35～36
127 薛运波，葛英．国内饲养的西方蜜蜂黄色蜂种及其杂种．中国养蜂，1995（1）：19～20
128 薛运波，葛英．国内饲养的西方蜜蜂黑色种及其杂交．中国养蜂，1995（3）：18～19
129 王家民．利用蜜蜂为苹果树授粉的研究．北方果树，1994（4）：4～5
130 王维午．国外蜜蜂授粉概况．蜜蜂杂志，1991（7）：32～33
131 刘兆印等．苹果园壁蜂授粉试验．北方果树，1994（2）：18～20
132 匡邦郁．云南授粉蜜蜂资源调查报告．云南农业科技，1993（3）：42～45
133 匡邦郁．柃（山桂花）花期．蜜蜂杂志，1991（9）：12～13
134 匡邦郁．乌桕花期．蜜蜂杂志，1991（4）：8～9
135 匡邦郁．苕子花期．蜜蜂杂志，1991（3）：18～19
136 匡邦郁．橡胶花期．蜜蜂杂志，1991（2）：24～25
137 匡邦郁，匡海欧，刘意秋等．蜜蜂族 Apini 种类研究动态．蜜蜂杂志，2001（2）：8～9
138 许还李．内蒙古主要豆科牧草传粉蜜蜂种类及其传粉行为．草业科学，1993，10（6）：33～36
139 许还李．果树授粉昆虫——紫壁蜂、凹唇壁蜂生物学研究．果树科学，1994，11（3）：153～156
140 徐祖荫．贵州红三叶草授粉蜂的研究．蜜蜂杂志，1991（5）：7～9
141 吴杰．蜜蜂为农作物授粉的增产效果及效益（综述）．中国养蜂，1992（1）：29～32
142 吴燕如．授粉蜜蜂研究和开发利用动态．中国养蜂，1988（1）：2～4
143 陈国成．不同品种苹果和樱桃花蜜中糖的含量与蜜蜂的采集．国外畜牧学·蜜蜂，1986（2）：25
144 陈盛禄．蜜蜂为柑橘授粉试验总结报告．中国养蜂，1988（6）：26～29
145 罗禄怡．贵州省栽培牧草传粉蜂类资源及评价．四川草原，1992（4）：40～43
146 姜立纲，张博．在花椰菜制种中对蜜蜂授粉活动及其效应的观测．中国养蜂，1988，（1）：10～11
147 钦俊得．昆虫与植物关系的研究进展和前景．动物学报，1995，41（1）：12～20
148 席方贵．蜜蜂与植物．养蜂科技，1993（5）：35～36
149 袁锋．苹果壁蜂授粉效果的研究．西北农业大学学报，1992，1（3）：93～95
150 郭芳彬．国外蜜蜂授粉概况．中国养蜂，1992（2）：33～35
151 龚一飞．蜜蜂授粉增产的理论与实践．中国养蜂，1979（5）：11～16

152　徐祖荫．蜂场的经营管理．蜜蜂杂志，1991（1）～（2）、1991（4）～1992（1）
153　郑选民．豫南的黄麻蜜源及蜂群管理．蜜蜂杂志，1990（5）：18～19
154　宗关云，梁诗魁，陈洪琪．老瓜头蜜源花期场地的区划与利用．养蜂科技，1994（4）：22、24
155　苏松坤，陈盛禄．蜜蜂信息素与蜂群内化学通讯的研究进展．养蜂科技，2000（4）：5～8
156　苏松坤，陈盛禄，林雪珍等．蜂子比值与采蜜量相关性的研究．蜜蜂杂志，2001（1）：4～7
157　周冰峰，王秀红，刘宏艳等．意大利蜜蜂近距离采蜜量与工蜂日龄的关系．福建农业大学学报，1999（2）
158　周冰峰，贾光群，李学伟等．电取蜂毒对意大利蜜蜂寿命的影响．福建农业大学学报，1994（2）
159　周冰峰，鲍秀良，龚蜜等．保幼激素类似物 ZR－512 对蜜蜂蜂王初生重的影响．福建农业大学学报．1995（1）
160　杨少婷，周冰峰．谈蜜蜂饲养管理技术的发展．中国养蜂，2000（3）：15
161　宫之睿．机械化规模养蜂生产成熟蜜的初步设想．蜜蜂杂志，2001（1）：13～14
162　段继远．狼牙刺花期的蜂群管理．蜜蜂杂志，1990（4）：9～10
163　李仰山．饲料和群势是影响蜜蜂寿命的关键．养蜂科技，1992（4）：14
164　贾连吉，贾志宏．季节性双王三箱群饲养法（七）．中国养蜂，1999（5）：7
165　颜志立，周先超，金士义等．湖北省的荆条分布带及花期蜂群管理．蜜蜂杂志，1991（5）：10～11
166　Hogg J A. Comb Honey the Half－Comb Honey － the Modular Half Comb Cassetteand Super. Amer. Bee Jour，1989，129（4）：230～240
167　Kozlowicz Stanley R. Cobana Comb Honey Production. Amer. Bee Jour，1978，118（12）：732～734
168　Root A I. ABC and XYZ of Bee Culture. USA：A I Root Co. 1990
169　Abrol D P. Varroa jacobsoni Oudemans as a carrier of microorganisms. Insect Environment. 1996，1（2）：20～21
170　Atkins E L，et al. Intefrated pest management stratefies for protecting honey bees from pesticides. American Bee Journal，1978，118（8）：542～548
171　Atkins E L，Kellum D. Comparative morphogenic and toxicity studies on the effect of pesticides on honeybee brood. Journal of Apicultural Research，1986，25（4）：242～255
172　Bailey L. Honey Bee Pathology. New York：Academic Press New York，1981
173　Bamford S，Heath L A F. The infection of Apis mellifera larvae by Ascosphaera apis. Journal of Apicultural Research，1989，28（1）：30～35
174　Cohen A J，Williamson D L，Brink P R. A motility mutant of Spiroplasma melliferum in-

duced with nitrous acid. Current Microbiology, 1989, 18 (4): 219 ~ 222

175 Du Z L, Fu H L, Ritter – Wed. Ultrastructural changes in the midgut of worker honey bees infected with sacbrood virus. Proceedings of the International Symposium on Recent Research on Bee Pathology, September 5 ~ 7, 1990, Ghent, Belgium. 1991, 176 ~ 177

176 Flint H M, Merkle J. Mating behavior, sex pheromone responses, and radiation sterilization of the greater wax moth (Lepidoptera: Pyralidae) J. Econ Entomol, 1983, (76): 467 ~ 472

177 Hung A C F, Simanuki H, Knox D A. The role of viruses in bee parasitic mite syndrome. American Bee Journal, 1996, 136 (10): 731 ~ 732

178 Jordan R L, Konai M, Lee I M, et al. Species – specific and cross – reactive monoclonal antibodies to the plant – pathogenic Spiroplasmas citri and S. kunkelii. Phytopathology, 1989, 79 (8): 880 ~ 887

179 Kapil R P, Sihag R C. Wax moth and its control. India Bee Journal, 1983, 45 (2 ~ 3): 47 ~ 49

180 Kaya H K, Marston J M, Lindegren J E, et al. Low susceptibility of the honey bee, Apis mllifera L. (Hymenoptera: Apidae), to the entomogenous Nematode, Neoaplectana carpocapsae Weiser . Enviro. Entomol, 1982, (11): 920 ~ 924

181 Liu T P. Scanning electron microscope observations on the pathological changes of Malpighian tubules in the worker honeybee, Apis mellifera, infected by Malpighamoeba mellificae. Journal of Invertebrate Pathology, 1985, 46 (2): 125 ~ 132

182 Lorenzen K, Gary N E. Modified dissection technique for diagnosis of tracheal mites (Acari: Tarsonemidae) in honey bees (Hymenoptera: Apidae). Journal of Economic Entomology, 1986, 79: 1 401 ~ 1 403

183 Morse R A. Honey bee pests, predators and diseases. Cornel Univ. Pr. Ithaca, 1978. 106 ~ 127

184 Okada I. Trppong giant hornets on a sticky paper. Honeybee Science, 1980, 1 (1): 24 ~ 25

185 Okada I. Three species of wax moths in Japan. Honeybee Science, 1988, 9 (4): 145 ~ 149

186 Sammataro D. Report on parasitic honey bee mites and disease associations. American Bee Journal, 1997, 137 (4): 301 ~ 302

187 Shankar Reddy M, Reddy O C, et al. Impact of Thai sacbrood disease of honeybees on pollination. Pollination in tropics: Proceedings of the International Symposium on pollination in tropics, August 8 ~ 13, 1993, Bangalore, India, 1993. 244 ~ 245

188 Strick H, Madel G. Transmission of the pathogenic bacterium Hafnia alvei to honeybees by the ectoparasitic mite Varroa jacobsoni. Africanized honey bees and bee mites [edited by Needham, G. R.; Page, R. E., Jr.; Delfinado – Baker, M.; Bowman, C. E.]. 1988. 462 ~ 466. Chichester, UK; Ellis Horwood

189 Strick H, Madel G. Varroa disease and bacterial secondary infections. Allgemeine Deutsche Imkerzeitung, 1986, 20 (10): 321 ~ 325
190 Yoshida T. Iology and control of the greater wax moth, Galleria mellonella (L.). Honeybee Science, 1981, 2 (3): 115 ~ 122
191 Mathew K P, Mathew S. Further observations of characters and behaviour of *Apis koschrvnikovi*, the "Red Bee" of Sabah. Bee Word, 1990, 71 (2): 61 ~ 66
192 Garnery L, Vautrin D, Gornuet J M, et al. Apidologie, 1991, 22 (1): 87 ~ 92
193 Culliney T W. Bee World, 1983, 64 (1): 29 ~ 38
194 Harry H, Laidlaw J R. Production of queens and package bee. In: Dadan & son. 1993. The hive and the honey bee, 1993. 989 ~ 1 041
195 C. Van Heemert, et al. Year - round production of bumble bee colonies for crop pollination. Bee World, 1990, 71 (2): 54 ~ 56
196 Ingrid H. Williams. The pollination of linseed and flax. Bee World, 1988, 69 (4): 145 ~ 152
197 Lawrence J. Connor. Bees, pollination and the environmental movement. Bee World, 1990, 71 (2): 49 ~ 50
198 M D Levin. Value of bee pollination to United States agriculture. American Bee Journal, 1984, (3): 184 ~ 186
199 Mark L, Winston Keith N. Applications of queen honey bee mandibular pheromone for beekeeping and corp pollination. Bee World, 1993, 74 (3): 111 ~ 128
200 Mitsuo Matsuka, Tetsuo Sakai. Bee pollination in Japan with special reference to strawberry production in greenhouses. Bee World, 1989, 70 (2): 55 ~ 61
201 R C Sihag. Characterization of the pollinators of cultivated cruciferous and leguminous crops of sub - tropical hissar, India. Bee World, 69 (4): 153 ~ 158
202 R W Shuel. Improving honey production through plant breeding. Bee World, 1989, 70 (1): 36 ~ 45
203 Steve Taber. Plant blossoms and their attractiveness to bees. American Bee Journal, 1994, (1): 35 ~ 36